Méthodes statistiques
pour les sciences de la gestion

Douglas A. Lind

William G. Marchal

Robert D. Mason

Satya Dev Gupta

Santosh Kabadi

Jineshwar Singh

ADAPTATION FRANÇAISE

Sylvie Chomé
HEC Montréal

Denis Larocque
HEC Montréal

Roch Ouellet
HEC Montréal

Chenelière
McGraw-Hill

CHENELIÈRE ÉDUCATION

Méthodes statistiques pour les sciences de la gestion

Traduction de : *Statistical Techniques in Business and Economics*
de Douglas A. Lind, William G. Marchal, Robert D. Mason,
Satya Dev Gupta, Santosh Kabadi et Jineshwar Singh
© 2004 McGraw-Hill Ryerson (ISBN 0-07-088044-1)

© 2007 Les Éditions de la Chenelière inc.

Édition : France Vandal
Coordination : Guillaume Proulx
Révision linguistique : Annick Loupias
Correction d'épreuves : Christine Langevin
Infographie : Alphatek

Conception graphique : Sharon Lucas

**Catalogage avant publication
de Bibliothèque et Archives Canada**

Lind, Douglas A.

Méthodes statistiques pour les sciences de la gestion

Traduction de la 1re éd. canadienne de : Statistical techniques
in business and economics.

Doit être acc. d'un disque optique d'ordinateur.

Comprend un index.

ISBN 2-7651-0277-5
ISBN 2-7651-0283-X (disque optique d'ordinateur)

1. Sciences sociales – Méthodes statistiques. 2. Économie
politique – Méthodes statistiques. 3. Statistique commerciale.
I. Marchal, William G. II. Mason, Robert D. (Robert Deward),
1919-   . III. Titre.

HA29.S7314 2006   519.5   C2006-940108-4

CHENELIÈRE ÉDUCATION

7001, boul. Saint-Laurent
Montréal (Québec)
Canada H2S 3E3
Téléphone : 514 273-1066
Télécopieur : 514 276-0324
info@cheneliere.ca

ISBN-13 : 978-2-7651-0277-9
ISBN-10 : 2-7651-0277-5

Dépôt légal : 1er trimestre 2007
Bibliothèque et Archives nationales du Québec
Bibliothèque et Archives Canada

Imprimé au Canada

1 2 3 4 5 ITG 10 09 08 07 06

Nous reconnaissons l'aide financière du gouvernement du Canada
par l'entremise du Programme d'aide au développement de l'industrie de l'édition (PADIÉ) pour nos activités d'édition.

Gouvernement du Québec – Programme de crédit d'impôt pour
l'édition de livres – Gestion SODEC.

Aujourd'hui, on peut trouver des données partout. Stockwatch.com, CNN et Yahoo! disposent de sites Internet qui permettent de suivre un indice boursier à moins de vingt minutes d'intervalle. Les organismes fédéraux et provinciaux, les grandes entreprises et les instituts de recherche proposent une profusion de données statistiques sur leurs sites Internet. Statistique Canada analyse tout, qu'il s'agisse des marchandises vendues en épicerie, du taux de chômage ou de la production nationale d'œufs. Il y a même quelqu'un qui suit la popularité des jeux de quilles ! Néanmoins, le *traitement* de tous ces chiffres exige un certain nombre de compétences. Pour parvenir à des interprétations, des jugements et des décisions efficaces, il faut être capable de ramener ces masses importantes de données à une forme significative. De plus, il faut « consommer » ces informations de façon critique. Une bonne compréhension des méthodes statistiques s'avère donc indispensable.

Dans la plupart des manuels scolaires traitant de la statistique, la matière est soit présentée correctement, mais dans un langage hermétique incompréhensible pour les étudiants, soit simplifiée à un point tel que les concepts en deviennent erronés ou sont abordés de façon si superficielle que les étudiants risquent de les interpréter incorrectement. L'objectif de l'édition originale anglaise de *Méthodes statistiques pour les sciences de la gestion* et de la présente adaptation française est de présenter les concepts et les usages des méthodes statistiques avec précision et dans un langage accessible à tous les étudiants.

La plupart des manuels scolaires traitant de la statistique expliquent le « quoi » et le « comment » des méthodes statistiques, sans porter suffisamment attention au « pourquoi » (l'*origine*) de ces méthodes. Mais expliquer le « pourquoi » est tout aussi important, afin que les étudiants puissent acquérir une compréhension plus globale et plus approfondie des concepts et des méthodes présentées, et qu'ils puissent développer leur pensée critique. Comprendre le « pourquoi » est également un important facteur de motivation pour les étudiants dans l'étude de cette discipline. C'est pour cette raison que nous avons accordé une importance égale à ces trois aspects tout au long de notre ouvrage.

Le but poursuivi dans cet ouvrage n'est pas simplement de familiariser les étudiants avec les méthodes statistiques, mais plutôt de les amener à comprendre les concepts et les méthodes statistiques grâce à l'histoire et à de nombreux exemples issus du monde réel des affaires et de l'économie. Notre objectif a été de donner aux étudiants l'occasion d'appliquer les méthodes appropriées à différents problèmes réalistes et de susciter chez eux le sentiment durable de « posséder » les méthodes statistiques afin qu'ils puissent analyser le monde réel durant toute leur vie. Il s'agissait de réaliser un livre *unique* pour les étudiants francophones tout en conservant la pédagogie largement appréciée et facile à comprendre de la 11e édition états-unienne de Lind, Marchal et Mason et de son adaptation canadienne-anglaise par Gupta, Kabadi et Singh, en adaptant et parfois en révisant les exemples et les exercices.

Dans cet ouvrage, concepts et méthodes statistiques sont présentés à l'aide de sujets réels portant sur l'économie canadienne et sont suivis d'exercices fondés sur le quotidien. L'étudiant trouvera un large éventail de données, de problèmes caractéristiques pouvant être appliqués indifféremment à l'économie et à la gestion.

APERÇU DES PRINCIPALES CARACTÉRISTIQUES DE L'OUVRAGE

Les biographies abrégées Chaque chapitre commence par la courte biographie d'un pionnier dans le développement des méthodes statistiques abordées dans le chapitre. Nous espérons que ces quelques informations sur l'origine des concepts statistiques, de même que sur la vie et les combats menés par ces précurseurs, inspireront les étudiants et leur permettront de mieux apprécier le sujet.

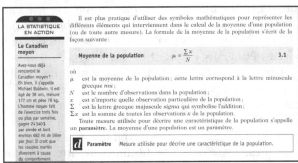

Les encadrés « La statistique en action » Chaque chapitre contient des encadrés intitulés « La statistique en action ». Chacun de ces encadrés comprend un exemple concret des concepts et méthodes abordés dans le chapitre. Nous pensons que ces applications intéressantes permettront aux étudiants de réaliser l'importance de ces concepts et de ces méthodes dans des situations réelles ainsi que leur impact durable sur le monde qui nous entoure.

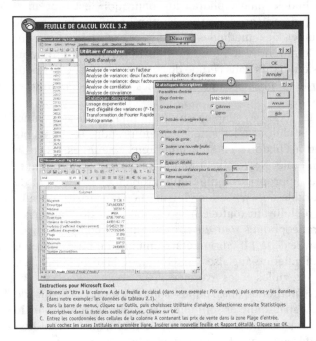

Les feuilles de calcul Excel et MegaStat Microsoft Excel® est un logiciel largement utilisé dans le milieu des affaires. C'est pour cette raison que les calculs exigés par plusieurs méthodes statistiques sont exécutés à l'aide de ce logiciel. Les différentes étapes pour résoudre un problème avec Excel sont présentées visuellement et sont accompagnées d'instructions pas à pas. Les professeurs pourront ainsi se concentrer sur l'enseignement des concepts et des méthodes plutôt que de passer énormément de temps à expliquer aux étudiants comment utiliser le logiciel.

Un certain nombre de méthodes statistiques ne sont cependant pas présentes dans Microsoft Excel. C'est pourquoi nous avons inclus un logiciel indépendant intitulé MegaStat qui permet d'ajouter certaines fonctionnalités à Excel et ainsi de couvrir les méthodes statistiques manquantes. MegaStat est mis à disposition sur le cédérom fourni avec ce manuel. Il peut facilement être installé dans Excel par les utilisateurs de ce programme.

Une orientation canadienne Dans l'ensemble de l'ouvrage, nous avons utilisé des exemples réels tirés de la vie économique et du monde des affaires canadiens, qu'il s'agisse de la présentation des sujets, des exemples et des problèmes, ainsi que des nombreux exercices et cas d'étude de fin de chapitre. Ces références à la vie réelle qui les entoure devraient motiver les étudiants dans leur étude des méthodes statistiques. De plus, ils pourront ainsi mieux comprendre l'économie et les affaires de notre pays.

CERTAINES MISES EN GARDE

Quelle est l'exactitude de la valeur de r ? Bien que la valeur du coefficient de corrélation soit très utile pour analyser la relation sous-jacente entre des variables, il faut cependant être très prudent lorsqu'on tire des conclusions à partir d'une valeur du coefficient de corrélation obtenue dans un échantillon particulier. Comme nous l'avons noté plus haut, un échantillon différent peut produire une autre valeur pour le coefficient de corrélation. Si l'échantillon n'est pas complètement représentatif de la population sous-jacente, nos conclusions peuvent être erronées. Dans la prochaine section, nous apprendrons à tester le coefficient de corrélation d'une population à partir d'un échantillon. Cependant, même si l'échantillon est représentatif de la population, la valeur du coefficient de corrélation peut nous amener à formuler des conclusions erronées dans les circonstances suivantes.

Les mises en garde Les concepts et les méthodes statistiques doivent être utilisés avec précaution afin d'éviter les malentendus et les interprétations erronées. C'est pourquoi nous avons inséré des mises en garde (« précautions à prendre…») après les discussions relatives aux concepts et aux méthodes pour lesquels ces risques sont les plus sérieux. Ces mises en garde permettront aux étudiants d'adopter une démarche critique face aux informations qu'ils reçoivent et d'éviter tout malentendu sur les concepts et les méthodes.

 www.**exercices**.ca 15.33 À 15.34

(Utilisez un seuil de signification de 5% dans tous les exercices suivants.)

15.33 Collectez les données sur le profil de votre collectivité relativement aux variables « sexe » et « niveau de scolarité » (le plus haut niveau de scolarité atteint par les personnes de plus de 15 ans) sur le site www.statcan.ca.
   a) Les variables « sexe » et « niveau de scolarité » sont-elles indépendantes ?
   b) Utilisez les mêmes données relatives au niveau de scolarité dans votre collectivité, pour les hommes et pour les femmes. Sur le même site, collectez les données au sujet de ces mêmes variables pour l'ensemble du Canada. Vérifiez si niveau de scolarité dans votre collectivité correspondent à celles observées au niveau national.

15.34 Collectez les données concernant les fonds communs de placement cotés cinq étoiles sur le site www.globefund.com.
   a) Utilisez le test de normalité de Jarque-Bera sur le taux annuel de rendement de tous les fonds communs de placement.
   b) Classez tous les fonds en cinq à sept catégories selon le taux annuel de rendement. Vérifiez la normalité en faisant un test d'ajustement.
   c) Classez tous les fonds communs de placement selon le taux annuel de rendement (variable 1) et les classes d'actif (variable 2). Vérifiez l'indépendance entre les deux variables.

Les exercices sur Internet Afin de familiariser les étudiants avec les sources de données sur l'économie canadienne, et afin de satisfaire leur appétit en matière d'analyse de données exploratoires, chaque chapitre contient plusieurs exercices visant à les diriger dans leur exploration et dans leur acquisition de données sur l'économie du pays. La plupart des exercices sur Internet récapitulent la matière étudiée dans le chapitre concerné et peuvent donc également être considérés comme des cas d'étude. Le cas échéant, les étudiants en retireront beaucoup de satisfaction, car ils auront l'impression de « maîtriser » le sujet.

EXERCICES 15.35 À 15.37
DONNÉES INFORMATIQUES

15.35 Référez-vous au fichier Real Estate Data.xls qui contient des renseignements sur les maisons vendues à Victoria (C.-B.), l'année dernière.
   a) Construisez un tableau de contingence indiquant les propriétés qui comportent une piscine et le canton où elles sont situées. Y a-t-il une relation entre les variables « piscine » et « canton » ? Utilisez un seuil de signification de 0,05.
   b) Construisez un tableau de contingence indiquant les propriétés qui comportent un garage attenant et le canton où elles sont situées. Y a-t-il une relation entre les variables « garage attenant » et « canton » ? Utilisez un seuil de signification de 0,05.

15.36 Référez-vous au fichier BASEBALL-2000.xls, qui contient des renseignements sur les 30 équipes des ligues majeures de base-ball pour la saison 2000. Choisissez une variable qui regroupe les équipes en deux catégories, soit les

Les exercices et les données informatiques Dans la plupart des chapitres, les derniers exercices se rapportent à de grands ensembles de données commerciales. Une liste complète des ensembles de données utilisées est disponible sur le cédérom fourni avec le manuel. Plusieurs des exercices associés à ces ensembles de données sont de type récapitulatif et portent sur plusieurs aspects de la matière abordée dans le chapitre. Le professeur peut donc les utiliser comme des cas.

ÉTUDE DE CAS A **ÉTUDE DE CAS B**

Le ministère du Travail souhaite étudier les tendances du taux de chômage chez les jeunes au Canada. Considérez les données d'échantillon dans le fichier Youth Unemployment in Canada.xls sur le cédérom accompagnant ce manuel, qui donne le taux de chômage chez les jeunes au Canada.

Divisez la période comprise entre 1976 et 2000 en trois groupes : de 1976 à 1984, de 1985 à 1992 et de 1993 à 2000. Vérifiez si l'on peut conclure que les taux de chômage moyens chez les jeunes au cours de ces trois périodes ne sont pas tous les mêmes. Si l'hypothèse nulle est rejetée, faites un test pour savoir quelles moyennes sont différentes.

À l'aide de l'ensemble des données, vérifiez

Jeanne Dupuis gère l'urgence du centre médical Bell. Elle a notamment la responsabilité de prévoir un nombre suffisant d'infirmières pour que les nouveaux patients soient traités rapidement. Pour les patients, l'attente peut devenir angoissante, même s'ils ne sont pas dans une situation critique. Jeanne Dupuis a recueilli des renseignements concernant le nombre de patients venus consulter un médecin à l'urgence au cours des dernières semaines. Ces données figurent dans le fichier Case Study B.xls sur le cédérom accompagnant ce manuel. Semble-t-il y avoir des différences entre le nombre de patients venus en consultation selon le jour de la semaine ? Le cas échéant, quels sont les jours

Les études de cas Chaque partie (ensemble de chapitres portant sur un même thème) se termine par un certain nombre d'études de cas permettant aux étudiants d'acquérir une compréhension globale de la matière abordée dans les différents chapitres concernés.

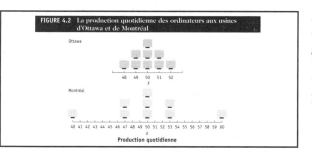

FIGURE 4.2 La production quotidienne des ordinateurs aux usines d'Ottawa et de Montréal

Les diagrammes et les figures attrayants Les concepts et les méthodes sont illustrés à l'aide de diagrammes et de figures attrayants insérés dans le texte, qui rendent la lecture plus agréable et permettent aux étudiants de comprendre les concepts les plus difficiles.

STRUCTURE DES CHAPITRES

Objectifs d'apprentissage Chaque chapitre débute par une biographie abrégée et présente une liste d'objectifs d'apprentissage. Ces derniers visent à donner un aperçu synthétique du chapitre, à motiver l'apprentissage et à indiquer aux étudiants ce qu'ils devraient être capables de réaliser après avoir étudié le chapitre concerné.

Introduction Au début de chaque chapitre, nous revoyons les concepts importants abordés dans le ou les chapitres précédents et nous expliquons comment les relier à la matière étudiée dans le chapitre concerné.

Définitions Les définitions de nouveaux termes ou de termes propres à l'étude des statistiques sont isolées du texte principal : elles sont encadrées et marquées par une icône permettant de les retrouver et de les réviser facilement.

Formules Lorsqu'une formule est utilisée pour la première fois, elle apparaît dans un encadré grisé numéroté permettant de la retrouver aisément.

Exemples et solutions Nous avons inclus de nombreux exemples et solutions dans le manuel. Ils sont destinés à montrer immédiatement et en détail la façon dont les concepts peuvent être appliqués aux situations économiques.

Révisions Des révisions sont insérées un peu partout dans les différents chapitres afin de faire mieux suivre la progression et de renforcer immédiatement une technique précise. Vous trouverez les solutions en fin de chapitre.

Exercices Tous les chapitres proposent, après les révisions et en fin de chapitre, des exercices portant sur chaque technique et sur chaque concept. Vous trouverez des réponses brèves pour tous les exercices impairs à la fin du manuel. Vous trouverez les solutions détaillées ainsi que des conseils pour l'interprétation des résultats sur le cédérom qui accompagne le manuel.

Résumé du chapitre Vous trouverez un résumé à la fin de chaque chapitre, permettant de revoir la matière, en particulier le vocabulaire et les formules.

Révision de partie En fin de partie (ensemble de chapitres portant sur un même thème), nous avons inséré une révision qui comprend une brève synthèse des notions abordées dans les différents chapitres et un glossaire des termes clés. Cette révision comprend également des cas permettant aux étudiants d'utiliser dans un même contexte des outils et des méthodes issus de plusieurs chapitres.

 ## LE CÉDÉROM

Le cédérom, offert avec le manuel, propose les solutions détaillées de tous les exercices impairs, des tutoriels pour les logiciels, des fichiers de données (en formats Excel et ASCII) et MegaStat pour Excel de J. B. Orris, un logiciel qui ajoute à Excel des fonctionnalités en matière d'analyse statistique. Le cédérom comprend également des sections présentant des sujets complémentaires, dont les distributions hypergéométriques, la définition et les propriétés des lois F et le contrôle statistique de la qualité.

TABLE DES MATIÈRES

CHAPITRE 10
Les tests d'hypothèses

CHAPITRE 11
L'inférence statistique : deux populations

CHAPITRE 12
L'analyse de variance

CHAPITRE 15
La loi du khi-deux : les tests d'ajustement et d'indépendance . . 646

CHAPITRE 1

Qu'est-ce que la statistique ?

OBJECTIFS D'APPRENTISSAGE

Après avoir lu ce chapitre, vous serez en mesure :

- d'expliquer ce qu'on entend par statistique ;

- de déterminer le rôle de la statistique dans le développement des connaissances et dans la vie de tous les jours ;

- d'expliquer ce que signifient les termes « statistique descriptive » et « statistique inférentielle » ;

- de distinguer une variable qualitative d'une variable quantitative ;

- de distinguer une variable discrète d'une variable continue ;

- de recueillir des données dans des publications et des sources inédites ;

- de différencier les quatre niveaux de mesure : l'échelle nominale, l'échelle ordinale, l'échelle d'intervalles et l'échelle de rapports ;

- de déterminer si l'on fait un usage abusif de la statistique ;

- d'avoir un aperçu de l'art et de la science de la statistique.

Nous vous recommandons de lire ce chapitre au moins deux fois, une fois au début du cours et l'autre, à la fin !

« Dieu ne joue pas aux dés avec la nature. »

Einstein

Quel est le lien entre les jeux, les dieux, les paris et la statistique ? Curieusement, l'intérêt de l'être humain pour les jeux de hasard, les divinités et les paris a servi de source d'inspiration au développement de la statistique moderne.

Les jeux de hasard remontent à l'Antiquité. Les archéologues ont trouvé des dés et des os en forme de dés chez plusieurs civilisations ayant vécu de 1000 à 3000 av. J.-C., notamment dans la vallée de l'Indus, en Babylonie, en Mésopotamie, en Grèce et à Rome. Autour de 1000 av. J.-C., le grand récit épique védique, le *Mahabharata,* décrit comment les jeux d'argent chez les princes ont entraîné la Grande Guerre et finalement le déclin du grand empire. Auguste (63 av. J.-C. à 14 apr. J.-C.), le premier empereur romain, écrivit à sa fille : « Je vous ai fait parvenir 250 *denarii,* somme que j'ai remise à chacun de mes invités au cas où ceux-ci voudraient jouer aux dés ou à pair et impair durant le dîner[1] » ! On dit que Claudius (10 av. J.-C. à 42 apr. J.-C.) avait publié un livre sur l'art des dés et qu'il « jouait en conduisant, ayant fait fixer la table de jeu à sa voiture pour empêcher que le jeu ne se déplace[2] ».

On a utilisé les résultats du hasard comme représentation de la volonté des dieux dans de nombreuses religions anciennes. On priait (et on le fait encore) souvent la déesse Fortuna (romaine et grecque – voir l'illustration plus haut) et la déesse Laxmi (hindoue) pour obtenir des résultats favorables aux jeux de hasard. Dans l'*Ancien Testament,* il est écrit : « Dans le pli du vêtement on jette le sort, de Yahvé dépend le jugement. » (Proverbes 16,33). En Assyrie, le roi donnait son propre nom à la première année de son règne ; les noms des années suivantes étaient déterminés par le hasard. Sur un dé retrouvé en Assyrie (datant de l'an 833 av. J.-C.), il est inscrit : « Ô Grand Dieu, Assur ! Ô Grand Dieu, Adad ! Voici le sort de Jahali [...] roi d'Assyrie, [...] faites prospérer la récolte d'Assyrie [...] Puisse la chance tomber sur lui[3] ! » Les Chinois utilisaient le *I Ching* (un des cinq livres écrits par Confucius), en combinaison avec des pièces de monnaie ou l'achillée millefeuille, pour obtenir un oracle qu'ils croyaient rendu par suite d'une association entre Dieu et les humains.

La recherche de méthodes formelles pour analyser le hasard n'a pas débuté avant le XVe siècle. Souvent inspirés par les jeux de hasard et les paris, Léonard de Vinci et Cardano (Italie) ainsi que Fermat et Pascal (France) furent les premiers à s'y intéresser. On croit que les méthodes expérimentales ont été tardivement élaborées à cause de la suprématie de l'esprit aristotélicien (le déterminisme) et de l'opposition de l'Église à tous les jeux de hasard.

INTRODUCTION

Il y a plus de 100 ans, H. G. Wells, un écrivain et historien anglais, affirmait que la pensée statistique serait un jour aussi essentielle à la vie en société que la lecture. Il n'a pas mentionné les affaires, car la Révolution industrielle ne faisait que débuter. S'il pouvait commenter la situation actuelle, il dirait sans doute que la pensée statistique est nécessaire non seulement pour agir efficacement en société, mais aussi pour prendre des décisions efficientes concernant plusieurs aspects des affaires.

W. Edwards Deming (1900-1993), statisticien reconnu et expert du contrôle de la qualité, insistait pour dire que l'enseignement de la statistique devait débuter avant les études secondaires. Il aimait raconter l'histoire d'un jeune de 11 ans qui avait créé un tableau de contrôle de la qualité pour vérifier la ponctualité de son autobus scolaire. Deming ajoutait : « Il a un excellent point de départ dans la vie. »

Tous les jours ou presque, on applique des notions de statistique à notre vie. Par exemple, en commençant la journée, vous tournez le robinet de la douche et laissez couler l'eau pendant quelques instants. Ensuite, vous placez la main sous l'eau pour « échantillonner » la température et décider si vous devez ajouter de l'eau chaude ou froide. Vous concluez ensuite que la température est parfaite et entrez sous la douche. Voici un autre exemple : supposons que vous êtes dans une épicerie dans le but d'acheter une pizza congelée. Un représentant occupe un kiosque où il offre aux clients la possibilité de goûter une petite pointe de pizza d'un certain fabricant. Après avoir goûté à la pizza, vous décidez de l'acheter ou non. Dans les exemples de la douche et de la pizza, vous prenez une décision et choisissez l'action à entreprendre en fonction d'un échantillon.

Les entreprises font face à des problèmes similaires. Par exemple, la société Kellogg doit s'assurer que le poids moyen des boîtes de 25,5 g de céréales Raisin Bran est conforme à la mention sur l'étiquette. Pour ce faire, elle choisit au hasard des échantillons de boîtes dans l'usine de production et en pèse le contenu. Dans le domaine de la politique, un candidat peut souhaiter connaître le pourcentage des électeurs de sa circonscription qui voteront pour lui aux prochaines élections. Pour obtenir la réponse, il peut demander à son personnel de téléphoner à tous les électeurs de sa circonscription pour leur demander s'ils vont voter pour lui. Il peut aussi se promener dans la rue et demander à 10 personnes en âge de voter si elles prévoient voter pour lui. Il peut aussi choisir au hasard un échantillon représentatif d'environ 1000 électeurs de sa circonscription, communiquer avec eux et déduire de leurs réponses une estimation du pourcentage des personnes qui voteront en sa faveur aux prochaines élections. Dans ce manuel, nous expliquerons pourquoi cette troisième option est la meilleure façon de procéder.

1.1 QU'ENTEND-ON PAR STATISTIQUE ?

Le terme *statistique* tire son origine du mot allemand *statistik,* utilisé pour décrire les données numériques portant notamment sur les caractéristiques économiques, sociales, politiques ou culturelles d'un lieu précis. Dans l'usage populaire, on emploie encore ce mot pour décrire des données numériques qui ne sont pas nécessairement liées aux caractéristiques d'un lieu. Le nombre de billets de 6/49 achetés avant le prochain tirage, le nombre d'étudiants inscrits à l'Université du Québec cette année, la quantité de beignets vendus chez Tim Horton à Montréal la semaine dernière, le nombre de touristes ayant visité la Gaspésie l'été dernier ou la variation de l'indice de la Bourse de Toronto vendredi dernier en sont des exemples. Dans ces cas, les statistiques se réduisent à un nombre unique.

**L'amélioration
du niveau de vie**

Le niveau de vie
d'une personne dépend
de son revenu, mais
aussi de plusieurs
autres facteurs tels
que le patrimoine
(y compris le capital
humain et les res-
sources naturelles),
l'environnement,
la sécurité offerte
par l'assurance-emploi,
la maladie, la pauvreté
et, enfin, l'égalité
des revenus. Le Centre
d'étude des niveaux
de vie (www.csls.ca)
calcule un indice
du niveau de vie
en fonction d'un
certain nombre
de ces facteurs.
Le tableau 1.1
présente les résultats
d'un calcul récemment
effectué par le Centre
concernant l'indice
du niveau de vie
au Canada et dans
les provinces.
On constate que
le niveau de vie
s'est amélioré
entre 1971 et 1997.
Afin d'expliquer cette
amélioration sous
la forme d'un indice,
le Centre a attribué
une valeur de 100
au niveau de vie
de 1971. Ainsi,
la valeur pour
le Québec (106,89)
indique que le
niveau de vie
dans cette province
s'est amélioré
de 6,89 % de 1971
à 1997.

On emploie aussi le mot *statistique* pour résumer une grande quantité de données à l'aide de mesures récapitulatives appelées *statistiques descriptives.* Le revenu moyen de tous les foyers au Canada, la vitesse moyenne des automobiles sur l'autoroute 20 ainsi que la variation (par exemple, l'écart entre la valeur minimale et la valeur maximale) du cours des actions de Bell Canada la semaine dernière sont des exemples de statistiques descriptives. D'autres exemples sont présentés ci-après.

- En 1998, 45 % des foyers canadiens possédaient un ordinateur et 25 % avaient accès au réseau Internet.

- Au Canada, en 2000, on a porté des accusations contre 358 870 adultes et 113 598 jeunes par suite d'actes criminels.

- En 1998, on comptait au Canada 54 763 policiers et 58 198 enseignants dans les universités et les collèges.

- En moyenne, les Canadiens consacrent 1,5 heure par jour à leurs enfants et 1,3 heure par jour à l'aller-retour entre le lieu de résidence et le lieu de travail.

- En juillet 2000, le revenu hebdomadaire moyen des Canadiens (tous les salariés) se chiffrait à 665,41 $.

- En 2000, M. John Roth, président-directeur général de Nortel Networks Corp., était le mieux rémunéré (71 millions de dollars) des dirigeants de sociétés canadiennes.

- En moyenne, les Canadiens écoutent la radio environ 21 heures par semaine.

On peut aussi présenter de grandes quantités de renseignements sous forme de tableau ou de diagramme (voir le tableau 1.1 et la figure 1.1) pour décrire les structures qui se cachent dans les données. Il est plus facile d'interpréter une grande quantité de données sous forme de graphique que sous forme de tableau. Nous étudierons les méthodes de représentation graphique au chapitre 2.

Bien que les méthodes descriptives ou numériques aient joué un rôle important dans le développement de la statistique, c'est l'interaction des méthodes numériques et de la théorie des probabilités qui est au cœur de la statistique moderne. Celle-ci permet de tirer des conclusions sur un *ensemble* à partir de données concernant une *partie* seulement de cet ensemble, procédé qu'on appelle l'*inférence statistique* ou l'*induction statistique.* Par exemple, on peut tirer des conclusions sur le revenu moyen ou la varia-tion des revenus des quelque 12 millions de foyers canadiens en se basant sur 1200 ou 12 000 foyers seulement. En conformité avec le point de vue déductif de la statistique, les statisticiens définissent le mot *statistique* comme un estimateur d'un attribut (moyenne, variation, etc.) de la totalité des données (appelée « population ») en se basant sur une petite partie seulement de ces données (appelée « échantillon »). Autrement dit,

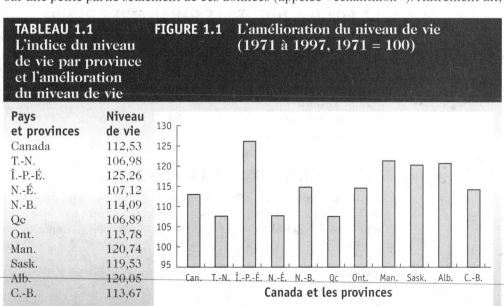

Pays et provinces	Niveau de vie
Canada	112,53
T.-N.	106,98
Î.-P.-É.	125,26
N.-É.	107,12
N.-B.	114,09
Qc	106,89
Ont.	113,78
Man.	120,74
Sask.	119,53
Alb.	120,05
C.-B.	113,67

TABLEAU 1.1 L'indice du niveau de vie par province et l'amélioration du niveau de vie

FIGURE 1.1 L'amélioration du niveau de vie (1971 à 1997, 1971 = 100)

Canada et les provinces

la statistique est une méthode d'enquête qui permet de faire des généralisations scientifiques sur le monde en ne connaissant qu'une petite partie de ce monde. Nous discuterons en détail de ce procédé dans la prochaine section. Ainsi, le domaine de la statistique comprend la statistique descriptive et la statistique inférentielle (ou déductive) (voir la figure 1.2). En outre, on peut utiliser les méthodes statistiques pour formuler des prévisions et analyser des politiques.

FIGURE 1.2   Les types de statistique

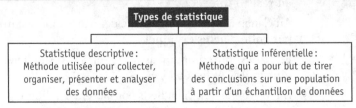

Types de statistique	
Statistique descriptive : Méthode utilisée pour collecter, organiser, présenter et analyser des données	Statistique inférentielle : Méthode qui a pour but de tirer des conclusions sur une population à partir d'un échantillon de données

 Statistique   Une science, mais aussi un art, consistant à collecter, organiser et présenter des données, à tirer à partir d'un échantillon des conclusions concernant une population entière ainsi qu'à formuler des prévisions et à analyser des politiques.

La statistique est à la fois un art et une science. Elle est une science dans la mesure où ses méthodes reposent sur des théories scientifiques. Elle est un art dans le sens où il faut bien comprendre les différentes méthodes statistiques afin de saisir les phénomènes du monde réel dans le but de formuler des prévisions et d'analyser des politiques.

Il faut noter les mots « population » et « échantillon » dans la définition de la statistique inférentielle. On fait souvent référence à la population du Canada qui est de 31 millions ou à celle de la Chine qui dépasse 1 milliard. Toutefois, en statistique, le mot *population* a un sens plus large. Une population peut être constituée de *personnes* comme l'ensemble des étudiants inscrits à l'Université de Montréal, l'ensemble des étudiants du cours *Comptabilité 2001* ou l'ensemble des détenus de la prison de Cowansville. Une population peut aussi être composée d'*objets*, tels que les exemplaires de ce manuel imprimés cette année par Chenelière/McGraw-Hill ou encore la totalité des billets de 100 $ en circulation au Canada. En outre, une population peut être constituée de *mesures* comme les poids des joueurs de la ligne défensive de l'équipe de football de l'Université McGill ou la taille de tous les joueurs de basket-ball de la Memorial University of Newfoundland. Ainsi, une population, au sens statistique du terme, ne désigne pas nécessairement des personnes.

LA POPULATION ET LES PARAMÈTRES DE POPULATION

Une *population* se définit comme un ensemble d'unités statistiques de même nature (personnes, objets ou mesures) constituant la collectivité à laquelle on s'intéresse. Un *paramètre de population* est une mesure servant à caractériser une population, considérée comme représentant cette population, par exemple une moyenne, une proportion ou une variation.

Pour tirer une conclusion au sujet d'une population, il faut habituellement prélever un échantillon de celle-ci.

LES ÉCHANTILLONS ET LA STATISTIQUE

Un *échantillon* est un sous-ensemble sélectionné dans une population préalablement définie. Une *statistique* est toute valeur pouvant être calculée à partir d'un échantillon ; elle sert en général à estimer un paramètre de population.

POURQUOI ÉCHANTILLONNER ?

Pourquoi est-il préférable de prélever un échantillon plutôt que d'étudier chaque membre (ou élément) de la population ?

- **Les coûts liés au sondage d'une population entière peuvent être trop élevés, voire prohibitifs.** Par exemple, on prélève un échantillon des personnes inscrites sur une liste électorale, car il serait très coûteux de communiquer avec des millions d'électeurs avant une élection.

- **La destruction d'éléments durant l'enquête.** Par exemple, pour la compagnie Sylvania, tester une ampoule, c'est l'utiliser jusqu'à ce qu'elle soit grillée ; si Sylvania testait la durée de vie de toutes ses ampoules, elle n'aurait plus d'ampoules à vendre. De même, les analyses du blé pour en déterminer la teneur en eau détruisent le blé qu'on examine. Dans de telles situations, il est absolument nécessaire de procéder à un échantillonnage.

- **La précision des résultats.** Si l'on tient pour acquis qu'on utilise des méthodes appropriées d'échantillonnage, les résultats basés sur des échantillons auront une exactitude s'approchant des résultats fondés sur une population. Nous verrons au chapitre 8 que, dans la plupart des cas, on peut déterminer la marge d'erreur découlant d'un échantillonnage.

Comme on l'a déjà mentionné, en affaires, en économie, en agriculture, en politique et dans le secteur public, on analyse régulièrement des échantillons pour tirer des conclusions sur une population. L'exemple 1.1 montre comment Statistique Canada utilise un échantillon pour examiner une population (comparez les grandeurs relatives de l'échantillon et de la population).

Exemple 1.1 | **Le magasinage en ligne**

Statistique Canada a mené l'Enquête sur l'utilisation d'Internet à la maison (EUIM) auprès d'un sous-échantillon des ménages de l'échantillon de l'Enquête sur la population active (EPA). Le plan de son échantillon est étroitement lié à celui de l'EPA. Cette dernière est une enquête mensuelle dont l'échantillon est représentatif de la population suivante : les ménages constitués de civils (avec certaines exclusions), âgés de 15 ans ou plus, vivant dans l'une ou l'autre des 10 provinces canadiennes.

Au total, 43 034 foyers satisfaisaient aux conditions d'admissibilité à l'EUIM. On a interrogé 36 241 membres de ces ménages pour un taux de réponse de 84,2 %. Les résultats ont été pondérés par rapport au nombre total de foyers canadiens. L'estimation annuelle du nombre de foyers au Canada est une extrapolation du recensement de la population. L'EUIM a utilisé une extrapolation de la population en se basant sur le recensement de la population de 1996 (11,632 millions de foyers).

En se basant sur les données collectées au sujet des 36 241 foyers, les auteurs du rapport ont conclu ce qui suit :

« En 1999, 1,8 million de ménages ont affirmé qu'au moins un membre de leur foyer s'est livré à au moins une catégorie de magasinage en ligne, soit en utilisant Internet dans le cadre du processus d'achat pour examiner les caractéristiques ou les prix des biens et services (lèche-vitrine), soit en plaçant une commande en ligne […] On a évalué que 806 000 ménages se sont engagés dans le commerce électronique (*les consommateurs en ligne qui ont passé au moins une commande par Internet à partir de leur domicile*)[4]. »

Voici d'autres exemples de l'emploi d'un échantillon lié à une population :

- Les réseaux de télévision surveillent constamment la popularité de leurs émissions en engageant Nielsen et d'autres sociétés pour échantillonner les préférences des téléspectateurs. Ces cotes d'écoute servent à établir les tarifs de publicité et à retirer certaines émissions des ondes.

- Un cabinet d'experts-comptables choisit au hasard un échantillon de 100 factures pour vérifier l'exactitude de chacune. On a trouvé des erreurs sur cinq factures. Le cabinet estime donc que 5 % de la population totale des factures contient des erreurs.

- Un échantillon aléatoire de 260 diplômés en comptabilité du niveau collégial montre que le salaire d'entrée moyen est de 32 694 $. On estime donc que le salaire d'entrée moyen de tous les diplômés en comptabilité du niveau collégial est d'environ 32 694 $.

- Pendant la semaine qui a suivi les attentats terroristes du 11 septembre 2001 perpétrés contre les villes de New York et de Washington, la cote de confiance de la population dans la performance politique du premier ministre Jean Chrétien est passée de 57 % à 65 %. Ces résultats proviennent d'un sondage mené conjointement par le *Globe and Mail*, le réseau CTV et Ipsos-Reid. La marge d'erreur calculée pour ce sondage s'élevait à 3,1 %.

Dans les exemples précédents, le salaire d'entrée moyen de 32 694 $ ainsi que les cotes de confiance de 57 % et de 65 % sont des estimations de paramètres de population : le salaire moyen de tous les diplômés, ou les cotes de confiance dans l'ensemble de la population. Les valeurs réelles des paramètres de population demeureront inconnues à moins de calculer le salaire d'entrée moyen ou la cote de confiance en fonction de tous les éléments dans chaque population. Puisqu'il est trop coûteux et trop long de collecter des données sur tous les éléments de la population, on utilise la statistique pour tirer des conclusions sur les paramètres de la population. Les méthodes statistiques permettent d'évaluer les paramètres de population et de tirer des conclusions avec une mesure de l'incertitude, comme la marge d'erreur maximale de 3,1 % (d'après l'estimation de l'enquêteur) mentionnée dans l'exemple sur la cote de confiance.

1.2 LE RÔLE DE LA STATISTIQUE DANS LE DÉVELOPPEMENT DES CONNAISSANCES

Depuis l'Antiquité, plusieurs méthodes ont permis le développement des connaissances, notamment l'intuition, la révélation, l'abstraction et l'expérimentation. Toutefois, ce sont l'abstraction et l'expérimentation qui ont été les méthodes les plus efficaces pour faire progresser nos connaissances sur le monde matériel.

L'ABSTRACTION

L'abstraction est une démarche de l'esprit qui consiste en la *déduction* d'une conjecture sur un phénomène du monde réel à partir d'un ensemble de définitions et d'hypothèses, et ce, conformément aux règles de la logique. Par exemple, supposons que vous vouliez comprendre pourquoi les consommateurs achètent davantage de pommes lorsque les prix sont bas. Un théoricien pourrait expliquer le phénomène de la manière décrite ci-après.

LES DÉFINITIONS ET LES HYPOTHÈSES

1. Les consommateurs sont rationnels. Autrement dit, ils ont des préférences bien définies et ils aiment mieux disposer d'une plus grande quantité d'un bien plutôt que d'une plus petite.

2. À l'exception du prix, tous les autres facteurs pouvant influer sur l'achat de pommes demeurent inchangés, par exemple le revenu des consommateurs, leurs préférences pour les pommes ou le prix des biens de substitution des pommes.

3. Chaque pomme supplémentaire achetée par le consommateur lui apporte une satisfaction de moins en moins grande. Par conséquent, si l'on pouvait définir la satisfaction sur le plan d'une unité imaginaire quelconque, par exemple des *utilités,* on pourrait supposer que la première pomme lui procure 50 *utilités* de satisfaction ; la deuxième, 35 ; la troisième, 22 et ainsi de suite.

4. Se départir de son argent engendre l'insatisfaction. Supposons que chaque cent dépensé équivaut à une *utilité* d'insatisfaction. De cette façon, si les consommateurs dépensent 50 ¢, ils obtiendront 50 *utilités* d'insatisfaction (50 *utilités* en moins ou −50 *utilités*).

LE RAISONNEMENT

Puisque le gain apporté par la consommation d'une pomme diminue avec la quantité achetée et que les consommateurs perdent une unité de satisfaction chaque fois qu'ils dépensent $1\cent$, le prix maximal qu'ils accepteraient de payer serait de $50\cent$ pour la première pomme, de $35\cent$ pour la deuxième, de $22\cent$ pour la troisième et ainsi de suite.

LES CONCLUSIONS

Les consommateurs achèteront davantage de pommes si leur prix est plus bas. Il s'agit aussi de la *loi de l'offre et de la demande*. On pourrait même prédire qu'une taxe ayant pour effet d'augmenter le prix des pommes entraînerait une chute des ventes et des achats de pommes.

Ainsi, selon cette méthode, on part d'une observation du schéma général d'un phénomène du monde réel, puis on tire une conclusion particulière au sujet de ce phénomène. On passe donc *du général au particulier*. Puisqu'on déduit une conclusion à partir d'un schéma général, on parle de *méthode déductive*.

LA MÉTHODE EXPÉRIMENTALE

Avec la méthode expérimentale, on procède de manière opposée. Par exemple, dans le cas de la demande de pommes, on doit décider de quelle façon réunir les données pertinentes sur la quantité et le prix des pommes (plan expérimental), collecter les données pour l'expérience, utiliser les méthodes statistiques pour analyser les données et ensuite tirer des conclusions sur les comportements d'achat des consommateurs de pommes dans le monde réel.

Selon cette méthode, on induit une relation à partir des données tirées du monde réel et l'on procède généralement en suivant les étapes décrites ci-après.

LA DÉFINITION DE L'OBJECTIF DE L'EXPÉRIENCE OU D'UNE HYPOTHÈSE DE TRAVAIL

L'objectif ou l'hypothèse de travail peut provenir d'une théorie ou d'une expérience. Par exemple, on peut se baser sur une observation, si l'on a déjà vu des consommateurs acheter une quantité moindre de pommes à un prix plus élevé ; on peut aussi se baser sur la loi de l'offre et de la demande énoncée par un économiste.

LA CONCEPTION D'UNE EXPÉRIENCE

On élabore une méthode de collecte de données pour obtenir les renseignements pertinents sur les variables d'intérêt afin de respecter les hypothèses théoriques et les méthodes statistiques. Par exemple, pour vérifier la loi de l'offre et de la demande, on doit collecter des données de façon que tous les autres facteurs, à l'exception du prix des pommes, demeurent inchangés. Ces autres facteurs peuvent être le revenu, les préférences et le prix des biens de substitution des pommes. On pourrait également avoir recours à un plan expérimental qui permettrait d'isoler les effets des variations de prix sur la quantité demandée. En général, les objectifs de l'enquête déterminent la nature du plan expérimental. Nous discuterons de ces aspects aux chapitres 8 et 12.

LA COLLECTE DES DONNÉES

En fonction du plan expérimental, on collecte des données, puis on vérifie leur pertinence et leur exactitude. La mise en œuvre des méthodes d'enquête appropriées constitue une partie essentielle de la collecte des données. Le cas échéant, on peut recueillir les données dans des publications dignes de confiance.

L'ESTIMATION DES VALEURS ET DES RELATIONS

On utilise une méthode statistique appropriée pour estimer la valeur d'un attribut pour une seule variable, telle la moyenne, ou pour déterminer la relation qui existe entre

**LA STATISTIQUE
EN ACTION**

**La productivité
et le niveau
de vie**

Selon une certaine
théorie, la productivité
(mesurée en fonction
du rendement par
travailleur) joue
un rôle important
dans l'amélioration
du niveau de vie
(mesuré en fonction
du salaire par travail-
leur). La figure 1.4
présente la relation
empirique qui existe
entre la productivité
et le niveau de vie,
cette relation
étant fondée sur
un échantillon
représentatif
d'observations
de quelques pays.
En général, les pays
qui enregistrent
une plus grande
productivité ont
un niveau de vie plus
élevé. La dispersion
des observations
(et la courbe qui
les traverse) montre
qu'il existe une étroite
relation entre
la productivité
et le niveau de vie
(voir la figure 1.4).
Dans le but d'améliorer
le niveau de vie au
Canada, les décideurs
canadiens peuvent
se baser sur cette
relation afin d'élaborer
des politiques
de stimulation
de la productivité.

plusieurs variables. En utilisant la méthode de l'analyse de régression simple (voir le chapitre 13), on peut évaluer la relation qui existe entre la quantité de pommes et leur prix. Nous discuterons des méthodes d'estimation de certains attributs d'une seule variable, comme une moyenne ou une variation, aux chapitres 3 et 4.

LA DÉDUCTION DE CONCLUSIONS

Dans la majorité des cas, on n'utilise qu'une partie des observations ou données constituant une population pour évaluer un attribut ou une relation qui s'applique à toute la population. Ainsi, l'exactitude des estimations en tant que représentations de toutes les observations possibles est sujette à l'erreur. Aux chapitres 8 et 9, nous étudierons l'exactitude et la précision d'une inférence en utilisant les notions théoriques qui seront d'abord présentées aux chapitres 5 à 7. En utilisant les méthodes décrites dans le présent manuel, on peut tirer des conclusions sur la relation qui existe entre la quantité demandée et le prix des pommes. S'il existe une relation négative entre les deux variables, cela signifie que les consommateurs achèteront moins de pommes lorsque le prix est plus élevé.

LA PRÉVISION ET L'ANALYSE DES POLITIQUES

En se basant sur des renseignements tels que la variation de la quantité demandée et des prix, on pourrait prédire les achats de pommes si le prix changeait par suite de l'adoption d'une nouvelle politique. Par exemple, supposons que le gouvernement réalise le bienfait des pommes sur la santé. Il envisage alors d'accorder des subventions aux pomiculteurs dans le but de réduire le prix des pommes (ce qui aura pour conséquence de faire augmenter la consommation des pommes) et donc de diminuer les coûts liés à la santé !

Ainsi, dans le cadre de cette méthode, à partir d'observations du monde réel, on tire des conclusions sur des modèles globaux du monde réel. On passe donc du *particulier au général*. Puisqu'il s'agit d'inférer une conclusion ou une conjecture à partir d'un ensemble particulier d'observations, on l'appelle la **méthode inductive**. *Dans la pratique, ces deux méthodes (déductive et inductive) se complètent généralement lorsqu'il s'agit de faire progresser nos connaissances sur le monde réel.* Le fait que les pommes tombent des arbres (plutôt que de s'élever du sol) a inspiré Newton ; ce dernier a ainsi établi la loi de la gravité. En outre, les méthodes expérimentales peuvent confirmer ou infirmer les hypothèses sur la force de gravité. La figure 1.3 illustre sommairement le rôle de ces deux méthodes dans le développement des connaissances.

Cependant, il est déconseillé de tirer des conclusions sur la corroboration ou l'infirmation d'une théorie à partir de preuves statistiques. Les théories sont fondées sur des définitions, des hypothèses et des règles de logique strictes, alors que les preuves statistiques sont basées sur la pertinence du plan expérimental, sur un ensemble particulier d'observations produit par l'expérience, sur des méthodes d'estimation en perpétuelle évolution et sur la mesure scientifique de l'incertitude.

FIGURE 1.3   Les caractéristiques de l'abstraction et de l'expérimentation

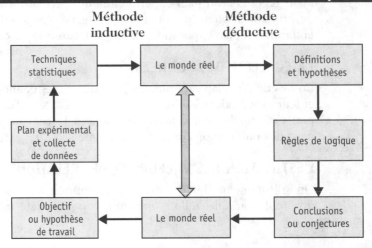

FIGURE 1.4 Une forte productivité permet d'atteindre un niveau de vie élevé

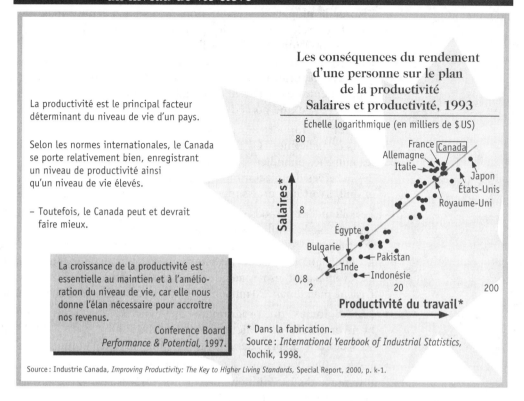

La productivité est le principal facteur déterminant du niveau de vie d'un pays.

Selon les normes internationales, le Canada se porte relativement bien, enregistrant un niveau de productivité ainsi qu'un niveau de vie élevés.

– Toutefois, le Canada peut et devrait faire mieux.

La croissance de la productivité est essentielle au maintien et à l'amélioration du niveau de vie, car elle nous donne l'élan nécessaire pour accroître nos revenus.

Conference Board
Performance & Potential, 1997.

Les conséquences du rendement d'une personne sur le plan de la productivité
Salaires et productivité, 1993

Échelle logarithmique (en milliers de $ US)

Salaires*

Productivité du travail*

France Canada
Allemagne
Italie
Japon
États-Unis
Royaume-Uni
Égypte
Bulgarie Pakistan
Inde Indonésie

* Dans la fabrication.
Source : *International Yearbook of Industrial Statistics,* Rochik, 1998.

Source : Industrie Canada, *Improving Productivity: The Key to Higher Living Standards,* Special Report, 2000, p. k-1.

1.3 LE RÔLE DE LA STATISTIQUE DANS LA VIE DE TOUS LES JOURS

Si vous consultez les choix de cours offerts par votre cégep ou votre université, vous verrez que la statistique est un cours obligatoire dans beaucoup de programmes. Pourquoi ? Qu'est-ce qui différencie les cours de statistique enseignés en ingénierie, en psychologie, en sociologie ou en administration ? La principale différence réside dans les exemples utilisés, car le contenu des cours est essentiellement le même. En ingénierie, on peut s'intéresser au nombre d'unités fabriquées par un appareil particulier. En psychologie ou en sociologie, on peut se pencher sur des résultats de tests, et en administration, s'attarder à des éléments comme le bénéfice, les heures travaillées et les salaires. Toutefois, dans ces trois domaines, on s'interroge sur la valeur typique et la variation d'un ensemble de données. Le niveau de compétences en mathématiques peut aussi varier d'un domaine à l'autre. Un cours de statistique en ingénierie exige habituellement des connaissances en calcul différentiel et intégral. En sciences de l'éducation et en administration des affaires au niveau collégial, les cours de statistique sont plus axés sur son application. Vous devriez pouvoir comprendre les mathématiques requises dans ce manuel si vous avez suivi un cours d'algèbre au secondaire.

Pourquoi la statistique est-elle requise dans un aussi grand nombre de programmes ? La *première raison* est que les informations numériques se trouvent partout. Par exemple, si on lit les journaux (*La Presse* ou le journal de votre région), les revues d'information (*The Economist* ou *TIME*), les revues d'affaires (*Les Affaires, Business Week* ou *Forbes*), les revues d'intérêt général (*Maclean's*), les revues féminines (*Châtelaine, Elle Québec*) ou les revues sportives (*Sports Illustrated*), on se retrouve constamment en présence de données numériques. Voici quelques exemples.

- D'après la plupart des estimations, les sables bitumineux de l'Alberta contiennent plus de pétrole que ceux de l'Arabie saoudite. Autrement dit, on peut en récupérer environ 300 milliards de barils à l'aide de la technologie actuelle. Cette quantité de pétrole suffirait à répondre à la demande des États-Unis pendant plus de 40 ans. En outre, il serait possible mais plus difficile d'extraire de 1,5 à 2 billions de barils supplémentaires à partir des sables bitumineux. Cette quantité est 10 fois plus élevée que ce que possède l'Arabie saoudite.

- Le premier rapport annuel du Conseil de la radiodiffusion et des télécommunications canadiennes (CRTC) portant sur la concurrence des télécommunications sur les marchés canadiens, qui fut publié le 28 septembre 2001, affirmait que le secteur des services de télécommunications du pays valait 28,7 milliards de dollars en 2000 et qu'il avait une croissance moyenne de 9 % par année depuis 1996.

- Le golfeur Tiger Woods s'est joint au rang des golfeurs professionnels au milieu de 1996. Il a amassé 2,7 millions de dollars au cours de sa première année de participation à des tournois. Selon une estimation, à ce rythme, il représentait une véritable aubaine. En effet, au cours de sa première année, Woods a engendré 650 millions de dollars de revenus pour les réseaux de télévision, les fabricants de matériel et autres entreprises. Il gagne maintenant 20 millions de dollars par année pour sa promotion de la société Nike.

- Les diplômés du programme de maîtrise en administration des affaires de l'Université McGill avaient un salaire initial moyen de 54 000 $. Parmi ces diplômés, 91 % étaient engagés dans les trois mois suivant l'obtention de leur diplôme.

- Le 20 juillet 2001, pour le deuxième trimestre, la société DaimlerChrysler enregistrait une perte de 125 millions de dollars américains. Cette performance est nettement supérieure à la perte anticipée de 700 millions, et il s'agit d'une nette amélioration au regard de la perte au premier trimestre de 1,2 milliard.

Comment peut-on déterminer si les conclusions publiées sont raisonnables ? D'abord, il faut se poser certaines questions. Les échantillons étaient-ils suffisamment grands ? Comment a-t-on choisi les unités des échantillons ? Si l'on veut être un consommateur averti, on doit pouvoir interpréter des diagrammes et des graphiques. On doit aussi comprendre les discussions portant sur les données numériques. Il sera donc très utile de saisir les notions élémentaires de la statistique.

La *deuxième raison* pour suivre un cours de statistique est que les méthodes statistiques interviennent dans notre vie de tous les jours. Ces cours aident donc à prendre les bonnes décisions concernant notre vie quotidienne et notre bien-être. En voici quelques exemples.

- Les compagnies d'assurances ont recours à l'analyse statistique pour établir les tarifs des assurances habitation, automobile, vie et santé. Des tableaux résument la probabilité qu'un jeune homme ou une jeune femme de 20 ans ait un accident de voiture. Les différences sur le plan des probabilités se reflètent dans les primes d'assurance.

- Air Canada a éliminé 5000 postes à la fin de septembre 2001. La société a annoncé une réduction dans la fréquence des services offerts aux voyageurs alors qu'elle retirerait 84 appareils de son service normal et réduirait sa capacité du cinquième.

- Après le « désastre » technologique de 2001, Nortel a éliminé 30 000 emplois en septembre 2001 et prévoyait licencier 20 000 employés de plus avant la fin de l'année.

- Environ 15 000 travailleurs forestiers de la Colombie-Britannique ont été mis à pied par suite de la taxe de 19,3 % imposée par les États-Unis sur le bois d'œuvre canadien.

- Des chercheurs en médecine étudient les taux de guérison de maladies en fonction de divers médicaments et de différentes formes de traitement. Par exemple, quel est l'effet d'une intervention chirurgicale accomplie en vue de guérir une blessure au genou si on la compare à un traitement physiothérapeutique ? Est-ce qu'on diminue les risques de crise cardiaque en prenant une aspirine par jour ?

Enfin, vous pourriez suivre un cours de statistique pour comprendre de quelle façon les décisions sont prises et quelles en sont les conséquences sur votre vie. Peu importe le domaine professionnel choisi, vous pourrez prendre des décisions plus éclairées si vous comprenez l'analyse de données.

Afin de prendre des décisions éclairées, vous devrez être en mesure :

- de définir l'objectif (ou l'hypothèse) de votre recherche ou de votre enquête ;
- de déterminer la méthode et le plan expérimental de collecte des données requises ;
- de réunir les données requises dans des publications ou des sources inédites au besoin ;
- de déterminer la pertinence et l'exactitude des données recueillies et d'apporter des changements au besoin ;
- d'évaluer la pertinence des caractéristiques de la population précisées dans l'objectif de votre enquête ;
- d'analyser les résultats ;
- de tirer des conclusions tout en évaluant les risques d'une conclusion erronée.

Les méthodes statistiques présentées dans ce manuel vous offrent un cadre pour faciliter le processus décisionnel.

En résumé, trois raisons principales permettent de justifier l'étude de la statistique : 1) on trouve des données partout, 2) on utilise des méthodes statistiques pour prendre des décisions qui influent sur nos vies et 3) peu importe la carrière choisie, on devra prendre des décisions qui feront intervenir des données. En comprenant les méthodes statistiques, vous serez en mesure de prendre des décisions plus éclairées.

■ RÉVISION 1.1

À Halifax, la société Market Facts a proposé à un échantillon de 1960 consommateurs d'essayer un nouveau plat de poisson congelé cuisiné par Morton Foods, appelé Fish Delight. Parmi les 1960 consommateurs de l'échantillon, 1176 ont affirmé qu'ils achèteraient le produit si on le commercialisait.

a) La société Market Facts rédige un rapport destiné à Morton Foods concernant l'acceptation de Fish Delight par la population. Selon vous, que contiendrait ce rapport ?

b) S'agit-il d'un exemple de statistique descriptive ou de statistique inférentielle ? Expliquez votre réponse.

1.4 LES TYPES DE VARIABLES

LES VARIABLES QUALITATIVES

Lorsque la caractéristique ou la variable à l'étude n'est pas numérique, on dit qu'il s'agit d'une *variable qualitative* ou d'un *attribut*. Le sexe, l'appartenance religieuse, le type de voiture en sa possession, le lieu de naissance et la couleur des yeux sont des exemples de variables qualitatives. Quand les données étudiées sont qualitatives, on s'intéresse généralement au nombre de données qui se retrouvent dans chaque catégorie. Par exemple, quel pourcentage de la population a les yeux bleus ? Quel est le nombre de catholiques et de protestants au Canada ? Parmi toutes les voitures vendues le mois dernier, quel était le pourcentage de voitures de marque Buick ? On résume souvent les données qualitatives dans des tableaux et des diagrammes en bâtons (voir le chapitre 2).

LES VARIABLES QUANTITATIVES

Lorsqu'on peut présenter les variables étudiées sous forme numérique, on parle de *variables quantitatives*. Le solde de votre compte chèques, l'âge des présidents d'entreprise, la durée de vie d'une pile, la vitesse des automobiles circulant sur l'autoroute et le nombre d'enfants dans une famille sont des exemples de variables quantitatives.

Les variables quantitatives sont discrètes ou continues. Les **variables discrètes** ne comportent que certaines valeurs, et il existe généralement des « écarts » entre ces valeurs. Le nombre de chambres à coucher dans une maison (1, 2, 3, 4, etc.), le nombre de voitures s'étant prévalu du service au volant de Tim Horton du centre-ville de Longueuil pendant une heure (16, 19, 30, etc.) et le nombre d'étudiants dans chaque groupe d'un cours de statistique (25 dans le groupe A, 42 dans le groupe B, 18 dans le groupe C) sont des exemples de variables discrètes. Il faut noter qu'une maison peut avoir 3 ou 4 chambres à coucher, mais non 3,56 chambres à coucher. Il existe donc un « écart » entre les valeurs possibles. Habituellement, les variables discrètes proviennent d'un dénombrement. Par exemple, on compte le nombre de voitures arrivant chez Tim Horton ainsi que le nombre d'étudiants dans chaque groupe du cours de statistique.

Les **variables continues** peuvent comporter toutes les valeurs comprises dans un intervalle donné. La pression de l'air dans un pneu ou le poids d'une cargaison de céréales (qui, selon la précision des balances, pourrait être de 15,0 tonnes, de 15,01 tonnes ou de 15,013 tonnes) sont des exemples de variables continues. La quantité de céréales Raisin Bran dans une boîte et la durée d'un vol de Fredericton à Toronto sont d'autres variables continues. Le vol de Fredericton à Toronto pourrait prendre 1 heure 50 minutes, 1 heure 45 minutes 45 secondes ou 1 heure 45 minutes 45,1 secondes, selon la précision du chronomètre. En général, les variables continues proviennent d'une mesure.

Pour les besoins de l'analyse, n'oubliez pas la distinction suivante entre les variables relatives à un stock et les variables relatives à un flux. Les **variables relatives à un stock** désignent les variables mesurées à un moment précis; les **variables relatives à un flux** sont des variables qu'on mesure pendant une période précise (en fonction du temps). Par exemple, la quantité d'eau contenue dans le réservoir à un moment précis (le 31 décembre à midi) est une variable relative au stock, tandis que la quantité d'eau qui entre ou qui sort d'un réservoir par période (par minute, par jour, par semaine, etc.) est une variable relative au flux. En conséquence, la variable relative au flux représente le taux de changement dans un stock pendant une certaine période. Les variables, comme les biens de production, la richesse ou la dette publique, sont mesurées à un moment précis (par exemple, le 24 octobre 2001), et c'est pour cette raison qu'on les appelle les *variables relatives au stock*. On mesure les placements, les épargnes ou le budget du gouvernement sur une période précise (un mois, un trimestre ou une année). On les appelle donc des *variables relatives au flux*.

La figure 1.5 présente un résumé des différents types de variables.

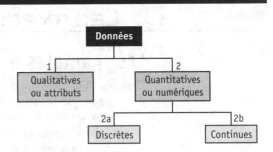

FIGURE 1.5 Les types de variables

Exemples :
Couleur des stylos dans un tiroir (1)
Distance entre Winnipeg et Bangkok (2b)
Sexe (1)
Kilomètres parcourus entre les vidanges d'huile (2b)
Nombre d'enfants (2a)
Nombre d'employés (2a)
Nombre de téléviseurs vendus l'année dernière (2a)
Type de voiture en sa possession (1)
Poids d'une cargaison (2b)

1.5 LES NIVEAUX DE MESURE

On peut classer les données selon des niveaux de mesure précis. En général, le niveau de mesure des données détermine les calculs qu'on peut effectuer pour résumer et présenter les données. En outre, il définit les tests statistiques qu'on peut exécuter.

Par exemple, un sac de M&M's contient des bonbons de six couleurs différentes. Supposons qu'on accorde à chaque bonbon les valeurs suivantes : 1 au brun, 2 au jaune, 3 au bleu, 4 à l'orangé, 5 au vert et 6 au rouge. À partir d'un sac de M&M's, on additionne les valeurs accordées aux couleurs et l'on divise ensuite cette somme par le nombre de bonbons. On réalise alors que la couleur moyenne est de 3,56. Doit-on conclure que la couleur moyenne est le bleu ou l'orangé ? Prenons un deuxième exemple. Il y a huit compétiteurs dans la course du 400 mètres lors d'une compétition d'athlétisme à l'école secondaire. On note l'ordre d'arrivée des coureurs et l'on attribue à chacun son rang, puis on calcule la valeur moyenne de ces rangs qui est de 4,5. Que nous indique le rang moyen des coureurs ? Dans ces deux exemples, on n'a pas correctement utilisé le niveau de mesure.

Il existe quatre principaux types d'échelles de mesure : nominale, ordinale, d'intervalles et de rapports. L'échelle de mesure la plus faible est l'échelle nominale. L'échelle de mesure qui donne le plus d'information sur l'observation est l'échelle de rapports.

LE PREMIER NIVEAU : L'ÉCHELLE NOMINALE

Dans ce type d'échelle de mesure, on ne peut que classer ou dénombrer les données, et il n'existe pas d'ordre particulier pour les étiquettes associées aux données. Le classement des six couleurs de bonbons M&M's est un exemple d'échelle de mesure nominale. On classe tout simplement les bonbons par couleur. Il n'y a pas d'ordre naturel entre les couleurs, car on pourrait présenter d'abord les bonbons bruns ou orangés ou de toute autre couleur. Le sexe est un autre exemple d'échelle nominale. Supposons que, durant un match de football, on dénombre les hommes et les femmes se présentant avec leur carte d'étudiant. Il n'y a pas d'ordre implicite de présentation. On pourrait aussi présenter le nombre de ceux et celles qui sont célibataires, mariés, divorcés ou veufs. Avec l'échelle de mesure nominale, il n'est pas nécessaire d'effectuer une mesure, seulement un dénombrement. Le tableau 1.2 présente la répartition des Canadiens (âgés de 15 ans et plus) selon leur situation matrimoniale. Il s'agit d'une échelle nominale, car on a inscrit le nombre de personnes en fonction de la catégorie à laquelle elles appartiennent.

Il faut noter que l'attribut, dans ce cas, est la situation matrimoniale et non pas le nombre de personnes appartenant à chaque situation. Les nombres ne représentent que le dénombrement des personnes qui se classent dans une des catégories de situation matrimoniale. Ces catégories sont **mutuellement exclusives,** c'est-à-dire qu'une personne ne peut appartenir à plus d'une catégorie. Les catégories du tableau 1.2 sont également **exhaustives,** ce qui signifie que chacun des membres de la population, ou de l'échantillon, doit figurer dans une de ces catégories.

 Mutuellement exclusif   Tout individu, objet ou mesure est inclus dans une seule catégorie.

 Exhaustif   Chaque individu, objet ou mesure doit figurer dans une des catégories.

TABLEAU 1.2   La situation matrimoniale au Canada en 1999

(Population âgée de 15 ans et plus)		
Situation matrimoniale	Nombre	%
Célibataires (jamais mariés)	7 114 681	29,0
Mariés*	14 535 881	59,2
Divorcés	1 417 136	5,8
Veufs	1 506 231	6,1
Total	24 573 929	100,0

* Comprend les personnes légalement mariées et séparées ainsi que les personnes vivant en union de fait.
Source : Statistique Canada, *Un coup d'œil sur le Canada*, 2ᵉ éd., 1999.

Pour traiter des données sur l'utilisation du téléphone, le sexe, le type d'emploi par secteur d'activité et autres, on attribue souvent aux catégories les codes 1, 2, 3, etc., ce qui simplifie le dénombrement par ordinateur. Par exemple, le 1 représenterait les célibataires, le 2, les personnes mariées, et ainsi de suite. Cependant, même si l'on a attribué des nombres aux diverses catégories, on ne peut pas appliquer les opérations arithmétiques usuelles à ces nombres. Par exemple, 1 + 2 n'égale pas 3 ; autrement dit, célibataire + marié n'égale pas divorcé.

En résumé, les données de l'échelle nominale ont les propriétés suivantes :

1. Les catégories de données sont mutuellement exclusives, un objet n'appartenant qu'à une catégorie.

2. Les catégories de données sont exhaustives, autrement dit toutes les observations sont incluses dans une des catégories.

3. Les catégories de données n'ont pas d'ordre logique et il n'est pas possible de les comparer les unes aux autres. En bref, les catégories de l'échelle nominale ne comportent aucun ordre.

LE DEUXIÈME NIVEAU : L'ÉCHELLE ORDINALE

Les **données ordinales** comportent un ordre. Autrement dit, on peut comparer les valeurs mesurées. Le tableau 1.3 présente le classement des étudiants du cours d'introduction aux finances donné par le professeur James Brunner. Chaque étudiant du cours a répondu à la question suivante : « Dans l'ensemble, comment avez-vous évalué le professeur de ce cours ? » Cet exemple illustre l'emploi de l'échelle de mesure ordinale. Une catégorie est « plus élevée » ou meilleure que la suivante. En d'autres mots, « supérieur » est meilleur que « bon » et « bon » est meilleur que « moyen », et ainsi de suite. Toutefois, il est impossible de distinguer l'ampleur des écarts entre les groupes. L'écart entre « supérieur » et « bon » est-il le même qu'entre « bon » et « moyen » ? On n'en sait rien. Si l'on remplace 5 par « supérieur » et 4 par « bon », on pourra conclure que l'évaluation « supérieur » est meilleure que « bon », mais on ne peut pas additionner ou soustraire ces évaluations pour obtenir un résultat significatif. De plus, on ne peut conclure que l'évaluation « bon » (valeur de 4) vaut nécessairement le double de « faible » (valeur de 2). La seule conclusion qu'on peut tirer est que l'évaluation « bon » est meilleure que « faible ». On ne peut dire à quel point l'évaluation est supérieure. Il faut noter que la variable, ici, est une évaluation et non une fréquence (le nombre d'étudiants qui font l'évaluation).

Les propriétés des données ordinales sont les suivantes :

1. Les catégories de données sont mutuellement exclusives et exhaustives.

2. Les catégories de données sont ordonnées selon leur caractère particulier.

3. Seules les valeurs des évaluations sont comparables et non pas les différences entre les valeurs des évaluations.

4. On ne peut pas effectuer d'opérations arithmétiques sur les données, mis à part le fait d'établir des inégalités. La soustraction et l'addition n'ont aucune signification. Cependant, dans la pratique, il arrive souvent qu'on effectue ces opérations. Comme vous le savez, on calcule la moyenne de vos notes littérales. Cela signifie que les utilisateurs de cette information ont décidé de les utiliser comme s'il s'agissait de données d'intervalles.

TABLEAU 1.3   L'évaluation d'un enseignant en finances

Évaluation	Fréquence
5. Supérieur	6
4. Bon	28
3. Moyen	25
2. Faible	12
1. Inférieur	3

LE TROISIÈME NIVEAU : L'ÉCHELLE D'INTERVALLES

L'échelle d'intervalles est le niveau suivant. Les données d'intervalles permettent non seulement de comparer les valeurs, mais également de les additionner et d'en faire la différence. L'échelle d'intervalles comprend toutes les caractéristiques de l'échelle ordinale ; de plus, les différences entre les valeurs ont du sens maintenant. Des différences égales entre deux valeurs représentent une même variation dans l'attribut qui est mesuré. La température (en degrés Fahrenheit ou Celsius), le temps de calendrier et l'énergie potentielle sont des exemples de mesure d'intervalles. Par exemple, supposons que les températures de trois journées consécutives en hiver sont de -5 °C, de -2 °C et de 1 °C. On peut facilement classer ces températures. On peut aussi déterminer la différence entre les températures, puisque 1 °C représente une unité constante de mesure. Les différences égales entre deux températures signifient que la température (la variable) a varié de la même grandeur, peu importe sa position sur l'échelle. Autrement dit, la différence entre 10 °C et 15 °C représente la même variation de la température que la différence entre 20 °C et 25 °C. Toutefois, on ne peut affirmer que 20 °C indique une chaleur deux fois plus grande que 10 °C. Cela s'explique par les origines artificielles (le 0°) des échelles de mesure des degrés Fahrenheit et Celsius. On peut en faire la démonstration en convertissant ces valeurs en degrés Fahrenheit (°F). Puisque °F = 32 + 1,8 °C, on a 10 °C = 50 °F et 20 °C = 68 °F. De toute évidence, 20/10 sur l'échelle Celsius n'est pas égal à 68/50 sur l'échelle Fahrenheit. Pour connaître un autre exemple de l'échelle d'intervalles, consultez le tableau 1.1 sur l'indice du niveau de vie.

Les propriétés des données d'intervalles sont les suivantes :

1. Les catégories de données sont mutuellement exclusives et exhaustives ; de plus, elles sont ordonnées.

2. Les différences équivalentes sur le plan des attributs mesurés sont représentées par les différences égales dans les nombres attribués aux catégories.

3. L'addition et la soustraction ont du sens, mais les rapports entre deux valeurs *n'en ont pas*.

LE QUATRIÈME NIVEAU : L'ÉCHELLE DE RAPPORTS

Cette quatrième échelle de mesure est la « plus élevée » de toutes les échelles. L'échelle de rapports (ou de proportions) possède toutes les caractéristiques de l'échelle d'intervalles. Toutefois, le point 0 (zéro) a du sens maintenant, de même que le rapport entre deux valeurs. Le salaire, le nombre d'unités produites, le poids, la hauteur, la surface, la tension et la densité sont des exemples d'échelle de proportions. L'exemple de l'argent permet de le démontrer aisément. Si vous possédez 0 $, cela signifie que vous n'avez pas d'argent. Le poids en est aussi un bon exemple : si la balance est à zéro, cela veut dire qu'aucun poids n'est sur la balance. En outre, le rapport entre deux nombres est maintenant significatif. Par exemple, si Jean gagne 30 000 $ par année en vendant des assurances et que Robert touche 60 000 $ par année en vendant des voitures, Robert gagne un salaire deux fois plus élevé que celui de Jean.

Les propriétés des données de rapports sont les suivantes :

1. Les catégories de données sont mutuellement exclusives et exhaustives ; de plus, elles sont ordonnées.

2. Les catégories de données sont évaluées selon la quantité de l'attribut qu'elles possèdent.

3. Les différences équivalentes quant à l'attribut mesuré sont représentées par des différences égales dans les nombres attribués aux catégories.

4. Le point zéro reflète l'absence de l'attribut. Toutes les opérations arithmétiques sont possibles.

TABLEAU 1.4	Les 10 athlètes les plus riches au monde en 2000			
Rang	Nom	Salaire (en millions de $ US)	Performance de la saison dernière	Sport
1	Tiger Woods	63,1	A+	Golf
2	Michael Schumacher	59	A+	Course automobile
3	Shaquille O'Neal	24	A+	Basket-ball
4	Alex Rodriguez	35,2	B+	Base-ball
5	Mike Tyson	48	B+	Boxe
6	Allen Iverson	14,3	A–	Basket-ball
7	Marion Jones	2,7	A	Athlétisme
8	Vince Carter	4,2	B	Basket-ball
9	David Beckham	10,6	B	Soccer
10	Ken Griffey Jr.	11,3	B	Base-ball

Source: www.robmagazine.com, 7 oct. 2001.

Au tableau 1.4, les salaires gagnés par chaque athlète permettent d'illustrer l'utilisation de l'échelle de rapports. Contrairement à l'échelle d'intervalles, l'échelle de rapports permet d'effectuer des opérations de multiplication et de division. Ainsi, on peut affirmer que Mike Tyson a gagné deux fois plus d'argent que Shaquille O'Neal.

La figure 1.6 présente un résumé des caractéristiques de diverses échelles de mesure sous la forme d'un organigramme. L'échelle nominale permet de présenter des données constituées de noms; l'échelle ordinale, de préciser une position; l'échelle d'intervalles, de montrer les distances entre les données et l'échelle de rapports, de calculer des rapports. Une échelle de mesure de niveau supérieur possède les propriétés de toutes les échelles de niveau inférieur.

FIGURE 1.6   Les caractéristiques des niveaux de mesure

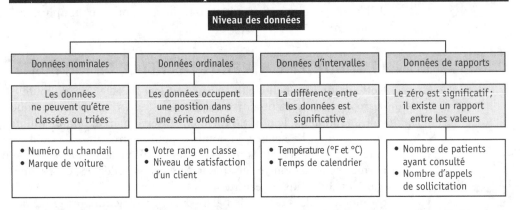

■ RÉVISION 1.2

Des données concernant 5 étudiants (sur 25) du cours *Statistique 1-620* sont présentées ci-dessous. Déterminez l'échelle de mesure dans chaque cas.

    a) Les numéros d'identification des étudiants sont:
        911992   912345   913465   915429   913978

    b) Les rangs des étudiants dans la classe sont:
        3   8   15   6   11

    c) Les moyennes générales annuelles des étudiants (pour tous les cours suivis pendant l'année) sont:
        3,9   3,6   2,5   3,5   3,0

    d) La somme des prêts accordés aux étudiants (en dollars) qui doivent être remboursés est:
        10 500   5450   12 200   0   8300

EXERCICES 1.1 À 1.5

1.1 Dans le tableau 1.4, quelle échelle de mesure permet d'exprimer :
   a) le rang des athlètes ?
   b) les sports ?
   c) la performance ?

1.2 Quelle échelle de mesure utiliserez-vous pour exprimer les variables suivantes ?
   a) L'évaluation du quotient intellectuel (QI) des étudiants.
   b) La distance parcourue par les étudiants de leur domicile à l'université.
   c) Le résultat des étudiants au premier examen de statistique.
   d) Le classement des étudiants selon la province de naissance.
   e) Le classement des étudiants en première, en deuxième, ou en troisième année.
   f) Le nombre d'heures d'étude par semaine des étudiants.

1.3 Quelle échelle de mesure utiliserez-vous pour exprimer les données suivantes se rapportant aux médias (*La Presse*) ?
   a) Le nombre d'exemplaires de l'édition du samedi du journal *La Presse* vendus la semaine dernière.
   b) Le nombre d'employés dans chaque service (rédaction, publicité, sports, etc.).
   c) Le nombre total de pages dans l'édition de samedi dernier.
   d) Les années de service de chaque employé au journal.

1.4 Consultez la dernière édition de *La Presse* ou du journal de votre région et trouvez des exemples pour chaque échelle de mesure. Rédigez une brève note pour présenter les résultats de votre recherche.

1.5 Pour chacun des groupes suivants, déterminez s'il s'agit d'un échantillon ou d'une population.
   a) Les participants à une étude sur un nouveau médicament pour soigner le diabète.
   b) Tous les conducteurs qui ont reçu une contravention pour excès de vitesse le mois dernier sur l'autoroute 20.
   c) Toutes les familles ayant un revenu annuel inférieur à 20 000 $ dans la région de Rimouski.
   d) Dix des 50 meilleurs athlètes au monde (par revenus annuels).

1.6 LES SOURCES DE DONNÉES STATISTIQUES

Les données statistiques proviennent de deux types de sources. Les données recueillies par un enquêteur, qui ne paraissent pas dans une publication, sont appelées *données primaires*. Les données qu'on peut trouver dans une publication sont appelées *données secondaires*.

LES DONNÉES PUBLIÉES

Pour mener une enquête sur des problèmes liés à la criminalité, à la santé, aux importations, aux exportations et aux salaires horaires, il faut généralement recueillir des données dans des publications. On pourrait avoir besoin de renseignements sur le nombre total de logements mis en chantier au Canada en 2000 (151 700), sur la valeur totale du commerce au détail en 2000 (277 milliards de dollars), sur le nombre de personnes formant la population active au Canada (15 ans et plus) durant un mois en particulier, comme celui d'avril 2001 (16 271 700), sur le taux de chômage de chaque province canadienne, sur le taux d'inflation du mois en cours, sur le taux d'emploi et le salaire hebdomadaire moyen par secteur d'activité, etc.

Presque tous les pays comptent sur un organisme responsable de la collecte et de la publication des données sur les aspects sociaux, économiques, commerciaux et autres de la vie au pays. Au Canada, cet organisme s'appelle Statistique Canada. Il collecte des données tant au niveau micro (entreprises, foyers et communautés) qu'au niveau macro (économie dans l'ensemble). Les données publiées dans des documents papier sont disponibles dans les bibliothèques. Cependant, on peut désormais accéder à une quantité croissante de données à partir de fichiers électroniques sur le site Web de Statistique Canada (www.statcan.ca). Les services des gouvernements fédéral et provinciaux recueillent aussi des données en fonction de leurs objectifs. Il est possible d'accéder à ces données par l'entremise de leurs sites Web respectifs. En général, on peut consulter ces données sur le site de Statistique Canada ; on y propose des hyperliens vers d'autres sites gouvernementaux, en plus de nombreux sites Web internationaux. Outre Statistique Canada, les plus importantes sources gouvernementales sur les entreprises canadiennes, l'industrie, le commerce et les informations financières sont :

- Industrie Canada : www.strategis.gc.ca (pour des données sur l'entreprise, l'industrie et le commerce au Canada) ;
- la Banque du Canada : www.banqueducanada.ca (pour les conditions monétaires canadiennes) ;
- des hyperliens vers les sites Web des provinces se trouvent à l'adresse www.gc.ca et à l'adresse www.statcan.ca ;
- des hyperliens vers plusieurs sites Web internationaux de statistiques se trouvent aussi à l'adresse www.statcan.ca.

Des données concernant les États-Unis sont accessibles à l'adresse www.census.gov. Des données récapitulatives relatives à d'autres pays se trouvent sur le site Web :

- de l'Organisation des Nations Unies : www.un.org et ses sites secondaires ;
- de l'Organisation de coopération et de développement économiques : www.oecd.org ;
- du Fonds monétaire international : www.imf.org ;
- de la Banque mondiale : www.worldbank.org.

En plus des données régulièrement publiées, des publications quotidiennes et hebdomadaires (par exemple des données financières de nature quotidienne, hebdomadaire et mensuelle) sont disponibles à l'adresse www.globeandmail.com et ses sites secondaires comme www.globefund.com, www.globeinvestor.com et www.robmagazine.com, tous les trois étant accessibles grâce à un hyperlien à l'adresse www.globeandmail.com. Les banques à charte proposent aussi de grandes quantités de données financières sur leurs sites Web. Voici d'autres sites consacrés aux affaires : www.fortune.com, www.forbes.com et www.economist.com. Vous pouvez obtenir des données sur le monde du sport en consultant www.rds.ca et www.canoe.com/sports ainsi que les hyperliens présents sur ces sites.

LES RESSOURCES D'APPRENTISSAGE CHEZ STATISTIQUE CANADA (E-STAT)

Statistique Canada possède un site Web nommé E-Stat auquel les établissements scolaires du Canada peuvent accéder gratuitement (voir la figure 1.7). On y trouve plus de 700 000 séries de données sur les conditions socio-économiques au Canada. Dans ce manuel, on vous demande régulièrement de consulter ce site Web. Si votre établissement scolaire n'est pas un usager inscrit, il est possible de le demander pour que les services soient offerts à tous les étudiants.

FIGURE 1.7   Le site Web de Statistique Canada

Pour recueillir des données sur ce site éducatif, rendez-vous tout d'abord sur le site Web de Statistique Canada à l'adresse www.statcan.ca, ensuite aux ressources éducatives, puis à E-Stat. À cette étape, on vous demandera si vous acceptez toutes les modalités d'utilisation de la licence. Répondez par « oui ». Vous verrez ensuite à l'écran une petite fenêtre où l'on vous demandera votre nom d'utilisateur et votre mot de passe. Entrez votre nom d'utilisateur et le mot de passe fourni par votre établissement scolaire ou votre enseignant. Ensuite, appuyez sur Entrez. Vous avez maintenant accès à la panoplie de renseignements qu'offre Statistique Canada. Vous pouvez accéder aux données soit en indiquant le numéro de série, si vous le connaissez, soit en trouvant les données sur le sujet de votre choix au moyen du moteur de recherche. Vous trouverez dans le site Web un guide de l'utilisateur et un tutoriel animé. Vous avez avantage à visionner le tutoriel, ne serait-ce que rapidement, afin de vous éviter d'éventuels déboires.

LES DONNÉES INÉDITES

En plus des sources de données publiées, il existe des sources de données inédites recueillies et analysées par des chercheurs qui travaillent dans les universités et les centres de recherche. Ces données sont généralement contenues dans des documents de travail ou de discussion ou encore dans des thèses ou mémoires. Vous pouvez accéder à toutes les universités canadiennes et à leurs départements d'administration, d'économie et de statistique au moyen du site Web de l'Association des universités et collèges du Canada à l'adresse www.aucc.ca. Vous pouvez aussi avoir accès à une grande variété des ressources statistiques contenant des données, des textes, des conférences et des tutoriels sur une sélection de sujets provenant d'universités ailleurs dans le monde, et même des blagues (http://noppa5.pc.helsinki.fi/links.html).

Il n'existe pas toujours des données publiées sur tous les sujets qui vous intéressent. Pour les obtenir, vous pouvez communiquer avec les gens dans un centre commercial, à la maison, par téléphone ou par courrier. Les réponses des répondants sont habituellement inscrites à la main ou par ordinateur. Vous avez sûrement vu et rempli divers questionnaires. Vous pourrez souvent accéder aux résultats d'enquêtes menées sur le site Web du journal le *Globe and Mail* concernant un sujet d'actualité ou d'intérêt public. Il est possible qu'on vous remette un tel questionnaire à la fin du cours. Voici les résultats d'une enquête menée par le magazine *Working Mother*.

Working Mother a chargé la maison de sondage Gallup de l'étude du niveau de satisfaction des mères au travail et de leur double rôle. Certains de ces résultats sont présentés ci-après.

1. Sept femmes sur 10 ont affirmé travailler pour se sentir bien dans leur peau, peu importe le travail qu'elles avaient ou l'argent qu'elles gagnaient.
2. Huit mères au travail sur 10 étaient « extrêmement satisfaites » ou « très satisfaites » de leur travail en tant que mère.
3. Quatre-vingt-dix pour cent ont affirmé que leurs enfants étaient heureux.
4. Les trois quarts ont déclaré « aimer » ou « beaucoup aimer » leur travail.
5. Quatre pour cent ont affirmé « détester » leur emploi.

1.7 LES USAGES PARFOIS ABUSIFS DES STATISTIQUES

LES MENSONGES, LES GROS MENSONGES ET LES STATISTIQUES

> « Ce ne sont pas vraiment les choses que nous ignorons qui nous mettent dans l'embarras. Ce sont plutôt les choses que nous savons, mais qui sont fausses. »
>
> *Artemus Ward*

Vous avez probablement déjà entendu l'énoncé qui décrit les trois sortes de mensonges : les mensonges, les gros mensonges et les statistiques. C'est à Benjamin Disraeli, un premier ministre d'Angleterre au XIXe siècle, qu'on doit ce propos. On a également dit ceci : « Les graphiques ne mentent pas, mais les menteurs font des graphiques. » Ces deux affirmations se réfèrent aux personnes qui font un usage abusif des statistiques en présentant des données de manière trompeuse. Plusieurs de ces personnes sont tout simplement ignorantes ou insouciantes, tandis que d'autres cherchent à tromper le lecteur en mettant l'accent sur des données qui appuient leur position tout en excluant les données contraires. *Une des missions premières de ce manuel est de faire de vous des consommateurs d'information avertis.* Lorsque vous voyez des graphiques ou des données dans un journal, dans un magazine ou à la télévision, posez-vous les questions suivantes : Qu'est-ce que cette personne tente de me dire ? A-t-elle des arrière-pensées ? Les différents exemples qui suivent montrent un usage abusif des analyses statistiques.

UNE MOYENNE PEUT NE PAS ÊTRE REPRÉSENTATIVE DE TOUTES LES DONNÉES

Le terme *moyenne* fait référence à plusieurs mesures différentes de la tendance centrale (voir le chapitre 3). Pour la plupart des gens, une moyenne se calcule en additionnant les valeurs d'une série de données, puis en divisant ce total par le nombre de valeurs. Ainsi, si un promoteur immobilier explique à un client qu'en moyenne une maison d'un lotissement particulier se vend 150 000 $, on suppose que ce montant de 150 000 $ est représentatif du prix de vente de toutes les maisons. Cependant, supposons que ce lotissement ne comporte que cinq maisons et que celles-ci se soient vendues 50 000 $, 50 000 $, 60 000 $, 90 000 $ et 500 000 $. On peut affirmer sans se tromper que le prix de vente moyen est de 150 000 $, mais ce montant semble-t-il représenter un prix de vente « typique » ? Aimeriez-vous aussi savoir que le nombre de maisons vendues à plus de 150 000 $ est le même que celui des maisons vendues à moins de 150 000 $? Ou bien que 150 000 $ est le prix de vente le plus courant ? Alors, quel est le prix de vente le plus « typique » ? Cet exemple montre comment une moyenne peut être trompeuse. Nous discuterons des moyennes, ou mesures de tendance centrale, au chapitre 3.

LES DIAGRAMMES PEUVENT ÊTRE TROMPEURS

On utilise souvent les **graphiques figuratifs** comme complément visuel pour faciliter l'interprétation des données. Cependant, s'ils ne sont pas dessinés avec précision, ils peuvent mener à une interprétation erronée. Supposons que le coût de chauffage d'une maison typique de Montréal soit passé de 100 $ à 200 $ par mois durant les 20 dernières années ; autrement dit, que le coût mensuel du chauffage ait doublé. Pour illustrer ce changement, le symbole du dollar figurant sur le côté droit de la figure 1.8 a) est deux fois

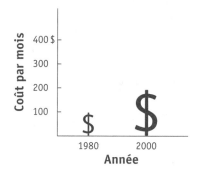

FIGURE 1.8 a) Le coût du chauffage à Montréal

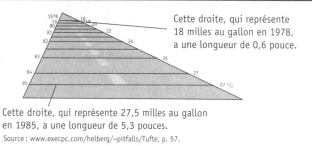

FIGURE 1.8 b) Les normes de consommation de carburant pour les véhicules automobiles, établies par le Congrès et complétées par le Département du transport des États-Unis

Cette droite, qui représente 18 milles au gallon en 1978, a une longueur de 0,6 pouce.

Cette droite, qui représente 27,5 milles au gallon en 1985, a une longueur de 5,3 pouces.

Source : www.execpc.com/helberg/~pitfalls/Tufte, p. 57.

plus grand que celui de gauche. Il est aussi deux fois plus large, ce qui donne au symbole du dollar à droite une dimension quatre fois plus grande (et non deux fois) que celui de gauche. Lorsqu'on double les dimensions d'un objet en deux dimensions, on augmente sa superficie d'un facteur de quatre.

La figure 1.8 b) est trompeuse, car, visuellement, l'augmentation semble beaucoup plus importante que dans la réalité. Dans cette figure, la droite représentant 27,5 milles au gallon en 1985 mesurait 5,3 pouces de longueur, tandis que la droite qui représente 18 milles au gallon en 1978 avait 0,6 pouce de longueur dans la présentation initiale.

Dans le manuel d'Edward R. Tufte (1983), *The Visual Display of Qualitative Information,* plusieurs exemples sont proposés dans le but de reconnaître les diagrammes trompeurs et de construire un bon diagramme. Dans son manuel, Tufte introduit un concept appelé **facteur de distorsion.** On peut le définir en tant que variation en pourcentage dans les éléments graphiques divisée par la variation en pourcentage dans les quantités réelles représentées par ces éléments graphiques. Selon cette définition, la valeur du facteur de distorsion devrait égaler 1 dans le cas d'un diagramme exact et instructif. Dans la figure 1.8 b), le facteur de distorsion peut se calculer ainsi :

$$\frac{(5,3-0,6)/0,6}{(27,5-18)/18} = 14,8.$$ Donc, le facteur de distorsion est de 14,8 !

Les *graphiques* et les *diagrammes de données,* comme les histogrammes, les diagrammes à ligne brisée et les diagrammes en bâtons, peuvent aussi être trompeurs si on ne les trace pas correctement. Nous aborderons en détail les graphiques et les diagrammes au chapitre 2.

La figure 1.9 permet de mettre en évidence la relation qui existe entre le taux de chômage (en pourcentage) et le taux de criminalité (en milliers d'infractions par année) au Canada. Elle illustre cette relation de trois façons différentes à partir des mêmes données pour les années 1986 à 1999. Dans la figure 1.9 a) où l'axe vertical est tronqué à 2000, on a l'impression que le taux de criminalité croît de façon importante avec le taux de chômage. À la figure 1.9 b), on a coupé l'axe horizontal à un taux de chômage de 7 % et la croissance du taux de criminalité semble moins rapide.

FIGURE 1.9 Les taux de chômage et de criminalité au Canada de 1986 à 1999

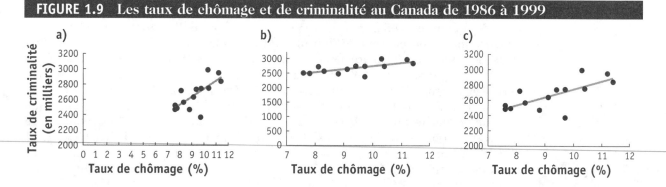

On peut obtenir une illustration plus juste en utilisant des valeurs qui se situent près des valeurs minimales des variables comme point de départ pour chaque axe. Ainsi, une coupure de l'axe vertical à 2000 et de l'axe horizontal à 7%, comme à la figure 1.9 c), donnera un aperçu plus exact de la relation.

Il existe plusieurs méthodes permettant de produire des graphiques, mais il n'y a pas de règles simples et générales pour les tracer. C'est pourquoi il s'agit à la fois d'un art et d'une science. Vous devriez toujours tenter d'effectuer une représentation fidèle des données. Vous devez tenir compte des objectifs et des conclusions qui sous-tendent les données, et les mentionner sommairement dans le diagramme. L'impression visuelle découlant d'un diagramme doit correspondre aux données sous-jacentes. Les graphiques doivent révéler le plus d'information possible, avec une précision et une exactitude maximales. *Vous atteindrez l'excellence dans la construction d'un diagramme lorsque le lecteur pourra en obtenir un aperçu exact et complet de la situation qui sous-tend l'ensemble des données, et ce, le plus rapidement possible.* En résumé, un diagramme doit agir comme un miroir entre les données numériques et le lecteur. On dit souvent: « Les chiffres parlent d'eux-mêmes. » Cet adage s'applique aux petits ensembles de données. Pour de grands ensembles de données, il peut être difficile de distinguer des motifs par la simple observation des nombres. On a donc *besoin d'un aperçu précis des données dans des graphiques qui sont les porte-parole des nombres* et qui permettent un rapide survol des données. Nous discuterons en détail des méthodes de construction des graphiques au chapitre 2.

LES ÉTUDES BASÉES SUR DES ENQUÊTES INADÉQUATES PEUVENT ÊTRE TROMPEUSES

Il y a plusieurs années, dans une série d'annonces télévisées, on déclarait que « deux dentistes sur trois, lorsque interrogés dans le cadre d'une enquête, ont affirmé qu'ils recommanderaient la marque de dentifrice X à leurs patients ». Cette information impliquait que 67% de tous les dentistes recommanderaient le produit à leurs patients. En fait, on n'a peut-être interrogé que trois dentistes. Dans ce cas, cette annonce ne refléterait pas fidèlement la réalité. L'astuce pourrait être que le fabricant du dentifrice mène *plusieurs* enquêtes auprès de trois dentistes et présente *seulement* les résultats de celles où deux dentistes sur trois recommanderaient la marque X. En fait, on dissimulerait des données dans le but de tromper le public. De plus, pour qu'une enquête soit valable, il faut la mener auprès de plus de trois dentistes, et elle doit être impartiale et représentative de la population entière des dentistes. Nous discuterons des méthodes d'échantillonnage au chapitre 8.

Exemple 1.2 | **Le professeur Meilleur et les mauvaises statistiques[5]**

Un étudiant de troisième cycle avait commencé sa thèse par une citation (peut-être pour impressionner le comité de lecture): « Chaque année, depuis 1950, le nombre d'enfants américains abattus double. » Le professeur Meilleur, membre du comité de lecture, est demeuré stupéfait lorsqu'il a lu la citation. Il s'est rendu à la bibliothèque et a consulté l'article que l'étudiant avait cité. En effet, dans le journal paru en 1995, il a trouvé exactement la même phrase.

« Pourquoi cette statistique est-elle si mauvaise? » demande le professeur Meilleur. « Pour faciliter le raisonnement, supposons qu'un seul enfant américain ait été abattu en 1950. Si le nombre a doublé chaque année, deux enfants ont sans doute été abattus en 1951, quatre en 1952, huit en 1953 et ainsi de suite. En 1970, le nombre aurait dépassé un million et, en 1980, un milliard (soit plus que quatre fois la population totale des États-Unis à l'heure actuelle). En 1995, l'année de publication de l'article, le nombre de victimes durant l'année aurait dépassé les 35 billions, un nombre considérablement trop élevé…» Le professeur Meilleur a interrogé l'auteur de l'article au sujet de la source de la statistique. L'auteur a répondu qu'il avait lu cette statistique dans un document publié par le Children's Defence Fund, groupe bien connu qui se préoccupe du bien-être des enfants. *The State of America's Children Yearbook, 1994* du CDF, affirme en effet que « le nombre d'enfants américains tués chaque année par des armes à feu a doublé depuis 1950 ».

Remarquez la formulation de la phrase. Le CDF précisait qu'il y avait deux fois plus de décès en 1994 qu'en 1950. Dans son article, l'auteur a reformulé l'énoncé en lui donnant un sens très différent.

L'histoire de cette statistique vaut la peine d'être examinée. Elle a débuté lorsque le CDF a constaté que le nombre de décès d'enfants abattus par des armes à feu avait doublé entre 1950 et 1994. C'est une hausse moins importante qu'on aurait tendance à le croire. N'oublions pas que la population américaine a aussi connu une croissance durant cette période ; dans les faits, elle s'est accrue de 73 %. Pour cette raison, on pourrait s'attendre à toutes sortes d'augmentations, notamment celle du nombre d'enfants tués par balle, qui aurait presque doublé par suite de la croissance de la population. Avant de décider si « deux fois plus de décès » signifie que la situation s'aggrave, il faut en savoir davantage. La statistique du CDF soulève également d'autres questions, par exemple : D'où proviennent les statistiques ? Qui recense le nombre d'enfants tués par balle et de quelle manière ? Qu'entend-on par « enfants » ? (Certaines statistiques du CDF sur la violence incluent toutes les personnes âgées de moins de 25 ans.) Que signifie « tués par balle » ? (Les statistiques de décès liés aux armes à feu englobent souvent les suicides, les accidents de même que les homicides.) Cependant, les gens se posent rarement ce genre de questions lorsqu'ils lisent des statistiques. En général, la majorité des gens accepte les statistiques sans s'interroger à leur sujet.

De toute évidence, l'auteur de l'article n'a pas réfléchi de façon critique à l'affirmation du CDF. Impressionné par la statistique, l'auteur l'a reprise ou du moins a voulu la répéter. En reformulant l'affirmation du CDF, l'auteur a créé une statistique modifiée, presque méconnaissable par rapport à son sens initial.

L'ASSOCIATION N'IMPLIQUE PAS NÉCESSAIREMENT LA CAUSALITÉ

L'association entre les variables est un autre champ d'études où il est possible de représenter les données de manière erronée. En analyse statistique, on trouve souvent qu'il existe une *forte association* entre les variables. Par exemple, on découvre une forte association négative entre le travail à l'extérieur et la moyenne pondérée cumulative (MPC). Plus un étudiant travaille d'heures à l'extérieur, plus sa MPC baisse. Est-ce que cela signifie que le travail extérieur provoque une baisse de la MPC ? Pas nécessairement. Il est aussi possible qu'une MPC plus faible rende l'étudiant inadmissible aux bourses d'études. Ainsi, il serait obligé de travailler pour payer ses études. Par ailleurs, le travail et une plus faible MPC pourraient être le résultat de facteurs sociaux dans l'environnement de l'étudiant. À moins d'utiliser un plan expérimental qui tient compte des effets de tous les autres facteurs sur la MPC, à l'exception du travail, ou inversement, on ne peut justifier un lien de causalité entre les variables en se basant uniquement sur la preuve statistique. En général, *les associations basées sur les données d'observations (non expérimentales) sont neutres en ce qui a trait à la causalité.* Nous étudierons l'association des variables aux chapitres 13 et 14.

DEVENEZ DE MEILLEURS CONSOMMATEURS ET DE MEILLEURS PRODUCTEURS D'INFORMATION

Les données statistiques peuvent être trompeuses de nombreuses façons pour les raisons suivantes : 1) les données ne sont pas représentatives de la population ; 2) on n'a pas utilisé des statistiques appropriées ; 3) les données ne satisfont pas aux hypothèses exigées pour tirer des conclusions ; 4) la prévision est trop éloignée du champ des données observées ; 5) l'analyse des politiques ne répond pas aux exigences des données, à celles de la théorie ou aux deux ; 6) l'enquêteur est ignorant ou négligent ; 7) on a volontairement tenté d'introduire un parti pris pour tromper le consommateur. Plusieurs livres ont été écrits sur le sujet. Le plus célèbre est *How to Lie with Statistics,* par Darrell Huff. Comprendre l'art et la science de la statistique fera de vous un meilleur consommateur d'information et un meilleur producteur d'information (statisticien). C'est la raison d'être du présent manuel.

1.8 LES APPLICATIONS INFORMATIQUES

La plupart des collèges et des universités mettent maintenant des ordinateurs à la disposition des étudiants. Les tableurs, tel Microsoft Excel, qui offrent de nombreuses fonctions statistiques, sont également présents dans la majorité des laboratoires d'informatique et sur la plupart des ordinateurs. Nous avons choisi Excel pour la majorité des applications statistiques contenues dans ce manuel. Nous avons aussi utilisé un utilitaire Excel appelé MegaStat, un logiciel gratuit offert sur le cédérom accompagnant ce manuel. Ce logiciel permet à Excel de produire des résultats statistiques supplémentaires. Avec un logiciel comme Excel, on peut obtenir la plupart des statistiques désirées en cliquant sur quelques touches. Le logiciel permet d'épargner beaucoup de temps en effectuant les calculs à votre place. Vous serez ainsi plus libre de consacrer un temps précieux aux aspects analytiques de la statistique.

L'exemple suivant montre toute la fonctionnalité des applications des ordinateurs dans l'analyse statistique. Aux chapitres 2, 3 et 4, nous illustrerons des méthodes pour résumer et décrire des données. Le fichier « Classeur1 » de la figure 1.10 contient un échantillon de 19 des 100 principales entreprises canadiennes ; il donne les profits de ces entreprises en 2000. Le fichier « Classeur2 » présente diverses statistiques descriptives de ces données ; il montre, entre autres, que le profit pour ces 19 entreprises se situait entre 122 et 2274 millions de dollars et s'élevait, en moyenne, à 583 millions de dollars.

FIGURE 1.10   Le tableur Excel au travail

Microsoft Excel

Fichier   Edition   Affichage   Insertion   Format   Outils   MegaStat   Données   Fenêtre   ?

Tapez une question

E21

Classeur1.xls

	A	B	C
1	PROFIT RANK	COMPANY NAME	ROFIT (millions)
2	2	Royal Bank of Canada(Oc00)	2 274
3	11	Manulife Financial(De00)	1 075
4	6	Bank of Montreal(Oc00)	1 857
5	17	Talisman Energy(De00)	906
6	18	Petro-Canada(De00)	893
7	22	Power Financial(De00)	786
8	25	Great-West Life Assurance(De00)	691
9	28	Brascan Corp.(De00)	648
10	47	Telus Communications (De00)	329
11	65	Aliant Inc.(De00)	217
12	71	Hollinger Inc.(De00)	189
13	72	Dofasco Inc.(De00)	189
14	76	Cominco Ltd.(De00)	170
15	78	United Corps.(Ma00)	169
16	81	CanWest Global Communications(Au00)	163
17	85	Canadian Tire Corp.(De00)	148
18	95	Oxford Properties Group(De00)	129
19	98	Pengrowth Energy Trust(De00)	123
20	99	RioCan Real Estate Investment(De00)	122
21			
22			

Feuil1 / Feuil2 / Feuil3 /

Classeur2.xls

	A	B	C
1	Statistiques descriptives des profits de 19 des 100 plus importantes compagnies canadiennes: Profits (millions)		
2			
3	Moyenne	583.0626842	
4	Erreur-type	141.3098848	
5	Médiane	217.121	
6	Mode	#N/A	
7	Écart-type	615.9555076	
8	Variance de l'échantillon	379401.1873	
9	Kurtosis (Coefficient d'aplati	2.475252406	
10	Coefficient d'asymétrie	1.679186843	
11	Plage	2152.186	
12	Minimum	121.814	
13	Maximum	2274	
14	Somme	11078.191	
15	Nombre d'échantillons	19	
16	Maximum(1)	2274	
17	Minimum(1)	121.814	
18	Niveau de confiance (95.0 %)	296.8812812	

Feuil1 / Feuil2 / Feuil3 /

Ready

RÉSUMÉ DU CHAPITRE

I. La statistique est un art et une science ayant pour objet de collecter, d'organiser et d'analyser des données, de tirer des conclusions sur une population à partir de données provenant d'un échantillon, de formuler des prévisions et d'analyser des politiques.

II. Il existe deux types de statistiques :

A. La *statistique descriptive* est l'ensemble des méthodes utilisées pour organiser et résumer les données.

B. La *statistique inférentielle* comporte le prélèvement d'un échantillon au sein d'une population dans le but de tirer des conclusions sur la population entière à partir des résultats obtenus pour l'échantillon.

C. On peut aussi utiliser les méthodes statistiques pour formuler des prévisions et analyser des politiques.

D. Une *population* est l'ensemble des unités statistiques. Il peut s'agir de personnes ou d'objets. Un *paramètre* est une mesure quantitative qui décrit une caractéristique de la population.

E. Un *échantillon* est un sous-ensemble tiré d'une population préalablement définie. Une *statistique* est toute valeur utilisée pour estimer un paramètre de la population à partir d'un échantillon.

III. Les statistiques jouent un rôle important dans le développement des connaissances et dans la vie quotidienne.

IV. Il existe deux types de variables :

A. La *variable qualitative* désigne des attributs non quantifiables.

1. En général, on s'intéresse au nombre ou au pourcentage des observations dans chaque catégorie.

2. On résume habituellement les données qualitatives à l'aide de graphiques et de diagrammes en bâtons.

B. Une *variable quantitative* est une variable qui prend des valeurs numériques. Il existe deux types de variables quantitatives.

1. Les variables discrètes ne comportent que certaines valeurs, et il existe habituellement des écarts entre ces valeurs.

2. Les variables continues peuvent prendre toutes les valeurs d'un intervalle donné.

V. Il existe quatre niveaux de mesure :

A. Le premier niveau : l'*échelle nominale*. Les données sont classées par catégorie, et les catégories n'ont pas d'ordre particulier.

B. Le deuxième niveau : l'*échelle ordinale*. Les données ordinales comportent un ordre. Autrement dit, on peut comparer les valeurs mesurées.

C. Le troisième niveau : l'*échelle d'intervalles*. L'échelle d'intervalles comprend toutes les caractéristiques de l'échelle ordinale. De plus, les différences entre les valeurs ont du sens pour une telle échelle.

D. Le quatrième niveau : l'*échelle de rapports* (ou de proportions). Les données possèdent toutes les caractéristiques de celles de l'échelle d'intervalles. De plus, le point 0 (zéro) a du sens, de même que le rapport entre deux valeurs.

VI. On peut collecter les données statistiques dans des publications ou en faisant une enquête. La plupart des données publiées sont accessibles par Internet.

VII. Si on les utilise de manière incorrecte, les méthodes statistiques peuvent induire en erreur.

EXERCICES 1.6 À 1.14

1.6   Expliquez la différence entre une donnée qualitative et une donnée quantitative. Donnez un exemple de chacune.

1.7   Nommez les quatre niveaux de mesure. Donnez un exemple de chaque niveau (différents de ceux du manuel).

1.8   Expliquez la différence entre un échantillon et une population. Expliquez aussi la différence entre une statistique et un paramètre.

1.9   a) Qu'est-ce que le facteur de distorsion dans les présentations graphiques ? Trouvez le facteur de distorsion dans la figure 1.8 a). Supposez que le petit symbole du dollar mesure 1 cm de largeur et 2 cm de hauteur et que le grand mesure 2 cm de largeur et 4 cm de hauteur.

      b) Expliquez les raisons pour lesquelles on pourrait faire un usage abusif des statistiques.

1.10 À l'aide de données publiées par Statistique Canada et des publications comme *The Economist, Les Affaires, La Presse* ou le journal de votre région, donnez des exemples d'une échelle de mesure nominale, ordinale, d'intervalles et de rapports.

1.11 Un échantillon aléatoire de 300 cadres sur les 2500 travaillant pour une grande société montre que 270 d'entre eux accepteraient de déménager si on leur offrait une promotion intéressante. En vous basant sur ces résultats, écrivez un court compte rendu adressé à la direction au sujet de l'ensemble des cadres de la société.

1.12 Après avoir sélectionné un échantillon aléatoire, on a demandé à 500 consommateurs de tester un nouveau dentifrice. Parmi les 500 consommateurs, 400 ont répondu qu'il était excellent ; 32, qu'il était bien, et les autres n'avaient pas d'opinion. En vous basant sur ces résultats d'échantillonnage, tirez une conclusion sur la réaction de l'ensemble des consommateurs au sujet du nouveau dentifrice.

1.13 Quelle est l'échelle de mesure dans les diagrammes suivants ? Les échelles utilisées pour les deux diagrammes sont-elles identiques ou différentes ? Écrivez un bref compte rendu sur les données contenues dans les diagrammes.

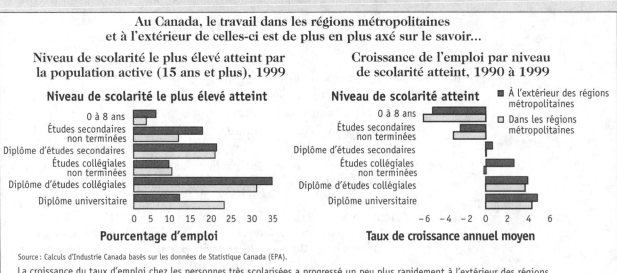

Au Canada, le travail dans les régions métropolitaines et à l'extérieur de celles-ci est de plus en plus axé sur le savoir...

Niveau de scolarité le plus élevé atteint par la population active (15 ans et plus), 1999

Croissance de l'emploi par niveau de scolarité atteint, 1990 à 1999

Source : Calculs d'Industrie Canada basés sur les données de Statistique Canada (EPA).

La croissance du taux d'emploi chez les personnes très scolarisées a progressé un peu plus rapidement à l'extérieur des régions métropolitaines, comparativement aux régions métropolitaines.

Tout de même, le Canada, à l'extérieur des régions métropolitaines, compte une plus petite part de travailleurs diplômés universitaires et une plus grande part de travailleurs n'ayant pas terminé leurs études secondaires.

– Les tendances de la croissance de l'emploi pour la période comprise entre 1990 et 1999 montrent l'influence de la scolarité sur l'emploi. La croissance de l'emploi a été plus marquée pour ceux qui sont munis de diplômes d'études collégiales et universitaires.

Source : DGAPM, Industrie Canada.

1.14 Quelle est l'échelle de mesure utilisée dans le diagramme suivant ? Écrivez une courte note décrivant les données contenues dans le diagramme.

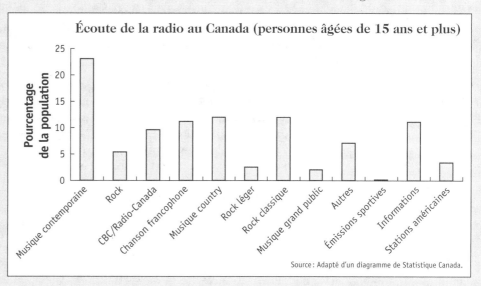

Écoute de la radio au Canada (personnes âgées de 15 ans et plus)

Source : Adapté d'un diagramme de Statistique Canada.

EXERCICES 1.15 À 1.18 DONNÉES INFORMATIQUES

1.15 Reportez-vous au fichier Real Estate Data.xls sur le cédérom fourni avec ce manuel qui présente des renseignements sur les maisons vendues l'année dernière dans une ville du Québec.
   a) Quelles variables sont qualitatives ? Lesquelles sont quantitatives ?
   b) Déterminez le niveau de mesure pour chacune des variables.

1.16 Reportez-vous au fichier BASEBALL-2000.xls sur le cédérom. Considérez les variables suivantes : le salaire total de l'équipe (*Salary*), le nombre de spectateurs (*Attendance*) et le nombre d'erreurs (*Errors*).
   a) Quelles variables sont qualitatives ? Lesquelles sont quantitatives ?
   b) Déterminez le niveau de mesure pour chacune des variables.

1.17 Reportez-vous au fichier 100 of 1000 Top Companies.xls sur le cédérom et au texte du site Web*. Répondez aux questions suivantes :
   a) Quelles variables sont qualitatives ? Lesquelles sont quantitatives ?
   b) Déterminez le niveau de mesure pour chacune des variables.

1.18 Reportez-vous au fichier Youth Unemployment in Canada.xls sur le cédérom et au texte du site Web.
   a) Quelles variables sont qualitatives ? Lesquelles sont quantitatives ?
   b) Déterminez le niveau de mesure pour chacune des variables.

* À l'adresse suivante : www.cheneliere.ca/lind.

www.exercices.ca 1.19 À 1.21

Pour ces exercices, vous devrez consulter les sites Web indiqués, recueillir les données nécessaires et rédiger un bref rapport indiquant l'échelle de mesure des variables, le type de statistique, etc.

1.19 Consultez le site www.statcan.ca et cliquez sur Profils des communautés (situé en haut à gauche de l'écran). Recueillez les données sur votre collectivité relativement aux variables suivantes et rédigez un bref rapport : la population (de sexe masculin et de sexe féminin), la population immigrante, les personnes ayant obtenu un diplôme universitaire, le revenu moyen des hommes et des femmes, la proportion de ménages mariés et de ménages en union de fait, la valeur moyenne des domiciles occupés par le propriétaire et le rapport entre les taux de natalité et de mortalité des sexes masculin et féminin.

1.20 Sur le même site Web que pour l'exercice 1.19, consultez *Le Quotidien*. Prenez connaissance des caractéristiques de la main-d'œuvre de votre province. Rédigez un bref compte rendu.

1.21 Consultez le site Web www.globefund.com. Choisissez les actions de cinq sociétés et vérifiez les variations du cours des actions pour les 30 derniers jours. Rédigez un bref rapport.

1.1 a) En se basant sur un échantillon de 1960 consommateurs, on estime que si le produit est mis en marché, 60 % de tous les consommateurs achèteront Fish Delight :
$(1176/1960) \times 100 = 60\%$.

b) Il s'agit de statistique inférentielle, puisqu'on a utilisé un échantillon pour tirer une conclusion sur la réaction de l'ensemble des consommateurs si Fish Delight était mis en marché.

1.2 a) Échelle nominale.

b) Échelle ordinale.

c) Échelle ordinale, mais souvent traitée comme s'il s'agissait d'une échelle d'intervalles.

d) Échelle de rapports.

CHAPITRE 2

La description des données : les distributions et la représentation graphique

OBJECTIFS D'APPRENTISSAGE

Après avoir lu ce chapitre, vous serez en mesure :

- d'organiser les données brutes sous forme de *distribution d'effectifs et de fréquences* ;

- de créer un *histogramme*, un *polygone d'effectifs* et un *polygone d'effectifs cumulés* à partir de données quantitatives ;

- de construire et d'interpréter un *diagramme arborescent* ;

- de présenter des données qualitatives en utilisant des représentations graphiques telles que le *diagramme en bâtons groupés*, le *diagramme en bâtons empilés* et le *diagramme à secteurs* (ou *circulaire*) ;

- de déceler les ambiguïtés dans les graphiques et d'utiliser un graphique pour présenter des données avec clarté, précision et efficacité.

FLORENCE NIGHTINGALE (1820-1910)

1498
1548
1598
1648
1698
1748
1898
1948
2000

Pour l'être humain, il semble instinctif de représenter graphiquement des données. Ainsi, trouver la représentation graphique la plus ancienne est une tâche évasive, la plus vieille que l'on connaît étant la carte de Konya, en Turquie, datée de 6200 av. J.-C. Le diagramme en bâtons le plus ancien a été créé par l'évêque N. Oresme (1350).

La plupart des formes modernes de techniques graphiques statistiques furent créées entre 1780 et 1940. En 1786, William Playfair utilisa des graphiques de séries chronologiques pour illustrer l'importance des importations et des exportations en Angleterre et, en 1801, il publia un diagramme à secteurs pour illustrer graphiquement que les Britanniques payaient plus de taxes que tous les autres peuples. Les premiers diagrammes en bâtons empilés, polygones d'effectifs cumulés et histogrammes furent publiés, respectivement, par A. Humboldt (1811), J. B. J. Fourier (1821) et A. M. Guerry (1833). Au cours de cette même période, on développa des applications plus raffinées de ces techniques au sujet de problèmes du monde réel. Une des principales collaboratrices dans ce domaine fut *la dame à la lampe*, Florence Nightingale.

Florence Nightingale naquit à Florence, en Italie, en 1820, mais elle grandit surtout à Derbyshire, en Angleterre. En dépit de la résistance de sa mère et de la société, son père lui enseigna le grec, le latin, le français, l'allemand, l'italien, l'histoire, la philosophie et, son sujet préféré, les mathématiques.

Alors qu'elle était âgée de 17 ans, Florence vécut une expérience spirituelle. Elle sentit que Dieu l'appela à Son service. Donc, à partir de ce jour, elle décida de dédier sa vie à une cause sociale quelconque. Elle refusa d'épouser plusieurs prétendants et, à l'âge de 25 ans, étonna ses parents en leur annonçant qu'elle avait décidé de devenir infirmière, profession qui était considérée, à l'époque, comme appartenant à la classe ouvrière.

Durant la guerre britannique de 1854 en Crimée, elle fut touchée par les rapports publiés sur les méthodes d'hygiène primitives à l'hôpital de caserne britannique, et décida d'offrir ses services à titre de bénévole. Elle se rendit donc à Scutari, en Turquie, avec un groupe de 38 infirmières. Là, surtout en améliorant les conditions d'hygiène et les méthodes de soins infirmiers, elle parvint à réduire le taux de mortalité de l'hôpital, le faisant passer de 42,7 % à environ 2 %.

Lorsqu'elle revint en Angleterre après la guerre, elle fut considérée comme une héroïne nationale. Elle se consacra à l'amélioration de l'hygiène et à la qualité des soins infirmiers dans les hôpitaux militaires. Ce faisant, elle dut faire face à une forte opposition de la part de l'ordre établi. Cependant, avec l'aide de la reine Victoria, et surtout grâce à un usage sagace des méthodes graphiques (comme les diagrammes en bâtons empilés et un nouveau type de diagramme polaire en bâtons qu'elle mit au point elle-même), elle parvint à mettre des réformes de l'avant. Elle fut l'une des premières à utiliser les méthodes graphiques de façon normative plutôt qu'uniquement descriptive dans le but de lancer une réforme sociale.

Au cours des 20 années qui suivirent, elle appliqua les méthodes statistiques aux hôpitaux du personnel civil, à la profession de sage-femme, à la santé publique en Inde et aux écoles coloniales. Elle agit brièvement à titre de conseillère sur les soins médicaux au Canada pour le ministère britannique de la Guerre. Ses activités en mathématiques comportèrent la détermination de la « vitesse moyenne du transport par traîneau » ainsi que du « temps de transport des malades sur d'immenses distances au Canada ».

Florence Nightingale a révolutionné l'emploi des techniques mathématiques pour étudier les phénomènes sociaux. Karl Pearson la nomma « prophète » du développement de la statistique appliquée.

Florence Nightingale s'est battue pour faire prévaloir ses opinions sur les droits des femmes et pour qu'on supprime les restrictions empêchant les femmes de faire carrière. En 1907, elle devint la première femme à recevoir l'Ordre du mérite, ordre établi par le roi Édouard VII pour les services méritoires.

INTRODUCTION

M. Rob Whitner est le propriétaire de Whitner Pontiac. Son père a fondé la concession en 1964. Pendant plus de 30 ans, il n'a vendu que des voitures de marque Pontiac. Au début des années 1990, la santé du père commençant à se détériorer, son fils Rob a pris en charge une plus grande partie de la gestion des activités quotidiennes de la société. Parallèlement, le commerce de la vente d'automobiles s'est mis à changer. Les concessionnaires ont commencé à vendre des véhicules construits par plusieurs fabricants. M. Rob Whitner a dû prendre d'importantes décisions. Tout d'abord, une autre concession de la région qui vendait des Volvo, des Saab et des Volkswagen a proposé à M. Whitner de lui vendre sa concession. Après y avoir longuement réfléchi et effectué des analyses approfondies, M. Whitner a procédé à l'achat. Plus récemment, la concession régionale de ventes de Jeep Eagle ayant fait face à des difficultés financières, M. Whitner l'a achetée. À l'heure actuelle, sur le même terrain, M. Whitner vend la gamme complète de Pontiac, de Volvo et de Saab haut de gamme, de Volkswagen et de Chrysler, notamment la populaire ligne de Jeeps. Whitner Pontiac emploie 83 personnes, dont 23 représentants à temps plein. En raison de la diversité des lignes de produits offertes, le prix de vente des véhicules varie considérablement. Une Volvo haut de gamme se vend deux fois le prix d'une Pontiac Grand Am. M. Whitner aimerait créer des diagrammes et des graphiques qu'il pourrait examiner mensuellement pour déterminer où les prix de vente se concentrent, observer les variations dans les prix de vente et prendre note des tendances. Dans ce chapitre, nous vous présenterons les méthodes qui seront utiles à M. Rob Whitner ou à toute autre personne gérant sa propre entreprise.

2.1 LA CONSTRUCTION D'UNE DISTRIBUTION D'EFFECTIFS DE DONNÉES QUANTITATIVES

Dans le chapitre 1, nous avons vu que les méthodes utilisées pour décrire un ensemble de données s'appellent la *statistique descriptive*. Autrement dit, on a recours à la statistique descriptive pour structurer les données de diverses façons afin de montrer où les valeurs des données tendent à se concentrer et pour permettre à l'utilisateur de distinguer les valeurs plus élevées des valeurs moins élevées. La première méthode utilisée pour décrire un ensemble de données s'appelle la **distribution d'effectifs.** Dans cette section, on résumera les données dans un tableau qui révèle la forme des données.

 Distribution d'effectifs   Regroupement de données dans des classes qui ne se chevauchent pas (classes ou catégories s'excluant mutuellement) et qui montre le nombre d'observations dans chaque classe. L'étendue des classes comprend toutes les valeurs de l'ensemble de données (catégories collectivement exhaustives).

Comment élabore-t-on une distribution d'effectifs ? La première étape consiste à réunir les données dans un tableau qui présente les classes et le nombre d'observations dans chaque classe. Il sera plus facile de décrire les étapes de la construction d'une distribution d'effectifs à l'aide d'un exemple. N'oubliez pas qu'on veut construire un tableau qui révélera rapidement la forme des données.

Exemple 2.1 | Dans l'introduction de ce chapitre, on a décrit l'exemple où M. Rob Whitner, propriétaire de Whitner Pontiac, souhaitait recueillir des données sur les prix de vente des véhicules vendus par sa concession. Quel est le prix de vente typique ? Autour de quelle valeur les prix de vente tendent-ils à se concentrer ? Pour répondre à ces questions, on doit collecter des données. Selon les documents de vente, Whitner Pontiac a vendu 80 véhicules le mois dernier. Le tableau 2.1 présente le prix payé par les clients pour chaque véhicule. Résumez les prix de vente des véhicules vendus le mois dernier. Autour de quelle valeur les prix de vente tendent-ils à se concentrer ?

TABLEAU 2.1   **Le prix de vente (en dollars) chez Whitner Pontiac le mois dernier**

31 373	26 879	31 710	36 442	37 657	21 969	23 132
39 552	42 923	25 544	31 060	50 596	25 026	26 252
32 778	32 839	33 277	39 532	19 320	19 920	25 984
34 266	38 552	33 160	37 642	26 009	26 186	22 109
26 418	34 306	25 699	31 812	36 364	27 558	26 492
31 978	35 085	36 438	45 086	27 169	29 231	32 420
35 110	19 702	23 505	50 719	22 175	23 050	26 728
28 400	28 831	25 149	30 518	25 819	27 154	27 661
30 561	35 859	38 339	40 157	45 417	24 470	28 859
29 836	33 219	34 571	39 018	27 168	31 744	32 678
42 588	29 940	22 932	27 439	35 784	26 865	28 576
28 704	32 795	31 103				

Solution

Le tableau 2.1 contient des *données quantitatives* (voir le chapitre 1). Ces données sont des *données brutes* ou *non regroupées*. En effectuant quelques recherches, on peut trouver le prix de vente le moins élevé (19 320 $) et le prix de vente le plus élevé (50 719 $), mais c'est à peu près tout. Il est difficile d'obtenir une impression générale de la forme des données simplement en observant des données brutes. Il est plus facile d'interpréter des données brutes si elles sont organisées sous forme de distribution d'effectifs. Voici les étapes nécessaires pour organiser les données sous forme de distribution d'effectifs.

1. **Déterminez combien de classes vous souhaitez utiliser.** Il s'agit de déterminer suffisamment de groupes ou de **classes** pour révéler la forme de la distribution. Il faut aussi user de son jugement. Si vous utilisez trop ou trop peu de classes, vous ne parviendrez pas à révéler la forme de base de la distribution de l'ensemble des données. Dans le problème concernant le prix de vente des véhicules, par exemple, trois classes révéleraient peu d'information sur la structure des données (voir le tableau 2.2).

TABLEAU 2.2   Un exemple d'un nombre insuffisant de classes

Prix de vente du véhicule	Nombre de véhicules
19 000 à moins de 32 900	53
32 900 à moins de 46 800	25
46 800 à moins de 60 700	2
Total	80

Une solution utile pour déterminer le nombre de classes consiste à employer la règle de « 2 à la k ». Selon cette règle, vous devez sélectionner le plus petit nombre (k) de classes, de telle sorte que 2^k (en mots : 2 à la puissance k) est plus grand que le nombre de données (n).

Dans l'exemple de Whitner Pontiac, 80 véhicules ont été vendus. Ainsi, $n = 80$. Si l'on essaie $k = 6$, ce qui signifie qu'on utiliserait six classes, alors $2^6 = 64$, ce qui est un peu moins de 80. Par conséquent, six classes ne suffisent pas. Si $k = 7$, alors $2^7 = 128$, nombre supérieur à 80. Le nombre de classes recommandé est donc de 7.

2. **Déterminez l'amplitude de la classe.** En général, l'amplitude de la classe doit être la même pour toutes les classes. À la fin de la présente section, on discutera brièvement de situations où des amplitudes de classes inégales sont nécessaires. Toutes les classes combinées doivent couvrir au moins l'étendue comprise entre la valeur la moins élevée et la valeur la plus élevée des données brutes.

Exprimons maintenant ces mots sous forme de formule :

$$\text{Amplitude de classe} > \frac{H - L}{k}$$

où H est la valeur observée la plus élevée ; L, la valeur la moins élevée et k, le nombre de classes.

Dans le cas de Whitner Pontiac, la valeur la moins élevée est de 19 320 $ et la plus élevée de 50 719 $. Si l'on souhaite utiliser sept classes, l'amplitude de classe doit être supérieure à (50 719 $ – 19 320 $)/7 = 4485,571 $. En pratique, cette amplitude de classe est habituellement arrondie à un chiffre pratique, par exemple un multiple de 10 ou de 100. On arrondit donc cette valeur à 4490 $.

3. **Délimitez chacune des classes.** On doit établir très clairement les limites des classes pour que chaque observation se place dans une seule classe. Par exemple, il faut éviter des classes telles que 19 000 $ à 20 000 $ et 20 000 $ à 21 000 $, car il n'est pas clair si 20 000 $ se situe dans la première ou la deuxième classe. Dans ce manuel, nous utiliserons le format 19 000 $ à moins de 20 000 $, 20 000 à moins de 21 000 $ et ainsi de suite. Avec ce format, 19 999 $ se situe clairement dans la première classe et 20 000 $ dans la deuxième.

En arrondissant l'amplitude des classes, on atteint une étendue plus grande qu'il n'est nécessaire. Par exemple, sept classes d'une amplitude de 4490 $ dans le cas de Whitner Pontiac résultent en une étendue de (4490 $)(7) = 31 430 $.

L'étendue véritable est de 31 399 $, qu'on trouve en calculant ($H - L = 50 719$ – 19 320). Si l'on compare cette valeur à 31 430 $, on obtient un excédent de 31 $. Naturellement, on ajoute des montants approximativement égaux de l'excédent aux deux extrémités de l'équation. Comme on l'a expliqué plus haut, on doit aussi choisir des multiples pratiques de 10 pour les limites de classe. On utilisera 19 310 $ comme limite inférieure de la première classe. La limite supérieure de la première classe est donc de 23 800, obtenu avec le calcul (19 310 + 4490 = 23 800). Ainsi, la première classe est comprise entre 19 310 $ et 23 800 $. On peut déterminer les classes suivantes (en dollars) de la même façon : (de 23 800 $ à moins de 28 290 $), (de 28 290 $ à moins de 32 780 $), (de 32 780 $ à moins de 37 270 $), (de 37 270 $ à moins de 41 760 $), (de 41 760 $ à moins de 46 250 $) et (de 46 250 $ à moins de 50 740 $).

4. **Placez les prix de vente dans les classes.** Pour commencer, le prix de vente du premier véhicule (voir le tableau 2.1) est de 31 373 $. On l'inscrit dans la classe de 28 290 $ à moins de 32 780 $. Le deuxième prix de vente dans la première colonne est de 39 552 $. On l'inscrit dans la classe de 37 270 $ à moins de 41 760 $. Les autres prix de vente sont classés de manière similaire. Lorsque tous les prix de vente sont classés, on obtient le tableau 2.3 a).

**TABLEAU 2.3   La construction d'une distribution d'effectifs
pour les données de Whitner Pontiac**

a) Dénombrement		b) Distribution d'effectifs	
Classes (en dollars)	**Dénombre-ment**	**Prix de vente (en milliers de dollars)**	**Effectif**
19 310 à moins de 23 800	‖‖ ‖‖	de 19,310 à moins de 23,800	10
23 800 à moins de 28 290	‖‖ ‖‖ ‖‖ ‖‖ ‖	de 23,800 à moins de 28,290	21
28 290 à moins de 32 780	‖‖ ‖‖ ‖‖ ‖‖	de 28,290 à moins de 32,780	20
32 780 à moins de 37 270	‖‖ ‖‖ ‖‖	de 32,780 à moins de 37,270	15
37 270 à moins de 41 760	‖‖ ‖‖‖	de 37,270 à moins de 41,760	8
41 760 à moins de 46 250	‖‖‖‖	de 41,760 à moins de 46,250	4
46 250 à moins de 50 740	‖‖	de 46,250 à moins de 50,740	2
		Total	80

5. Comptez le nombre d'éléments dans chaque classe. Le nombre d'observations dans chaque classe s'appelle l'*effectif de classe*. Dans la classe de 19 310 $ à moins de 23 800 $, on a 10 observations ; dans la classe de 23 800 $ à moins de 28 290 $, il y en a 21. Ainsi, l'effectif de classe dans la première classe est de 10, et l'effectif dans la deuxième classe est de 21. La somme des effectifs de toutes les classes est égale au nombre total d'observations dans l'ensemble complet des données, qui est de 80.

Il est souvent utile d'exprimer les données en milliers, ou en une autre unité, plutôt que sous leur forme véritable. Le tableau 2.3 b) présente la distribution d'effectifs des prix de vente des véhicules de Whitner Pontiac, dans laquelle les prix sont donnés en milliers de dollars plutôt qu'en dollars.

Maintenant qu'on a organisé les données sous forme de distribution d'effectifs, on peut résumer certaines caractéristiques de la distribution des prix de vente des véhicules pour M. Rob Whitner. Voici la liste de ces observations.

1. Les prix de vente se situent entre 19 310 $ et 50 740 $.

2. La concentration la plus importante des prix de vente se situe dans la classe de 23 800 $ à moins de 28 290 $.

3. Les prix de vente sont concentrés entre 23 800 $ et 37 270 $. Au total, 56 (70 %) des véhicules se vendent dans cet intervalle.

4. Deux des véhicules sont vendus 46 250 $ ou plus et 10 sont vendus moins de 23 800 $.

En présentant ces données à M. Rob Whitner, on lui donne un aperçu plus clair de la distribution des prix de vente pour le mois dernier.

Cependant, on admet que la disposition des renseignements sur les prix de vente sous forme de distribution d'effectifs entraîne la perte d'information détaillée. Autrement dit, en organisant les données sous forme de distribution d'effectifs, on ne peut pas déterminer le prix de vente exact (comme 23 820 $ ou 32 800 $). De plus, on n'est pas en mesure de dire que le prix de vente réel du véhicule le moins cher est de 19 320 $ et que le prix du véhicule le plus cher est de 50 719 $. Cependant, la limite inférieure de la première classe et la limite supérieure de la classe la plus grande informent essentiellement de la même façon. M. Whitner fera le même raisonnement s'il sait que le prix le moins élevé est d'environ 19 310 $ que s'il sait que le prix de vente exact est de 19 320 $. La condensation des données en une forme plus compréhensible a pour avantage de compenser cet inconvénient.

■ RÉVISION 2.1

Au premier trimestre de l'année dernière, les commissions gagnées par 11 représentants de la société Maître chimique ont été les suivantes : 1650 $, 1475 $, 1510 $, 1670 $, 1595 $, 1760 $, 1540 $, 1495 $, 1590 $, 1625 $ et 1510 $.

    a) Comment appelle-t-on les valeurs telles que 1650 $ et 1475 $?

    b) En utilisant de 1400 $ à moins de 1500 $ comme première classe, de 1500 $ à moins de 1600 $ comme deuxième classe et ainsi de suite, organisez les données sur les commissions gagnées sous forme de distribution d'effectifs.

    c) Comment appelez-vous les nombres de la colonne de droite de votre distribution d'effectifs ?

    d) Décrivez la distribution des commissions gagnées en fonction d'une distribution d'effectifs. Quel est le montant le plus élevé de commissions gagnées ? Quel est le plus petit ?

L'INTERVALLE DE CLASSE ET LE CENTRE DE CLASSE

On utilisera fréquemment deux autres termes : le **centre de classe** et l'**intervalle de classe** (différence entre la limite supérieure et la limite inférieure d'une classe). L'intervalle de classe est aussi appelé largeur de classe et amplitude de classe. Le centre de classe se situe à mi-chemin entre la limite inférieure et la limite supérieure de la classe. On peut le calculer en additionnant la limite inférieure et la limite supérieure de classe et en divisant cette somme par deux. En vous reportant au tableau 2.3 pour la première classe, la limite inférieure est de 19 310 $ et la limite supérieure, de 23 800 $. Le centre de classe est donc de 21 555 $, qu'on trouve en calculant (19 310 $ + 23 800 $)/2. Le centre de classe de 21 555 $ est le nombre qui représente le mieux le prix de vente des véhicules de cette classe ou il est typique de celui-ci.

Pour déterminer l'intervalle de classe, soustrayez la limite inférieure de la classe de sa limite supérieure. L'intervalle de classe des prix de vente des véhicules est de 4490 $, qu'on trouve en soustrayant la limite inférieure de la première classe, 19 310 $, de sa limite supérieure ; autrement dit, 23 800 $ – 19 310 $ = 4490 $. Vous pouvez aussi déterminer l'intervalle de classe en trouvant la distance comprise entre des centres de classes consécutives. Le centre de la première classe est de 21 555 $ et celui de la deuxième, de 26 045 $. La différence est donc de 4490 $.

UN EXEMPLE AVEC LOGICIEL : LA DISTRIBUTION D'EFFECTIFS À L'AIDE DE MEGASTAT

La feuille de calcul Excel 2.1 montre la distribution d'effectifs des données de Whitner Pontiac produite avec MegaStat. La forme des résultats est en quelque sorte différente de celle de la distribution d'effectifs du tableau 2.3 b), mais les conclusions générales sont les mêmes.

■ RÉVISION 2.2

Le tableau suivant comprend les notes des étudiants qui ont suivi un cours de statistique durant l'automne 2002.

40	55	50	55	28	60	25	55	60	65	70	64
62	70	50	65	55	48	69	25	64	58	55	71

a) Combien de classes utiliseriez-vous ?
b) Quelle serait l'amplitude de votre classe ?
c) Construisez un tableau de distribution d'effectifs.

LA DISTRIBUTION DE FRÉQUENCES

Il pourrait être utile de convertir les effectifs de classe en fréquences de classes pour montrer la fraction du nombre total d'observations dans chaque classe. Si l'on prend l'exemple des ventes de véhicules, on pourrait souhaiter connaître le pourcentage des prix des véhicules dans la classe des prix compris entre 28 290 $ et 32 780 $.

Pour convertir une distribution d'effectifs en une distribution de fréquences, on divise chacun des effectifs de classe par le nombre total d'observations. En utilisant la distribution des ventes de véhicules de nouveau [voir le tableau 2.3 b)], où les prix de vente sont donnés en milliers de dollars, la fréquence de la classe de 19 310 $ à moins de 23 800 $ est de 0,125, que l'on trouve en divisant 10 par 80. Autrement dit, le prix de 12,5 % des véhicules vendus chez Whitner Pontiac se situe entre 19 310 $ et 23 800 $. Le tableau 2.4 présente les fréquences pour les autres classes.

FEUILLE DE CALCUL EXCEL 2.1

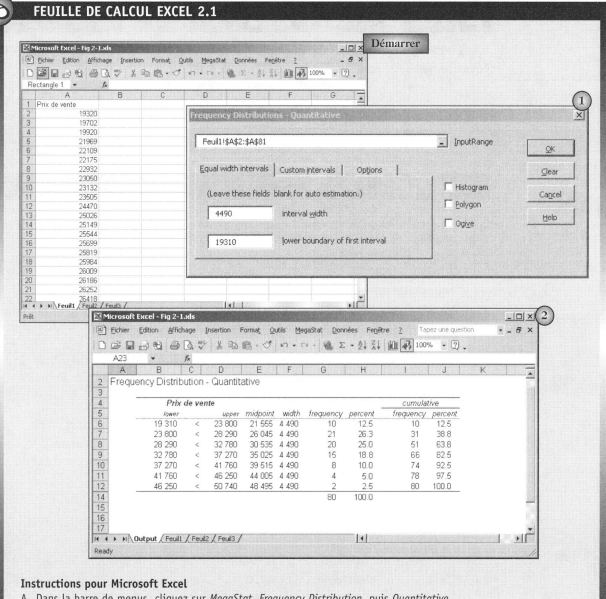

Instructions pour Microsoft Excel

A. Dans la barre de menus, cliquez sur *MegaStat, Frequency Distribution,* puis *Quantitative.*

B. Dans la zone *Input Range,* entrez les coordonnées des cellules correspondant aux données.

C. Cliquez sur l'onglet *Equal width intervals* et entrez l'intervalle de classe (= 4490 dans le cas présent).

D. Entrez la valeur de la limite inférieure de la classe (= 19 310 dans le cas présent) dans la zone prévue à cet effet.

E. Désélectionnez la case *Histogram* et cliquez sur *OK.*

TABLEAU 2.4   La distribution de fréquences des prix de vente chez Whitner Pontiac le mois dernier

Prix de vente (en milliers de dollars)	Effectif	Fréquence		Opération effectuée
De 19,310 à moins de 23,800	10	0,1250	⟶	10/80
De 23,800 à moins de 28,290	21	0,2625	⟶	21/80
De 28,290 à moins de 32,780	20	0,2500	⟶	20/80
De 32,780 à moins de 37,270	15	0,1875	⟶	15/80
De 37,270 à moins de 41,760	8	0,1000	⟶	8/80
De 41,760 à moins de 46,250	4	0,0500	⟶	4/80
De 46,250 à moins de 50,740	2	0,0250	⟶	2/80
Total	80	1,0000		

■ RÉVISION 2.3

Reportez-vous au tableau 2.4 qui montre la distribution de fréquences pour les véhicules vendus le mois dernier chez Whitner Pontiac.

- a) Combien de véhicules se sont vendus entre 23 800 $ jusqu'à moins de 28 290 $?
- b) Quel est le pourcentage des véhicules vendus à un prix compris entre 23 800 $ jusqu'à moins de 28 290 $?
- c) Quel est le pourcentage des véhicules vendus à un prix de 37 270 $ ou plus ?

EXERCICES 2.1 À 2.8

2.1   Un ensemble de données est constitué de 38 observations. Selon vous, combien de classes la distribution d'effectifs devrait-elle comprendre ?

2.2   Un ensemble de données est composé de 45 observations. La valeur la moins élevée est de 0 $ et la plus élevée, de 29 $. Quelle taille recommanderiez-vous pour l'intervalle de la classe ?

2.3   Un ensemble de données est constitué de 230 observations. La valeur la moins élevée est de 235 $ et la plus élevée, de 567 $. Quel intervalle de classe recommanderiez-vous ?

2.4   Un ensemble de données est composé de 53 observations. La valeur la moins élevée est de 42 et la plus élevée, de 129. Vous devez organiser les données sous forme de distribution d'effectifs.
- a) Combien de classes suggéreriez-vous ?
- b) Selon vous, quelle doit être la limite inférieure de la première classe ?

2.5   La clinique de consultation externe Leblanc, créée pour les chirurgies mineures d'un jour, a ouvert ses portes le mois dernier. Voici le nombre de patients traités durant les 16 premiers jours.

| 27 | 27 | 23 | 24 | 25 | 28 | 35 | 33 |
| 34 | 24 | 30 | 30 | 24 | 33 | 23 | 23 |

- a) Combien de classes suggéreriez-vous ?
- b) Quel intervalle de classe recommanderiez-vous ?
- c) Selon vous, quelle doit être la limite inférieure de la première classe ?

2.6   La société de changement d'huile Rapido compte plusieurs points de service. Le nombre de changements d'huile effectués au point de service d'Oak Street au cours des 20 derniers jours est donné ci-dessous. Vous devez organiser les données sous forme de distribution d'effectifs.

| 65 | 98 | 55 | 62 | 79 | 59 | 51 | 90 | 72 | 56 |
| 70 | 62 | 66 | 80 | 94 | 79 | 63 | 73 | 71 | 85 |

- a) Combien de classes suggéreriez-vous ?
- b) Quel intervalle de classe recommanderiez-vous ?
- c) Selon vous, quelle doit être la limite inférieure de la première classe ?
- d) Organisez le nombre de changements d'huile sous forme de distribution d'effectifs.
- e) Commentez la forme de la distribution d'effectifs. Déterminez aussi la distribution de fréquences.

2.7   Le gérant d'une succursale d'une chaîne alimentaire de la région souhaite connaître le nombre de fois que les clients ont magasiné à sa succursale au cours d'une période de deux semaines. Les réponses de 51 clients étaient les suivantes :

5	3	3	1	4	4	5	6	4	2	6	6	6	7	1
1	14	1	2	4	4	4	5	6	3	5	3	4	5	6
8	4	7	6	5	9	11	3	12	4	7	6	5	15	1
1	10	8	9	2	12

a) En commençant avec 0 comme limite inférieure de la première classe et en utilisant un intervalle de classe de 3, organisez les données sous forme de distribution d'effectifs.

b) Décrivez la distribution. Où les données tendent-elles à se concentrer ?

c) Convertissez la distribution en une distribution de fréquences.

2.8 Voyages Lalande, une agence de voyages nationale, offre des tarifs spéciaux aux personnes âgées pour certaines croisières dans les Antilles. Le président de l'agence souhaite disposer de renseignements supplémentaires sur l'âge des personnes qui achètent des croisières. Un échantillon aléatoire de 40 clients ayant acheté une croisière l'année dernière révèle les âges suivants :

77	18	63	84	38	54	50	59	54	56	36	26	50	34
44	41	58	58	53	51	62	43	52	53	63	62	62	65
61	52	60	60	45	66	83	71	63	58	61	71		

a) Organisez les données sous forme de distribution d'effectifs en utilisant 7 classes et 15 comme limite inférieure de la première classe. Quel intervalle de classe avez-vous choisi ?

b) Où les données tendent-elles à se concentrer ?

c) Décrivez la distribution.

d) Déterminez la distribution de fréquences.

LA DISTRIBUTION D'EFFECTIFS AVEC DES INTERVALLES DE CLASSE INÉGAUX

En général, lorsqu'on construit des distributions d'effectifs de données quantitatives, des amplitudes de classe égales sont attribuées à toutes les classes. En effet, les intervalles de classe inégaux causent souvent des problèmes lorsqu'on veut représenter graphiquement une distribution et faire certains calculs, comme nous le verrons dans des chapitres ultérieurs. Cependant, les intervalles de classe inégaux sont nécessaires dans certaines situations pour éviter de se retrouver avec un grand nombre de classes vides ou presque vides, ce qui est le cas au tableau 2.5. L'Agence du revenu du Canada (ARC) a utilisé des intervalles de classe inégaux pour présenter le revenu brut rajusté sur les déclarations de revenus. Si elle avait utilisé un intervalle de taille égale, disons de 1000 $, plus de 1000 classes auraient été nécessaires pour décrire tous les revenus. Il serait alors difficile d'interpréter une distribution d'effectifs de 1000 classes. Dans ce genre de situation, il est plus facile de comprendre la distribution si l'on utilise des intervalles de classe inégaux. Il faut également noter que le nombre de déclarations de revenus est présenté en milliers dans ce tableau. Ainsi, les données sont plus faciles à interpréter.

TABLEAU 2.5	Le revenu brut rajusté pour les personnes remplissant une déclaration de revenus
Revenu brut rajusté ($)	**Nombre de déclarations (en milliers)**
Sous 2000	135
De 2000 à moins de 3000	3 399
De 3000 à moins de 5000	8 175
De 5000 à moins de 10 000	19 740
De 10 000 à moins de 15 000	15 539
De 15 000 à moins de 25 000	14 944
De 25 000 à moins de 50 000	4 451
De 50 000 à moins de 100 000	699
De 100 000 à moins de 500 000	162
De 500 000 à moins de 1 000 000	3
1 000 000 et plus	1

2.2 LES DIAGRAMMES ARBORESCENTS

Dans la section 2.1, nous avons montré comment organiser des données quantitatives sous forme de distribution d'effectifs pour représenter les données brutes de façon significative. Cette distribution d'effectifs a pour principal avantage d'offrir un aperçu rapide de la forme de la distribution sans qu'il soit nécessaire d'effectuer d'autres calculs. Autrement dit, on peut voir où se concentrent les données et déterminer s'il existe des valeurs extrêmement grandes ou petites. Cependant, la distribution d'effectifs comporte deux désavantages : 1) on perd l'identité exacte de chaque valeur et 2) on ne sait pas exactement comment les valeurs se distribuent au sein de chaque classe. Pour mieux comprendre, songez à la distribution d'effectifs suivante du nombre de messages publicitaires radiophoniques de 30 secondes achetés par 45 membres de la Toronto Automobile Dealers Association en 2001. On observe que 7 des 45 concessionnaires ont acheté au moins 90 messages, mais moins de 100. Cependant, le nombre de messages achetés au sein de cette classe se concentre-t-il autour de 90, est-il réparti uniformément dans la classe, ou se regroupe-t-il près de 99 ? On ne peut pas répondre à cette question.

Nombre de messages achetés	Effectif
De 80 à moins de 90	2
De 90 à moins de 100	7
De 100 à moins de 110	6
De 110 à moins de 120	9
De 120 à moins de 130	8
De 130 à moins de 140	7
De 140 à moins de 150	3
De 150 à moins de 160	3
Total	45

Pour les ensembles de données de taille moyenne, on peut éliminer ces inconvénients en utilisant un autre type de graphique, appelé **diagramme arborescent.** Pour illustrer la construction d'un diagramme arborescent à l'aide des données sur les messages publicitaires, supposez que les sept observations dans la classe de 90 à moins de 100 sont 96, 94, 93, 94, 95, 96 et 97.

On trie ensuite ces valeurs pour obtenir 93, 94, 94, 95, 96, 96, 97. La valeur de la **tige** est le premier ou les premiers chiffres ; dans ce cas, il s'agit du 9. Les **feuilles** sont les chiffres de la fin. Il faut placer la tige du côté gauche d'une droite verticale et les valeurs de la feuille du côté droit. Les valeurs dans la classe de 90 à moins de 100 figureraient dans le diagramme arborescent comme suit :

9 | 3   4   4   5   6   6   7

Avec cette forme d'affichage, on peut rapidement observer que deux membres ont acheté 94 messages publicitaires et que le nombre de messages achetés variait entre 93 et 97. Un diagramme arborescent est semblable à une distribution d'effectifs, mais il comporte plus d'information (des valeurs de données plutôt que des dénombrements).

 Diagramme arborescent Technique statistique utilisée pour présenter un ensemble de données quantitatives de taille moyenne. Chacune des valeurs numériques est divisée en deux parties. Les premiers chiffres deviennent la tige et les derniers, les feuilles. La tige se situe le long de l'axe vertical et les valeurs des feuilles sont empilées les unes sur les autres le long de l'axe horizontal.

Dans l'exemple ci-dessous, on explique la construction d'un diagramme arborescent.

Exemple 2.2

Le tableau 2.6 présente la liste du nombre de messages publicitaires radiophoniques de 30 secondes achetés par chacun des 45 membres de la Toronto Automobile Dealers Association en 2001. Organisez les données sous forme de diagramme arborescent. Autour de quelles valeurs le nombre de publicités tend-il à se concentrer ? Quel est le plus petit nombre de messages achetés par un concessionnaire et quel est le plus grand nombre ?

Solution

À partir des données du tableau 2.6, on remarque que le plus petit nombre de messages achetés est de 88. On accordera donc à la première valeur de tige le nombre 8. La valeur la plus élevée étant de 156, on fera commencer les valeurs de tige à 8 et l'on continuera jusqu'à 15. Le premier nombre du tableau 2.6 est 96, lequel aura une valeur de tige de 9 et une valeur de feuille de 6. En se déplaçant sur la ligne supérieure, on constate que la deuxième valeur est de 93 et la troisième, de 88. Après avoir examiné les trois premières valeurs des données, on construit l'affichage ci-contre.

Tige	Feuille
8	8
9	6 3
10	
11	
12	
13	
14	
15	

TABLEAU 2.6	Le nombre de messages achetés en 2001 par les membres de la Toronto Automobile Dealers Association								
96	93	88	117	127	95	113	96	108	94
148	156	139	142	94	107	125	155	155	103
112	127	117	120	112	135	132	111	125	104
106	139	134	119	97	89	118	136	125	143
120	103	113	124	138					

Si l'on organise toutes les données, le diagramme arborescent ressemblera à celui qui est présenté à la figure 2.2 a).

La méthode habituelle consiste à trier les valeurs des feuilles de la plus petite à la plus grande. La dernière ligne, qui désigne les valeurs se situant autour de 150, se présenterait comme suit :

15 | 5 5 6

La figure 2.2 b) présente le diagramme arborescent final où l'on a trié toutes les valeurs de la feuille.

FIGURE 2.2   Le diagramme arborescent

a)

Tige	Feuille
8	8 9
9	6 3 5 6 4 4 7
10	8 7 3 4 6 3
11	7 3 2 7 2 1 9 8 3
12	7 5 7 0 5 5 0 4
13	9 5 2 9 4 6 8
14	8 2 3
15	6 5 5

b)

Tige	Feuille
8	8 9
9	3 4 4 5 6 6 7
10	3 3 4 6 7 8
11	1 2 2 3 3 7 7 8 9
12	0 0 4 5 5 5 7 7
13	2 4 5 6 8 9 9
14	2 3 8
15	5 5 6

On peut tirer plusieurs conclusions à partir de ce diagramme arborescent. Premièrement, le nombre le moins élevé de messages achetés est de 88 et le plus élevé, de 156. Deux concessionnaires ont acheté moins de 90 messages et trois, 150 ou plus. On peut observer, par exemple, que les trois concessionnaires qui ont acheté plus de 150 messages en ont en réalité acheté 155, 155 et 156. La concentration du nombre de messages se situe entre 110 et 139. Neuf concessionnaires ont acheté de 110 à 119 messages et huit en ont acheté de 120 à 129. On peut également déterminer qu'à l'intérieur du groupe des 120 à 129, le nombre véritable de messages achetés était réparti également partout. Autrement dit, deux concessionnaires ont acheté 120 messages, un 124, trois 125 et deux 127.

Dans le diagramme arborescent de l'exemple 2.2, les premiers chiffres (tiges) prennent les valeurs comprises entre 8 et 15. Il y a donc 8 tiges (8, 9, 10, 11, 12, 13, 14, 15) en unités de 10. Cependant, dans certains ensembles de données, les tiges ne prennent que deux ou trois valeurs. Dans ces situations, la création d'un diagramme arborescent n'est pas aussi facile que dans l'exemple 2.2. Examinons un échantillon de notes de 20 étudiants d'un cours de statistique présenté ci-après.

| 50 | 52 | 54 | 53 | 65 | 60 | 45 | 43 | 57 | 62 |
| 56 | 58 | 51 | 61 | 46 | 44 | 69 | 55 | 64 | 59 |

Les premiers chiffres (unités de 10) dans cet exemple ne prennent que trois valeurs : 4, 5 et 6. En suivant la méthode susmentionnée pour construire un diagramme arborescent, on obtient un affichage de l'ensemble des données semblable à celui qui figure ci-dessous.

Tige	Feuille
4	3 4 5 6
5	0 1 2 3 4 5 6 7 8 9
6	0 1 2 4 5 9

Comme on peut le constater, ce diagramme arborescent ne comporte que trois tiges et ne présente pas les caractéristiques de l'ensemble des données aussi bien que s'il y avait plus de tiges. On peut améliorer le diagramme arborescent en *divisant* chaque tige. Par exemple, la tige 4 peut se diviser ainsi :

4	3 4
4	5 6

La première tige 4 contient les feuilles moins de 5 et la deuxième, les feuilles 5 et plus. Le diagramme arborescent modifié est présenté ci-dessous.

Tige	Feuille
4	3 4
4	5 6
5	0 1 2 3 4
5	5 6 7 8 9
6	0 1 2 4
6	5 9

D'autres ensembles de données peuvent exiger encore plus de divisions. Pour connaître le nombre de divisions nécessaires, on utilise la règle suggérée dans Hoaglin et collab.[1] : pour une taille d'échantillon ≤ 100, le nombre de tiges doit être la partie entière de $2\sqrt{n}$, où n est la taille de l'échantillon ; pour $n \geq 100$, le nombre de tiges doit être la partie entière de $10 \log_{10} n$. Dans l'exemple au sujet des notes de 20 étudiants, le nombre suggéré par la règle est de 8. Cependant, n'oubliez pas que cette règle ne donne qu'une indication pour sélectionner le nombre de tiges.

Les diagrammes arborescents ne sont utiles que pour un ensemble de données de taille moyenne. Lorsqu'on utilise un diagramme arborescent pour un grand ensemble de données, on produit un grand nombre de tiges ou de feuilles ou les deux. Dans ce cas, on n'est pas en mesure de voir les caractéristiques du grand ensemble de données.

■ RÉVISION 2.4

Les ratios cours-bénéfice pour 21 titres dans le secteur de la vente au détail sont les suivants :

8,3	9,6	9,5	9,1	8,8	11,2	7,7	10,1	9,9	10,8	10,2
8,0	8,4	8,1	11,6	9,6	8,8	8,0	10,4	9,8	9,2	

Organisez ces données sous forme de diagramme arborescent.

    a) Combien de valeurs sont inférieures à 9,0 ?

    b) Dressez la liste des valeurs comprises dans la catégorie de 10,0 à moins de 11,0.

    c) Quel est le plus grand ratio cours-bénéfice ? le plus petit ?

EXERCICES 2.9 À 2.14

2.9   La première ligne d'un diagramme arborescent apparaît comme suit :
62 | 1 3 3 7 9. Supposez que ces valeurs sont des nombres entiers.

    a) Quelle est l'étendue des valeurs sur cette ligne ?

    b) Combien de valeurs de données se trouvent sur cette ligne ?

    c) Dressez la liste des valeurs sur cette ligne.

2.10 La troisième ligne d'un diagramme arborescent apparaît comme suit :
21 | 0 1 3 5 7 9. Supposez que ces valeurs sont des nombres entiers.

    a) Quelle est l'étendue des valeurs sur cette ligne ?

    b) Combien de valeurs de données se trouvent sur cette ligne ?

    c) Dressez la liste des valeurs sur cette ligne.

2.11 Le diagramme arborescent suivant montre le nombre d'unités produites par jour dans une usine.

1	3		8
1	4		
2	5		6
9	6		0 1 3 3 5 5 9
(7)	7		0 2 3 6 7 7 8
9	8		5 9
7	9		0 0 1 5 6
2	10		3 6

    a) Sur combien de jours porte cette étude ?

    b) Combien d'observations y a-t-il dans la première classe ?

    c) Quelles sont la plus grande et la plus petite valeur dans l'ensemble de données ?

    d) Dressez la liste des valeurs sur la quatrième ligne.

    e) Dressez la liste des valeurs sur la deuxième ligne.

    f) Combien de valeurs sont moins élevées que 70 ?

    g) Combien de valeurs sont plus élevées que 80 ?

    h) Combien de valeurs sont comprises entre 60 et 89 ?

2.12 Le diagramme arborescent suivant présente le nombre de films loués par jour chez Connexion Vidéo.

3	12	6 8 9
6	13	1 2 3
10	14	6 8 8 9
13	15	5 8 9
15	16	3 5
20	17	2 4 5 6 8
23	18	2 6 8
(5)	19	1 3 4 5 6
22	20	0 3 4 6 7 9
16	21	2 2 3 9
12	22	7 8 9
9	23	0 0 1 7 9
4	24	8
3	25	1 3
1	26	
1	27	0

a) Sur combien de jours porte l'étude ?
b) Combien d'observations y a-t-il dans la dernière classe ?
c) Quelles sont la plus grande et la plus petite valeur dans l'ensemble de données ?
d) Dressez la liste des valeurs sur la quatrième ligne.
e) Dressez la liste des valeurs sur l'avant-dernière ligne.
f) Pendant combien de jours a-t-on loué moins de 160 films ?
g) Pendant combien de jours a-t-on loué 220 films ou plus ?
h) Pendant combien de jours a-t-on loué de 170 à 210 films ?

2.13 Une enquête sur le nombre d'appels reçus par un échantillon d'abonnés de la société Télaphone la semaine dernière a révélé les renseignements suivants. Construisez un diagramme arborescent. Combien d'appels un abonné typique a-t-il reçus ? Quels étaient les nombres le plus grand et le plus petit d'appels reçus ?

52   43   30   38   30   42   12   46   39   37   34   46   32
18   41   5

2.14 La Banque Aloha inc. étudie le nombre de fois qu'on utilise un guichet automatique particulier chaque jour. Voici le nombre de fois où un guichet a été utilisé au cours de chacun des 30 derniers jours. Construisez un diagramme arborescent. Résumez les données sur le nombre de fois qu'on a utilisé le terminal bancaire : Combien de fois a-t-on utilisé le guichet automatique durant une journée typique ? Quels sont le plus grand et le plus petit nombre de fois où le guichet automatique a été utilisé ? Autour de quelles valeurs le nombre de fois où le guichet automatique a été utilisé tend-il à se concentrer ?

83   64   84   76   84   54   75   59   70   61   63   80   84
73   68   52   65   90   52   77   95   36   78   61   59   84
95   47   87   60

2.3 LA REPRÉSENTATION GRAPHIQUE D'UNE DISTRIBUTION D'EFFECTIFS

Les directeurs commerciaux, les analystes des marchés boursiers, les gestionnaires d'hôpitaux et autres cadres ont souvent besoin d'avoir rapidement une vue d'ensemble au sujet des tendances des ventes, du cours des actions ou des coûts hospitaliers. On représente fréquemment ces diverses tendances à l'aide de graphiques et de diagrammes. Les diagrammes qui représentent graphiquement une distribution sont l'histogramme, le diagramme arborescent, le polygone d'effectifs et le polygone d'effectifs cumulés.

L'HISTOGRAMME

L'**histogramme** est l'une des méthodes graphiques les plus courantes pour représenter la distribution d'effectifs de données quantitatives.

> *d* **Histogramme**   Diagramme dans lequel les classes sont indiquées sur l'axe horizontal et les effectifs de classe sont indiqués sur l'axe vertical. Les effectifs de classe sont représentés par la hauteur des rectangles, et les rectangles sont adjacents, sans espace entre eux.

Ainsi, un histogramme décrit une distribution d'effectifs à l'aide d'une série de rectangles adjacents. Puisque la hauteur de chaque rectangle est égale à l'effectif de la classe correspondante et que les amplitudes de toutes les classes sont égales, l'aire de chaque rectangle est proportionnelle à l'effectif de la classe correspondante.

Exemple 2.3   Reportez-vous aux données du tableau 2.7 concernant l'espérance de vie des hommes à la naissance dans 40 pays. Construisez une distribution d'effectifs et un histogramme. Quelles conclusions pouvez-vous tirer des données présentées dans l'histogramme ?

TABLEAU 2.7	L'espérance de vie des hommes à la naissance				
Pays	**Espérance de vie (en années)**	**Pays**	**Espérance de vie (en années)**	**Pays**	**Espérance de vie (en années)**
Afghanistan	45	Bhoutan	59,5	France	74,2
Albanie	69,9	Biélorussie	62,2	Hongrie	66,8
Allemagne	73,9	Botswana	46,2	Inde	62,3
Angola	44,9	Brésil	63,1	Iran	68,5
Argentine	69,6	Bulgarie	67,6	Japon	76,8
Arménie	67,2	Cambodge	51,5	Kenya	51,1
Australie	75,5	Canada	76,1	Népal	57,6
Autriche	73,7	Chili	72,3	République	
Bahamas	70,5	Chine	67,9	tchèque	70,3
Bahreïn	71,1	Congo	48,3	Royaume-Uni	74,5
Bangladesh	58,1	Cuba	74,2	Tchad	45,7
Barbade	73,7	Danemark	73	Venezuela	70
Belgique	73,8	Égypte	64,7	Zambie	39,5
Bermudes	71,7	États-Unis	73,4		

Source : Division de la statistique des Nations Unies, *Life Expectancy at Birth (Males)*, 1996-2000.

Solution   Les données du tableau 2.7 sont quantitatives. Par conséquent, il faut d'abord construire une distribution d'effectifs en utilisant la méthode présentée à la section 2.1 (voir le tableau 2.8 à la page suivante). (Dans le tableau 2.8, on donne aussi les fréquences, sujet qui sera abordé plus loin.)

TABLEAU 2.8 Les effectifs et la distribution de fréquences des données sur l'espérance de vie

Espérance de vie	Effectif	Fréquence		Opération effectuée
De 36 à moins de 43	1	0,025	⟶	1/40
De 43 à moins de 50	5	0,125	⟶	5/40
De 50 à moins de 57	2	0,050	⟶	2/40
De 57 à moins de 64	6	0,150	⟶	6/40
De 64 à moins de 71	11	0,275	⟶	11/40
De 71 à moins de 78	15	0,375	⟶	15/40
Total	40	1,000		

Pour construire un histogramme, il faut inscrire les effectifs de classe le long de l'axe vertical (axe des y ou des ordonnées) et les limites de classe ou les centres de classe le long de l'axe horizontal (axe des x ou des abscisses).

À partir de la distribution d'effectifs, on obtient l'effectif de la classe 36 à moins de 43, qui est de 1. Par conséquent, la hauteur de la colonne correspondant à cette classe est de 1. Tracez un rectangle dont la largeur va de 36 à 43 et la hauteur mesure une unité. Répétez l'opération pour les autres classes. Une fois cette tâche terminée, l'histogramme devrait ressembler au graphique de la figure 2.3. L'interruption de l'axe des x (à l'aide des deux barres obliques) indique que les limites de classe n'ont pas commencé à 0. Cela s'explique par le fait que la division entre 0 et 36 n'est pas linéaire. Autrement dit, la distance entre 0 et 36 n'est pas égale à celle entre 36 et 43, 43 et 50, et ainsi de suite.

FIGURE 2.3 L'histogramme de l'espérance de vie des hommes à la naissance

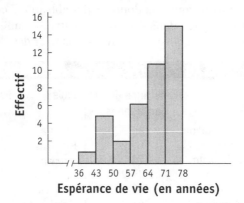

À partir de la figure 2.3, on peut tirer les conclusions suivantes :

- L'espérance de vie la moins longue est d'environ 36 ans et la plus longue, d'environ 78 ans.

- La classe ayant l'effectif le plus élevé (15) va de 71 à moins de 78 ans. Autrement dit, 15 pays ont une espérance de vie comprise entre 71 et moins de 78 ans.

- La classe ayant l'effectif le moins élevé (1) est de 36 à moins de 43 ans. En d'autres mots, un seul pays a une espérance de vie comprise entre 36 et moins de 43 ans.

- L'histogramme est en forme de j. Il y a une queue du côté gauche de la classe ayant l'effectif (mode) le plus élevé, mais non du côté droit.

LES FORMES COMMUNES DE DISTRIBUTION

En se basant sur la forme des histogrammes, on peut classer les distributions selon qu'elles sont symétriques ou asymétriques.

Dans une distribution symétrique, si l'on divise l'histogramme en deux en faisant traverser une droite en son centre, les deux parties ainsi formées deviennent l'image miroir l'une de l'autre [voir la figure 2.4 a)].

Dans le cas d'une distribution asymétrique, une queue de la distribution est souvent plus longue que l'autre. Si la queue est plus longue vers la droite, on dit que la distribution est asymétrique avec étalement accentué à droite ou simplement *asymétrique à droite*. Inversement, si la queue est plus longue vers la gauche, on dit que la distribution est asymétrique avec étalement accentué à gauche ou simplement *asymétrique à gauche* [voir les figures 2.4 b) et c)].

Une distribution qui n'est pas symétrique est dite asymétrique.

FIGURE 2.4   Les formes courantes de distribution

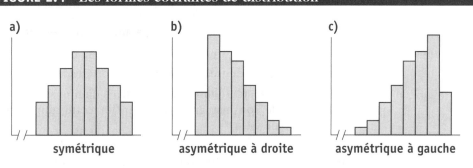

a)	b)	c)
symétrique	asymétrique à droite	asymétrique à gauche

Dans le cas d'une distribution symétrique, le centre, ou valeur caractéristique, de la distribution est bien défini. Lorsqu'il s'agit d'une distribution asymétrique, cependant, il est difficile de définir le centre. Nous aborderons cette question plus en détail au chapitre 3.

On classe aussi couramment les distributions selon leur nombre de sommets. Lorsque l'histogramme n'a qu'un seul sommet, la distribution est dite *unimodale*. Quand elle a deux sommets qui ne sont pas nécessairement de la même hauteur, on la qualifie de *bimodale*.

L'HISTOGRAMME DE FRÉQUENCES

Un histogramme de fréquences est un diagramme où les classes sont inscrites sur l'axe horizontal et les fréquences (effectifs d'une classe/effectif total), sur l'axe vertical. Reportons-nous de nouveau aux données du tableau 2.7 sur l'espérance de vie des hommes à la naissance dans 40 pays. Au tableau 2.8, on présente aussi une distribution de fréquences correspondant à ces données. Par exemple, la fréquence de la classe de 43 à moins de 50 est de 0,125 (5/40). On suit la méthode utilisée pour tracer un histogramme afin de créer un histogramme de fréquences. La figure 2.5, à la page suivante, présente l'histogramme de fréquences des données sur l'espérance de vie.

FIGURE 2.5 L'histogramme de fréquences de l'espérance de vie des hommes à la naissance

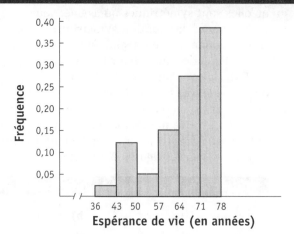

Un histogramme de fréquences a les propriétés importantes suivantes:

- La forme de l'histogramme de fréquences d'un ensemble de données est identique à la forme de son histogramme. (Vérifiez cette affirmation avec les données sur l'espérance de vie.)

- Il est utile pour comparer les formes d'un ou de plusieurs ensembles de données qui comportent des effectifs totaux différents. (Remarquez que lorsque les effectifs totaux de deux ensembles de données sont différents, il n'est pas possible de comparer les histogrammes de ces ensembles de données. Par exemple, l'effectif total d'un ensemble de données peut être de 1000, tandis que celui de l'autre ensemble de données peut être de 100. Cependant, le total des fréquences de n'importe quel ensemble de données est de 1,0.)

- L'aire du rectangle correspondant à l'intervalle de classe est égale à (fréquence de la classe) × (amplitude de classe). Par exemple, la fréquence de la classe de 43 à moins de 50 est de 0,125 (12,5 % des pays ont une espérance de vie située dans cette classe). L'aire du rectangle correspondant est (0,125)(50 − 43) = 0,875.

L'aire totale de l'histogramme de fréquences complet est donc (amplitude de classe) × (somme des fréquences de l'ensemble des classes) = amplitude de classe (parce que la somme des fréquences de l'ensemble des classes est égale à 1).

Si l'on corrige la hauteur de chaque rectangle en la multipliant par 1/(amplitude de classe), alors l'aire totale de chaque rectangle de cet histogramme de fréquences ajusté sera alors égale à sa fréquence. De plus, l'aire totale de l'histogramme de fréquences ajusté sera égale à 1.

Un histogramme offre une représentation visuelle facile à interpréter de la distribution d'effectifs de données brutes. La forme de l'histogramme est la même, que l'on utilise la distribution d'effectifs ou la distribution de fréquences. Nous discuterons de l'importance de la forme des histogrammes pour déterminer la méthode d'analyse statistique appropriée dans des chapitres ultérieurs.

LA CONSTRUCTION D'UN HISTOGRAMME À L'AIDE D'EXCEL

Il est possible de créer un histogramme au moyen de MegaStat en suivant les mêmes instructions que celles de la construction d'une distribution d'effectifs, sauf que dans ce cas-ci, on *ne* désélectionne *pas Histogram*. La feuille de calcul Excel 2.6 précise la marche à suivre pour représenter graphiquement un histogramme à l'aide d'Excel (sans MegaStat).

FEUILLE DE CALCUL EXCEL 2.6

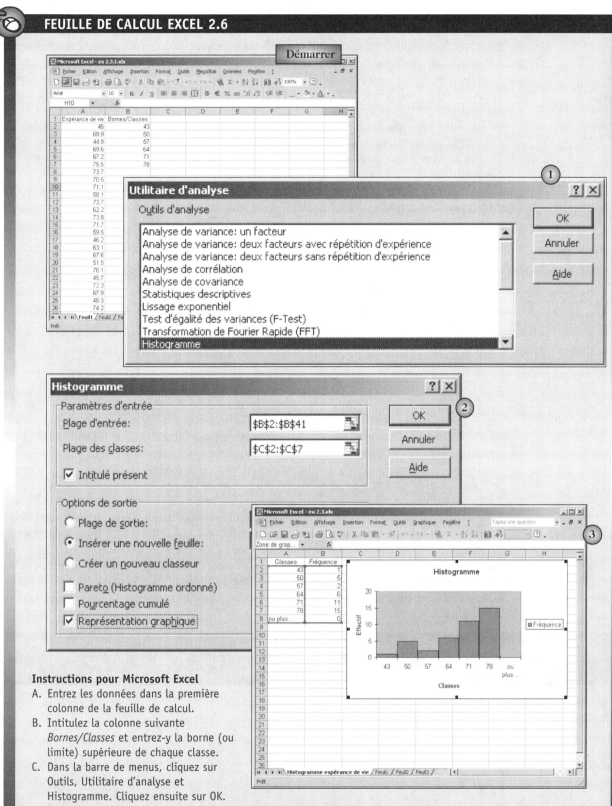

Instructions pour Microsoft Excel

A. Entrez les données dans la première colonne de la feuille de calcul.

B. Intitulez la colonne suivante *Bornes/Classes* et entrez-y la borne (ou limite) supérieure de chaque classe.

C. Dans la barre de menus, cliquez sur Outils, Utilitaire d'analyse et Histogramme. Cliquez ensuite sur OK.

D. Dans la zone Plage d'entrée, insérez les coordonnées des cellules correspondant aux données.

E. Dans la zone Plage des classes, entrez cette fois les coordonnées des cellules correspondant aux bornes.

F. Cochez les cases Intitulé présent et Représentation graphique, puis cliquez sur OK.

G. Cliquez sur n'importe quelle boîte du diagramme avec le bouton droit de la souris.

H. Choisissez l'option Format de la série de données, sélectionnez l'onglet Options, puis ramenez la largeur de l'intervalle à 0. Cliquez sur OK.

LES POLYGONES D'EFFECTIFS

La construction d'un polygone d'effectifs est comparable à celle d'un histogramme. Ce polygone est constitué de segments de droite reliant les milieux des bases supérieures des rectangles constituant l'histogramme. La figure 2.7 montre la construction d'un polygone d'effectifs. On utilise les prix des véhicules vendus le mois dernier chez Whitner Pontiac. Le centre de chaque classe est tracé par rapport à l'axe des *x* et les effectifs de classe, par rapport à l'axe des *y*. N'oubliez pas que le centre de classe est la valeur au centre d'une classe et que celle-ci représente les valeurs de cette classe. L'*effectif de classe* est le nombre d'observations dans une classe particulière. La distribution d'effectifs des prix de vente des véhicules chez Whitner Pontiac est présentée ci-dessous.

Prix de vente (en milliers de dollars)	Centre de classe	Effectif
De 19,310 à moins de 23,800	21,555	10
De 23,800 à moins de 28,290	26,045	21
De 28,290 à moins de 32,780	30,535	20
De 32,780 à moins de 37,270	35,025	15
De 37,270 à moins de 41,760	39,515	8
De 41,760 à moins de 46,250	44,005	4
De 46,250 à moins de 50,740	48,495	2
Total		80

Comme on l'a mentionné plus haut, la classe de 19,310 à moins de 23,800 est représentée par le centre de classe 21,555. Pour construire un polygone d'effectifs, on se déplace horizontalement sur le graphique jusqu'au centre de classe 21,555 et verticalement jusqu'à 10 (effectif de classe), puis on trace un point. Les valeurs *x* et *y* de ce point s'appellent les *coordonnées*. Les coordonnées du point suivant sont *x* = 26,045 et *y* = 21. Le processus se poursuit pour toutes les classes. Ensuite, il faut relier les points en ordre. Autrement dit, on doit relier le point représentant la classe inférieure à celui qui représente la deuxième classe et ainsi de suite. Il faut noter que, à la figure 2.7, pour terminer le polygone d'effectifs, on doit ajouter deux points supplémentaires avec comme coordonnées *x*, soit 17,065 et 52,985, et avec les effectifs 0 (autrement dit des points sur l'axe des *x*) pour *ancrer* le polygone. On trouve ces deux valeurs en soustrayant l'amplitude de classe de 4,49 du centre de classe le moins élevé (21,555) et en additionnant 4,49 au centre de classe le plus élevé (48,495) de la distribution d'effectifs.

FIGURE 2.7   Le polygone d'effectifs des prix de vente de 80 véhicules chez Whitner Pontiac

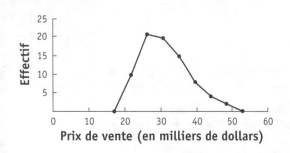

FIGURE 2.8   La distribution des prix de vente chez Whitner Pontiac et Midtown Cadillac

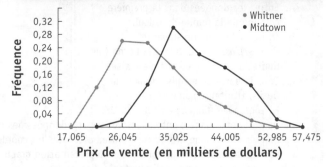

L'histogramme et le polygone d'effectifs donnent tous les deux un aperçu rapide des principales caractéristiques des données (valeurs les plus élevées, valeurs les plus faibles, points de concentration, etc.). Bien que les deux représentations aient des objectifs similaires, l'histogramme offre l'avantage de représenter chaque classe par un rectangle, la hauteur de la barre rectangulaire indiquant le nombre d'effectifs dans chaque classe. Le polygone d'effectifs, quant à lui, offre un avantage par rapport à l'histogramme. Il permet de comparer directement deux ou plusieurs distributions d'effectifs. Supposons que M. Rob Whitner, propriétaire de Whitner Pontiac, souhaite comparer les ventes du mois dernier de sa concession avec celles de Midtown Cadillac. Pour ce faire, il faut construire deux polygones de fréquences, l'un étant superposé à l'autre (voir la figure 2.8). Un polygone de fréquences utilise les fréquences en axe des y au lieu des effectifs. D'après le diagramme, le volume total des ventes de chaque concession est de toute évidence plus ou moins le même.

■ RÉVISION 2.5

Les importations annuelles d'un groupe sélectionné de fournisseurs de produits électroniques figurent dans la distribution d'effectifs suivante.

Importations (en millions de dollars)	Nombre de fournisseurs
De 2 à moins de 5	6
De 5 à moins de 8	13
De 8 à moins de 11	20
De 11 à moins de 14	10
De 14 à moins de 17	1

a) Tracez l'histogramme correspondant.

b) Tracez un polygone d'effectifs.

c) Résumez les caractéristiques importantes de la distribution (telles que la plus petite et la plus grande valeur, les points de concentration, etc.).

EXERCICES 2.15 À 2.18

2.15 Le magasin de bougies Molly possède plusieurs boutiques à Vancouver. De nombreux clients de Molly lui demandent de leur faire parvenir leurs achats par courrier. Le graphique suivant montre le nombre de colis expédiés par jour au cours des 100 derniers jours.

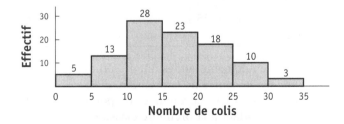

a) Comment s'appelle ce graphique ?

b) Quel est le nombre total des effectifs ?

c) Quel est l'intervalle de classe ?

d) Quel est l'effectif de classe pour ce qui est de la classe de 10 à moins de 15 ?

e) Quelle est la fréquence de la classe de 10 à moins de 15 ?

f) Quel est le centre de la classe de 10 à moins de 15 ?

g) Pour combien de jours 25 colis ou plus ont-ils été expédiés ?

2.16 Le graphique suivant montre le nombre de patients admis quotidiennement
à la salle d'urgence du Memorial Hospital.

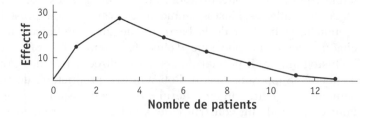

a) Quel est le centre de la classe de 2 à moins de 4?
b) Pour combien de jours de 2 à moins de 4 patients ont-ils été admis?
c) Sur combien de jours, approximativement, l'étude a-t-elle porté?
d) Quel est l'intervalle de classe?
e) Comment s'appelle ce type de graphique?

2.17 La distribution d'effectifs ci-dessous représente le nombre de jours dans l'année
durant lesquels les employés de l'entreprise Fabrication J. Dubé se sont
absentés du travail pour cause de maladie.

Nombre de jours d'absence	Nombre d'employés
De 0 à moins de 3	5
De 3 à moins de 6	12
De 6 à moins de 9	23
De 9 à moins de 12	8
De 12 à moins de 15	2
Total	50

a) Construisez l'histogramme de fréquences correspondant.
b) Quelle proportion de l'aire totale de l'histogramme de fréquences est
contenue au-dessus de l'intervalle de 3 à moins de 12?

2.18 Un gros détaillant étudie le délai d'approvisionnement (temps écoulé entre
le moment où une commande est passée et celui où elle est remplie) pour
un échantillon de commandes récentes.

Délai d'approvisionnement (en jours)	Effectif
De 0 à moins de 5	6
De 5 à moins de 10	7
De 10 à moins de 15	12
De 15 à moins de 20	8
De 20 à moins de 25	7
Total	40

a) Combien de commandes ont été étudiées?
b) Quel est le centre de la première classe?
c) Quelles sont les coordonnées du point sur le polygone d'effectifs
correspondant à la première classe?
d) Tracez l'histogramme correspondant.
e) Tracez un polygone d'effectifs.
f) À partir des deux graphiques, que pouvez-vous conclure au sujet
du délai d'approvisionnement?

LES DISTRIBUTIONS D'EFFECTIFS CUMULÉS

Revenons à la distribution des prix de vente des véhicules de Whitner Pontiac. Supposons qu'on s'intéresse au nombre de véhicules qui se sont vendus à moins de 28 290 $. On peut déterminer approximativement ces chiffres en créant une **distribution d'effectifs cumulés** et en la représentant graphiquement par un **polygone d'effectifs cumulés,** aussi appelé *courbe sigmoïde* ou *courbe en S*. À moins d'indications contraires, la limite inférieure d'une classe n'est pas incluse dans la classe pour la construction d'un tel polygone d'effectifs cumulés.

Exemple 2.4

Reportez-vous au tableau 2.4 de la page 39. Construisez un polygone d'effectifs cumulés. Cinquante pour cent des véhicules se sont vendus pour moins de quel montant ? Vingt-cinq des véhicules ont été vendus pour moins de quel montant ?

Solution

Comme le laisse entendre leur nom, une distribution d'effectifs cumulés et un polygone d'effectifs cumulés exigent des effectifs cumulés. L'effectif cumulé d'une classe correspond au nombre de valeurs observées qui sont inférieures à la limite supérieure de cette classe. Par exemple, au tableau 2.9, la distribution d'effectifs des prix de vente des véhicules de Whitner Pontiac est reprise du tableau 2.4 de la page 39. L'effectif cumulé de la classe de 23,800 à moins de 28,290 est de 31. Comment a-t-on obtenu ce nombre ? On a additionné le nombre de véhicules vendus à moins de 23,800 $ (qui est égal à 10) aux 21 véhicules vendus à un prix qui se situe dans la classe supérieure suivante. Ainsi, le nombre de véhicules vendus à *moins de* 28,290 $ est de 31. De même, l'effectif cumulé de la classe supérieure suivante est 10 + 21 + 20 = 51. Le processus se poursuit pour toutes les classes.

Pour représenter graphiquement une distribution d'effectifs cumulés, tracez la limite supérieure de chaque classe par rapport à l'axe des x et les effectifs cumulés correspondants par rapport à l'axe des y. On exprime l'axe vertical du côté gauche en unités et l'axe vertical du côté droit en pourcentage. Dans l'exemple de Whitner Pontiac, l'axe vertical du côté gauche va de 0 à 80 (véhicules vendus) et l'axe vertical du côté droit, de 0 à 100 %. La valeur de 50 % correspond à 40 véhicules vendus.

TABLEAU 2.9 La distribution d'effectifs cumulés des prix de vente de Whitner Pontiac le mois dernier

Prix de vente (en milliers de dollars)	Effectif	Effectif cumulé	Opération effectuée
De 19,310 à moins de 23,800	10	10	⟶ (10+0)
De 23,800 à moins de 28,290	21	31	⟶ (10+21)
De 28,290 à moins de 32,780	20	51	⟶ (10+21+20)
De 32,780 à moins de 37,270	15	66	
De 37,270 à moins de 41,760	8	74	
De 41,760 à moins de 46,250	4	78	
De 46,250 à moins de 50,740	2	80	
Total	80		

On commence la représentation graphique ainsi : puisque 10 véhicules se sont vendus à moins de 23 800 $, le premier point du tracé est à $x = 23,80$ et $y = 10$. Les coordonnées du point suivant sont $x = 28,29$ et $y = 31$. Les points suivants sont représentés graphiquement puis reliés aux autres pour former la figure 2.9 (voir page suivante). Fermez la partie inférieure du graphique en traçant une ligne jusqu'à la limite inférieure de la première classe. Pour trouver le prix de vente inférieur au prix auquel la moitié des voitures se sont vendues, on trace une droite partant de la marque des 50 % du côté droit de l'axe vertical sur le polygone et qui se rend jusqu'au polygone, puis on descend jusqu'à l'axe des x et on lit le prix de vente correspondant. La valeur de l'axe des x est d'environ 30 300 $. Pour trouver le prix au-dessous duquel 25 des véhicules se sont vendus, on repère la valeur 25 sur l'axe vertical du côté gauche. Ensuite, on trace une droite horizontale qui part de la valeur 25 et qui se rend jusqu'au polygone, puis on la descend jusqu'à l'axe des *x* et on lit le prix, qui est d'environ 27. On estime donc que 25 véhicules ont été vendus pour moins de 27 000 $. On peut également estimer le pourcentage des véhicules vendus à moins de 39 000 $. Pour ce faire, on commence par repérer la valeur 39 sur l'axe des *x*, puis on se déplace verticalement vers le polygone et horizontalement vers l'axe vertical du côté droit. La valeur obtenue est d'environ 88,5 %. Par conséquent, on arrive à la conclusion que 88,5 % des véhicules se sont vendus à moins de 39 000 $.

FIGURE 2.9   La distribution d'effectifs cumulés du prix de vente des véhicules

■ RÉVISION 2.6

Le tableau ci-dessous fournit des renseignements sur le bénéfice net annuel de 34 petites entreprises.

Bénéfice net annuel (en milliers de dollars)	Nombre d'entreprises
De 65 à moins de 75	1
De 75 à moins de 85	6
De 85 à moins de 95	7
De 95 à moins de 105	12
De 105 à moins de 115	5
De 115 à moins de 125	3

a) Comment s'appelle ce tableau ?

b) Créez une distribution d'effectifs cumulés et tracez un polygone d'effectifs cumulés de la distribution.

c) En vous fondant sur le polygone d'effectifs cumulés, trouvez le nombre d'entreprises ayant réalisé un bénéfice net annuel inférieur à 105 000 $.

EXERCICES 2.19 À 2.22

2.19 Le tableau suivant présente la distribution des salaires des chargés de cours à plein temps d'un collège communautaire.

Salaire (en dollars)	Nombre de chargés de cours
De 28 000 à moins de 33 000	5
De 33 000 à moins de 38 000	6
De 38 000 à moins de 43 000	4
De 43 000 à moins de 48 000	3
De 48 000 à moins de 53 000	7

a) Créez une distribution d'effectifs cumulés.
b) Créez une distribution de fréquences cumulées.
c) Combien de chargés de cours gagnent moins de 33 000 $?
d) Soixante-douze pour cent des chargés de cours gagnent moins de combien ?

2.20 La société Gaz actif a fait parvenir un état des paiements exigibles à 70 clients. Les montants suivants sont exigibles :

Montant (en dollars)	Nombre de clients
De 70 à moins de 80	5
De 80 à moins de 90	20
De 90 à moins de 100	10
De 100 à moins de 110	11
De 110 à moins de 120	14
De 120 à moins de 130	10

a) Tracez le polygone d'effectifs cumulés correspondant.
b) Combien de clients doivent moins de 100 $?

2.21 Reportez-vous à la distribution d'effectifs du nombre de jours par année durant lesquels les employés de l'entreprise Fabrication J. Dubé étaient absents pour cause de maladie (voir l'exercice 2.17).
a) Combien d'employés se sont absentés moins de trois jours par année ? Combien se sont absentés moins de six jours pour cause de maladie ?
b) Convertissez la distribution d'effectifs en distribution d'effectifs cumulés.
c) Présentez la distribution d'effectifs cumulés sous forme de polygone d'effectifs cumulés.
d) À partir du polygone d'effectifs cumulés, calculez le nombre de jours durant lesquels trois employés sur quatre se sont absentés pour cause de maladie.

2.22 Reportez-vous à la distribution d'effectifs du délai d'approvisionnement d'une commande à l'exercice 2.18.
a) Combien de commandes ont été remplies en moins de 10 jours ? en moins de 15 jours ?
b) Convertissez la distribution d'effectifs en distribution d'effectifs cumulés.
c) Tracez un polygone d'effectifs cumulés.
d) Environ 60 % des commandes ont été remplies en moins de combien de jours ?

2.4 LES MÉTHODES GRAPHIQUES POUR DÉCRIRE DES DONNÉES QUALITATIVES

L'histogramme, le diagramme arborescent, le polygone d'effectifs et le polygone d'effectifs cumulés permettent tous de présenter une distribution d'effectifs de données quantitatives. De plus, ils ont tous un certain attrait sur le plan visuel. Dans cette section, nous examinerons le diagramme en bâtons, le diagramme en bâtons groupés, le diagramme en bâtons empilés, le diagramme à secteurs (ou diagramme circulaire) et le diagramme à ligne brisée pour représenter une distribution d'effectifs de données qualitatives.

LE DIAGRAMME EN BÂTONS

Un diagramme en bâtons sert à représenter toute échelle de mesure: nominale, ordinale, d'intervalles ou de rapports. (Reportez-vous à notre discussion sur les échelles de mesure au chapitre 1.) Examinons l'exemple suivant.

Exemple 2.5

Le tableau ci-dessous indique le nombre d'étudiants inscrits dans chacun des cinq programmes de gestion dans un collège communautaire en l'an 2000.

Programme	Étudiants
Comptabilité	200
Relations industrielles	150
Planification financière	250
Marketing	290
Administration	275

Représentez ces données à l'aide d'un diagramme en bâtons.

Solution

La variable qualitative contient cinq catégories: comptabilité, relations industrielles, planification financière, marketing et administration. L'effectif (nombre d'étudiants) de chaque catégorie est précisé. Puisque les variables sont qualitatives, on choisit le diagramme en bâtons afin de représenter les données. Pour créer un diagramme en bâtons, on place les catégories sur l'axe horizontal à des intervalles réguliers. On inscrit l'effectif de chaque catégorie sur l'axe vertical. Au-dessus de chaque catégorie, on trace un rectangle dont la hauteur correspond à l'effectif de la catégorie. Grâce à ce diagramme, on peut facilement voir que le taux le plus élevé d'inscriptions est en marketing et que le plus faible est en relations industrielles. Ce diagramme est vertical, mais vous pouvez aussi dessiner un diagramme en bâtons horizontaux à la main ou utiliser un logiciel comme Excel. Les diagrammes en bâtons horizontaux conviennent mieux lorsque les catégories sont plus importantes.

La feuille de calcul Excel 2.10 a été créée dans Excel à l'aide des données de l'exemple 2.5.

FEUILLE DE CALCUL EXCEL 2.10

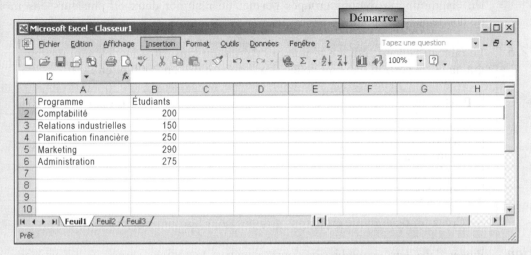

Instructions pour Microsoft Excel

A. Dans la barre de menus, cliquez sur Insertion, puis choisissez l'option Graphique.

B. Dans la zone Type de graphique, choisissez Histogramme, puis cliquez sur Suivant.

C. Dans la zone Plage de données, entrez les coordonnées des cellules correspondant aux données (c'est-à-dire, dans le cas présent, le nom des cinq programmes et le nombre d'inscriptions pour chacun d'eux).

D. Sélectionnez l'onglet Série, puis tapez *Étudiants* dans la zone Nom.

E. Cliquez sur Suivant.

F. Dans la boîte de dialogue, sélectionnez l'onglet Titre, puis tapez *Diagramme en bâtons : Étudiants inscrits* dans la zone Titre du graphique.

G. Tapez *Programme* dans la zone Axe des abscisses (X) et *Étudiants* dans la zone Axe des ordonnées (Y).

H. Cliquez sur Terminer.

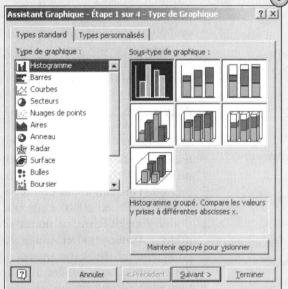

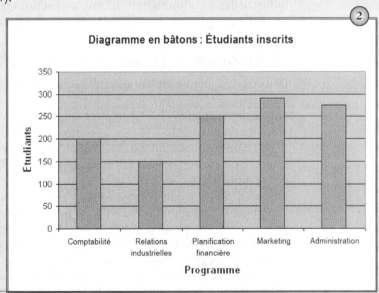

LE DIAGRAMME EN BÂTONS GROUPÉS

Un diagramme en bâtons groupés permet de résumer deux ou plusieurs ensembles de données.

Exemple 2.6

Le tableau suivant indique le nombre d'étudiants inscrits dans chacun des cinq programmes de gestion dans un collège communautaire en 2000 et en 2001.

Programme	Étudiants (en 2000)	Étudiants (en 2001)
Comptabilité	200	300
Relations industrielles	150	200
Planification financière	250	230
Marketing	290	230
Administration	275	304

Créez un diagramme en bâtons groupés pour les données susmentionnées.

Solution

Puisqu'il y a deux ensembles de données (séries de données) pour chaque catégorie, on peut résumer les deux ensembles de données simultanément à l'aide d'un diagramme en bâtons groupés. Les étapes pour créer un diagramme en bâtons groupés sont les mêmes que celles pour le diagramme en bâtons, sauf qu'on dessine deux rectangles pour chaque catégorie : l'un pour 2000 et l'autre pour 2001. La hauteur du rectangle Comptabilité en 2000 indique l'effectif de ce programme en 2000, et la hauteur du rectangle Comptabilité en 2001 montre l'effectif de ce programme en 2001. Les deux rectangles sont côte à côte sans espace entre eux. On répète l'opération pour chaque catégorie.

On utilise de nouveau Excel pour créer un diagramme en bâtons groupés (voir la feuille de calcul Excel 2.11). La marche à suivre est presque la même que celle qu'on utilise pour un diagramme en bâtons. La seule différence est qu'on entre l'emplacement de l'ensemble des données (données sur les noms de catégories et sur le nombre d'inscriptions en 2000 et en 2001) dans la plage des données. Ensuite, lorsqu'on sélectionne l'onglet Série, on donne un nom à chacune des séries (dans cet exemple, on les nomme *Année 2000* et *Année 2001*). La sortie de l'ordinateur montre les inscriptions en 2000 et en 2001 sur un seul écran. Les effectifs (nombre d'étudiants) en 2000 et en 2001 pour chaque programme apparaissent côte à côte, sans espace entre les bâtons. On constate que les inscriptions dans les trois programmes (comptabilité, relations industrielles et administration) ont augmenté en 2001, alors que les inscriptions en marketing et en planification financière ont diminué cette même année.

LE DIAGRAMME EN BÂTONS EMPILÉS

Dans un diagramme en bâtons empilés, les valeurs des différents ensembles de données correspondant à la même catégorie sont empilées en un seul bâton. Par exemple, la feuille de calcul Excel 2.12 montre un diagramme en bâtons empilés concernant les données de l'exemple 2.6.

La hauteur totale du bâton Comptabilité est de 500, ce qui correspond au nombre total d'étudiants en comptabilité en 2000 et en 2001, les deux années étant combinées. Ce nombre se divise en deux parties : la partie inférieure (d'une hauteur de 200) montre le nombre d'inscriptions en 2000 et la partie supérieure (d'une hauteur de 300), le nombre d'inscriptions en 2001. On peut comparer le nombre d'inscriptions en 2000 et en 2001 de chaque programme. On est également en mesure de comparer les inscriptions dans différents programmes en 2000, puisque les bases de référence des bâtons représentant les programmes reposent sur l'axe horizontal. Par exemple, le nombre d'inscriptions en 2000 est plus élevé dans le programme de marketing et plus faible dans le programme de relations industrielles. Puisque les bases de référence des bâtons en 2001 ne reposent pas sur un axe, il est impossible de voir la différence existant dans les inscriptions aux programmes en 2001.

FEUILLE DE CALCUL EXCEL 2.11

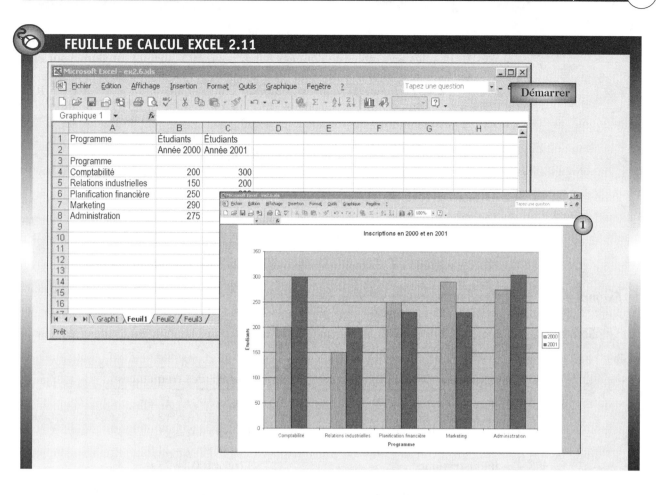

FEUILLE DE CALCUL EXCEL 2.12

Instructions pour Microsoft Excel

A. Dans la barre de menus, cliquez sur Insertion et choisissez l'option Graphique. Sélectionnez ensuite Histogramme dans la zone Type de graphique et cliquez sur l'icône représentant l'histogramme empilé dans la zone Sous-type de graphique.

B. Dans la zone Plage de données, entrez les coordonnées des cellules correspondant aux données.

C. Sélectionnez l'onglet Série, puis tapez *2000* dans la zone Nom. Sélectionnez ensuite le deuxième élément dans la zone Série et tapez *2001* dans la zone Nom.

D. Cliquez sur Suivant.

E. Dans la boîte de dialogue, sélectionnez l'onglet Titre, puis tapez *Diagramme en bâtons empilés des inscriptions en 2000 et en 2001* dans la zone Titre du graphique.

F. Tapez *Programme* dans la zone Axe des abscisses (X) et *Inscriptions* dans la zone Axe des ordonnées (Y). Sélectionnez ensuite l'onglet Étiquettes de données et cochez la case Valeur.

G. Cliquez sur Terminer.

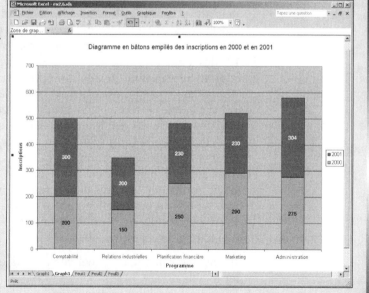

Dans une variante du diagramme en bâtons empilés appelée « diagramme en bâtons empilés 100 % », les ensembles de données correspondant à chaque catégorie sont empilés en tant que pourcentages du total. Par exemple, si l'on considère les données de l'exemple 2.6, le pourcentage d'inscriptions en comptabilité pour 2000 est de 40 % (200/500)(100) du nombre total d'inscriptions en comptabilité. Le pourcentage d'inscriptions en comptabilité en 2001 est de 60 %.

Pour produire un diagramme en bâtons empilés 100 %, la séquence de menus est la même, sauf qu'on sélectionne le diagramme empilé 100 %.

LE DIAGRAMME À SECTEURS

Un diagramme à secteurs (ou diagramme circulaire), tout comme un diagramme en bâtons, permet de résumer des données qualitatives. On l'utilise pour présenter le pourcentage de fréquences de chaque catégorie en divisant un cercle en secteurs. La taille d'un secteur est proportionnelle au pourcentage des fréquences de la catégorie correspondante.

Exemple 2.7 | Créez un diagramme à secteurs avec les données de l'exemple 2.5 (voir la page 58).

Solution | Pour créer un diagramme à secteurs, on calcule d'abord le pourcentage des fréquences de chaque catégorie.

Programme	Pourcentage des fréquences
Comptabilité	(200/1165)(100) = 17,1
Relations industrielles	(150/1165)(100) = 12,9
Planification financière	(250/1165)(100) = 21,5
Marketing	(290/1165)(100) = 24,9
Administration	(275/1165)(100) = 23,6

Un cercle complet correspond à 360 degrés. Une valeur observée de 1 % correspond donc à 3,6 degrés (360/100). Par conséquent, l'angle du secteur du programme de comptabilité est (3,60)(17,1) = 61,6 degrés. À l'aide d'un rapporteur d'angles, on inscrit 0 degré, 90 degrés, 270 degrés et 360 degrés sur un cercle. Afin de représenter graphiquement 17,1 % pour le programme de comptabilité, on trace une droite à partir du centre du cercle à 0 degré jusqu'à la circonférence, puis du centre du cercle à 61,6 degrés jusqu'à la circonférence. L'aire de cette « tranche » représente 17,1 % du nombre total d'étudiants inscrits au programme de comptabilité. Ensuite, on ajoute 17,1 % des étudiants inscrits au programme de comptabilité aux 12,9 % d'étudiants inscrits au programme de relations industrielles. Le résultat est de 30,0 %. L'angle correspondant à 30,0 % est (3,60)(30,0) = 108 degrés. On trace une ligne à partir du centre du cercle à 108 degrés jusqu'à la circonférence. Ainsi, en joignant la ligne à partir du centre du cercle à 61,6 degrés et la ligne à partir du centre du cercle à 108,0 degrés jusqu'à la circonférence, on obtient un secteur qui représente 12,9 % des étudiants inscrits au programme de relations industrielles. On utilise le même procédé pour les autres programmes.

Étant donné que les aires des secteurs, ou « tranches », représentent les fréquences des catégories, on peut facilement les comparer.

Excel permet de créer un diagramme à secteurs. La marche à suivre est indiquée dans la feuille de calcul Excel 2.13.

Il faut noter que dans Excel, les valeurs en pourcentage sont arrondies au nombre entier le plus près.

Lorsqu'on examine le diagramme à secteurs, on voit que le nombre le plus élevé d'inscriptions correspond au programme de marketing et que le nombre le moins élevé se rapporte au programme de relations industrielles. En outre, on remarque que le nombre d'inscriptions en marketing est presque deux fois supérieur au nombre d'inscriptions au programme de relations industrielles. (Le secteur correspondant au programme de marketing est presque deux fois plus gros.)

Un diagramme à secteurs est significatif dans la mesure où l'on n'utilise pas plus de six ou sept valeurs de données différentes. Si l'on dépasse ce nombre, on perd de la clarté, et l'on n'est plus en mesure d'interpréter correctement le diagramme à secteurs. En outre, on ne peut utiliser ce type de diagramme que pour une seule série de données.

■ RÉVISION 2.7

Le total du crédit à la consommation (si l'on exclut les hypothèques) pour l'an 2000 est présenté ci-après.

Établissement financier	Crédit à la consommation (en millions de dollars)
Banques à charte	119 837
Fiducie et hypothèque	1 959
Caisses populaires	15 345
Compagnies d'assurance vie	4 443
Sociétés de financement	12 734
Sociétés de crédit-émission de titres	29 008

a) Créez un diagramme à secteurs.
b) Interprétez les résultats obtenus.

FEUILLE DE CALCUL EXCEL 2.13

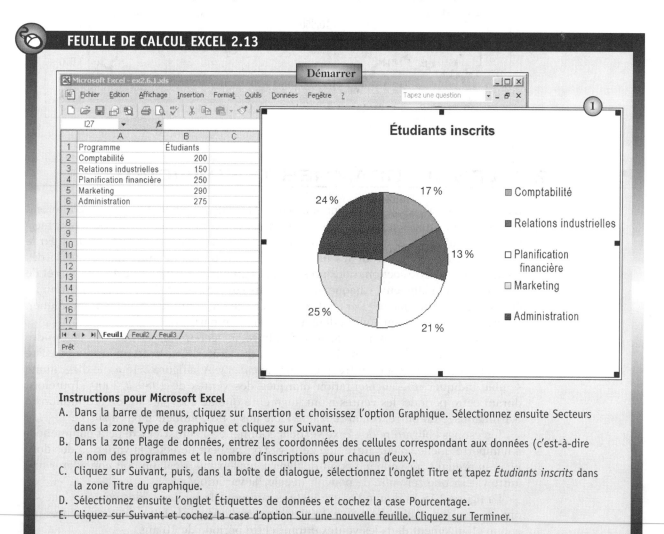

Instructions pour Microsoft Excel

A. Dans la barre de menus, cliquez sur Insertion et choisissez l'option Graphique. Sélectionnez ensuite Secteurs dans la zone Type de graphique et cliquez sur Suivant.

B. Dans la zone Plage de données, entrez les coordonnées des cellules correspondant aux données (c'est-à-dire le nom des programmes et le nombre d'inscriptions pour chacun d'eux).

C. Cliquez sur Suivant, puis, dans la boîte de dialogue, sélectionnez l'onglet Titre et tapez *Étudiants inscrits* dans la zone Titre du graphique.

D. Sélectionnez ensuite l'onglet Étiquettes de données et cochez la case Pourcentage.

E. Cliquez sur Suivant et cochez la case d'option Sur une nouvelle feuille. Cliquez sur Terminer.

LE DIAGRAMME À LIGNE BRISÉE

Un diagramme à ligne brisée sert souvent à représenter les variations dans la valeur d'une variable sur une période donnée. Les valeurs temporelles sont inscrites par ordre chronologique sur l'axe horizontal et les valeurs de la variable, sur l'axe vertical. Une droite relie les points des données. Ce diagramme à ligne brisée s'appelle aussi graphique chronologique. Il est largement utilisé par les journaux et les magazines afin de montrer la variation des données sur une période déterminée pour représenter, par exemple, les valeurs changeantes sur différentes périodes de l'indice Dow Jones, de l'indice composé de la Bourse de Toronto S&P/TSX et du NASDAQ. Le diagramme à ligne brisée sert également à présenter deux ou plusieurs séries de données simultanément pour une période donnée, par exemple le cours des actions et les ratios cours-bénéfice (quotient de la capitalisation boursière par le bénéfice net comptable) par opposition au S&P/TSX. La figure 2.14 montre l'indice Dow Jones et le NASDAQ, les deux plus importantes mesures dans le milieu des affaires, le 6 juin 2000.

FIGURE 2.14   Le sommaire du marché le 6 juin 2000

2.5 LES DIAGRAMMES TENDANCIEUX

Lorsque vous achetez un ordinateur pour la maison ou le bureau, il comprend généralement un logiciel de graphisme et un tableur comme Excel. Ce logiciel permettra de produire des graphiques et des diagrammes réussis. Cependant, prenez garde de ne pas induire en erreur les futurs lecteurs ou de donner une image fausse des données. Dans cette section, nous présenterons quelques exemples de graphiques et de diagrammes tendancieux. Chaque fois que vous voyez un graphique ou un diagramme, étudiez-le attentivement. Demandez-vous ce qu'on tente de vous communiquer. Le créateur du graphique ou du diagramme a-t-il un parti pris ?

L'une des façons les plus faciles d'induire le lecteur en erreur est de rendre l'étendue de l'axe des *y* très petite sur le plan des unités. Une autre méthode consiste à commencer à une valeur autre que 0 sur l'axe des *y*. À la figure 2.15 a), le diagramme semble indiquer une augmentation marquée des ventes de 1989 à 2000. Toutefois, durant cette période, les ventes n'ont augmenté que de 2% (passant de 5,0 millions à 5,1 millions) ! En outre, remarquez que l'axe des *y* ne commence pas à zéro.

Il n'est pas obligatoire que l'axe vertical commence à zéro. Cet axe peut commencer à n'importe quelle valeur autre que zéro. Si l'on ne peut détecter la variation des données en prenant zéro comme point de départ sur l'axe vertical, on doit considérer une autre valeur que zéro afin de pouvoir déceler la variation[2].

La figure 2.15 b) donne l'heure juste concernant la tendance des ventes. Celles-ci ont été presque stables de 1989 à 2000. Cela s'explique par le fait qu'il n'y a eu presque aucun changement dans les ventes durant cette période de 10 ans.

FIGURE 2.15   Les ventes de fourgonnettes Matsui neuf passagers

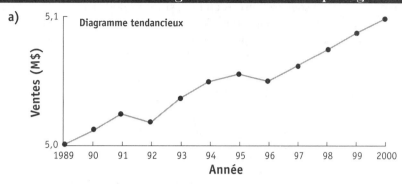

a) Diagramme tendancieux

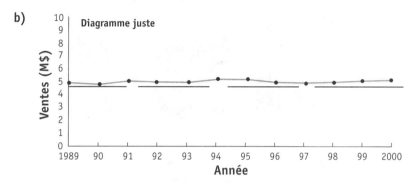

b) Diagramme juste

Nous vous demandons maintenant d'examiner avec soin chacun des scénarios des pages 65 et 66 et de décider si le message transmis est exact.

Scénario 1

Le graphique suivant a été adapté d'une publicité pour les nouvelles balles de golf Ultra-Distance de Wilson. Le graphique montre que les nouvelles balles permettent de couvrir une plus grande distance, mais quelle est l'échelle de l'axe horizontal ? Comment le test a-t-il été effectué ?

Peut-être que nul ne peut frapper une balle comme John Daly, mais tout le monde le voudrait. C'est pourquoi Wilson© introduit la nouvelle balle Ultra-Distance. La balle Ultra-Distance est la balle la plus longue et la plus précise que vous puissiez frapper.

ULTRA-DISTANCE ©	540,4 m
DUNLOP DDH IV ©	534,3 m
MAXFLI MD ©	522,1 m
TITLEIST HVC ©	520,3 m
TOP FLITE Tour 90 ©	517,2 m
TOP-FLITE MAGNA ©	515,8 m

Si l'on combine la distance obtenue avec un bois, un fer n° 5 et un fer n° 9, on obtient un résultat nettement supérieur avec la balle Ultra-Distance.

Wilson a entièrement redessiné cette balle au-dedans et au dehors, permettant à l'Ultra-Distance de faire une percée majeure dans la technologie du golf.

Scénario 2

La société Fibre Tech inc., située à Red Deer en Alberta, fabrique et installe Fibre Tech, un revêtement pour les piscines. Le graphique suivant fait partie d'un dépliant publicitaire. La comparaison est-elle juste? Quelle est l'échelle de l'axe vertical? L'échelle est-elle exprimée en dollars ou en pourcentage?

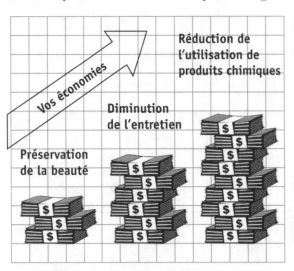

Fibre Tech réduit l'utilisation de produits chimiques, vous faisant ainsi gagner du temps et économiser de l'argent.

- *Économisez jusqu'à 60% sur les coûts des produits chimiques.*

- *Réduisez la perte d'eau. Ainsi, vous remplacez les produits chimiques moins souvent, et vous obtenez une eau jusqu'à 10% plus chaude (vous économisez aussi sur les coûts de chauffage).*

- *Fibre Tech se paie de lui-même en diminuant l'entretien et le coût des produits chimiques.*

L'information tendancieuse peut être transmise par une échelle inadéquate utilisée dans un graphique ou un diagramme. C'est le cas lorsqu'on tente de modifier toutes les dimensions simultanément en réponse à un changement unidimensionnel des données.

Une fois de plus, nous vous mettons en garde. Lorsque vous voyez un graphique ou un diagramme, surtout s'il est intégré à une publicité, faites attention. Vérifiez les échelles utilisées sur l'axe des *x* et sur l'axe des *y*.

Les lignes directrices pour sélectionner un graphique afin de résumer des données

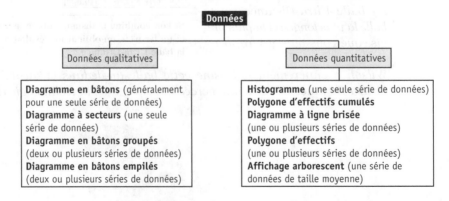

Les diagrammes en bâtons et à secteurs servent à présenter les données qualitatives (une seule série de données). En général, on préfère utiliser un diagramme en bâtons pour afficher une seule série de données, car il est plus facile de voir les changements à l'intérieur d'un ensemble de données. Selon certains psychologues qui ont étudié les préférences visuelles[3], il est plus difficile d'interpréter la taille relative des angles d'un diagramme à secteurs que de juger de la longueur des rectangles dans un diagramme en bâtons.

Pour comparer deux ou plusieurs ensembles de données qualitatives, on utilise les diagrammes en bâtons groupés et les diagrammes en bâtons empilés. Cependant, dans le cas des diagrammes en bâtons empilés, il est difficile de comparer les données *visuellement* puisque les bases des rectangles empilés ne reposent pas sur un axe.

L'histogramme est un graphique plus populaire pour faire la synthèse d'un ensemble plus grand d'une seule série de données quantitatives. Il ne sert pas à comparer deux ou plusieurs séries de données quantitatives. On utilise plutôt des polygones d'effectifs, des polygones d'effectifs cumulés et des diagrammes à ligne brisée pour comparer deux ou plusieurs séries de données dans un seul graphique. Le diagramme arborescent est très pratique pour représenter un ensemble de données quantitatives de taille moyenne.

EXERCICES 2.23 À 2.28

2.23 Le conseiller d'une petite entreprise étudie le rendement de plusieurs entreprises. Les ventes réalisées en 2000 (en milliers de dollars) par les entreprises choisies figurent plus bas. Le conseiller veut intégrer un graphique à un rapport comparant les ventes de six entreprises. Utilisez un diagramme en bâtons pour comparer les ventes du quatrième trimestre de ces entreprises, puis rédigez un rapport résumant les résultats obtenus.

Entreprise	Ventes du quatrième trimestre (en milliers de dollars)
Matériaux de construction Hoden	1 645,2
Impression J & R	4 757,0
Construction en béton Long Bay	8 913,0
Plomberie et électricité Mancell	627,1
Chauffage et climatisation Maxwell	24 612,0
Toiture et tôle Mizella	191,9

2.24 La société Douce de Montréal vend des vêtements de laine pour hommes et femmes ainsi qu'une vaste gamme de produits connexes. Elle offre un service postal à ses clients au Canada et aux États-Unis. Vous trouverez ci-dessous les ventes nettes de 1996 à 2001. Construisez un diagramme à ligne brisée qui illustre les ventes nettes réalisées au cours de la période.

Année	Ventes nettes (en millions de dollars)
1996	525,00
1997	535,00
1998	600,50
1999	625,80
2000	645,70
2001	758,75

2.25   Voici des montants de crédit d'affaires à long terme (en millions de dollars) de 1996 à 2000, au Canada. Créez un diagramme à ligne brisée illustrant le crédit d'affaires à long terme pour cette période.

Année	Crédit d'affaires à long terme (en millions de dollars)
1996	357 946
1997	392 846
1998	432 909
1999	470 250
2000	504 850

Source : Adapté de Statistique Canada, Banque du Canada, CANSIM, Matrice 2576.

2.26   Voici les taux de chômage au Canada entre 1996 et 2000. Créez un diagramme à ligne brisée pour le taux de chômage de la période allant de 1996 à 2000. Décrivez la tendance du taux de chômage.

Année	Taux de chômage (pourcentage)
1996	9,6
1997	9,1
1998	8,3
1999	7,6
2000	6,8

Source : Adapté de Statistique Canada, CANSIM, Matrice 3472 et Catalogue nº 71-529-XPB.

2.27   Les chiffres suivants correspondent au produit intérieur brut (PIB) au prix du marché de 1990 à 2000. Créez un diagramme à ligne brisée pour montrer le prix le plus élevé et le prix le plus bas du PIB au prix du marché.

Année	PIB au prix du marché (en millions de dollars)
1990	705 464
1991	692 247
1992	698 544
1993	714 583
1994	748 350
1995	769 082
1996	780 916
1997	815 013
1998	842 002
1999	880 254
2000	921 485

Source : Centre d'étude des niveaux de vie : www.csls.ca.

2.28 Le tableau ci-dessous montre le produit intérieur brut (PIB) de sept pays en 2000. Créez un diagramme en bâtons et résumez les résultats obtenus.

Pays	PIB (en billions de dollars)
États-Unis	9,3
Japon	3,9
Allemagne	2,2
France	1,5
Royaume-Uni	1,4
Italie	1,2
Canada	0,7

RÉSUMÉ DU CHAPITRE

I. Une *distribution d'effectifs* est un regroupement de données où les catégories s'excluent mutuellement et qui montre le nombre d'observations dans chaque catégorie.

  A. Les étapes à suivre pour établir une distribution d'effectifs sont les suivantes :

   1. Déterminez le nombre de classes dont vous avez besoin.
   2. Déterminez l'amplitude ou l'intervalle de la classe.
   3. Établissez les limites individuelles de la classe.
   4. Regroupez les données brutes en classes.
   5. Comptez le nombre d'observations dans chaque classe.

  B. L'*effectif de classe* correspond au nombre d'observations dans chaque classe.

  C. L'*intervalle de classe* est la différence entre la limite inférieure et la limite supérieure d'une classe.

  D. Le *centre de classe* se situe à mi-chemin entre la limite inférieure et la limite supérieure d'une classe.

II. Une *distribution de fréquences* montre la fraction des observations dans chaque classe.

III. Un *diagramme arborescent* montre une distribution d'effectifs d'un ensemble de données et, parallèlement, il a l'apparence d'un graphique similaire à un histogramme.

  A. Le premier chiffre est la tige, et les derniers chiffres représentent les feuilles.

  B. Le diagramme arborescent offre les avantages suivants par rapport à une distribution d'effectifs :

   1. L'identité de chaque observation est préservée.
   2. Les chiffres en eux-mêmes donnent un portrait de la distribution.

IV. Il existe deux méthodes pour représenter graphiquement une distribution d'effectifs.

  A. Un *histogramme* représente le nombre d'effectifs de chaque classe sous forme de rectangles.

  B. Un *polygone d'effectifs* est constitué de segments de droite reliant les milieux des bases supérieures des rectangles constituant l'histogramme.

V. Un *polygone d'effectifs cumulés* montre le nombre d'observations au-dessous d'une certaine valeur.

EXERCICES 2.29 À 2.51

2.29 Un ensemble de données est composé de 83 observations. Combien de classes recommanderiez-vous pour une distribution d'effectifs ?

2.30 Un ensemble de données est constitué de 145 observations qui vont de 56 à 490. Quelle taille d'intervalle de classe recommanderiez-vous ?

2.31 Les nombres suivants correspondent au nombre de minutes que prend un groupe de cadres du secteur de l'automobile pour se déplacer de la maison au travail.

28	25	48	37	41	19	32	26	16	23	23	29	36
31	26	21	32	25	31	43	35	42	38	33	28	

a) Combien de classes recommanderiez-vous ?
b) Quel intervalle de classe suggéreriez-vous ?
c) Quelle valeur recommanderiez-vous comme limite inférieure de la première classe ?
d) Organisez les données sous forme de distribution d'effectifs.
e) Commentez la forme de la distribution d'effectifs.

2.32 Les données suivantes correspondent aux montants (en dollars) dépensés en épicerie, par semaine, pour un échantillon de ménages. Ces données font également partie du cédérom d'accompagnement (voir le fichier Exercice 2-32.xls).

271	363	159	76	227	337	295	319	250	279	205	279
266	199	177	162	232	303	192	181	321	309	246	278
50	41	335	116	100	151	240	474	297	170	188	320
429	294	570	342	279	235	434	123	325			

a) Combien de classes recommanderiez-vous ?
b) Quel intervalle de classe suggéreriez-vous ?
c) Quelle valeur recommanderiez-vous comme limite inférieure de la première classe ?
d) Organisez les données sous forme de distribution d'effectifs.

2.33 Le diagramme arborescent suivant présente le nombre de minutes consacrées par semaine à écouter la télévision pour un échantillon d'étudiants universitaires.

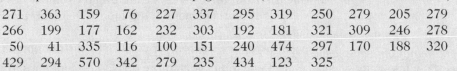

2	0	0 5
3	1	0
6	2	1 3 7
10	3	0 0 2 9
13	4	4 9 9
24	5	0 0 1 5 5 6 6 7 7 9 9
30	6	0 2 3 4 6 8
(7)	7	1 3 6 6 7 8 9
33	8	0 1 5 5 8
28	9	1 1 2 2 3 7 9
21	10	0 2 2 3 6 7 8 9 9
12	11	2 4 5 7
8	12	4 6 6 8
4	13	2 4 9
1	14	5

a) Sur combien d'étudiants l'étude a-t-elle porté ?
b) Combien y a-t-il d'observations dans la deuxième classe ?

c) Quelle est la valeur la plus petite ? la valeur la plus grande ?

d) Dressez la liste des valeurs de la quatrième ligne.

e) Combien d'étudiants ont écouté moins de 60 minutes de télévision ?

f) Combien d'étudiants ont écouté 100 minutes ou plus de télévision ?

g) Quelle est la valeur se trouvant au milieu des observations ?

h) Combien d'étudiants ont écouté au moins 60 minutes, mais moins de 100 minutes de télévision ?

2.34 Le diagramme arborescent suivant présente le nombre de commandes reçues chaque jour dans le cas d'une entreprise de vente par correspondance.

1	9	1
2	10	2
5	11	2 3 5
7	12	6 9
8	13	2
11	14	1 3 5
15	15	1 2 2 9
22	16	2 2 6 6 7 7 8
27	17	0 1 5 9 9
(11)	18	0 0 0 1 3 3 4 6 7 9 9
17	19	0 3 3 4 6
12	20	4 6 7 9
8	21	0 1 7 7
4	22	4 5
2	23	1 7

a) Sur combien de jours l'étude a-t-elle porté ?

b) Combien y-a-t-il d'observations dans la quatrième classe ?

c) Quelle est la valeur la plus petite ? la valeur la plus grande ?

d) Dressez la liste des valeurs de la sixième ligne.

e) Pendant combien de jours l'entreprise a-t-elle reçu moins de 140 commandes ?

f) Pendant combien de jours l'entreprise a-t-elle reçu 200 commandes ou plus ?

g) Pendant combien de jours l'entreprise a-t-elle reçu 180 commandes ?

h) Quelle est la valeur se trouvant au milieu des observations ?

2.35 L'histogramme suivant montre les notes au premier examen de statistique.

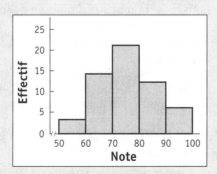

a) Combien d'étudiants ont passé l'examen ?

b) Quel est l'intervalle de classe ?

c) Quel est le centre de classe de la première classe ?

d) Combien d'étudiants ont obtenu une note inférieure à 70 ?

2.36 Le graphique suivant résume le prix de vente des maisons vendues le mois dernier à Victoria (C.-B.).

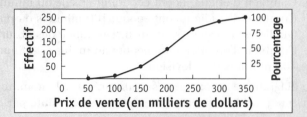

a) Comment s'appelle ce graphique?

b) Combien de maisons a-t-on vendu le mois dernier?

c) Quel est l'intervalle de classe?

d) Environ 75% des maisons se sont vendues pour moins de quel montant?

e) Parmi les maisons, 175 se sont vendues pour moins de quel montant?

2.37 Une chaîne de boutiques de ski et de vêtements de sport pour skieurs débutants a l'intention de mener une enquête sur les sommes qu'un skieur débutant consacre pour ses achats initiaux de matériel et de fournitures. En fonction de ces montants, elle souhaite explorer la possibilité d'offrir des combinaisons de produits, par exemple des bottes et des skis, pour inciter les clients à acheter davantage de produits. Un échantillon des reçus de la caisse-enregistreuse révèle les achats initiaux suivants (en dollars):

140	82	265	168	90	114	172	230	142	86	125	235
212	171	149	156	162	118	139	149	132	105	162	126
216	195	127	161	135	172	220	229	129	87	128	126
175	127	149	126	121	118	172	126				

a) Suggérez un intervalle de classe. Utilisez cinq classes. La limite inférieure de la première classe est de 80 $.

b) Quel serait un meilleur intervalle de classe?

c) Organisez les données sous forme de distribution d'effectifs.

d) Interprétez les résultats obtenus.

2.38 Le nombre d'actionnaires (en milliers) d'un groupe sélectionné de grandes entreprises est donné sur le cédérom accompagnant ce manuel (voir le fichier Exercice 2-38.xls).

Vous devez organiser le nombre d'actionnaires sous forme de distribution d'effectifs et créer plusieurs graphiques pour illustrer la distribution.

a) En utilisant sept classes et une limite inférieure de 130, construisez une distribution d'effectifs.

b) Illustrez la distribution sous forme de polygone d'effectifs.

c) Illustrez la distribution sous forme de polygone d'effectifs cumulés.

d) À partir du polygone, combien d'actionnaires ont trois sur quatre (75%) des entreprises?

e) Analysez brièvement le nombre d'actionnaires en fonction de la distribution d'effectifs et des graphiques.

2.39 Voici la liste des médicaments les plus vendus en 2002. Créez un graphique approprié pour illustrer les données.

Produits	Ventes (en milliards de dollars)
Lipitor (diminue le taux de cholestérol)	5,7
Zocor (diminue le taux de cholestérol)	5,3
Claritin (antihistaminique)	4,2
Norvasc (inhibiteur calcique)	4,1
Losec (antiulcéreux)	3,6

2.40　Une banque a choisi un échantillon des comptes chèques de 40 étudiants. Voici les soldes de fin de mois.

404	74	234	149	279	215	123	55	43	321	87	234
68	489	57	185	141	758	72	863	703	125	350	440
37	252	27	521	302	127	968	712	503	489	327	608
358	425	303	203								

　　a) Groupez les données sous forme de distribution d'effectifs en utilisant 100 $ comme intervalle de classe et 0 $ comme point de départ.

　　b) Tracez un polygone d'effectifs cumulés.

　　c) La banque considère les étudiants ayant un solde de clôture de 400 $ ou plus comme des « clients privilégiés ». Estimez le pourcentage de clients privilégiés.

　　d) La banque envisage d'exiger des frais de services à 10 % des étudiants dont les soldes de clôture sont les plus bas. Quel point critique recommanderiez-vous pour délimiter ceux qui doivent payer des frais de service et ceux qui ne doivent pas en payer ?

2.41　Voici les notes des étudiants d'un cours de marketing en 2002.

57	81	47	87	21	47	57	64	86	41	84	48	80	58	88
73	30	64	84	77	28	95	40	42	10	72	61	13	56	47
55	48	60	99	88	86	95	49							

　　a) Construisez un diagramme arborescent.

　　b) Résumez vos conclusions.

2.42　Une enquête récente des technologies à domicile rapportait le nombre d'heures d'utilisation de l'ordinateur par semaine pour un échantillon de 60 personnes. Les personnes qui travaillaient à la maison et qui utilisaient l'ordinateur dans le cadre de leur travail ont été exclues de cette enquête.

9,3	5,3	6,3	8,8	6,5	0,6	5,2	6,6	9,3	4,3	6,3	2,1	2,7	0,4
3,7	3,3	1,1	2,7	6,7	6,5	4,3	9,7	7,7	5,2	1,7	8,5	4,2	5,5
5,1	5,6	5,4	4,8	2,1	10,1	1,3	5,6	2,4	2,4	4,7	1,7	2,0	6,7
1,1	6,7	2,2	2,6	9,8	6,4	4,9	5,2	4,5	9,3	7,9	4,6	4,3	4,5
9,2	8,5	6,0	8,1										

　　a) Organisez les données sous forme de distribution d'effectifs. Combien de classes recommanderiez-vous ? Quelle valeur suggéreriez-vous comme intervalle de classe ?

　　b) Créez un histogramme. Interprétez les résultats obtenus.

2.43　Merrill Lynch a récemment terminé une enquête concernant la taille des portefeuilles d'investissement (actions, obligations, fonds communs de placement et certificats de dépôt) pour un échantillon de clients dans le groupe d'âge des 40 à 50 ans. Voici les valeurs (en milliers de dollars) de tous les investissements pour les 70 participants à l'enquête.

669,9	7,5	77,2	7,5	125,7	516,9	219,9	645,2
301,9	235,4	716,4	145,3	26,6	187,2	315,5	89,2
136,4	616,9	440,6	408,2	34,4	296,1	185,4	526,3
380,7	3,3	363,2	51,9	52,2	107,5	82,9	63,0
228,6	308,7	126,7	430,3	82,0	227,0	321,1	403,4
39,5	124,3	118,1	23,9	352,8	156,7	276,3	23,5
31,3	301,2	35,7	154,9	174,3	100,6	236,7	171,9
221,1	43,4	212,3	243,3	315,4	5,9	1002,2	171,7
295,7	437,0	87,8	302,1	268,1	899,5		

　　a) Organisez les données sous forme de distribution d'effectifs. Combien de classes recommanderiez-vous ? Quelle valeur suggéreriez-vous comme intervalle de classe ?

　　b) Créez un histogramme. Interprétez les résultats obtenus.

2.44 Voici le produit intérieur brut (PIB) par habitant (en dollars) dans les pays européens suivants. Créez un diagramme en bâtons illustrant ces données.

Pays	PIB par habitant (en dollars)
Allemagne	27 337
Autriche	26 740
Danemark	32 576
France	24 956
Grèce	11 860
Norvège	35 853
Turquie	3 120

2.45 La Care Heart Association a rapporté les pourcentages suivants de dépenses. Créez un diagramme à secteurs illustrant ces données. Interprétez les résultats obtenus.

Catégorie	Pourcentage
Recherche	32,3
Éducation en matière de santé publique	23,5
Service communautaire	12,6
Collecte de fonds	12,1
Formation professionnelle et éducative	10,9
Gestion et autre	8,6

2.46 Dans son rapport annuel de 2002, la société Schering-Plough a déclaré les revenus (en millions de dollars) de 1995 à 2002 indiqués au tableau suivant. Créez un diagramme à ligne brisée illustrant les bénéfices et commentez les résultats obtenus.

Année	Revenus (en millions de dollars)
1995	1053
1996	1213
1997	1444
1998	1756
1999	2110
2000	2900
2001	3595
2002	4550

2.47 Le tableau suivant présente les exportations du Canada dans le commerce des marchandises avec ses principaux partenaires commerciaux :

Principaux partenaires commerciaux	Décembre 1999 (en millions de dollars)	Décembre 2000 (en millions de dollars)
États-Unis	27 243	31 876
Japon	764	824
Union européenne	1 616	1 896
Autres pays de l'OCDE	728	682
Tous les autres pays	1 510	1 572

Source : Adapté de Statistique Canada, CANSIM, Matrice 3618.

a) Créez un diagramme en bâtons groupés.

b) Nommez le partenaire commercial qui a acheté le plus grand nombre de nos exportations en 2000.

2.48 Voici la distribution de la population du Canada par sexe, de 1996 à 2000. Créez un diagramme en bâtons empilés et commentez les résultats obtenus.

Année	Homme	Femme
1996	14 691 777	14 980 115
1997	14 850 874	15 136 340
1998	14 981 482	15 266 467
1999	15 104 717	15 388 716
2000	15 232 909	15 517 178

Source : Adapté de Statistique Canada, CANSIM, Matrice 6213.

2.49 Voici les encaissements provenant du lait et de la crème vendus par les fermes dans six provinces canadiennes en 2001. Créez un diagramme à secteurs pour présenter l'ensemble des données.

Province	Encaissements (en milliers de dollars)
Alberta	318 454
Colombie-Britannique	336 977
Manitoba	154 029
Nouveau-Brunswick	69 041
Nouvelle-Écosse	90 368
Île-du-Prince-Édouard	50 987

Source : Adapté de Statistique Canada, CANSIM, Matrices 5650-5651 et Catalogue nº 23-001-XIB.

2.50 Voici les exportations de biens vers l'Organisation de coopération et de développement économiques (OCDE[4]) de 1995 à 2000. Créez un diagramme à ligne brisée et décrivez les tendances des exportations de biens vers l'OCDE.

Année	Exportation de biens (en millions de dollars)
1995	4563,4
1996	5087,8
1997	8033,5
1998	7560,4
1999	7160,9
2000	8159,3

Source : Adapté de Statistique Canada, CANSIM, Matrices 3651 et 3685.

2.51 Le tableau suivant montre le volume (en kilolitres) de lait et de crème vendu par les fermes, en 2001, dans six provinces canadiennes. Créez un diagramme en bâtons pour illustrer les données.

Province	Volume de lait et de crème provenant des fermes (en kL)
Terre-Neuve	33 583
Île-du-Prince-Édouard	94 472
Nouvelle-Écosse	173 985
Nouveau-Brunswick	134 428
Manitoba	294 674
Alberta	208 198

Source : Adapté de Statistique Canada, CANSIM, Matrices 5650-5651 et Catalogue nº 23-001-XIB.

www.**exercices**.ca 2.52 À 2.53

2.52 Consultez le site Web www.statcan.ca. Cliquez sur « Français ». Sélectionnez dans le menu « Statistiques par sujet », puis cliquez successivement sur « Éducation » et « Diplômés ». Créez un diagramme en bâtons illustrant le nombre de diplômés dans chaque province. Résumez les résultats obtenus.

2.53 Consultez le site Web www.statcan.ca. Cliquez sur « Français ». Sélectionnez dans le menu « Statistiques par sujet », puis cliquez alternativement sur « Avantages de l'emploi », « Chômage », « Emploi » et « Retraite ». Choisissez deux séries de données pour une catégorie déterminée et créez un diagramme en bâtons groupés.

EXERCICES 2.54 À 2.57
DONNÉES INFORMATIQUES

2.54 Le fichier Exercice 2-32.xls contient les sommes consacrées à l'épicerie par ménage.
a) Combien de classes recommanderiez-vous ?
b) Quel intervalle ou quelle amplitude de classe suggéreriez-vous ?
c) Organisez les données sous forme de distribution d'effectifs.
d) Créez un histogramme à l'aide d'Excel. Utilisez le nombre de classes que vous avez recommandé. Décrivez la forme de l'histogramme.
e) Créez de nouveau un histogramme à l'aide d'Excel, mais, cette fois, laissez Excel déterminer le nombre de classes. Décrivez la forme de l'histogramme.

2.55 À l'aide des données du fichier Exercice 2-32.xls, construisez un diagramme arborescent. Utilisez les mêmes données pour créer un histogramme. Trouvez-vous que le diagramme arborescent fournit plus d'information que l'histogramme ? Expliquez votre réponse.

2.56 De l'information sur le recensement, l'économie et les affaires pour 29 pays est présentée sur le cédérom accompagnant ce manuel (voir le fichier OECD.xls). Construisez un diagramme arborescent pour la variable concernant le pourcentage de la main-d'œuvre âgée de plus de 65 ans. Certaines observations sont-elles aberrantes ? Décrivez brièvement les données.

2.57 Le fichier Exercice 2-57.xls présente les sommes que des skieurs débutants consacrent aux achats de matériel et de fournitures.
a) Créez un polygone d'effectifs cumulés à l'aide d'Excel.
b) Estimez la proportion de la somme d'argent consacrée à l'achat de matériel et de fournitures qui est inférieure à 143 $.
c) Combien de skieurs dépensent moins de 173,50 $ pour acheter du matériel et des fournitures ?

2.1 a) Les données brutes.

b)

Commission	Nombre de représentants
De 1400 $ à moins de 1500 $	2
De 1500 $ à moins de 1600 $	5
De 1600 $ à moins de 1700 $	3
De 1700 $ à moins de 1800 $	1
Total	11

c) Les effectifs de classe.

d) La concentration la plus élevée de commissions se situe dans la classe de 1500 $ à moins de 1600 $. La plus petite commission est d'environ 1400 $ et la plus élevée est d'environ 1800 $.

2.2 a) 5 ($2^4 = 16$, moins de 24 et $2^5 = 32$, plus de 24. Ainsi, on suggère $k = 5$.)

b) 10, qu'on trouve en arrondissant $\left[\dfrac{71-25}{5}\right] = 9,2$.

c)

Classe	Effectif
De 23 à moins de 33	3
De 33 à moins de 43	1
De 43 à moins de 53	3
De 53 à moins de 63	9
De 63 à moins de 73	8
Total	24

2.3 a) 21   b) 26,3 %

c) 17,5 % (qu'on trouve ainsi :
$[0,1 + 0,05 + 0,025] \times 100$)

2.4

7	7
8	0 0 1 3 4 8 8
9	1 2 5 6 6 8 9
10	1 2 4 8
11	2 6

a) 8

b) 10,1 ; 10,2 ; 10,4 ; 10,8

c) 11,6 et 7,7

2.5 a)

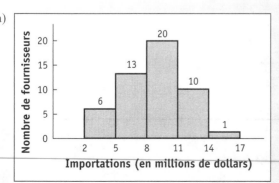

b)

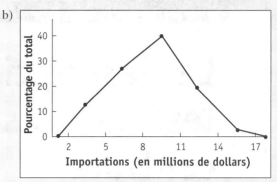

c) Le volume des ventes annuelles d'importation le plus faible d'un fournisseur est d'environ 2 millions de dollars et le plus élevé est d'environ 17 millions de dollars. La concentration se situe entre 8 et 11 millions de dollars.

2.6 a) Une distribution d'effectifs.

b)

Bénéfice net annuel (en milliers de dollars)	Nombre cumulatif
De 65 à moins de 75	1
De 75 à moins de 85	7
De 85 à moins de 95	14
De 95 à moins de 105	26
De 105 à moins de 115	31
De 115 à moins de 125	34

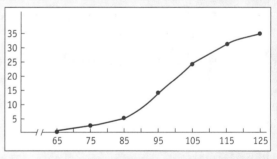

c) Le nombre d'entreprises ayant réalisé un bénéfice net annuel inférieur à 105 000 $ est d'environ 26.

2.7 a)

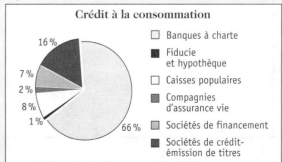

b) Les banques à charte fournissent 66 % du total des crédits à la consommation, les sociétés de crédit-émission de titres procurent 16 % du total des crédits à la consommation et ainsi de suite.

CHAPITRE 3

La description des données : les mesures de tendance centrale

OBJECTIFS D'APPRENTISSAGE

Après avoir lu ce chapitre, vous serez en mesure :

- de calculer la moyenne arithmétique, la moyenne pondérée, la médiane, le mode et la moyenne géométrique d'un ensemble de données ;

- de déterminer les positions relatives de la moyenne arithmétique, de la médiane et du mode dans les distributions symétriques et asymétriques ;

- d'indiquer les bonnes et les mauvaises utilisations de chaque mesure ;

- de justifier votre choix de mesure de tendance centrale pour un ensemble de données ;

- d'expliquer le résultat de votre analyse.

ARISTOTE (384-322 AV. J.-C.)

Le scientifique et philosophe Aristote naquit à Stagire, au nord de la Grèce. Son père, Nicomaque, médecin personnel d'Amyntas II, roi de Macédoine, mourut alors qu'Aristote avait à peine 10 ans. Aristote fit ses études à l'Académie de Platon à Athènes et devint plus tard le précepteur d'Alexandre le Grand. On dit qu'il aurait écrit plus de 150 traités, dont seulement 50 ont été retrouvés. Il écrivit sur une multitude de disciplines dont la philosophie et la logique, la physique et la métaphysique, la biologie et la psychologie, l'éthique et les sciences politiques. Les historiens de la science et de la philosophie considèrent Aristote comme un des plus grands philosophes et scientifiques et comme l'homme qui détermina l'orientation et le contenu de l'histoire intellectuelle occidentale. Vous pouvez découvrir l'importance de l'œuvre d'Aristote en consultant les sites Web suivants : www.agora.qc.ca et http://fr.wikipedia.org.

On croit que le concept des moyennes existe depuis l'Antiquité. En effet, « L'Octuple Voie » de Bouddha et la vertu[1] pour une « vie heureuse » d'Aristote fournissent suffisamment de preuves de l'existence de ce concept entre 400 et 600 av. J.-C. Aristote utilisait le concept de la moyenne afin de justifier l'équilibre entre les extrêmes de la vie pour mener une vie heureuse. Dans l'*Éthique à Nicomaque* (*Vertus de la morale, Livre VI*), il prône l'utilisation de la moyenne relative (moyenne des ratios) pour des variables qualitatives : « moyenne par rapport à nous ». Selon Aristote, « la vertu est une moyenne entre deux vices [...] entre l'excès et le défaut ». Il préconise donc le courage comme *médiété* (juste milieu) à la témérité et à la lâcheté, la libéralité comme *médiété* à la dépense excessive et à l'avarice, et la tempérance comme *médiété* au plaisir et à la douleur. De même, Aristote traite de la moyenne arithmétique pour les variables quantitatives : « Par exemple, si dix est pris comme beaucoup et deux comme peu, alors six serait la moyenne de la part des choses puisque six excède et est dépassé par une quantité égale. »

Parmi les pionniers modernes à l'origine de l'avancement du concept de moyenne figurent Simpson (1710-1757), Lagrange (1736-1813), Quételet (1796-1874) et Cournot (1810-1877). Le lecteur intéressé peut consulter les ouvrages de Stigler (1996)[2], de Johnson, Lloyd et Kotz (1997)[3], ainsi que de Hald (1998)[4].

INTRODUCTION

Nous avons débuté l'étude des statistiques descriptives au chapitre 2. Pour transformer les données quantitatives brutes ou non groupées en une forme significative, il fallait regrouper les observations en classes et en établir la distribution. On représentait graphiquement cette distribution à l'aide d'un histogramme ou d'un polygone d'effectifs. Plusieurs autres outils de description de données ont été présentés, comme le diagramme arborescent, le diagramme à ligne brisée, le diagramme en bâtons et le diagramme à secteurs.

Dans ce chapitre, nous élaborerons des méthodes pour décrire les données à l'aide d'une seule valeur appelée **mesure de tendance centrale.**

 Mesure de tendance centrale   Valeur unique qui résume un ensemble de données. Elle permet de repérer le centre de la série d'observations.

Le concept de moyenne vous est familier – le monde sportif en est rempli. La moyenne de pointage de Vince Carter des Raptor de Toronto en 2000 était de 28,5. La moyenne au bâton de Carlos Delgado des Blue Jays de Toronto en 2001 était de 0,279. Voici d'autres exemples de moyennes :

- la moyenne par ménage des dépenses en alimentation au Canada en 1999 : 6101 $;
- le prix moyen d'une maison à Ottawa en 2000 : 136 000 $;
- la consommation moyenne d'essence d'une Honda Accord (modèle 2001) de série intermédiaire : 7,6 L/100 km.

Il n'existe pas qu'une seule mesure de tendance centrale. En fait, il y en a plusieurs. Nous en verrons cinq : la moyenne arithmétique, la moyenne pondérée, la médiane, le mode et la moyenne géométrique. Nous aborderons d'abord la mesure de tendance centrale la plus largement utilisée, à savoir la moyenne arithmétique.

3.1   LA MOYENNE ARITHMÉTIQUE

LA MOYENNE DE LA POPULATION

De nombreuses études portent sur l'ensemble des observations d'une population. À titre d'exemple, supposons qu'une population soit composée de tous les étudiants ayant subi un test de classement dans un collège à l'automne 2001. Supposons que la moyenne arithmétique des notes de *tous* ces étudiants soit de 67,8. La valeur 67,8 correspondrait donc à la moyenne arithmétique de la population ou *moyenne de la population.* Voici un autre exemple : une population est composée des 15 serveurs employés par un restaurant de la région et l'on observe le montant total reçu en pourboire par chacun de ces serveurs durant le mois de décembre 2001. Supposons que la moyenne arithmétique des pourboires gagnés durant le mois de décembre 2001 s'élève à 4500 $. Il s'agit encore ici d'une moyenne de population, puisque celle-ci correspond à la moyenne arithmétique de la totalité des observations de la population.

Dans le cas des données brutes, c'est-à-dire non groupées en une distribution, la moyenne d'une population est la somme de toutes les observations de la population divisée par leur nombre. Pour trouver la moyenne de la population, on utilise la formule suivante :

$$\text{Moyenne de la population} = \frac{\text{Somme de toutes les observations de la population}}{\text{Nombre total d'observations dans la population}}$$

Il est plus pratique d'utiliser des symboles mathématiques pour représenter les différents éléments qui interviennent dans le calcul de la moyenne d'une population (ou de toute autre mesure). La formule de la moyenne de la population s'écrit de la façon suivante :

Moyenne de la population	$\mu = \dfrac{\sum x}{N}$	3.1

où

μ est la moyenne de la population ; cette lettre correspond à la lettre minuscule grecque *mu* ;

N est le nombre d'observations dans la population ;

x est n'importe quelle observation particulière de la population ;

$\sum$ est la lettre grecque majuscule *sigma* qui symbolise l'addition ;

$\sum x$ est la somme de toutes les observations x de la population.

Toute mesure utilisée pour décrire une caractéristique de la population s'appelle un **paramètre**. La moyenne d'une population est un paramètre.

    Paramètre   Mesure utilisée pour décrire une caractéristique de la population.

Exemple 3.1

On s'intéresse aux salaires annuels des cinq doyens d'un collège de la région. Ces salaires s'élèvent à 89 000 $, à 80 000 $, à 78 000 $, à 82 000 $ et à 92 000 $.

S'agit-il des données d'un échantillon ou d'une population ? Quelle est la moyenne arithmétique des salaires ?

Solution

Il s'agit des données d'une population puisqu'on dispose de la totalité des observations de l'ensemble qui nous intéresse. On additionne les salaires de tous les doyens. Le total des salaires des cinq doyens est de 421 000 $. En divisant ce total par le nombre de doyens, on obtient une moyenne arithmétique de 84 200 $. On utilise la formule 3.1 pour obtenir :

$$\mu = \frac{89\,000 + 80\,000 + 78\,000 + 82\,000 + 92\,000}{5} = 84\,200\,\$$$

Le salaire moyen des doyens est de 84 200 $. Puisqu'on a tenu compte des salaires de *tous* les doyens du collège, cette moyenne correspond à un paramètre de la population étudiée.

LA MOYENNE D'ÉCHANTILLON

Un chercheur n'a pas toujours accès à l'ensemble des observations d'une population. Dans un tel cas, si l'on s'intéresse à la valeur d'un paramètre de la population, il faut estimer cette valeur à partir des observations d'un échantillon prélevé dans la population d'intérêt. Voici un exemple : le responsable du contrôle de la qualité doit s'assurer que le diamètre extérieur des roulements à billes produits est acceptable. Il choisit un échantillon de cinq roulements à billes et calcule leur diamètre extérieur. Il doit maintenant obtenir, à partir des données de cet échantillon, une estimation acceptable de la moyenne arithmétique des diamètres extérieurs de tous les roulements produits (moyenne de la population). Cette estimation peut être obtenue à l'aide de la *moyenne de l'échantillon ou moyenne échantillonnale*.

Dans le cas des données brutes, c'est-à-dire non groupées, *la moyenne échantillonnale est la somme de toutes les observations de l'échantillon divisée par leur nombre.*

$$\text{Moyenne échantillonnale} = \frac{\text{Somme de toutes les observations de l'échantillon}}{\text{Nombre total d'observations dans l'échantillon}}$$

On calcule la moyenne d'un échantillon et la moyenne d'une population de la même manière, mais la formule mathématique est différente. La formule de la moyenne d'un *échantillon* est :

| Moyenne échantillonnale | $\bar{x} = \dfrac{\sum x}{n}$ | 3.2 |

où $\bar{x}$ est la moyenne de l'échantillon (on lit x-barre). Le n minuscule est le nombre d'observations dans l'échantillon.

On utilise la moyenne calculée à partir des observations d'un échantillon pour estimer la moyenne de la population. Toute mesure descriptive calculée à partir des observations d'un échantillon, qui est utilisée pour estimer la valeur d'un paramètre de population, s'appelle une **statistique**. Dans notre exemple, si la moyenne du diamètre extérieur des cinq roulements à bille est de 1,525 cm, alors 1,525 cm est la valeur de la moyenne de l'échantillon. C'est une *statistique*.

 Statistique   Mesure descriptive calculée à partir des observations d'un échantillon, qui est utilisée pour estimer la valeur d'un paramètre de population.

Exemple 3.2   Merrill Lynch Global Fund se spécialise dans les obligations à long terme des pays étrangers. On s'intéresse au taux d'intérêt de ces obligations. Un échantillon aléatoire de six obligations révèle ce qui suit :

Émission	Taux d'intérêt (en pourcentage)
Obligations d'épargne du gouvernement australien	9,50
Obligations d'épargne du gouvernement belge	7,25
Obligations d'épargne du gouvernement canadien	6,50
Obligations B-TAN du gouvernement français	4,75
Buoni Poliennali de Tesora (obligations d'épargne du gouvernement italien)	12,00
Bonos del Estado (obligations d'épargne du gouvernement espagnol)	8,30

Quelle est la moyenne arithmétique du taux d'intérêt sur les obligations à long terme de cet échantillon ?

Solution   À l'aide de la formule 3.2, on calcule la moyenne de l'échantillon :

$$\text{Moyenne échantillonnale} = \frac{\text{Somme de toutes les observations de l'échantillon}}{\text{Nombre total d'observations dans l'échantillon}}$$

$$\bar{x} = \frac{\sum x}{n} = \frac{9{,}50 + 7{,}25 + \dots + 8{,}30}{6} = \frac{48{,}3}{6} = 8{,}05$$

La moyenne arithmétique des taux d'intérêt des obligations à long terme de l'échantillon est de 8,05 %.

LES PROPRIÉTÉS DE LA MOYENNE ARITHMÉTIQUE

La moyenne arithmétique est la mesure de tendance centrale la plus largement utilisée. Elle possède cinq propriétés importantes :

1. Tout ensemble de données mesurées à l'aide d'une échelle d'intervalles ou d'une échelle de rapports possède une moyenne.

2. Toutes les observations sont incluses dans le calcul de la moyenne.

3. Un ensemble de données n'a qu'une moyenne. La moyenne est unique.

4. La moyenne est une mesure utile pour comparer deux ou plusieurs populations.

5. La *somme des écarts entre chaque observation et la moyenne est toujours égale à zéro.* Symboliquement, on a $\sum(x - \bar{x}) = 0$ (pour les données d'un échantillon) et $\sum(x - \mu) = 0$ (pour les données de la population).

À titre d'exemple, la moyenne des nombres 3, 8 et 4 est de 5. Alors,

$$\sum(x - \bar{x}) = (3 - 5) + (8 - 5) + (4 - 5)$$
$$= -2 + 3 - 1$$
$$= 0$$

LA MOYENNE COMME POINT D'ÉQUILIBRE

On peut considérer la moyenne comme le point d'équilibre d'un ensemble de données. Pour illustrer cette affirmation, supposons qu'un long plateau porte les nombres 1, 2, 3, ..., *n* à égale distance les uns des autres. On dépose sur ce plateau trois lingots d'or de même poids à l'emplacement des nombres 3, 4 et 8. Si le point d'appui sur lequel repose le plateau était fixé à 5, la moyenne des trois nombres, on constaterait alors que le plateau est parfaitement équilibré. Les écarts au-dessous de la moyenne (−3) sont égaux aux écarts au-dessus de la moyenne (+3) :

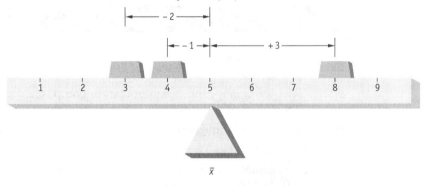

LES INCONVÉNIENTS LIÉS À LA MOYENNE

Les observations extrêmes ont une incidence marquée sur la moyenne.

Souvenez-vous qu'il faut utiliser toutes les observations de la population ou de l'échantillon dans le calcul de la moyenne arithmétique. Si quelques observations sont très grandes ou très petites par rapport aux autres, il se pourrait que la moyenne ne soit pas une mesure appropriée pour résumer l'ensemble de données. Voici un exemple : les salaires (en dollars américains) d'un échantillon de cinq des athlètes les plus cotés sont les suivants : 1,4 million, 1,5 million, 1,4 million, 1,2 million et 63,1 millions. La moyenne échantillonnale de ces salaires est de 13,72 millions. De toute évidence, cette moyenne n'est pas représentative des salaires gagnés par les cinq athlètes. Le salaire d'un athlète (63,1 millions) influence la moyenne de façon marquée. Une valeur telle que 63,1 millions est appelée *observation extrême*. La présence d'une observation extrême dans un ensemble de données peut être causée par une inscription inexacte. On devrait d'abord vérifier l'ensemble de données. Si l'on détecte que des erreurs se sont produites au moment de l'inscription de certaines observations, on doit les supprimer avant d'effectuer l'analyse statistique. Si l'inscription est exacte, on ne doit *pas supprimer* l'observation extrême. Elle constitue un renseignement important. Dans ce cas-ci, par exemple, elle indique qu'un des athlètes gagne nettement plus que les autres. Dans le rapport d'analyse, on peut dire que le salaire d'un athlète a eu une incidence marquée sur la moyenne.

Dans notre exemple, la taille de l'échantillon est petite (cinq). Cependant, lorsque la taille de l'ensemble de données est élevée, l'effet d'une observation extrême sur la moyenne est moins important.

■ RÉVISION 3.1

1. Les revenus annuels d'un échantillon de quatre cadres intermédiaires qui travaillent pour Westinghouse Communications Canada sont les suivants:

   62 900 $, 69 000 $, 58 300 $ et 76 800 $.

   a) Écrivez la formule de la moyenne échantillonnale.
   b) Déterminez la valeur de la moyenne échantillonnale.
   c) La moyenne calculée en b) est-elle une statistique ou un paramètre? Expliquez votre réponse.
   d) Donnez une estimation de la moyenne de la population.

2. Les notes de tous les étudiants du cours *Informatique avancée 411,* qui forment notre population, sont les suivantes: 95, 87, 66, 98, 56 et 12.
   a) Écrivez la formule de la moyenne de la population.
   b) Calculez la moyenne de la population.
   c) La moyenne calculée en b) est-elle une statistique ou un paramètre? Expliquez votre réponse.
   d) Pensez-vous que la moyenne est une mesure de tendance centrale appropriée pour cet ensemble de données? Expliquez votre réponse.

3. Pensez-vous que la moyenne arithmétique calculée en 1 a toutes les propriétés de la moyenne arithmétique abordées dans ce chapitre? Expliquez votre réponse.

EXERCICES 3.1 À 3.10

3.1   Calculez la moyenne de la population composée des observations suivantes: 6, 3, 5, 7, 6.

3.2   Calculez la moyenne de la population composée des observations suivantes: 7, 5, 7, 3, 7, 4.

3.3   a) Calculez la moyenne échantillonnale des observations suivantes: 5, 9, 4, 10.
      b) Montrez que $\sum(x - \bar{x}) = 0$.

3.4   a) Calculez la moyenne échantillonnale des observations suivantes: 1,3; 7,0; 3,6; 4,1; 5,0.
      b) Montrez que $\sum(x - \bar{x}) = 0$.

3.5   Calculez la moyenne échantillonnale des observations suivantes: 16,25; 12,91; 14,58.

3.6   Calculez le salaire horaire moyen des charpentiers qui gagnent les salaires horaires suivants: 15,40 $, 20,10 $, 18,75 $, 22,76 $, 30,67 $, 18,00 $.

3.7   Les salaires hebdomadaires d'un échantillon de cinq employés travaillant dans une entreprise d'exploitation forestière sont les suivants: 775,70 $, 1025,51 $, 702,50 $, 825,67 $, 1112,94 $.

      a) Calculez la moyenne arithmétique des observations.

      b) La moyenne calculée est-elle une statistique ou un paramètre?

3.8   Le service de la comptabilité d'une entreprise de commande postale a répertorié le nombre quotidien d'appels reçus à son numéro sans frais durant les sept premiers jours de mai 1998: 14, 24, 19, 31, 36, 26, 17.

      a) Calculez la moyenne arithmétique des observations.

      b) La moyenne calculée en a) est-elle une statistique ou un paramètre?

3.9 En 2000, on a choisi au hasard cinq familles à Montréal et cinq autres à Ottawa. On leur a demandé de conserver un dossier concernant leurs dépenses en nourriture en 2001. Voici les résultats obtenus :

Dépenses en nourriture à Montréal (en dollars)	Dépenses en nourriture à Ottawa (en dollars)
6010	7050
6050	8075
5900	6500
4000	7500
8000	7008

a) Calculez la moyenne arithmétique de chacun des échantillons observés.

b) Les moyennes calculées en a) sont-elles des statistiques ou des paramètres ?

c) Si les dépenses en nourriture constituaient le seul critère de sélection d'une ville où travailler, préféreriez-vous Montréal ou Ottawa ? Expliquez votre réponse.

3.10 Une étude de Statistique Canada révèle qu'en 1999, à l'Île-du-Prince-Édouard, la moyenne échantillonnale des dépenses en réparations et en rénovations s'élevait à 1811 $ par ménage. L'échantillon observé était composé de 37 880 ménages. En Nouvelle-Écosse, la moyenne échantillonnale des dépenses en réparations et en rénovations des ménages s'élevait à 1654 $ et la taille d'échantillon, à 255 620. Au Nouveau-Brunswick, la moyenne des dépenses en réparations et en rénovations, pour un échantillon de 212 870 ménages, se chiffrait à 1332 $. (Source : Statistique Canada, Catalogue n° 62-201-XIB, 1999.)

a) En vous fondant sur les données de ces échantillons, quelle province semble avoir la moyenne des dépenses en réparations et en rénovations par ménage la plus élevée ?

b) Calculez les dépenses totales en réparations et en rénovations des ménages de chaque échantillon.

c) Écrivez l'équation que vous avez utilisée en b).

3.2 LA MOYENNE PONDÉRÉE

Il conviendrait maintenant de généraliser le concept de moyenne arithmétique à celui de *moyenne pondérée*. Commençons avec un exemple. Le Burger King tout près de chez vous vend des boissons gazeuses de format petit, moyen et grand pour respectivement 0,99 $, 1,39 $ et 1,59 $. Durant la dernière heure, 10 boissons ont été vendues : 3 petites, 4 moyennes et 3 grandes. Pour déterminer le prix de vente moyen des 10 boissons vendues au cours de la dernière heure, on pourrait utiliser la formule 3.1.

$$\mu = \frac{0,99 + 0,99 + 0,99 + 1,39 + 1,39 + 1,39 + 1,39 + 1,59 + 1,59 + 1,59}{10} = 1,33$$

Le prix de vente moyen des 10 boissons vendues durant la dernière heure est de 1,33 $.

On peut facilement calculer la moyenne ci-dessus en multipliant chaque valeur distincte observée par le nombre de fois qu'elle apparaît. Ainsi,

$$\mu = \frac{3(0,99\,\$) + 4(1,39\,\$) + 3(1,59\,\$)}{10} = \frac{13,30\,\$}{10} = 1,33\,\$$$

On désigne cette équation comme la moyenne pondérée des valeurs 0,99 $, 1,39 $ et 1,59 $ ayant les pondérations respectives de 3, de 4 et de 3, et on la note μ_w.

En général, la moyenne pondérée d'un ensemble de valeurs x_1, x_2, x_3, ..., x_n ayant les pondérations respectives w_1, w_2, w_3, ..., w_n est calculée à l'aide de la formule suivante :

Moyenne pondérée	$\mu_w = \dfrac{w_1 x_1 + w_2 x_2 + \ldots + w_n x_n}{w_1 + w_2 + w_3 + \ldots + w_n}$	**3.3**

On peut l'abréger comme suit :

Moyenne pondérée	$\mu_w = \dfrac{\sum(wx)}{\sum w}$	**3.3 a)**

Exemple 3.3

Vingt employés travaillent pour Béton Roman ltée : sept sont payés au tarif horaire de 12,50 $; huit, au tarif horaire de 13,56 $ et cinq, au tarif horaire de 14,25 $. Quel est le salaire horaire moyen de ces 20 employés ?

Solution

Pour déterminer le salaire horaire moyen, on multiplie chaque salaire horaire par le nombre d'employés payés à ce tarif, puis on le divise par le nombre total d'employés. En utilisant la formule 3.3, on obtient :

$$\mu_w = \frac{7(12{,}50\,\$) + 8(13{,}56\,\$) + 5(14{,}25\,\$)}{20} = \frac{267{,}23\,\$}{20} \approx 13{,}36\,\$$$

La moyenne pondérée du salaire horaire est arrondie à 13,36 $.

Il existe des cas où la pondération accordée à chaque élément dépend de l'importance de l'élément dans l'ensemble de données. Par exemple, lorsqu'on doit calculer la moyenne des notes pour l'ensemble des cours suivis durant une année et que ceux-ci ne valent pas tous le même nombre de crédits, on utilise les crédits associés aux cours comme facteurs de pondération.

Supposons que Mélodie ait suivi sept cours durant l'année 2001-2002. Ses notes (A = 4,0 ; B = 3,0 ; C = 2,0 ; D = 1,0 ; F = 0,0) pour chaque cours sont données ci-dessous. Le dernier chiffre du numéro de cours correspond au nombre de crédits associés au cours.

Biologie 1003 : A
Anglais 1006 : B
Mathématiques 1006 : A
Statistique 1013 : A
Comptabilité 1006 : B
Chimie 1016 : C
Informatique 1003 : A

Dans ce cas-ci, la moyenne pondérée est :

$$\frac{3(4) + 6(3) + 6(4) + 3(4) + 6(3) + 6(2) + 3(4)}{(3 + 6 + 6 + 3 + 6 + 6 + 3)} = \frac{108}{33} \approx 3{,}27$$

alors que la moyenne arithmétique simple est $\dfrac{4 + 3 + 4 + \ldots + 4}{7} = \dfrac{24}{7} \approx 3{,}43$!

LA STATISTIQUE EN ACTION

La moyenne pondérée

On utilise la moyenne pondérée pour calculer des indices boursiers comme l'indice composé S&P/TSX. Chacune des actions de l'indice et les 14 groupes représentent les divers secteurs de l'industrie canadienne sont **pondérés** pour refléter leur influence sur les activités boursières. On utilise un indice pondéré, car les entreprises n'évoluent pas toutes dans le même secteur et n'émettent pas toutes le même nombre d'actions. De plus, les variations dans le cours des actions de certaines sociétés ont une plus grande influence sur le cours des actions d'autres sociétés.

La moyenne pondérée pose notamment le problème suivant : l'attribution de pondérations à chaque élément peut ne pas être évidente ou acceptable. Dans de tels cas, on obtient différentes valeurs de moyennes pondérées selon le choix des pondérations. Par exemple, le Centre d'étude des niveaux de vie (CSLS) calcule l'indice du bien-être économique au Canada et dans chaque province. Cet indice correspond à une moyenne pondérée des quatre composantes suivantes (leur pondération est mise entre parenthèses) : consommation (0,4), richesse (0,1), égalité des revenus (0,25) et sécurité économique (0,25). Par exemple, le CSLS évalue les indices de ces composantes pour l'Île-du-Prince-Édouard en 1997 à (C = 1,3152, R = 1,3870, É = 1,4482, S = 0,9029) et ceux de l'Ontario à (C = 1,3192, R = 1,2233, É = 1,0880, S = 0,8180). Ainsi, l'indice du bien-être économique est égal à 1,2526 pour l'Île-du-Prince-Édouard et à 1,1265 pour l'Ontario. Bien entendu, si l'on attribue une pondération plus élevée à la consommation et une pondération moins élevée à la sécurité économique, on obtient des résultats différents. Nous vous invitons à consulter le site Web du CSLS (www.csls.ca) pour accéder à une grande variété d'information sur l'économie canadienne.

■ RÉVISION 3.2

Harry Rosen a vendu 95 complets au prix courant de 500 $ chacun. Pour la vente de printemps, le prix des complets a été réduit à 300 $ chacun et l'on en a vendu 126. À la liquidation finale, le prix a été réduit à 250 $ chacun et les 79 complets restants ont été vendus.

Quelle est la moyenne pondérée du prix des complets vendus ?

EXERCICES 3.11 À 3.14

3.11   En juin, un investisseur a acheté 300 actions de la société Oracle à 20 $ chacune. En août, il a acheté 400 actions supplémentaires à 25 $ l'action. En novembre, alors que le prix a chuté à 23 $ l'action, il en a acheté 400 autres. Quelle est la moyenne pondérée du prix par action ?

3.12   Une librairie se spécialise dans la vente de livres d'occasion. Les livres à couverture souple sont 1 $ chacun et les livres à couverture rigide, 3,50 $. Des 50 livres vendus mardi matin dernier, 40 étaient à couverture souple et le reste, à couverture rigide. Quelle était la moyenne pondérée du prix des livres vendus mardi dernier ?

3.13   Le salaire horaire moyen des infirmières diplômées en Ontario, au Québec et au Nouveau-Brunswick en 2001 s'élevait respectivement à 25,37 $, à 21,29 $ et à 22,02 $. Le nombre d'infirmières diplômées employées en Ontario, au Québec et au Nouveau-Brunswick en 2001 était respectivement de 81 679, de 58 750 et de 7776. Calculez la moyenne pondérée du salaire horaire des infirmières dans les trois provinces combinées.

3.14   La société André et associés se spécialise en droit de l'entreprise. Elle demande 100 $ l'heure pour effectuer des recherches sur un dossier, 75 $ l'heure pour une consultation et 200 $ l'heure pour la rédaction du dossier. La semaine dernière, un des associés a passé 10 heures en consultation avec son client, 10 heures à effectuer des recherches sur le dossier et 20 heures à le rédiger. Quels sont les honoraires horaires moyens pondérés facturés pour ces services juridiques ?

3.3 LA MÉDIANE

Dans la section précédente, nous avons précisé qu'en présence d'observations extrêmes, il est possible que la moyenne arithmétique ne soit pas représentative. Dans un tel cas, on pourra mieux décrire la tendance centrale de la série de données à l'aide d'une mesure appelée *médiane*.

> **Médiane**   Valeur qui se situe au centre d'une série d'observations ordonnées en ordre croissant (ou décroissant).

Pour illustrer la nécessité d'utiliser parfois autre chose que la moyenne pour mesurer la tendance centrale, supposons que vous souhaitiez acheter un condominium dans un certain quartier de Montréal. Votre agent immobilier vous dit que le prix moyen des cinq unités actuellement offertes est de 189 000 $. Serez-vous toujours intéressé ? Si vous avez prévu à votre budget un prix d'achat maximal se situant entre 150 000 $ et 170 000 $, vous pourriez penser que les condominiums sont beaucoup trop chers pour vos moyens. Cependant, après avoir vérifié les prix individuels des unités, vous pourriez changer d'avis. Ils sont 140 000 $, 150 000 $, 160 000 $, 170 000 $ et 325 000 $ (pour un appartement-terrasse très luxueux). La moyenne arithmétique du prix est de 189 000 $, comme l'agent immobilier vous l'a précisé, mais le prix d'une unité (325 000 $) fait grimper la moyenne, la rendant non représentative. Il semble qu'un prix se situant autour de 160 000 $ serait plus typique ou représentatif. Dans des cas comme celui-ci, la médiane donne une mesure plus précise de la tendance centrale.

La médiane correspond à la valeur centrale d'une série d'observations ordonnées.

La médiane du prix des unités offertes est de 160 000 $. Pour l'établir, on ordonne les prix du moins élevé (140 000 $) au plus élevé (325 000 $) et l'on repère la valeur centrale (160 000 $).

Prix ordonnés du moins élevé au plus élevé
140 000 $
150 000 $
160 000 $ ←——— **Médiane**
170 000 $
325 000 $

Il faut noter qu'il y a autant de prix situés au-dessous de la médiane de 160 000 $ que de prix au-dessus. La médiane ne subit donc pas l'influence des observations extrêmes. Si le prix le plus élevé est de 400 000 $ – ou même de 1 million de dollars –, la médiane du prix est encore de 160 000 $. De même, si le prix le moins élevé est de 90 000 $, la médiane du prix est encore de 160 000 $. On peut remarquer qu'on obtiendrait le même résultat en rangeant les données en ordre décroissant.

Dans l'exemple précédent, il y a un nombre *impair* d'observations (cinq). Comment détermine-t-on la médiane pour un nombre *pair* d'observations ? Comme précédemment, les observations sont rangées en ordre croissant (ou décroissant). Il faut ensuite trouver les deux observations qui se situent au centre de la série. La pratique courante est de définir la médiane comme la moyenne arithmétique de ces deux observations centrales. Notons que, dans le cas d'un nombre pair d'observations, la médiane ne correspond pas nécessairement à l'une des observations de la série.

Exemple 3.4

Les taux de rendement annuel composé sur trois ans des six fonds communs de placement les plus rentables figurent dans la liste ci-dessous. Quelle est la médiane du taux de rendement annuel ?

Nom du fonds	Taux de rendement annuel composé sur trois ans (en pourcentage)
Intérêt américain MB	17,4
Croissance Spectre Amérique	23,8
Avantage AIC	5,1
Investisseur US Grande valeur Cap	13,9
Formule de fonds de croissance	8,5
RPR des enseignants – section capitaux	18,7

Solution

Il faut remarquer que le nombre d'observations est pair (6). On ordonne les rendements observés, du moins élevé au plus élevé. On trouve ensuite les deux rendements qui se situent au centre de la série ordonnée. La moyenne arithmétique de ces deux observations correspond à la médiane du rendement :

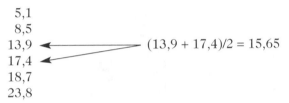

$$5,1$$
$$8,5$$
$$13,9 \qquad (13,9 + 17,4)/2 = 15,65$$
$$17,4$$
$$18,7$$
$$23,8$$

Ainsi, la médiane du taux de rendement annuel composé sur trois ans est de 15,65 %. Il faut noter que, dans ce cas, la médiane ne fait pas partie des observations. En outre, la moitié des rendements se situent au-dessus de la médiane et l'autre moitié, au-dessous.

La médiane d'une population est la valeur centrale de la série ordonnée des N observations de cette population. Si N est impair, la médiane correspond à la $[(N + 1)/2]^{\text{ième}}$ observation de la série ordonnée. Si N est pair, la médiane correspond à la moyenne des $(N/2)^{\text{ième}}$ et $[(N/2) + 1]^{\text{ième}}$ observations de la série ordonnée.

La médiane d'un échantillon est la valeur centrale de la série ordonnée des n observations de cet échantillon. Si n est impair, la médiane correspond à la $[(n + 1)/2]^{\text{ième}}$ observation de la série ordonnée. Si n est pair, la médiane correspond à la moyenne des $(n/2)^{\text{ième}}$ et $[(n/2) + 1]^{\text{ième}}$ observations de la série ordonnée.

Les principales propriétés de la médiane sont les suivantes :

- Elle ne subit pas l'influence des observations extrêmes ; elle est donc une mesure de tendance centrale précieuse lorsque de telles valeurs font partie d'une série de données.

- Elle peut se calculer pour des ensembles de données mesurées à l'aide d'une échelle ordinale, d'une échelle d'intervalles ou d'une échelle de rapports. (Au chapitre 1, nous avons vu qu'on pouvait ranger en ordre croissant les données mesurées à l'aide d'une échelle ordinale, par exemple les réponses « excellent », « très bon », « bon », « passable » et « médiocre » aux questions sur une étude du marché.) Pour illustrer cette notion, supposons que cinq personnes évaluent une nouvelle tablette de chocolat. Une personne a estimé que la tablette était excellente ; la deuxième, très bonne ; la troisième, bonne ; la quatrième, passable et la dernière, médiocre. La réponse médiane est « bonne », puisqu'il y a le même nombre d'observations au-dessus de « bonne » qu'au-dessous.

3.4 LE MODE

Le **mode** est une autre mesure de tendance centrale.

 Mode   Valeur de l'observation qui apparaît le plus fréquemment.

Le mode est particulièrement utile pour décrire les séries d'observations mesurées à l'aide des échelles nominale et ordinale. Voici un exemple. Une société a créé cinq types d'huile pour le bain. La figure 3.1 présente les résultats d'une étude de marché effectuée pour déterminer l'huile pour le bain que les consommateurs préfèrent. L'huile Lamoure est celle qui a été choisie par le plus grand nombre de personnes, comme le met en évidence le bâton le plus haut sur le diagramme. Lamoure est donc le mode.

FIGURE 3.1   Le nombre de répondants préférant diverses huiles pour le bain

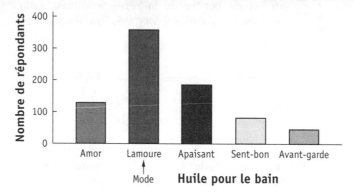

Exemple 3.5

Le tableau 3.1 contient les rendements sur trois ans d'un échantillon de huit fonds Templeton de classe A (pour l'exercice se terminant le 31 mars 2001). (Source : www.templeton.ca/prices/perf_open.html.)

Quel est le mode de cet ensemble de données ?

Solution

En examinant l'ensemble de données, vous pouvez remarquer que les bons du Trésor Templeton et les fonds équilibrés Templeton affichent un rendement sur trois ans de 4,4 %. Les autres fonds affichent tous des valeurs différentes. Par conséquent, le mode de l'ensemble de données est de 4,4 %.

TABLEAU 3.1   Les rendements sur trois ans d'un échantillon de huit fonds

Fonds	Rendement sur trois ans (en pourcentage)
Fonds de croissance Templeton	2,9
Fonds canadien d'actions Templeton	2,7
Fonds international d'actions Templeton	2,8
Fonds équilibrés Templeton	4,4
Fonds canadien d'obligations Templeton	2,5
Fonds de bons du Trésor Templeton	4,4
Fonds canadien de répartition de l'actif Templeton	4,3
Fonds mondial de petites sociétés Templeton	4,5

LES AVANTAGES ET LES INCONVÉNIENTS DU MODE

On peut déterminer le mode quelle que soit l'échelle de mesure utilisée – nominale, ordinale, d'intervalles et de rapports. Le mode offre l'avantage de ne pas subir l'influence de quelques valeurs extrêmes. Il comporte toutefois certains inconvénients qui font en sorte qu'on l'utilise moins souvent que la moyenne ou la médiane.

Le mode d'une série de données n'est pas nécessairement unique. Supposons, par exemple, que les observations suivantes correspondent à l'âge des travailleurs d'une société : 22, 27, 30, 30, 30, 30, 34, 58, 60, 60, 60, 60 et 65. Les âges 30 et 60 sont observés quatre fois chacun. Il y a donc deux modes : les âges 30 et 60. Un tel ensemble de données est qualifié de *bimodal* (à deux modes). Si l'ensemble de données contient plus de deux modes, la distribution devient *multimodale*.

La présence de modes multiples s'explique souvent par le fait que les données ne sont pas homogènes. Dans l'exemple ci-dessus, la population pourrait être composée de deux groupes distincts – un groupe de travailleurs relativement jeunes qui ont été engagés récemment pour répondre à la demande grandissante d'un produit, et un groupe d'employés plus âgés qui travaillent pour la société depuis longtemps.

Dans certains cas, toutes les observations se répètent le même nombre de fois. L'ensemble de données n'a alors pas de mode. Par exemple, il n'y a pas de mode pour l'ensemble des prix suivants : 19 $, 21 $, 23 $, 20 $ et 18 $.

En présence de modes multiples, il est souvent inapproprié d'utiliser cette mesure pour représenter la tendance centrale de la série de données.

■ RÉVISION 3.3

Ci-dessous figurent les notes d'un échantillon aléatoire de 11 étudiants inscrits à un cours de méthodes quantitatives dans un collège local durant l'automne 2002 :

89, 71, 86, 66, 55, 89, 80, 56, 96, 72, 70.

a) Trouvez le mode des notes des 11 étudiants.
b) Trouvez la médiane des notes des étudiants. Combien de notes se situent au-dessus de la médiane ? Combien de notes se situent au-dessous de la médiane ?

On peut utiliser un logiciel pour trouver les valeurs de la moyenne, de la médiane et du mode d'un ensemble de données. La feuille de calcul Excel 3.2, à la page suivante, montre la feuille des données, le détail du menu utilisé et la sortie de résultats pour l'exemple de Whitner Pontiac (voir le tableau 2.1 au chapitre 2, page 35). Peut-être remarquerez-vous que d'autres renseignements apparaissent sur la sortie de résultats, comme les valeurs du coefficient d'aplatissement (kurtosis), du coefficient d'asymétrie et de l'écart type. Nous discuterons en détail de ces notions au chapitre 4.

À partir de la sortie de résultats, on constate que le prix moyen des 80 véhicules vendus au cours du dernier mois est d'environ 31 136 $ et que la médiane est d'environ 30 540 $. Il y a une différence d'environ 596 $ entre ces deux valeurs. Que peut-on en conclure ? Le véhicule typique se vend environ 31 000 $. M. Whitner pourrait utiliser cette valeur dans la prévision de ses revenus. Par exemple, si le nombre de véhicules vendus en un mois passait de 80 à 90, ses revenus augmenteraient d'environ 310 000 $ ($10 \times 31\,000$ $).

FEUILLE DE CALCUL EXCEL 3.2

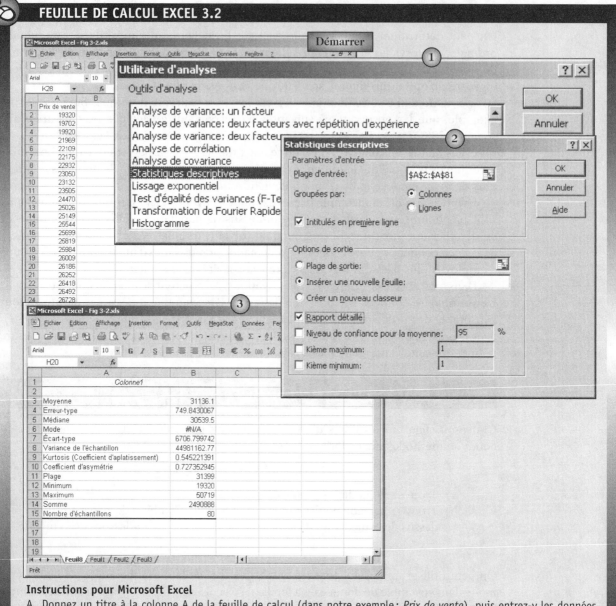

Instructions pour Microsoft Excel

A. Donnez un titre à la colonne A de la feuille de calcul (dans notre exemple: *Prix de vente*), puis entrez-y les données (dans notre exemple: les données du tableau 2.1).

B. Dans la barre de menus, cliquez sur Outils, puis choisissez Utilitaire d'analyse. Sélectionnez ensuite Statistiques descriptives dans la liste des outils d'analyse. Cliquez sur OK.

C. Entrez les coordonnées des cellules de la colonne A contenant les prix de vente dans la zone Plage d'entrée, puis cochez les cases Intitulés en première ligne, Insérer une nouvelle feuille et Rapport détaillé. Cliquez sur OK.

EXERCICES 3.15 À 3.20

3.15   Déterminez le mode pour un ensemble d'observations comprenant au total:

a) 10 observations de valeurs différentes.

b) six observations ayant toutes la même valeur.

c) six observations dont les valeurs sont 1, 2, 3, 3, 4 et 4.

Pour les exercices 3.16 à 3.20, déterminez: a) la médiane et b) le mode.

3.16   Le nombre de changements d'huile effectués au cours des sept derniers jours dans une succursale Canadian Tire se présente comme suit:

41   15   39   54   31   15   33

3.17 Vous trouverez ci-dessous les pourcentages (en 1996) de la population canadienne qui font partie des sept minorités visibles, définies par la *Loi sur l'équité en matière d'emploi*. (Source : Statistique Canada, *Recensement Canada*.)

3,0   2,4   0,6   2,0   0,6   0,2   0,2

3.18 Vous trouverez ci-dessous les taux de variation annuels (en pourcentage) des indicateurs économiques du Canada entre 2000 et 2001.

PIB	5	Prix à la consommation	2,8
Production industrielle	4,3	Prix des produits	4,4
Vente au détail	4,6	Salaire et revenus	5,5
Taux de chômage	6,9		

3.19 Vous trouverez ci-dessous l'âge (arrondi à l'année près) des étudiants d'un cours de statistique avancée.

24   26   20   27   26   22   22   22

3.20 Vous trouverez ci-dessous les dépenses totales des touristes canadiens dans les six pays les plus visités en 1999.

Pays	Dépenses (en millions de dollars)
Cuba	265
États-Unis	8401
France	506
Italie	283
Mexique	557
Royaume-Uni	1009
(Source : Statistique Canada, Culture, Tourisme et Centre de la statistique sur l'éducation, 1999.)	

3.5 LA MOYENNE GÉOMÉTRIQUE

La moyenne géométrique sert à trouver la moyenne de pourcentages, de ratios, d'indices ou de taux de croissance. Elle est fréquemment utilisée dans les secteurs du commerce et de l'économie pour déterminer la variation en pourcentage des ventes, des salaires ou des données économiques tel le produit intérieur brut (PIB). La moyenne géométrique d'un ensemble de n nombres positifs est définie par la racine $n^{\text{ième}}$ du produit des n valeurs. La formule de la moyenne géométrique s'écrit comme suit :

Moyenne géométrique	$MG = \sqrt[n]{(x_1)(x_2)\cdots(x_n)}$	**3.4**

La moyenne géométrique n'est jamais supérieure à la moyenne arithmétique.

La moyenne géométrique sera toujours inférieure ou égale à la moyenne arithmétique. Il faut noter que toutes les observations doivent être positives pour déterminer la moyenne géométrique.

À titre d'exemple, supposez que vous ayez reçu une augmentation de salaire de 5 % en 2000 et une autre de 15 % en 2001. Rappelez-vous qu'une augmentation de 5 % en 2000 fera augmenter votre salaire durant l'année à $\left(1 + \dfrac{5}{100}\right)$ fois le salaire de 1999, c'est-à-dire (1,05)(salaire de 1999). Une augmentation de 15 % en 2001 accroîtra votre salaire à (1,15)(1,05)(salaire de 1999). On peut calculer l'augmentation annuelle moyenne du salaire durant ces deux années à l'aide de la moyenne géométrique comme suit :

$$MG = \sqrt{(1,05)(1,15)} = 1,098863$$

Ainsi, le taux de croissance annuel moyen durant ces deux années est 1,098863 − 1 = 0,098863 ou 9,8863 %. On peut vérifier ce résultat en supposant que votre salaire mensuel était de 3000 $ en 1999 et que vous aviez obtenu deux augmentations consécutives de 5 % et de 15 %.

- Votre salaire mensuel en 2000 serait 3000 $(1,05) = 3150,00 $.
- Votre salaire mensuel en 2001 serait 3150 $(1,15) = 3622,50 $.

Si vous aviez plutôt reçu une augmentation de 9,8863 % chaque année, votre salaire mensuel en 2000 aurait alors été 3000 $(1,098863) = 3296,59 $, et votre salaire mensuel en 2001 aurait été 3296,59 $(1,098863) = 3622,50 $.

UNE AUTRE APPROCHE

Il faut noter que (1,05)(1,15) = 3622,50/3000 = (salaire à la fin)/(salaire au début). Donc, la moyenne géométrique de 1,05 et 1,15 est :

$$\sqrt{\frac{3622,50}{3000}} = 1,098863$$

En conséquence, le taux de croissance annuel moyen durant la période est 1,098863 − 1 = 0,098863 ou 9,8863 %. Ainsi, on obtient une autre formule pour calculer le pourcentage d'augmentation moyen dans le temps.

Augmentation annuelle moyenne durant une certaine période $= \sqrt[n]{\dfrac{\text{Valeur à la fin de la période}}{\text{Valeur au début de la période}}} - 1$	**3.5**

L'exemple suivant permet de mieux comprendre l'importance de la moyenne géométrique.

Exemple 3.6 Un fonds commun de placement a enregistré un taux de croissance de 100 % en 1999 et de −50 % en 2000. Trouvez le taux de croissance annuel moyen durant cette période.

Solution La moyenne géométrique de $\left(1 + \dfrac{100}{100}\right) = 2$ et $\left(1 - \dfrac{50}{100}\right) = 0,5$ est :

$$MG = \sqrt{(2)(0,5)} = 1$$

Donc, le taux de croissance moyen est 1 − 1 = 0.

Voyons si ce raisonnement est logique. Supposons que Charles a investi 1000 $ dans un fonds au début de 1999. La valeur de son investissement à la fin de 1999 était 1000 $(2) = 2000 $; la valeur de son investissement à la fin de 2000 était 2000 $(0,5) = 1000 $. La valeur finale est la même que la valeur de départ, et la croissance totale est nulle.

Il faut noter que si l'on utilise la moyenne arithmétique, on obtient (2 + 0,5)/2 = 1,25, ce qui donne un taux de croissance de 1,25 − 1 = 0,25 ou 25 %. Ce résultat serait trompeur.

Exemple 3.7　La population du Canada s'élevait à 29 671 900 habitants en 1996. En 2000, elle se chiffrait à 30 750 100 habitants. Quel a été le taux de croissance annuel moyen durant cette période ? (Source : Statistique Canada, CANSIM, Matrices 6367-6378 et 6408-6409.)

Solution　Il y a quatre augmentations (2000 − 1996 = 4). Ainsi, $n = 4$. À l'aide de la formule 3.5, on trouve :

$$\text{Taux de croissance annuel moyen} = \sqrt[4]{\frac{\text{Valeur à la fin de la période}}{\text{Valeur au début de la période}}} - 1$$

$$= \sqrt[4]{\frac{30\,750\,100}{29\,671\,900}} - 1 = 0,00896 \text{ ou } 0,896\,\%$$

Par conséquent, le taux de croissance annuel moyen de la population était de 0,896 %.

Les exemples 3.6 et 3.7 illustrent des applications de la moyenne géométrique pour des séries chronologiques. Dans l'exemple 3.8, la moyenne géométrique est utilisée sur des données transversales.

Exemple 3.8　Dans le cadre de quatre projets récents, les profits réalisés par la société Constructions Atkins étaient les suivants : 3 %, 2 %, 4 % et 6 %. Quelle est la moyenne géométrique des profits ? Supposez que le coût total de chaque projet était le même.

Solution　La moyenne géométrique est de 3,46 % et est calculée de la façon suivante :

$$MG = \sqrt[n]{(x_1)(x_2)\ldots(x_n)} = \sqrt[4]{(3)(2)(4)(6)} = \sqrt[4]{144} = 3,46$$

■ RÉVISION 3.4

1. Les dividendes annuels des actions, en pourcentage, de quatre sociétés pétrolières sont : 4,91 ; 5,75 ; 8,12 et 21,60.
   a) Calculez la moyenne géométrique des dividendes.
   b) Calculez la moyenne arithmétique des dividendes.
   c) La moyenne arithmétique est-elle supérieure ou égale à la moyenne géométrique ?

2. La production des camions Cablos est passée de 23 000 unités en 1988 à 120 520 unités en 2000. Calculez l'augmentation moyenne annuelle en pourcentage.

EXERCICES 3.21 À 3.28

3.21　Calculez la moyenne géométrique des valeurs suivantes : 8, 12, 14, 26 et 5.

3.22　Calculez la moyenne géométrique des valeurs suivantes : 2, 8, 6, 4, 10, 6, 8 et 4.

3.23　Le pourcentage d'augmentation des ventes de la société MG au cours des cinq dernières années est présenté ci-dessous. Déterminez l'augmentation annuelle moyenne des ventes au cours de cette période.

　9,4　　13,8　　11,7　　11,9　　14,7

3.24　En 1995, les dépenses totales en soins de santé au Canada s'élevaient à 74 223,3 M$. En 1998, ce montant est passé à 79 879,8 M$. Quelle a été l'augmentation annuelle moyenne en pourcentage durant cette période ? (Source : Adapté de l'Institut canadien d'information sur la santé.)

3.25　Le nombre de délits de fuite lors d'un accident (omissions de s'arrêter ou de rester sur les lieux) est passé de 54 180 en 1995 à 37 484 en 1999. Calculez la diminution annuelle moyenne en pourcentage durant cette période. (Source : Statistique Canada, CANSIM, Matrice 310.)

3.26   Le pourcentage d'augmentation des ventes chez ABC.com au cours des six dernières années est présenté ci-dessous. Déterminez l'augmentation annuelle moyenne des ventes au cours de cette période.

56   87   45   67   65   14

3.27   Un magasin est divisé en quatre rayons : quincaillerie, peinture et tapisserie, cuisine et salle de bain, articles de sport. Le bénéfice réalisé dans les quatre rayons en 2000 s'élève à 12,5 %, à 32,5 %, à 10,25 % et à 12,6 %, respectivement.

a) Utiliseriez-vous une moyenne arithmétique ou une moyenne géométrique pour calculer le bénéfice moyen ? Expliquez votre réponse.

b) Calculez la moyenne en vous fondant sur la décision que vous avez prise en a).

3.28   En 1991, le nombre de grèves et de débrayages s'élevait à 463 au Canada et à 310 au Japon. En 1996, le nombre de grèves et de débrayages au Canada et au Japon se chiffrait respectivement à 279 et à 193. (Le nombre de grèves et de débrayages n'inclut pas les arrêts de travail de moins de 10 jours au Canada. Au Japon, le nombre de grèves et de débrayages n'inclut pas les arrêts de travail d'une durée inférieure à une demi-journée.) Calculez la diminution annuelle moyenne en pourcentage du nombre de grèves et de débrayages pour les deux pays de 1991 à 1996.

3.6 LA MOYENNE, LA MÉDIANE ET LE MODE DE DONNÉES GROUPÉES

Assez souvent, les données sur l'âge, le revenu, les soins de santé et autres sont groupées en classes de valeurs et présentées sous forme de distribution. Dans un tel cas, il n'est habituellement pas possible d'avoir accès aux données brutes originales. Si l'on s'intéresse à une valeur typique pour représenter les données, on doit alors la calculer à partir de la distribution.

On calcule la moyenne des données organisées dans une distribution de la façon suivante :

Moyenne de la population pour des données groupées	$\mu = \dfrac{\sum fx}{N}$	**3.6**
Moyenne échantillonnale pour des données groupées	$\bar{x} = \dfrac{\sum fx}{n}$	**3.7**

où

$\bar{x}$ est la moyenne de l'échantillon ;

μ est la moyenne de la population ;

x est le centre de chaque classe ;

f est l'effectif de chaque classe ;

fx est le produit de l'effectif et du centre de chaque classe ;

n est le nombre total d'observations dans l'échantillon (= somme des effectifs) ;

N est le nombre total d'observations dans la population (= somme des effectifs).

Qu'il s'agisse d'une population ou d'un échantillon, la moyenne calculée à partir de la distribution des données groupées en classes de valeurs n'est qu'une approximation de la moyenne qui serait calculée sur les données brutes. Lorsqu'on doit estimer la moyenne d'une population à partir des données d'un échantillon et qu'on ne dispose que de la distribution des données groupées en classes pour cet échantillon, la moyenne calculée à partir de cette distribution servira d'estimation de la moyenne de la population.

On illustrera les calculs de la moyenne arithmétique des données groupées à l'aide de la distribution de l'exemple de Whitner Pontiac (voir le tableau 2.3 au chapitre 2).

Exemple 3.9 À l'aide de la distribution du prix de vente des véhicules chez Whitner Pontiac (voir le tableau 2.3, page 36), calculez une valeur approximative de la moyenne arithmétique du prix de vente des véhicules.

Solution On utilisera la moyenne arithmétique des données groupées comme valeur approximative de la moyenne arithmétique des données brutes correspondantes. On a reproduit la distribution des données groupées au tableau 2.3 dans le tableau 3.2.

On suppose que le centre de chaque classe est une valeur représentative des observations qui appartiennent à cette classe. N'oubliez pas que le centre d'une classe se situe à mi-chemin entre ses deux bornes. On détermine sa valeur en additionnant les bornes inférieure et supérieure de la classe et en divisant cette somme par deux. Dans le tableau 3.2, les centres de classe sont présentés sous la colonne intitulée x.

TABLEAU 3.2 La distribution du prix des 80 véhicules vendus le mois dernier chez Whitner Pontiac			
Prix de vente (en milliers de dollars)	Effectif f	Centre de classe x	fx
De 19,310 à moins de 23,800	10	21,555	215,55
De 23,800 à moins de 28,290	21	26,045	546,95
De 28,290 à moins de 32,780	20	30,535	610,70
De 32,780 à moins de 37,270	15	35,025	525,38
De 37,270 à moins de 41,760	8	39,515	316,12
De 41,760 à moins de 46,250	4	44,005	176,02
De 46,250 à moins de 50,740	2	48,495	96,99
Total	80		2487,71

À l'aide de la formule 3.6, on obtient :

$$\mu = \frac{\sum fx}{N} = \frac{2487,71}{80} = 31\,096\,\$$$

Par conséquent, la moyenne du prix de vente des véhicules est d'environ 31 096 $.

La moyenne des données groupées en classes peut être différente de celle des données brutes. Le regroupement en classes entraîne une certaine perte d'information. Dans l'exemple portant sur le prix de vente des véhicules, la moyenne calculée directement à partir des données brutes présentées dans le tableau 2.1 est de 31 136,10 $. Cette valeur est très proche de celle qu'on vient de calculer à partir de la distribution. La différence est de 40,1 $.

■ RÉVISION 3.5

Le revenu net d'un échantillon d'importateurs d'antiquités est présenté dans le tableau suivant :

Revenu net (en millions de dollars)	Nombre d'importateurs
De 2 à moins de 6	1
De 6 à moins de 10	4
De 10 à moins de 14	10
De 14 à moins de 18	3
De 18 à moins de 22	2

a) Comment s'appelle ce tableau ?

b) En vous basant sur les données de cet échantillon, donnez une approximation de la moyenne arithmétique du revenu net de ces importateurs.

EXERCICES 3.29 À 3.34

3.29   La valeur de la moyenne arithmétique des données brutes est-elle la même que la valeur de la moyenne arithmétique calculée à partir de la distribution des mêmes données groupées en classes ? Expliquez votre réponse.

3.30   Déterminez la moyenne de la distribution suivante :

Classe	Effectif
De 0 à moins de 5	2
De 5 à moins de 10	7
De 10 à moins de 15	12
De 15 à moins de 20	6
De 20 à moins de 25	3

3.31   Déterminez la moyenne de la distribution suivante :

Classe	Effectif
De 20 à moins de 30	7
De 30 à moins de 40	12
De 40 à moins de 50	21
De 50 à moins de 60	18
De 60 à moins de 70	12

3.32   La distribution du prix de vente pour un échantillon de 60 antiquités vendues à Montréal le mois dernier est présentée dans le tableau suivant. Donnez une approximation du prix de vente moyen de ces antiquités.

Prix de vente (en milliers de dollars)	Effectif
De 70 à moins de 80	3
De 80 à moins de 90	7
De 90 à moins de 100	18
De 100 à moins de 110	20
De 110 à moins de 120	12

3.33   La station de radio FM WLQR a récemment changé sa programmation, la faisant passer de « musique douce » à « musique contemporaine ». Un échantillon de 50 auditeurs a permis d'établir la distribution de l'âge suivante. Donnez une estimation de l'âge moyen des auditeurs de cette station.

Âge	Effectif
De 20 à moins de 30	1
De 30 à moins de 40	15
De 40 à moins de 50	22
De 50 à moins de 60	8
De 60 à moins de 70	4

3.34 Le tableau ci-dessous contient la distribution des frais de publicité de 30 petites sociétés situées à Vancouver.

Frais de publicité (en milliers de dollars)	Nombre de sociétés
De 25 à moins de 35	10
De 35 à moins de 45	5
De 45 à moins de 55	8
De 55 à moins de 65	4
De 65 à moins de 75	3

a) Donnez une valeur approximative de la moyenne des frais de publicité.

b) Expliquez pourquoi la réponse à la partie a) est une valeur approximative de la moyenne.

LA MÉDIANE DE DONNÉES GROUPÉES

Souvenez-vous que la **médiane** se définit comme la valeur centrale d'une série de données rangées en ordre croissant (ou décroissant). Si les données sont groupées en classes et présentées dans un tableau de distribution, on ne pourra pas trouver la valeur exacte de la médiane. On peut cependant calculer son approximation de la manière suivante : 1) on repère la classe dans laquelle la médiane se trouve et 2) on détermine l'emplacement de la médiane à l'intérieur de cette classe. Avec cette approche, on suppose que les observations qui appartiennent à la classe médiane sont réparties uniformément à l'intérieur de cette classe. Voici la formule utilisée :

Médiane de données groupées	$Médiane = L_{inf} + \dfrac{\dfrac{N}{2} - fc}{f}(a)$	**3.8**

où

L_{inf} est la limite inférieure de la classe contenant la médiane ;

N est le nombre total d'observations (somme de tous les effectifs). Notez que N désigne la taille d'une population. En présence d'un échantillon, il faut plutôt utiliser n ;

f est l'effectif de la classe médiane ;

fc est l'effectif cumulé des classes précédant la classe médiane ;

a est l'amplitude de la classe médiane.

Dans l'exemple 3.10, on calculera d'abord la valeur approximative de la médiane en repérant la classe où elle se situe et en déterminant son emplacement par interpolation. On vérifiera ensuite la réponse obtenue en appliquant la formule 3.8.

Exemple 3.10 À l'aide de la distribution du prix de vente des véhicules chez Whitner Pontiac (voir le tableau 2.3, page 36), calculez la valeur approximative du prix de vente médian.

Solution Le tableau 3.3 de la page suivante reproduit la distribution présentée dans le tableau 2.3 du chapitre 2. On a ajouté une colonne supplémentaire qui contient les effectifs cumulés requis pour calculer la valeur approximative de la médiane du prix de vente.

Pour déterminer la médiane du prix de vente, on doit ranger les données en ordre croissant et repérer la 40e observation. Pourquoi la 40e ? Souvenez-vous que la médiane correspond à la valeur centrale des observations rangées en ordre croissant (ou décroissant). Ici, le nombre total d'observations est 80 (un nombre pair). La médiane se situerait donc entre la 40e et la 41e observation. Cependant, puisque le nombre d'observations est généralement grand lorsqu'on utilise un regroupement en classes, on fait habituellement abstraction de la faible différence.

On repère la classe qui contient le 40e prix de vente en se reportant à la colonne des effectifs cumulés, à droite dans le tableau 3.3. Au total, 31 véhicules se sont vendus à moins de 28 290 $ et 51, à moins de 32 780 $. Le 40ᵉ prix doit donc se situer dans la tranche de 28 290 $ à moins de 32 780 $. Ainsi, on a repéré la médiane du prix de vente quelque part dans la classe « de 28 290 $ à moins de 32 780 $ » (voir la figure 3.3).

La médiane sera déterminée de manière plus précise en effectuant une interpolation linéaire à l'intérieur de la classe qui la contient. Le 40ᵉ prix de vente correspond à la 9ᵉ observation de la classe. Rappelez-vous que 20 véhicules se sont vendus de 28 290 $ à moins de 32 780 $. Supposons que les prix de vente se répartissent uniformément à l'intérieur de la classe « de 28 290 $ à moins de 32 780 $ ». La médiane serait donc située à 9/20 de la distance qui sépare 28 290 $ et 32 780 $. L'amplitude de la classe est de 4490 $. Par conséquent, (9/20)(4490) = 2020,50. On ajoute 2020,50 à la limite inférieure 28 290 $ de la classe. Ainsi, la valeur approximative de la médiane du prix de vente des véhicules est de 30 310,50 $.

TABLEAU 3.3   La distribution du prix des 80 véhicules vendus le mois dernier chez Whitner Pontiac (médiane)

Prix de vente (en milliers de dollars)	Effectif f	Effectif cumulé fc
De 19,310 à moins de 23,800	10	10
De 23,800 à moins de 28,290	21	31
De 28,290 à moins de 32,780	**20**	**51**
De 32,780 à moins de 37,270	15	66
De 37,270 à moins de 41,760	8	74
De 41,760 à moins de 46,250	4	78
De 46,250 à moins de 50,740	2	80
Total	80	

FIGURE 3.3   La position de la médiane

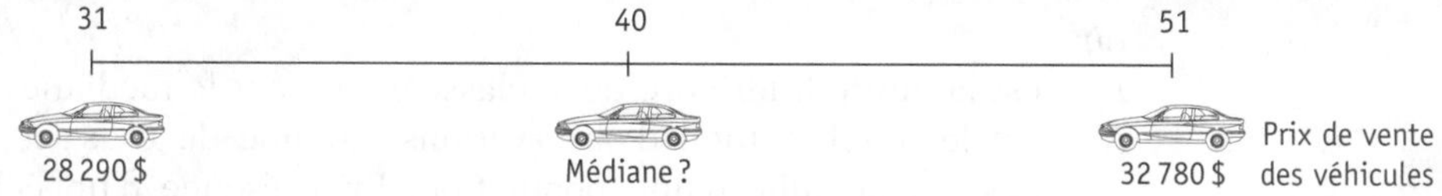

On pourrait utiliser la formule 3.8 pour calculer l'approximation de la médiane. La limite inférieure de la classe contenant la médiane est 28 290 $ (L_{inf}). Il y a ici 80 observations (N). L'effectif cumulé des classes qui précèdent la classe médiane est 31 (fc), l'effectif de cette classe est 20 (f) et son amplitude, 4490 $ (a). En substituant ces valeurs, on obtient:

$$\text{Médiane} = L_{inf} + \frac{\frac{N}{2} - fc}{f}(a)$$

$$= 28\,290 + \frac{\frac{80}{2} - 31}{20}(4490)$$

$$= 28\,290 + 2020,50 = 30\,310,50$$

L'hypothèse sous-tendant l'approximation de la médiane – selon laquelle les observations se répartissent uniformément entre 28 290 $ et moins de 32 780 $ – peut ne pas être entièrement exacte. Par conséquent, il est plus sûr de dire qu'environ la moitié des prix de vente sont inférieurs à 30 310,50 $ et qu'environ l'autre moitié des prix de vente sont supérieurs. La médiane obtenue à partir des données ainsi groupées et la médiane déterminée à partir des données brutes ne sont généralement pas tout à fait égales. Dans ce cas-ci, la médiane calculée à partir des données brutes en utilisant Excel est de 30 539,50 $, et la valeur obtenue à partir de la distribution des données groupées est de 30 310,50 $. La différence entre les deux valeurs est de 229 $.

LE MODE

Souvenez-vous que le mode d'un ensemble de données se définit comme l'observation la plus fréquente. Pour les données groupées en classes, on peut donner une approximation du mode à l'aide du centre de la classe qui possède l'effectif le plus élevé. Ainsi,

> *d* Lorsque les données sont groupées en classes, le centre de la classe modale fournit une approximation du mode des données brutes correspondantes.

Pour la distribution du prix de vente chez Whitner Pontiac (voir le tableau 3.2, page 97), on peut déterminer la valeur approximative du mode du prix de vente en repérant d'abord la classe qui possède l'effectif le plus élevé. Il s'agit de la classe « 23 800 $ à moins de 28 290 $ » (effectif = 21). Le centre de cette classe $\left(\dfrac{23\,800 + 28\,290}{2} = 26\,045\,\$ \right)$ est une valeur approximative du mode.

■ RÉVISION 3.6

1. La production quotidienne de transistors chez Scott Électronique au cours des 50 derniers jours est présentée dans le tableau de distribution ci-dessous. Calculez une valeur approximative de la médiane de la production quotidienne durant les 50 jours.

Production quotidienne	Effectif
De 80 à moins de 90	5
De 90 à moins de 100	9
De 100 à moins de 110	20
De 110 à moins de 120	8
De 120 à moins de 130	6
De 130 à moins de 140	2

2. Le tableau ci-dessous contient la distribution de fréquences (en pourcentage) des ventes nettes pour un échantillon d'usines d'emboutissage. Trouvez la valeur approximative du mode de l'échantillon.

Ventes nettes (en millions de dollars)	Fréquences en pourcentage
De 1 à moins de 4	13
De 4 à moins de 7	14
De 7 à moins de 10	40
De 10 à moins de 13	23
De 13 et plus	10

EXERCICES 3.35 À 3.40

3.35 Reportez-vous à l'exercice 3.30. Calculez la médiane et le mode des données groupées.

3.36 Reportez-vous à l'exercice 3.31. Calculez la médiane et le mode des données groupées.

3.37 Le directeur du service de comptabilité de Machine Betty inc. veut préparer un rapport sur les débiteurs de la société. Voici la distribution du montant des comptes impayés.

Montant	Effectif
De 0 $ à moins de 2000 $	4
De 2000 $ à moins de 4000 $	15
De 4000 $ à moins de 6000 $	18
De 6000 $ à moins de 8000 $	10
De 8000 $ à moins de 10 000 $	4
De 10 000 $ à moins de 12 000 $	3

a) Calculez la valeur approximative du montant médian des comptes impayés.
b) Trouvez la valeur approximative du montant modal exigible.

3.38 Le tableau suivant contient la distribution du nombre d'années d'ancienneté de 70 professeurs d'un collège du Québec. Trouvez les valeurs approximatives de la médiane et du mode du nombre d'années d'ancienneté des professeurs de ce collège.

Ancienneté	Nombre de professeurs
De 0 à moins de 6	10
De 6 à moins de 12	15
De 12 à moins de 18	20
De 18 à moins de 24	25

3.39 Le tableau suivant montre le revenu d'un échantillon aléatoire de 64 familles vivant à Fraser Valley (C.-B.). Calculez la médiane approximative du revenu des familles de l'échantillon.

Revenu (en milliers de dollars)	Nombre de familles
De 30 à moins de 40	11
De 40 à moins de 50	18
De 50 à moins de 60	12
De 60 à moins de 70	14
De 70 à moins de 80	9

3.40 Le tableau suivant contient la distribution de l'âge des hommes chefs de familles monoparentales en 1998.

Âge	Effectif
De 15 à moins de 25	1 696
De 25 à moins de 35	21 092
De 35 à moins de 45	64 898
De 45 à moins de 55	65 029
De 55 à moins de 65	25 270
De 65 et plus	26 535
(Source : *Canadian Global Almanac*, 2000.)	

a) Trouvez la classe médiane et la classe modale.
b) Calculez une valeur approximative de la médiane et du mode de l'âge.
c) Quelle est la valeur approximative de la différence entre l'âge médian et l'âge modal ?

3.7 LES POSITIONS RELATIVES DE LA MOYENNE, DE LA MÉDIANE ET DU MODE

Rappelez-vous qu'une distribution est dite symétrique si *son polygone d'effectifs a la même forme de part et d'autre du centre.* La figure 3.4, par exemple, montre le polygone d'effectifs d'une distribution symétrique. Dans le cas d'une distribution symétrique, la moyenne et la médiane sont situées au centre de la distribution et sont toujours égales. Si la distribution est symétrique et qu'elle n'a qu'un seul sommet, le mode sera également situé au centre de la distribution.

Une distribution qui n'est pas symétrique est dite asymétrique.

Revenons à la distribution illustrée à la figure 3.4. Elle est symétrique et n'a qu'un seul sommet. Le nombre d'années correspondant au sommet de la courbe est le *mode* (20 ans). Puisque la courbe est symétrique, la *médiane* se trouve à l'endroit qui divise la distribution en deux parties d'égale surface (20 ans). La *moyenne arithmétique* correspond au point d'équilibre de la courbe. Elle sera donc, elle aussi, égale à 20 ans. Logiquement, les trois mesures semblent appropriées pour représenter la tendance centrale de cette distribution.

Si le polygone d'effectifs n'a qu'un seul sommet et qu'il est asymétrique, la relation entre les trois mesures change. Dans une **distribution avec asymétrie positive** (c'est-à-dire asymétrique à droite), la moyenne arithmétique est la plus élevée des trois mesures. Pourquoi ? Parce que, contrairement à la médiane et au mode, la moyenne subit fortement l'influence de quelques valeurs très élevées. Dans une distribution asymétrique à droite, la médiane est généralement la deuxième mesure la plus élevée. Le mode est la mesure la moins élevée des trois (voir la figure 3.5).

Inversement, dans une distribution qui présente une **asymétrie négative** (c'est-à-dire une asymétrie à gauche), la moyenne est la moins élevée des trois mesures. La médiane est supérieure à la moyenne arithmétique, et le mode est la plus élevée des trois mesures (voir la figure 3.6).

Dans les distributions modérément asymétriques, la relation suivante est habituellement respectée :

$$\text{Moyenne} - \text{Mode} \approx 3(\text{Moyenne} - \text{Médiane})$$

Si la distribution est très asymétrique, comme celle du revenu hebdomadaire (voir la figure 3.5) et celle de la résistance à la traction (voir la figure 3.6), on ne devrait pas utiliser la moyenne pour représenter la tendance centrale des données. La médiane et le mode seraient des mesures plus représentatives.

FIGURE 3.4 La distribution symétrique

FIGURE 3.5 La distribution avec asymétrie positive

FIGURE 3.6 La distribution avec asymétrie négative

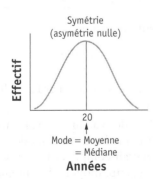

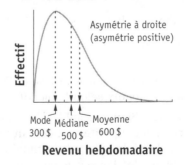

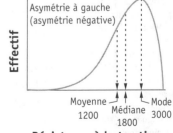

LA STATISTIQUE
EN ACTION

**La taille moyenne
d'une classe**

La plupart des collèges
et universités font état
de la «taille moyenne
d'une classe» dans
leur établissement.
Cette information
est souvent trompeuse
puisque la taille
moyenne d'une classe
peut se calculer de
nombreuses façons.
Par exemple, on pour-
rait tenir compte du
nombre d'étudiants
dans *chacun des cours
offerts* et diviser le
nombre total de ces
étudiants par le
nombre de cours. On
obtiendrait probable-
ment une moyenne
fort différente en
comptant, pour chaque
étudiant et pour
chaque cours qu'il suit,
le nombre d'inscrits
à ce cours et en cal-
culant la moyenne à
partir de ce nombre.
Une université a établi
que le nombre moyen
d'étudiants dans
chacun de ses
747 cours était de 40.
Cependant, calculée à
partir du nombre d'ins-
crits par cours suivi
par chaque étudiant,
la moyenne était de
147. Pourquoi cette
différence ? Tout sim-
plement parce qu'il y a
moins d'étudiants dans
les classes plus petites
et plus d'étudiants
dans les classes plus
grandes. Le nombre
d'étudiants par groupe
est généralement plus
élevé en première
année, et le nombre
d'étudiants de pre-
mière année est sou-
vent plus élevé que
celui des années
subséquentes, ce qui a
pour effet d'accroître
la taille moyenne
d'une classe quand
on la calcule ainsi.

■ RÉVISION 3.7

On s'intéresse à la distribution des ventes hebdomadaires pour un échantillon de succursales des magasins d'électronique Hi-Tec. La moyenne des ventes hebdomadaires se chiffre à 105 900 $; la médiane, à 105 000 $ et le mode, à 104 500 $.

a) Tracez une forme possible du polygone d'effectifs de cette distribution. Trouvez la position de la moyenne, de la médiane et du mode sur l'axe des x.

b) La distribution est-elle symétrique, asymétrique à droite ou asymétrique à gauche ? Expliquez votre réponse.

LES PROPRIÉTÉS DE DIFFÉRENTES MESURES DE TENDANCE CENTRALE

Le choix d'une mesure de tendance centrale doit dépendre de certains critères précis. La majorité des statisticiens s'entendent pour dire que la mesure sélectionnée doit posséder la plupart des propriétés énumérées dans la première colonne du tableau suivant. Les autres colonnes mentionnent les propriétés satisfaites par chacune des mesures (MA est la moyenne arithmétique ; MP, la moyenne pondérée ; MG, la moyenne géométrique ; Med, la médiane et Mo, le mode).

En fonction des renseignements donnés plus haut, la moyenne arithmétique satisfait de toute évidence plus de critères que toutes les autres mesures. C'est d'ailleurs la raison pour laquelle *la moyenne arithmétique est la plus populaire de toutes les mesures de tendance centrale*.

Propriétés	MA	MP[1]	MG	Med	Mo
Est bien définie et est unique	Oui	Non	Oui	Oui	?[2]
Est fondée sur toutes les observations	Oui	Oui	Oui	?[3]	?[3]
Est facile à comprendre et à interpréter	Oui	Non	Non	Oui	Oui
Est facile à calculer	Oui	Oui	Non	Oui	Oui
Possède de bonnes propriétés mathématiques qui sont souvent exigées pour une analyse plus approfondie des données	Oui	Oui	Oui	Non	Non
Possède une valeur relativement stable pour tous les échantillons prélevés dans la même population	Oui	Non	Oui	Non	Non

Remarques :
1. La pondération donnée à chaque élément se fonde sur des considérations autres que l'effectif associé à chaque élément. Rappelez-vous que lorsque les pondérations correspondent aux effectifs, MA et MP sont identiques.
2. Il peut y avoir plus d'une valeur modale dans un ensemble déterminé de données.
3. Si vous diminuez ou augmentez la valeur d'une observation située au-dessous ou au-dessus de la médiane d'un ensemble de données, la médiane ne sera pas affectée. De même, le mode ne sera pas affecté par certains changements dans les valeurs d'un ensemble de données.

La nature des données dicte aussi le choix d'une mesure appropriée :

- *Données mesurées sur une échelle nominale :* Dans ce cas, la seule possibilité consiste à calculer le mode.

- *Données mesurées sur une échelle ordinale :* Dans ce cas, on peut calculer la médiane et le mode et faire un choix selon l'objectif de l'analyse.

- *Les valeurs extrêmes :* Si un ensemble de données contient des valeurs anormalement élevées ou anormalement petites, on devrait privilégier la médiane ou le mode. D'un autre côté, si l'on choisit la moyenne arithmétique, on devrait compléter l'analyse par la médiane et le mode. Pensez à ce que serait le revenu moyen des ménages de votre quartier si une vedette du sport professionnel y habitait !

- *Les intervalles de classe ouverts :* Étant donné qu'il peut être difficile de déterminer la valeur centrale d'un intervalle de classe ouvert, on doit calculer la médiane ou le mode et utiliser l'une de ces valeurs selon l'objectif de l'analyse.

RÉSUMÉ DU CHAPITRE

I. Une mesure de tendance centrale est une valeur qui sert à décrire le centre d'un ensemble de données.

  A. La moyenne arithmétique est la mesure de tendance centrale la plus largement utilisée.

    1. Elle se calcule en additionnant les valeurs des observations et en divisant par le nombre total d'observations.

      a) La formule d'une moyenne de population calculée à partir des données brutes est :

$$\mu = \frac{\sum x}{N} \qquad \textbf{3.1}$$

      b) La formule de la moyenne d'un échantillon est :

$$\overline{x} = \frac{\sum x}{n} \qquad \textbf{3.2}$$

      c) La formule de la moyenne arithmétique d'une population calculée à partir d'une distribution est :

$$\mu = \frac{\sum fx}{N} \qquad \textbf{3.6}$$

    2. Les principales caractéristiques de la moyenne arithmétique sont :

      a) La moyenne n'a de sens que si les données sont mesurées sur une échelle d'intervalles ou sur une échelle de rapports.

      b) Toutes les observations sont utilisées dans son calcul.

      c) Un ensemble de données n'a qu'une seule moyenne. Autrement dit, la moyenne est unique.

      d) La somme des écarts à la moyenne est égale à zéro.

  B. On calcule la moyenne pondérée en multipliant chaque observation par sa pondération correspondante.

    1. La formule qui détermine la moyenne pondérée est :

$$\mu_w = \frac{w_1 x_1 + w_2 x_2 + w_3 x_3 + \ldots + w_n x_n}{w_1 + w_2 + w_3 + \ldots + w_n} \qquad \textbf{3.3}$$

    2. La moyenne arithmétique est un cas particulier de la moyenne pondérée.

  C. La moyenne géométrique est la racine $n^{\text{ième}}$ du produit de n valeurs positives.

    1. La formule de la moyenne géométrique est :

$$MG = \sqrt[n]{(x_1)(x_2)(x_3)\ldots(x_n)} \qquad \textbf{3.4}$$

    2. La moyenne géométrique sert également à calculer le taux de variation annuel moyen sur une période de n années.

$$\textbf{Taux de variation annuel moyen} = \sqrt[n]{\frac{\text{Valeur à la fin de la période}}{\text{Valeur au début de la période}}} - 1 \qquad \textbf{3.5}$$

    3. La moyenne géométrique est toujours inférieure ou égale à la moyenne arithmétique.

D. La médiane est la valeur centrale d'un ensemble ordonné d'observations.
1. Pour déterminer la médiane, on range les observations en ordre croissant (ou décroissant) et on détermine la valeur centrale.
2. La formule qui permet d'approximer la médiane à partir de la distribution des données groupées en classes de valeurs est:

$$Médiane = L_{inf} + \frac{\frac{N}{2} - fc}{f} (a) \qquad \textbf{3.8}$$

3. Les principales caractéristiques de la médiane sont:
   a) La médiane n'a pas de sens si les données sont mesurées sur une échelle nominale.
   b) Elle n'est pas influencée par les valeurs extrêmes.
   c) Il y a un nombre égal d'observations de chaque côté de la médiane.

E. Le mode est la valeur qui figure le plus souvent dans un ensemble de données.
1. On peut trouver le mode pour des données mesurées sur toutes les échelles de mesure.
2. Un ensemble de données peut avoir plus d'un mode.

EXERCICES 3.41 À 3.66

3.41 Le cabinet d'experts comptables Crawford et associés compte cinq associés principaux. Hier, les associés principaux ont respectivement rencontré six, quatre, trois, sept et cinq clients.
a) Calculez la moyenne et la médiane du nombre de clients rencontrés par un associé.
b) S'agit-il de la moyenne d'une population ou celle d'un échantillon?
c) Vérifiez que $\sum(x - \mu) = 0$.

3.42 Pour mettre ses pommes sur le marché, Le Verger Owen doit les peser et les ensacher. Un échantillon de sept sacs a été prélevé et l'on a compté le nombre de pommes contenues dans chacun de ces sacs. Voici les résultats observés: 23, 19, 26, 17, 21, 24, 22.
a) Calculez la moyenne et la médiane du nombre de pommes par sac.
b) Vérifiez que $\sum(x - \bar{x}) = 0$.

3.43 On a observé le nombre d'appels reçus la semaine dernière par chaque ménage d'un échantillon de ménages abonnés à Bell Canada. Calculez la moyenne et la médiane du nombre d'appels reçus pour cet échantillon.

52	43	30	38	30	42	12	46
39	37	34	46	32	18	41	5

3.44 La Banque Citizen étudie le nombre de fois que le guichet automatique d'un supermarché est utilisé par jour.

Les données suivantes indiquent le nombre de fois que le guichet automatique a été utilisé au cours des 30 derniers jours. Déterminez le nombre moyen de fois que le guichet a été utilisé par jour.

83	64	84	76	84	54	75	59	70	61
63	80	84	73	68	52	65	90	52	77
95	36	78	61	59	84	95	47	87	60

3.45 Les profits (en millions de dollars) des 15 plus importantes sociétés (en 1998) figurent ci-dessous. (Source : *Canadian Global Almanach,* 2000, p. 257.)

2 956,0	5 656,0	22 071,0	4 430,0	233,0
−266,7	244,0	6 370,0	9 296,0	2 786,5
350,0	−921,0	−102,3	6 328,0	1 702,4

a) Calculez le profit moyen de ces 15 sociétés.
b) Déterminez le profit médian.

3.46 Julie Laverdure travaille pour l'entreprise Vert éternel. Son travail consiste à offrir par téléphone des services d'entretien de pelouse. Le nombre de rendez-vous qu'elle a pris au cours de ses 25 dernières heures d'appels figure ci-dessous. Quelle est la moyenne arithmétique du nombre de rendez-vous qu'elle a pris par heure ? Quelle est la médiane du nombre de rendez-vous qu'elle a pris par heure ? Rédigez un rapport sommaire des résultats obtenus.

9	5	2	6	5	6	4	4	7
2	3	6	3	4	4	7	8	4
4	5	5	4	8	3	3		

3.47 La société Clôture de qualité vend trois types de clôtures. Installation comprise, la catégorie A coûte 7,50 $ le mètre ; la catégorie B, 8,50 $ le mètre et la catégorie C, 10,00 $ le mètre. La société a installé 300 mètres de clôture de catégorie A, 270 mètres de catégorie B et 100 mètres de catégorie C. Quelle est la moyenne du coût par mètre de clôture installée ?

3.48 José Palmer est étudiant à temps plein dans un collège. La session dernière, il a suivi un cours de statistique et un cours de comptabilité, et il a obtenu un C dans chacun des cours. Il a eu un B en mathématiques commerciales, un A en communication orale, un B en comptabilité générale et un C en commerce électronique. Quelle était la moyenne pondérée de ses résultats pour la session ? Supposez qu'il reçoit quatre points pour un A, trois points pour un B et deux points pour un C et que chaque cours équivaut à trois crédits.

3.49 Le tableau suivant contient le nombre total de déclarants (contribuables ayant produit une déclaration d'impôts) et le pourcentage de déclarants qui ont fait des dons de bienfaisance dans quatre provinces du Canada en 1999. (Source : Statistique Canada, CANSIM, Matrice 10-300.) Calculez la moyenne du pourcentage de donateurs des quatre provinces.

Nombre de déclarants	Pourcentage de donateurs
381 320	21,32
96 350	27,06
650 340	24,42
538 910	23,27

3.50 La distribution suivante présente le profit annuel net de 34 petites entreprises :

Profit annuel net (en milliers de dollars)	Nombre d'entreprises
De 65 à moins de 75	1
De 75 à moins de 85	6
De 85 à moins de 95	7
De 95 à moins de 105	12
De 105 à moins de 115	5
De 115 à moins de 125	3

a) Déterminez la médiane du profit annuel net.
b) Calculez la moyenne arithmétique du profit annuel net.

3.51 Voici le nombre d'heures travaillées par les neuf employés de Hick inc. durant une certaine semaine en 2001. Calculez la médiane, la moyenne arithmétique et le mode de ces données.

45   42   45   24   39   40   22   36   49

3.52 Voici les notes de l'examen obtenues par les étudiants du cours *Math 1021* à la session Hiver 2001 (les notes sont sur 20):

17   11   13   14   8   2   20   13
9   12   15   16   18   16   19   9

a) Calculez la moyenne, la médiane et le mode des notes.

b) La distribution des notes observées est-elle symétrique, asymétrique à droite ou asymétrique à gauche? Expliquez votre réponse.

3.53 Le tableau suivant montre les dépenses des Canadiens dans 15 pays qu'ils ont visités en 1999.

Pays visités	Dépenses (en millions de dollars canadiens)
Allemagne	183
Australie	227
Cuba	265
Espagne	105
États-Unis	8401
France	506
Hong Kong	138
Irlande	114
Italie	283
Japon	150
Mexique	557
Pays-Bas	107
République dominicaine	122
Royaume-Uni	1009
Suisse	91

(Source: Statistique Canada, Culture, Tourisme et Centre de la statistique sur l'éducation, 1999.)

a) Calculez la moyenne et la médiane des dépenses.

b) Quelles sont les dépenses les plus élevées et les moins élevées?

3.54 La population du Canada passera de 30 679 000 habitants en 2000 à 36 633 000 habitants en 2030. (Source: *Canadian Global Almanac,* 2000, p. 255.)

a) Pour déterminer la tendance centrale du taux de croissance annuel, quelle mesure utiliseriez-vous? Expliquez votre réponse.

b) En utilisant la mesure choisie en a), calculez la valeur de la tendance centrale.

3.55 Les rendements annuels de l'un des fonds du Groupe Capital ABC de 1999 à 2001 sont de 11,55%, de 16,7% et de 10,3%.

a) En utilisant la moyenne géométrique, calculez le taux de rendement annuel moyen durant la période de 1999 à 2001.

b) Calculez la moyenne arithmétique des rendements.

c) La moyenne arithmétique est-elle supérieure au taux de rendement annuel moyen calculé en a)?

3.56 Un récent article indique que si vous gagnez 25 000 $ par année aujourd'hui et que le taux d'inflation reste stable à 3 % par année, vous devrez gagner 33 598 $ dans 10 ans pour conserver le même pouvoir d'achat. Si le taux d'inflation grimpe à 6 %, vous devrez gagner 44 771 $. Confirmez l'exactitude de ces affirmations.

3.57 Le produit intérieur brut (PIB) du Canada au prix du marché est passé de 833 070 M$ en 1996 à 1 038 794 M$ en 2000. Calculez le pourcentage d'augmentation annuel moyen pour la période comprise entre 1996 et 2000. (Source : Adapté de Statistique Canada, CANSIM, Matrice 6547.)

3.58 Le rendement sur 12 mois de cinq fonds communs de placement à croissance soutenue était de 32,2 %, de 35,5 %, de 80,0 %, de 60,9 % et de 92,1 %. Déterminez la moyenne arithmétique et la moyenne géométrique des taux de rendement.

3.59 Un individu a effectué les paiements suivants à Visa Or à chacune des dates d'échéance en 2001.

2231,61 $	2516,08 $	1215,97 $	2809,45 $
1983,08 $	1983,08 $	487,91 $	2381,72 $
791,55 $	791,55 $	2381,72 $	461,36 $

a) Calculez la moyenne des paiements pour 2001.
b) Déterminez la médiane des paiements.

3.60 Le recensement de Statistique Canada a permis d'obtenir les renseignements suivants sur le nombre d'enfants par famille en 1996 :

Nombre d'enfants à la maison	Nombre de familles
1 enfant	2106
2 enfants	2047
3 enfants	729
4 enfants	175
5 enfants et plus	51

(Source : *Canadian Global Almanac*, 2000, p. 72.)

a) Quelle était la médiane du nombre d'enfants par famille en 1996 ?
b) Quel était le mode du nombre d'enfants par famille en 1996 ?

3.61 La société Les Services ARS inc. emploie 40 électriciens fournissant des services résidentiels et commerciaux. ARS est en affaires depuis le début des années 1960, et elle s'est toujours vantée d'offrir un service rapide et fiable. Depuis quelques années, l'un de ses sujets de préoccupation est le nombre de jours durant lesquels les employés sont absents. La distribution ci-dessous décrit le nombre de jours durant lesquels les 40 électriciens se sont absentés l'année dernière :

Nombre de jours d'absence	Nombre d'électriciens
De 0 à moins de 3	17
De 3 à moins de 6	13
De 6 à moins de 9	7
De 9 à moins de 12	3
Total	40

a) Déterminez une valeur approximative de la moyenne du nombre de jours d'absence par employé.
b) Déterminez une valeur approximative de la médiane du nombre de jours d'absence par employé.

3.62 Depuis quelques années, il existe une concurrence féroce sur le marché des services téléphoniques interurbains pour la clientèle résidentielle. Dans le but d'étudier l'usage téléphonique réel des clients résidentiels, un conseiller indépendant a recueilli les données suivantes sur les appels interurbains par ménage pour un échantillon de 50 clients:

Nombre d'appels	Effectif
De 3 à moins de 6	5
De 6 à moins de 9	19
De 9 à moins de 12	20
De 12 à moins de 15	4
De 15 à moins de 18	2
Total	50

a) Donnez une estimation du nombre moyen d'appels par ménage.

b) Déterminez la médiane du nombre d'appels par ménage pour les ménages de l'échantillon.

3.63 Le tableau suivant contient la distribution de la taille (en millimètres) de 100 soles choisies au hasard parmi les prises capturées dans Morro Bay et Port San Luis, en Californie.

Longueur (en millimètres)	Nombre de poissons
De 275 à moins de 300	1
De 300 à moins de 325	1
De 325 à moins de 350	14
De 350 à moins de 375	24
De 375 à moins de 400	30
De 400 à moins de 425	22
De 425 à moins de 450	6
De 450 à moins de 475	2

(Source: Donald Sanders et collab., *Statistics: A First Course*, McGraw-Hill Ryerson, 2001.)

a) Estimez la taille moyenne d'une sole.

b) Trouvez une valeur approximative de la taille médiane des poissons de l'échantillon.

c) Trouvez une valeur approximative du mode de la taille des poissons de l'échantillon.

3.64 Un échantillon de 50 marchands d'antiquités à St. John's a révélé les ventes suivantes l'année dernière:

Ventes (en milliers de dollars)	Nombre d'antiquaires
De 100 à moins de 120	5
De 120 à moins de 140	7
De 140 à moins de 160	9
De 160 à moins de 180	16
De 180 à moins de 200	10
De 200 à moins de 220	3

a) Estimez la moyenne des ventes des antiquaires de St. John's.

b) Déterminez une valeur approximative de la médiane des données d'échantillon.

c) Déterminez une valeur approximative du mode du montant des ventes pour l'échantillon.

3.65 Les données suivantes correspondent au nombre de personnes qui ont obtenu la citoyenneté canadienne de 1980 à 1999. (Source : Citoyenneté et immigration, *Canadian Global Almanac*, 2000, p. 65.)

118 590	94 457	87 468	90 328	109 504
126 466	103 800	73 638	58 810	87 478
104 267	118 630	115 757	150 543	217 320
227 720	166 627	140 241	134 485	180 000

a) Trouvez la moyenne, la médiane et le mode.

b) Comment peut-on interpréter la valeur de la médiane du nombre de personnes qui ont obtenu la citoyenneté canadienne ?

c) En quelle année le nombre de personnes qui ont obtenu la citoyenneté canadienne était-il le plus élevé ?

3.66 a) Utilisez cinq classes pour grouper les données de l'exercice 3.65 et calculez la moyenne à partir des données groupées.

b) La moyenne des données groupées est-elle la même que celle que vous avez trouvée à l'exercice 3.65 ?

c) Commentez les deux valeurs de la moyenne des données groupées et des données brutes.

www.exercices.ca 3.67 À 3.68

3.67 Consultez le site http://asp.usatoday.com/sports/baseball/salaries. Sélectionnez *Toronto Blue Jays* et *Boston Red Sox* à partir de *Team*. Calculez la moyenne des salaires des joueurs faisant partie de ces deux équipes. Le salaire moyen d'un joueur des Blue Jays de Toronto est-il moins élevé que le salaire moyen d'un joueur des Red Sox de Boston ?

3.68 Le site Web www.sia.ca est un site où l'on trouve de l'information sur les maisons à vendre au Canada. Supposons qu'on s'intéresse au prix demandé pour une maison unifamiliale de deux étages possédant deux chambres à coucher, actuellement en vente dans la région du Grand Montréal. Allez sur ce site et cliquez sur la province de Québec sur la carte. Définissez le type de propriété désiré (Maison unifamiliale – Maison – Deux étages) et précisez le nombre de chambres dans « Caractéristiques ». Calculez le prix moyen des maisons de la liste obtenue. Quel est le prix médian de ces maisons ?

EXERCICES 3.69 À 3.72
DONNÉES INFORMATIQUES

Utilisez Excel pour répondre aux questions qui suivent.

3.69 Le fichier Exercice 3-69.xls contient le nom des 25 plus importantes sociétés, le pays de leur siège social et leur total des ventes en millions de dollars. (Source : *Canadian Almanac,* 2000, p. 257.)
  a) Trouvez le nom du pays qui figure le plus souvent dans la liste (mode) pour les 25 sociétés les plus importantes. Nommez l'échelle de mesure de cette variable.
  b) Calculez la moyenne et la médiane des ventes (arrondissez les nombres au centième près).
  c) Laquelle des deux mesures de tendance centrale est la meilleure ? Expliquez votre réponse.
  d) Établissez la distribution des ventes (en millions de dollars).

3.70 Le fichier Exercice 3-70.xls contient le nombre d'étudiants dans différents comtés de l'Ontario. (Source : Statistique Canada, *Recensement de la population de 1996, Éducation, mobilité et migration.*)
  a) Calculez la moyenne et la médiane du nombre d'étudiants.
  b) Quelle est la différence entre la moyenne et la médiane ?
  c) La médiane est-elle une mesure de tendance centrale plus appropriée ? Expliquez votre réponse.

3.71 Le fichier Exercice 3-71.xls contient les notes des étudiants au test 1.
  a) Calculez la moyenne, la médiane et le mode de la note au test 1.
  b) La distribution de la note est-elle asymétrique à gauche ou à droite ?
  c) Expliquez pourquoi la distribution est axée dans une direction en particulier.

3.72 Le fichier Exercice 3-72.xls contient le nombre de décès à bicyclette déclarés sur une période de 22 ans. (Source : Donald Sanders et collab., *Statistics : A First Course,* McGraw-Hill Ryerson, 2001, p. 87.)
  a) Calculez la moyenne et la médiane.
  b) Créez une distribution et calculez la moyenne et la médiane des données groupées.
  c) Comparez la moyenne des données groupées et des données brutes. Expliquez les différences entre les deux valeurs moyennes.

CHAPITRE 3   **RÉPONSES AUX QUESTIONS DE RÉVISION**

3.1   **1.**   a) $\bar{x} = \dfrac{\sum x}{n}$

b) $\bar{x} = \dfrac{267\,000\,\$}{4} = 66\,750\,\$$

c)   Une statistique, car c'est une valeur calculée à partir d'un échantillon pour estimer un paramètre de la population.

d)   66 750 $. La moyenne échantillonnale est la meilleure estimation de la moyenne de la population.

2.   a) $\mu = \dfrac{\sum x}{N}$

b) $\mu = \dfrac{414}{6} = 69$

c)   Un paramètre, car il a été calculé en utilisant l'ensemble des observations de la population.

d)   Non. La valeur 12 est une observation extrême.

3.   Oui. Les données sont mesurées sur une échelle de rapports. Toutes les observations sont considérées dans le calcul de la moyenne. La somme des écarts à la moyenne est de zéro.

3.2   350,17. Opération effectuée :

$$\mu_w = \frac{\sum wx}{\sum w}$$

$$= \frac{(95 \times 500\,\$) + (126 \times 300\,\$) + (79 \times 250\,\$)}{95 + 126 + 79}$$

$$= 350,17\,\$$$

3.3   a)   La note modale est 89 parce que c'est la seule valeur qui figure deux fois dans l'ensemble de données. Chaque autre valeur ne figure qu'une seule fois.

b)   La note médiane est 72, ce qui correspond à la note centrale (6ᵉ) de l'ensemble ordonné : 55, 56, 66, 70, 71, 72, 80, 86, 89, 89, 96. Cinq notes sont situées au-dessus de la médiane et cinq notes, au-dessous.

3.4   **1.**   a)   Approximativement 8,39 %. Opération effectuée :

$$\sqrt[4]{(4,91)(5,75)(8,12)(21,60)} \approx 8,39$$

b)   10,095 %. Opération effectuée :

$$\frac{4,91 + 5,75 + 8,12 + 21,60}{4} = 10,095$$

c)   La moyenne arithmétique est supérieure à la moyenne géométrique.

2.   14,8 %. Opération effectuée :

$$\sqrt[12]{120\,520/23\,000} - 1 = 0,148$$

3.5   a)   Une distribution d'effectifs.

b)

f	x	fx
1	4	4
4	8	32
10	12	120
3	16	48
2	20	40
20		244

$$\bar{x} = \frac{\sum fx}{n} = \frac{244\,\$}{20} = 12,20\,\$$$

3.6   **1.**

Production	Effectif	fc
De 80 à moins de 90	5	5
De 90 à moins de 100	9	14
De 100 à moins de 110	20	34
De 110 à moins de 120	8	42
De 120 à moins de 130	6	48
De 130 à moins de 140	2	50
	50	

$$\text{Médiane} = 100 + \frac{25 - 14}{20}(10)$$

$$= 100 + 5,5 = 105,5$$

2.   La classe « de 7 à moins de 10 millions de dollars » est la classe modale. Une valeur approximative du mode

$$= \frac{7 + 10}{2} = 8,5\,\text{M\$}.$$

3.7   a)

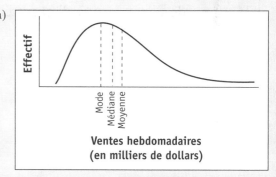

b)   Asymétrique à droite, car la moyenne est la mesure la plus élevée et le mode est la mesure la moins élevée.

D'autres mesures descriptives

Après avoir lu ce chapitre, vous serez en mesure :

- de calculer et d'interpréter l'étendue, l'écart absolu moyen, la variance, l'écart type et le coefficient de variation des données non groupées ;

- de calculer et d'interpréter l'étendue, la variance et l'écart type des données groupées ;

- d'expliquer les caractéristiques, les utilisations, les avantages et les inconvénients de chaque mesure ;

- d'expliquer le théorème de Tchebychev et la règle normale ou empirique dans le cas d'un ensemble d'observations ;

- de calculer et de décrire les coefficients d'asymétrie et d'aplatissement d'une distribution ;

- de calculer et d'interpréter les centiles, les quartiles et l'écart interquartile ;

- de construire et d'interpréter des diagrammes en boîte.

JOHN W. TUKEY (1915-2000)

1498
1548
1598
1648
1698
1748
1898
1948
2000

John Wilder Tukey est né le 16 juin 1915 à New Bedford, dans le Massachusetts. Avant d'entrer à l'université, il a étudié à la maison avec ses parents. Son éducation formelle a débuté à l'Université Brown où il a étudié les mathématiques et la chimie. Il y a obtenu un baccalauréat et une maîtrise en chimie. En 1939, il a obtenu un doctorat en mathématiques de l'Université Princeton où il est, par la suite, devenu professeur de mathématiques.

Durant la Seconde Guerre mondiale, il s'est joint au Fire Control Research Office pour participer à l'effort de guerre en résolvant des problèmes de statistique. C'est alors qu'il a développé un intérêt permanent pour la statistique et délaissé les mathématiques abstraites. Durant le reste de sa carrière, il a travaillé à titre de statisticien à la faculté de mathématiques de l'Université Princeton et à titre de chercheur pour les laboratoires AT&T Bell à Murray Hill.

L'analyse de données constitue l'une de ses plus grandes contributions au domaine de la statistique. Son travail sur l'analyse des données a modifié le paradigme et le langage de la statistique. Une part importante de son œuvre a consisté en l'élaboration de méthodes numériques et graphiques qui se sont révélées efficaces dans l'étude des schèmes de données. Parmi les graphiques qu'il a élaborés, on trouve le diagramme arborescent (voir le chapitre 2) et le diagramme en boîte (*box plot*), couramment utilisé dans les présentations scientifiques. En outre, il a développé les graphiques dynamiques dans le but d'étudier des données multidimensionnelles. Entre autres réalisations importantes, on lui doit la mise au point d'un outil statistique appelé « Jackknife », maintenant reconnu comme un important outil statistique, et le développement de l'algorithme de la transformée de Fourier rapide.

De 1960 à 1980, Tukey a dirigé la division de la statistique de la soirée des élections à la chaîne NBC. Il s'est fait connaître en 1960 lorsqu'il a empêché qu'on annonce prématurément la victoire de Richard Nixon durant les élections présidentielles, que Nixon a d'ailleurs perdues.

Tukey était également un membre actif de la fonction publique. Il a été membre de la délégation des États-Unis à la conférence au sujet de l'interruption des tests sur les armes nucléaires, qui s'est tenue à Genève en 1959 ; il a aussi participé à la conférence des Nations Unies sur l'environnement humain, à Stockholm en 1972. De 1950 à 1954, il a siégé en tant que conseiller au sein du comité du National Research Council dans le cadre d'une recherche sur les problèmes sexuels. Il a également siégé au President's Science Advisory Committee et au sein de différentes commissions d'étude sur l'environnement et sur les questions relatives au désarmement nucléaire.

Par ailleurs, Tukey était connu à cause de son penchant pour les termes imagés qui reflètent des nouvelles idées ou techniques. Il est l'inventeur des termes *linear programming* (programmation linéaire), *bit* (pour chiffre binaire) et *ANOVA*. C'est également lui qui a pour la première fois utilisé le mot *software* (logiciel).

Parmi les distinctions et les honneurs que Tukey a reçus, mentionnons la National Medal of Science, accordée par le président Nixon en 1973. Il était aussi membre de la National Academy of Sciences et de la Royal Society of England.

INTRODUCTION

Au chapitre 2, nous avons commencé l'étude de la statistique descriptive. Nous avons organisé une multitude de données quantitatives brutes en un tableau appelé *distribution*, qu'on a représenté graphiquement sous forme d'histogramme ou de polygone d'effectifs. Cet histogramme a permis de voir où les données tendaient à se grouper, de même que la forme générale de la distribution. Au chapitre 3, nous avons calculé plusieurs mesures de *tendance centrale*. Ces calculs ont permis de définir des valeurs typiques dans un ensemble d'observations. Dans le présent chapitre, nous continuerons à élaborer des mesures pour décrire un ensemble de données, en nous concentrant sur les mesures qui décrivent la **dispersion** ou variation de l'ensemble de données.

4.1 POURQUOI ÉTUDIER LA DISPERSION ?

On peut utiliser une mesure de dispersion pour évaluer la fiabilité des mesures de tendance centrale.

Une mesure de tendance centrale, comme la moyenne ou la médiane, sert uniquement à repérer le centre des données. Elle est valable de ce point de vue, mais elle ne nous apprend rien sur l'étalement des données. Par exemple, si votre guide touristique précise que la rivière devant vous est d'une profondeur moyenne de 1,2 m, la traverserez-vous sans vous interroger davantage ? Probablement pas. Vous voudrez sans doute connaître la variation de profondeur. La profondeur de la rivière est-elle de 1,3 m au maximum et de 1,1 m au minimum ? Dans l'affirmative, vous accepterez peut-être de traverser la rivière. Toutefois, que ferez-vous si vous apprenez que la profondeur varie de 0,4 m à 3,5 m ? Vous éviterez probablement de la traverser. Avant de prendre une décision sur la traversée de la rivière, vous voudrez connaître la profondeur typique et la variation de profondeur de la rivière.

Une mesure de dispersion peu élevée indique que les données sont tout près, disons, de la moyenne arithmétique. Dans ce cas, la moyenne est considérée comme représentative des données. Inversement, une mesure élevée de dispersion indique que la moyenne n'est pas fiable. Reportez-vous à la figure 4.1 : les données sur le nombre d'années d'emploi de 100 employés chez Struthers & Wells, une usine qui fabrique de l'acier, sont présentées sous forme d'histogramme. La moyenne est de 4,9 ans, mais l'étalement des données est de 6 mois à 16,8 ans. La moyenne de 4,9 ans n'est pas très représentative de l'ancienneté de tous les employés.

On étudie aussi la dispersion pour comparer l'étalement de deux ou plusieurs distributions. Supposons, par exemple, que les nouveaux ordinateurs PDM/3 sont montés à Ottawa et à Montréal. La moyenne arithmétique de la production quotidienne de l'usine d'Ottawa est de 50 et celle de Montréal, de 50 également. À partir des deux moyennes, on pourrait conclure que les distributions des productions quotidiennes sont identiques. Cependant, les registres de production pour neuf jours des deux usines indiquent que cette conclusion est fausse (voir la figure 4.2). La production de l'usine d'Ottawa varie de 48 à 52 montages par jour, alors que celle de Montréal est plus irrégulière, se situant entre 40 et 60 montages par jour.

FIGURE 4.1 L'histogramme du nombre d'années d'emploi chez Struthers & Wells

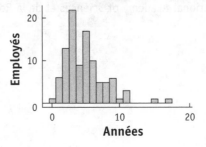

4.2 LES MESURES DE DISPERSION

On considérera plusieurs mesures de dispersion. L'étendue est basée sur l'emplacement de la plus grande valeur et de la plus petite dans un ensemble de données. L'écart absolu moyen, la variance et l'écart type sont toutes des mesures fondées sur les écarts par rapport à la moyenne.

L'ÉTENDUE

La mesure de dispersion la plus simple est l'**étendue,** c'est-à-dire la différence entre la plus grande valeur et la plus petite dans un ensemble de données.

Étendue = Valeur la plus grande − Valeur la plus petite	**4.1**

L'étendue peut être une mesure de dispersion utile si les données sont peu nombreuses. Elle est surtout utilisée dans le domaine du contrôle de la qualité (consultez le chapitre 20 qui porte sur le contrôle statistique de la qualité sur le cédérom ou au centre d'apprentissage en ligne). Toutefois, dans la plupart des applications, d'autres mesures fournissent de meilleures indications sur la dispersion d'un ensemble de données.

Exemple 4.1 | Reportez-vous à la figure 4.2. Trouvez l'étendue du nombre d'ordinateurs produits dans les usines d'Ottawa et de Montréal. Interprétez les deux étendues.

Solution | L'étendue de la production quotidienne d'ordinateurs à l'usine d'Ottawa est de 4. On la trouve en calculant la différence entre la production la plus importante, 52, et la moins importante, 48. L'étendue de la production quotidienne de l'usine de Montréal est de 20 ordinateurs (60 − 40 = 20). Par conséquent, on peut conclure : 1) que la dispersion de la production quotidienne est plus faible à l'usine d'Ottawa qu'à l'usine de Montréal et 2) que les valeurs de la production quotidienne sont concentrées plus près de la moyenne de 50 à l'usine d'Ottawa qu'à celle de Montréal (car une étendue de 4 est inférieure à une étendue de 20). Ainsi, la production moyenne de l'usine d'Ottawa (50 ordinateurs) est plus représentative que la moyenne des 50 ordinateurs produits par l'usine de Montréal.

FIGURE 4.2 La production quotidienne des ordinateurs aux usines d'Ottawa et de Montréal

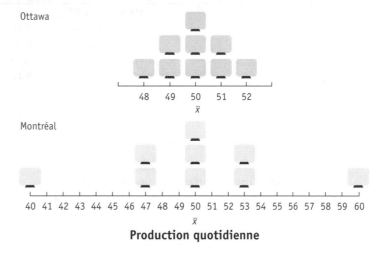

Production quotidienne

L'ÉCART ABSOLU MOYEN

L'étendue a pour grave défaut de n'être fondée que sur deux données, la plus grande et la plus petite. Elle ne tient pas compte de toutes les valeurs, contrairement à l'**écart absolu moyen.** Qu'il s'agisse d'une population ou d'un échantillon, l'écart absolu moyen est la moyenne arithmétique des valeurs absolues des écarts entre chaque observation et la moyenne.

> **d** **Écart absolu moyen**   Moyenne arithmétique des valeurs absolues des écarts entre chaque observation et la moyenne.

En termes de formule, l'écart absolu moyen d'une population s'exprime ainsi :

Écart absolu moyen d'une population	$\acute{E}AM = \dfrac{\sum |x - \mu|}{N}$	**4.2**

où

x est la valeur d'une observation de la population ;
μ est la moyenne arithmétique de la population ;
N est le nombre d'observations dans la population ;
$||$ est la valeur absolue. Par exemple, la valeur absolue de -5 est $|-5| = 5$, tandis que la valeur absolue de $+4$ est $|4| = 4$.

Exemple 4.2   Les salaires de cinq doyens d'une université de la région sont les suivants : 90 000 \$, 84 000 \$, 86 000 \$, 90 000 \$ et 82 000 \$. Calculez l'écart absolu moyen de la population.

Solution   Le calcul de la valeur de l'écart absolu moyen des salaires des cinq doyens comporte trois étapes :

1. On trouve la moyenne arithmétique des salaires des cinq doyens. La moyenne arithmétique est (90 000 \$ + 84 000 \$ + 86 000 \$ + 90 000 \$ + 82 000 \$)/5 = 86 400 \$.

2. On calcule l'écart entre le salaire de chacun des doyens et la moyenne arithmétique des salaires.

3. On additionne ces écarts, sans tenir compte des signes, puis on divise cette somme par le nombre de doyens. Les détails des calculs à l'aide de la formule 4.2 figurent dans le tableau ci-dessous.

Salaires (en dollars) (x)	$(x - \mu)$ (en dollars)	Écart absolu (en dollars) $(|x - \mu|)$
90 000	$(90\,000 - 86\,400) = 3\,600$	3 600
84 000	$(84\,000 - 86\,400) = -2\,400$	2 400
86 000	$(86\,000 - 86\,400) = -400$	400
90 000	$(90\,000 - 86\,400) = 3\,600$	3 600
82 000	$(82\,000 - 86\,400) = -4\,400$	4 400
Total	$\sum(x - \mu) = 0$	$\sum|x - \mu| = 14\,400$

$$\acute{E}AM = \frac{\sum |x - \mu|}{N} = \frac{14\,400}{5} = 2880$$

L'écart absolu moyen est de 2880 \$. Le salaire d'un doyen s'écarte, en moyenne, de 2880 \$ du salaire moyen qui s'élève à 86 400 \$.

L'écart absolu moyen d'un échantillon, noté *éam,* se calcule comme suit:

Écart absolu moyen d'un échantillon	$éam = \dfrac{\sum |x - \bar{x}|}{n}$	**4.3**

où

x est la valeur d'une observation de l'échantillon;

$\bar{x}$ est la moyenne arithmétique de l'échantillon;

n est le nombre d'observations dans l'échantillon.

Pourquoi faut-il ignorer les signes des écarts? Si l'on en tenait compte, les écarts positifs et négatifs s'annuleraient, si bien que l'écart moyen serait toujours de zéro. Une telle mesure (zéro) serait inutile.

Exemple 4.3   Les valeurs suivantes correspondent au nombre de patients reçus à la salle d'urgence de l'Hôpital Saint-Luc, pour un échantillon de cinq jours prélevé l'an dernier: 103, 97, 101, 106 et 103. Déterminez l'écart absolu moyen de l'échantillon et interprétez le résultat obtenu.

Solution   Pour trouver l'écart absolu moyen d'un ensemble de données, on commence par calculer la moyenne de l'échantillon: (103 + 97 + 101 + 106 + 103)/5. La moyenne de l'échantillon est de 102. Ensuite, on calcule l'écart entre chaque observation et la moyenne. On additionne ces écarts, en ignorant les signes, et l'on divise le résultat obtenu par le nombre d'observations. Les détails des calculs à l'aide de la formule 4.3 figurent ci-dessous.

Nombre de patients (x)	($x - \bar{x}$)	Écart absolu
103	(103 − 102) = 1	1
97	(97 − 102) = −5	5
101	(101 − 102) = −1	1
106	(106 − 102) = 4	4
103	(103 − 102) = 1	1
		Total 12

$$éam = \frac{\sum |x - \bar{x}|}{n} = \frac{12}{5} = 2,4$$

L'écart absolu moyen est de 2,4 patients par jour. En moyenne, le nombre quotidien de patients s'écarte de 2,4 de la moyenne de 102 patients par jour.

L'écart absolu moyen offre deux avantages. Premièrement, toutes les observations de l'ensemble de données sont utilisées dans son calcul. Souvenez-vous que pour trouver l'étendue, on n'utilise que deux observations: la plus grande et la plus petite. Deuxièmement, l'écart absolu moyen est facile à comprendre; il correspond à la valeur moyenne par laquelle les observations s'écartent de la moyenne. Cependant, il a pour principal inconvénient de nécessiter l'utilisation de valeurs absolues. En général, il est difficile de travailler avec des valeurs absolues; c'est pourquoi on n'utilise pas l'écart absolu moyen aussi souvent que d'autres mesures de dispersion, comme l'écart type que nous aborderons prochainement.

■ RÉVISION 4.1

1. Les poids (en kilogrammes) d'un échantillon de huit palettes expédiées en Irlande sont :
43, 47, 48, 50, 48, 48, 51 et 41.
   - a) Quelle est l'étendue des poids ?
   - b) Calculez le poids moyen de l'échantillon.
   - c) Calculez l'écart absolu moyen de l'échantillon des poids.

2. En 2001, Éric a effectué les paiements suivants à Visa Or à chacune des dates d'échéance :

    2231,61 $ 2516,08 $ 1215,97 $ 2809,45 $ 1983,08 $ 1983,08 $
    487,91 $ 2381,72 $ 791,55 $ 791,55 $ 2381,72 $ 461,36 $
   - a) Calculez la moyenne arithmétique des paiements mensuels d'Éric.
   - b) Calculez l'écart absolu moyen des paiements mensuels d'Éric.

EXERCICES 4.1 À 4.6

Pour les exercices 4.1 à 4.6, calculez : a) l'étendue, b) la moyenne arithmétique et c) l'écart absolu moyen, puis d) interprétez l'étendue et l'écart absolu moyen.

4.1 Cinq représentants du service à la clientèle étaient présents au Super magasin de l'électronique durant la vente de vendredi dernier. Le nombre de lecteurs DVD que ces représentants ont vendus se présente comme suit : 5, 8, 4, 10 et 3.

4.2 Le département de statistique d'une université de la région offre huit cours de statistique de base. Les chiffres suivants correspondent au nombre d'étudiants inscrits à ces cours : 34, 46, 52, 29, 41, 38, 36 et 28.

4.3 Les rendements (en pourcentage) sur une année des actions ordinaires d'une liste de 15 entreprises sont les suivants :

    29,56   15,73   8,54   11,88   4,47   0,45   −21,76   −13,09
    25,87   −9,42   5,85   15,95   10,21   22,87   −0,99

4.4 Huit entreprises qui évoluent dans le secteur de l'aérospatiale ont fait l'objet d'un sondage sur le rendement du capital investi l'année dernière. Les résultats (en pourcentage) sont les suivants : 10,6 ; 12,6 ; 14,8 ; 18,2 ; 12,0 ; 14,8 ; 12,2 et 15,6.

4.5 Les données suivantes correspondent aux cours hebdomadaires des actions de BCE inc. du 23 mars au 22 juin 2001 :

    36,05 $ 35,44 $ 34,65 $ 37,02 $ 38,75 $ 39,38 $ 39,20 $
    39,34 $ 41,35 $ 39,75 $ 39,50 $ 39,20 $ 38,25 $ 39,65 $

4.6 Les dossiers de huit employés de la société Tapis Georges indiquent qu'ils se sont absentés pour cause de maladie les nombres de jours suivants, sur une période de six mois : 2, 0, 6, 3, 10, 4, 1 et 2.

LA VARIANCE ET L'ÉCART TYPE

La **variance** et l'**écart type** sont fondés sur les carrés des écarts à la moyenne.

La **variance d'une population** est la moyenne arithmétique des carrés des écarts à la moyenne de la population. Pour les données brutes, on calcule la variance d'une population ainsi :

Variance d'une population	$\sigma^2 = \dfrac{\sum (x - \mu)^2}{N}$	4.4

où

σ^2 est la variance de la population ;

x est la valeur d'une observation de la population ;

μ est la moyenne arithmétique de la population ;

N est le nombre total d'observations dans la population ;

$\Sigma(x-\mu)^2$ est la somme des carrés des écarts entre chaque observation et la moyenne de la population.

Il faut noter que, dans la définition de la variance de la population, les écarts entre chaque observation et la moyenne de la population sont mis au carré. On élimine ainsi les effets des signes négatifs.

Exemple 4.4

Les données suivantes représentent l'âge des patients en isolation de l'hôpital Willowstone : 38, 26, 13, 41 et 22 ans. Quelle est la variance de la population ?

Solution

Âge (x)	$x - \mu$	$(x - \mu)^2$
38	+10	100
26	−2	4
13	−15	225
41	+13	169
22	−6	36
140	0*	534

$\mu = \dfrac{\sum x}{N} = \dfrac{140}{5} = 28$

$\sigma^2 = \dfrac{\sum (x - \mu)^2}{N}$

$= \dfrac{534}{5} = 106,8$

* La somme des écarts à la moyenne doit égaler zéro.

Tout comme l'étendue et l'écart absolu moyen, la variance peut servir à comparer la dispersion de plusieurs ensembles d'observations. Par exemple, on a calculé que la variance de l'âge des patients en isolation était de 106,8. Si la variance de l'âge des patients cancéreux de l'hôpital est de 342,9, on peut conclure : 1) qu'il y a moins de dispersion dans la distribution de l'âge des patients en isolation que dans la distribution de l'âge de l'ensemble des patients cancéreux (puisque 106,8 est inférieur à 342,9), et 2) que les valeurs de l'âge des patients en isolation sont plus concentrées autour de leur moyenne que celles des patients cancéreux. Par conséquent, la moyenne de l'âge des patients en isolation est plus représentative que la moyenne de l'âge des patients cancéreux.

L'écart type s'exprime dans les mêmes unités que les données.

L'écart type d'une population. L'étendue et l'écart absolu moyen sont faciles à interpréter. L'*étendue* correspond à la différence qui existe entre la plus grande valeur et la plus petite. L'*écart absolu moyen* correspond à la moyenne des valeurs absolues des écarts entre chaque observation et la moyenne arithmétique de l'ensemble de données. Il est plus difficile d'interpréter la variance. Par exemple, la variance de l'âge des patients en isolation ne s'exprime pas en années, mais plutôt en « années au carré ».

Toutefois, il existe un moyen de résoudre ce problème. En prenant la racine carrée positive de la variance de la population, on peut la convertir dans les mêmes unités que les données originales. La racine carrée de 106,8 « années au carré » donne 10,3 années.

La racine carrée positive de la variance s'appelle **l'écart type.** Pour des données brutes, on calcule l'écart type d'une population à l'aide de la formule suivante :

Écart type d'une population	$\sigma = \sqrt{\dfrac{\sum(x-\mu)^2}{N}}$	4.5

LES PROPRIÉTÉS DE L'ÉCART TYPE

- Le calcul de l'écart type se fait à partir de *toutes* les observations.
- L'écart type est relativement facile à calculer.
- Il a des propriétés mathématiques intéressantes et se prête facilement à des manipulations algébriques.
- C'est un paramètre clé d'une importante classe de distributions appelée *distribution normale,* que nous aborderons plus loin.

■ RÉVISION 4.2

La société Entreposage frigorifique Marge emploie six travailleurs. L'âge des travailleurs se présente ainsi : 28, 20, 34, 19, 60 et 25 ans.
- a) Calculez l'âge moyen des travailleurs.
- b) Calculez la variance de l'âge des travailleurs.
- c) Calculez l'écart type de l'âge des travailleurs.

EXERCICES 4.7 À 4.12

4.7   Les salaires des cinq comptables travaillant pour un cabinet d'experts-comptables sont les suivants :

58 100 $ 69 990 $ 36 500 $ 77 000 $ 43 050 $

a) Calculez le salaire moyen.
b) Calculez l'écart type des salaires des experts-comptables.

4.8   Considérez les données suivantes d'une population : 13, 3, 8, 10, 8 et 6.
a) Déterminez la moyenne de la population.
b) Déterminez la variance.

4.9   Le rapport annuel des Industries Dennis présente les bénéfices par action ordinaire au cours des cinq dernières années : 2,68 $, 1,03 $, 2,26 $, 4,30 $ et 3,58 $. Si l'on suppose qu'il s'agit de toutes les observations de la population, quelle est :
a) la moyenne arithmétique des bénéfices par action ordinaire ?
b) la variance ?

4.10   Reportez-vous à l'exercice 4.9. Le rapport annuel des Industries Dennis donne aussi le rendement (en pourcentage) des capitaux propres pour la même période de cinq ans : 13,2 ; 5,0 ; 10,2 ; 17,5 et 12,9.
a) Quelle est la moyenne arithmétique du rendement ?
b) Quelle est la variance ?

4.11   La société Contreplaqué inc. a déclaré les rendements des capitaux propres suivants au cours des cinq dernières années : 4,3 ; 4,9 ; 7,2 ; 6,7 et 11,6. Considérez ces montants comme toutes les observations de la population. Calculez l'étendue, la moyenne arithmétique, la variance et l'écart type.

4.12　Les rendements sur un an (en pourcentage) des actions ordinaires des 13 sociétés biotechnologiques et pharmaceutiques qui font partie des 1000 plus grandes sociétés en 2000 figurent ci-dessous.

Société	Rendement des actions ordinaires sur un an (en pourcentage)	Société	Rendement des actions ordinaires sur un an (en pourcentage)
Glyko Biomedical	63,12	AngioTech Pharma	−1,94
Lorus Therap.	−24,33	Drug Royalty Corp.	5,52
Cangene Corp.	20,21	SignalGene Inc.	−22,01
AnorMED Inc.	−15,80	Æterna Lab.	1,53
Axcan Pharma	6,20	Draxis Health	−8,99
Patheon Inc.	13,31	Paladin Labs	11,28
QLT Inc.	3,00		

Source : Bell Globemedia Publishing Inc., *Report on Business magazine,* 29 juin 2001.

a) Calculez l'étendue et l'écart type du rendement des actions ordinaires sur un an des sociétés biotechnologiques et pharmaceutiques.

b) Pourquoi l'étendue ne convient-elle pas pour mesurer la variabilité de l'ensemble de données ci-dessus ? Donnez deux raisons.

LA VARIANCE D'UN ÉCHANTILLON

La formule permettant de calculer la moyenne d'une population, donnée au chapitre 3, est $\mu = \Sigma x / N$. On a simplement changé les symboles pour définir la moyenne d'un échantillon, à savoir $\bar{x} = \Sigma x / n$. Malheureusement, la conversion de la variance d'une population à la variance d'un échantillon n'est pas aussi directe. Elle exige un changement de dénominateur. Au lieu de remplacer N (nombre d'observations dans la population) par n (nombre d'observations dans l'échantillon), le dénominateur devient $n - 1$. Par conséquent, la formule permettant de calculer la **variance d'un échantillon** est :

Variance échantillonnale, formule conceptuelle　　　$s^2 = \dfrac{\sum (x - \bar{x})^2}{n - 1}$　　　**4.6**

où
s^2 est la variance de l'échantillon ;
x est la valeur d'une observation de l'échantillon ;
$\bar{x}$ est la moyenne de l'échantillon ;
n est le nombre total d'observations de l'échantillon.

Pourquoi ce changement, en apparence sans importance, est-il apporté au dénominateur ? La statistique s^2 a pour fonction première de fournir une *bonne estimation* du paramètre de la population, σ^2. Bien que l'utilisation de n dans le dénominateur paraisse logique, elle fait en sorte que la statistique ainsi obtenue aura tendance à sous-estimer la variance de la population, σ^2. L'utilisation de $(n - 1)$ dans le dénominateur apporte la correction appropriée pour cette tendance. Par conséquent, $(n - 1)$ est préférable à n lorsqu'on définit la variance de l'échantillon.

LA FORMULE ÉQUIVALENTE POUR LE CALCUL DE LA VARIANCE ÉCHANTILLONNALE

On peut démontrer que :

$$\sum(x - \bar{x})^2 = \sum x^2 - \frac{(\sum x)^2}{n}$$

À l'aide de cette formule, on obtient une autre façon de calculer la variance d'un échantillon :

Variance échantillonnale, formule de calcul	$s^2 = \dfrac{\sum x^2 - \dfrac{(\sum x)^2}{n}}{n-1}$	4.7

La formule 4.7 est plus rapide et plus facile à calculer que la formule 4.6, même avec une calculatrice, car elle n'exige qu'une seule soustraction. Elle engendre également moins d'erreurs d'arrondissement. Cependant, pour un étudiant débutant, elle informe peu sur le concept de la variance. Par conséquent, nous vous recommandons d'utiliser la formule 4.6, qui est plus intuitive et formatrice, même si les risques d'erreurs d'arrondissement sont plus élevés. Évitez donc de trop arrondir les valeurs des calculs intermédiaires, comme la moyenne et les écarts au carré. Vous pouvez cependant arrondir le résultat final de votre calcul au nombre de chiffres significatifs exigés par les questions auxquelles vous devez répondre.

Exemple 4.5

Les employés de la société Emballage de fruits inc. sont payés à l'unité, à raison de 10 sous par boîte emballée. En une heure, un échantillon de cinq employés a gagné 2 $, 10 $, 6 $, 8 $ et 9 $. Quelle est la variance de l'échantillon ?

Solution

On calcule la variance de l'échantillon en utilisant deux méthodes. À gauche, on fait appel à la méthode conceptuelle en utilisant la formule 4.6. À droite, on utilise la formule 4.7.

$$\bar{x} = \frac{\sum x}{n} = \frac{35\,\$}{5} = 7\,\$$$

Formule conceptuelle (formule 4.6)				Formule 4.7	
Salaire horaire (x)	$x - \bar{x}$	$(x - \bar{x})^2$		(x)	x^2
2 $	−5 $	25		2 $	4
10	3	9		10	100
6	−1	1		6	36
8	1	1		8	64
9	2	4		9	81
35 $	0	40		35 $	285

$$s^2 = \frac{\sum(x - \bar{x})^2}{n-1} = \frac{40}{5-1}$$

$$= 10 \text{ en dollars au carré}$$

$$s^2 = \frac{\sum x^2 - \dfrac{(\sum x)^2}{n}}{n-1}$$

$$= \frac{285 - \dfrac{(35)^2}{5}}{5-1} = \frac{40}{5-1}$$

$$= 10 \text{ en dollars au carré}$$

L'ÉCART TYPE D'UN ÉCHANTILLON

L'écart type échantillonnal sert à estimer la valeur de l'écart type de la population.

Il s'agit de la racine carrée positive de la variance de l'échantillon. Ainsi, avec les formules 4.6 et 4.7 de la variance échantillonnale, on obtient :

Écart type échantillonnal, formule conceptuelle
$$s = \sqrt{\frac{\sum (x - \bar{x})^2}{n - 1}}$$
4.8

Écart type échantillonnal, formule de calcul équivalente
$$s = \sqrt{\frac{\sum x^2 - \frac{(\sum x)^2}{n}}{n - 1}}$$
4.9

Exemple 4.6 | Dans l'exemple 4.5, on a déterminé que la variance échantillonnale des salaires horaires était de 10. Quel est l'écart type de l'échantillon ?

Solution | L'écart type de l'échantillon est de 3,16 $ et correspond à $\sqrt{10}$. Il faut noter que la variance de l'échantillon est exprimée en dollars au carré, mais que si l'on calcule la racine carrée de la variance, le résultat s'exprime dans les mêmes unités (en dollars) que les données originales.

On utilise MegaStat pour trouver l'écart type des données de la population de l'exemple 4.4 (voir la feuille de calcul Excel 4.3).

FEUILLE DE CALCUL EXCEL 4.3

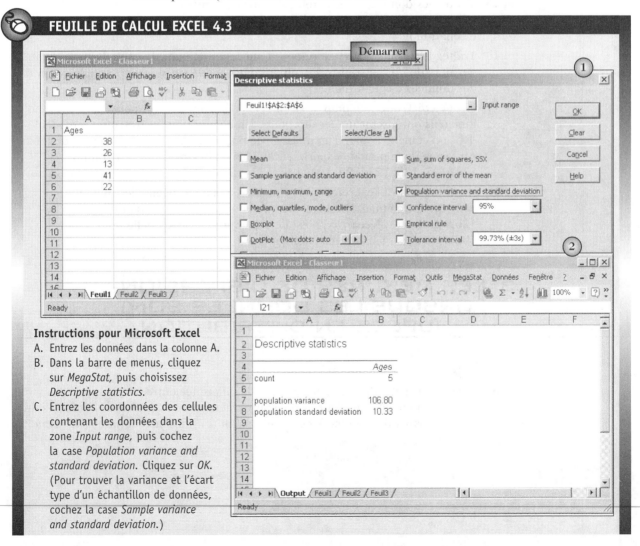

Instructions pour Microsoft Excel

A. Entrez les données dans la colonne A.
B. Dans la barre de menus, cliquez sur *MegaStat,* puis choisissez *Descriptive statistics*.
C. Entrez les coordonnées des cellules contenant les données dans la zone *Input range,* puis cochez la case *Population variance and standard deviation*. Cliquez sur *OK*. (Pour trouver la variance et l'écart type d'un échantillon de données, cochez la case *Sample variance and standard deviation*.)

On peut aussi obtenir l'écart type de la population avec Excel en sélectionnant f_x (Insérer une fonction), puis le nom de fonction ECARTYPEP. On trouve les valeurs de l'écart type de l'échantillon et de la variance avec Excel, en suivant les mêmes instructions que celles qui sont précisées à la feuille de calcul Excel 3.2, à la page 92 du chapitre 3.

■ RÉVISION 4.3

Un échantillon aléatoire des taux de rendements annuels (en pourcentage) de six sociétés de fonds communs de placement figure ci-dessous.

13,34   16,62   21,44   2,23   7,15   −6,46

a) Calculez la variance de l'échantillon.
b) Calculez l'écart type de l'échantillon.

EXERCICES 4.13 À 4.18

Pour chacun des exercices 4.13 à 4.17 : a) calculez la variance de l'échantillon en utilisant la formule conceptuelle 4.6, b) calculez la variance de l'échantillon en utilisant la formule de calcul 4.7 et c) déterminez l'écart type de l'échantillon.

4.13   Considérez les données d'échantillon suivantes : 7, 2, 6, 2 et 3.

4.14   Considérez les données d'échantillon suivantes : 11, 6, 10, 6 et 7.

4.15   Traitez les données de l'exercice 4.3 sur les rendements (en pourcentage) sur une année des actions ordinaires de 15 entreprises comme des données d'échantillon.

4.16   Traitez les données de l'exercice 4.4 sur le rendement du capital investi l'année dernière de huit entreprises évoluant dans le secteur de l'aérospatiale comme des données d'échantillon.

4.17   La société Truite inc. nourrit ses alevins dans des étangs spéciaux et les vend lorsqu'ils ont atteint un certain poids. Un échantillon de 10 truites a été isolé dans un étang et nourri d'un mélange de nourriture désigné sous le nom de RT-10. Au terme de la période expérimentale, les truites pesaient (en grammes) : 124, 125, 125, 123, 120, 124, 127, 125, 126 et 121.

4.18   Reportez-vous à l'exercice 4.17. Un autre mélange spécial, le AB-4, a été utilisé dans un autre étang. On a calculé que la moyenne de l'échantillon était de 126,9 grammes. L'écart type est de 1,2 gramme. Avec quelle nourriture obtient-on les poids les plus homogènes ?

4.3 LES MESURES DE DISPERSION LORSQUE LES DONNÉES SONT GROUPÉES EN DISTRIBUTION

L'ÉTENDUE

N'oubliez pas que l'étendue se définit comme la différence entre la valeur la plus élevée et la valeur la moins élevée. Pour faire l'approximation de l'étendue des données déjà groupées en classes de valeurs, soustrayez la limite inférieure de la classe la moins élevée de la limite supérieure de la classe la plus élevée. Par exemple, supposons que le tableau suivant présente la distribution de 47 salaires horaires groupés en classes :

Salaire horaire (en dollars)	Nombre
De 5 à moins de 10	6
De 10 à moins de 15	12
De 15 à moins de 20	19
De 20 à moins de 25	7
De 25 à moins de 30	3

L'étendue est de 30 $ – 5 $ = 25 $.

L'ÉCART TYPE

Dans le cas des données d'échantillon présentées sous forme de distribution, on peut modifier la formule conceptuelle 4.8 de l'écart type de l'échantillon pour obtenir la formule suivante :

$$s = \sqrt{\frac{\sum f(x - \bar{x})^2}{n - 1}} \qquad\qquad \textbf{4.10}$$

où

x désigne chaque valeur distincte observée dans l'échantillon ;

f est l'effectif de chaque valeur distincte ;

$\bar{x}$ est la moyenne de l'échantillon ;

n est le nombre d'observations et est égal à la somme de l'ensemble des effectifs.

Exemple 4.7 | Voici la liste des salaires hebdomadaires (sous forme de distribution) d'un échantillon de 30 employés de l'hôtel Le Grand Jour. Calculez la valeur de l'écart type de l'échantillon.

Salaire hebdomadaire (en dollars)	Nombre d'employés (f)
500	10
700	5
560	10
750	4
1000	1
	30

Solution

Étape 1 | Pour trouver la moyenne arithmétique des données, on utilise la formule $\left(\bar{x} = \dfrac{\sum fx}{n} \right)$ (voir la formule 3.7, à la page 96 du chapitre 3).

$\sum fx = 18\,100$ (voir le tableau 4.1 de la page suivante)

Ainsi, $\left(\bar{x} = \dfrac{\sum fx}{n} \right) = \dfrac{18\,100}{30} = 603,33$.

Cette valeur figure dans la quatrième colonne du tableau 4.1.

Étape 2 | La valeur de $(x - \bar{x})^2$ de la première ligne est $(500 - 603,33)^2 = 10\,677,09$. La valeur de la deuxième ligne est $(700 - 603,33)^2 = 9345,09$ et ainsi de suite.

Étape 3 | La valeur de $f(x - \bar{x})^2$ de la première ligne est $(10)(10\,677,09) = 106\,770,90$. La valeur de la deuxième ligne est $(5)(9345,09) = 46\,725,45$ et ainsi de suite.

TABLEAU 4.1   Le calcul de l'écart type de l'échantillon

Salaire hebdomadaire (en dollars) (x)	Nombre d'employés (f)	fx	$\bar{x}$	$(x - \bar{x})^2$	$f(x - \bar{x})^2$
500	10	5 000	603,33	10 677,09	106 770,90
700	5	3 500	603,33	9 345,09	46 725,45
560	10	5 600	603,33	1 877,49	18 774,90
750	4	3 000	603,33	21 512,09	86 048,36
1000	1	1 000	603,33	157 347,09	157 347,09
Total	30	18 100			415 666,70

Étape 4 | Additionnez les entrées de la colonne « $f(x - \bar{x})^2$ ». Leur somme est de 415 666,70. Remplacez cette somme dans la formule 4.10 pour obtenir :

$$s = \sqrt{\frac{\sum f(x - \bar{x})^2}{n - 1}} = \sqrt{\frac{415\,667,70}{29}} = 119,72\,\$$$

Ainsi, l'écart type de l'échantillon est de 119,72 $.

Dans le cas d'un ensemble de données groupées en classes, on peut obtenir une approximation de l'écart type de l'échantillon en utilisant la formule conceptuelle 4.10, où x est le centre de classe et f, l'effectif de chaque classe.

Exemple 4.8 | Les montants bimensuels investis dans le régime de participation aux bénéfices par un échantillon de 120 employés de l'entreprise Peintures Dupré ont été groupés en classes. La distribution est présentée dans les deux premières colonnes du tableau 4.2. Calculez la variance et l'écart type de l'échantillon.

Solution | On suit la même méthode qu'à l'exemple 3.9 du chapitre 3 (page 97) pour calculer la moyenne arithmétique des données groupées, où x est le centre de chaque classe. Par exemple, le centre de la classe de 30 $ à moins de 35 $ est 32,50 $ (voir le tableau 4.2). On suppose que la moyenne des trois montants investis qui font partie de la classe de 30 $ à moins de 35 $ est d'environ 32,50 $. De même, la moyenne des sept montants compris dans la classe de 35 $ à moins de 40 $ est d'environ 37,50 $ et ainsi de suite. Pour trouver l'écart type de ces données à l'aide de la formule conceptuelle, on construit le tableau 4.2.

TABLEAU 4.2   Le calcul de l'écart type de l'échantillon

Montant investi (en dollars)	Effectif f	Centre de classe x	fx	$\bar{x}$	$f(x - \bar{x})^2$
De 30 à moins de 35	3	32,5	97,5	51,5	1083
De 35 à moins de 40	7	37,5	262,5	51,5	1372
De 40 à moins de 45	11	42,5	467,5	51,5	891
De 45 à moins de 50	22	47,5	1045,0	51,5	352
De 50 à moins de 55	40	52,5	2100,0	51,5	40
De 55 à moins de 60	24	57,5	1380,0	51,5	864
De 60 à moins de 65	9	62,5	562,5	51,5	1089
De 65 à moins de 70	4	67,5	270,0	51,5	1024
Total	120		6185,0		6715

Étape 1 | On doit multiplier chaque effectif par le centre de sa classe. Autrement dit, on multiplie f par x. Ainsi, pour la première classe, on obtient $(3)(32,50) = 97,50$; pour la deuxième classe, $fx = (7)(37,50) = 262,50$ et ainsi de suite.

Étape 2 | On doit additionner les entrées de la colonne « fx ». Le total est 6185. On additionne les entrées de la colonne « f », et l'on obtient $n = 120$. Pour trouver la valeur de $\bar{x}$, on divise la somme de la colonne « fx » (6185) par la somme de la colonne « f » (120).

Le quotient $(6185/120 = 51,5)$ est la valeur approximative de la moyenne de l'échantillon, laquelle est inscrite dans la colonne « $\bar{x}$ ».

Étape 3 | On doit calculer les valeurs de la colonne « $f(x - \bar{x})^2$ ». Pour la première classe, on aurait $(3)(32,5 - 51,5)^2 = 1083$; pour la deuxième classe, $(7)(37,5 - 51,5)^2 = 1372$ et ainsi de suite. On additionne les entrées de cette colonne. La somme est 6715.

En remplaçant ces valeurs dans la formule 4.10, on obtient :

$$s = \sqrt{\frac{\sum f(x - \bar{x})^2}{n - 1}} = \sqrt{\frac{6715}{119}} = 7,51$$

Donc, l'écart type de l'échantillon est approximativement 7,51 $. La variance de l'échantillon est environ $(7,51\,\$)^2 = 56,40$ (en dollars au carré).

La formule 4.9 est une formule de calcul pour l'écart type d'un échantillon de données brutes. Dans le cas des données d'échantillon présentées sous la forme d'une distribution, la formule de calcul s'obtient à partir de la formule 4.9 en substituant $\sum fx^2$ à $\sum x^2$ et $\sum fx$ à $\sum x$. Cette formule figure ci-dessous.

Écart type échantillonnal, données groupées $s = \sqrt{\dfrac{\sum fx^2 - \dfrac{(\sum fx)^2}{n}}{n - 1}}$ **4.11**

où

s est l'écart type de l'échantillon;
x est le centre d'une classe;
f est l'effectif de la classe;
n est le nombre total d'observations dans l'échantillon.

Exemple 4.9 | Considérons de nouveau les deux premières colonnes du tableau 4.2, pour les données de l'échantillon sur les montants bimensuels investis dans le régime de participation aux bénéfices des employés de l'entreprise Peintures Dupré. Calculez les valeurs approximatives de l'écart type et de la variance de l'échantillon à l'aide de la formule de calcul 4.11.

Solution | Comme dans l'exemple précédent, on indique par x le centre de chaque classe. Par exemple, le centre de la classe de 30 $ à moins de 35 $ est 32,50 $ (voir le tableau 4.2).

On suppose que la moyenne du montant investi dans la classe de 30 $ à moins de 35 $ est d'environ 32,50 $ et ainsi de suite.

La distribution des données groupées est reproduite dans les deux premières colonnes du tableau 4.3 de la page suivante.

TABLEAU 4.3   Les calculs pour trouver l'écart type de l'échantillon

Montant investi	Effectif f	Centre de classe x	fx	fx^2
De 30 $ à moins de 35 $	3	32,50	97,50	3 168,75
De 35 à moins de 40	7	37,50	262,50	9 843,75
De 40 à moins de 45	11	42,50	467,50	19 868,75
De 45 à moins de 50	22	47,50	1 045,00	49 637,50
De 50 à moins de 55	40	52,50	2 100,00	110 250,00
De 55 à moins de 60	24	57,50	1 380,00	79 350,00
De 60 à moins de 65	9	62,50	562,50	35 156,25
De 65 à moins de 70	4	67,50	270,00	18 225,00
Total	120		6 185,00	325 500,00

Étape 1

Multipliez chacun des effectifs de classe par le centre de classe. Autrement dit, multi-pliez f par x. Ainsi, pour la première classe, $3 \times 32,50 = 97,50$; pour la deuxième classe, $7 \times 37,50 = 262,50$ et ainsi de suite.

Étape 2

Calculez fx^2. On peut l'écrire ainsi : $fx \times x$. Pour la première classe, ce serait $97,50 \times 32,50 = 3168,75$; pour la deuxième classe, $262,50 \times 37,50 = 9843,75$ et ainsi de suite.

Étape 3

Calculez la somme des entrées dans les colonnes « fx » et « fx^2 ». Les totaux sont de 6185 et de 325 500, respectivement.

En inscrivant ces sommes dans la formule 4.11, on obtient :

$$s = \sqrt{\frac{\sum fx^2 - \frac{\left(\sum fx\right)^2}{n}}{n-1}} = \sqrt{\frac{325\,500 - \frac{(6185)^2}{120}}{119}} = 7,51\,\$$$

L'écart type de l'échantillon est d'environ 7,51 $. La variance de l'échantillon est approximativement de (7,51 $)² ou 56,40 (en dollars au carré).

Par conséquent, on constate qu'on obtient la même valeur pour l'écart type d'échan-tillon (7,51 $) à partir de la formule conceptuelle (4.10) et de la formule de calcul (4.11).

■ RÉVISION 4.4

Voici la distribution des revenus tirés d'un échantillon aléatoire de 64 familles vivant à Fraser Valley (C.-B.).

Revenus (en milliers de dollars)	Nombre de familles
De 30 à moins de 40	11
De 40 à moins de 50	18
De 50 à moins de 60	12
De 60 à moins de 70	14
De 70 à moins de 80	9

a) Calculez l'étendue de la distribution de l'ensemble de données.
b) Calculez l'écart type de l'échantillon en utilisant la formule conceptuelle (4.10).

EXERCICES 4.19 À 4.22

Pour les exercices 4.19 à 4.22, calculez les valeurs approximatives de : a) l'étendue,
b) l'écart type de l'échantillon et c) la variance de l'échantillon.

4.19 Reportez-vous à la distribution suivante pour des données d'échantillon.

Classe	Effectif
De 0 à moins de 5	2
De 5 à moins de 10	7
De 10 à moins de 15	12
De 15 à moins de 20	6
De 20 à moins de 25	3

4.20 Reportez-vous à la distribution suivante pour des données d'échantillon.

Classe	Effectif
De 20 à moins de 30	7
De 30 à moins de 40	12
De 40 à moins de 50	21
De 50 à moins de 60	18
De 60 à moins de 70	12

4.21 Voici la distribution des bénéfices pour un échantillon de 46 des 1000 plus
grandes sociétés mentionnées dans la revue *Report on Business* de juin 2001.

Bénéfice (en millions de dollars)	Nombre de sociétés
De 154 à moins de 236,1	7
De 236,1 à moins de 318,2	11
De 318,2 à moins de 400,3	8
De 400,3 à moins de 482,4	5
De 482,4 à moins de 564,5	1
De 564,5 à moins de 646,6	4
De 646,6 à moins de 728,7	4
De 728,7 à moins de 810,8	4
De 810,8 à moins de 892,9	1
De 892,9 à moins de 975,0	1
Total	46

4.22 Voici la distribution de l'ancienneté pour un échantillon de 70 professeurs
d'une université.

Ancienneté (en années)	Nombre de professeurs
De 0 à moins de 6	10
De 6 à moins de 12	15
De 12 à moins de 18	20
De 18 à moins de 24	25
Total	70

4.4 L'INTERPRÉTATION ET LES UTILISATIONS DE L'ÉCART TYPE

On utilise généralement l'écart type pour comparer l'étalement de deux ou plusieurs ensembles d'observations. Par exemple, on vient de calculer que l'écart type des montants investis bimensuellement dans le régime de participation aux bénéfices des employés de l'entreprise Peintures Dupré est de 7,51 $. Supposez que ces employés se trouvent au Québec. Si l'écart type pour le groupe d'employés en Alberta est de 10,47 $ et que les moyennes sont environ les mêmes, cela signifie que les montants investis par les employés au Québec ne sont pas aussi dispersés que ceux investis par les employés en Alberta (parce que 7,51 $ < 10,47 $). Puisque les montants investis par les employés au Québec sont plus concentrés autour de la moyenne, la moyenne pour les employés au Québec représente une valeur plus fiable que la moyenne pour les employés en Alberta.

PAFNUTY LVOVICH TCHEBYCHEV (1821-1894)

Pafnuty Tchebychev est né à Okatovo, en Russie, le 6 mai 1821. Il a obtenu son diplôme en mathématiques de l'Université de Moscou en 1841 et son doctorat en mathématiques de l'Université de Petersbourg en 1849. En 1850, il est élu professeur extraordinaire de mathématiques à l'Université de Petersbourg, où il est devenu professeur titulaire en 1860.

Pafnuty Tchebychev a contribué de manière importante à plusieurs domaines des mathématiques. Il est particulièrement connu pour sa contribution à la théorie des nombres. Sa monographie, intitulée *Teoria Sravneny* (« théorie des congruences »), est considérée comme un classique dans le domaine. Dès leur premier cours de statistique, les étudiants font connaissance avec son célèbre théorème qui définit une valeur minimale pour la proportion des observations d'une population qui se situent à moins d'un certain multiple de l'écart type autour de la moyenne.

Pour arrondir son modeste salaire en tant que professeur universitaire, Pafnuty Tchebychev devait souvent travailler pour des clients privés. Il a notamment accepté d'élaborer une méthode plus économique pour couper les tissus en vue de fabriquer des uniformes pour l'armée. Il a considéré le tissu comme un réseau et a élaboré une théorie mathématique approfondie sur les réseaux, qu'il a publiée sous forme de manuel.

Pafnuty Tchebychev est reconnu non seulement pour ses découvertes en mathématiques et en sciences, mais aussi pour avoir fondé une école scientifique, la Petersburg Mathematical School. Il est devenu associé étranger de l'Institut de France ainsi que de la Royal Society.

LE THÉORÈME DE TCHEBYCHEV

On a insisté sur le fait qu'un petit écart type indique que les données se situent à proximité de la moyenne. Inversement, un grand écart type révèle que les observations sont largement dispersées autour de la moyenne. Le mathématicien russe P. L. Tchebychev a élaboré un théorème qui permet de déterminer la proportion minimale des observations se situant à l'intérieur d'un nombre précis d'écarts types autour de la moyenne. Par exemple, selon le **théorème de Tchebychev,** au moins trois observations sur quatre, ou 75 %, doivent appartenir à l'intervalle dont les bornes se situent à deux écarts types en dessous et deux écarts types au-dessus de la moyenne. Cette relation s'applique, peu importe la forme de la distribution. De plus, au moins huit observations sur neuf, ou 88,9 %, se situent à moins de trois écarts types de la moyenne. Un minimum de 24 observations sur 25, ou 96 %, se situent à moins de cinq écarts types de la moyenne.

 Théorème de Tchebychev Pour une population, la proportion des observations qui se situent à l'intérieur de k écarts types de la moyenne est au moins $1 - \dfrac{1}{k^2}$, où k est un nombre supérieur à un.

Si l'on remplace la moyenne et l'écart type de la population par la moyenne et l'écart type d'un échantillon alors, pour un échantillon de grande taille, le résultat est approximativement valable.

Exemple 4.10

La moyenne arithmétique du salaire de tous les professeurs d'une université de la région est de 60 000 $. L'écart type des salaires est de 1500 $.
a) Au minimum, quel est le pourcentage des salaires qui se situent entre −1,5 écart type et +1,5 écart type de la moyenne arithmétique ?
b) Quelle est l'étendue des salaires qui se situent entre −1,5 écart type et +1,5 écart type de la moyenne ?

Solution

a) $k = 1,5$

La proportion des salaires qui se situent entre −1,5 écart type et +1,5 écart type de la moyenne de population est au moins :

$$1 - \frac{1}{k^2} = 1 - \frac{1}{1,5^2} = 1 - \frac{1}{2,25} = 0{,}555, \text{ ce qui représente } 55{,}5\,\%.$$

b) 1,5 écart type est (1,5)(1500) = 2250. Ainsi, l'étendue des salaires compris entre (60 000 − 2250) $ = 57 750 $ et (60 000 + 2250) $ = 62 250 $ est donc de 4500 $.

LA RÈGLE NORMALE OU EMPIRIQUE

Le théorème de Tchebychev s'applique à n'importe quel ensemble de données, peu importe la forme de la distribution (symétrique, asymétrique, etc.). Cependant, de nombreux ensembles de données dans la vie de tous les jours, par exemple la hauteur, le poids et la pression artérielle (des personnes), les dimensions linéaires (pour des articles fabriqués) et les variations quotidiennes en pourcentage (sur le marché boursier) ont des distributions qui sont relativement symétriques et qui ont la forme d'une cloche. Les distributions symétriques en forme de cloche ont donc beaucoup d'importance en inférence statistique. Nous en discuterons plus en détail au chapitre 7. Pour ce type de distribution, la règle empirique suivante permet d'obtenir une valeur plus précise de la proportion des observations qui se situent à l'intérieur d'un nombre précis d'écarts types de la moyenne.

Règle normale ou empirique Si la distribution de la population est symétrique et en forme de cloche, alors environ 68 % des observations se situent à moins d'un écart type de la moyenne de la population. Environ 95 % des observations se situeront à moins de deux écarts types de la moyenne de la population et presque toutes les observations (99,7 %) se trouveront à moins de trois écarts types de la moyenne de la population.

FIGURE 4.4   La distribution des observations dans le cas d'une courbe symétrique en forme de cloche

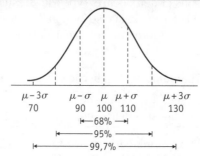

Dans la règle empirique, si l'on remplace la moyenne et l'écart type de la population par ceux d'un échantillon de grande taille, on obtient une approximation.

La figure 4.4 illustre ces relations graphiquement pour une distribution symétrique en forme de cloche ayant une moyenne de 100 et un écart type de 10. Cette forme de distribution s'appelle une distribution normale. Nous en discuterons au chapitre 7.

On a vu que si une distribution est symétrique et en forme de cloche, presque toutes les observations se situent entre moins trois écarts types et plus trois écarts types de la moyenne. Ainsi, si $\mu = 100$ et $\sigma = 10$, presque toutes les observations se situent entre $100 - 3(10)$ et $100 + 3(10)$ ou 70 et 130. L'étendue est donc d'environ 60, soit $130 - 70$ ou $6\sigma = 6\ (10) = 60$.

Inversement, si l'on sait que l'étendue est de 60, on peut trouver approximativement l'écart type en divisant l'étendue par 6. Dans cet exemple : étendue $\div 6 = 60 \div 6 = 10$, soit l'écart type.

Exemple 4.11

Les sommes mensuelles consacrées à la nourriture par toutes les personnes âgées vivant seules dans une région précise du Canada forment une distribution symétrique en forme de cloche. La moyenne et l'écart type de la population sont de 150 $ et de 20 $, respectivement. Utilisez la règle empirique.

a) Trouvez un intervalle symétrique autour de la moyenne de la population contenant les dépenses mensuelles en nourriture d'environ 68 % des personnes âgées dans la région.

b) Trouvez un intervalle symétrique autour de la moyenne de la population contenant les dépenses mensuelles en nourriture d'environ 95 % des personnes âgées dans la région.

c) Trouvez un intervalle symétrique autour de la moyenne de la population contenant les dépenses mensuelles en nourriture de presque toutes les personnes âgées dans la région.

Solution

a) Environ 68 % des observations se situent entre 130 $ et 170 $. On trouve ce résultat ainsi : $\mu - 1\sigma = 150 - 1(20) = 130$ \$, et $\mu + 1\sigma = 150 + 1(20) = 170$ \$.

b) Environ 95 % des observations se situent entre 110 $ et 190 $. On trouve ce résultat ainsi : $\mu - 2\sigma = 150 - 2(20) = 110$ \$, et $\mu + 2\sigma = 150 + 2(20) = 190$ \$.

c) Presque toutes (99,7 %) les observations se situent entre 90 $ et 210 $. On trouve ce résultat ainsi : $\mu - 3\sigma = 150 - 3(20) = 90$ \$, et $\mu + 3\sigma = 150 + 3(20) = 210$ \$.

■ RÉVISION 4.5

Engel Canada inc. est un des nombreux fabricants de tuyaux de PVC au pays. Le service du contrôle de la qualité a échantillonné 600 tuyaux de 3 m de longueur. Pour chaque tuyau, on a mesuré le diamètre extérieur à 0,3 m de l'extrémité du tuyau. La moyenne de l'échantillon était de 35,6 cm et l'écart type, de 0,25 cm.

    a) Si la forme de la distribution est inconnue, quel est le pourcentage minimal des observations qui se situent entre 35,3 cm et 35,9 cm?

    b) Si la distribution des diamètres est symétrique et en forme de cloche, trouvez un intervalle symétrique autour de la moyenne contenant environ 95 % des valeurs observées pour les diamètres.

EXERCICES 4.23 À 4.26

4.23 Selon le théorème de Tchebychev, quel pourcentage minimal des données de population se situeront à l'intérieur de 1,8 écart type de la moyenne?

4.24 La moyenne des notes de 65 étudiants dans une classe de *Méthodes quantitatives II* à l'hiver 2002 était de 70,4. L'écart type s'élevait à 2,4. La distribution des notes était semblable à une courbe symétrique en forme de cloche.

    a) Environ quel pourcentage des notes des étudiants étaient comprises entre 68 et 72,8?

    b) Environ quel pourcentage des notes des étudiants étaient comprises entre 65,6 et 75,2?

4.25 Les poids de conteneurs de cargaison sont à peu près normalement distribués. En fonction de la règle empirique, trouvez le pourcentage approximatif de conteneurs dont le poids se situera:

    a) entre $\mu - 2\sigma$ et $\mu + 2\sigma$.

    b) entre μ et $\mu + 2\sigma$.

    c) au-dessous de $\mu - 2\sigma$.

4.26 La figure suivante illustre l'apparence symétrique de la distribution d'un échantillon de mesures d'évaluation de l'efficacité. En supposant que la taille de l'échantillon soit grande, répondez aux questions suivantes:

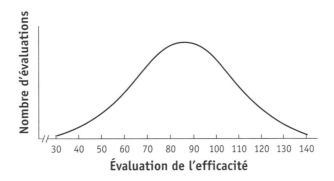

    a) Estimez la moyenne de l'évaluation de l'efficacité.

    b) Estimez l'écart type au nombre entier près.

    c) Trouvez un intervalle symétrique de valeurs se situant autour de la moyenne de l'échantillon et contenant environ 68 % des évaluations de l'efficacité.

    d) Trouvez un intervalle symétrique de valeurs se situant autour de la moyenne de l'échantillon et contenant environ 95 % des évaluations de l'efficacité.

4.5 LA DISPERSION RELATIVE

Il est impossible de comparer directement la même mesure de dispersion de deux ensembles de données qui portent sur des variables différentes. Par exemple, l'écart type de la distribution des revenus annuels et l'écart type de la distribution du taux d'absentéisme pour le même groupe d'employés sont difficilement comparables. Peut-on vraiment dire que l'écart type de 1200 $ pour la distribution des revenus annuels est supérieur à l'écart type de 4,5 jours pour la distribution du taux d'absentéisme ? De toute évidence, ce n'est pas possible. En effet, on ne peut comparer des dollars et des jours d'absence au travail. Pour qu'une comparaison de la dispersion des revenus et du taux d'absentéisme soit significative, on doit convertir chacune de ces mesures en valeur *relative*. Karl Pearson (1857-1936) a élaboré une mesure relative appelée **coefficient de variation** (*CV*). Il s'agit d'une mesure très utile quand :

- les données sont exprimées en unités différentes (en dollars et en jours d'absence, par exemple);
- les données sont exprimées dans la même unité, mais les moyennes sont très éloignées les unes des autres (comme le salaire des cadres supérieurs et celui des employés non qualifiés).

 Coefficient de variation Rapport entre l'écart type et la moyenne arithmétique, exprimé sous forme de pourcentage.

Dans le cas d'une population, la formule du coefficient de variation est :

Coefficient de variation	$CV = \dfrac{\sigma}{\mu}(100)$	**4.12**

Dans le cas d'un échantillon, la formule du coefficient de variation est :

Coefficient de variation	$CV = \dfrac{s}{\bar{x}}(100)$	**4.13**

Exemple 4.12 Une étude menée sur l'importance des primes payées et des années de service des employés a permis d'obtenir les statistiques suivantes : 1) la moyenne des primes versées était de 200 $ et l'écart type, de 40 $; 2) le nombre moyen d'années de service était de 20 ans et l'écart type, de 2 ans. Comparez les dispersions relatives des deux distributions en utilisant le coefficient de variation.

Solution Les distributions sont en unités différentes (dollars et années de service). C'est pourquoi il faut utiliser les coefficients de variation.

Pour les primes versées	**Pour les années de service**
$CV = \dfrac{s}{\bar{x}}(100)$	$CV = \dfrac{s}{\bar{x}}(100)$
$= \dfrac{40}{200}(100)$	$= \dfrac{2}{20}(100)$
$= 20\%$	$= 10\%$

La dispersion par rapport à la moyenne est plus grande dans la distribution des primes versées que dans la distribution des années de service (parce que 20 % > 10 %).

On utilise la même méthode lorsque les données sont exprimées dans les mêmes unités, mais que les moyennes sont très différentes.

Exemple 4.13

Mina est enseignante. Elle donne deux cours dans un collège de la région : *Communication orale* et *Finances personnelles*. La moyenne et l'écart type des notes de tous les étudiants dans le cours de communication orale sont de 70,5 et de 5,6, respectivement. La moyenne et l'écart type des notes de tous les étudiants du cours de finances personnelles sont de 90 et de 6,4, respectivement. Mina aimerait comparer la dispersion relative des notes de ces deux cours à l'aide du coefficient de variation.

Solution

Communication orale	*Finances personnelles*
$CV = \dfrac{\sigma}{\mu}(100)$	$CV = \dfrac{\sigma}{\mu}(100)$
$= \dfrac{5,6}{70,5}(100) = 7,94\,\%$	$= \dfrac{6,4}{90}(100) = 7,11\,\%$

Le coefficient de variation plus élevé pour le cours de communication orale indique une plus grande dispersion (par rapport à la moyenne) des notes dans ce cours que dans celui sur les finances personnelles.

■ RÉVISION 4.6

Le revenu moyen des 50 athlètes les mieux rémunérés au monde, en 2000, était de 18,7 millions de dollars et l'écart type de leur revenu, de 19,4 millions de dollars. Le revenu moyen des 50 cadres les mieux rémunérés au monde, en 2000, était de 14,4 millions de dollars et l'écart type de leur revenu, de 12,7 millions de dollars.

Comparez les dispersions relatives des revenus des 50 athlètes et des 50 cadres les mieux rémunérés au monde.

EXERCICES 4.27 À 4.30

4.27 Le taux de rendement annuel moyen d'un fonds sur une période de six ans (de 1994 à 2000) est de 15,50 % et l'écart type, de 12,17 %. Calculez le coefficient de variation des rendements annuels de ce fonds.

4.28 Voici les rendements sur une année, en pourcentage, des capitaux propres de 15 sociétés minières et de 15 sociétés biotechnologiques et pharmaceutiques en 2000.

Rendement des capitaux propres sur une année (en pourcentage)			
Minière	Biotechnologique et pharmaceutique	Minière	Biotechnologique et pharmaceutique
8,54	63,12	0,39	−24,33
16,41	20,21	0,09	−15,80
11,38	3,00	−0,75	13,31
86,04	5,52	−2,90	6,20
13,58	1,53	−1,42	11,28
4,98	−8,99	−3,36	−1,94
14,54	20,21	−4,44	13,78
		4,82	6,20

a) Estimez l'écart type du rendement de chaque groupe d'actions.

b) Quelle mesure statistique utiliseriez-vous pour comparer la variabilité relative du rendement des deux groupes d'actions ?

c) Le coefficient de variation sert à mesurer le risque des placements. Le sachant, lequel des deux groupes d'actions les investisseurs qui ont une aversion pour le risque doivent-ils préférer ? Présentez vos calculs.

4.29   Vous trouverez ci-dessous les ratios cours-bénéfice des actions et les rendements (sur une année) des capitaux propres d'un échantillon de 13 des 1000 plus importantes sociétés en 2000.

Sociétés	Ratio cours-bénéfice	Rendement (sur une année) des capitaux propres
BCE inc.	5,83	29,56
Banque Royale	13,68	19,36
Imperial Oil	11,60	32,44
Manu Life	21,15	15,73
Bombardier inc.	33,07	28,10
Alberta Energy	11,18	23,74
Magna Intl.	6,02	15,64
Cdn Natl. Resources	6,19	31,35
Power Corp.	12,63	18,53
Sun Life Finl.	21,05	10,00
Telus Corp	22,46	8,64
Investors Group	19,19	27,53
Manitoba Telecom Services	24,77	17,68

a) Pourquoi doit-on utiliser le coefficient de variation pour comparer les variations du ratio cours-bénéfice et du rendement des capitaux propres ?

b) Comparez la variation relative des ratios cours-bénéfice et la variation relative des rendements des capitaux propres des sociétés observées.

4.30   Vous devez comparer la dispersion des cours annuels des actions se vendant à moins de 10 $ et la dispersion des prix de celles qui se vendent à plus de 60 $. Le prix moyen des actions se vendant à moins de 10 $ est de 5,25 $ et l'écart type, de 1,52 $. Le prix moyen des actions se vendant à plus de 60 $ est de 92,50 $ et l'écart type, de 5,28 $.

a) Pourquoi devez-vous utiliser le coefficient de variation pour comparer la dispersion des prix ?

b) Calculez les coefficients de variation. Quelle est votre conclusion ?

L'ASYMÉTRIE ET L'APLATISSEMENT

Au chapitre 3, nous avons décrit numériquement la tendance centrale d'un ensemble d'observations en utilisant la moyenne, la médiane et le mode. Dans ce chapitre, nous décrivons la dispersion, l'étalement ou la variation d'un ensemble d'observations à l'aide de mesures comme l'étendue et l'écart type.

La forme de l'histogramme ou du polygone d'effectifs de la distribution d'un ensemble de données est aussi une caractéristique importante. Une distribution est soit unimodale, soit multimodale. On dit qu'elle est unimodale si elle n'a qu'un seul sommet, alors qu'une distribution multimodale a deux ou plusieurs sommets. Comme nous l'avons vu au chapitre 3 (voir la page 103), la symétrie ou l'asymétrie d'une distribution permet aussi de caractériser sa forme. Dans le cas d'une distribution symétrique, lorsqu'on coupe la courbe en son centre, le côté gauche de la courbe est une image miroir (ou symétrique) du côté droit. La moyenne et la médiane sont alors identiques. De plus, si la distribution est unimodale, la moyenne, la médiane et le mode sont égaux.

L'ASYMÉTRIE

Le degré d'asymétrie dans la forme d'une distribution se mesure à l'aide du **coefficient d'asymétrie.** Idéalement, la valeur du coefficient d'asymétrie d'une distribution doit être définie de manière à être nulle pour les distributions symétriques et non nulle pour les distributions asymétriques.

Karl Pearson a proposé la simple expression suivante pour le coefficient d'asymétrie :

$$SK_1 = \frac{3(\text{Moyenne} - \text{Médiane})}{\sigma} \qquad \text{4.14 a)}$$

Pour un échantillon, on peut estimer SK_1 ainsi :

$$\overline{SK}_1 = \frac{3(\text{Moyenne} - \text{Médiane})}{s} \qquad \text{4.14 b)}$$

On dit que les distributions ayant un coefficient d'asymétrie SK_1 positif sont désaxées vers la droite (asymétrie à droite) et que les distributions ayant un coefficient d'asymétrie SK_1 négatif sont désaxées vers la gauche (asymétrie à gauche). La valeur de SK_1 peut varier de –3 à 3. Une valeur près de ± 3, comme –2,57, indique une très grande asymétrie à gauche. Une valeur comme 1,63 révèle une asymétrie moyenne à droite.

Pour une distribution symétrique, la moyenne et la médiane sont égales et, par conséquent, la valeur du coefficient d'asymétrie est nulle. Dans le cas d'une distribution unimodale ayant une longue queue vers la droite, la moyenne est plus grande que la médiane, et la distribution est donc désaxée vers la droite. On observe souvent de telles distributions dans le monde réel. Par exemple, les salaires suivent fréquemment ce modèle. Songez aux salaires des personnes employées par une petite entreprise d'environ 100 employés. Le président et quelques cadres supérieurs recevraient un salaire très élevé par rapport aux autres. Ainsi, la distribution des salaires présenterait une asymétrie positive. Une distribution unimodale ayant une longue queue vers la gauche a une moyenne plus petite que la médiane. Cette distribution est ainsi désaxée vers la gauche.

La figure 4.5 présente le résumé des formes des polygones d'effectifs.

FIGURE 4.5   Les formes des polygones d'effectifs

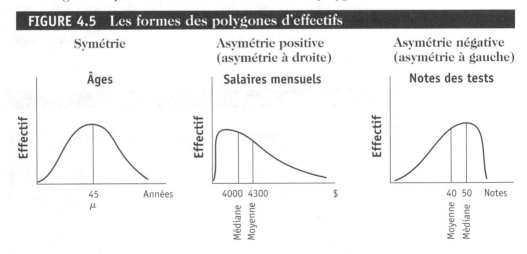

Les statisticiens ont proposé plusieurs mesures plus sophistiquées de l'asymétrie pour les distributions générales. Le logiciel de statistique Excel utilise la formule suivante pour estimer le coefficient d'asymétrie d'un échantillon :

$$\overline{SK}_2 = \frac{n}{(n-1)(n-2)}\left[\sum \left(\frac{x - \bar{x}}{s} \right)^3 \right] \qquad \text{4.15}$$

Pour une distribution symétrique, la somme de l'expression au cube est nulle, et la valeur de $\overline{SK}_2$ est donc de zéro. Lorsqu'il y a plusieurs valeurs élevées dans l'ensemble de données, la somme de l'expression au cube est positive et élevée. Par ailleurs, la présence de quelques petites valeurs résulte en une somme négative au cube.

Exemple 4.14

Les observations du bénéfice par action d'un échantillon de 15 fabricants de logiciels en 2000 ont été rangées en ordre croissant et sont présentées ci-dessous :

| 0,09 \$ | 0,13 \$ | 0,41 \$ | 0,51 \$ | 1,12 \$ | 1,20 \$ | 1,49 \$ | 3,18 \$ | 3,50 \$ |

| 6,36 \$ | 7,83 \$ | 8,92 \$ | 10,13 \$ | 12,99 \$ | 16,40 \$ |

a) Calculez la moyenne, la médiane et l'écart type de l'échantillon.

b) Trouvez les estimations du coefficient d'asymétrie à l'aide de l'expression de Pearson ($\overline{SK}_1$) et du logiciel Excel ($\overline{SK}_2$). Commentez la forme de la distribution.

Solution

a) En utilisant la formule 3.2 (page 82 du chapitre 3), on calcule d'abord la moyenne :

$$\overline{x} = \frac{\sum x}{n} = \frac{74,26\,\$}{15} = 4,95\,\$$$

La médiane est la valeur centrale de l'ensemble des données. Dans ce cas, il s'agit de 3,18 \$. À l'aide de la formule 4.9, on calcule l'écart type de l'échantillon.

$$s = \sqrt{\frac{\sum x^2 - \frac{(\sum x)^2}{n}}{n-1}} = \sqrt{\frac{749,372 - \frac{(74,26)^2}{15}}{15-1}} = 5,22$$

b) À l'aide de la formule 4.14 b), on obtient l'estimation suivante du coefficient d'asymétrie de Pearson :

$$\overline{SK}_1 = \frac{3(\text{Moyenne} - \text{Médiane})}{s} = \frac{3(4,95 - 3,18)}{5,22} = 1,017$$

Calculons maintenant une estimation du coefficient d'asymétrie en utilisant un logiciel. Pour Excel (MegaStat), on suit les directives données à la page 125 pour calculer l'écart type. Toutefois, à l'étape C, on coche la case *Skewness, kurtosis, CV*. La sortie de MegaStat apparaît ci-dessous.

FEUILLE DE CALCUL EXCEL 4.6

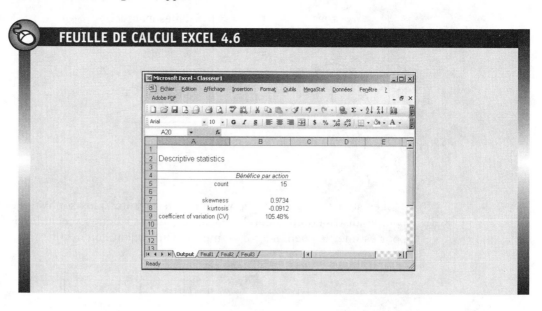

Il est à noter que, du fait qu'Excel utilise la formule 4.15, l'estimation du coefficient d'asymétrie obtenue à partir des sorties d'ordinateur (= 0,9734) est légèrement différente de celle qu'on a obtenue plus haut en utilisant la formule 4.14 b) (= 1,017).

L'APLATISSEMENT (KURTOSIS)

Le mot « kurtosis » (mot grec *kyrtösis*) désigne l'aplatissement ou l'élévation d'une distribution de données. Généralement, on compare l'élévation d'une distribution à celle d'une *distribution normale,* que nous étudierons en détail au chapitre 7. Une distribution dont le sommet est plus aigu que la distribution normale est dite *leptocurtique* (*lepto* en grec : longue pointe mince) ; et une distribution dont le sommet est plus aplati que la distribution normale est dite *platycurtique* (*platu* en grec : expansion vaste et plane). Les figures 4.7 a) et b) illustrent respectivement une distribution leptocurtique et une distribution platycurtique.

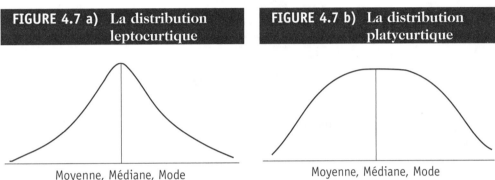

FIGURE 4.7 a) La distribution leptocurtique

Moyenne, Médiane, Mode

FIGURE 4.7 b) La distribution platycurtique

Moyenne, Médiane, Mode

LE COEFFICIENT D'APLATISSEMENT

Pour les observations d'une population, le coefficient d'aplatissement se calcule de la manière suivante :

$$K = \frac{\sum(x - \mu)^4}{N\sigma^4} - 3 \qquad \textbf{4.16}$$

où
K est le coefficient d'aplatissement ;
x est la valeur d'une observation de la population ;
μ est la moyenne de la population ;
N est le nombre total d'observations dans la population ;
σ est l'écart type de la population.

La valeur du coefficient d'aplatissement d'une distribution normale est de zéro. Pour une distribution leptocurtique, la valeur du coefficient d'aplatissement est positive et pour une distribution platycurtique, la valeur du coefficient d'aplatissement est négative.

L'exemple 4.15 illustre le calcul du coefficient d'aplatissement.

Exemple 4.15 Voici les notes des 10 étudiants inscrits dans un cours d'informatique de niveau avancé à l'automne 2002. Calculez la valeur du coefficient d'aplatissement.

74   54   94   100   60   44   74   58   53   32

Solution　Les calculs sont présentés dans le tableau ci-dessous.

Notes (x)	Moyenne de population (μ)	$(x-\mu)^4$	Écart type de la population (σ)
74	64,3	8 852,93	20,23
54	64,3	11 255,09	
94	64,3	778 082,77	
100	64,3	1 624 324,76	
60	64,3	341,88	
44	64,3	169 818,17	
74	64,3	8 852,93	
58	64,3	1 575,30	
53	64,3	16 304,74	
32	64,3	1 088 454,02	
Total		3 707 862,59	

$$\sigma = \sqrt{\frac{\sum(x-\mu)^2}{N}} = \sqrt{409{,}21} = 20{,}23$$

Maintenant, on peut substituer les valeurs dans la formule 4.16 :

$$K = \frac{\sum(x-\mu)^4}{N\sigma^4} - 3 = \frac{3\ 707\ 862{,}59}{10(20{,}23)^4} - 3 = -0{,}79$$

Puisque la valeur du coefficient d'aplatissement est négative, la distribution est platycurtique.

On peut estimer l'aplatissement de la population à partir d'un échantillon à l'aide de la formule suivante :

$$K_1 = \frac{n(n+1)}{(n-1)(n-2)(n-3)} \frac{\sum(x-\bar{x})^4}{s^4} - \frac{3(n-1)^2}{(n-2)(n-3)} \qquad \textbf{4.17}$$

où
K_1 est le coefficient d'aplatissement d'un échantillon ;
$\bar{x}$　est la moyenne de l'échantillon ;
s　est l'écart type de l'échantillon ;
n　est le nombre d'observations dans l'échantillon.

On peut aussi obtenir la valeur du coefficient d'aplatissement pour un ensemble de données à l'aide d'un logiciel. Dans le cas de MegaStat, les directives sont les mêmes que celles qu'on doit respecter pour trouver l'asymétrie, présentées à la page 140.

■ RÉVISION 4.7

Un échantillon de cinq commis à la saisie des données, engagés par le bureau de l'Agence du revenu du Canada à Vancouver, ont révisé les nombres suivants de dossiers fiscaux hier :

73　　　98　　　60　　　92　　　84

　　a) Trouvez la moyenne, la médiane et l'écart type de l'échantillon.
　　b) Estimez le coefficient d'asymétrie en utilisant la méthode de Pearson.
　　c) Estimez le coefficient d'asymétrie selon la méthode du logiciel Excel.
　　d) Quelles sont vos conclusions en ce qui concerne l'asymétrie des données ?
　　e) Estimez le coefficient d'aplatissement des données.

EXERCICES 4.31 À 4.34

4.31 Les ratios cours-bénéfice des actions d'un échantillon de 15 sociétés prélevé de la liste des 1000 plus importantes sociétés ont été publiés dans le magazine *Report on Business* le 29 juin 2001. Les valeurs figurent ci-dessous.

5,83	10,67	10,23	8,68	15,99	6,44	22,98	13,05
8,28	16,14	9,26	9,25	20,21	3,04	13,60	

a) Trouvez la moyenne, la médiane et l'écart type de l'échantillon.
b) Estimez le coefficient d'asymétrie en utilisant la méthode de Pearson.
c) Estimez le coefficient d'asymétrie en utilisant la méthode du logiciel Excel.
d) La distribution est-elle asymétrique à droite ? Expliquez votre réponse.

4.32 Voici la liste des salaires (en milliers de dollars) d'un échantillon de 15 cadres tiré de la liste des 50 cadres les mieux rémunérés en 2000.

297	655	450	746	475	900	480	629
900	817	419	149	814	575	763	

a) Trouvez la moyenne, la médiane et l'écart type de l'échantillon.
b) Estimez le coefficient d'asymétrie de la distribution des salaires en utilisant la méthode du logiciel Excel.
c) La distribution des salaires est-elle asymétrique à droite ? Expliquez votre réponse. En vous basant sur ces résultats, quelle mesure de tendance centrale recommanderiez-vous pour décrire les salaires des cadres ?

4.33 Voici la liste des commissions (en milliers de dollars) gagnées l'année dernière par tous les représentants de la société Meubles gagnants.

3,9	5,7	7,3	10,6	13,0	13,6	15,1	15,8	17,1
17,4	17,6	22,3	38,6	43,2	87,7			

a) Calculez la moyenne, la médiane et l'écart type.
b) Déterminez le coefficient d'asymétrie en utilisant la méthode de Pearson.

4.34 Le cours des actions d'un échantillon de 30 sociétés en 2000 est donné ci-dessous.

1,60 $	1,28 $	0,81 $	1,13 $	3,70 $	1,01 $	0,77 $	1,50 $
1,59 $	0,92 $	0,63 $	0,99 $	0,15 $	1,90 $	1,42 $	1,30 $
1,97 $	1,64 $	3,17 $	1,08 $	1,67 $	1,05 $	0,94 $	1,56 $
1,11 $	0,32 $	1,36 $	0,39 $	0,73 $	0,82 $		

a) Calculez la moyenne, la médiane et l'écart type.
b) Estimez le coefficient d'asymétrie du cours des actions en utilisant la méthode de Pearson.
c) Estimez le coefficient d'asymétrie du cours des actions en utilisant la méthode du logiciel Excel.
d) La distribution du cours des actions est-elle asymétrique à gauche ou à droite ? Expliquez votre réponse.
e) Estimez la valeur du coefficient d'aplatissement de l'ensemble des données.

4.6 D'AUTRES MESURES DE POSITION ET DE DISPERSION

LES QUARTILES, LES DÉCILES ET LES CENTILES

Les **quartiles** sont les valeurs qui divisent un ensemble d'observations en quatre parties égales. Pour mieux expliquer cette notion, songez à un ensemble d'observations disposées en ordre croissant (ou décroissant). Au chapitre 3, on a appelé *médiane* le centre d'une série d'observations ordonnées en ordre croissant (ou décroissant). La médiane est une mesure de position puisqu'elle désigne le centre des données. De la même

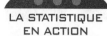
manière, les quartiles divisent un ensemble d'observations ordonnées en quatre parties égales. Le premier quartile, habituellement noté Q_1, est tel que, au plus, le quart des observations lui sont inférieures et au plus, les trois quarts des observations lui sont supérieures. Le troisième quartile, habituellement noté Q_3, est tel que, au plus, les trois quarts des observations lui sont inférieures et, au plus, le quart des observations lui sont supérieures. Le deuxième quartile Q_2 est la médiane. Les valeurs correspondant à Q_1, à Q_2 et à Q_3 divisent un ensemble d'observations ordonnées en quatre parties égales.

De façon similaire, les **déciles** divisent un ensemble d'observations ordonnées en 10 parties égales et les **centiles,** en 100 parties égales. Par conséquent, si vous découvrez que votre MPC (moyenne pondérée cumulée) à l'université correspond au 8e décile, vous pouvez conclure que, au plus, 80 % des étudiants ont eu une MPC inférieure à la vôtre et au plus, 20 % des étudiants ont eu une MPC supérieure à la vôtre. Une MPC correspondant au 33e centile signifie que, au plus, 33 % des étudiants ont une MPC inférieure et, au plus, 67 % des étudiants ont une MPC supérieure. On utilise souvent les centiles des notes pour présenter les résultats des tests standardisés nationaux, comme le test d'habileté scolaire, l'ACT, le GMAT (qu'on utilise pour l'admission à plusieurs programmes de maîtrise en administration des affaires) et le LSAT (auquel on a recours pour l'admission à la faculté de droit).

LE CALCUL DES QUARTILES, DES DÉCILES ET DES CENTILES

Pour trouver les centiles des observations d'une population, on doit d'abord ranger ces observations en ordre croissant et ensuite créer un indice $L = NP/100$, où N est le nombre d'observations dans la population et P, le numéro du centile requis (par exemple, pour le 33e centile, $P = 33$). Cet indice permet de déterminer l'emplacement du centile dans la série ordonnée. Si L est un nombre entier, alors la valeur centrale entre les L^{ième} et $[L + 1]^{ième}$ observations de l'ensemble ordonné correspond au centile requis. Si L n'est pas un nombre entier, alors le centile requis correspond à l'observation dont le rang est le premier entier supérieur à L. L'exemple 4.16 illustre ce cas.

Exemple 4.16

Voici les notes des 20 étudiants inscrits au cours *Mathématiques 1015* en 2002.

74	54	94	100	100	44	74	58	42	97
81	88	99	100	86	100	82	52	53	32

Trouvez les valeurs des 25e et 28e centiles de cet ensemble d'observations.

Solution

Premièrement, on classe les notes des étudiants en ordre croissant :

32	42	44	52	53	54	58	74	74	81
82	86	88	94	97	99	100	100	100	100

Pour déterminer le 25e centile, on calcule d'abord $L = \dfrac{NP}{100} = \dfrac{(20)(25)}{100} = 5$.

Puisque 5 est un nombre entier, le 25e centile est la valeur centrale entre les 5e et 6e observations de l'ensemble ordonné ; autrement dit, $\left(\dfrac{53 + 54}{2}\right) = 53,5$. La valeur du 25e centile est de 53,5.

Pour déterminer le 28e centile, on calcule d'abord $L = \dfrac{NP}{100} = \dfrac{(20)(28)}{100} = 5,6$.

La valeur de L n'est pas un nombre entier, et le premier nombre entier supérieur à L est 6. Ainsi, le 28e centile est la valeur de la 6e observation dans l'ensemble ordonné. La valeur du 28e centile est donc de 54.

Une estimation de la valeur d'un centile de la population peut être obtenue en calculant le même centile dans un échantillon tiré de cette population. L'emplacement du
centile désiré peut être obtenu à l'aide de la formule suivante :

Emplacement du $P^{\text{ième}}$ centile de l'échantillon, L_p	$L_p = (n+1)\dfrac{P}{100}$	**4.18**

où

L_p est l'emplacement du centile désiré ;
n est le nombre d'observations dans l'échantillon ;
P est le centile désiré.

La valeur de L_p, obtenue à l'aide de la formule 4.18, pourrait être une fraction. Dans
ce cas, le centile désiré s'obtient par interpolation linéaire. Il correspond en fait à une
moyenne pondérée des deux observations adjacentes. Par exemple, si $L_p = 5{,}2$, le centile
devrait se situer entre les 5e et 6e observations. Par interpolation linéaire, on obtient
l'équation suivante : (5e observation) + 0,2(6e observation – 5e observation). L'équation
précédente peut aussi s'exprimer sous la forme d'une moyenne pondérée des 5e et
6e observations : 0,2(6e observation) + (1 – 0,2)(5e observation).

Exemple 4.17

Voici la liste des prix des actions d'un échantillon de 15 sociétés tiré du magazine
Report on Business pour 2000.

1,60 $ 0,81 $ 3,70 $ 0,77 $ 0,99 $ 1,90 $ 1,30 $ 1,64 $
1,56 $ 0,32 $ 0,39 $ 1,50 $ 0,92 $ 3,17 $ 1,67 $

Trouvez la médiane de l'échantillon, le premier quartile, le troisième quartile et le
soixantième centile de l'ensemble des données.

Solution

On classe les observations de la plus petite à la plus grande :

0,32 $ 0,39 $ 0,77 $ 0,81 $ 0,92 $ 0,99 $ 1,30 $ 1,50 $
1,56 $ 1,60 $ 1,64 $ 1,67 $ 1,90 $ 3,17 $ 3,70 $

La médiane de l'ensemble des données est la valeur située au centre de l'ensemble
ordonné. Elle est donc identique au 50e centile. De même, le premier quartile correspond au 25e centile, et le troisième quartile est identique au 75e centile. Par conséquent,
on doit trouver les 50e, 25e, 75e et 60e centiles de l'échantillon.

En utilisant la formule 4,18, on trouve leur emplacement dans l'ensemble ordonné
des observations.

Pour la médiane : $L_p = (n+1)\dfrac{P}{100} = (15+1)\dfrac{50}{100} = 8$;

pour le premier quartile : $L_p = (n+1)\dfrac{P}{100} = (15+1)\dfrac{25}{100} = 4$;

pour le troisième quartile : $L_p = (n+1)\dfrac{P}{100} = (15+1)\dfrac{75}{100} = 12$;

pour le soixantième centile : $L_p = (n+1)\dfrac{P}{100} = (15+1)\dfrac{60}{100} = 9{,}6$.

En conséquence, la médiane de l'échantillon ainsi que les premier et troisième
quartiles sont les 8e, 4e et 12e observations dans l'ensemble ordonné, lesquelles sont
1,50 $, 0,81 $ et 1,67 $, respectivement.

Pour le soixantième centile, on obtient $L_p = 9,6$.
Ainsi, le soixantième centile de l'échantillon

$$= (0,6)(10^e \text{ observation}) + (1 - 0,6)(9^e \text{ observation})$$
$$= (0,6)(1,60) + (0,4)(1,56)$$
$$= 1,584$$

Q_1 médiane

0,32 \$ 0,39 \$ 0,77 \$ 0,81 \$ 0,92 \$ 0,99 \$ 1,30 \$ 1,50 \$

1,56 \$ 1,60 \$ 1,64 \$ 1,67 \$ 1,90 \$ 3,17 \$ 3,70 \$

60e centile Q_3

Il est facile de trouver les centiles à l'aide d'un logiciel. Dans l'exemple suivant, on illustre comment déterminer deux valeurs de centile, soit le 25e (premier quartile) et le 75e (troisième quartile). Notez que la méthode de calcul utilisée dans Excel et MegaStat est légèrement différente de celle que nous avons présentée.

Pour calculer les quartiles avec MegaStat, on utilise les directives données à la page 125 pour calculer l'écart type ; toutefois, à l'étape C, on coche la case *Median, quartiles, mode, outliers*.

Les directives pour trouver les valeurs des quartiles à l'aide d'Excel sont présentées dans la feuille de calcul Excel 4.8.

FEUILLE DE CALCUL EXCEL 4.8

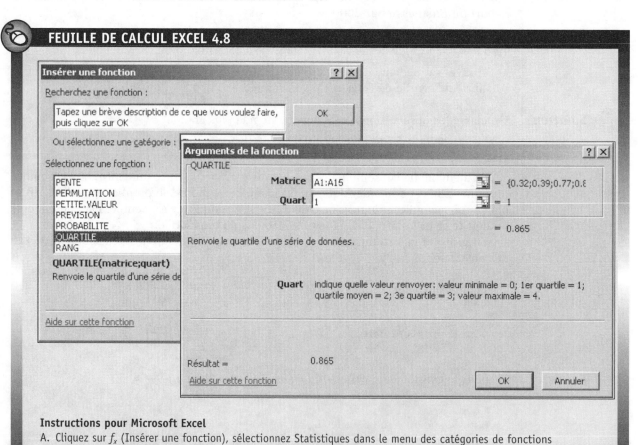

Instructions pour Microsoft Excel

A. Cliquez sur f_x (Insérer une fonction), sélectionnez Statistiques dans le menu des catégories de fonctions et QUARTILE dans la liste des fonctions, puis cliquez sur OK.

B. Entrez les coordonnées des cellules contenant les données dans la zone Matrice, puis, un chiffre à la fois, tapez *1* pour le premier quartile, *2* pour le deuxième quartile et *3* pour le troisième quartile dans la zone Quart. Cliquez sur OK.

■ RÉVISION 4.8

Voici les sommes d'argent (en millions de dollars américains) gagnées par 13 des 50 athlètes les mieux rémunérés au monde en 2000.

63,1	24,0	48,0	2,7	10,6	18,0	17,0
20,0	7,0	17,5	10,0	3,0	6,5	

a) Calculez la médiane des salaires pour cet échantillon.

b) Calculez les premier et troisième quartiles et interprétez leur signification dans le contexte de la question.

EXERCICES 4.35 À 4.38

4.35 La capitalisation boursière (en millions de dollars) d'un échantillon de 14 sociétés prélevé dans la liste des 1000 plus grandes sociétés canadiennes en 2000 est donnée ci-dessous. Déterminez la médiane ainsi que les valeurs des premier et troisième quartiles de cet échantillon et interprétez leur signification dans le contexte de la question.

35 067	29 096	18 254	21 661	35 919	18 421
12 277	15 771	22 630	10 665	26 119	31 324
10 759	16 325				

4.36 Voici les prix de vente (en milliers de dollars) d'un échantillon de 16 maisons à Clarington (Ont.), en 2000. Déterminez la médiane ainsi que les valeurs des premier et troisième quartiles des prix de vente des maisons de cet échantillon. Expliquez la valeur du troisième quartile de l'échantillon.

295,0	475,0	549,0	739,9	759,9	99,8	129,0	182,5
138,9	149,9	154,9	157,9	174,9	174,9	179,8	179,9

4.37 Anderson inc. est un distributeur de petits moteurs électriques. Comme pour toutes les entreprises, le temps que prend un client pour payer sa facture est important. Voici la liste, par ordre croissant, du nombre de jours avant que le paiement ne soit effectué, pour un échantillon de factures de la société Anderson.

13	13	13	20	26	27	31	34	34	34	35	35	36
37	38	41	41	41	45	47	47	47	50	51	53	54
56	62	67	82									

a) Déterminez les premier et troisième quartiles de l'échantillon.

b) Déterminez le deuxième et le huitième décile de l'échantillon.

c) Déterminez le 67e centile de l'échantillon.

4.38 Laura Leblanc est la directrice nationale des ventes pour la société Manuels scolaires nationaux inc. Elle dirige un personnel des ventes de 40 membres qui rencontrent des professeurs partout au Canada. Chaque samedi matin, elle demande à son personnel des ventes de lui faire parvenir un rapport. Celui-ci comprend notamment le nombre de professeurs rencontrés durant la semaine précédente. Voici la liste du nombre de rencontres effectuées la semaine dernière en ordre croissant.

38	40	41	45	48	48	50	50	51	51	52	52
53	54	55	55	55	56	56	57	59	59	59	62
62	62	63	64	65	66	66	67	67	69	69	71
77	78	79	79								

a) Déterminez la médiane du nombre de rencontres.

b) Déterminez les premier et troisième quartiles.

c) Déterminez le premier et le neuvième décile.

d) Déterminez le 33e centile et expliquez sa signification.

LES DIAGRAMMES EN BOÎTE

Un diagramme en boîte est une représentation graphique d'un ensemble de données basée sur son minimum, son maximum et ses quartiles. Il aide à déterminer si la distribution est symétrique ou asymétrique. Il permet aussi de détecter les valeurs extrêmes ou aberrantes dans un ensemble de données.

Pour construire un diagramme en boîte, on a besoin de cinq valeurs : la valeur minimale, Q_1 (premier quartile), Q_2 (deuxième quartile ou médiane), Q_3 (troisième quartile) et la valeur maximale. L'exemple 4.18 illustre un diagramme en boîte.

Exemple 4.18

Pizza Alexandre offre gratuitement la livraison aux clients situés dans un rayon de 24 km du restaurant. Alex, le propriétaire, souhaite avoir des renseignements sur les délais de livraison. Combien de temps prend une livraison typique ? Dans quel intervalle de temps la plupart des livraisons seront-elles faites ? Il a déterminé les renseignements suivants à partir des données sur les délais de livraison ce mois-ci :

Valeur minimale $= 13$ minutes
Q_1 $\qquad\quad = 15$ minutes
Médiane $\qquad = 18$ minutes
Q_3 $\qquad\quad = 22$ minutes
Valeur maximale $= 30$ minutes

Construisez un diagramme en boîte pour les délais de livraison. Quelles conclusions pouvez-vous tirer sur les délais de livraison ?

Solution

La première étape pour construire le diagramme en boîte consiste à créer une échelle appropriée le long de l'axe horizontal. Ensuite, on doit construire une boîte qui commence à Q_1 (15 minutes) et se termine à Q_3 (22 minutes). À l'intérieur de la boîte, on trace une droite verticale pour représenter une médiane (18 minutes). Finalement, on prolonge les droites horizontales de la boîte jusqu'à la valeur minimale (13 minutes) et jusqu'à la valeur maximale (30 minutes). Les droites horizontales à l'extérieur de la boîte sont parfois appelées « moustaches », parce qu'elles ressemblent à des moustaches de chat.

Le diagramme en boîte montre qu'environ 50 % des livraisons prennent de 15 à 22 minutes. La distance entre les extrémités de la boîte (7 minutes) s'appelle l'**écart interquartile** (*ÉIQ*). L'écart interquartile est la distance entre le premier et le troisième quartile ($= Q_3 - Q_1$).

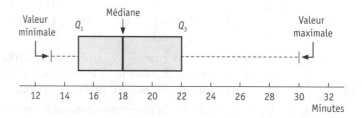

En outre, le diagramme en boîte révèle que la distribution des délais de livraison est asymétrique à droite. Comment le sait-on ? Dans ce cas-ci, deux renseignements permettent de le savoir. Premièrement, la droite en pointillé à la droite de la boîte (moustache de droite), de 22 minutes (Q_3) au temps maximal de 30 minutes, est plus longue que la droite en pointillé à gauche (moustache de gauche), de 15 minutes (Q_1) à la valeur minimale de 13 minutes. Autrement dit, les données plus grandes que le troisième quartile (environ 25 % des observations) sont plus étalées que les données plus petites que le premier quartile (environ 25 % des observations). Une deuxième indication de l'asymétrie positive de la distribution est le fait que la médiane ne se trouve pas au centre de la boîte.

La distance entre le premier quartile et la médiane est plus petite que la distance entre la médiane et le troisième quartile. On sait que le nombre de délais de livraison compris entre 15 et 18 minutes est environ le même que le nombre de délais de livraison compris entre 18 et 22 minutes.

Pour trouver les observations extrêmes ou aberrantes, on définit deux valeurs appelées *borne inférieure* et *borne supérieure*. Toute observation plus petite que la borne inférieure ou plus grande que la borne supérieure s'appelle une *observation extrême ou aberrante*.

La borne inférieure se définit ainsi : $Q_1 - (1,5)(ÉIQ)$. Autrement dit, dans le diagramme en boîte, il s'agit d'un point situé à une distance de $(1,5)$(largeur de la boîte) à la gauche de la boîte. Dans l'exemple 4.18, $ÉIQ = (22 - 15) = 7$. Donc, la borne inférieure est $15 - (1,5)(7) = 4,5$ minutes.

La borne supérieure se définit ainsi : $Q_3 + (1,5)(ÉIQ)$. Autrement dit, dans le diagramme en boîte, il s'agit d'un point situé à une distance de $(1,5)$(largeur de la boîte) à la droite de la boîte. Dans l'exemple 4.18, la borne supérieure est $22 + (1,5)(7) = 32,5$ minutes.

Dans l'exemple 4.18, aucune observation n'est inférieure à 4,5 minutes ou supérieure à 32,5 minutes. En conséquence, on peut conclure qu'il n'y a pas d'observation extrême ou aberrante.

Exemple 4.19

Voici les notes des étudiants du cours *Mathématiques 1021* en 2002 :

60	75	80	80	14	68	86	33	38	69	81
70	89	58	64	77	44	71	84	56	72	63
61	86									

Construisez un diagramme en boîte et relevez les observations extrêmes ou aberrantes présentes dans l'ensemble de données.

Solution

Note minimale = 14 ; note maximale = 89 ; médiane = 69,5 ; $Q_1 = 58,5$; $Q_3 = 80$.

Comme on l'a expliqué à l'exemple 4.18, on crée l'échelle appropriée (10 à 120) le long de l'axe horizontal. On construit la boîte qui commence à Q_1 (58,5) et se termine à Q_3 (80). On trace ensuite une droite verticale à l'intérieur de la boîte pour représenter la médiane (69,5).

Maintenant, on calcule les valeurs des bornes inférieure et supérieure. La valeur de $ÉIQ$ est $(Q_3 - Q_1) = (80 - 58,5) = 21,5$. La borne inférieure est $Q_1 - (1,5)(ÉIQ) = 58,5 - (1,5)(21,5) = 26,3$; et la valeur de la borne supérieure est $Q_3 + (1,5)(ÉIQ) = 80 + (1,5)(21,5) = 112,3$.

On ne dispose que d'une seule observation (14) plus petite que la valeur de la borne inférieure (26,3) et aucune n'est supérieure à 112,3. En conséquence, 14 est la seule observation extrême ou aberrante.

On prolonge les droites de chaque côté de la boîte. La droite à gauche va de $Q_1 = 58,5$ à la plus petite observation de l'ensemble de données qui n'est pas une observation extrême (soit 33). La droite du côté droit va de $Q_3 = 80$ à la plus grande observation qui n'est pas une observation extrême (soit 89). Finalement, chaque observation extrême (dans notre exemple, 14), est notée par un astérisque (*).

La figure 4.9 présente le diagramme en boîte. On constate que la moustache de gauche est plus longue que la moustache de droite et que la médiane se trouve presque au centre de la boîte. Cela indique presque une symétrie pour le 50 % des notes centrales. Cependant, de manière générale, la distribution des notes est asymétrique à gauche.

FIGURE 4.9　Le diagramme en boîte des notes de *Mathématiques 1021*

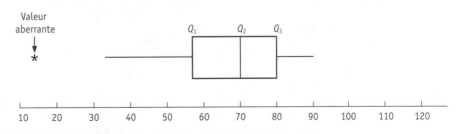

Exemple 4.20   Les notes des étudiants du cours *Statistique 2011* en 2002 sont données ci-dessous. Tracez le diagramme en boîte des notes de *Statistique 2011* et comparez-le avec celui des notes de *Mathématiques 1021* (voir l'exemple 4.19).

72	61	75	71	61	89	85	80	59	73	75
78	71	59	73	72	70	59	75	60	23	95
44	86	91	97	93	66	76	87	54	78	47
74	26	66	64	6	89	69	66	63	80	91
74	91	72	85	58	77	57	83	62	91	

Solution   On peut voir qu'il y a trois observations extrêmes pour les notes en *Statistique 2011* (voir la figure 4.10) et une seule pour les notes en *Mathématiques 1021*. Les valeurs des premier, deuxième et troisième quartiles pour chaque ensemble de données sont également différentes.

FIGURE 4.10   Le diagramme en boîte des notes de *Statistique 2011*

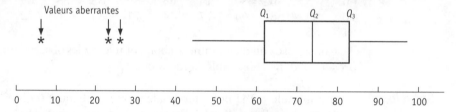

■ RÉVISION 4.9

Voici un diagramme en boîte.

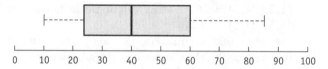

a) Déterminez la médiane, le maximum, le minimum ainsi que les premier et troisième quartiles de cette distribution. Croyez-vous que cette distribution est symétrique ?

b) Y a-t-il une observation extrême selon le diagramme en boîte ?

EXERCICES 4.39 À 4.42

4.39 Reportez-vous au diagramme en boîte ci-dessous.

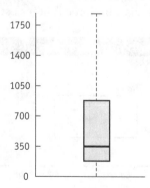

a) Trouvez les valeurs approximatives de la médiane ainsi que des premier et troisième quartiles.

b) Déterminez l'écart interquartile.

c) Au-delà de quelle valeur une observation est-elle considérée comme extrême ou aberrante ? Trouvez toutes les observations extrêmes ou aberrantes.

d) La distribution est-elle symétrique, asymétrique à droite ou asymétrique à gauche ?

4.40   Reportez-vous au diagramme en boîte ci-dessous.

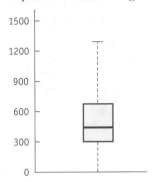

a) Trouvez les valeurs approximatives de la médiane ainsi que des premier et troisième quartiles.

b) Déterminez l'écart interquartile.

c) Au-delà de quelle valeur une observation est-elle considérée comme extrême ou aberrante ? Trouvez toutes les observations extrêmes ou aberrantes.

d) La distribution est-elle symétrique, asymétrique à droite ou asymétrique à gauche ?

4.41   Dans une étude sur l'efficacité énergétique des automobiles fabriquées en 2000, la consommation moyenne d'essence (en litres par 100 km sur l'autoroute) était de 8,8 et la médiane, de 8,6. La plus petite consommation observée dans le cadre de l'étude était de 4,7 L/100 km et la plus grande, de 18,5. Les premier et troisième quartiles étaient de 6,6 et de 13,1 L/100 km, respectivement. Créez un diagramme en boîte et commentez la distribution. Celle-ci est-elle symétrique ?

4.42   Voici les salaires de 20 comptables qui travaillent dans un cabinet d'experts-comptables.

58 100 $	63 500 $	69 990 $	48 950 $	54 120 $
62 000 $	60 200 $	63 500 $	68 750 $	61 900 $
69 950 $	77 000 $	43 340 $	47 860 $	50 990 $
38 930 $	43 050 $	45 960 $	36 500 $	37 430 $

a) Construisez un diagramme en boîte pour représenter graphiquement la distribution des salaires des comptables. Donnez les premier, deuxième et troisième quartiles et commentez la forme de la distribution des salaires.

b) Trouvez les valeurs des bornes inférieure et supérieure du diagramme en boîte. Y a-t-il des observations extrêmes ou aberrantes dans l'ensemble de données ?

RÉSUMÉ DU CHAPITRE

I. La **dispersion** est la variation dans un ensemble de données.

A. L'**étendue** est la différence entre la plus grande valeur d'un ensemble de données et la plus petite.

1. La formule pour obtenir l'étendue est :

Étendue = Valeur la plus grande − Valeur la plus petite   **4.1**

2. Les principales caractéristiques de l'étendue sont les suivantes :
a) On n'utilise que deux observations dans le calcul de l'étendue.
b) Les observations extrêmes influent sur elle.
c) Elle est facile à calculer et à comprendre.

B. L'*écart absolu moyen* est la somme des valeurs absolues des écarts entre chaque observation et la moyenne divisée par le nombre total d'observations.

1. La formule pour calculer l'écart absolu moyen d'une population est :

Écart absolu moyen d'une population $\acute{E}AM = \dfrac{\sum |x - \mu|}{N}$ **4.2**

2. La formule pour calculer l'écart absolu moyen d'un échantillon est :

Écart absolu moyen d'un échantillon $\acute{e}am = \dfrac{\sum |x - \bar{x}|}{n}$ **4.3**

3. Ses principales caractéristiques sont les suivantes :
a) Il n'est pas excessivement touché par les observations extrêmes.
b) Toutes les observations sont utilisées dans le calcul.
c) Il est en quelque sorte difficile de travailler avec des valeurs absolues.

C. La *variance* est la moyenne arithmétique des carrés des écarts à la moyenne.

1. La formule de la variance d'une population est :

$$\sigma^2 = \dfrac{\sum (x - \mu)^2}{N}$$ **4.4**

2. La formule de la variance d'un échantillon est :

$$s^2 = \dfrac{\sum (x - \bar{x})^2}{n - 1}$$ **4.6**

3. La division de la somme des carrés des écarts à la moyenne par $(n - 1)$ procure une meilleure estimation de la *variance d'une population*.

D. Voici les formules conceptuelles des *écarts types* d'une population et d'un échantillon, respectivement :

$$\sigma = \sqrt{\dfrac{\sum (x - \mu)^2}{N}}$$ **4.5**

$$s = \sqrt{\dfrac{\sum (x - \bar{x})^2}{n - 1}}$$ **4.8**

1. Les principales caractéristiques de l'écart type sont les suivantes :
a) Il est exprimé dans la même unité de mesure que les données originales.
b) Il correspond à la racine carrée positive de la variance.
c) Il ne peut être négatif.
d) Il s'agit de la mesure de dispersion la plus largement utilisée.
e) Il a de bonnes propriétés mathématiques et se prête très bien aux manipulations algébriques.

II. Pour les données d'une population, le théorème de Tchebychev énonce que, peu importe la forme de la distribution, au moins $1 - \dfrac{1}{k^2}$ des observations se trouveront à l'intérieur de k écarts types de la moyenne. Si l'on remplace la moyenne et l'écart type de la population par la moyenne et l'écart type d'un échantillon, alors, si la taille de l'échantillon est grande, le résultat est approximativement valable.

III. Selon la règle empirique, pour une distribution symétrique en forme de cloche :
   1. Environ 68 % des observations de la population se situeront à moins d'un écart type de la moyenne de la population.
   2. Environ 95 % des observations de la population se situeront à moins de deux écarts types de la moyenne de la population.
   3. Presque toutes les observations (99,7 %) de la population se situeront à moins de trois écarts types de la moyenne de la population.
   A. Si l'on remplace la moyenne et l'écart type de la population par ceux d'un échantillon de grande taille, le résultat de la règle empirique sera approximativement valable.

IV. Les formules pour calculer le coefficient de variation pour les données d'une population et d'un échantillon sont les suivantes :

$$CV = \frac{\sigma}{\mu}(100) \qquad \textbf{4.12}$$

$$CV = \frac{s}{\overline{x}}(100) \qquad \textbf{4.13}$$

   A. Le coefficient de variation mesure la variation relative par rapport à la moyenne.
   B. Il est utile pour comparer des distributions pour des variables exprimées en différentes unités.

V. Le *coefficient d'asymétrie* permet de mesurer la symétrie d'une distribution.
   A. Le coefficient d'asymétrie de Pearson est :

   Pour une population $\qquad SK_1 = \dfrac{3(\text{Moyenne} - \text{Médiane})}{\sigma} \qquad$ **4.14 a)**

   Pour un échantillon $\qquad \overline{SK}_1 = \dfrac{3(\text{Moyenne} - \text{Médiane})}{s} \qquad$ **4.14 b)**

   La valeur de SK_1 varie de –3 à 3.
   B. Excel utilise la formule suivante pour estimer le coefficient d'asymétrie à partir des données d'échantillon :

$$\overline{SK}_2 = \frac{n}{(n-1)(n-2)}\left[\Sigma\left(\frac{x-\overline{x}}{s}\right)^3\right] \qquad \textbf{4.15}$$

   C. Si la valeur du coefficient d'asymétrie est de zéro, la distribution est symétrique. Si la valeur est non nulle, la distribution est asymétrique.
   D. Pour une distribution asymétrique à droite, le coefficient d'asymétrie est positif.
   E. Pour une distribution asymétrique à gauche, le coefficient d'asymétrie est négatif.

VI. Les mesures de position décrivent aussi l'étalement d'un ensemble d'observations.
   A. Les quartiles divisent un ensemble d'observations en quatre parties égales.
   1. Le premier quartile, habituellement noté Q_1, est la valeur telle que, au plus, un quart des observations lui sont inférieures et, au plus, trois quarts des observations lui sont supérieures. Le troisième quartile, habituellement noté Q_3, est la valeur telle que, au plus, les trois quarts des observations lui sont inférieures et, au plus, un quart des observations lui sont supérieures.
   2. L'écart interquartile est la différence entre le premier et le troisième quartile.
   B. Les déciles divisent un ensemble d'observations en 10 parties égales.
   C. Les centiles divisent un ensemble d'observations en 100 parties égales.

VII. Un diagramme en boîte est une représentation graphique d'un ensemble de données.

A. Un diagramme en boîte est fondé sur cinq caractéristiques : le minimum, le maximum, les premier et troisième quartiles et la médiane.

B. Une boîte est dessinée en reliant les premier et troisième quartiles. Une droite verticale à l'intérieur de la boîte montre l'emplacement de la médiane.

C. Des segments de droite pointillés du troisième quartile à la valeur la plus élevée et du premier quartile à la valeur la moins élevée montrent l'intervalle où se situent 25 % des observations les plus grandes et 25 % des observations les plus petites.

D. Le diagramme en boîte montre aussi les observations extrêmes ou aberrantes que pourrait contenir l'ensemble de données. Les observations au-dessous de la borne inférieure et au-dessus de la borne supérieure sont considérées extrêmes ou aberrantes.

EXERCICES 4.43 À 4.72

Les exercices 4.43 à 4.51 sont basés sur les données qui suivent.

Le service du contrôle de la qualité des Industries Cleff surveille constamment trois chaînes de montage qui produisent des fours pour des résidences privées. Le four se préchauffe à 104 °C en l'espace de quatre minutes et s'éteint ensuite. Cependant, le four peut ne pas atteindre 104 °C dans le temps alloué si l'isolant est mal installé ou pour d'autres raisons. De plus, la température pourrait dépasser 104 °C durant le cycle de quatre minutes de préchauffage. Un important échantillon prélevé de chacune des chaînes de montage révèle les données suivantes.

Température (°C)			
Mesures statistiques	Chaîne 1	Chaîne 2	Chaîne 3
Moyenne de l'échantillon	103,0	104,0	105,5
Médiane de l'échantillon	104,0	104,0	104,0
Mode de l'échantillon	104,8	104,0	103,5
Écart type de l'échantillon	3,0	0,4	3,9
Écart interquartile de l'échantillon	2,0	0,2	3,4

4.43 Quelle(s) chaîne(s) de montage n'a (n'ont) pas une distribution des températures symétrique, en forme de cloche ?

4.44 Laquelle ou lesquelles des chaînes connaissent la plus grande variation sur le plan de la température ? Comment l'avez-vous déterminé ?

4.45 Selon la règle empirique, entre quelles valeurs symétriques autour de la moyenne devraient se situer environ 95 % des lectures de température pour la chaîne 2 ?

4.46 Pour quelle chaîne la distribution des températures est-elle asymétrique à droite ?

4.47 Pour la chaîne 2, estimez les valeurs des premier et troisième quartiles.

4.48 Supposez que les valeurs des écarts types de chaque échantillon soient près des valeurs des écarts types des populations correspondantes. Pour la chaîne 3, selon le théorème de Tchebychev, quel intervalle, symétrique autour de la moyenne, contiendra au moins 89 % des températures ?

4.49   Estimez le coefficient de variation pour la chaîne 3.

4.50   Estimez le coefficient d'asymétrie pour la chaîne 1.

4.51   Déterminez la variance de l'échantillon pour la chaîne 1.

4.52   Une étude des dossiers du personnel d'une grande société révèle que le coefficient de variation du nombre d'années de service au sein de l'entreprise est de 20%, et que le coefficient de variation du montant de commissions gagnées l'année dernière est de 30%. Commentez la dispersion relative des deux variables.

4.53   Dans l'étude mentionnée à l'exercice 4.52, le coefficient d'asymétrie pour l'âge des employés est de −2,25. Commentez la forme de la distribution de l'âge des employés. Quelle mesure de tendance centrale est la plus élevée ? De quel côté est la « queue » la plus longue de la distribution ? Que pouvez-vous conclure au sujet de l'âge des employés ?

4.54   Voici les rendements (en pourcentage) sur une année pour un échantillon de 15 des 1000 plus grandes entreprises au Canada en 2000.

| 22,99 | 3,03 | 14,54 | 37,51 | 15,22 | 14,10 | 9,77 | 7,39 |
| 10,89 | 6,88 | 0,61 | −0,42 | 3 | 2,37 | −8,46 | |

   a) Calculez l'écart type de l'échantillon.
   b) Utilisez un graphique approprié pour déceler les observations extrêmes, puis énumérez le nombre d'observations extrêmes dans l'ensemble des données.
   c) Commentez la valeur de l'écart type de l'échantillon.

4.55   Les âges d'un échantillon de touristes canadiens voyageant de Toronto à Hong Kong sont : 32, 21, 60, 47, 54, 17, 72, 55, 33 et 41.
   a) Calculez l'étendue.
   b) Calculez la moyenne de cet échantillon.
   c) Calculez l'écart type de cet échantillon.

4.56   Les poids (en kilogrammes) d'un échantillon de cinq boîtes expédiées par UPS sont : 5,4 ; 2,7 ; 3,2 ; 1,4 et 4,5.
   a) Calculez l'étendue.
   b) Calculez l'écart absolu moyen de cet échantillon.
   c) Calculez l'écart type de l'échantillon.

4.57   Il y a 19 universités dans l'une des provinces du Canada. Les quantités de manuels (en milliers) contenus dans leurs bibliothèques sont présentées ci-dessous :

| 146 | 510 | 133 | 125 | 601 | 147 | 123 | 850 | 320 | 200 |
| 435 | 210 | 250 | 300 | 450 | 200 | 230 | 300 | 249 | |

   a) S'agit-il des données d'un échantillon ou d'une population ?
   b) Calculez l'écart type et interprétez sa signification.
   c) Calculez le coefficient de variation. Pourquoi utilise-t-on le coefficient de variation pour comparer la variabilité de différents ensembles de données ?

4.58   Voici la distribution du revenu (en millions de dollars américains) des 50 athlètes les mieux rémunérés au monde en 2000.

Revenu (en millions de dollars)	Nombre d'athlètes
De 1 à moins de 11	32
De 11 à moins de 21	12
De 21 à moins de 31	2
De 31 à moins de 41	1
De 41 à moins de 51	1
De 51 à moins de 61	1
De 61 à moins de 71	1

   a) Calculez la valeur approximative du revenu moyen des 50 athlètes les mieux rémunérés au monde.
   b) Calculez la valeur approximative de l'écart type du revenu des 50 athlètes les mieux rémunérés au monde.

4.59 La Chambre de commerce de la région du Grand Toronto a étudié un échantillon de 95 employés travaillant dans le centre-ville pour déterminer la distance que les employés doivent parcourir chaque jour pour se rendre au travail. La distribution des réponses à l'enquête est donnée dans le tableau suivant.

Distance (en kilomètres)	Effectif
De 0 à moins de 8	11
De 8 à moins de 16	15
De 16 à moins de 24	31
De 24 à moins de 32	20
De 32 à moins de 40	18
Total	95

a) Calculez l'étendue de la distribution et expliquez sa signification.

b) Estimez l'écart type de la distribution de la distance pour la population d'intérêt.

4.60 Voici la distribution des frais de publicité engagés par un échantillon de 30 petites sociétés situées à Vancouver.

Frais de publicité (en milliers de dollars)	Nombre de sociétés
De 25 à moins de 35	10
De 35 à moins de 45	5
De 45 à moins de 55	8
De 55 à moins de 65	4
De 65 à moins de 75	3

a) Calculez les valeurs approximatives de l'étendue et de l'écart type des frais de publicité pour l'échantillon considéré.

b) Laquelle de ces deux mesures de dispersion est la meilleure ? Expliquez votre réponse.

c) Nommez quatre propriétés de l'écart type.

4.61 Voici les revenus (en millions de dollars américains) des 50 athlètes les mieux rémunérés au monde en 2000.

63,1	59,0	24	35,2	48	14,3	2,7	4,2	4,7	10,0
10,6	11,3	18	18,9	17,0	1,4	20,0	7,9	7,3	1,4
7,0	10,0	17,5	11,4	10,0	23,0	3,0	11,0	5,0	7,5
6,5	7,1	6,5	15,0	3,0	16,0	15,3	9,5	9,0	5,1
6,3	15,7	7,5	4,8	7,5	7,0	1,5	1,4	1,2	5,6

a) Construisez un diagramme en boîte pour les observations de cet ensemble de données.

b) La distribution est-elle asymétrique ou symétrique ?

c) Combien y a-t-il d'observations extrêmes dans l'ensemble de données ?

d) Quelle est la valeur de l'écart interquartile ? Expliquez sa signification.

4.62 La Société de silencieux nationale prétend pouvoir changer votre silencieux en moins de 30 minutes. Un journaliste d'une revue de protection du consommateur a surveillé 30 changements de silencieux consécutifs dans une des concessions se trouvant sur la rue Liberté. Le nombre de minutes requis pour effectuer les changements est présenté ci-dessous.

44	12	22	31	26	22	30	26	18	28	12
40	17	13	14	17	25	29	15	30	10	28
16	33	24	20	29	34	23	13			

a) Construisez un diagramme en boîte pour le temps de changement d'un silencieux.

b) La distribution présente-t-elle des observations extrêmes ?

c) Résumez vos découvertes dans un rapport.

4.63 Le diagramme en boîte suivant présente les salaires d'un échantillon de 15 cadres prélevé dans la liste des 50 cadres les mieux rémunérés en 2000.

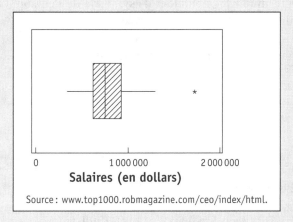

a) Estimez les valeurs de la médiane, des premier et troisième quartiles des salaires de la population d'intérêt.

b) La distribution est-elle asymétrique à droite ? Expliquez votre réponse.

4.64 Le diagramme en boîte ci-dessous illustre la distribution des notes finales des étudiants du cours *Mathématiques 1015*. Résumez la performance de ces étudiants. N'oubliez pas d'inclure les valeurs des premier, deuxième et troisième quartiles et de mentionner l'asymétrie, le cas échéant. Déterminez la valeur approximative de l'observation extrême représentée par un astérisque.

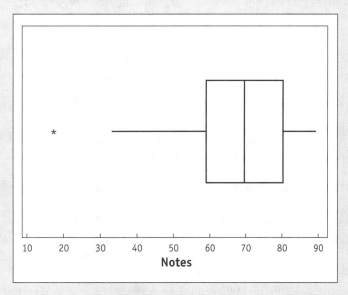

4.65 Le problème précédent présentait un diagramme en boîte des notes des étudiants du cours *Mathématiques 1015*. Vous trouverez ci-dessous un résumé des indicateurs statistiques pour le même ensemble de données.

Indicateurs statistiques : Note				
Variable	N	Moyenne	Médiane	Écart type
Note	24	65,79	69,50	18,49
	Min.	Max.	Q_1	Q_3
	14,00	89,00	58,50	80,00

a) À l'aide du théorème de Tchebychev, entre quelles valeurs, symétriques autour de la moyenne, vous attendez-vous à trouver environ 55,5 % des notes ?

b) Déterminez le coefficient de variation.

c) Déterminez le coefficient d'asymétrie de Pearson. Cette valeur indique-t-elle une asymétrie positive ou négative ?

4.66 Électronique Danfoss inc. compte 150 fournisseurs partout aux États-Unis et au Canada. Voici un résumé des statistiques sur le volume des ventes à ses fournisseurs.

Variable	N	Moyenne	Médiane	Écart type
Ventes	150	128,1	81,0	162,7
	Min.	Max.	Q_1	Q_3
	2,0	1019,0	38,7	138,2

a) Quelle est l'étendue ?

b) Déterminez l'écart interquartile.

c) Déterminez le coefficient de variation.

d) Déterminez le coefficient d'asymétrie de Pearson.

e) Construisez un diagramme en boîte.

4.67 Les données suivantes sont les valeurs marchandes estimées (en millions de dollars) de 50 sociétés canadiennes et américaines évoluant dans le secteur des pièces automobiles.

26,8	8,6	6,5	30,6	15,4	18,0	7,6	21,5	11,0	10,2
28,3	15,5	31,4	23,4	4,3	20,2	33,5	7,9	11,2	1,0
11,7	18,5	6,8	22,3	12,9	29,8	1,3	14,1	29,7	18,7
6,7	31,4	30,4	20,6	5,2	37,8	13,4	18,3	27,1	32,7
6,1	0,9	9,6	35,0	17,1	1,9	1,2	16,6	31,1	16,1

a) Déterminez la moyenne et la médiane des valeurs marchandes.

b) Déterminez l'écart type des valeurs marchandes.

c) À l'aide du théorème de Tchebychev, entre quelles valeurs, symétriques autour de la moyenne, vous attendez-vous à ce qu'environ 60 % des valeurs marchandes se situent ?

d) En utilisant la règle empirique, entre quelles valeurs symétriques autour de la moyenne se situeraient environ 95 % des valeurs ?

e) Déterminez le coefficient de variation.

f) Déterminez le coefficient d'asymétrie de Pearson.

g) Construisez un diagramme en boîte

h) Rédigez un rapport résumant vos résultats.

4.68 Le tableau de la page suivante présente les taux de rendement sur une année et sur cinq années des 20 actions les plus rentables en 2000. Supposez que les données représentent un échantillon.

a) Calculez la moyenne, la médiane et l'écart type des taux de rendement sur une année et sur cinq années. Comparez les écarts types des deux taux de rendement. Commentez vos résultats.

b) Utilisez une mesure statistique appropriée pour comparer les niveaux de risque des deux rendements.

c) Calculez le coefficient d'asymétrie pour les taux de rendement sur une année et sur cinq années. Quelle distribution est la plus asymétrique ?

d) Construisez un seul diagramme en boîte illustrant les taux de rendement sur une année et sur cinq années. Commentez les résultats. Y a-t-il des observations extrêmes ?

Actions	Taux de rendement	
	Sur une année (pourcentage)	Sur cinq années (pourcentage)
CGI Group (Se00)	8,98	14,57
C-Mac Industries (De00)	9,91	11,99
Velvet Exploration (De00)	20,71	4,98
Bonavista Petroleum (De00)	44,08	15,70
Baytex Energy (De00)	14,37	3,85
Ballard Power Systems (De00)	−11,13	−6,49
Meota Resources (De00)	54,04	21,64
Patheon Inc. (Oc00)	13,31	12,19
Compton Petroleum (De00)	29,19	13,48
BCE Emergis (De00)	−39,99	−57,17
Home Capital Group (De00)	23,24	16,99
ATS Automation Tooling System (Ma00)	10,79	14,55
Stratos Global (De00)	−16,74	−6,92
SureFire Commerce (Ma00)	−22,16	−20,71
Vermillion Resources (De00)	33,90	17,79
Mount Real Corp (De00)	25,31	29,29
Gauntlet Energy (De00)	16,87	−0,06
BakBone Software (Ap00)	−6,83	−14,41
Cognos Inc. (Fe00)	26,98	32,87
C.I. Fund Management (Ma00)	−1,00	10,90

4.69 Voici les montants (en dollars) dépensés par jour par un échantillon de 14 clients dans une épicerie :

42,94 $	67,45 $	52,08 $	85,64 $	105,10 $	56,67 $
50,25 $	75,34 $	87,34 $	46,65 $	90,45 $	95,90 $
54,56 $	99,34 $				

a) Calculez les valeurs de la moyenne, de la médiane et de l'écart type des montants dépensés par les clients de l'échantillon.

b) Trouvez les 45e et 80e centiles de l'ensemble de données.

c) Construisez un diagramme en boîte.

d) Commentez vos découvertes concernant la distribution des montants dépensés par les clients de cet échantillon.

4.70 Le tableau suivant montre les dépenses des Canadiens dans 13 pays qu'ils ont visités en 1999.

Pays visités	Dépenses (en millions de dollars)	Pays visités	Dépenses (en millions de dollars)
Allemagne	183	Italie	283
Australie	227	Japon	150
Cuba	265	Mexique	557
Espagne	105	Pays-Bas	107
France	506	République	
Hong Kong	138	dominicaine	122
Irlande	114	Suisse	91

a) Trouvez la moyenne, la médiane, Q_1 et Q_3.

b) Trouvez les 15e et 90e centiles.

c) Calculez le coefficient d'asymétrie de Pearson et interprétez le résultat obtenu.

d) Construisez un diagramme en boîte. Y a-t-il des observations extrêmes dans l'ensemble de données ?

4.71 Voici le total des revenus gagnés (en milliers de dollars) par 15 sociétés énumérées dans la revue *Report on Business*, le 20 juin 2001. Supposez que l'ensemble de données représente un échantillon.

18 209 000 $	18 996 000 $	16 152 900 $	10 934 800 $	20 075 000 $
10 720 000 $	21 405 000 $	15 267 000 $	17 159 000 $	16 376 000 $
22 377 000 $	24 917 000 $	31 401 000 $	31 299 000 $	11 006 149 $

a) Trouvez la moyenne, la médiane, Q_1 et Q_3 de la distribution du total des revenus. Interprétez les valeurs des premier et troisième quartiles.

b) Calculez le coefficient d'asymétrie de Pearson. La distribution du total des revenus est-elle asymétrique à droite ? Expliquez votre réponse.

c) Construisez un diagramme en boîte. Y a-t-il des observations extrêmes dans l'ensemble de données ?

4.72 Voici la liste du cours des actions hebdomadaires (en dollars) de BCE inc. du 2 juillet 1999 au 14 juillet 2000.

17,805	17,795	18,665	17,535	18,23	17,075	17,22	17,005
17,55	6,81	17,975	18,0	16,71	17,45	19,845	18,73
19,43	21,52	22,47	23,61	24,775	26,475	25,955	27,51
28,42	32,305	31,855	30,825	29,695	33,69	34,555	41,535
41,44	42,0	39,17	40,66	43,115	42,12	47,67	42,965
42,63	33,765	37,19	41,66	41	38,15	33,8	32,65
34,9	37,95	35,05	35,45	35,1	37,0	37,0	

a) Construisez un diagramme en boîte.

b) Quelles sont les valeurs de la médiane ainsi que des premier et troisième quartiles ?

c) Quelle est la valeur du coefficient d'asymétrie ? La distribution du cours des actions est-elle symétrique ou asymétrique ? Expliquez votre réponse.

www.exercices.ca 4.73 À 4.77

4.73 Consultez le site http://unstats.un.org/unsd/demographic/products/dyb/dyb2000f.htm. Travaillez à partir des données sur l'espérance de vie à la naissance pour 1995 à 2000 (tableau 4) des femmes et des hommes des 40 premiers pays.

a) Construisez dans le même graphique les deux diagrammes en boîte illustrant l'espérance de vie des hommes et des femmes pour les 40 premiers pays énumérés dans l'ensemble de données. Les distributions sont-elles symétriques ? Expliquez votre réponse.

b) Pour quel groupe la distribution de l'espérance de vie est-elle la plus dispersée ?

c) Estimez la valeur de la médiane de chaque distribution à partir de chaque diagramme en boîte.

4.74   Consultez le site Web www.globefund.com. Dans la fenêtre à droite, choisissez *View globefund.com partner funds*, puis cliquez sur *Go*. Tapez *Dividend* dans *Enter (Partial) Fund Name* et cliquez sur *Go*. Examinez les rendements sur un an des 35 premiers fonds.

   a)   Trouvez l'écart type des rendements sur un an des 35 premiers fonds.

   b)   Trouvez les premier et troisième quartiles des rendements sur un an des 35 premiers fonds.

   c)   Construisez un diagramme en boîte. Y a-t-il des observations extrêmes ou aberrantes dans l'ensemble de données ?

   d)   Déterminez le coefficient d'asymétrie de la distribution.

4.75   Allez sur le site Web http://asp.usatoday.com/sports/baseball/salaries. Sous la rubrique *Team*, cherchez *Toronto Blue Jays*.

   a)   Construisez un diagramme en boîte. Y a-t-il des observations extrêmes ou aberrantes dans l'ensemble de données ?

   b)   Quelles sont les valeurs de l'écart type et du coefficient de variation ?

   c)   La distribution est-elle symétrique, asymétrique à droite ou asymétrique à gauche ? Expliquez votre réponse.

4.76   Consultez le site Web www.oecd.org/std et cliquez sur Français dans le coin supérieur droit de l'écran. Recueillez des données sur le taux de croissance trimestriel du produit intérieur brut (PIB) pour le dernier trimestre et l'avant-dernier trimestre.

   a)   Trouvez la moyenne, la médiane et l'écart type du taux de variation du PIB pour le dernier trimestre.

   b)   Trouvez la moyenne, la médiane et l'écart type du taux de variation du PIB pour l'avant-dernier trimestre.

   c)   Commentez les résultats obtenus en a) et en b).

   d)   Déterminez le coefficient de variation pour les deux ensembles de données. Lequel des deux ensembles présente le plus de variabilité ?

   e)   Déterminez le coefficient d'asymétrie pour les deux ensembles de données. Commentez les résultats obtenus.

4.77   Allez sur le site Web www.forbes.com/lists et cliquez sur *400 Best Big Companies*. En dessous de *Sort List By*, cliquez sur *Sales*. Utilisez les 25 premières données pour l'analyse.

   a)   Construisez un diagramme en boîte. Combien y a-t-il d'observations extrêmes ou aberrantes dans l'ensemble de données et quelles sont leurs valeurs ?

   b)   Trouvez la moyenne, la médiane et l'écart type. Calculez le coefficient d'asymétrie de Pearson.

CHAPITRE 4   RÉPONSES AUX QUESTIONS DE RÉVISION

4.1 1. a) 10, que l'on trouve ainsi : (51 – 41)

b) $\bar{x} = \dfrac{376}{8} = 47$

c)

x	$x - \bar{x}$	$|x - \bar{x}|$
43	–4	4
47	0	0
48	1	1
50	3	3
48	1	1
48	1	1
51	4	4
41	–6	6
		20

$éam = \dfrac{20}{8} = 2,5$

2. a) $\mu = \dfrac{20\,035,08}{12} = 1669,59\ \$$

b)

x	$x - \mu$	$|x - \mu|$
2231,61	562,02	562,02
2516,08	846,49	846,49
1215,97	–453,62	453,62
2809,45	1139,86	1139,86
1983,08	313,49	313,49
1983,08	313,49	313,49
487,91	–1181,68	1181,68
2381,72	712,13	712,13
791,55	–878,04	878,04
791,55	–878,04	878,04
2381,72	712,13	712,13
461,36	–1208,23	1208,23
		9199,22

$\acute{E}AM = \dfrac{9199,22\ \$}{12} = 766,60\ \$$

4.2 a) $\mu = \dfrac{186}{6} = 31$

b) $\sigma^2 = [(28 - 31)^2 + (20 - 31)^2 + (34 - 31)^2 +$
$(19 - 31)^2 + (60 - 31)^2 + (25 - 31)^2]/6$
$= 193,3$

c) $\sigma = \sqrt{193,3} = 13,9$ ans

4.3 a) La variance de l'échantillon est de 103,98.
On la trouve ainsi :

$\bar{x} = \dfrac{\sum x}{n} = \dfrac{54,32}{6} = 9,05$

x	$\bar{x}$	$x - \bar{x}$	$(x - \bar{x})^2$	x^2
13,34	9,05	4,29	18,40	177,96
16,62	9,05	7,57	57,30	276,22
21,44	9,05	12,39	153,51	459,67
2,23	9,05	–6,82	46,51	4,97
7,15	9,05	–1,9	3,61	51,12
–6,46	9,05	–15,51	240,56	41,73
54,32			519,89	1011,67

$s^2 = \dfrac{\sum (x - \bar{x})^2}{n - 1}$ ou $\dfrac{\sum x^2 - \dfrac{\left(\sum x\right)^2}{n}}{n - 1}$

$= \dfrac{519,89}{6 - 1}$ ou $\dfrac{1011,67 - \dfrac{(54,32)^2}{6}}{6 - 1}$

$= 103,98$

b) L'écart type de l'échantillon est 10,20.
On le trouve ainsi : $\sqrt{103,98} = 10,20$

4.4 a) 50, que l'on trouve ainsi : 80 – 30 = 50

b)

Revenu (en milliers de dollars)	f	x	fx	$\bar{x}$	$f(x - \bar{x})^2$
30-40	11	35	385	53,75	3 867,19
40-50	18	45	810	53,75	1 378,13
50-60	12	55	660	53,75	18,75
60-70	14	65	910	53,75	1 771,88
70-80	9	75	675	53,75	4 064,06
Total	64		3440		11 100,01

$s = \sqrt{\dfrac{\sum f(x - \bar{x})^2}{n - 1}} = \sqrt{\dfrac{11\,100,01}{63}} = 13,3$

4.5 La taille de l'échantillon est importante. Ainsi, le théorème de Tchebychev s'appliquera approximativement si l'on remplace μ par $\bar{x}$ et σ par s.

a) $35,9 - \bar{x} = 35,9 - 35,6 = 0,3$ et $35,3 - \bar{x} = 35,3 - 35,6 = -0,3$. Ainsi, l'intervalle allant de 35,3 à 35,9 est symétrique autour de la moyenne.

$k = \dfrac{35,9 - \bar{x}}{s} = \dfrac{35,9 - 35,6}{0,25} = 1,2$

$1 - \dfrac{1}{k^2} = 1 - \dfrac{1}{(1,2)^2} = 0,306$. Donc, au moins

30,6 % des observations se trouveront entre 35,3 cm et 35,9 cm.

b) De 35,1 à 36,1, que l'on trouve ainsi :
$35,6 \pm 2(0,25)$

4.6 Le CV pour les 50 athlètes les mieux rémunérés au monde = 103,7 %, que l'on trouve ainsi :

$$\frac{19,4 \text{ M\$}}{18,7 \text{ M\$}} (100)$$

Le CV pour les 50 cadres les mieux rémunérés au monde = 88,19 %, que l'on trouve ainsi :

$$\frac{12,7 \text{ M\$}}{14,4 \text{ M\$}} (100)$$

Les revenus des athlètes ont une dispersion plus grande (par rapport à la moyenne) que ceux des cadres.

4.7 a) $\bar{x} = \frac{407}{5} = 81,4$; médiane = 84

$$s = \sqrt{\frac{34\,053 - \frac{(407)^2}{5}}{5-1}} = 15,19$$

b) $\overline{SK}_1 = \frac{3(81,4 - 84,0)}{15,19} = -0,51$

c)

x	$\dfrac{x-\bar{x}}{s}$	$\left[\dfrac{x-\bar{x}}{s}\right]^3$	
73	−0,5530	−0,1691	$\overline{SK}_2$
98	1,0928	1,3050	
60	−1,4088	−2,7961	$= \dfrac{5}{(4)(3)}[-1,3154]$
92	0,6978	0,3398	$= -0,5481$
84	0,1712	0,0050	
		−1,3154	

d) La distribution est asymétrique à gauche.

e)

x	$\dfrac{x-\bar{x}}{s}$	$\left[\dfrac{x-\bar{x}}{s}\right]^4$
73	−0,5530	0,0935
98	1,0928	1,4261
60	−1,4088	3,9391
92	0,6978	0,2371
84	0,1712	0,0009
		5,6967

$$K_1 = \frac{(5)(6)}{(4)(3)(2)}(5,6967) - \frac{3(4)^2}{(3)(2)} = -0,8791$$

4.8 a) $L_p = (n+1)\frac{P}{100} = (14)\frac{50}{100} = 7$

Ainsi, la médiane de l'échantillon est la 7ᵉ valeur = 17,0 millions de dollars.

b) Pour le premier quartile de l'échantillon,

$$L_p = (n+1)\frac{25}{100} = (14)\frac{25}{100} = 3,5$$

Donc, le premier quartile de l'échantillon
= (0,5)(4ᵉ valeur) + (0,5)(3ᵉ valeur)
= (0,5)(7,0) + (0,5)(6,5)
= 6,75 millions de dollars

Pour le troisième quartile de l'échantillon,

$$L_p = (n+1)\frac{75}{100} = (14)\frac{75}{100} = 10,5$$

Ainsi, le troisième quartile de l'échantillon
= (0,5)(11ᵉ valeur) + (0,5)(10ᵉ valeur)
= (0,5)(24,0) + (0,5)(20,0)
= 22,0 millions de dollars

Au plus, le quart des athlètes gagnent moins de 6,75 millions de dollars et au plus, les trois quarts des athlètes gagnent plus que ce montant. Au plus, les trois quarts des athlètes gagnent moins de 22 millions de dollars et, au plus, le quart des athlètes gagnent plus que ce montant.

4.9 a) La valeur la plus petite est 10 et la plus grande, 85 ; le premier quartile est 25 et le troisième, 60. Environ 50 % des valeurs se situent entre 25 et 60. La médiane est 40. La distribution est en quelque sorte asymétrique à droite.

b) Il n'y a aucune observation extrême ou aberrante.

RÉVISION   DES CHAPITRES 1 À 4

Cette section présente une révision des principaux concepts et termes introduits aux chapitres 1 à 4. Dans ces chapitres, nous avons décrit un ensemble de données en le présentant sous forme de *distribution* et en représentant graphiquement la distribution sous forme d'*histogramme*, de *polygone d'effectifs* et de *polygone d'effectifs cumulés*. Ces graphiques ont pour but de révéler visuellement les principales caractéristiques de l'ensemble des données.

Le calcul d'une valeur numérique en vue de représenter les données constitue une manière de résumer une vaste quantité d'observations. Au chapitre 3, nous avons examiné plusieurs mesures de tendance centrale, notamment la *moyenne*, la *moyenne pondérée*, la *moyenne géométrique*, la *médiane* et le *mode*. Au chapitre 4, nous avons décrit la *dispersion* des données en calculant l'*étendue*, l'*écart type* et d'autres mesures. Nous avons aussi décrit la forme de la distribution en calculant le *coefficient d'asymétrie*.

Nous avons souligné l'importance des logiciels, notamment d'Excel. Plusieurs sorties d'ordinateur présentées dans ces chapitres montraient avec quelle rapidité et exactitude il est possible d'organiser une multitude de données brutes en distribution et en histogramme. En outre, nous avons remarqué que les sorties d'ordinateur présentaient plusieurs mesures descriptives, notamment la moyenne, la variance et l'écart type.

GLOSSAIRE

Chapitre 1

Catégories mutuellement exclusives   On ne peut classer une observation dans plus d'une catégorie si les catégories sont mutuellement exclusives.

Échantillon   Portion, ou sous-ensemble, de la population à l'étude.

Échelle de rapports   C'est la plus riche des quatre échelles de mesure. Si les écarts entre les nombres ont une taille constante connue, qu'*il y a un point zéro absolu,* c'est-à-dire que le zéro s'interprète comme l'absence complète de la propriété mesurée, et que le ratio de deux valeurs est significatif, la mesure fait partie d'une échelle de rapports. Par exemple, l'écart entre 200 $ et 300 $ est de 100 $ et, dans le cas de l'argent, il y a un point zéro véritable. Si vous ne possédez aucun dollar, il y a une absence d'argent (vous n'en avez pas). De plus, le ratio entre 200 $ et 300 $ est significatif.

Échelle d'intervalles   Avec cette échelle, les observations sont classées en catégories qui peuvent être rangées en ordre et une différence donnée entre deux valeurs a toujours la même interprétation, peu importe où l'on se situe sur l'échelle. Par contre, l'origine (le zéro) est arbitraire. Par exemple, la différence entre des températures de 70° et de 80° est de 10°. De même, une température de 90° est de 10° plus élevée qu'une température de 80° et ainsi de suite. Un écart

de 10° fournit la même information, peu importe où l'on se situe sur l'échelle de mesure. L'origine est cependant arbitraire, car une température de 0° ne signifie pas l'absence de température.

Échelle nominale   C'est l'échelle de mesure la plus rudimentaire. Elle se limite à classer les données en catégories qui ne peuvent pas être rangées en ordre croissant (ou décroissant). L'origine de l'échelle (le zéro) est aussi complètement arbitraire. Le sexe (homme, femme) et l'appartenance politique (Alliance canadienne, Parti libéral, NPD, Parti progressiste-conservateur) en sont des exemples.

Échelle ordinale   Avec cette échelle, les données sont classées en catégories qui peuvent être rangées en ordre croissant (ou décroissant), mais l'origine est arbitraire. Par exemple, l'évaluation des consommateurs par rapport au son d'un nouveau haut-parleur pourrait être excellent, très bon, bon ou mauvais.

Population   Ensemble de tous les individus, de tous les objets ou de toutes les unités dont les propriétés sont étudiées.

Statistique   Science qui consiste à recueillir, à organiser, à analyser et à interpréter des données numériques afin de prendre des décisions plus judicieuses.

Statistique inférentielle, aussi appelée inférence statistique   Cette facette de la statistique porte sur l'estimation ou la vérification d'une hypothèse concernant les caractéristiques d'une population en se basant sur les données provenant d'un échantillon prélevé dans cette population. Par exemple, si un échantillon de 10 calculatrices de poche comporte 2 calculatrices défectueuses, on peut estimer, avec une certaine marge d'erreur, que 20 % de la production est défectueuse.

Statistiques descriptives   Méthodes utilisées pour décrire les principales caractéristiques d'un ensemble de données. Celles-ci peuvent inclure l'organisation des valeurs en distribution de fréquences, la représentation de l'ensemble de données sous forme de graphique et le calcul des mesures de tendance centrale, de dispersion et d'asymétrie.

Chapitre 2

Centre de classe   Valeur qui divise la classe en deux parties égales. Pour les classes de 10 $ à moins de 20 $ et de 20 $ à moins de 30 $, les centres de classe sont 15 $ et 25 $, respectivement.

Classe   Intervalle dans lequel les données sont groupées. Par exemple, de 4 $ à moins de 7 $ est une classe ; de 7 $ à moins de 11 $ est une autre classe.

Diagramme   Format graphique particulier utilisé pour illustrer une distribution, notamment un histogramme, un polygone d'effectifs et un polygone d'effectifs cumulés. Les données temporelles sont illustrées dans des graphiques pour révéler une tendance dans un ensemble de données et comparer deux ou plusieurs ensembles de données. Les distributions de données qualitatives sont illustrées à l'aide de diagrammes en bâtons simples, de diagrammes en bâtons groupés et de diagrammes en bâtons empilés pour visualiser et comparer un ou plusieurs ensembles de données.

Distribution d'effectifs   Groupement de données en catégories montrant le nombre d'observations dans chacune des classes qui ne se chevauchent pas. Par exemple, les données sont organisées en classes, telles que de 1000 $ à moins de 2000 $, de 2000 $ à moins de 3000 $ et ainsi de suite, pour résumer les données.

Effectif de classe   Nombre d'observations dans chaque classe. S'il y a 16 observations dans la classe de 4 $ à moins de 6 $, 16 est l'effectif de la classe.

Chapitre 3

Médiane   Valeur qui correspond au centre de la série d'observations après que celles-ci ont été rangées en ordre croissant (ou décroissant). Par exemple, si les observations 6, 9, 4 sont rangées en ordre croissant pour donner 4, 6, 9, la valeur centrale (la médiane) est 6.

Mesure de tendance centrale   Nombre qui décrit la tendance centrale d'un ensemble de données. Il existe plusieurs mesures de ce type, notamment la moyenne arithmétique, la moyenne pondérée, la médiane, le mode et la moyenne géométrique.

Mode   Observation qui apparaît le plus fréquemment dans un ensemble de données. Pour les données groupées, il s'agit du centre de la classe contenant le nombre le plus élevé d'observations.

Moyenne arithmétique   Somme des observations divisée par le nombre d'observations. Le symbole pour une moyenne d'échantillon est $\bar{x}$, et le symbole pour une moyenne de population est μ.

Moyenne géométrique   Racine $n^{\text{ième}}$ du produit de toutes les n observations. Elle est particulièrement utile pour calculer la moyenne des taux de variation et des indices. Elle réduit l'importance des valeurs extrêmes. La moyenne géométrique sert aussi à trouver la variation annuelle moyenne en pourcentage sur une période donnée. Par exemple, si les ventes brutes passent de 245 millions de dollars en 1985 et à 692 millions de dollars en 2000, la moyenne géométrique permet de calculer l'augmentation annuelle moyenne en pourcentage.

Moyenne pondérée   Chacune des observations est pondérée en fonction de son importance relative. Par exemple, si 5 chemises coûtent 10 $ chacune et 20 chemises, 8 $ chacune, la moyenne pondérée du prix est de 8,40 $: $[(5 \times 10\ \$) + (20 \times 8\ \$)]/25 = 210\ \$/25 = 8,40\ \$$.

Chapitre 4

Coefficient d'asymétrie   Mesure du degré d'asymétrie dans une distribution. Pour une distribution symétrique, le coefficient d'asymétrie est nul. Sinon, il est positif ou négatif, les limites étant à ±3,0.

Coefficient de variation   Écart type divisé par la moyenne, exprimé sous forme de pourcentage. Il est particulièrement utile pour comparer la dispersion relative dans deux ou plusieurs ensembles de données : 1) lorsque les données sont exprimées en différentes unités ou 2) lorsqu'une moyenne est beaucoup plus élevée que l'autre.

Dispersion   Une mesure de tendance centrale fournit une seule valeur typique pour l'ensemble de données. Une mesure de dispersion indique à quel point les observations sont proches ou éloignées de la moyenne ou d'une autre mesure de tendance centrale.

Écart absolu moyen   Moyenne des écarts absolus entre les observations et la moyenne de ces observations.

Écart interquartile   Distance entre le troisième et le premier quartile.

Quartiles   Valeurs qui divisent un ensemble de données en quatre parties égales.

Écart type   Racine carrée positive de la variance.

Variance   Moyenne des carrés des écarts entre les observations et la moyenne de ces observations.

Étendue   Différence entre la plus grande valeur et la plus petite.

▶ EXERCICES

1. On a choisi quelques employés à partir de l'ensemble de tous les employés chez NED Électronique et l'on a inscrit leur taux horaire. Les taux étaient les suivants : 9,50 $, 9,00 $, 11,70 $, 14,80 $ et 13,00 $.
    a) S'agit-il des données d'un échantillon ou d'une population ?
    b) Quelle est l'échelle de mesure utilisée ?
    c) Quelle est la moyenne arithmétique du taux horaire ?
    d) Quel est le taux horaire médian ? Interprétez-le.
    e) Quelle est la variance ?
    f) Quel est le coefficient d'asymétrie ? Interprétez-le.

2. Les heures supplémentaires par semaine travaillées par tous les employés du Marché public sont les suivantes : 1, 4, 6, 12, 5 et 2.
    a) S'agit-il des données d'un échantillon ou d'une population ?
    b) Quel est le nombre moyen d'heures supplémentaires travaillées par semaine ?
    c) Quelle est la médiane ? Interprétez-la.
    d) Quel est le mode ?
    e) Quel est l'écart absolu moyen ?
    f) Quel est l'écart type ?
    g) Quel est le coefficient de variation ?

3. Le Bureau du tourisme de l'île de Vancouver a interrogé un échantillon de touristes alors que ceux-ci quittaient le pays pour rentrer aux États-Unis. Une des questions posées était : « Combien de rouleaux de pellicule de film avez-vous utilisés en visitant l'île ? » Les réponses ont été les suivantes :

8	6	3	11	14	8	9	16	9	10
5	11	7	8	8	10	9	12	13	9

   a) En regroupant les observations en cinq classes de valeurs, présentez la distribution du nombre de rouleaux utilisés par les touristes de cet échantillon.
   b) Représentez la distribution sous forme d'un polygone d'effectifs.
   c) Quel est le nombre moyen de rouleaux utilisés ? Servez-vous des données brutes.
   d) Quelle est la médiane ? Utilisez les données brutes.
   e) Quel est le mode ? Utilisez les données brutes.
   f) Quelle est l'étendue ? Utilisez les données brutes.
   g) Quelle est la variance de l'échantillon ? Utilisez les données brutes.
   h) Quel est l'écart type de l'échantillon ? Utilisez les données brutes.
   i) Si l'on suppose que la distribution du nombre de rouleaux utilisés est symétrique en forme de cloche, environ 95 % des touristes ont utilisé de _____ à _____ rouleaux.

4. Les sommes (en millions de dollars) annuellement consacrées à la recherche et
    au développement par un échantillon de fabricants de composants électroniques
    situés en Amérique du Nord sont les suivantes :

8	34	15	24	15	28	12	20	22	23
14	26	18	23	10	21	16	17	22	31
13	25	20	28	6	20	19	27	16	22

    a) Quelle échelle de mesure a-t-on utilisée ?
    b) En regroupant les observations en six classes de valeurs, présentez
        la distribution des sommes annuellement consacrées à la recherche
        et au développement par les fabricants de cet échantillon.
    c) Représentez graphiquement la distribution sous forme d'histogramme.
    d) Représentez graphiquement la distribution à l'aide d'un polygone d'effectifs
        cumulés.
    e) En vous basant sur ce polygone, quel est le montant médian *approximatif*
        consacré à la recherche et au développement ? Interprétez ce montant.
    f) Quel est le montant moyen consacré à la recherche et au développement ?
    g) En vous basant sur le polygone d'effectifs cumulés, quel est l'écart
        interquartile ?

5. Les taux de croissance de la société Produits chimiques Bardeen au cours
    des cinq dernières années sont les suivants : 5,2 %, 8,7 %, 3,9 %, 6,8 % et 19,5 %.
    a) Quelle est la moyenne arithmétique du taux de croissance annuel ?
    b) Quelle est la moyenne géométrique du taux de croissance annuel ?
    c) Doit-on utiliser la moyenne arithmétique ou la moyenne géométrique pour
        représenter le taux de croissance annuel moyen ? Expliquez votre réponse.

6. La société de fabrication Currin a remarqué, dans son rapport du deuxième
    trimestre de 2000, qu'au 30 juin 2000 les effets à payer totalisaient 284,0 millions
    de dollars. À la même date en 1990, ils s'élevaient à 113,0 millions de dollars.
    Quelle est la moyenne géométrique de l'augmentation annuelle, en pourcentage,
    de juin 1990 à juin 2000 ?

7. Dans son rapport annuel, BFI a déclaré que son fonds de roulement (en milliards
    de dollars) pour les exercices 1995 à 2000 était de 4,4 ; 3,4 ; 3,0 ; 4,8 ; 7,8 et 8,3
    respectivement. Présentez ces montants dans un diagramme à ligne brisée
    ou un diagramme en bâtons.

8. Reportez-vous au diagramme suivant.

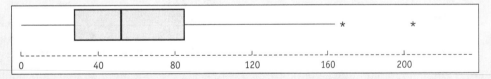

    a) Comment s'appelle ce type de graphique ?
    b) Quelles sont la médiane ainsi que les valeurs des premier et troisième
        quartiles ?
    c) La distribution est-elle asymétrique à droite ? Expliquez votre réponse.
    d) Y a-t-il des observations extrêmes ou aberrantes ? Si oui, donnez leur valeur
        approximative.
    e) Pouvez-vous déterminer le nombre d'observations dans cette étude ?

POUR LES EXERCICES 9 À 18, REMPLISSEZ LES ESPACES LAISSÉS EN BLANC.

9. On a demandé aux employés d'une entreprise d'évaluer les cours de formation comme excellents, très bons, bons, acceptables ou faibles. L'échelle de mesure est _____.

10. Un échantillon de personnes âgées a révélé que leur revenu de retraite annuel moyen était de 16 900 $. Puisque cette moyenne est basée sur un échantillon, elle est appelée _____.

11. Reportez-vous au graphique suivant. Il s'appelle _____. Le troisième quartile est d'environ _____, le premier quartile est de _____, l'écart interquartile est de _____ et l'étendue est de _____.

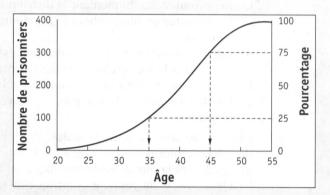

12. Reportez-vous au graphique suivant construit à partir d'une distribution d'effectifs. Il s'appelle _____. Décrivez l'asymétrie de la distribution. Expliquez votre réponse.

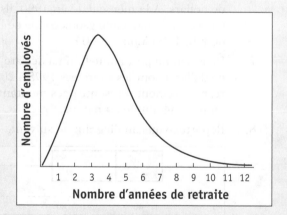

13. Pour un ensemble d'observations, on dispose des renseignements suivants : moyenne = 64 $, médiane = 61 $, mode = 60 $, écart type = 6 $ et étendue = 40 $. Le coefficient de variation est de _____.

14. Reportez-vous à l'exercice 13. Le coefficient d'asymétrie est de _____.

15. Une mesure utile pour comparer la dispersion relative de deux ou plusieurs distributions, si elles sont exprimées en unités différentes, est _____.

16. Pour un ensemble d'observations, on dispose des renseignements suivants : moyenne = 100, médiane = 100, mode = 100 et s = 4. L'étendue est d'environ _____.

17. Reportez-vous à l'exercice 16. Environ 95 % des observations se situent entre _____ et _____.

18. La société Les Meubles raffinés inc. a fabriqué 2460 bureaux en 1990 et 6520, en 2000. Pour trouver le pourcentage annuel moyen d'augmentation de la production, on doit utiliser _____.

19. Les montants suivants (en dollars) ont été déposés par les clients dans une nouvelle succursale d'une banque nationale :

124	14	150	289	52	156	203	82	27	248
39	52	103	58	136	249	110	298	251	157
186	107	142	185	75	202	119	219	156	78
116	152	206	117	52	299	58	153	219	148
145	187	165	147	158	146	185	186	149	140

À l'aide d'un logiciel comme Excel :

a) Regroupez les données brutes en classes de valeurs et présentez la distribution.

b) Calculez la moyenne, la médiane et les autres mesures descriptives à partir des données brutes.

c) Interprétez la sortie informatique : décrivez la tendance centrale, la dispersion, l'asymétrie et les autres mesures.

20. Si vous ne disposez pas d'un ordinateur, organisez les données précédentes en distribution. Déterminez l'intervalle de classe. Présentez la distribution sous forme de tableau et calculez la tendance centrale, la dispersion et l'asymétrie. Interprétez les principales caractéristiques de cette distribution.

21. Une enseignante donne le cours *Statistique 444* dans un collège de la région. Voici les notes des 54 étudiants de sa classe. Elle utilise cet ensemble de données pour un devoir qu'elle a remis aux étudiants d'un autre cours, *Statistique 432*.

72	61	75	71	61	89	85	80	59
73	75	60	78	71	59	73	72	70
59	75	23	95	54	78	44	86	91
97	93	66	76	87	63	47	80	91
74	26	66	64	66	89	69	66	62
91	74	91	72	85	58	77	57	83

Voici les questions posées dans le cadre de ce devoir.

a) Construisez un diagramme arborescent. Utilisez une unité égale à 1.

b) Combien d'étudiants ont obtenu une note comprise entre 70 et 78 ?

c) La distribution des notes est-elle asymétrique à droite ou à gauche ?

22. Voici les PIB par habitant de divers pays en dollars américains (1998).

PIB par habitant			
Pays	**(Dollars américains en 1998)**	**Pays**	**(Dollars américains en 1998)**
Algérie	1 689	France	24 739
Allemagne	26 183	Grèce	11 463
Australie	20 125	Hong Kong	24 581
Autriche	25 911	Hongrie	4 644
Bahamas	11 395	Inde	422
Belgique	24 692	Irlande	23 098
Bolivie	1 077	Islande	29 946
Brésil	4 673	Israël	17 041
Canada	19 642	Italie	20 659
Chine	777	Japon	29 956
Chypre	11 631	Mexique	4 324
Danemark	33 085	Royaume-Uni	23 934
Égypte	1 211	Singapour	24 577
États-Unis	31 746	Suède	6 790
Finlande	24 934	Suisse	35 910

a) Organisez les données en distribution.

b) Quelle est la moyenne arithmétique des PIB par habitant pour cet ensemble de données ?

c) Trouvez le coefficient d'asymétrie de Pearson et indiquez si la distribution est asymétrique à gauche ou à droite.

23. Technologie ABC a l'intention de restructurer la société et aimerait examiner la distribution de l'âge de ses employés. Voici les âges d'un échantillon de 30 employés.

34	45	56	44	57	28	33	44	46	52
64	55	30	35	60	61	59	44	56	63
63	28	30	32	33	45	54	48	45	56

a) Construisez un diagramme arborescent.

b) Calculez l'âge médian des employés.

ÉTUDE DE CAS A

La société Fonds de placements futurs a reçu un appel téléphonique d'un nouveau client. Ce client est âgé de 45 ans et songe à placer une partie de son investissement total dans un fonds de croissance.

Alex Robin lui a présenté les taux de rendement historiques annuels de deux fonds. Supposez que l'historique des deux fonds constitue un guide utile pour prendre des décisions à long terme. L'écart type des rendements permet de mesurer le risque lié à l'investissement. Voici les données historiques sur les deux fonds :

Année	Taux de rendement annuel sur le fonds de croissance canadien (en pourcentage)	Taux de rendement annuel sur le fonds international (en pourcentage)	Année	Taux de rendement annuel sur le fonds de croissance canadien (en pourcentage)	Taux de rendement annuel sur le fonds international (en pourcentage)
1973	0,40		1988	−5,68	6,90
1974	−10,20		1989	10,56	−1,50
1975	−12,00		1990	12,34	25,60
1976	40,09		1991	−15,45	21,15
1977	44,25		1992	28,90	48,35
1978	28,35		1993	14,50	5,20
1979	26,45		1994	30,40	12,20
1980	22,50		1995	2,50	21,50
1981	25,25		1996	10,4	15,80
1982	12,34		1997	12,5	8,10
1983	30,56		1998	11,4	21,20
1984	31,67		1999	−8,2	−0,65
1985	15,67		2000	29,4	10,5
1986	10,34		2001	−4,6	12,54
1987	26,78				

Effectuez vos calculs à l'aide d'Excel. Les questions du client sont les suivantes :

1. Quels sont les écarts types du rendement du fonds de croissance canadien et du fonds international ?

2. Lequel des deux fonds est le moins risqué ? Quelle statistique utiliseriez-vous pour comparer la dispersion relative des rendements des deux fonds ?

3. Trouvez la valeur des rendements extrêmes de chaque fonds.

ÉTUDE DE CAS B

Kimuyen Pham vit à Scarborough (Ont.) depuis les trois dernières années. Elle prévoit déménager à Montréal pour se rapprocher de ses parents. Elle a demandé au directeur d'une société immobilière de lui fournir une liste de propriétés. Le directeur demande à l'un de ses agents de dresser une liste de prix à partir d'un échantillon de 55 maisons vendues entre 99 000 $ et 759 900 $. Kimuyen aimerait connaître le prix moyen des maisons ainsi que la variation dans le prix des maisons. Elle voudrait aussi qu'on lui remette une représentation graphique des prix pour avoir un aperçu rapide, connaître les premier et troisième quartiles du prix ainsi que les prix considérés comme extrêmes sur le plan statistique. En tant qu'agent de Kimuyen, vous lui fournissez les renseignements suivants.

1. Groupez l'ensemble de données en 12 classes ayant une amplitude de 60 000 $, puis construisez un histogramme de fréquences. Utilisez le logiciel MegaStat.

2. Quel est le pourcentage des maisons qui se sont vendues de 180 000 $ à moins de 240 000 $?

3. La distribution du prix des maisons est-elle asymétrique à droite ou à gauche ?

4. Construisez un diagramme approprié montrant les premier, deuxième et troisième quartiles du prix ainsi que toutes les valeurs extrêmes figurant dans la liste des prix des maisons.

5. Rédigez un bref rapport en mentionnant des mesures appropriées de tendance centrale et de dispersion. Incluez l'intervalle de prix où se situe le plus fort pourcentage des maisons, les valeurs extrêmes ainsi que les premier et troisième quartiles. Expliquez la signification des valeurs extrêmes et des quartiles pour que Kimuyen puisse interpréter les prix des maisons mentionnées dans la liste.

Voici la liste des prix (en milliers de dollars) des maisons de l'échantillon.

295,0	475,0	549,9	739,9
759,9	99,8	129,0	138,9
259,9	265,0	269,9	279,0
149,9	154,9	157,9	174,9
174,9	179,8	179,9	182,5
279,9	309,9	309,9	319,9
183,9	183,9	184,9	187,9
189,9	189,9	194,9	196,0
329,9	339,9	339,9	359,0
199,5	199,7	199,9	199,9
204,9	219,0	219,9	219,9
369,9	399,9	399,9	219,9
229,0	229,9	237,9	247,7
249,9	249,9	249,9	

ÉTUDE DE CAS C

En lisant le journal, Rafiq apprend que la demande de nouveaux employés s'accroîtra partout au Canada. Il aimerait parrainer son frère Abdul et sa sœur Nidha. Rafiq examine donc les statistiques sur la main-d'œuvre établies par Statistique Canada et se demande si le moment est approprié pour les faire venir au Canada. Le tableau ci-dessous montre les taux de main-d'œuvre et de chômage pour 10 provinces canadiennes. Le taux de chômage est la proportion des personnes faisant partie de la main-d'œuvre qui ne travaillent pas.

Taux de main-d'œuvre et de chômage (2000)

Province	Main-d'œuvre (en milliers)		Taux de chômage (en pourcentage)	
	Hommes	Femmes	Hommes	Femmes
T.-N.	132,3	113,3	17,8	15,4
Î.-P.-É.	38,3	35,0	13,1	10,9
N.-É.	244,0	217,5	9,9	8,2
N.-B.	200,0	171,7	11,1	8,9
Qc	2061,9	1691,3	8,6	8,1
Ont.	3330,2	2897,7	5,5	5,9
Man.	315,2	268,0	5,1	4,7
Sask.	279,9	231,8	5,8	4,5
Alb.	920,9	750,5	5,0	5,0
C.-B.	1126,6	973,1	7,6	6,7

Rafiq aimerait connaître les éléments suivants :

1. Le taux de chômage moyen pondéré chez les hommes pour les 10 provinces canadiennes. Utilisez Excel.

2. Le taux de chômage moyen pondéré chez les femmes pour les 10 provinces canadiennes. Utilisez Excel.

3. Lequel des deux taux moyens est le plus élevé ?

4. Il aimerait que vous construisiez un diagramme en bâtons groupés présentant la main-d'œuvre et le nombre de chômeurs en Alberta, en Nouvelle-Écosse, en Ontario et au Nouveau-Brunswick. Utilisez Excel.

5. En fonction du taux de chômage donné, Rafiq aimerait savoir quelle province offre des occasions équitables d'emploi pour son frère et sa sœur.

CHAPITRE 5

Les notions de probabilité

OBJECTIFS D'APPRENTISSAGE

Après avoir lu ce chapitre, vous serez en mesure :

- d'expliquer les termes *expérience aléatoire, événement, résultat, arrangement, permutation* et *combinaison* ;

- de définir ce qu'est une *probabilité* ;

- de décrire les approches *classique, empirique* et *subjective* des probabilités ;

- d'expliquer et de calculer des *probabilités conditionnelles* et des *probabilités conjointes de deux événements* ;

- de calculer des probabilités à l'aide des *règles d'addition* et des *règles de multiplication* ;

- d'utiliser un *diagramme en arbre* pour calculer des probabilités ;

- de calculer des probabilités à l'aide du théorème de Bayes.

BLAISE PASCAL (1623-1662)

Des preuves historiques de l'existence des jeux de hasard remontent aussi loin que 2750 avant notre ère dans les civilisations de l'Inde ancienne (vallée de l'Indus) et de la Mésopotamie (Irak). Le jeu de hasard joue un rôle primordial dans le Véda épique *Mahabharata*, qui date de 850 avant notre ère. Cependant, les bases de la théorie mathématique des probabilités furent posées vers 1654 par les deux célèbres mathématiciens Blaise Pascal et Pierre de Fermat. Depuis, un grand nombre de mathématiciens ont participé à l'évolution de la théorie jusque dans sa forme actuelle. Parmi les plus importants figurent Jacob Bernoulli, Thomas Bayes, Pierre de Laplace, Chebyshev, Markov, von Mises et Kolmogorov.

Blaise Pascal naquit à Clermont-Ferrand, le 19 juin 1623. D'une intelligence exceptionnelle, mais de santé très fragile, il mourut à 39 ans. Il rédigea son premier mémoire sur les mathématiques à l'âge de 16 ans et apporta d'importantes contributions aux mathématiques, à la physique, à la philosophie ainsi qu'à la littérature.

En tant que mathématicien, Blaise Pascal est sans doute plus connu pour la correspondance qu'il entretenait avec Pierre de Fermat en 1654. Dans celle-ci, il rapporte qu'un joueur, le chevalier de Méré, lui avait posé le problème suivant: *Deux joueurs de force égale veulent quitter la table avant la fin de la partie et désirent savoir, en se fondant sur leurs points au moment de partir, dans quelle proportion ils doivent diviser les mises.* Pour résoudre ce problème, les deux mathématiciens élaborèrent les deux principes de base de la théorie des probabilités, théorie que Pascal continua d'appliquer à d'autres jeux de hasard et qu'il utilisa pour prendre des décisions sur l'incertitude. Aujourd'hui, les applications de la théorie des probabilités s'étendent à la prise de décision en investissement, à la gestion du risque et à bien d'autres domaines.

Pascal a également contribué de façon significative à d'autres inventions telles que la première calculatrice numérique, la seringue moderne et la presse hydraulique. *Les Provinciales*, lettres écrites pour défendre les jansénistes dans leur lutte contre les jésuites, ont eu une grande influence littéraire: Pascal est considéré comme le père de la prose française moderne. Son œuvre posthume, *Pensées*, comporte de nombreux commentaires sur les religions, la nature humaine et les moyens d'atteindre le bonheur dans la vie. Cet ouvrage a fait dire que Pascal était un précurseur de la pensée existentialiste. En voici un extrait:

«Il n'y a que trois sortes de personnes: les uns qui servent Dieu, l'ayant trouvé; les autres qui s'emploient à le chercher, ne l'ayant pas trouvé; les autres qui vivent sans le chercher ni l'avoir trouvé. Les premiers sont raisonnables et heureux, les derniers sont fous et malheureux, ceux du milieu sont malheureux et raisonnables[1].»

Pascal était quelque peu mystique. Dans la nuit du 23 novembre 1654, il vécut une expérience spirituelle, une révélation qui orienta le reste de sa vie de façon décisive. Il rédigea un récit de cette expérience sur un morceau de parchemin qu'il plaça à l'intérieur de sa veste et qu'il conserva sur lui le reste de sa vie, transférant le document d'un vêtement à l'autre.

1498
1548
1598
1648
1698
1748
1898
1948
2000

INTRODUCTION

Du chapitre 2 au chapitre 4, nous avons abordé la statistique descriptive. Dans le chapitre 2, nous avons appris comment organiser un ensemble de données en distribution mettant ainsi en évidence les valeurs minimales et maximales ainsi que le point où se concentrent le plus de données. Dans le chapitre 3, nous nous sommes familiarisés avec plusieurs mesures de tendance centrale, comme la moyenne arithmétique, la médiane et le mode, dans le but de trouver une valeur caractéristique représentant l'ensemble des données. Dans le chapitre 4, nous avons abordé les mesures de dispersion, notamment l'étendue et l'écart type. La statistique descriptive s'attache à résumer un ensemble de données déjà connu et disponible.

À présent, nous aborderons le second aspect de la statistique, à savoir : *calculer les probabilités que quelque chose se produise à l'avenir.* Cet aspect s'appelle aussi **induction statistique** ou **inférence statistique.**

Il est rare qu'un décideur dispose de suffisamment de données sur lesquelles il peut se fonder pour prendre une décision. Par exemple :

• Jouets et autres, un fabricant de jouets et de casse-tête, a récemment mis au point un nouveau jeu fondé sur des questions anecdotiques en sports et veut savoir si des amateurs de sports achèteront le jeu. « Smash » et « Coup de circuit » sont les deux noms à l'étude. On peut réduire les risques de prendre une mauvaise décision en engageant des sondeurs chargés de tirer un échantillon de 2000 personnes, par exemple, et de demander à chacune ce qu'elle pense du nouveau jeu et quel titre elle suggère.

• Le service de contrôle de la qualité d'une aciérie doit garantir à la direction que le fil de 0,635 cm fabriqué par l'aciérie a une résistance à la tension acceptable. Bien entendu, on ne peut tester tous les fils produits pour les vérifier puisque tester un fil signifie l'étirer jusqu'à son point de rupture, ce qui le détruit. Par conséquent, on tirera un échantillon aléatoire de 10 fils, et l'on testera seulement ces 10 fils. En se basant sur les résultats du test, on jugera si les fils produits sont satisfaisants ou non.

L'inférence statistique a pour rôle d'examiner les conclusions formulées sur une population à partir d'un échantillon aléatoire tiré de cette population. Dans le premier des deux exemples ci-dessus, la population est l'ensemble des amateurs de sports d'une certaine région ; sur cette population, on définit une variable aléatoire qui, pour un amateur de sports donné, donne sa réaction au nouveau jeu. Dans le deuxième exemple, la population est l'ensemble des fils d'acier produits pendant une période de temps donnée, et la variable donne la résistance de ces fils.

Voici d'autres questions sur l'incertitude : Devrait-on mettre immédiatement fin à la diffusion du feuilleton *Days of Our Lives* ? L'indice composé S&P/TSX passera-t-il la barre des 14 000 points d'ici la fin de 2007 ? Une nouvelle céréale à saveur de menthe sera-t-elle lucrative si on la commercialise ? Dois-je épouser Jean ? Devrais-je acheter une nouvelle Rolls-Royce ? Devrais-je acheter des actions du secteur de haute technologie ?

Étant donné que toute décision comporte une part d'incertitude, il est essentiel d'évaluer scientifiquement tous les risques connus. Durant cette évaluation, la *théorie des probabilités,* qu'on appelle souvent science de l'incertitude, est utile. Grâce à la théorie des probabilités, le décideur qui dispose d'un minimum de renseignements est en mesure d'analyser et de réduire les risques inhérents, notamment à la mise en marché d'un nouveau produit ou à l'acceptation d'une livraison qui pourrait contenir des pièces défectueuses.

Puisque les concepts liés à la théorie des probabilités occupent une place prépondérante en inférence statistique (que nous aborderons dès le chapitre 8), nous présentons dans ce chapitre le langage de base de la théorie des probabilités ; nous y introduisons des termes comme *expérience aléatoire, événement, probabilité* ainsi que *règles d'addition* et *de multiplication.*

5.1 LES NOTIONS DE HASARD ET DE PROBABILITÉ

Pour exprimer une opinion sur l'incertitude d'un événement, on emploie souvent les mots *probabilité, chance* et *possibilité* de façon interchangeable dans les conversations quotidiennes. Pour élaborer une théorie efficacement applicable aux problèmes statistiques dans le milieu des affaires et en économie, il nous faut une définition plus rigoureuse du concept de *probabilité*. Une telle définition dépasse le niveau de ce manuel. Nous nous contenterons de donner une définition de ce terme suffisamment rigoureuse pour refléter les applications que nous étudierons dans ce manuel.

Si on lance une pièce de monnaie, on ne peut prédire le résultat avec certitude. Ce pourrait être *pile* ou *face*. Le résultat est incertain. On a remarqué que si l'on demande à un groupe de gens de lancer chacun la même pièce de monnaie un grand nombre de fois (disons un millier ou un million de fois), les proportions de faces obtenues par différentes personnes seront plus ou moins les mêmes. En fait, toutes ces proportions se regrouperont autour d'un nombre constant, dont la valeur dépendra de la pièce de monnaie. Pour la plupart des pièces de monnaie, cette constante se situe autour de 0,5. Ainsi, si Jean et Martha lancent une pièce de monnaie 1000 fois chacun, Jean pourrait obtenir 510 faces (c'est-à-dire une proportion de 0,51) et Martha, 495 faces (c'est-à-dire une proportion de 0,495). Il est très improbable que l'un d'eux n'obtienne que 200 faces. On raconte que Karl Pearson, un statisticien renommé, a lancé une pièce de monnaie 24 000 fois et a obtenu 12 012 faces (une proportion de 0,501). Si la pièce de monnaie choisie est plus lourde d'un côté que de l'autre, alors la proportion de faces sera différente de 0,5 ; elle peut s'élever à 0,2, à 0,4 ou à 0,9. Dans un tel cas, si on lance la pièce de monnaie un grand nombre de fois, la proportion de faces se rapprochera d'une certaine constante.

Par conséquent, le *résultat du lancer d'une pièce de monnaie* est dit *aléatoire* ; le *processus qui consiste à lancer la pièce* est une *expérience aléatoire* et le nombre constant autour duquel les valeurs de la proportion de faces se regroupent à long terme s'appelle la *probabilité de face*, laquelle est notée *P(Face)*. Elle sert à mesurer la chance ou la possibilité que le résultat soit face quand on lance la pièce. Si l'on suppose que les seuls résultats possibles sont pile ou face, alors la probabilité de pile sera *P(Pile)* = 1 – *P(Face)*.

En général, on définit une **expérience aléatoire** comme suit :

 Expérience aléatoire Processus i) qui est répétitif de nature (du moins de façon conceptuelle), ii) pour lequel le résultat de tout essai est incertain et appartient toujours à un ensemble bien défini de résultats possibles et iii) qui associe à chacun de ses résultats un nombre, appelé probabilité du résultat, de telle sorte que si l'on effectue un grand nombre de fois l'expérience, la proportion de fois qu'un résultat se réalise sera, en moyenne, égale à sa probabilité.

Lancer un dé à six faces est un autre exemple d'expérience aléatoire. Dans ce cas, le résultat (nombre observé sur la face supérieure) d'un essai peut être 1, 2, 3, 4, 5, 6. On a observé un grand nombre d'exemples d'expériences aléatoires dans la nature. Deviner le sexe d'un enfant à naître est comparable au lancer d'une pièce de monnaie. Dans ce cas, le résultat d'un essai est incertain puisqu'il peut s'agir d'un garçon ou d'une fille. Les démographes s'entendent généralement pour dire que le sexe d'un enfant à naître est aléatoire, *P(Garçon)* étant autour de 0,516 dans des conditions normales. À titre d'exemple d'expérience aléatoire, observons les ventes totales (nombre d'articles vendus) de machines à laver d'une marque précise à Calgary au cours d'une période de trois jours. Les résultats possibles sont 0, 1, 2, 3, 4 ventes, et ainsi de suite. Pour cette expérience, de nombreux résultats sont possibles.

Résultat Une des issues qui peuvent survenir lors d'une expérience aléatoire.

Dans l'exemple du lancer d'une pièce de monnaie, les **résultats** possibles sont pile ou face.

 Ensemble fondamental Collection ou ensemble de *tous* les résultats possibles d'une expérience aléatoire.

Par exemple, lorsqu'on lance une pièce de monnaie, il n'y a que deux résultats possibles : face (F) ou pile (P). Ainsi, dans ce cas, l'**ensemble fondamental** S se compose de deux résultats : $S = \{F, P\}$. De même, lorsqu'on lance un dé à six faces, il y a six résultats possibles : 1, 2, 3, 4, 5, 6 ; dans ce cas, $S = \{1, 2, 3, 4, 5, 6\}$.

■ RÉVISION 5.1

Des investisseurs se demandent si le cours des actions de Rogers' Wireless Communications inc. va augmenter ou diminuer le prochain jour ouvrable à la Bourse de Toronto.
  a) S'agit-il d'une expérience aléatoire ? Expliquez votre réponse.
  b) Quel est l'ensemble fondamental de l'expérience ?

LE DIAGRAMME EN ARBRE

Dans le monde réel, les expériences aléatoires sont complexes. Cependant, on peut souvent les décomposer en une suite d'expériences aléatoires plus simples, dites *épreuves*. Dans ce cas, un système graphique appelé *diagramme en arbre* fournit une représentation utile de tous les résultats possibles de l'expérience. Un diagramme en arbre se compose de gros points, représentant le début ou la fin des épreuves, et de lignes, les branches, qui représentent les résultats des épreuves. Dessinons un diagramme en arbre d'une expérience aléatoire qui consiste à lancer deux pièces de monnaie une fois chacune (voir la figure 5.1). On la décompose en une séquence de deux lancers : le lancer de la pièce numéro 1 (appelé épreuve 1), suivi du lancer de la pièce numéro 2 (appelé épreuve 2).

FIGURE 5.1 Le diagramme en arbre du lancer de deux pièces de monnaie

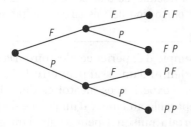

On commence par un gros point (•) à gauche, dit tronc de l'arbre. Ce tronc représente le début de la première épreuve (lancer de la pièce 1). Les deux lignes partant de ce point représentent les deux résultats possibles (face ou pile) du premier lancer. Les gros points au bout de ces lignes représentent le début de la seconde épreuve. Par exemple, supposons que le résultat du premier lancer soit face. On serait alors au point au bout de la branche notée F qui se trouve sous la section « Épreuve 1 » de l'arbre. Les deux branches partant de ce point représentent les deux résultats possibles, soit face ou pile, du second lancer. De même, si le résultat du premier lancer est pile, on se trouve alors au point au bout de la branche notée P sous « Épreuve 1 ». Les deux branches partant de ce point représentent les résultats possibles, soit face ou pile, du second lancer.

Par conséquent, l'arbre se compose de quatre points d'arrivée. Chaque chemin partant du tronc de l'arbre jusqu'à un point d'arrivée représente un résultat possible de l'expérience aléatoire. Par exemple, un chemin qui passe par les branches supérieures représente le résultat FF. Les quatre résultats possibles de l'expérience sont présentés à droite du diagramme en arbre.

On peut noter ainsi un ensemble fondamental de cette expérience :

$$S = \{FF, FP, PF, PP\}$$

Le nombre total de résultats de l'expérience est (nombre de résultats de l'épreuve 1) × (nombre de résultats de l'épreuve 2) = (2)(2) = 4.

Prenons un autre exemple qui n'a rien à voir avec un jeu de hasard.

Exemple 5.1

Un restaurant ouvert 24 heures par jour offre un déjeuner spécial à 3,50 $ qui comprend un choix d'œufs, de crêpes ou de gruau servi avec jus d'orange ou jus de pomme. Le café accompagne chaque commande.

Un nouveau client vient d'arriver. De combien de façons peut-il commander le déjeuner ?

Solution

Pour dessiner un diagramme en arbre montrant le nombre total de façons possibles de commander un déjeuner, on suit les étapes utilisées pour tracer le diagramme en arbre du lancer d'une paire de pièces de monnaie. Dans l'épreuve 1, il y a trois branches : i) œufs, ii) crêpes, iii) gruau. Dans l'épreuve 2, il y a deux branches : jus d'orange et jus de pomme qui partent de chacun des gros points au bout des trois branches de l'épreuve 1. Par conséquent, il y a (3)(2) = 6 façons de commander le déjeuner.

La figure 5.2 montre le diagramme complet.

FIGURE 5.2   Le diagramme en arbre des commandes de déjeuner dans un restaurant ouvert 24 heures par jour

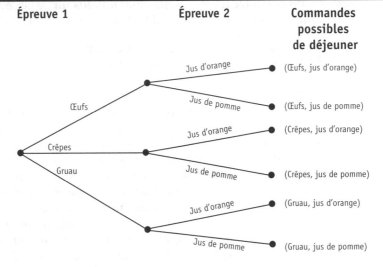

Un modèle semble se dessiner dans le calcul du nombre total de résultats. Dans les deux cas considérés ci-dessus, on multiplie le nombre de résultats de la première épreuve par le nombre de résultats de la deuxième épreuve. Ce calcul nous mène à la règle de multiplication. Nous aborderons cette règle et d'autres règles dans la section 5.5.

■ RÉVISION 5.2

Sur 20 étudiants inscrits à un cours de statistique avancée, 16 ont réussi et 4 ont échoué. On définit une expérience aléatoire comme suit : on tire le nom d'un étudiant de la liste des 20 étudiants inscrits, puis le nom d'un second étudiant de la liste des 19 étudiants restants ; on inscrit la performance de ces deux étudiants. Dessinez un diagramme en arbre pour représenter cette expérience aléatoire.

LES ÉVÉNEMENTS D'UNE EXPÉRIENCE ALÉATOIRE

Dans les applications de la théorie des probabilités, on étudie non seulement des résultats individuels, mais aussi certains ensembles de résultats. Par exemple, dans le lancer d'un dé, peut-être cherchons-nous à savoir si le résultat sera un nombre pair, soit 2, 4 ou 6. Dans un tel cas, on s'intéresse à l'ensemble des résultats {2, 4, 6}.

On appelle **événement** l'ensemble de un ou de plusieurs résultats d'une expérience aléatoire.

 Événement Ensemble de un ou de plusieurs résultats d'une expérience aléatoire.

Dans le lancer d'un dé, l'événement **A** peut être l'*observation d'un 1* sur la face supérieure ; l'événement **B** peut être l'*observation d'un nombre pair* sur la face supérieure, ce qui inclut 2, 4 ou 6 ; l'événement **C** peut être l'*observation d'un nombre impair* sur la face supérieure, soit 1, 3 ou 5 ; l'événement **D** peut être l'*observation d'un nombre inférieur à 3*, et ainsi de suite.

L'observation d'un 1 s'appelle *événement simple*. Un événement simple se compose d'un seul résultat de l'expérience aléatoire. Chacun des événements *B, C* et *D* est constitué de plus d'un résultat ; ces événements sont qualifiés d'*événements composés*.

Nous noterons S l'événement qui inclut tous les éléments d'un ensemble fondamental.

On dit qu'un événement *s'est réalisé* lors d'un essai de l'expérience si le résultat de l'essai appartient à l'événement. Par exemple, après le lancer d'un dé, l'*observation d'un nombre pair* (un événement) s'est réalisée si le résultat est 2, 4 ou 6.

Un ensemble d'événements dont *au plus un* de ces événements peut se réaliser lors d'un essai s'appelle un ensemble d'événements **mutuellement exclusifs.**

 Ensemble d'événements mutuellement exclusifs Ensemble d'événements tels que, si l'un des événements se réalise lors d'un essai, aucun des autres ne se réalisera lors de cet essai.

Dans l'expérience du lancer d'un dé, la paire d'événements composés d'*observation d'un nombre pair* et d'*observation d'un nombre impair* est mutuellement exclusive : si l'un d'entre eux s'est réalisé, l'autre n'a pu se réaliser. Cependant, les événements *observation d'un nombre pair* et *observation d'un nombre inférieur à 3 ne* sont *pas* mutuellement exclusifs : si le résultat est 2, alors ces deux événements se sont réalisés. Si l'on choisit aléatoirement un étudiant ou une étudiante pour une entrevue, la personne est soit un homme, soit une femme, mais ne peut être les deux à la fois. La paire d'événements *sélection d'un étudiant* et *sélection d'une étudiante* est mutuellement exclusive.

Si un ensemble (une collection) d'événements est tel qu'au moins un des événements de l'ensemble doit se réaliser dans tout essai de l'expérience, alors l'ensemble d'événements est **collectivement exhaustif.** Par exemple, dans l'expérience du lancer du dé, chaque résultat est soit un nombre impair, soit un nombre pair. La paire d'événements *observation d'un nombre pair* et *observation d'un nombre impair* est donc collectivement exhaustive.

 Ensemble d'événements collectivement exhaustifs Au moins un des événements doit se réaliser dans n'importe quel essai de l'expérience.

■ RÉVISION 5.3

Considérez le problème de révision 5.2.
- a) Quel est l'événement où *au moins un des deux étudiants choisis a réussi* ?
- b) Quel est l'événement où *au plus un des étudiants choisis a réussi* ?
- c) Les événements en a) et en b) sont-ils mutuellement exclusifs ? Sont-ils collectivement exhaustifs ?

Expliquez vos réponses.

LES PROBABILITÉS

La **probabilité** d'un événement correspond à la proportion de fois que l'événement se réalise, en moyenne, dans un grand nombre d'essais de l'expérience aléatoire. Elle sert à mesurer la chance ou la possibilité qu'un événement se réalise lors d'un essai de l'expérience.

 Probabilité d'un événement Proportion de fois que l'événement se réalise, en moyenne, dans un grand nombre d'essais d'une expérience aléatoire.

Une probabilité peut prendre n'importe quelle valeur de 0 à 1 inclusivement. En général, on l'exprime sous forme décimale, comme 0,70, 0,27 ou 0,50, ou sous forme de fraction telle que 7/10, 27/100 ou 1/2. Considérons l'exemple suivant : une entreprise a cinq régions de vente ; le nom de chaque région est inscrit sur un morceau de papier distinct ; les papiers sont mis dans un chapeau ; enfin, un papier est tiré du chapeau. Dans ce contexte, la probabilité que soit inscrit sur le papier le nom de l'une des cinq régions est égale à 1. La probabilité de sortir du chapeau un papier sur lequel n'est pas inscrit le nom d'une des cinq régions est 0. Par conséquent,

 Un événement qui se réalisera avec certitude a une probabilité de 1 et un événement qui ne peut pas se réaliser a une probabilité de 0. Plus précisément, $P(S)$, probabilité de l'ensemble fondamental, est égal à 1.

Plus la probabilité se rapproche de 0, plus il est improbable que l'événement se réalise. Plus la probabilité se rapproche de 1, plus on est convaincu que l'événement se réalisera. Le diagramme suivant présente cette relation ainsi que certaines de nos croyances. Cependant, il se peut que vous sélectionniez une probabilité différente en évaluant la chance qu'a le Canadien de gagner la coupe Stanley ou le risque que les impôts fédéraux augmentent.

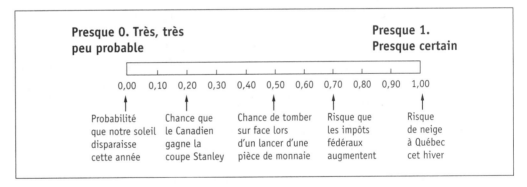

LES PROBABILITÉS ET LA PRISE DE DÉCISION

Quel rôle les probabilités jouent-elles dans la prise de décision ? On peut répondre à cette question en citant deux cas.

CAS 1

En se fondant sur son expérience, une maison d'édition a déterminé qu'au moins 20 % des personnes d'un groupe cible doit s'abonner à un magazine mensuel pour que la publication soit rentable. L'entreprise songe à publier une revue s'adressant aux ornithologues amateurs. Elle a élaboré une édition spéciale et l'a fait parvenir à un échantillon de 1000 ornithologues amateurs. En réponse, 190 des 1000 répondants, soit 19 %, ont dit qu'ils s'abonneraient à la revue si elle était publiée.

Devrait-on déclarer que cette proportion, inférieure à 20 %, permet de décider immédiatement de ne pas publier la revue ? Ou la différence entre le pourcentage requis (20 %) et le pourcentage de l'échantillon (19 %) pourrait-elle être attribuée à l'échantillonnage, c'est-à-dire à la chance ? Les probabilités nous aideront à prendre une décision dans ce type de situation, que nous aborderons dans le chapitre 10.

CAS 2

Un important projet de construction exige des milliers de blocs de béton. Selon les spécifications, les blocs doivent résister à une charge de 7237,5 kPa. Deux entreprises fabriquant des blocs ont soumis des échantillons à tester. La moyenne de la capacité de résistance à la charge des blocs de l'entreprise Blocs solides est de 7375,4 kPa et celle de l'entreprise Taylor est de 7320,2 kPa. Blocs solides pense que le contrat devrait lui être octroyé puisque ses blocs ont une résistance moyenne supérieure à celle des blocs Taylor. Cette dernière entreprise n'est pas d'accord, soutenant que la différence de 55,2 kPa pourrait s'expliquer par l'échantillonnage. Si l'affirmation de Blocs solides est exacte, on lui octroiera le contrat ; si Taylor a raison, on divisera alors le contrat entre les deux entreprises. Dans le chapitre 11, nous verrons comment les probabilités nous aideront à prendre une décision dans un tel cas.

5.2 LES APPROCHES POUR ATTRIBUER DES PROBABILITÉS

Nous aborderons deux approches des probabilités, à savoir les points de vue *objectif* et *subjectif*. On peut subdiviser les **probabilités objectives** en 1) *probabilités classiques* et en 2) *probabilités empiriques*.

LES PROBABILITÉS OBJECTIVES

LES PROBABILITÉS CLASSIQUES

Les **probabilités classiques** se fondent sur l'hypothèse selon laquelle les résultats d'une expérience sont *également probables*. À l'aide du point de vue classique, on calcule la probabilité qu'un événement se réalise en divisant le nombre de résultats favorables par le nombre total de résultats possibles.

Définition des probabilités classiques

$$\text{Probabilité d'un événement} = \frac{\text{Nombre de résultats favorables}}{\text{Nombre total de résultats possibles}} \qquad \textbf{5.1}$$

Exemple 5.2 | Considérez l'expérience aléatoire qui consiste à lancer un dé à six faces. Quelle est la probabilité qu'« un nombre pair de points figure sur la face supérieure du dé » se réalise ?

Solution | Il y a trois résultats « favorables » (un 2, un 4 et un 6) dans l'ensemble des six résultats possibles également probables. En conséquence :

$$\text{Probabilité d'un nombre pair} = \frac{\text{Nombre de résultats favorables}}{\text{Nombre total de résultats possibles}} = \frac{3}{6} = 0,5$$

Prenons un autre exemple.

Exemple 5.3

Une enquête menée auprès des 200 cadres d'une entreprise a mesuré leur loyauté envers leur employeur. En particulier, on leur a posé la question suivante : « Si une autre entreprise vous présentait une offre de poste égal ou légèrement supérieur à votre poste actuel, resteriez-vous avec votre entreprise ou accepteriez-vous l'autre poste ? » On a classé les réponses des 200 cadres de façon croisée selon la réponse à cette question et selon le nombre d'années de service dans l'entreprise (voir le tableau 5.1). Autrement dit, on a inscrit la réponse de chaque cadre dans la colonne correspondant au nombre d'années de service et dans la ligne correspondant à la loyauté (resterait ou ne resterait pas dans l'entreprise). Le type de tableau obtenu s'appelle généralement *tableau de contingence*.

On choisit au hasard un cadre. Supposons que A_1 désigne l'événement *le cadre sélectionné est loyal à l'entreprise* (c'est-à-dire que sa réponse est : « Je resterais. »), et que A_2 désigne l'événement *le cadre sélectionné n'est pas loyal à l'entreprise*. En outre, supposons que B_1, B_2, B_3 et B_4 désignent respectivement les événements *le cadre sélectionné a moins de 1 an de service, de 1 à 5 ans de service, de 6 à 10 ans de service,* et *plus de 10 ans de service.*

a) Trouvez la valeur de $P(A_1)$, la probabilité que le cadre sélectionné soit loyal à l'entreprise.

b) Trouvez la valeur de $P(B_1)$, la probabilité que le cadre sélectionné ait moins de un an de service.

c) Trouvez la valeur de $P(A_1$ et $B_1)$, la probabilité que le cadre sélectionné soit loyal à l'entreprise et qu'il ait moins d'un an de service. De même, trouvez les valeurs de $P(A_1$ et $B_2)$, $P(A_1$ et $B_3)$, ..., $P(A_2$ et $B_4)$.

Solution

a) Selon le tableau 5.1, $(10 + 30 + 5 + 75) = 120$ cadres sur 200 ont répondu qu'ils demeureraient au service de l'entreprise. Donc, la probabilité qu'un cadre sélectionné au hasard soit loyal à l'entreprise est identique à la probabilité que le cadre sélectionné soit l'un de ces 120 cadres.

$$P(A_1) = \frac{\text{Nombre de résultats favorables}}{\text{Nombre total de résultats possibles}} = \frac{120}{200} = 0,6$$

b) Selon le tableau 5.1, $(10 + 25) = 35$ cadres sur 200 comptent moins de un an de service. En conséquence, la probabilité qu'un cadre sélectionné au hasard ait moins de un an de service dans l'entreprise est identique à la probabilité que le cadre sélectionné soit l'un de ces 35 cadres.

$$P(B_1) = \frac{\text{Nombre de résultats favorables}}{\text{Nombre total de résultats possibles}} = \frac{35}{200} = 0,175$$

TABLEAU 5.1 La loyauté des cadres et la durée de service dans l'entreprise

Loyauté	Nombre d'années de service			
	Moins de 1 an	De 1 à 5 ans	De 6 à 10 ans	Plus de 10 ans
Resterait	10	30	5	75
Ne resterait pas	25	15	10	30

c) Selon le tableau 5.1, 10 des 200 cadres sont loyaux (resteraient) et comptent moins de un an de service. Donc :

$$P(A_1 \text{ et } B_1) = \frac{\text{Nombre de résultats favorables}}{\text{Nombre total de résultats possibles}} = \frac{10}{200} = 0,05$$

De même, on obtient $P(A_1 \text{ et } B_2) = 30/200 = 0,15$, et ainsi de suite. Le tableau 5.2 présente ces résultats.

TABLEAU 5.2 La distribution des probabilités conjointes de la loyauté et du nombre d'années de service

| Loyauté | Nombre d'années de service | | | |
	Moins de 1 an (B₁)	De 1 à 5 ans (B₂)	De 6 à 10 ans (B₃)	Plus de 10 ans (B₄)
Oui (A_1)	10/200 = 0,050	30/200 = 0,150	5/200 = 0,025	75/200 = 0,375
Non (A_2)	25/200 = 0,125	15/200 = 0,075	10/200 = 0,050	30/200 = 0,150

La probabilité $P(A_1 \text{ et } B_1) = 0,05$ s'appelle *probabilité conjointe des événements A_1 et B_1*. Elle correspond à la réalisation simultanée des événements A_1 et B_1 (c'est-à-dire le cadre sélectionné est loyal et compte moins de un an de service). De même, $P(A_1 \text{ et } B_2)$, la probabilité conjointe des événements A_1 et B_2, est égale à 0,15, et ainsi de suite.

L'approche classique des probabilités a été élaborée et mise en application aux XVIIe et XVIIIe siècles dans les jeux de hasard, comme les cartes ou les dés. Remarquez que, selon l'approche classique, il n'est pas nécessaire de faire une expérience pour déterminer la probabilité qu'un événement se réalise. Par exemple, on peut logiquement connaître la probabilité d'obtenir pile après le lancer d'une pièce de monnaie ou trois faces après le lancer de trois pièces de monnaie. Il n'est également pas nécessaire de faire une expérience pour déterminer la probabilité que votre déclaration de revenus soit vérifiée si 2 millions de déclarations sont envoyées à l'Agence du revenu du Canada de votre région et que 2400 feront l'objet d'une vérification. En supposant que chaque déclaration ait une chance égale d'être vérifiée, votre probabilité est 0,0012, que l'on trouve en divisant 2400 par 2 000 000. Donc, la possibilité que votre déclaration fasse l'objet d'une vérification est assez faible.

LE CONCEPT EMPIRIQUE

On peut aussi estimer les probabilités à l'aide des **fréquences.** On estime la probabilité qu'un événement se réalise en répétant plusieurs fois une même expérience aléatoire et en observant la proportion des essais lors desquels l'événement s'est réalisé. Si l'on transcrit cette notion en formule, on obtient :

Définition des probabilités empiriques (ou fréquentistes)

$$\text{Estimation de la probabilité qu'un événement se réalise} = \frac{\text{Nombre de fois qu'un événement s'est réalisé lors d'essais répétés dans le passé}}{\text{Nombre total d'essais}} \qquad 5.2$$

Exemple 5.4 | Une machine automatisée Shaw remplit des sacs de plastique d'un mélange de fèves, de brocoli et d'autres légumes. La plupart des sacs remplis sont conformes à la spécification de poids, mais, en raison d'une légère variation dans la taille des légumes, un paquet pourrait peser un poids insuffisant ou excédentaire. Une vérification de 4000 sacs choisis au hasard dans ceux remplis le mois passé a révélé les données suivantes :

Poids	Nombre de sacs
Insuffisant	100
Satisfaisant	3600
Excédentaire	300

Quelle est la probabilité que le poids du prochain sac à être rempli soit insuffisant ? Quelle est la probabilité que le poids soit satisfaisant ? qu'il soit excédentaire ?

Solution   Disons que A désigne l'événement *le poids du prochain sac est insuffisant.* Une estimation de $P(A)$, la probabilité que l'événement A se réalise, est :

$$\frac{\text{Nombre de fois que l'événement } A \text{ s'est réalisé lors d'essais répétés dans le passé}}{\text{Nombre total d'essais}}$$

Puisque 100 des 4000 sacs choisis dans le passé étaient de poids insuffisant, une estimation de $P(A)$ est :

$$\frac{100}{4000} = 0{,}025$$

Supposons que B désigne l'événement *le poids du prochain sac est satisfaisant.* Une estimation de $P(B)$ est :

$$\frac{\begin{array}{c}\text{Nombre de fois que l'événement } B \text{ s'est réalisé} \\ \text{lors d'essais répétés dans le passé}\end{array}}{\text{Nombre total d'essais}} = \frac{3600}{4000} = 0{,}9$$

Finalement, disons que C désigne l'événement *le poids du prochain sac est excédentaire.* Une estimation de $P(C)$ est :

$$\frac{\begin{array}{c}\text{Nombre de fois que l'événement } C \text{ s'est réalisé} \\ \text{lors d'essais répétés dans le passé}\end{array}}{\text{Nombre total d'essais}} = \frac{300}{4000} = 0{,}075$$

Autrement dit, si l'on se fonde sur l'expérience passée, la probabilité que le poids du prochain sac soit insuffisant est 0,025, qu'il soit satisfaisant, 0,9 et qu'il soit excédentaire, 0,075.

LES PROBABILITÉS SUBJECTIVES

S'il existe peu ou pas d'expériences passées sur lesquelles fonder les probabilités, on peut se baser sur une approche subjective. Essentiellement, il s'agit d'évaluer les opinions et autres renseignements dont on dispose, puis d'estimer ou d'attribuer les probabilités. On parle alors de **probabilités subjectives.**

 Probabilité subjective Chance qu'un événement donné se réalise attribuée par un individu en fonction des renseignements dont il dispose.

Voici quelques exemples de probabilités subjectives : estimation des chances que Gustav Schickedanz gagne la Queen's Plate lors de la prochaine course de chevaux ; estimation des probabilités que General Motors ne soit plus classée première dans les ventes de voitures et que ce soit Toyota ou Ford qui le soit d'ici deux ans ; estimation des chances que vous obteniez un A dans ce cours.

■ RÉVISION 5.4

1. Une carte est choisie au hasard dans un paquet de 52 cartes. Quelle est la probabilité que ce soit une reine? Quelle approche du calcul des probabilités avez-vous utilisée pour répondre à cette question?

2. Pour estimer la probabilité qu'un Néo-Brunswickois choisi au hasard préfère Pepsi à toute autre boisson gazeuse, on a choisi un Néo-Brunswickois au hasard et noté ses préférences. On a répété le processus 500 fois. On a observé que 210 fois la personne choisie préférait Pepsi. Faites une estimation de la probabilité désirée.

3. Dans une étude sur les boissons gazeuses, on a sélectionné 1000 consommateurs, puis on a demandé à chacun de choisir entre deux colas, Cola 1 et Cola 2, et aussi de dire s'il préférait la boisson au cola *sucrée* ou *très sucrée*. Le tableau de contingence suivant résume les résultats[2]:

	Goût	
Cola	**Sucré**	**Très sucré**
Cola 1	527	156
Cola 2	93	224

   a) Estimez la probabilité qu'un consommateur sélectionné au hasard préfère les boissons au cola très sucrées.
   b) Créez le tableau des probabilités conjointes.
   c) Les probabilités conjointes totalisent-elles 1? Pourquoi?

EXERCICES 5.1 À 5.14

5.1 Un statisticien a décidé de choisir deux résidents d'Ottawa au hasard et de leur poser la question suivante: «Les membres du Parlement méritent-ils une augmentation de salaire?» Faites la liste des résultats possibles.

5.2 Un inspecteur du contrôle de la qualité choisit une pièce à tester. La pièce est ensuite déclarée acceptable, déclarée réparable ou est mise à la ferraille. Il teste ensuite une autre pièce. Faites la liste de tous les résultats possibles de cette expérience concernant les deux pièces.

5.3 Le nombre d'étudiants à temps partiel inscrits dans une université de la région du Grand Toronto en 2002 est de 30 000. Des 30 000 étudiants, 22 800 suivent des cours en vue d'améliorer leur carrière. Un registraire a décidé de choisir au hasard un étudiant à temps partiel dans la base de données pour lui faire passer une entrevue. Estimez la probabilité qu'il sélectionne un étudiant cherchant à améliorer sa carrière.

5.4 Les 50 athlètes les mieux rémunérés en 2000 pratiquent un des sports figurant dans le tableau ci-contre. (Le nombre de la colonne « Athlètes » désigne le nombre d'athlètes, parmi les 50, qui pratiquent le sport correspondant.) (Source: Bell Globemedia Publishing inc., *Report on Business Magazine*, 21 juin 2001.) On choisit au hasard un athlète dans la liste.

Sport	Athlètes
Golf	4
Basket-ball	5
Base-ball	8
Hockey	5
Tennis	5
Autre	23
Total	50

   a) Quelle est la probabilité que l'athlète choisi joue au tennis?
   b) Quelle est la probabilité que l'athlète choisi joue au base-ball?
   c) Quelle notion des probabilités avez-vous utilisée pour calculer les probabilités en a) et en b)?

5.5 Dans chacun des cas suivants, indiquez si une approche classique, empirique ou subjective conviendrait pour attribuer les probabilités.

a) Une joueuse de basket-ball réussit 30 lancers francs sur 50. Quelle est la probabilité qu'elle réussisse lors de la prochaine tentative de lancer franc ?

b) Un comité composé de sept membres étudiants est formé pour étudier des questions environnementales. L'un des sept membres doit être choisi au hasard pour agir à titre de porte-parole du comité. Quelle est la probabilité qu'un membre donné du comité soit retenu comme porte-parole ?

c) Vous achetez un billet de Loto 6/49. Quelle est la probabilité que vous gagniez le gros lot de deux millions de dollars ?

d) Quelle est la probabilité qu'il se produise un tremblement de terre dans l'Est canadien au cours des 10 prochaines années ?

5.6 Un investisseur achète 100 actions de BCE inc. et enregistre le signe de la variation de prix chaque jour pendant 5 jours consécutifs.

a) Faites la liste des événements possibles pour cette expérience.

b) Comment estimeriez-vous la probabilité que se réalise chacun des événements que vous avez décrit en a) ?

5.7 Il y a 52 cartes dans un jeu de cartes standard.

a) Quelle est la probabilité que la première carte choisie soit un pique ?

b) Quelle est la probabilité qu'elle soit un valet de pique ?

c) Quelle approche avez-vous utilisée pour attribuer les probabilités en a) et en b) ?

5.8 Une entreprise veut commercialiser un nouveau produit. La réponse du marché sera soit favorable, soit défavorable. Avant de lancer le produit, l'entreprise fait une étude de marché. Le résultat de l'étude prédira soit une réponse favorable, soit une réponse défavorable. Construisez un diagramme pour décrire cette expérience aléatoire.

5.9 Un échantillon de 40 cadres est tiré au hasard pour tester un questionnaire. L'une des questions, qui porte sur la législation environnementale, demande comme réponse soit un oui, soit un non.

a) Quelle est l'expérience aléatoire ? Quel est son ensemble fondamental ?

b) Citez deux événements qui sont mutuellement exclusifs, mais qui *ne* sont *pas* collectivement exhaustifs.

c) Citez deux événements qui sont collectivement exhaustifs, mais qui *ne* sont *pas* mutuellement exclusifs.

d) Parmi les 40 cadres, 10 étaient en faveur de la législation. À partir de cet échantillon, estimez la probabilité qu'un cadre choisi au hasard soit en faveur de la législation.

e) Quelle approche avez-vous suivie pour attribuer la probabilité en d) ?

5.10 Un échantillon de 2000 conducteurs a révélé le nombre suivant de violations du *Code de la sécurité routière*.

Nombre d'infractions	Nombre de conducteurs
0	1910
1	46
2	18
3	12
4	9
5 ou plus	5
Total	2000

a) Quelle est la probabilité qu'un conducteur choisi au hasard ait commis exactement deux infractions ?

b) Quelle est la probabilité que le nombre d'infractions d'un conducteur choisi au hasard se situe entre 2 et 4 (en incluant 2 et 4) ?

c) Quelle approche avez-vous utilisée pour attribuer ces probabilités ?

5.11 Une étude de 100 chaînes d'alimentation indépendantes a révélé les revenus après impôts suivants :

Revenus après impôts	Nombre de chaînes d'alimentation
Moins de 180 000 $	60
De 180 000 $ à 1 000 000 $	25
1 000 000 $ ou plus	15
Total	100

a) Quelle est la probabilité qu'une chaîne d'alimentation choisie au hasard enregistre des revenus après impôts de moins de 180 000 $?
b) Quelle est la probabilité qu'une chaîne d'alimentation choisie au hasard enregistre des revenus après impôts de 180 000 $ ou plus ?
c) Quelle approche avez-vous utilisée pour attribuer les probabilités en a) et en b) ?

5.12 Une étude portant sur l'opinion de designers quant à la couleur de peinture préférée pour les bureaux de cadres a produit les résultats suivants.
(On suppose que chaque designer a une seule couleur préférée.)

Couleur	Nombre de designers	Couleur	Nombre de designers
Rouge	92	Bleu	37
Orange	86	Indigo	46
Jaune	46	Violet	2
Vert	91		

a) Quelle est l'expérience aléatoire ?
b) Quelle est la probabilité qu'un designer choisi au hasard préfère le rouge ou le vert pour les bureaux de cadres ?
c) Quelle est la probabilité que le jaune ne soit pas la couleur préférée d'un designer choisi au hasard ?

5.13 Une société de courtage a étudié le rendement d'un échantillon de 26 entreprises du secteur des produits forestiers et de 106 entreprises du secteur de la technologie. La société a utilisé le système d'évaluation ajusté au risque. Les résultats de la société de courtage figurent dans le tableau de contingence suivant :

Entreprises regroupées par secteur	Actions peu risquées	Actions modérément et hautement risquées	Total
Produits forestiers	18	8	26
Technologie	50	56	106
Total	68	64	132

a) Trouvez la probabilité que les actions d'une entreprise choisie au hasard soient à risque peu élevé.
b) Trouvez la probabilité qu'une entreprise choisie au hasard œuvre dans le secteur des produits forestiers et que ses actions soient à risque peu élevé.

5.14 Trois brosses à dents électriques défectueuses ont été accidentellement envoyées à une pharmacie par les Produits Brosses propres, accompagnées de 17 brosses à dents électriques non défectueuses.
a) Quelle est la probabilité que, sur ces 20 brosses à dents, la première brosse à dents vendue soit défectueuse ?
b) Quelle est la probabilité que la première brosse à dents électrique vendue ne soit pas défectueuse ?

5.3 QUELQUES RÈGLES DE PROBABILITÉS

Maintenant que nous avons défini la probabilité et décrit les différentes approches pour la calculer (ou l'estimer), nous aborderons le calcul des probabilités d'événements complexes en appliquant les règles d'addition et de multiplication.

LES RÈGLES D'ADDITION

LA RÈGLE SPÉCIALE D'ADDITION

Pour appliquer la règle spéciale d'addition, les événements doivent être mutuellement exclusifs. N'oubliez pas qu'un ensemble d'événements *mutuellement exclusifs* signifie que quand un des événements se réalise, aucun des autres événements de l'ensemble ne peut se réaliser en même temps. Dans l'expérience du lancer du dé, la paire d'événements *obtenir un nombre supérieur ou égal à 4* et *obtenir un nombre inférieur ou égal à 2* est un exemple d'événements mutuellement exclusifs. Si le résultat se trouve dans le premier ensemble {4, 5, 6}, il ne peut être dans le deuxième {1, 2}. De même, un produit provenant de la chaîne de montage ne peut être à la fois défectueux et satisfaisant.

Si deux événements A et B sont mutuellement exclusifs, la règle spéciale d'addition établit que la probabilité que l'un *ou* l'autre événement se réalise est égale à la somme de leurs probabilités. Cette règle est exprimée dans la formule suivante :

Règle spéciale d'addition $P(A \text{ ou } B) = P(A) + P(B)$	**5.3**

Dans le cas de trois événements mutuellement exclusifs A, B et C, la règle s'écrit :

$P(A \text{ ou } B \text{ ou } C) = P(A) + P(B) + P(C)$	**5.4**

Exemple 5.5   Dans l'exemple 5.4 sur le poids des sacs de plastique remplis d'un mélange de fèves, de brocoli et d'autres légumes, on a calculé que la probabilité $P(A)$ de l'événement A, *le poids du prochain sac à être rempli sera insuffisant,* est 0,025 et la probabilité $P(C)$ de l'événement C, *le poids du prochain sac sera excédentaire,* est 0,075. À l'aide de ces renseignements, trouvez la probabilité que le prochain sac ait un poids insuffisant ou excédentaire.

Solution   Les événements A et C sont mutuellement exclusifs, ce qui signifie qu'un sac ne peut avoir à la fois un poids insuffisant et excédentaire.

Ainsi, l'application de la règle spéciale d'addition donne :

$$P(A \text{ ou } C) = P(A) + P(C) = 0,025 + 0,075 = 0,100$$

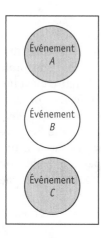

Un diagramme de Venn est un outil utile pour illustrer les règles d'addition et de multiplication.

LES DIAGRAMMES DE VENN

Le logicien anglais John Venn (1834-1884) a créé un type de diagramme pour représenter graphiquement un ensemble fondamental, des événements et les relations entre les événements. L'ensemble d'opérateurs booléens « et », « ou » et « non » sert à montrer les relations qui existent entre les événements. On peut illustrer le concept de l'exclusivité mutuelle et les différentes règles de combinaison de probabilités d'événements à l'aide des diagrammes de Venn. On les appelle également *cercles d'Euler* d'après Leonhard Euler (1707-1783). Pour construire un diagramme de Venn, il faut d'abord enclore un ensemble comprenant tous les résultats possibles. Cet ensemble se présente habituellement sous la forme d'un rectangle. On représente ensuite un événement à l'aide d'une zone circulaire dessinée à l'intérieur du rectangle. Le diagramme schématique de Venn situé à gauche représente le concept d'*exclusivité mutuelle*. Les trois événements ne se chevauchent pas, ce qui signifie qu'ils sont mutuellement exclusifs.

Examinons de nouveau l'exemple 5.3 sur le sondage des 200 cadres d'une entreprise. Les probabilités conjointes du tableau 5.2 sont reproduites dans le tableau 5.3 ci-dessous.

Les événements A_1 et A_2 sont mutuellement exclusifs (un cadre ne peut être à la fois loyal et déloyal) et collectivement exhaustifs (chaque cadre est soit loyal, soit déloyal).

Ainsi, les événements (A_1 et B_1) et (A_2 et B_1) sont également mutuellement exclusifs et l'événement B_1 est identique à [(A_1 et B_1) ou (A_2 et B_1)]. (Chaque cadre qui compte moins de un an de service appartiendra précisément à l'une des deux catégories.) Donc, à l'aide de la règle spéciale d'addition, on trouve que :

$$P(B_1) = P(A_1 \text{ et } B_1) + P(A_2 \text{ et } B_1) = 0,050 + 0,125 = 0,175$$

On obtient ici la même valeur pour $P(B_1)$ que dans la solution de l'exemple 5.3. On l'appelle **probabilité marginale de B_1.** Elle figure dans la dernière ligne du tableau 5.3, dans la colonne « B_1 ». On voit que la probabilité marginale de B_1 est la somme de toutes les probabilités conjointes de la colonne « B_1 ».

De même, les événements B_1, B_2, B_3 et B_4 sont mutuellement exclusifs et collectivement exhaustifs. En conséquence, les événements (A_1 et B_1), (A_1 et B_2), (A_1 et B_3) et (A_1 et B_4) sont mutuellement exclusifs et l'événement A_1 est identique à [(A_1 et B_1) ou (A_1 et B_2) ou (A_1 et B_3) ou (A_1 et B_4)]. Donc, à l'aide de la règle spéciale d'addition, on obtient :

$$P(A_1) = P(A_1 \text{ et } B_1) + P(A_1 \text{ et } B_2) + P(A_1 \text{ et } B_3) + P(A_1 \text{ et } B_4)$$
$$= 0,050 + 0,150 + 0,025 + 0,375 = 0,6$$

Ainsi, la probabilité marginale de A_1 est $P(A_1) = 0,6$. Le tableau 5.3 la présente dans la dernière colonne de la ligne « A_1 ». Elle est la somme de toutes les probabilités conjointes de cette ligne.

TABLEAU 5.3 Les probabilités conjointes et marginales de la loyauté et du nombre d'années de service

Loyauté	Nombre d'années de service				Probabilité marginale
	Moins de 1 an (B_1)	De 1 à 5 ans (B_2)	De 6 à 10 ans (B_3)	Plus de 10 ans (B_4)	
Oui (A_1)	10/200 = 0,050	30/200 = 0,150	5/200 = 0,025	75/200 = 0,375	0,6
Non (A_2)	25/200 = 0,125	15/200 = 0,075	10/200 = 0,050	30/200 = 0,150	0,4
Probabilité marginale	0,175	0,225	0,075	0,525	

Probabilité marginale
$$P(A_1) = P(A_1 \text{ et } B_1) + P(A_1 \text{ et } B_2) + P(A_1 \text{ et } B_3) + P(A_1 \text{ et } B_4) \qquad \textbf{5.5}$$

où les événements B_1, B_2, B_3 et B_4 sont mutuellement exclusifs et collectivement exhaustifs.

On peut obtenir les probabilités marginales de A_2, B_2, B_3 et B_4 de la même façon. Elles figurent dans les dernières ligne et colonne du tableau 5.3 et chacune est égale à la somme des probabilités de la rangée correspondante.

Le complémentaire d'un événement A, noté ($\sim A$), est l'ensemble de tous les résultats de l'ensemble fondamental qui ne font pas partie de l'événement A. Par exemple, dans le lancer d'un dé à six faces, si l'événement A est formé du seul résultat 1, le complémentaire de l'événement – soit $\sim A$ – contient les résultats 2, 3, 4, 5 et 6. Rappelez-vous que dans le lancer d'un dé, l'ensemble fondamental est $S = \{1, 2, 3, 4, 5, 6\}$. Un événement et son complémentaire forment une paire d'événements mutuellement exclusifs et collectivement exhaustifs. Cela, avec le fait que la probabilité de l'ensemble fondamental est égale à 1, nous donne l'égalité suivante :

$$P(S) = P(A) + P(\sim A) = 1$$

On peut réécrire cette formule pour obtenir :

Règle du complémentaire $P(A) = 1 - P(\sim A)$ **5.6**

La règle du complémentaire sert à déterminer la probabilité qu'un événement se réalise en soustrayant de 1 la probabilité que l'événement *ne* se réalise *pas*. Un diagramme de Venn illustrant la règle du complémentaire pourrait ressembler à celui qui se trouve dans la marge.

Exemple 5.6

Réexaminons le problème de l'exemple 5.4. N'oubliez pas que la probabilité d'avoir un sac de légumes mélangés d'un poids insuffisant est 0,025 et que la probabilité d'avoir un sac d'un poids excédentaire est 0,075. Utilisez la règle du complémentaire pour montrer que la probabilité d'avoir un sac d'un poids satisfaisant est 0,900.

Solution

B correspond à l'événement *le poids du sac est satisfaisant.* Donc, l'événement *le poids n'est pas satisfaisant,* soit $\sim B$, est identique à l'événement *le sac enregistre un poids insuffisant ou excédentaire,* soit A ou C. La probabilité que le poids du sac ne soit pas satisfaisant, soit $P(\sim B)$, est égale à $P(A \text{ ou } C) = P(A) + P(C) = 0,025 + 0,075 = 0,100$. Par conséquent, $P(B) = 1 - P(\sim B) = 1 - 0,1 = 0,9$. Ce résultat est le même que celui obtenu dans l'exemple 5.4.

La règle du complémentaire est importante dans l'étude des probabilités. Souvent, il est plus facile de calculer la probabilité qu'un événement se réalise en déterminant la probabilité que l'événement ne se réalise pas et en soustrayant de 1 le résultat.

■ RÉVISION 5.5

1. À partir du tableau des probabilités conjointes construit pour le problème 3 de la révision 5.4, trouvez la probabilité marginale de l'événement *un consommateur choisi au hasard préfère la boisson au cola très sucrée* à l'aide de la règle spéciale d'addition. La réponse est-elle la même que celle obtenue dans la révision 5.4 ?

2. La liste des 1000 plus grandes entreprises au Canada en 2002 a été analysée. Les probabilités qu'une entreprise choisie au hasard dans la liste appartienne aux différentes catégories ont été calculées et figurent dans le tableau suivant :

Catégorie	Services financiers	Huile et gaz	Nourriture et boissons	Métaux précieux	Mines	Autres services
Probabilité	0,33	0,19	0,12	0,13	0,10	0,13

Une entreprise est choisie aléatoirement dans la liste.
   a) Quelle est la probabilité que l'entreprise choisie œuvre soit dans le secteur des services financiers, soit dans le secteur des mines ?
   b) Quelle est la probabilité que l'entreprise choisie n'œuvre ni dans le secteur des services financiers ni dans le secteur des mines ?
   c) Dessinez un diagramme de Venn illustrant vos réponses en a) et en b).

LA RÈGLE GÉNÉRALE D'ADDITION

Supposez que la municipalité régionale de Niagara tire un échantillon de 200 touristes qui ont visité la municipalité en 2001. L'enquête montre que 120 de ces touristes ont visité les chutes du Niagara et 100, Niagara-on-the-Lake. On choisit aléatoirement un touriste parmi ceux qui ont visité la municipalité. Quelle est la probabilité que le touriste choisi ait visité les chutes du Niagara ou Niagara-on-the-Lake ?

À toutes fins utiles, notons simplement *Chutes* l'événement *a visité les chutes du Niagara* et *Lake* l'événement *a visité Niagara-on-the-Lake*. Alors $P(Chutes) = 120/200 = 0,60$ et $P(Lake) = 100/200 = 0,50$. Si l'on utilise la règle spéciale d'addition étudiée précédemment, la somme de ces probabilités est 1,10. Cependant, on sait que la probabilité souhaitée, $P(Chutes$ ou $Lake)$, ne peut être supérieure à 1. En conséquence, la règle spéciale d'addition ne s'applique pas ici. Cela peut s'expliquer par le fait que plusieurs touristes ont visité les deux endroits et qu'ils sont dénombrés deux fois ! En fait, une vérification des réponses à l'enquête a révélé que 60 des 200 touristes de l'échantillon avaient visité les deux endroits. Les événements *Chutes* et *Lake* ne sont *pas* mutuellement exclusifs.

Pour trouver la probabilité $P(Chutes$ ou $Lake)$, 1) additionnez $P(Chutes)$ et $P(Lake)$ et 2) soustrayez de cette somme la probabilité qu'un touriste visite les deux endroits. Ainsi,

$$P(Chutes \text{ ou } Lake) = P(Chutes) + P(Lake) - P(Chutes \text{ et } Lake)$$
$$= \frac{120}{200} + \frac{100}{200} - \frac{60}{200}$$
$$= \frac{160}{200} = 0,80$$

En bref, on utilise la règle générale d'addition pour combiner des événements qui ne sont pas mutuellement exclusifs. On écrit cette règle pour deux événements notés A et B ainsi :

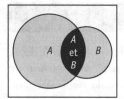

Règle générale d'addition $P(A$ ou $B) = P(A) + P(B) - P(A$ et $B)$ **5.7**

Le diagramme de Venn présenté ci-contre illustre ce cas.

Exemple 5.7   Quelle est la probabilité qu'une carte choisie aléatoirement dans un jeu de cartes standard soit un roi ou un cœur ?

Solution   Notons A l'événement *la carte choisie est un roi* et B l'événement *la carte choisie est un cœur*. On souhaite trouver $P(roi$ ou $cœur) = P(A$ ou $B)$. On serait tenté d'utiliser la *règle spéciale d'addition* (5.3). Cependant, elle n'est pas appropriée puisque les événements *A* et *B* ne sont pas mutuellement exclusifs : la carte choisie peut être un *roi* et un *cœur en* même temps. En conséquence, on doit avoir recours à la *règle générale d'addition* (5.7).

Événement	Probabilité	Dans un jeu, on trouve :
Roi (A)	$P(A) = 4/52$	4 rois
Cœur (B)	$P(B) = 13/52$	13 cœurs
Roi et *cœur (A* et *B)*	$P(A$ et $B) = 1/52$	1 roi de cœur

En utilisant la formule 5.7 :

$$P(A \text{ ou } B) = P(A) + P(B) - P(A \text{ et } B)$$
$$= 4/52 + 13/52 - 1/52$$
$$= 16/52 \text{ ou } 0,3077$$

■ RÉVISION 5.6

Une étude des formulaires de réclamation soumis à une société d'assurances par les employés d'une université de la région du Grand Toronto indique les résultats suivants : 8 % des employés ont déposé une réclamation pour des frais médicaux importants, 15 %, pour des frais dentaires importants et 3 %, pour des frais médicaux et dentaires importants. Quelle est la probabilité qu'un employé choisi au hasard fasse une réclamation pour des frais médicaux ou dentaires importants ?

EXERCICES 5.15 À 5.28

5.15 Soient *A* et *B* des événements mutuellement exclusifs tels que $P(A) = 0,30$ et $P(B) = 0,20$. Quelle est la probabilité que *A* ou *B* se réalise ? que ni *A* ni *B* ne se réalisent ?

5.16 Soient *X* et *Y* des événements mutuellement exclusifs tels que $P(X) = 0,05$ et $P(Y) = 0,02$. Quelle est la probabilité que *X* ou *Y* se réalise ? que ni *X* ni *Y* ne se réalisent ?

5.17 Le président du conseil d'administration d'une entreprise déclare : « Il y a 50 % de probabilités que cette entreprise fasse un bénéfice, 30 %, qu'elle atteigne le seuil de rentabilité et 20 %, qu'elle perde de l'argent au cours du prochain trimestre. »
a) Utilisez une règle d'addition pour trouver les probabilités qu'elle ne perde pas d'argent au cours du prochain trimestre.
b) Utilisez la règle du complémentaire pour trouver les probabilités qu'elle ne perde pas d'argent au cours du prochain trimestre.

5.18 En 2001, 9500 étudiants se sont inscrits à une université de la région du Grand Toronto. Des 9500 étudiants, 3350 possèdent une carte Visa, 2200, une carte MasterCard et 860, les deux cartes de crédit. Trouvez la probabilité qu'un étudiant choisi au hasard possède une :
a) Visa.
b) MasterCard.
c) Visa et une MasterCard.
d) Visa ou une MasterCard.

5.19 Un seul dé est lancé. Soit *A* l'événement *le dé présente un 4*, *B* l'événement *le dé présente un nombre pair* et *C* l'événement *le dé présente un nombre impair*. Considérez chacune des paires de ces événements et dites s'ils sont mutuellement exclusifs. Ensuite, déterminez s'ils sont complémentaires.

5.20 Deux pièces de monnaie sont lancées. Si *A* est l'événement *deux faces* et *B*, l'événement *deux piles*, *A* et *B* sont-ils mutuellement exclusifs ? Sont-ils des événements complémentaires ?

5.21 Un sondage mené auprès de 150 investisseurs révèle que 110 d'entre eux achètent des actions du secteur pétrolier, 60, du secteur de la technologie et 45, des deux secteurs. Quelle est la probabilité qu'un investisseur choisi au hasard achète des actions du secteur pétrolier ou de celui de la technologie ?

5.22 Soient *A* et *B* des événements tels que $P(A) = 0,55$ et $P(B) = 0,35$. Supposez que la probabilité qu'ils se réalisent tous les deux soit 0,20. Quelle est la probabilité que *A* ou *B* se réalise ?

5.23 Supposons que deux événements *A* et *B* soient mutuellement exclusifs. Quelle est la probabilité qu'ils se réalisent tous les deux ?

5.24 Un étudiant suit deux cours, un d'histoire et l'autre de mathématiques. La probabilité que l'étudiant réussisse en histoire est 0,60 et la probabilité qu'il réussisse en mathématiques, 0,70. La probabilité de réussir dans les deux cours est 0,50. Quelle est la probabilité qu'il réussisse au moins dans une matière ?

5.25 Un sondage mené auprès des cadres supérieurs révèle que 35 % lisent régulièrement le *Globe and Mail,* 20 %, le *Calgary Herald* et 40 %, le *Halifax Daily News*. De plus, 10 % des cadres supérieurs lisent le *Globe and Mail* et le *Halifax Daily News*.
   a) Quelle est la probabilité qu'un cadre supérieur choisi au hasard lise le *Globe and Mail* ou le *Halifax Daily News* ?
   b) Les événements *un cadre lit régulièrement le* Globe and Mail *et un cadre lit régulièrement le* Halifax Daily News sont-ils mutuellement exclusifs ?
   c) Les événements *un cadre lit régulièrement le* Globe and Mail, *un cadre lit régulièrement le* Calgary Herald *et un cadre lit régulièrement le* Halifax Daily News sont-ils collectivement exhaustifs ?

5.26 Une étude menée par Parcs Canada révèle que 50 % des vacanciers en Alberta visitent le parc national de Banff, 40 % visitent le parc national de Jasper et 35 % visitent les deux endroits.
   a) Quelle est la probabilité qu'un vacancier en Alberta visite au moins l'un de ces parcs ?
   b) Comment s'appelle la probabilité 0,35 ?
   c) Les événements sont-ils mutuellement exclusifs ? Expliquez votre réponse.

5.27 Une banque déclare que 80 % de ses clients ont un compte chèques, 60 %, un compte d'épargne et 50 %, les deux. Un client est choisi au hasard.
   a) Quelle est la probabilité que le client ait un compte chèques ou un compte d'épargne ?
   b) Quelle est la probabilité que le client n'ait ni compte chèques ni compte d'épargne ?
   c) Quelle est la probabilité que le client ait un compte chèques, mais qu'il n'ait pas de compte d'épargne ?
   d) Quelle est la probabilité que le client ait un compte d'épargne, mais pas de compte chèques ?
   e) Quelle est la probabilité que le client ait un et un seul de ces deux types de compte ?

5.28 Plomberie toutes saisons possède deux camions de service qui tombent fréquemment en panne. La probabilité que le premier camion soit disponible est 0,75, la probabilité que le second camion le soit est 0,50 et la probabilité que les deux camions le soient ensemble est 0,30.
   a) Quelle est la probabilité qu'aucun des camions ne soit disponible ?
   b) Quelle est la probabilité que le premier camion soit le seul disponible ?
   c) Quelle est la probabilité que le second camion soit le seul disponible ?
   d) Quelle est la probabilité que précisément un seul des deux camions soit disponible ?

LES RÈGLES DE MULTIPLICATION

LA RÈGLE SPÉCIALE DE MULTIPLICATION

La règle spéciale de multiplication exige que deux événements A et B soient indépendants. Deux événements sont **indépendants** lorsque la réalisation de l'un n'influe pas sur la probabilité de l'autre. Ainsi, si les événements A et B sont indépendants, la réalisation de A n'influe pas sur la probabilité de B.

 Événements indépendants Des événements sont dits indépendants lorsque la probabilité de l'un n'est pas affectée par la réalisation des autres.

Dans le cas de deux événements indépendants A et B, on trouve la probabilité que A et B se réalisent lors d'un même essai de l'expérience aléatoire en multipliant les deux probabilités. Il s'agit de la règle spéciale de multiplication qui s'écrit symboliquement comme suit :

Règle spéciale de multiplication $\quad P(A \text{ et } B) = P(A)P(B)$	**5.8**

Pour illustrer ce que l'on entend par indépendance des événements, supposons que deux pièces de monnaie soient lancées. Le résultat d'une pièce de monnaie (pile ou face) n'influe pas sur le résultat de l'autre pièce de monnaie (pile ou face). Autrement dit, deux événements sont indépendants lorsque la réalisation du second ne dépend pas de la réalisation du premier.

Dans le cas de trois événements indépendants A, B et C, la règle spéciale de multiplication qui sert à déterminer la probabilité que les trois événements se réalisent est :

$$P(A \text{ et } B \text{ et } C) = P(A)P(B)P(C) \qquad \textbf{5.9}$$

Exemple 5.8

Une étude menée par l'Association canadienne des automobilistes (CAA) révèle que 60 % de ses membres ont fait des réservations auprès d'un transporteur aérien l'an dernier. Deux membres sont choisis au hasard. Quelle est la probabilité que les deux membres aient fait des réservations auprès d'un transporteur aérien l'an dernier ?

Solution

La probabilité que le premier membre ait fait une réservation auprès d'un transporteur aérien l'an dernier est 0,60, qui s'écrit $P(R_1) = 0,60$, où R_1 désigne le fait que le premier membre effectuait une réservation. La probabilité que le deuxième membre sélectionné ait fait une réservation est également 0,60, donc $P(R_2) = 0,60$ également. Puisque le nombre total de membres de la CAA est très élevé, R_2 est quasi indépendant de R_1. Ainsi, on peut utiliser la formule 5.8 et calculer la probabilité $P(R_1 \text{ et } R_2)$ que les deux membres aient fait une réservation :

$$P(R_1 \text{ et } R_2) = P(R_1)P(R_2) = (0,60)(0,60) = 0,36$$

■ RÉVISION 5.7

1. D'après sa longue expérience, Pneus Radiaux sait que la probabilité que son modèle XB70 dure 96 000 km avant qu'il ne devienne lisse ou défectueux est 0,80. Vous achetez quatre pneus XB70. Quelle est la probabilité que ces quatre pneus durent au moins 96 000 km ?

2. Comme on l'a mentionné dans l'exemple 5.4, une machine automatisée Shaw remplit des sacs de plastique de légumes mélangés. L'expérience a révélé que le poids de certains sacs était insuffisant, alors que le poids de certains autres était excédentaire, mais que la plupart avaient un poids satisfaisant. D'après les données passées, on estime les probabilités de la façon suivante : $P(poids\ insuffisant) = 0{,}025$, $P(poids\ satisfaisant) = 0{,}90$ et $P(poids\ excédentaire) = 0{,}075$.

   a) Quelle est la probabilité de tirer trois sacs de la ligne d'ensachage et de trouver que tous les trois ont un poids insuffisant ?

   b) Que signifie cette probabilité ?

LES ÉVÉNEMENTS DÉPENDANTS

Si deux événements ne sont pas indépendants, on parle d'événements *dépendants*. Pour illustrer la notion de dépendance, supposons qu'il y ait 10 bobines de pellicule dans une boîte et qu'on sache que 3 sont défectueuses. Une bobine est tirée de la boîte. Bien entendu, la probabilité de tomber sur une bobine défectueuse est 3/10 et la probabilité de tomber sur une bonne est 7/10. Ensuite, on sélectionne une deuxième bobine de la boîte sans y remettre la première. La probabilité que la deuxième bobine soit défectueuse *dépend* du fait que la première l'est ou non. La probabilité que la deuxième bobine soit défectueuse est :

2/9, si la première était défectueuse (seules deux bobines défectueuses restent dans la boîte qui contient maintenant neuf bobines) ;
ou 3/9, si la première sélectionnée était bonne (les trois bobines défectueuses sont toujours dans la boîte qui contient neuf bobines).

La fraction 2/9 (ou 3/9) est appelée, avec raison, **probabilité conditionnelle**, car sa valeur est conditionnelle au fait – ou dépend du fait – qu'une bobine défectueuse ou bonne soit choisie lors du premier tirage.

 Probabilité conditionnelle Probabilité qu'un événement particulier se réalise étant donné qu'un autre événement s'est produit.

Symboliquement, cette définition s'exprime comme suit :

$$P(B \mid A) = \frac{P(A\ et\ B)}{P(A)}, \text{ si } P(A) > 0 \qquad \textbf{5.10}$$

où $P(B \mid A)$ représente la probabilité que l'événement B se réalise étant donné que l'événement A s'est produit. Le trait vertical entre B et A se lit « étant donné que ».

Prenons un autre exemple.

Exemple 5.9

Le gérant d'une station libre-service a constaté que, sur une période de six mois, 8 % des conducteurs vérifient le niveau de lave-glace, 3 % vérifient le liquide de refroidissement et 2 %, les deux liquides. Si un conducteur choisi au hasard a vérifié le niveau de lave-glace, quelle est la probabilité que le liquide de refroidissement fasse également l'objet d'une vérification ?

Solution

Événement A : *conducteur vérifiant le niveau de lave-glace*
Événement B : *conducteur vérifiant le liquide de refroidissement*
$P(A) = 0{,}08$
$P(B) = 0{,}03$
$P(A \text{ et } B) = 0{,}02$
　On doit trouver $P(B|A)$.

$$P(B \mid A) = \frac{P(A \text{ et } B)}{P(A)} = \frac{0{,}02}{0{,}08} = 0{,}25$$

　Comment pouvons-nous décrire cette valeur $P(B|A)$?
　Parmi les conducteurs qui vérifient le niveau de lave-glace, 25 % vérifient également le liquide de refroidissement.
　Remarquez que la probabilité de l'événement B, soit $P(B) = 0{,}03$, et la probabilité conditionnelle, soit $P(B|A) = 0{,}25$, sont *différentes*. En d'autres mots, la valeur de la probabilité $P(B)$ est révisée. Dans ce contexte, $P(B)$ est qualifiée de probabilité *a priori* et $P(B|A)$, de probabilité *a posteriori*.

Exemple 5.10

Examinons de nouveau les probabilités conjointes et marginales de la loyauté et du nombre d'années de service des cadres d'une entreprise, qui figurent dans le tableau 5.3. Supposons qu'un cadre de l'entreprise choisi au hasard compte de un à cinq ans de service. Quelle est la probabilité que le cadre soit loyal ?

Solution

On a noté B_2 l'événement *de 1 à 5 ans de service* et A_1 l'événement *loyal*. On utilise la formule 5.10, mettant A_1 à la place de B et B_2 à la place de A, et l'on obtient :

$$P(A_1 \mid B_2) = \frac{P(B_2 \text{ et } A_1)}{P(B_2)} = \frac{0{,}150}{0{,}225} = 0{,}67$$

[Il est à noter que $P(B_2 \text{ et } A_1)$ est identique à $P(A_1 \text{ et } B_2)$].

LA RÈGLE GÉNÉRALE DE MULTIPLICATION

On utilise la règle générale de multiplication pour trouver la probabilité conjointe de deux événements comme le tirage de 2 bobines défectueuses de la boîte de 10 bobines. En général, la règle dit que, pour deux événements A et B, la probabilité conjointe que les deux événements se réalisent se trouve en multipliant la probabilité de l'événement A par la probabilité conditionnelle que l'événement B se réalise, étant donné que A s'est produit.

Règle générale de multiplication　$P(A \text{ et } B) = P(A)P(B|A)$　　**5.11**

Exemple 5.11

Pour illustrer la formule, utilisons le problème des 10 bobines de pellicule dans une boîte dont 3 sont défectueuses. Deux bobines sont tirées de la boîte, une à une. Quelle est la probabilité de sélectionner deux bobines défectueuses ?

Solution

L'événement A est que la première bobine choisie dans la boîte est défectueuse. Ainsi, $P(A) = 3/10$ puisque 3 bobines sur 10 sont défectueuses. L'événement B est que la seconde bobine sélectionnée est défectueuse. Par conséquent, $P(B|A) = 2/9$. En effet, puisque la première sélection est défectueuse, seules deux bobines défectueuses resteront dans la boîte qui contient maintenant neuf bobines. Pour déterminer la probabilité que les deux bobines soient défectueuses, il suffit d'appliquer la formule 5.11 :

$$P(A \text{ et } B) = P(A)P(B \mid A)$$
$$= \left(\frac{3}{10}\right)\left(\frac{2}{9}\right) = \frac{6}{90}, \text{ ou environ } 0{,}067$$

Remarquez que l'on a supposé que cette expérience est effectuée *sans remise*, c'est-à-dire que la première bobine choisie n'a pas été replacée dans la boîte avant de tirer la suivante.

Il est également à noter que la règle générale de multiplication peut s'appliquer à plus de deux événements. La formule dans le cas de trois événements A, B et C serait :

$$P(A \text{ et } B \text{ et } C) = P(A)P(B \mid A)P(C \mid A \text{ et } B) \qquad \textbf{5.12}$$

$P(A \text{ et } B \text{ et } C)$ est le produit de trois facteurs : d'abord la probabilité du premier événement, puis la probabilité du deuxième étant donné que le premier s'est réalisé et enfin la probabilité du troisième étant donné que les deux premiers se sont réalisés.

Pour illustrer cette affirmation, calculons la probabilité que les trois premières bobines choisies sans remise dans la boîte soient toutes défectueuses :

$$P(A \text{ et } B \text{ et } C) = P(A)\, P(B \mid A)\, P(C \mid A \text{ et } B)$$
$$= \left(\frac{3}{10}\right)\left(\frac{2}{9}\right)\left(\frac{1}{8}\right) = \frac{6}{720} = 0{,}00833$$

■ RÉVISION 5.8

1. Le conseil d'administration des Industries Tarbell est constitué de huit hommes et de quatre femmes. Un comité de recherche composé de quatre membres est choisi au hasard pour recommander un nouveau président.
   a) Quelle est la probabilité que les quatre membres du comité de recherche soient des femmes ?
   b) Quelle est la probabilité que les quatre membres soient des hommes ?
   c) La somme des probabilités des événements décrits en a) et en b) est-elle égale à 1 ? Expliquez votre réponse.

2. À partir du tableau des probabilités conjointes créé pour le problème 3 de la révision 5.4, trouvez la probabilité qu'un consommateur choisi au hasard préfère le Cola 1, étant donné qu'il préfère les boissons au cola très sucrées.

LES DIAGRAMMES EN ARBRE

Comme nous l'avons souligné plus haut, les expériences aléatoires que l'on rencontre dans le monde réel sont complexes. Cependant, on peut généralement les décomposer en suites d'expériences aléatoires plus simples. Dans un tel cas, il est utile de tracer un *diagramme en arbre* pour calculer les probabilités que différents événements se réalisent. Pour illustrer cette affirmation, examinons de nouveau l'exemple 5.11. Ainsi, 2 bobines de pellicule sont tirées d'une boîte qui en contient 10, dont 3 sont défectueuses.

FIGURE 5.3 Un diagramme en arbre montrant les différents résultats du choix de deux bobines

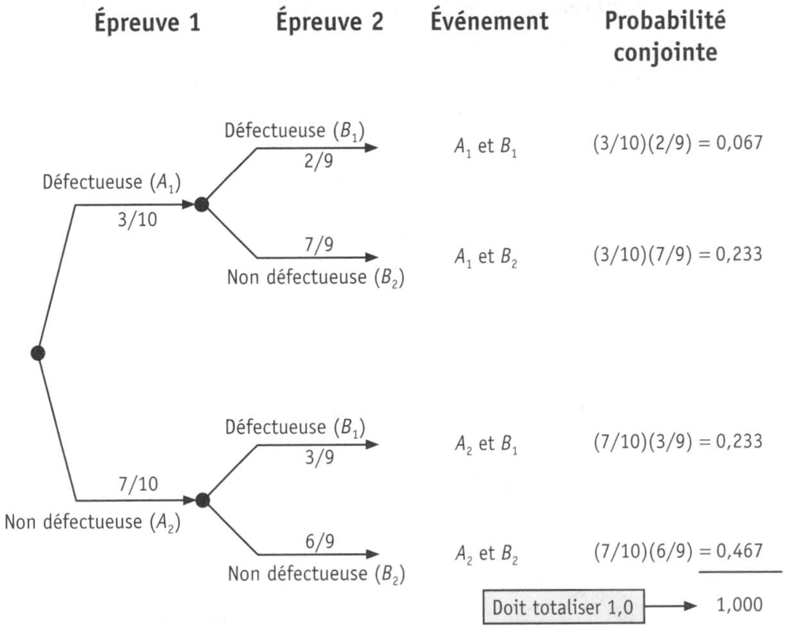

| Épreuve 1 | Épreuve 2 | Événement | Probabilité conjointe |

| | Défectueuse (B_1) 2/9 | A_1 et B_1 | (3/10)(2/9) = 0,067 |

Défectueuse (A_1) 3/10

| | 7/9 Non défectueuse (B_2) | A_1 et B_2 | (3/10)(7/9) = 0,233 |

| | Défectueuse (B_1) 3/9 | A_2 et B_1 | (7/10)(3/9) = 0,233 |

7/10 Non défectueuse (A_2)

| | 6/9 Non défectueuse (B_2) | A_2 et B_2 | (7/10)(6/9) = 0,467 |

Doit totaliser 1,0 → 1,000

Étapes de la construction du diagramme en arbre

1. Pour construire un diagramme en arbre, on commence par dessiner un gros point à gauche qui représente le tronc de l'arbre (voir la figure 5.3).

2. Pour ce problème, deux branches principales sortent du tronc, la branche supérieure représentant l'événement *première bobine défectueuse*, noté A_1, et la branche inférieure, l'événement *première bobine non défectueuse*, noté A_2. Leurs probabilités sont inscrites sur les branches, soit $P(A_1) = 3/10$ et $P(A_2) = 7/10$.

3. À partir du gros point au bout de chacune des deux branches principales, deux branches sortent. Elles représentent les événements *seconde bobine défectueuse*, noté B_1, et *seconde bobine non défectueuse*, noté B_2. Les probabilités conditionnelles des deux branches émergeant du gros point supérieur sont $P(B_1|A_1) = 2/9$ et $P(B_2|A_1) = 7/9$. De même, les probabilités conditionnelles des deux branches sortant du gros point inférieur sont $P(B_1|A_2) = 3/9$ et $P(B_2|A_2) = 6/9$. Ces probabilités sont inscrites sur leurs branches respectives.

4. Enfin, les probabilités conjointes figurent à droite. Par exemple, la probabilité conjointe de choisir au hasard une *première bobine défectueuse* (A_1) et une *seconde bobine défectueuse* (B_1), calculée à l'aide de la formule 5.11, est:

$$P(A_1 \text{ et } B_1) = P(A_1)P(B_1|A_1) = (3/10)(2/9) = 0,0667$$

■ RÉVISION 5.9

Inscrivez les probabilités sur les branches du diagramme en arbre construit à la révision 5.2, puis trouvez les probabilités de tous les résultats.

EXERCICES 5.29 À 5.38

5.29 Supposons que $P(A) = 0,40$ et $P(B|A) = 0,30$. Quelle est la probabilité conjointe que A et B se réalisent ?

5.30 Un échantillon de 225 entreprises a été tiré au hasard de la liste des 1000 plus grandes entreprises canadiennes en 2000. Les entreprises choisies ont été regroupées selon le secteur d'activité et selon les profits ou les pertes enregistrés en 2000. Le tableau de contingence ci-dessous résume les données.

Secteur d'activité	Profits	Pertes	Total
Huile et gaz	100	19	119
Technologie	35	71	106
Total	135	90	225

Source : Adapté de la liste des 1000 plus grandes entreprises, Bell Globemedia Publishing inc., *Report on Business Magazine,* 29 juin 2001.

a) Calculez la probabilité qu'une entreprise choisie au hasard ait enregistré un profit en 2000.

b) Calculez la probabilité qu'une entreprise choisie au hasard œuvre dans le secteur pétrolier (huile et gaz).

c) Calculez la probabilité qu'une entreprise choisie au hasard œuvre dans le secteur pétrolier, en supposant que l'entreprise ait enregistré un profit en 2000.

d) Notez A et B, respectivement, les événements considérés en a) et en b). Ces événements sont-ils indépendants ? Expliquez votre réponse.

5.31 Reportez-vous à l'exercice 5.27. Un client choisi au hasard a un compte chèques. Quelle est la probabilité que le client ait également un compte d'épargne ?

5.32 Reportez-vous à l'exercice 5.28.

a) Trouvez la probabilité que le second camion soit disponible étant donné que le premier ne l'est pas.

b) Trouvez la probabilité que le premier camion soit disponible étant donné que le second ne l'est pas.

c) Trouvez la probabilité que le premier camion soit disponible étant donné qu'au moins un des deux camions est disponible.

5.33 Reportez-vous à l'exercice 5.13. Trouvez la probabilité qu'une action choisie au hasard provienne du secteur des produits forestiers étant donné qu'il s'agit d'une action à faible risque.

5.34 Reportez-vous à l'exercice 5.14. Quelle est la probabilité que les deux premières brosses à dents vendues soient défectueuses étant donné qu'au moins une d'entre elles est défectueuse ?

5.35 Chaque vendeur de Montants Compton est évalué en fonction de ses talents de vendeur, soit : au-dessous de la moyenne, dans la moyenne ou au-dessus de la moyenne. Chacun est également évalué selon ses possibilités d'avancement, soit : faibles, bonnes ou excellentes. Les caractéristiques des 500 vendeurs ont été classées de façon croisée dans le tableau suivant :

	Possibilités d'avancement		
Talents de vendeur	Faibles	Bonnes	Excellentes
Au-dessous de la moyenne	16	12	22
Dans la moyenne	45	60	45
Au-dessus de la moyenne	93	72	135

a) Comment s'appelle ce tableau ?

b) Quelle est la probabilité qu'un vendeur choisi au hasard ait des talents de vendeur au-dessus de la moyenne et d'excellentes possibilités d'avancement ?

c) Un vendeur choisi au hasard a été considéré comme ayant d'*excellentes* possibilités d'avancement. Quelle est la probabilité que l'évaluation de ses talents de vendeur se situe *au-dessus de la moyenne* ?

5.36   Un investisseur possède trois actions ordinaires. La valeur de chaque action, indépendamment des deux autres, a des chances égales 1) d'augmenter, 2) de diminuer ou 3) de rester stable. Construisez un diagramme en arbre représentant le problème. Établissez la liste de tous les résultats possibles de cette expérience. Estimez la probabilité que la valeur d'au moins deux actions augmente.

5.37   Le conseil d'administration d'une petite entreprise se compose de cinq personnes. Trois d'entre elles sont des « leaders influents ». S'ils adoptent une idée, le conseil d'administration l'approuve à l'unanimité. Les autres membres n'ont aucune influence. Trois vendeurs concurrents doivent, l'un après l'autre, faire une présentation à un membre du conseil de leur choix. Les vendeurs sont convaincants, mais ne savent pas qui sont les leaders influents. Toutefois, ils savent à qui les vendeurs précédents ont parlé. Le premier vendeur qui parle à un leader influent obtient le contrat. Les trois vendeurs ont-ils les mêmes chances d'obtenir le contrat ? Si ce n'est pas le cas, trouvez leurs probabilités respectives de l'emporter.

5.38   Si vous choisissez au hasard trois inconnus sur le campus, quelle est la probabilité :

a) que tous soient nés un mercredi ?

b) qu'ils soient nés trois jours différents de la semaine ?

c) qu'aucun ne soit né un samedi ?

5.4 LE THÉORÈME DE BAYES

Nous illustrerons le théorème de Bayes à l'aide d'un exemple.

Exemple 5.12   Supposons que 5 % de la population d'un pays ait une maladie donnée. Il existe un test qui permet de la détecter, mais il est imprécis. Les données historiques sur le test montrent que si une personne est atteinte de la maladie, la probabilité d'un résultat positif est 0,9. Toutefois, la probabilité que le résultat du test soit positif pour une personne qui ne souffre pas de la maladie est 0,15. Dans le cas d'un citoyen du pays choisi au hasard, le résultat du test fut positif. Quelle est la probabilité qu'il ait la maladie ?

THOMAS BAYES (1702-1761)

Thomas Bayes est né à Londres, en Angleterre, dans une famille presbytérienne. Son père, pasteur, lui fit donner une éducation privée, comme il convient à un fils de notable. Thomas travailla pour son père au temple de Holborn, puis devint également pasteur à Tunbridge Wells dans le Kent, où il décéda.

Il fut nommé Compagnon de la Royal Society of London en 1742. Son pamphlet *Divine bienveillance*, rédigé en 1731, traitait de la principale controverse de l'époque : « Dieu n'était pas obligé de créer l'Univers. Pourquoi le fit-il ? » Son écrit *Un essai vers la résolution d'un problème dans la théorie des probabilités*[4] fut publié à titre posthume en 1763. De nombreux statisticiens considèrent cet ouvrage comme le premier effort pour jeter les bases de l'inférence statistique, question cruciale qui fut d'abord soulevée par Jacob Bernoulli (1759-1789). Bayes introduisit une nouvelle technique dans le processus de prise de décision, dans laquelle les nouvelles données servent à modifier les probabilités d'événements fondées sur d'anciennes données.

Solution

On notera A_1 l'événement *la personne souffre de la maladie* et A_2 l'événement *la personne n'est pas atteinte de la maladie*.

Les événements A_1 et A_2 sont mutuellement exclusifs et collectivement exhaustifs. (Pour toute personne, l'un de ces deux événements se vérifie – soit elle a la maladie, soit elle ne l'a pas.) Étant donné que 5 % de la population est atteinte de la maladie, $P(A_1) = 0,05$ et $A_2 = {\sim}A_1$. Par conséquent, $P(A_2) = 1 - 0,05 = 0,95$.

Disons que B indique l'événement *le résultat du test médical est positif*. Alors, l'énoncé signifie que :

$$P(B|A_1) = 0,90 \text{ et } P(B|A_2) = 0,15$$

On veut trouver $P(A_1|B)$, c'est-à-dire la probabilité que la personne ait la maladie étant donné que le résultat de son test est positif.

On effectuera ce calcul en utilisant le théorème de Bayes énoncé comme suit :

Théorème de Bayes
$$P(A_1|B) = \frac{P(A_1)P(B|A_1)}{P(A_1)P(B|A_1) + P(A_2)P(B|A_2)}$$
5.13

On peut dériver le théorème ci-dessus en utilisant les règles d'addition et de multiplication vues précédemment. Nous fournissons les détails dans le cédérom, chapitre 5, annexe A.

Ainsi, en appliquant le théorème de Bayes à notre problème, on obtient :

$$P(A_1|B) = \frac{P(A_1)P(B|A_1)}{P(A_1)P(B|A_1) + P(A_2)P(B|A_2)}$$
$$= \frac{(0,05)(0,9)}{(0,05)(0,9) + (0,95)(0,15)} = \frac{0,0450}{0,1875} = 0,24$$

Comment interprétons-nous la valeur 0,24 de la probabilité ? Si une personne est choisie au hasard dans la population, la probabilité qu'elle soit atteinte de la maladie est 0,05. Si la personne est testée et que le résultat est positif, la probabilité que la personne ait réellement la maladie passe de 0,05 à 0,24.

La valeur de la probabilité initiale est 0,05 et s'appelle **probabilité *a priori***. Elle est fondée sur des données historiques. La valeur révisée 0,24 s'appelle **probabilité *a posteriori***, car elle est basée sur des informations complémentaires.

 Probabilité *a posteriori* Probabilité révisée à partir d'informations complémentaires.

Le diagramme en arbre de la figure 5.4 montre les probabilités que les événements de l'exemple 5.12 se réalisent et le tableau 5.4 résume le calcul des probabilités.

FIGURE 5.4   Le diagramme en arbre de l'exemple 5.12

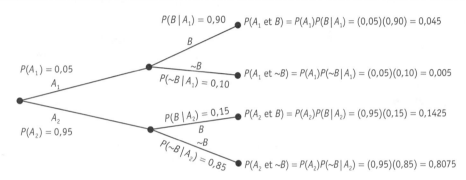

$P(B \mid A_1) = 0,90$
$P(A_1 \text{ et } B) = P(A_1)P(B \mid A_1) = (0,05)(0,90) = 0,045$

$P(A_1) = 0,05$

$P(\sim B \mid A_1) = 0,10$
$P(A_1 \text{ et } \sim B) = P(A_1)P(\sim B \mid A_1) = (0,05)(0,10) = 0,005$

$P(A_2) = 0,95$

$P(B \mid A_2) = 0,15$
$P(A_2 \text{ et } B) = P(A_2)P(B \mid A_2) = (0,95)(0,15) = 0,1425$

$P(\sim B \mid A_2) = 0,85$
$P(A_2 \text{ et } \sim B) = P(A_2)P(\sim B \mid A_2) = (0,95)(0,85) = 0,8075$

TABLEAU 5.4   La distribution des probabilités des événements de l'exemple 5.12

Événement A_i	Probabilité *a priori* $P(A_i)$	Probabilité conditionnelle $P(B \mid A_i)$	Probabilité conjointe $P(A_i \text{ et } B)$	Probabilité *a posteriori* $P(A_i \mid B)$
A_1 (Maladie)	0,05	0,90	0,0450	$\dfrac{0,0450}{0,1875} = 0,24$
A_2 (Pas de maladie)	0,95	0,15	0,1425	$\dfrac{0,1425}{0,1875} = 0,76$
Total	1,00		0,1875	1,00

Probabilité marginale : $P(B)$

Dans le problème précédent, les deux événements A_1 et A_2 formaient un ensemble d'événements mutuellement exclusifs et collectivement exhaustifs. S'il y a n événements, A_1, A_2, ..., A_n, dans cet ensemble d'événements mutuellement exclusifs et collectivement exhaustifs, la formule du théorème de Bayes devient :

$$P(A_i|B) = \frac{P(A_i)P(B|A_i)}{P(A_1)P(B|A_1) + P(A_2)P(B|A_2) + \ldots + P(A_n)P(B|A_n)} \qquad 5.14$$

où A_i réfère à n'importe quel des n événements possibles.

Exemple 5.13   Un fabricant de magnétoscopes achète une micropuce particulière appelée LS-24 à trois fournisseurs : Hall électronique, Ventes Schuller et Composantes Crawford. Il en achète 30 % à Hall électronique, 20 % à Ventes Schuller et les 50 % qui restent à Composantes Crawford. Le fabricant possède des données historiques sur ces trois fournisseurs et sait que 3 % des puces LS-24 provenant de chez Hall électronique sont défectueuses, que 5 % des puces de Ventes Schuller sont défectueuses et aussi que 4 % des puces qu'il achète à Composantes Crawford sont défectueuses.

Lorsque le fabricant reçoit les puces, il les place dans un contenant et ne les inspecte pas ; il n'inscrit pas non plus sur la puce le nom du fournisseur dont elle provient. Un travailleur choisit une puce qu'il doit installer dans le magnétoscope et découvre qu'elle est défectueuse. Quelle est la probabilité qu'elle ait été fabriquée par Ventes Schuller ?

Solution   En premier lieu, on doit résumer les renseignements donnés dans le problème.

Il y a trois événements, autrement dit, trois fournisseurs.
   A_1 La puce LS-24 a été fabriquée par Hall.
   A_2 La puce LS-24 a été fabriquée par Schuller.
   A_3 La puce LS-24 a été fabriquée par Crawford.

Les probabilités *a priori* sont :
   $P(A_1) = 0{,}30$
   $P(A_2) = 0{,}20$
   $P(A_3) = 0{,}50$

Les renseignements complémentaires peuvent être les suivants :
   B_1 La puce LS-24 est défectueuse.
   B_2 La puce LS-24 n'est pas défectueuse.

Les probabilités conditionnelles suivantes sont données.
$P(B_1|A_1) = 0{,}03$ La probabilité qu'une puce LS-24 produite par Hall soit défectueuse.
$P(B_1|A_2) = 0{,}05$ La probabilité qu'une puce LS-24 produite par Schuller soit défectueuse.
$P(B_1|A_3) = 0{,}04$ La probabilité qu'une puce LS-24 produite par Crawford soit défectueuse.

Une puce est choisie dans le contenant et elle s'avère défectueuse. On ne sait pas quel fournisseur a fabriqué cette pièce. On souhaite déterminer la probabilité que le fabricant ait acheté la puce défectueuse à Schuller. La probabilité s'écrit ainsi :

$$P(A_2|B_1)$$

Maintenant qu'on a trouvé une puce LS-24 défectueuse, on soupçonne que la probabilité qu'elle provienne de Schuller est supérieure à $P(A_2) = 0,20$, car Schuller est le fournisseur dont le taux de pièces défectueuses est le plus élevé. Autrement dit, on s'attend à ce que la probabilité *a posteriori* $P(A_2|B_1)$ soit supérieure à $P(A_2)$. Toutefois, à quel point est-elle supérieure ? Le théorème de Bayes nous fournit la réponse à cette question. Commençons par examiner le diagramme en arbre de la figure 5.5.

Les événements sont dépendants, donc la probabilité *a priori* de la première branche est multipliée par la probabilité conditionnelle de la deuxième branche, ce qui nous permet d'obtenir la probabilité conjointe. La probabilité conjointe est reportée dans la dernière colonne de la figure 5.5. Pour créer le diagramme en arbre de la figure 5.5, on a utilisé un ordre chronologique qui allait du fournisseur à la détermination de l'acceptabilité ou de la non-acceptabilité de la puce.

On doit donc inverser l'ordre chronologique, c'est-à-dire qu'au lieu d'aller de gauche à droite dans la figure 5.5, on doit aller de droite à gauche. On a une puce défectueuse et l'on veut déterminer la probabilité qu'elle provienne de Ventes Schuller. Comment peut-on déterminer cette probabilité ? Considérons d'abord les probabilités conjointes comme des fréquences sur 1000 cas. Par exemple, la probabilité qu'il y ait une puce défectueuse LS-24 produite par Hall électronique est 0,009. Donc, sur 1000 cas, on s'attendrait à ce que 9 puces défectueuses soient produites par Hall électronique. On observe que, dans 39 cas sur 1000, la puce LS-24 choisie pour le montage est défectueuse, par le calcul suivant : 9 + 10 + 20. De ces 39 puces défectueuses, 10 ont été produites par Ventes Schuller.

FIGURE 5.5   Le diagramme en arbre du problème des puces

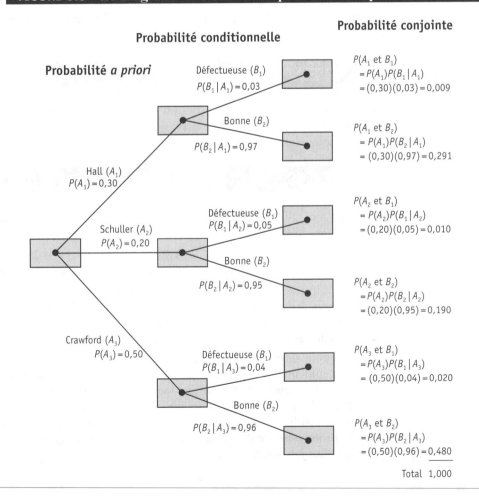

Ainsi, la probabilité que la puce LS-24 défectueuse ait été achetée à Ventes Schuller est $10/39 = 0,2564$. On a maintenant déterminé la probabilité *a posteriori* de $P(A_2|B_1)$. Avant de trouver la puce défectueuse, la probabilité qu'elle soit achetée à Ventes Schuller était 0,20. Cette probabilité a augmenté pour passer à 0,2564.

Le tableau suivant résume ces données :

Événement A_i	Probabilité *a priori* $P(A_i)$	Probabilité conditionnelle $P(B_1\|A_i)$	Probabilité conjointe $P(A_i \text{ et } B_1)$	Probabilité *a posteriori* $P(A_i\|B_1)$	
Hall	0,30	0,03	0,009	$0,009/0,039 = 0,2308$	
Schuller	0,20	0,05	0,010	$0,010/0,039 = 0,2564$	
Crawford	$\underline{0,50}$	0,04	$\underline{0,020}$	$0,020/0,039 = \underline{0,5128}$	
	1,00		$P(B_1) = 0,039$	1,0000	

On peut trouver formellement la probabilité que la puce LS-24 défectueuse provienne de Ventes Schuller en utilisant le théorème de Bayes. On calcule $P(A_2|B_1)$, où A_2 fait référence à Ventes Schuller et B_1, au fait que la puce LS-24 est défectueuse.

$$P(A_2|B_1) = \frac{P(A_2)P(B_1|A_2)}{P(A_1)P(B_1|A_1) + P(A_2)P(B_1|A_2) + P(A_3)P(B_1|A_3)}$$

$$= \frac{(0,20)(0,05)}{(0,30)(0,03) + (0,20)(0,05) + (0,50)(0,04)} = \frac{0,010}{0,039} = 0,2564$$

On obtient le même résultat dans la figure 5.5 que dans le tableau de probabilité conditionnelle.

■ RÉVISION 5.10

Reprenez l'exemple 5.13 et sa solution obtenue à l'aide du théorème de Bayes.
Calculez la probabilité que la puce choisie provienne de Composantes Crawford étant donné qu'elle était bonne.

EXERCICES 5.39 À 5.44

5.39 $P(A_1) = 0,60$, $P(A_2) = 0,40$, $P(B_1|A_1) = 0,05$ et $P(B_1|A_2) = 0,10$. Utilisez le théorème de Bayes pour déterminer $P(A_1|B_1)$.

5.40 $P(A_1) = 0,20$, $P(A_2) = 0,40$, $P(A_3) = 0,40$, $P(B_1|A_1) = 0,25$, $P(B_1|A_2) = 0,05$ et $P(B_1|A_3) = 0,10$. Utilisez le théorème de Bayes pour déterminer $P(A_3|B_1)$.

5.41 L'équipe de base-ball Les Ludlow Wildcats, une équipe mineure du Manitoba, joue 70 % de ses matchs le soir et 30 %, le jour. L'équipe a gagné 50 % de ses matchs le soir et 90 % de ses matchs le jour. Selon le journal, ils ont gagné hier. Quelle est la probabilité que le match se soit joué le soir ?

5.42 La professeure Staller enseigne la statistique depuis des années. Elle sait que 80 % des étudiants terminent les problèmes qu'elle leur donne. Elle a également déterminé que, parmi ceux qui font leurs devoirs, 90 % réussissent le cours. Parmi les étudiants qui ne font pas leurs devoirs, 60 % seulement réussissent. Mike Fishbaugh a suivi des cours de statistique le trimestre dernier avec la professeure Staller et a obtenu la note de passage. Quelle est la probabilité qu'il ait fait ses devoirs ?

5.43 Le service de crédit du magasin Lion à Vancouver (C.-B.) a noté que ses ventes sont payées de la façon suivante : 30 % au comptant, 30 % par chèque au moment de l'achat et 40 % sont portées au compte. De plus, 20 % des achats comptant, 90 % des achats par chèque et 60 % des achats portés au compte s'élèvent à plus de 50 $. Tina Stevens vient d'acheter une nouvelle robe de 120 $. Quelle est la probabilité qu'elle ait payé comptant ?

5.44 Un quart des résidents du secteur Courtice laissent leur porte de garage ouverte lorsqu'ils quittent la maison. Le chef de la police estime que 5 % des foyers dont les portes de garage sont ouvertes seront cambriolés, mais que seul 1 % de ceux dont les portes sont fermées se feront voler quelque chose. S'il survient un vol dans un garage, quelle est la probabilité que la porte ait été laissée ouverte ?

5.5 LES PRINCIPES DE LA COMBINATOIRE

Si le nombre de résultats possibles d'une expérience est peu élevé, il est relativement facile de les énumérer. Par exemple, il y a six résultats possibles découlant du lancer d'un dé : 1, 2, 3, 4, 5 et 6.

Cependant, lorsque les résultats possibles sont nombreux, comme le nombre de façons dont une famille de six personnes pourraient s'asseoir autour d'une table, il serait fastidieux d'énumérer toutes les possibilités. Pour faciliter le comptage, nous examinerons trois formules : la formule de multiplication (à ne pas confondre avec la *règle de multiplication* dont il a déjà été question dans le chapitre), les formules pour compter les arrangements et les combinaisons.

LA FORMULE DE MULTIPLICATION

 Formule de multiplication Si une première activité peut se faire de *m* façons et une deuxième, de *n* façons, alors il y a *m*(*n*) façons de faire les deux activités.

L'exemple 5.14 explique cette formule.

Exemple 5.14

Un concessionnaire d'automobiles fait la publicité d'un modèle offert en trois versions (cabriolet, coupé ou berline) en vous donnant le choix entre des enjoliveurs en acier ou des enjoliveurs monobloc. Combien de combinaisons différentes de modèles et d'enjoliveurs le concessionnaire peut-il offrir ?

Solution

Le diagramme en arbre mentionné au début du chapitre peut montrer le nombre total de combinaisons de modèles et d'enjoliveurs que le concessionnaire peut offrir (voir la figure 5.6 à la page suivante).

La suite de lignes supérieures de la figure 5.6 montre une combinaison : le cabriolet muni d'enjoliveurs en acier.

Les autres façons sont : cabriolet muni d'enjoliveurs monobloc, coupé muni d'enjoliveurs en acier, coupé muni d'enjoliveurs monobloc, berline munie d'enjoliveurs en acier et berline munie d'enjoliveurs monobloc.

On peut employer la formule de multiplication comme moyen de vérification (où *m* correspond au nombre de modèles et *n*, au nombre de types d'enjoliveurs). En utilisant cette formule, on obtient :

$$\text{Nombre de combinaisons possibles} = (m)(n) = (3)(2) = 6$$

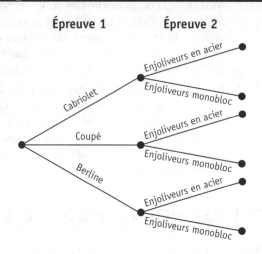

FIGURE 5.6 Le diagramme en arbre des modèles et des enjoliveurs

Dans l'exemple 5.14, il n'était pas difficile de compter toutes les combinaisons possibles de modèles et d'enjoliveurs. Cependant, supposons que le concessionnaire décide d'offrir huit modèles et six types d'enjoliveurs. Il serait fastidieux de dessiner un diagramme en arbre pour compter toutes les combinaisons possibles. En lieu et place du diagramme en arbre, on peut utiliser la formule de multiplication. Dans ce cas, $(m)(n) = (8)(6) = 48$ combinaisons possibles.

■ RÉVISION 5.11

1. Les Lampes Stiftin ont créé cinq pieds de lampe et quatre abat-jour qui peuvent être combinés. En combien de façons différentes Stiftin peut-elle offrir les pieds de lampe et les abat-jour ?

2. Une usine d'électronique fabrique trois modèles d'ampli-syntoniseur stéréo, deux platines à cassettes, quatre haut-parleurs et trois carrousels de disques compacts. Lorsque les quatre types de composants sont vendus ensemble, ils forment un système. Combien de systèmes différents l'usine peut-elle offrir ?

LA FORMULE POUR COMPTER LES ARRANGEMENTS

Comme nous l'avons mentionné, la formule de multiplication sert à trouver le nombre de façons possibles de choisir des éléments, un par groupe, dans deux ou plusieurs groupes. La formule des arrangements, quant à elle, sert à trouver le nombre de façons possibles de choisir certains éléments dans un seul groupe. Voici des exemples qui illustrent ce type de problème :

- Trois composants électroniques sont montés dans une fiche de téléviseur. Il est possible de monter les composants dans n'importe quel ordre. La question est : de combien de façons peut-on monter les trois composants ?

- Un opérateur de machine doit effectuer quatre contrôles de sécurité avant de la démarrer. L'ordre dans lequel il les effectue n'a pas d'importance. De combien de façons différentes l'opérateur peut-il effectuer les contrôles ?

L'un des ordres du premier exemple pourrait être le transistor d'abord, les diodes électroluminescentes (DEL) ensuite et enfin, les synthétiseurs de fréquences. Une telle disposition s'appelle un **arrangement**.

 Arrangement Toute disposition de *r* objets sélectionnés dans un seul groupe de *n* objets possibles.

Remarquez que les dispositions a, b, c, et b, a, c sont des arrangements *différents*. La formule pour compter le nombre d'arrangements est :

Formule pour compter les arrangements	$_nP_r = \dfrac{n!}{(n-r)!}$	**5.15**

où

n   désigne le nombre total d'objets ;
r   désigne le nombre d'objets sélectionnés ;
$_nP_r$ est le nombre d'arrangements de r objets tirés de n objets.

Avant de résoudre les deux problèmes énoncés, remarquez que les arrangements et les combinaisons (dont il sera question ci-dessous) utilisent une notation appelée factorielle de n. Elle s'écrit n! et est égale à $n(n-1)(n-2)(n-3)\ldots(1)$. Ce produit est le nombre de **permutations** de n objets, c'est-à-dire le nombre d'arrangements de n objets pris *tous* ensemble. Lorsqu'on remplace r par n dans la formulre 5.15, on obtient $_nP_n = \dfrac{n!}{(n-n)!} = \dfrac{n!}{0!}$ où $_nP_n$ représente le nombre de permutations de n objets. Dans ce cas-ci, 0 ! est égal à 1 (par définition). Par exemple, le nombre de permutations de cinq objets = 5 ! = (5)(4)(3)(2)(1) = 120.

Comme on le montre ci-dessous, on peut abréger les calculs associés à la formule 5.15 en simplifiant les nombres qui apparaissent à titre de facteurs à la fois dans le numérateur et dans le dénominateur.

$$\frac{6!}{4!} = \frac{(6)(5)(\cancel{4})(\cancel{3})(\cancel{2})(\cancel{1})}{(\cancel{4})(\cancel{3})(\cancel{2})(\cancel{1})} = 30$$

Ici, on a éliminé les facteurs 4, 3, 2 et 1 qui sont communs au numérateur et au dénominateur.

On peut aussi résoudre cette expression ainsi :

$$\frac{6!}{4!} = \frac{(6)(5)\cancel{4!}}{\cancel{4!}} = 30$$

On écrit 6 ! = (6)(5)4!, puis on simplifie 4! dans le numérateur et dans le dénominateur.

La plupart des calculatrices scientifiques sont munies des fonctions factorielles (!), $_nP_r$ et $_nC_r$. Nous vous conseillons de vous reporter au guide d'utilisation de votre calculatrice pour utiliser l'une de ces fonctions.

Par définition, factorielle de 0, qui s'écrit 0!, est 1, c'est-à-dire 0! = 1.

Exemple 5.15

Reportez-vous au groupe de trois composants électroniques à monter dans n'importe quel ordre. De combien de façons différentes peut-on les monter ?

Solution

Étant donné qu'il y a trois composants électroniques à monter et que tous les trois seront installés dans la fiche, n = r = 3. On résout le problème à l'aide de la formule 5.15.

$$_nP_r = \frac{n!}{(n-r)!} = \frac{3!}{(3-3)!} = \frac{3!}{0!} = \frac{3!}{1} = 6$$

On peut vérifier ce résultat en utilisant la formule de multiplication. Il suffit de déterminer combien « d'espaces » sont à remplir et le nombre de possibilités de chaque espace, puis d'appliquer la formule de multiplication. Pour le problème des trois composants électroniques, trois endroits sont réservés, dans la fiche, aux trois composants. Il y a trois possibilités au premier endroit, deux au deuxième (un ayant été utilisé) et un au troisième, comme suit :

$$(3)(2)(1) = 6 \text{ permutations}$$

Les six façons dont on dispose pour arranger les trois composants électroniques, notés *A*, *B* et *C*, sont les suivantes :

$$ABC \ BAC \ CAB \ ACB \ BCA \ CBA$$

Dans l'exemple précédent, on a sélectionné tous les objets. Dans plusieurs cas, on prendra seulement *r* des *n* objets possibles. Nous illustrons cette application dans l'exemple suivant.

Exemple 5.16

L'atelier de machines Bett possède huit taraudeuses, mais seulement trois espaces libres dans la zone de production des machines. De combien de façons différentes peut-on remplir les trois espaces avec trois machines ?

Solution

Il y a huit possibilités pour le premier espace libre de la zone de production, sept, pour le deuxième espace (une machine a été utilisée) et six, pour le troisième. Donc,

$$(8)(7)(6) = 336$$

Il y a 336 dispositions possibles. On peut aussi obtenir ce résultat à l'aide de la formule 5.15, où *n* est le nombre de machines et *r*, le nombre d'espaces libres. Donc, dans cet exemple, *n* = 8 et *r* = 3.

$$_nP_r = \frac{n!}{(n-r)!} = \frac{8!}{(8-3)!} = \frac{8!}{5!} = \frac{(8)(7)(6)5!}{5!} = 336$$

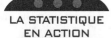

LA FORMULE POUR COMPTER LES COMBINAISONS

Pour être considéré comme un *arrangement*, l'ordre dans lequel se présente chaque objet doit être différent. Dans le cas de trois objets *a*, *b* et *c*, *abc* est un arrangement, *acb* en est un autre et *cba*, un troisième.

Lorsque l'ordre des objets n'est pas important, on appelle le résultat **combinaison**. La formule utilisée pour compter le nombre de combinaisons de *r* objets d'un ensemble de *n* objets est :

Formule pour compter les combinaisons $_nC_r = \dfrac{n!}{r!(n-r)!}$	**5.16**

Par exemple, si les cadres Able, Baker et Chaucy sont choisis pour former le comité chargé de négocier un regroupement d'entreprises, il n'y a qu'une seule combinaison possible comprenant ces trois personnes puisque le comité Able, Baker et Chaucy est identique au comité Baker, Chaucy et Able. À l'aide de la formule, on obtient :

$$_nC_r = \frac{n!}{r!(n-r)!} = \frac{(3)(2)(1)}{(3)(2)(1)(1)} = 1$$

Exemple 5.17

On a confié au service de marketing le mandat de choisir les codes de couleur des 42 collections différentes de disques compacts vendus par Enregistrements Goody. Trois couleurs seront utilisées sur chaque disque compact, mais une combinaison de trois couleurs utilisée pour une collection ne peut servir pour une autre. Cette contrainte signifie que si vert, jaune et violet servent à différencier une collection, alors jaune, vert et violet (ou toute autre combinaison de ces trois couleurs) ne peuvent servir à différencier une autre collection. Serait-il approprié d'utiliser 7 couleurs, prises 3 à la fois, comme code de couleur pour les 42 collections ?

Solution

À l'aide de la formule 5.16, on trouve 35 combinaisons possibles :

$$_7C_3 = \frac{n!}{r!(n-r)!} = \frac{7!}{3!(7-3)!} = \frac{7!}{3!4!} = 35$$

Les 7 couleurs, dont 3 sont prises en même temps (p. ex. : 3 couleurs réservées à une collection), ne conviendraient pas pour attribuer un code de couleur aux 42 collections, car elles n'offriraient que 35 combinaisons. Huit couleurs, dont 3 sont prises en même temps, donneraient 56 combinaisons différentes. Ce nombre de combinaisons serait plus que satisfaisant pour attribuer un code de couleurs aux 42 collections.

Exemple 5.18

Le Loto 6/49 se compose d'une sélection de 6 numéros compris entre 1 et 49. L'ordre des numéros n'a pas d'importance.
a) Soit un joueur qui choisit une combinaison de six numéros. Quelle est la probabilité que sa sélection soit la combinaison gagnante ?
b) Quelle est la probabilité que le joueur ait exactement trois des six numéros gagnants ?

Solution

a) Le nombre de façons (combinaisons) de choisir 6 numéros parmi 49 est :

$$_{49}C_6 = \frac{49!}{6!(49-6)!} = 13\,983\,816.$$

$$\text{Probabilité de gagner} = \frac{\text{Nombre de résultats favorables}}{\text{Nombre total de résultats possibles}}$$
$$= \frac{1}{13\,983\,816} = 0,000000072$$

b) Le nombre de façons (combinaisons) de choisir trois des six numéros gagnants est :

$$_6C_3 = \frac{6!}{3!(6-3)!} = 20.$$

Le nombre de façons de choisir 3 numéros parmi les $(49-6) = 43$ numéros non gagnants est : $_{43}C_3 = \frac{43!}{3!(43-3)!} = 12\,341.$

Le nombre de résultats favorables (nombre de façons de choisir six numéros contenant exactement trois numéros gagnants) est : $20(12\,341) = 246\,820$.

$$P(\text{choisir exactement trois numéros gagnants}) = \frac{\text{Nombre de résultats favorables}}{\text{Nombre total de résultats possibles}}$$
$$= \frac{246\,820}{13\,983\,816} = 0,01765$$

■ RÉVISION 5.12

1. Une société d'étude de marché aimerait savoir ce que les clients des centres commerciaux pensent de la qualité des magasins qui s'y trouvent. Un employé de la société doit choisir quatre centres commerciaux sur neuf dans un secteur donné. L'ordre n'a pas d'importance. Combien de groupes de centres commerciaux sont possibles ?

2. Dix chiffres allant de 0 à 9 seront utilisés dans des groupes de codes à quatre chiffres pour désigner un vêtement. Le code 1083 pourrait désigner une blouse bleue, taille moyenne ; le groupe code 2031 pourrait désigner une paire de pantalons, taille 18, et ainsi de suite. Les répétitions de chiffres ne sont pas permises, c'est-à-dire que le même chiffre ne peut être utilisé deux fois (ou plus) dans une série complète. Par exemple, 2256, 2562 ou 5559 seraient refusés. Combien de groupes de codes différents peut-on former ?

3. Le président d'une université considère que six professeurs pourraient faire partie du comité du centre d'excellence. Des six professeurs, deux seront choisis : l'un à titre de président et l'autre à titre d'assistant du président. De combien de façons différentes le président de l'université peut-il effectuer la sélection ?

EXERCICES 5.45 À 5.52

5.45 Calculez les expressions suivantes :

a) $\dfrac{40!}{(35!)0!}$

b) $_7P_4$

c) $_5C_2$

5.46 Calculez les expressions suivantes :

a) $20!/17!$

b) $_9P_3$

c) $_7C_2$

5.47 Le professeur Sunil Dutt enseigne la psychologie dans une université. Il a besoin d'un groupe de cinq étudiants pour passer ses tests de personnalité les plus récents. Sa classe compte 30 étudiants. De combien de façons différentes peut-il former un groupe de cinq étudiants ?

5.48 Un numéro de téléphone se compose de sept chiffres, les trois premiers chiffres représentant l'indicatif de central. Combien de numéros de téléphone différents sont possibles avec l'indicatif de central 537 ?

5.49 Une entreprise de livraison express doit intégrer cinq villes dans son itinéraire. Combien de parcours différents sont possibles, si l'on peut visiter les villes dans n'importe quel ordre ?

5.50 Un représentant d'Environnement Canada veut tirer des échantillons dans 10 décharges. Il existe 15 décharges à partir desquelles on peut prélever des échantillons. Combien d'échantillons différents sont possibles ?

5.51 Un conseiller en investissement doit créer un portefeuille de fonds communs de placement pour sa cliente qui a décidé d'inclure huit fonds dans son portefeuille. Combien de façons différentes y a-t-il de choisir un portefeuille de placement de 8 fonds à partir d'une liste de 40 fonds ?

5.52 Une entreprise est en train de créer trois nouvelles divisions. Sept gestionnaires sont admissibles pour être nommés responsables d'une division. De combien de façons différentes les trois nouveaux responsables de division pourraient-ils être nommés ?

■ RÉSUMÉ DU CHAPITRE

I. Une expérience aléatoire est un processus qui comporte les trois caractéristiques suivantes : i) elle est de nature répétitive (du moins conceptuellement) ; ii) le résultat de n'importe quel essai du processus est incertain et appartient toujours à un ensemble bien défini de résultats possibles et iii) un nombre, appelé probabilité du résultat, est associé à chacun de ses résultats, de telle sorte que si l'on effectue un nombre élevé d'essais, la proportion de fois qu'un résultat se réalisera sera en moyenne égale à sa probabilité.

A. Un résultat est une des issues qui peuvent survenir lors d'une expérience aléatoire.

B. Un ensemble fondamental est l'ensemble de tous les résultats possibles d'une expérience aléatoire.

C. Un événement est un ensemble constitué de un ou de plusieurs résultats d'une expérience aléatoire. Il s'agit d'un sous-ensemble de l'ensemble fondamental.

D. Une probabilité est une valeur, comprise entre 0 et 1 inclusivement, qui représente la possibilité qu'un événement donné se réalise.

E. Un diagramme en arbre est un outil graphique qui sert à présenter tous les résultats possibles d'une expérience aléatoire.

II. Il existe trois façons d'attribuer une probabilité aux événements.
A. Dans l'approche classique, tous les résultats possibles de l'expérience aléatoire ont la même probabilité.

B. Dans l'approche empirique, on évalue la probabilité en divisant le nombre de fois que l'événement s'est réalisé dans les essais passés par le nombre total d'essais.

C. Une probabilité subjective se fonde sur les renseignements dont on dispose.

III. Deux événements sont mutuellement exclusifs lorsque la réalisation de l'un exclut la réalisation de l'autre.

IV. Un ensemble d'événements est indépendant si la probabilité que l'un des événements de l'ensemble se produise n'influe pas sur la réalisation de n'importe quel autre événement de l'ensemble.

V. Le complémentaire ~A d'un événement A est l'ensemble de tous les résultats de l'ensemble fondamental qui ne font pas partie de l'événement A.

VI. Un diagramme de Venn représente graphiquement un ensemble fondamental, des événements et les relations entre les événements. Les opérateurs booléens « et », « ou » et « non » servent à montrer les relations entre les événements.

VII. Les règles d'addition servent à combiner des événements.
A. La règle spéciale d'addition sert à combiner des événements mutuellement exclusifs.

$$P(A \text{ ou } B) = P(A) + P(B) \qquad 5.3$$

B. La règle générale d'addition est :

$$P(A \text{ ou } B) = P(A) + P(B) - P(A \text{ et } B) \qquad 5.7$$

C. La règle du complémentaire permet d'obtenir la probabilité qu'un événement se réalise en soustrayant de 1 la probabilité que l'événement ne se réalise pas.

$$P(A) = 1 - P(\sim A) \qquad 5.6$$

VIII. Les règles de multiplication servent également à combiner des événements.
A. La règle spéciale de multiplication sert à combiner des événements indépendants.

$$P(A \text{ et } B) = P(A)P(B) \qquad 5.8$$

B. La règle générale de multiplication est :

$$P(A \text{ et } B) = P(A)P(B|A) \qquad 5.11$$

C. Une probabilité conjointe est la probabilité que deux ou plusieurs événements se réalisent en même temps.

D. Une probabilité conditionnelle est la probabilité qu'un événement se réalise étant donné qu'un autre événement s'est réalisé.

IX. Le théorème de Bayes est une méthode qui permet de réviser une probabilité, étant donné qu'on possède des informations complémentaires. Pour deux événements A_1 et A_2 mutuellement exclusifs et collectivement exhaustifs :

$$P(A_1|B) = \frac{P(A_1)P(B|A_1)}{P(A_1)P(B|A_1) + P(A_2)P(B|A_2)}$$
5.13

X. Il existe trois règles de combinatoire utiles pour déterminer le nombre total de façons dont des événements peuvent se réaliser.

A. La règle de multiplication stipule que si un événement peut se réaliser de m façons et un autre événement, de n façons, alors il y a mn façons dont les deux événements peuvent se produire.

$$\text{Nombre de façons} = (m)(n)$$

B. Un arrangement est une sélection dans un ensemble donné d'objets telle que l'ordre des objets sélectionnés est important.

$$_nP_r = \frac{n!}{(n-r)!}$$
5.15

C. Une permutation de n objets est un arrangement de n objets pris tous ensemble.

D. Une combinaison est une sélection dans un ensemble donné d'objets telle que l'ordre des objets sélectionnés n'est pas important.

$$_nC_r = \frac{n!}{r!(n-r)!}$$
5.16

EXERCICES 5.53 À 5.102

5.53 Parmi les comptes d'un cabinet d'experts comptables, 10 % sont mal gérés. Un vérificateur choisit deux comptes au hasard pour les vérifier.
a) Quel est l'ensemble fondamental de cette expérience aléatoire ?
b) Considérons les événements : i) au moins un des deux comptes sélectionnés est mal géré, ii) aucun des comptes sélectionnés n'est mal géré et iii) tout au plus, un des deux comptes sélectionnés est mal géré. Ces trois événements sont-ils mutuellement exclusifs ? collectivement exhaustifs ?

5.54 Le nombre de fois qu'un événement particulier s'est réalisé dans le passé lors d'essais répétés est divisé par le nombre total d'essais. Comment s'appelle ce type d'approche des probabilités ?

5.55 La probabilité que la cause du cancer et son traitement soient découverts avant 2010 est 0,20. Quel point de vue de la probabilité cette déclaration illustre-t-elle ?

5.56 Est-il vrai que, s'il n'y a absolument aucune chance qu'une personne guérisse de 50 blessures par balle, la probabilité attribuée à cet événement est −1 ? Expliquez votre réponse.

5.57 Lors d'un lancer de dé, quelle est la probabilité que 1, 2 ou 6 points apparaissent sur la face supérieure ? Quelle définition de la probabilité a-t-on utilisée ?

5.58   Les rendements (en %) sur un an des dividendes de 50 fonds canadiens publiés le 30 juin 2001 sur le site Web du *Globe and Mail* (www.globefund.com) figurent ci-dessous.

Rendements sur un an de 50 fonds canadiens	
Classe (Rendement en %)	**Fréquence**
–9 à –4	2
–4 à 1	1
1 à 6	7
6 à 11	9
11 à 16	9
16 à 21	18
21 à 26	2
26 à 31	2
Total	50

Source: Adapté de www.globefund.com.

a) Quelle est la probabilité que les dividendes d'un fonds choisi au hasard ait affiché un rendement de 26 à 31 % ?

b) Les événements « de –9 à –4 », « de –4 à 1 », et ainsi de suite sont-ils considérés comme mutuellement exclusifs ?

c) Si les probabilités associées aux divers résultats étaient totalisées, à combien s'élèverait la somme obtenue ?

d) Quelle est la probabilité de choisir un fonds ayant un rendement sur un an pouvant atteindre jusqu'à 11 % ?

e) Calculez la probabilité de choisir un fonds ayant un rendement sur un an de moins de 1 % ?

5.59   Définissez chacun des termes suivants :

a) Probabilité conditionnelle

b) Événement

c) Probabilité conjointe

5.60   La première carte tirée d'un jeu de 52 cartes standard était un roi.

a) Si elle est remise dans le jeu et que les cartes sont soigneusement mélangées, quelle est la probabilité de tirer un roi au cours de la deuxième sélection ?

b) Si le roi n'est pas remis dans le jeu, quelle est la probabilité de tirer un roi au cours de la deuxième sélection ?

c) Quelle est la probabilité de tirer un roi au cours du premier tour et un autre roi au cours du deuxième (en supposant que le premier roi ne soit pas remis dans le jeu) ?

5.61   La société Contrôle de signaux avancés inc., un fabricant de systèmes de feux de signalisation, a découvert au cours de tests de durée de vie que 95 % des nouveaux systèmes mis au point duraient trois ans avant de faire défaut.

a) Si une ville achetait quatre de ces systèmes, quelle est la probabilité que les quatre systèmes fonctionnent durant au moins trois ans ?

b) Quelle règle de probabilité ce problème illustre-t-il ?

c) À l'aide de lettres représentant les quatre systèmes, créez une équation qui montre comment vous en êtes arrivé à la réponse en a).

5.62   Reportez-vous à l'image à gauche.

a) Comment s'appelle cette image ?

b) Quelle règle de probabilité a-t-on illustrée ?

c) Si *B* représente l'événement *le fonds commun de placement affiche un rendement positif,* à combien $P(B) + P(\sim B)$ est-elle égale ?

5.63 La professeure Usha Patnaik fait un cours sur la mécanique des fluides et un cours optionnel intitulé *Comment faire mentir les statistiques*. Elle demande à ses étudiants de remplir un questionnaire pour connaître leur formation générale. Le tableau suivant montre la distribution de la formation des étudiants. (Aucun des étudiants n'est inscrit aux deux cours.)

Cours	Diplôme d'études secondaires	Diplôme universitaire
La mécanique des fluides	58	7
Comment faire mentir les statistiques	85	15

a) Trouvez la probabilité qu'un étudiant choisi pour une entrevue avec la professeure Patnaik soit inscrit au cours sur la mécanique des fluides étant donné que cet étudiant détient un diplôme d'études secondaires.

b) Calculez la probabilité qu'un étudiant choisi pour l'entrevue soit inscrit au cours sur la mécanique des fluides.

5.64 Supposez une probabilité de 0,90 pour qu'un vol d'Air Canada arrive avec un retard d'au plus 15 minutes. On choisit au hasard quatre vols parmi ceux effectués hier.

a) Quelle est la probabilité que les quatre vols choisis soient arrivés avec un retard d'au plus 15 minutes ?

b) Quelle est la probabilité qu'aucun des vols ne soit arrivé avec un retard d'au plus 15 minutes ?

c) Quelle est la probabilité qu'au moins l'un des vols soit arrivé avec un retard de plus de 15 minutes ?

5.65 Sur les 100 maisons qui font partie de la liste de vente de Burnaby (C.-B.) en 2001, le nombre de maisons comptant 2, 3 et 4 chambres à coucher s'élevait respectivement à 12, 27 et 28 ; 33 maisons comptaient plus de 4 chambres à coucher. (Source : Adapté de www.homestore.ca.)
Une maison est choisie au hasard dans la liste de vente de Burnaby.

a) Quelle est la probabilité que la maison choisie ait trois chambres ?

b) Quelle est la probabilité que la maison ait deux chambres ?

c) Quelle est la probabilité que la maison ait deux ou trois chambres ?

d) Quelle est la probabilité que la maison n'ait ni deux chambres, ni trois chambres ?

5.66 Le tableau de contingence suivant décrit l'état matrimonial des adultes en Alberta.

État matrimonial des adultes en Alberta					
Sexe	Célibataire	Marié	Veuf(ve)	Divorcé(e)	Total
Homme	721 771	707 131	21 790	63 725	1 514 417
Femme	604 777	704 404	93 906	79 732	1 482 819
Total	1 326 548	1 411 535	115 696	143 457	2 997 236

Source : Adapté de Statistique Canada, CANSIM, Matrices 6213-6224 et 6226-6227.

a) Calculez la probabilité qu'un adulte choisi au hasard soit célibataire.

b) Calculez la probabilité qu'un adulte choisi au hasard soit un homme.

c) Calculez la probabilité qu'un adulte choisi au hasard soit célibataire étant donné qu'il s'agit d'un homme.

d) Les événements en a) et en b) sont-ils indépendants ?

5.67 Une société qui embouteille des boissons gazeuses a découvert que 1 % de ses bouteilles de 1,89 L n'étaient pas remplies conformément aux spécifications. Si la personne chargée du contrôle de la qualité choisit au hasard trois bouteilles dans l'usine d'embouteillage :

a) Quelle est la probabilité qu'aucune des trois bouteilles ne soient remplies conformément aux spécifications ?

b) Quelle est la probabilité que les trois bouteilles soient remplies conformément aux spécifications ?

5.68 Selon un rapport publié par Statistique Canada sur les activités physiques des Canadiens âgés de 12 ans et plus, 50,42 % de la population est constituée d'hommes, dont 16,51 % font des activités physiques. Quelle est la probabilité de sélectionner un homme canadien faisant des activités physiques ? (Source : Adapté de Statistique Canada, CANSIM 111040033 et Catalogue n° 82-221-XIE, dernière modification : le 18 mars 2001.)

5.69 Une société d'assurances fait de la publicité à la télévision pour sa police d'assurance vie destinée aux hommes âgés de 60 ans. Les tableaux du taux de mortalité révèlent que la probabilité qu'un homme âgé de 60 ans survive une année de plus est 0,98. Si la société vend la police à trois hommes de 60 ans :

a) Quelle est la probabilité que les trois hommes survivent durant l'année ?

b) Quelle est la probabilité qu'aucun ne survive durant l'année ?

5.70 La docteure Wei enseigne la thermodynamique aux étudiants de première année inscrits au programme d'ingénierie chimique. Le nombre total d'étudiants dans la classe est élevé. En fonction de son expérience de l'an dernier, elle estime que 87 % de ses étudiants réussiront l'examen. Si elle choisit cinq étudiants au hasard :

a) Quelle est la probabilité que les cinq étudiants choisis réussissent l'examen de thermodynamique ?

b) Quelle est la probabilité qu'aucun des cinq étudiants ne réussisse l'examen de thermodynamique ?

5.71 Une étude de marché effectuée par la société Alarmes personnalisées a révélé que 28 % des habitants de Scarborough (Ont.) avaient installé un système d'alarme et avaient demandé à cette société de surveiller leur maison. Si l'on choisit trois maisons au hasard :

a) Quelle est la probabilité que les trois maisons choisies aient un système d'alarme ?

b) Quelle est la probabilité qu'au moins une des trois maisons choisies ait un système d'alarme ?

5.72 Un jongleur possède un sac qui contient 10 balles : 3 vertes, 2 jaunes, 1 rouge et 4 bleues. Le jongleur choisit une balle aléatoirement. Ensuite, sans la remettre dans le sac, il en choisit une deuxième. Quelle est la probabilité que le jongleur choisisse une balle jaune puis une balle bleue ?

5.73 Le conseil d'administration de la société Portes automatiques Sergent est constitué de 12 membres, dont 3 femmes. On forme un comité de trois membres du conseil d'administration pour rédiger un nouveau guide des politiques et procédures de la société. Les 3 membres du comité sont choisis aléatoirement parmi les 12 administrateurs.

a) Quelle est la probabilité que tous les membres du comité soient des hommes ?

b) Quelle est la probabilité qu'au moins un membre du comité soit une femme ?

5.74 On a demandé à des clients de la banque CIBC de choisir un numéro d'identification personnel (NIP) pour payer leur compte Visa dans les guichets automatiques. Ce code est formé de quatre chiffres.

a) Quel est l'ensemble fondamental de cette expérience ?

b) Quelle est la probabilité que Jeanne Leblanc et Francine Toupin choisissent le même NIP ?

5.75 Le tableau de contingence suivant classe les étudiants qui ont passé le premier test de *Méthodes quantitatives II* en fonction du sexe et de la note obtenue.

	Note					
Sexe	A	B	C	D	F	Total
Femme	9	9	5	4	4	31
Homme	7	6	5	2	1	21
Total	16	15	10	6	5	52

On choisit un des étudiants au hasard.
a) Quelle est la probabilité que la personne choisie soit un homme ?
b) Quelle est la probabilité que la personne choisie soit une femme et qu'elle ait un A ?
c) Quelle est la probabilité que la personne choisie ait un D ?

5.76 M. et Mme Beaulieu sont tous les deux à la retraite et vivent dans une communauté de retraités à Victoria (C.-B.). Supposez que la probabilité qu'un homme retraité vive encore dans 10 ans soit 0,60 ; qu'une femme retraitée vive encore dans 10 ans soit 0,70.
a) Quelle est la probabilité que M. et Mme Beaulieu soient tous deux encore vivants dans 10 ans ?
b) Quelle est la probabilité que M. Beaulieu ne vive pas et que Mme Beaulieu vive dans 10 ans ?
c) Quelle est la probabilité qu'au moins l'un d'eux vive dans 10 ans ?

5.77 Une société d'études de marché évalue les chances de succès de projets d'ouverture de boutiques de vêtements pour femmes dans les centres commerciaux. La société classe les projets selon que leurs chances de succès sont bonnes, moyennes ou faibles. Les dossiers historiques de la société montrent que les chances de succès étaient jugées bonnes dans 60 % des cas, moyennes dans 30 % des cas et faibles dans 10 % des cas. Parmi les boutiques classées bonnes, 80 % ont enregistré un bénéfice la première année ; de plus, 60 % de celles classées moyennes et 20 % de celles classées faibles ont enregistré un bénéfice la première année. La boutique de vêtements Johanne a fait l'objet d'une évaluation par la société l'an dernier et a enregistré un bénéfice. Quelle est la probabilité que ses chances de succès aient été jugées faibles ?

5.78 Il y a 400 employés dans une usine de fabrication et 100 de ceux-ci fument la cigarette. Il y a 250 hommes qui travaillent pour l'entreprise et 75 d'entre eux fument. Quelle est la probabilité qu'un employé choisi au hasard :
a) soit un homme ?
b) fume ?
c) soit un homme et fume ?
d) soit un homme ou fume ?

5.79 La docteure Nadine Flan est coordonnatrice du programme de maîtrise de marketing des services financiers dans une université. Ses dossiers montrent que, sur 200 étudiants inscrits au programme, 60 suivent le cours d'études cinématographiques, 25, un cours de rattrapage en mathématiques et 15, les deux cours.
a) Quelle est la probabilité qu'un étudiant choisi aléatoirement pour une entrevue avec la Dr Flan suive le cours d'études cinématographiques ou de rattrapage en mathématiques ?
b) Quelle est la probabilité qu'un étudiant choisi aléatoirement ne suive ni le cours d'études cinématographiques ni le cours de rattrapage en mathématiques ?

5.80 Le Loto Super 7 se joue tous les vendredis au Canada. Il faut choisir un ensemble de 7 numéros compris entre 1 et 47.
   a) Combien de combinaisons de sept numéros sont possibles ?
   b) Un joueur a le droit de choisir trois ensembles de sept numéros s'il achète un billet de 2 $. Quelle est la probabilité de gagner si le joueur achète un seul billet ?

5.81 Dans une usine, on vient de créer une nouvelle tâche qui consiste à monter quatre pièces différentes. Ces pièces ont des codes de couleur différents. On peut les monter dans n'importe quel ordre. Le service de la production souhaite déterminer la façon la plus efficace de monter les quatre pièces. Les superviseurs s'apprêtent à effectuer quelques expériences pour résoudre le problème. Ils ont l'intention de monter les pièces dans un ordre donné, puis de noter la durée d'exécution. Ils exécuteront ensuite le montage dans un ordre différent et noteront le temps nécessaire au montage. De combien de façons est-il possible de monter les quatre pièces ?

5.82 On a découvert qu'en Chine, 60 % des touristes visitent la Cité interdite, le temple du Paradis, la Grande Muraille et d'autres sites historiques à Beijing ou près de là. De ces touristes, 40 % ont visité Xi'an, où l'on trouve les magnifiques soldats, chevaux et chariots en terre cuite qui furent enterrés pendant plus de 2000 ans. On sait que 30 % des touristes ont visité Beijing et Xi'an. Quelle est la probabilité qu'un touriste choisi au hasard ait visité au moins un de ces endroits ?

5.83 On a reçu deux boîtes d'allure identique contenant des vêtements bleu marine pour hommes. La première boîte contenait 25 polos et 15 chemises ; la deuxième contenait 30 polos et 10 chemises. On a choisi aléatoirement une des boîtes ainsi qu'un vêtement dans cette boîte pour l'inspecter. Il s'agissait d'un polo. Étant donné ces renseignements, quelle est la probabilité que le polo provienne de la première boîte ?

5.84 Les dirigeants du restaurant Riccardo souhaitent faire paraître une publicité mentionnant la grande variété de repas proposés. Dans leur table d'hôte, ils proposent 4 soupes différentes, 3 salades, 12 entrées, 6 légumes et 5 desserts. Combien de repas différents un client peut-il composer en table d'hôte ? De plus, Riccardo propose un spécial à prix réduit pour ceux qui arrivent tôt : les clients peuvent éliminer un service, sauf l'entrée. Combien de repas différents un client peut-il composer s'il désire profiter du spécial ?

5.85 Il y a plusieurs années, Wendy's annonçait qu'il était possible de commander un hamburger de 256 façons. Vous pouvez choisir aucun ou plusieurs des condiments suivants pour votre hamburger : moutarde, ketchup, oignons, cornichon, tomate, relish, mayonnaise et laitue. La publicité était-elle juste ? Présentez les calculs que vous avez effectués pour trouver votre réponse.

5.86 La société Construction Marion a convenu de ne pas construire de maisons d'allure identique dans un nouveau lotissement. Elle offre aux futurs acheteurs cinq modèles différents pour l'extérieur. Elle a normalisé trois plans d'intérieur qu'il est possible d'intégrer à n'importe quel des cinq modèles d'extérieur. De combien de façons différentes peut-elle offrir les plans d'extérieur et d'intérieur aux futurs acheteurs ?

5.87 Une tisseuse de tapis a décidé d'utiliser sept couleurs assorties pour sa nouvelle ligne de tapis. Cependant, lorsqu'on tisse le tapis, on ne peut utiliser que cinq broches. Dans sa publicité, elle aimerait mentionner le nombre de groupes de couleurs différents qui composeront ses tapis. Combien y a-t-il de groupes de couleurs ? (On suppose que cinq couleurs seront utilisées dans chaque tapis ; il n'y a donc pas de répétition des couleurs.)

5.88   Pour solliciter le point de vue du corps professoral sur une nouvelle technique d'enseignement, l'apprentissage par problèmes, le doyen de la faculté de gestion d'une université souhaite former un groupe de 3 membres choisis parmi les 35 professeurs de la faculté pour animer un groupe de discussion sur le sujet. Quel est le nombre de combinaisons possibles ?

5.89   On vient de créer une nouvelle gomme à mâcher qui aide les gens à arrêter de fumer. Si 60 % des personnes qui mâchent cette gomme arrêtent de fumer, quelle est la probabilité que, dans un groupe de quatre fumeurs consommant cette gomme, au moins une de ces personnes arrêtera de fumer ?

5.90   Au Canada, les codes postaux sont composés de trois lettres et de trois chiffres, chaque lettre du code étant suivie d'un chiffre, par exemple M1J 1V3. Combien de codes postaux peut-on créer quand on utilise les 26 lettres de l'alphabet et les 10 chiffres (de 0 à 9) ?

5.91   Dans un nouveau modèle de voiture sport, les freins sont défectueux dans 15 % des cas et le mécanisme de direction est défectueux dans 5 % des cas. Supposons (et espérons) que ces problèmes soient indépendants. Si la voiture présente un seul de ces problèmes, on la qualifie de « citron » ; si elle présente les deux problèmes, elle est un « danger public ». Votre professeure a fait l'achat d'une de ces voitures hier. Quelle est la probabilité qu'elle soit :
   a) un citron ?
   b) un danger public ?

5.92   Une société immobilière a acheté quatre lopins de terre à Clarington et six à Bowmanville dans la région de Durham dans l'est de Toronto. Les lopins sont tous intéressants et se vendent environ le même prix.
   a) Quelle est la probabilité que, sur ces 10 lopins de terre, les 2 premiers vendus se trouvent à Bowmanville ?
   b) Quelle est la probabilité que, sur les quatre premiers lopins vendus, au moins un se trouve à Clarington ?

5.93   Sonia Penuche enseigne les mathématiques appliquées aux affaires à des étudiants inscrits aux programmes de marketing et de ressources humaines. Ces deux programmes sont combinés pour rentabiliser ce cours de mathématiques. Des 45 étudiants inscrits en marketing, 10 ont échoué au test et, des 35 étudiants en ressources humaines, 5 ont échoué. Mme Penuche doit discuter avec chaque étudiant de ses progrès après le test.
   a) Quelle est la probabilité qu'un étudiant choisi au hasard pour discuter de mathématiques soit inscrit au programme de ressources humaines ? Quelle est la probabilité que l'étudiant ait échoué ?
   b) Quelle est la probabilité que l'étudiant choisi soit inscrit au programme des ressources humaines, étant donné qu'il a échoué au test ?
   c) Calculez la probabilité que l'étudiant choisi n'ait pas échoué au test. Quelle règle de probabilité avez-vous utilisée pour la calculer ?

5.94   Un emballage de 24 boîtes de conserve contient 1 boîte contaminée. Il faut choisir trois boîtes au hasard pour les tester.
   a) Combien de combinaisons différentes des trois boîtes pourrait-on choisir ?
   b) Quelle est la probabilité que la boîte contaminée soit choisie pour les tests ?

5.95   Une enseignante universitaire souhaite préparer un examen portant sur une section d'un chapitre d'un manuel de mathématiques appliquées aux affaires. L'examen comprend six questions. L'enseignante dispose d'une banque de 15 questions d'examen portant sur cette section. Un étudiant qui n'a pu se présenter à l'examen a le droit de passer un autre test sur cette même section. Combien de tests peut-elle préparer à partir de sa banque de questions ?

5.96 La société Daniel électronique inc. achète des tubes cathodiques pour téléviseurs à quatre fournisseurs. La société Fournitures Tibet lui livre 20 % des tubes, Importations Fuji, 30 %, Jocelyne Tubes, 25 % et Pièces inc., 25 %. La société Fournitures Tibet lui offre la meilleure qualité de tubes puisque 3 % seulement sont défectueux. Chez Fuji, 4 % sont défectueux, chez Jocelyne, 7 % et chez Pièces inc., 6,5 %.

a) Quel est le pourcentage global de tubes défectueux ?

b) On a découvert un tube défectueux dans la dernière livraison. Quelle est la probabilité que celui-ci provienne de Fournitures Tibet ?

c) Quelle est la probabilité que ce tube défectueux provienne d'Importations Fuji ? de Jocelyne Tubes ? de Pièces inc. ?

5.97 Le centre Visa d'une banque de la région du Grand Toronto a découvert que 67 % des détenteurs de cartes paient leur solde mensuel en totalité à la date d'exigibilité du paiement. Supposez que le centre de carte de crédit choisisse au hasard trois détenteurs de carte.

a) Quelle est la probabilité que les trois détenteurs de carte paient le nouveau solde mensuel en totalité ?

b) Quelle est la probabilité qu'au moins un d'entre eux paie son nouveau solde mensuel en totalité ?

5.98 Un conseiller en placements qui travaille pour une société de gestion a un portefeuille de 125 actions. Des 125 actions, 70 sont des titres de premier ordre et le reste, des actions cotées en cents. Durant la dernière semaine, le cours de 30 actions de premier ordre a augmenté et le cours de 40 des 55 actions cotées en cents a diminué.

a) Faites un tableau croisé des actions en fonction de leur catégorie et de leur variation de prix durant la dernière semaine.

b) Quelle est la probabilité qu'une action choisie par le conseiller soit de premier ordre et ait connu une augmentation de prix ?

c) Quelle est la probabilité que le cours d'une action choisie par le conseiller ait diminué ?

5.99 Un organisateur de voyages de la région du Grand Toronto a demandé à des touristes japonais de choisir un groupe de 4 attractions touristiques à partir d'une liste de 12.

a) Comptez le nombre de combinaisons possibles à partir desquelles un touriste peut faire son choix.

b) Quelle est la probabilité qu'une de ces combinaisons soit choisie par un touriste ? (Supposez que chaque attraction touristique ait des chances égales d'être choisie et que les choix soient indépendants.)

5.100 Pour réduire les vols, la société Meredith vérifie tous ses employés en leur faisant passer le test du détecteur de mensonges, qui est exact dans 90 % des cas (tant pour les coupables que pour les innocents). George Meredith a décidé de congédier tous les employés qui échouent au test. Supposez que 5 % des employés soient coupables de vol.

a) Environ quelle proportion des travailleurs seront congédiés ?

b) Des travailleurs congédiés, environ quelle proportion seront effectivement coupables ?

c) Des travailleurs qui ne seront pas congédiés, environ quelle proportion seront coupables ?

d) Que pensez-vous de la politique de M. Meredith ?

5.101   La société Peterson's Vitamins, qui fait passer une annonce dans la revue *Healthy Living,* estime que 1 % des abonnés lui achèteront des vitamines. Elle estime en outre que 0,5 % des personnes qui ne sont pas abonnées à la revue achèteront leurs produits et qu'il y a 1 chance sur 20 qu'une personne soit un abonné.

   a) Trouvez la probabilité qu'une personne choisie au hasard achète les vitamines.

   b) Si une personne achète les vitamines, quelle est la probabilité qu'elle soit abonnée à *Healthy Living* ?

   c) Si une personne n'achète pas les vitamines, quelle est la probabilité qu'elle soit abonnée à *Healthy Living* ?

5.102   ABC Assurance automobile classe les conducteurs comme suit : à risque peu élevé, à risque moyen ou à risque élevé. Les conducteurs qui veulent s'assurer se classent dans un de ces trois groupes selon les proportions suivantes : 30 %, 50 % et 20 % respectivement. La probabilité d'avoir un accident est de 0,01 chez les conducteurs à faible risque ; elle est de 0,03 chez les conducteurs à risque moyen et de 0,10 chez les conducteurs à risque élevé. La société vend à M. Brun une police d'assurance, et il a un accident. Quelle est la probabilité que M. Brun ait été classé comme :

   a) un conducteur à faible risque ?

   b) un conducteur à risque moyen ?

   c) un conducteur à risque élevé ?

www.exercices.ca 5.103

5.103   Consultez le site www.homestore.ca. Cliquez sur l'option *Find a Home.* Entrez *Toronto* dans la boîte des villes et choisissez *ON* (*Ontario*) comme province. Sélectionnez *Residential Single Family* (maison unifamiliale), choisissez 1 000 000 $ dans *Minimum Price* (prix minimum), 2 000 000 $ dans *Maximum Price* (prix maximum) et *3+ Beds* dans la boîte du nombre minimum de chambres à coucher (*Beds*). Cliquer sur *Go.* Créez un tableau de contingence semblable à celui-ci.

Prix (en millions de $)	3 chambres	4 chambres	Plus de 4 chambres	Total
1 à 2				
2 à 3				

Classez le nombre de maisons pour chacune des combinaisons du nombre de chambres à coucher et du prix (en millions de $) de 1 à 2 et de 2 à 3. Ensuite, remplissez le tableau ci-dessus.

   Supposez qu'une maison soit choisie aléatoirement dans la liste.

   a) Quelle est la probabilité que la maison choisie ait trois chambres à coucher ?

   b) Quelle est la probabilité que la maison choisie ait soit trois, soit quatre chambres à coucher ?

   c) Quelle est la probabilité que le prix de la maison choisie se situe entre un et deux millions de dollars et qu'elle ait quatre chambres à coucher ?

   d) Étant donné que la maison choisie a trois chambres à coucher, quelle est la probabilité que son prix se situe entre deux et trois millions de dollars ?

   e) Quelle est la probabilité que la maison choisie ait plus de quatre chambres à coucher ?

   f) Quelle est la probabilité que le prix de la maison choisie se situe entre un et deux millions de dollars ?

EXERCICES 5.104 À 5.106
DONNÉES INFORMATIQUES

5.104   Des données sur l'espérance de vie des habitants de différents pays se trouvent dans le fichier Exercice 5-104.xls. Classez les valeurs de l'espérance de vie en trois catégories : espérance de vie faible (44,9 à 60), espérance de vie moyenne (60 à 70) et espérance de vie élevée (70 à 80). À l'aide d'Excel, créez la distribution de fréquences. Supposez qu'un pays soit choisi au hasard dans cette liste.

    a) Trouvez la probabilité que le pays choisi ait une espérance de vie faible.

    b) Trouvez la probabilité que le pays choisi ait une espérance de vie élevée.

    c) Calculez la probabilité de choisir un pays ayant une espérance de vie faible ou élevée. Quelle règle de probabilité avez-vous utilisée pour répondre à cette question ?

5.105   Le fichier Top_1000Companies.xls présente des entreprises, leur type, le bénéfice ou la perte. Triez le fichier à l'aide de la clé de tri « Secteur » [*Group (Industry)*]. Choisissez deux types d'entreprises, métaux précieux (*precious metals*) et services financiers (*financial services*), et créez un nouveau fichier contenant le nom de l'entreprise dans une colonne, le type dans une deuxième et le bénéfice ou la perte dans une troisième. Créez un tableau dans lequel la première colonne donne le type d'entreprise, la seconde, le nombre d'entreprises de chaque type enregistrant un bénéfice et la troisième, le nombre d'entreprises de chaque type enregistrant une perte. Une société est choisie au hasard dans la liste des entreprises des deux types.

    a) Trouvez la probabilité que la société choisie enregistre un bénéfice.

    b) Trouvez la probabilité que la société choisie enregistre une perte.

    c) Trouvez la probabilité que la société choisie œuvre dans le secteur des services financiers étant donné qu'elle a réalisé un bénéfice.

    d) Trouvez la probabilité que la société choisie ait enregistré un bénéfice de plus de 10 000 $.

    e) Trouvez la probabilité que la société choisie œuvre dans le secteur des métaux précieux et qu'elle ait enregistré un bénéfice.
    (Source : Bell Globemedia Publishing inc., *Report on Business Magazine*, 29 juin 2001.)

5.106   Un professeur a compilé une liste contenant le nom des programmes auxquels sont inscrits ses étudiants ainsi que leur note finale dans le cours *Méthodes quantitatives I*. La liste est enregistrée dans le fichier Exercice 5-106.xls. Utilisez un tableur (Excel) pour créer un tableau de contingence dans lequel les programmes sont associés aux lignes et les notes, aux colonnes. Le professeur choisit aléatoirement un des étudiants inscrits au cours *Méthodes quantitatives I*.

    a) Calculez la probabilité que l'étudiant choisi soit inscrit au programme de comptabilité (*Accounting*).

    b) Calculez la probabilité que l'étudiant choisi soit inscrit au programme de comptabilité ou au programme de marketing du sport (*Sport and Event Marketing*).

    c) Calculez la probabilité que l'étudiant choisi soit inscrit au programme de marketing du sport, étant donné qu'il a obtenu un B.

    d) Calculez la probabilité que l'étudiant choisi ait un B, étant donné qu'il est inscrit au programme de marketing du sport.

    e) Calculez la probabilité que l'étudiant choisi ait obtenu un A+.

5.1 a) Oui. Le résultat de l'expérience est incertain puisqu'on ne sait pas comment évoluera le prix des actions la prochaine journée où la Bourse sera ouverte et qu'il est généralement reconnu que l'évolution du cours des actions est aléatoire.

b) Le prix des actions augmentera, diminuera ou demeurera le même. Ainsi, l'ensemble fondamental est {le prix augmentera, le prix diminuera, le prix demeurera le même}.

5.2 a) Voir la réponse à la révision 5.9.

5.3 Soit A_1 l'événement *le premier étudiant a réussi*, A_2 l'événement *le second étudiant a réussi*, B_1 l'événement *le premier étudiant a échoué* et B_2 l'événement *le second étudiant a échoué*.

a) A_1 ou A_2

b) B_1 ou B_2

c) Ils *ne* sont *pas* mutuellement exclusifs puisque le résultat $(A_1$ et $B_2)$ appartient aux deux lorsqu'un et un seul des deux étudiants choisis a réussi. Ils sont collectivement exhaustifs puisque tous les résultats appartiennent à au moins l'un d'eux.

5.4 **1.** $\dfrac{4 \text{ reines dans le jeu}}{52 \text{ cartes au total}} = \dfrac{4}{52} = 0{,}0769$; classique.

2. $210/500 = 0{,}42$

3. a) $\dfrac{\text{Nombre de fois que l'événement s'est réalisé}}{\text{Nombre total d'observations}}$

$= \dfrac{156 + 224}{1000} = 0{,}38$

b)

Cola	Goût	
	Sucré	**Très sucré**
Cola 1	0,527	0,156
Cola 2	0,093	0,224

c) Oui. L'ensemble de tous les événements simples est mutuellement exclusif et collectivement exhaustif.

5.5 **1.** La probabilité marginale que se réalise l'événement *très sucré* est $P(\text{très sucré})$.

$= P(\text{Cola 1 et très sucré}) + P(\text{Cola 2 et très sucré})$
$= (0{,}156 + 0{,}224)$
$= 0{,}380$

C'est la même réponse qu'avant.

2. Soit A l'événement *l'entreprise choisie œuvre dans le secteur des services financiers ou dans celui des mines.*

a) $P(A) = P(\text{Services financiers}) + P(\text{Mines})$
$= 0{,}33 + 0{,}10 = 0{,}43$

b) $P(\sim A) = 1 - P(A) = 1 - 0{,}43 = 0{,}57$

c)

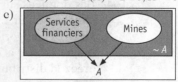

5.6 Soit A = Frais médicaux importants; B = Frais dentaires importants.
$P(A) = 0{,}08$; $P(B) = 0{,}15$; et $P(A \text{ et } B) = 0{,}03$.
Donc, $P(A \text{ ou } B) = P(A) + P(B) - P(A \text{ et } B) = 0{,}08 + 0{,}15 - 0{,}03 = 0{,}20$

5.7 **1.** $(0{,}80)(0{,}80)(0{,}80)(0{,}80) = 0{,}4096$

2. a) $0{,}0000156$, que l'on trouve par :
$(0{,}025)(0{,}025)(0{,}025) = 0{,}0000156$

b) La probabilité qu'on sélectionne trois sacs et qu'on détermine que leur poids est insuffisant est très faible.

5.8 **1.** a) $\left(\dfrac{4}{12}\right)\left(\dfrac{3}{11}\right)\left(\dfrac{2}{10}\right)\left(\dfrac{1}{9}\right) = \dfrac{24}{11\,880} = 0{,}002$

b) $\left(\dfrac{8}{12}\right)\left(\dfrac{7}{11}\right)\left(\dfrac{6}{10}\right)\left(\dfrac{5}{9}\right) = \dfrac{1680}{11\,880} = 0{,}1414$

c) Non. Il y a d'autres possibilités, comme trois femmes et un homme.

2. Soit l'événement A_1 = préfère le Cola 1 et l'événement B_2 = préfère les boissons au cola très sucrées.

$P(A_1 | B_2) = \dfrac{P(B_2 \text{ et } A_1)}{P(B_2)} = \dfrac{0{,}156}{0{,}38} = 0{,}41$

5.9 Reprenons les notations de la question 5.3.

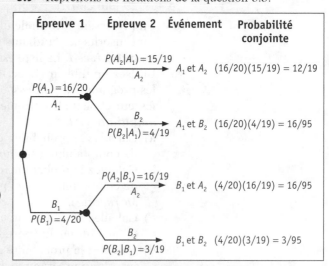

5.10 $P(A_3|B_2)$

$$= \frac{P(A_3)P(B_2|A_3)}{P(A_1)P(B_2|A_1) + P(A_2)P(B_2|A_2) + P(A_3)P(B_2|A_3)}$$

$$= \frac{(0,50)(0,96)}{(0,30)(0,97) + (0,20)(0,95) + (0,50)(0,96)}$$

$$= \frac{0,480}{0,961} = 0,499$$

5.11 **1.** Il y en a 20, que l'on trouve ainsi :
(5)(4) = 20.

2. Il y en a 72, que l'on trouve ainsi :
(3)(2)(4)(3) = 72.

5.12 **1.** 126, que l'on trouve ainsi : $_9C_4 = \dfrac{9!}{4!(9-4)!} = 126$

2. 5040, que l'on trouve ainsi :

$$_{10}P_4 = \frac{10!}{(10-4)!} = \frac{(10)(9)(8)(7)\cancel{6!}}{\cancel{6!}} = 5040$$

3. 30, que l'on trouve ainsi : $_6P_2 = \dfrac{6!}{(6-2)!} = 30$

CHAPITRE 6

Les distributions discrètes

OBJECTIFS D'APPRENTISSAGE

Après avoir lu ce chapitre, vous serez en mesure :

- de définir les termes *distribution* et *variable aléatoire* ;

- de distinguer les variables aléatoires discrètes des variables aléatoires continues ;

- de calculer la moyenne, la variance et l'écart type d'une distribution discrète ;

- de calculer des probabilités associées à une variable obéissant à une loi binomiale ;

- de calculer des probabilités associées à une variable obéissant à une loi de Poisson ;

 de calculer des probabilités associées à une variable obéissant à une loi hypergéométrique.

JACOB BERNOULLI (1654-1705)

L'intolérance religieuse du roi d'Espagne força l'illustre famille Bernoulli à fuir les Pays-Bas pour s'installer à Bâle, en Suisse, ce qui contribua à faire connaître cette ville au reste du monde. De 1622 à 1828, Bâle compta parmi ses citoyens célèbres plusieurs membres de la famille Bernoulli. Fière de la contribution de ces savants, la ville commémora leurs activités universitaires en donnant leur nom à un édifice de l'Université de Bâle, lequel est entièrement consacré à la physique, à la chimie et à l'astronomie. Jacob (ou Jacques) Bernoulli naquit le 27 décembre 1654. Sur le conseil de son père, il étudia la philosophie et la théologie et obtint une maîtrise en philosophie en 1671 ainsi qu'un diplôme de théologie en 1676 à l'Université de Bâle. Tout en étudiant la théologie, Jacob Bernoulli s'initiait secrètement – contre la volonté de son père – aux mathématiques et à l'astronomie. Cette même année 1676, il se rendit en France pour y étudier la philosophie cartésienne, puis aux Pays-Bas et en Angleterre pour parfaire ses connaissances en mathématiques. De retour à Bâle, il devint membre de l'Université en 1683.

En 1681, alors que les théologiens prédisaient la chute d'une comète en signe de la colère divine, Bernoulli, qui pensait différemment, se consacra à parfaire une théorie du mouvement des comètes. Il obtint la chaire de mathématiques à l'Université de Bâle en 1687 et conserva ce poste jusqu'à sa mort, en 1705. Il étudia les ouvrages de Leibniz sur le calcul infinitésimal, textes difficiles à comprendre pour les mathématiciens de l'époque, et appliqua les principes présentés dans ces ouvrages.

Son grand traité posthume, *Ars conjectandi* ou *L'art de la conjecture,* fut préfacé et publié en 1713 par son neveu Nicolas Bernoulli. La première partie comprend les travaux des autres mathématiciens, la deuxième, la théorie des permutations et des combinaisons, la troisième, des solutions à certains problèmes liés aux jeux de hasard et la quatrième, une proposition pour appliquer la théorie des probabilités à l'économie.

INTRODUCTION

Nous avons consacré les chapitres 2 à 4 à la statistique descriptive. Nous avons décrit les données brutes en les organisant en une distribution de fréquences et en représentant la distribution par des figures. En outre, nous avons calculé des mesures de tendance centrale – comme la moyenne arithmétique, la médiane ou le mode – pour trouver une valeur typique de la distribution. L'étendue et l'écart type ont servi à décrire la dispersion des données. Dans ces chapitres, nous avons résumé des ensembles de données auxquels nous avons explicitement accès.

Au chapitre 5, nous avons entrepris l'étude de l'inférence statistique. Il s'agit de faire des inférences sur une population à partir d'un ensemble d'observations sélectionnées au hasard dans cette population, appelé échantillon aléatoire. Dans le chapitre 5, nous avons abordé les concepts d'expérience aléatoire et de probabilité, et nous avons examiné les règles d'addition et de multiplication pour calculer les probabilités des événements associés à une expérience aléatoire.

Dans la plupart des situations concrètes, nous nous intéressons à certaines valeurs numériques associées aux résultats possibles d'une expérience aléatoire. L'attribution d'une valeur numérique à chacun des résultats possibles d'une expérience aléatoire nous donne une **variable aléatoire.** Dans ce chapitre, nous abordons l'étude des **distributions** ou **lois de variables aléatoires** qui donnent les probabilités des différentes valeurs de la variable. Une telle distribution est comparable à une distribution de fréquences. Toutefois, au lieu de décrire le passé, elle décrit jusqu'à quel point les événements futurs sont probables.

Nous présentons aussi la moyenne, la variance et l'écart type des distributions discrètes, de même que deux familles de distributions discrètes (lois binomiales et lois de Poisson) que l'on rencontre souvent.

6.1 LES VARIABLES ALÉATOIRES

Dans de nombreuses expériences aléatoires, l'attention se porte non sur le résultat lui-même, mais plutôt sur une valeur numérique associée au résultat. Par exemple, le responsable du contrôle de la qualité a pour principal objectif de maintenir dans des limites acceptables la proportion des articles fabriqués qui ne satisfont pas aux normes de qualité (appelés ici articles défectueux). L'entreprise s'intéresse à ces articles défectueux parce qu'ils nuisent à sa réputation et à la satisfaction du client, et parce que souvent, ils sont retournés afin d'être réparés durant la période de garantie, ce qui augmente les coûts. Ainsi, lorsqu'un inspecteur du contrôle de la qualité évalue un lot fabriqué, il se concentre principalement sur le nombre d'articles défectueux dans le lot. Il s'agit d'une variable aléatoire qui peut prendre les valeurs 0, 1, 2, 3 et ainsi de suite.

 Variable aléatoire   Expérience aléatoire dont chacun des résultats possibles est un nombre.

On peut associer une variable aléatoire à n'importe quelle expérience aléatoire en attribuant une valeur numérique à chacun des résultats possibles de l'expérience. Voici quelques exemples qui illustrent le concept de variable aléatoire.

Si l'on investit 15 000 $ dans des actions ordinaires, le résultat de cette expérience aléatoire peut être résumé par le taux de rendement obtenu. On a observé que les valeurs du taux de rendement varient aléatoirement de jour en jour. Ainsi, le taux de rendement est une variable aléatoire.

Le nombre d'accidents qui se produisent une journée donnée à une intersection très fréquentée en est un autre exemple. Pour n'importe quel jour à venir, le nombre d'accidents à l'intersection est aléatoire et peut être 0, 1, 2 et ainsi de suite. Par conséquent, il s'agit d'une variable aléatoire.

Tout au long de ce chapitre, nous noterons les variables aléatoires par les lettres majuscules X, Y ou Z et la valeur de la variable aléatoire par la minuscule correspondante, soit x, y ou z. Tout au long du manuel, nous réserverons le symbole Z à une variable aléatoire très importante appelée *variable normale centrée réduite,* que nous examinerons en détail au chapitre 7.

LES TYPES DE VARIABLES ALÉATOIRES

Nous étudierons deux types de variables aléatoires, à savoir les variables aléatoires discrètes et les variables aléatoires continues.

 Variable aléatoire discrète   Variable aléatoire pouvant prendre un ensemble fini ou dénombrable de valeurs possibles.

Le nombre de faces observées lorsqu'on lance une pièce deux fois est un exemple de variable discrète. Les résultats possibles sont FF, PP, FP et PF. Ainsi, le « nombre de faces observées » est une variable aléatoire qui peut avoir n'importe laquelle des *trois* valeurs possibles {0, 1, 2}. Le nombre de valeurs est trois, qui est un nombre fini.

À présent, on lance la pièce de monnaie jusqu'à ce qu'on obtienne une série de cinq faces consécutives. Le nombre de lancers requis est une variable aléatoire. Le nombre minimal de lancers est cinq. Cependant, les valeurs possibles du nombre de lancers sont {5, 6, 7, ..., 100 000, ...}. On ne peut attribuer une limite supérieure au nombre de lancers qui seront nécessaires. Il est conceptuellement possible (bien que hautement improbable) que le premier milliard de lancers ne produise pas une série de cinq faces consécutives. L'ensemble des valeurs possibles de la variable « nombre de lancers requis » est donc infini, mais dénombrable.

Voici d'autres exemples de variables aléatoires discrètes :

- le nombre d'enfants dans une famille sélectionnée au hasard ;
- le nombre de voitures vendues par un vendeur un jour donné ;
- le nombre d'articles défectueux produits en une journée.

 Variable aléatoire continue   Variable aléatoire pouvant prendre n'importe quelle valeur à l'intérieur d'un intervalle donné ou d'un ensemble d'intervalles.

Lorsque le résultat désiré est la mesure d'un attribut comme la taille, le poids, le temps ou la température, la variable aléatoire utilisée est habituellement continue. En voici des exemples :

- la taille et le poids d'une personne sélectionnée au hasard ;
- le délai d'attente d'un client pour recevoir une autorisation de carte de crédit dans un magasin ;
- le poids d'un article acheté dans une épicerie.

En résumé, une variable aléatoire discrète sert généralement à dénombrer quelque chose, alors qu'une variable aléatoire continue est une mesure d'un attribut comme la taille.

6.2 QU'EST-CE QUE LA DISTRIBUTION ?

La distribution d'une variable aléatoire décrit les probabilités associées aux différentes valeurs possibles de la variable.

La distribution d'une variable aléatoire discrète est dite **distribution discrète** ; celle d'une variable aléatoire continue est dite **distribution continue**. Dans ce chapitre, nous nous limiterons aux distributions discrètes. Au chapitre 7, nous traiterons des distributions continues.

Une distribution discrète est une liste de toutes les valeurs possibles d'une variable aléatoire discrète et des probabilités correspondantes. Une telle distribution peut être décrite par un tableau, un graphique ou une formule. Le tableau ou le graphique sont plus attrayants lorsqu'il faut représenter visuellement la distribution. Cependant, lorsque la variable aléatoire discrète a un très grand nombre de valeurs, le tableau et le graphique deviennent encombrants et perdent quelque peu de leur attrait. La représentation de la distribution discrète par une formule est une représentation condensée qui convient à toutes les variables aléatoires discrètes, qu'elles soient dotées d'un nombre fini ou dénombrable de valeurs possibles.

> **d   Distribution discrète**   Liste de toutes les valeurs possibles d'une variable aléatoire discrète et des probabilités correspondantes.

Exemple 6.1

Supposons qu'on s'intéresse au nombre de faces obtenues après trois lancers d'une pièce de monnaie effectués dans les mêmes conditions. Il s'agit d'une variable aléatoire discrète. Les valeurs possibles de la variable sont 0, 1, 2 et 3. Quelle est la distribution discrète du nombre de faces ?

Solution

Huit résultats sont possibles. Ils figurent dans le diagramme en arbre de la figure 6.1.

L'événement *zéro face* n'est obtenu qu'une seule fois dans le diagramme ; il en est de même de l'événement *trois faces* ; les événements *une face* et *deux faces* correspondent à trois résultats chacun. Si la pièce de monnaie est honnête, chacun des huit résultats possibles est également probable et la probabilité de chacun est de 1/8. Ainsi, la probabilité d'obtenir zéro face sera de 1/8, la probabilité d'une face sera de 3/8 et ainsi de suite. Le tableau 6.1 présente la distribution. Le fait que l'un de ces résultats doive se produire permet de conclure que la somme des probabilités de tous les résultats est 1. Cette propriété est toujours vraie.

FIGURE 6.1   Le diagramme en arbre de trois lancers d'une pièce de monnaie

Lancer 1	Lancer 2	Lancer 3	Résultat	Nombre de faces
		F	FFF	3
	F	P	FFP	2
		F	FPF	2
F	P	P	FPP	1
		F	PFF	2
	F	P	PFP	1
P		F	PPF	1
	P	P	PPP	0

TABLEAU 6.1   La distribution discrète pour le nombre _x_ de faces en trois lancers d'une pièce de monnaie

Nombre de faces x	Probabilité $P(x)$
0	$\frac{1}{8} = 0,125$
1	$\frac{3}{8} = 0,375$
2	$\frac{3}{8} = 0,375$
3	$\frac{1}{8} = 0,125$
Total	$\frac{8}{8} = 1,000$

LES CARACTÉRISTIQUES D'UNE DISTRIBUTION DISCRÈTE

Avant de poursuivre, nous noterons deux caractéristiques importantes d'une distribution discrète.

1. La probabilité d'une valeur x donnée, notée $P(x)$, est comprise entre 0 et 1 inclusivement. (Dans l'exemple des lancers de la pièce de monnaie, $P(0) = 0,125$, $P(1) = 0,375$ et ainsi de suite.)
2. La somme des probabilités de toutes les valeurs possibles est 1. (En se reportant au tableau 6.1, on constate que $0,125 + 0,375 + 0,375 + 0,125 = 1$.)

■ RÉVISION 6.1

À partir des données historiques, les gestionnaires d'un parc national ont estimé de la façon suivante la distribution du nombre de personnes occupant une voiture entrant dans le parc :

Nombre de personnes x	Probabilité $P(x)$
1	0,08
2	0,34
3	0,23
4	0,28
5	0,07

a) Représentez la distribution graphiquement.
b) Trouvez $P(X \geq 2)$.

LA DISTRIBUTION CONJOINTE ET L'INDÉPENDANCE DE DEUX VARIABLES ALÉATOIRES DISCRÈTES

Les applications de la théorie des probabilités en gestion et en économie comportent souvent l'étude des relations qui existent entre deux ou plusieurs variables aléatoires. À titre d'exemple, supposons que Robert veuille investir son argent dans des actions de sociétés de haute technologie – Intec et ICM. Le tableau 6.2 présente une estimation de la distribution conjointe des taux de rendement au cours de la prochaine année des actions d'Intec (X_1) et des actions d'ICM (X_2). (Il est à noter qu'en réalité, le nombre de valeurs possibles du taux de rendement est élevé ; cependant, pour simplifier le problème, on suppose ici que X_1 et X_2 ont seulement trois valeurs possibles.)

TABLEAU 6.2   La distribution conjointe des taux de rendement des actions d'Intec et d'ICM

x_1 (%) \ x_2 (%)	−5	5	10	Probabilité marginale de X_1
−10	0,05	0,15	0,00	0,20
8	0,05	0,35	0,10	0,50
20	0,10	0,10	0,10	0,30
Probabilité marginale de X_2	0,20	0,60	0,20	

Ainsi, $P(X_1 = -10$ et $X_2 = -5) = 0,05$. (Il s'agit de la valeur située à l'intersection de la ligne correspondant à $x_1 = -10$ et de la colonne correspondant à $x_2 = -5$.) De même, $P(X_1 = 8$ et $X_2 = 5) = 0,35$ et ainsi de suite.

À partir du tableau 6.2 de la distribution conjointe de X_1 et de X_2, on peut obtenir la distribution de X_1 (appelée **distribution marginale de X_1**) comme suit : $P(X_1 = -10)$ est égale à la somme de toutes les probabilités conjointes de la ligne correspondant à $x_1 = -10$. Cette somme, qui est égale à 0,2, est inscrite dans la cellule correspondante de la dernière colonne. De même, on obtient $P(X_1 = 8) = 0,5$, et $P(X_1 = 20) = 0,3$.

On peut obtenir la distribution marginale de X_2 comme suit : $P(X_2 = -5)$ est égale à la somme des probabilités conjointes de la colonne correspondant à $x_2 = -5$. Elle est égale à 0,2 et est inscrite dans la cellule correspondante de la dernière ligne. De même, on obtient $P(X_2 = 5) = 0,6$, et $P(X_2 = 10) = 0,2$.

On peut étendre la notion d'indépendance de deux événements (voir le chapitre 5) à la notion d'**indépendance de deux variables aléatoires.** Intuitivement, deux variables aléatoires sont indépendantes si la valeur de l'une n'a aucun effet sur la valeur que l'autre prendra. Dans certains cas, l'indépendance des variables aléatoires est facile à vérifier. Par exemple, supposons que X_1 corresponde au nombre de faces obtenues lorsqu'on lance une certaine pièce de monnaie (qui peut prendre une valeur de 0 ou de 1) et que X_2 corresponde au nombre de faces obtenues lorsqu'on lance une deuxième pièce de monnaie (qui peut encore prendre une valeur de 0 ou de 1). Le résultat du lancer d'une pièce n'aura alors évidemment aucun effet sur le résultat de l'autre. Les deux variables X_1 et X_2 sont donc indépendantes. Toutefois, l'indépendance des variables aléatoires n'est pas toujours facile à vérifier. On a besoin d'une définition plus formelle, qui est présentée ci-dessous.

Indépendance de deux variables aléatoires Deux variables aléatoires X_1 et X_2 sont dites indépendantes si, pour deux sous-ensembles A et B des valeurs possibles de X_1 et de X_2 respectivement,

$P(X_1$ prend une valeur dans A et X_2 prend une valeur dans $B)$
        $= P(X_1$ prend une valeur dans $A) P(X_2$ prend une valeur dans B).   **6.1**

Pour la distribution conjointe du tableau 6.2, $P(X_1 = 8$ et $X_2 = 10) = 0,10$ et $P(X_1 = 8)$ $P(X_2 = 10) = (0,5)(0,2) = 0,10$. Les deux valeurs sont égales. Cependant, $P(X_1 = 20$ et $X_2 = 10) = 0,10$ et $P(X_1 = 20) P(X_2 = 10) = (0,3)(0,2) = 0,06$. Cette fois, les deux valeurs ne sont pas égales.

De ce fait, dans cet exemple, les variables aléatoires X_1 et X_2 ne sont pas indépendantes. (Pour que les variables aléatoires soient indépendantes, l'égalité dans la formule 6.1 doit s'appliquer pour chaque paire de valeurs possibles des deux variables.)

■ RÉVISION 6.2

On a observé l'indépendance des taux de rendement, X_1 et X_2, de deux actions. À partir des distributions de X_1 et de X_2 figurant ci-dessous, calculez la distribution conjointe de X_1 et de X_2.

x_1 (%)	$P(x_1)$
−5	0,2
6	0,7
15	0,1

x_2 (%)	$P(x_2)$
−15	0,3
10	0,2
30	0,5

LES FONCTIONS DES VARIABLES ALÉATOIRES DISCRÈTES

Reprenons l'exemple de la section précédente sur les taux de rendement au cours de la prochaine année des actions d'Intec (X_1) et des actions d'ICM (X_2). Supposons que Robert ait investi 3000 $ dans les actions d'Intec et 2000 $ dans les actions d'ICM. Il souhaite connaître la distribution du rendement net de son investissement total au cours de la prochaine année. Notons R le rendement net de son investissement total. Alors,

$$R = (3000)\left(\frac{X_1}{100}\right) + (2000)\left(\frac{X_2}{100}\right) = 30X_1 + 20X_2$$

R est une fonction des variables aléatoires X_1 et X_2 et est donc une variable aléatoire. Chaque combinaison de valeurs possibles de X_1 et X_2 donne une valeur possible de R. Par exemple, si $x_1 = -10$ et $x_2 = 5$, alors $r = 30(-10) + (20)(5) = -200$ $. La distribution de R figure dans les colonnes $r = 30x_1 + 20x_2$ et $P(r)$ du tableau 6.3.

TABLEAU 6.3 La distribution du rendement net de l'investissement total de Robert dans deux actions

x_1	x_2	$r = 30x_1 + 20x_2$	$P(r)$	x_1	x_2	$r = 30x_1 + 20x_2$	$P(r)$
−10	−5	−400	0,05	8	10	440	0,10
−10	5	−200	0,15	20	−5	500	0,10
−10	10	−100	0,00	20	5	700	0,10
8	−5	140	0,05	20	10	800	0,10
8	5	340	0,35				

Les fonctions des variables aléatoires que nous rencontrerons le plus souvent dans ce manuel sont de la forme $(aX_1 + bX_2)$ ou $(aX_1 + b)^2$.

■ RÉVISION 6.3

Pour la distribution conjointe des variables aléatoires X_1 et X_2 du tableau 6.2, trouvez la distribution de chacune des fonctions suivantes :

a) X_1^2

b) $2X_1 + 3X_2$

6.3 LA MOYENNE, LA VARIANCE ET L'ÉCART TYPE D'UNE DISTRIBUTION

Aux chapitres 3 et 4, nous avons abordé les mesures de position et de dispersion d'une distribution de fréquences. La moyenne indique la position centrale des données et l'écart type décrit la dispersion des données. D'une manière similaire, on résume une distribution par sa moyenne et son écart type. On note la moyenne d'une distribution par la lettre minuscule grecque *mu* (μ) et l'écart type par la lettre minuscule grecque *sigma* (σ).

LA MOYENNE D'UNE VARIABLE ALÉATOIRE DISCRÈTE

Le choix le plus courant d'une caractéristique pour représenter une variable aléatoire est sa **moyenne** (également appelée **valeur espérée**), notée μ. Dans le cas d'une variable aléatoire discrète, la moyenne se définit comme la moyenne pondérée des valeurs possibles de la variable, qu'on calcule en utilisant les probabilités des valeurs comme poids. Ainsi, on l'obtient en multipliant chaque valeur possible de la variable par sa probabilité, puis en calculant la somme de tous les produits ainsi obtenus.

Sous forme de formule, on l'exprime ainsi :

Moyenne d'une distribution discrète	$\mu = E(X) = \sum[xP(x)]$	**6.2**

où la sommation s'étend à toutes les valeurs possibles x de la variable X.

Ici,

$E(X)$ est la valeur espérée de X (discrète) ;
x est une valeur de X ;
$P(x)$ est la probabilité de la valeur x de la variable aléatoire.

En un seul essai d'une expérience aléatoire, la variable aléatoire correspondante prend une seule valeur. Si l'on répète l'expérience plusieurs fois dans les mêmes conditions, la moyenne arithmétique de toutes les valeurs obtenues se rapproche de la moyenne de la variable. Ainsi, la moyenne d'une variable aléatoire est la valeur moyenne qu'on prévoit obtenir à long terme. Pour cette raison, on l'appelle la valeur espérée de la variable aléatoire.

Exemple 6.2   Reconsidérons l'exemple de la section précédente sur les taux de rendement au cours de la prochaine année des actions d'Intec (X_1) et des actions d'ICM (X_2). Le tableau 6.2 présente la distribution conjointe de X_1 et de X_2. Robert a investi 3000 $ dans les actions d'Intec et 2000 $ dans les actions d'ICM.

a) Quelle est la valeur espérée du taux de rendement des actions d'Intec au cours de la prochaine année ?

b) Quelle est la valeur espérée du taux de rendement des actions d'ICM au cours de la prochaine année ?

c) Quelle est la valeur espérée du rendement net de l'investissement total de Robert dans les deux types d'actions au cours de la prochaine année ?

Solution   Le tableau 6.2 présente les probabilités marginales des taux de rendement des actions d'Intec (X_1) et des actions d'ICM (X_2).

a) À l'aide de la formule 6.2, en remplaçant x par x_1, on obtient :
$E(X_1) = \sum[x_1P(x_1)] = (-10)(0{,}2) + (8)(0{,}5) + (20)(0{,}3) = 8$

b) Encore une fois, à l'aide de la formule 6.2, en remplaçant x par x_2, on obtient :
$E(X_2) = \sum[x_2P(x_2)] = (-5)(0{,}2) + (5)(0{,}6) + (10)(0{,}2) = 4$

c) Le rendement net de l'investissement total de Robert dans les deux types d'actions au cours de la prochaine année s'obtient ainsi :

$$R = 30X_1 + 20X_2$$

En utilisant la formule 6.2 et la distribution de R qui figure au tableau 6.3, on peut calculer $E(R)$.

$$
\begin{aligned}
E(R) &= \sum [rP(r)] \\
&= (-400)(0{,}05) + (-200)(0{,}15) + (-100)(0{,}00) \\
&\quad + (140)(0{,}05) + (340)(0{,}35) + (440)(0{,}10) \\
&\quad + (500)(0{,}10) + (700)(0{,}10) + (800)(0{,}10) = 320{,}0
\end{aligned}
$$

Cependant, la formule suivante permet de calculer plus rapidement la valeur de $E(R)$.

Pour des variables aléatoires X_1, X_2, X_3, ..., X_n et des constantes c_0, c_1, c_2, ..., c_n quelconques,

$$E(c_0 + c_1 X_1 + c_2 X_2 + ... + c_n X_n) = c_0 + c_1 E(X_1) + c_2 E(X_2) + ... + c_n E(X_n) \qquad \textbf{6.3}$$

À l'aide de la formule 6.3, où $n = 2$, on obtient :

$$E(R) = E(30 X_1 + 20 X_2) = 30 E(X_1) + 20 E(X_2) = 30(8) + 20(4) = 320$$

■ RÉVISION 6.4

Un joueur a décidé de jouer à la roulette selon les règles suivantes. Il jouera au plus deux fois. Au cours du premier jeu, il pariera 100 \$ sur le noir. S'il gagne, il prendra ses gains et arrêtera ; s'il perd, il jouera une deuxième fois et pariera cette fois 200 \$ sur le noir. En supposant que la roue de la roulette soit une roue standard comportant 18 numéros noirs, 18 numéros rouges et 1 zéro gris, trouvez la valeur espérée de son gain s'il suit ces règles.

LA VARIANCE ET L'ÉCART TYPE

La valeur espérée d'une variable aléatoire mesure la position centrale de la distribution de la variable. Cependant, elle ne décrit pas la dispersion des valeurs de la variable. On comble ce vide par un autre terme appelé **écart type.** Le carré de l'écart type s'appelle la **variance.** La valeur espérée et l'écart type (ou variance) fournissent un résumé utile d'une distribution donnée.

 Variance   Pour une variable aléatoire discrète, la variance se définit comme la moyenne pondérée des carrés des écarts entre les valeurs possibles de la variable et sa valeur espérée, en utilisant les probabilités comme poids.

Soit X une variable aléatoire discrète. Alors, comme nous l'avons déjà vu, $(X - \mu)^2$ est également une variable discrète. La variance de X est la valeur espérée de la variable $(X - \mu)^2$; on l'obtient en multipliant chaque valeur possible $(x - \mu)^2$ de $(X - \mu)^2$ par sa probabilité $P(x)$ et en calculant la somme des produits. Ce calcul s'exprime par la formule suivante :

Variance d'une distribution discrète

$$\sigma^2 = E[(X - \mu)^2] = \sum [(x - \mu)^2 P(x)] \qquad \textbf{6.4}$$

où la sommation s'étend à toutes les valeurs possibles x de X.

Voici les étapes à suivre :

1. Soustrayez la moyenne μ de chaque valeur de la variable, puis élevez cet écart au carré.

2. Multipliez chaque carré ainsi obtenu par sa pondération (probabilité).

3. Faites la somme des produits obtenus pour trouver la variance.

 Écart type   Racine carrée positive de la variance d'une variable aléatoire discrète, notée par le symbole grec σ.

On notera parfois $V(X)$ la variance d'une variable aléatoire X et $SD(X)$ son écart type.

Exemple 6.3

Reconsidérons le problème de l'exemple 6.2 sur les taux de rendement des actions d'Intec (X_1) et des actions d'ICM (X_2) au cours de la prochaine année. Le tableau 6.2 présente la distribution conjointe de X_1 et de X_2.

a) Quel est l'écart type du taux de rendement des actions d'Intec au cours de la prochaine année ?

b) Supposons que Robert décide d'investir 3000 $ dans les actions d'Intec et 2000 $ dans les actions d'une autre entreprise. Supposons aussi que le taux de rendement au cours de la prochaine année de la troisième catégorie d'actions X_3 soit indépendant de X_1 et que $E(X_3) = 6\%$ et $SD(X_3) = 8\%$. Trouvez l'écart type du rendement net de son investissement total au cours de la prochaine année.

Solution

a) On utilise un tableau pour calculer la variance de X_1 à l'aide de la formule 6.4 en remplaçant x par x_1.

x_1	$P(x_1)$	$E(X_1) = \mu$	$(x_1 - \mu)^2$	$(x_1 - \mu)^2 P(x_1)$
-10	0,2	8	324	64,8
8	0,5	8	0	0
20	0,3	8	144	43,2
Total	1,0			108,0

Ainsi, $V(X_1) = 108$. Rappelez-vous que l'écart type est la racine carrée positive de la variance. Donc, l'écart type de X_1 est $\sigma = \sqrt{108} = 10,39$. À présent, puisque l'unité de l'écart type est la même que celle de la variable, on peut dire que, en moyenne, la dispersion des valeurs possibles de la variable (taux de rendement des actions d'Intec) par rapport à sa valeur espérée est 10,39 %. Pour illustrer davantage la notion d'écart type, disons que le taux de rendement des actions d'un autre titre a une valeur espérée de 8 % et un écart type de 15 %. Les valeurs espérées des deux taux de rendement sont les mêmes. Puisque 15 % est supérieur à 10,39 %, on peut affirmer que les taux de rendement des actions de l'autre titre sont plus dispersés que ceux des actions d'Intec. Dans le domaine de l'investissement financier, l'écart type sert souvent de mesure du risque. Ainsi, on peut dire que l'autre titre représente un investissement plus risqué qu'Intec.

Voici une autre formule de la variance d'une distribution discrète. Cette formule a l'avantage d'éviter la plupart des soustractions.

Variance d'une distribution discrète $\sigma^2 = \sum x^2 P(x) - \mu^2$ **6.5**

Pour le taux de rendement des actions d'Intec, on a :

x_1	x_1^2	$P(x_1)$	$x_1^2 P(x_1)$
-10	100	0,2	20
8	64	0,5	32
20	400	0,3	120
Total			172

À l'aide de la formule 6.5, en remplaçant x par x_1, on obtient :

$$V(X_1) = \sigma^2 = \sum x_1^2 P(x_1) - \mu^2 = 172 - (8)^2 = 108$$

Il s'agit de la même valeur que celle trouvée plus haut.

b) Soit R le rendement net de l'investissement total dans les deux actions. Alors, $R = 30X_1 + 20X_3$.

   Puisque les variables aléatoires X_1 et X_3 sont indépendantes, la formule suivante permet de calculer plus rapidement la variance de R.

Pour des variables aléatoires indépendantes X_1, X_2, X_3, ..., X_n et des constantes c_0, c_1, c_2, ..., c_n quelconques,

$$V(c_0 + c_1X_1 + c_2X_2 + ... + c_nX_n) = (c_1)^2 V(X_1) + (c_2)^2 V(X_2) + ... + (c_n)^2 V(X_n) \qquad \textbf{6.6}$$

À l'aide de la formule 6.6, avec $n = 2$, on obtient :

$$V(R) = V(30X_1 + 20X_3) = (30)^2 V(X_1) + (20)^2 V(X_3) = (900)(108) + (400)(8)^2 = 122\,800.$$

Donc, $SD(R) = \sqrt{122\,800} = 350{,}43$.

Il est à noter que la formule 6.6 ne s'applique qu'aux variables aléatoires indépendantes. Si Robert avait investi son argent dans les actions d'Intec et d'ICM, on n'aurait pas pu utiliser la formule 6.6 pour calculer l'écart type de son rendement total R puisque les variables X_1 et X_2 ne sont pas indépendantes. Dans ce cas, on aurait calculé la distribution de R, puis on aurait appliqué la formule 6.4 ou 6.5 à cette distribution.

■ RÉVISION 6.5

Pour répondre à ces questions, référez-vous aux données de l'exemple 6.3.

   a) Trouvez l'écart type du taux de rendement des actions d'ICM.
   b) Si Cathy investit 500 $ dans les actions d'Intec et 1000 $ dans des actions du troisième titre considéré ci-dessus, trouvez l'écart type du rendement de son investissement total au cours de la prochaine année.

EXERCICES 6.1 À 6.8

6.1   Calculez la moyenne et la variance de la distribution discrète suivante.

x	$P(x)$
0	0,20
1	0,40
2	0,30
3	0,10

6.2   Une société d'assurances vend une police d'assurance vie assortie d'un capital de 250 000 $ à des hommes de 45 ans. La prime annuelle coûte 543 $.
       Si l'on suppose que 0,39 % des détenteurs de police meurent dans l'année, quel est le rendement espéré de la société par détenteur de police pour l'année considérée ?

6.3   Parmi les trois paires de colonnes ci-dessous, une seule est une distribution.

a) Laquelle est-ce ?

x	$P(x)$	x	$P(x)$	x	$P(x)$
5	0,3	5	0,1	0,5	0,5
10	0,3	10	0,3	10	0,3
15	0,2	15	0,2	15	−0,2
20	0,4	20	0,4	20	0,4

b) Pour la distribution déterminée en a), trouvez la probabilité que la valeur de X :

1) soit égale à 15.
2) ne soit pas plus grande que 10.
3) soit plus grande que 5.

c) Trouvez la moyenne, la variance et l'écart type de la distribution déterminée en a).

6.4   Lesquelles des variables aléatoires suivantes sont discrètes ?

a) Le nombre de nouveaux comptes ouverts par un vendeur en une année.
b) Le temps qui s'écoule entre les arrivées des clients à une banque.
c) Le nombre de clients d'un salon de coiffure en une journée.
d) La quantité d'essence contenue dans votre réservoir.
e) Le nombre d'actions achetées par un investisseur.

6.5   La dose recommandée d'un médicament est de 40 mg. Le médicament est offert en pilules dont la dose est de 40 mg en moyenne avec un écart type de 2 mg. Il est également offert en un ensemble de quatre pilules plus petites, qui contiennent chacune une dose de 10 mg en moyenne avec un écart type de 0,5 mg. Laquelle des deux options respecte le mieux la dose recommandée ?

6.6   Un administrateur d'une université, en se basant sur l'historique des inscriptions et en tenant compte des résultats prévus d'une publicité efficace, a estimé de la façon suivante la distribution du nombre d'étudiants entrant à l'université l'année prochaine.

Nombre d'étudiants entrant (x)	Probabilité $P(x)$	Nombre d'étudiants entrant (x)	Probabilité $P(x)$
900	0,15	1300	0,15
1100	0,25	1500	0,10
1200	0,35		

a) À combien s'élève le nombre espéré d'étudiants entrant à l'université l'année prochaine ?
b) Quelle est la probabilité qu'il y ait au plus 1300 étudiants entrant à l'université l'année prochaine ?
c) Calculez l'écart type du nombre d'étudiants entrant à l'université.

6.7   Statistique Canada fournit les données suivantes sur le nombre de personnes par famille (Recensement 1996)* :

Nombre de personnes par famille	Pourcentage des familles (%)	Nombre de personnes par famille	Pourcentage des familles (%)
2 personnes	43,51	5 personnes	8,38
3 personnes	22,61	6 personnes	2,02
4 personnes	23,07	7 personnes	0,41

* Le nombre de familles comptant plus de sept personnes est négligeable. Leur probabilité est considérée comme nulle.

a) Calculez la probabilité qu'il y ait trois personnes ou moins dans une famille donnée.

b) Calculez le nombre espéré de personnes par famille.

c) Calculez l'écart type du nombre de personnes par famille.

d) Représentez graphiquement la distribution ci-dessus.

6.8 Une personne en état d'ébriété est debout sur la chaussée, près d'un poteau indicateur. Chaque minute, elle fait un pas soit vers la droite, soit vers la gauche. La probabilité est de 0,4 qu'elle se déplace vers la droite et de 0,6 qu'elle fasse un pas vers la gauche. Trouvez la valeur espérée de sa distance à partir du poteau indicateur en quatre minutes.

6.4 LES DISTRIBUTIONS BINOMIALES

Les distributions binomiales sont des distributions discrètes que l'on rencontre fréquemment. Les concepts de base de la définition d'une distribution binomiale sont ceux :

i) de l'*essai de Bernoulli* et ii) de l'*expérience binomiale*.

i) Il existe de nombreux exemples pratiques d'expériences aléatoires pour lesquelles le nombre de résultats possibles s'élève à deux. Par exemple, le résultat d'un lancer de pièce de monnaie est « pile » ou « face » ; le service du contrôle de la qualité classe chaque produit testé comme « acceptable » ou « inacceptable » ; une personne choisie au hasard peut aimer ou ne pas aimer une nouvelle boisson gazeuse. On appelle ce type d'expérience aléatoire *essai de Bernoulli*, en mémoire de Jacques Bernoulli.

> **Essai de Bernoulli**   Expérience aléatoire dans laquelle le nombre de résultats possibles s'élève à deux.

De façon conventionnelle, on utilise les termes « succès » et « échec » pour désigner les deux résultats possibles d'un essai de Bernoulli. Cependant, cette classification ne sous-entend pas qu'un résultat est bon et l'autre, mauvais. Sur les deux résultats, celui qui nous intéresse est appelé « succès » et l'autre, « échec ». Par exemple, dans un lancer de pièce de monnaie, si vous pariez que le résultat sera face, vous considérerez alors un résultat face comme un « succès » et un résultat pile comme un « échec ».

ii) Supposons qu'on lance une pièce de monnaie trois fois. Chaque lancer de la pièce est un essai de Bernoulli qui a pour résultats possibles « pile » et « face ». On peut exprimer cette expérience aléatoire comme une série de trois expériences aléatoires (trois lancers), dont chacune est un essai de Bernoulli (chaque lancer de la pièce donne un des deux résultats possibles : pile ou face). En outre, les trois essais sont *indépendants* (le résultat d'un lancer n'a pas d'effet sur le résultat des autres lancers) et ils sont *identiques* (la probabilité d'obtenir face est la même pour chaque lancer puisqu'on lance chaque fois la même pièce).

Une expérience aléatoire qu'on peut exprimer en séquence d'un nombre fixe (dans ce cas-ci, trois) d'essais de Bernoulli indépendants et identiques s'appelle une **expérience binomiale**. (Le préfixe « bi » rappelle le fait que chaque essai n'a que deux résultats possibles.)

Les sondages d'opinion sur les préférences des consommateurs constituent un autre exemple d'expérience binomiale. Supposons que 250 personnes soient sélectionnées au hasard au Canada et que l'on demande à chacune si elle aime le goût d'une nouvelle boisson gazeuse diététique. La taille de l'échantillon (250) correspond au nombre n d'essais. Chaque essai est un essai de Bernoulli. (Il n'y a que deux résultats possibles par personne : ou elle aime le goût de la nouvelle boisson ou elle ne l'aime pas.) Si 30 % de la population aime le goût de la nouvelle boisson, la probabilité p qu'une personne sélectionnée au hasard en aime le goût est de 0,30. Pour chaque personne de l'échantillon, la probabilité qu'elle aime le goût de la boisson est la même (0,30). Puisque 250 personnes seulement sont choisies au hasard à partir de la population entière du Canada, la probabilité que la réponse d'une personne de l'échantillon influe sur la réponse des autres de l'échantillon est quasi nulle (zéro). On peut supposer que les 250 essais de Bernoulli sont indépendants. Ainsi, il s'agit d'une expérience binomiale.

Expérience binomiale Expérience aléatoire qui se compose d'une séquence d'un nombre fixe n d'essais de Bernoulli indépendants et identiques.

Voici les caractéristiques d'une expérience binomiale :

1. L'expérience se compose d'un nombre fixe n d'essais de Bernoulli.

2. Les deux résultats possibles de chaque essai sont généralement appelés succès (S) et échec (É).

3. Le résultat de n'importe quel essai est indépendant du résultat de n'importe quel autre essai.

4. La probabilité p d'un succès reste la même d'un essai à l'autre.

Si le nombre de résultats possibles de chacun des n essais s'élève à plus de deux et que les différents essais sont indépendants et identiques, alors on parle d'*expérience multinomiale*.

Une variable aléatoire binomiale est une variable dont la valeur est le nombre de succès dans le cadre d'une expérience binomiale. Dans le cas des trois lancers d'une pièce de monnaie dans des conditions identiques, supposons qu'on veuille compter le nombre total de faces. On désignera alors le fait d'obtenir « face » lors d'un lancer comme un succès. Le nombre X de faces après les trois lancers est alors une variable aléatoire binomiale. Les valeurs possibles de la variable X sont 0, 1, 2 et 3. (On pourrait terminer avec un total de 0, 1, 2 ou 3 faces après avoir lancé la pièce de monnaie trois fois.)

Dans le cas des sondages d'opinion sur les préférences des consommateurs, supposons que le fabricant d'une nouvelle boisson gazeuse s'intéresse au nombre de personnes, dans un échantillon de 250 personnes, qui aiment le goût de cette boisson. Cette fois, un succès correspondrait au résultat « la personne aime le goût de la boisson gazeuse ». Donc, X, qui donne le nombre de personnes de l'échantillon aimant le goût de la boisson gazeuse, est une variable aléatoire binomiale. Les valeurs possibles de cette variable X sont 0, 1, 2, 3, …, 250.

 Variable aléatoire binomiale Variable aléatoire dont la valeur est le nombre total de succès dans le cadre d'une *expérience binomiale*.

 Distribution ou loi binomiale Distribution d'une variable aléatoire binomiale.

Pour élaborer une formule donnant les probabilités d'une variable binomiale, on utilisera l'exemple de n lancers d'une même pièce de monnaie. On commencera par le cas où $n = 2$. Le nombre de résultats possibles est 4 : *FF, FP, PF* et *PP*, où F désigne *face* et P désigne *pile*. Soit p la probabilité d'obtenir *face* et q la probabilité d'obtenir *pile* lors de n'importe quel essai. Alors, $p + q = 1$. Puisque les résultats des différents lancers sont indépendants, la probabilité du résultat *FF* est égale à $(p)(p) = p^2$ (on utilise ici la règle spéciale de multiplication des événements indépendants présentée au chapitre 5). De même, la probabilité du résultat *FP* est $(p)(q) = pq$, celle de *PF* est $(q)(p) = qp$ et celle de *PP* est $(q)(q) = q^2$. Le résultat *FF* comporte deux *faces*, les résultats *FP* et *PF* comportent une *face* et le résultat *PP* n'en comporte aucune. Le tableau 6.4 résume ces calculs.

La probabilité d'obtenir deux *faces* dans les deux essais est égale à p^2; celle d'obtenir une *face* est $pq + pq = 2pq$ (on utilise ici la règle spéciale d'addition d'événements mutuellement exclusifs); enfin, la probabilité d'obtenir zéro *face* est q^2. La somme des probabilités est :

$$(p^2 + 2pq + q^2) = (p + q)^2 = 1$$

Pour $n = 3$, la figure 6.1 à la page 228 présente les résultats possibles. Ces derniers sont énumérés au tableau 6.5.

La probabilité d'obtenir trois *faces* dans les trois essais est égale à p^3; celle d'obtenir deux *faces* est $ppq + pqp + qpp = 3p^2q$ (on utilise ici la règle spéciale d'addition d'événements mutuellement exclusifs). De même, la probabilité d'obtenir une *face* est $pqq + qpq + qqp = 3pq^2$ et celle d'obtenir zéro *face* est q^3. La somme des probabilités est:

$$p^3 + 3p^2q + 3pq^2 + q^3 = (p + q)^3 = 1$$

TABLEAU 6.4   L'expérience binomiale pour deux essais, $n = 2$

Résultats		Probabilité	Variable aléatoire binomiale
Essai 1	Essai 2		(nombre de faces)
F	F	$(p)(p) = p^2$	2
F	P	$(p)(q) = pq$	1
P	F	$(q)(p) = qp$	1
P	P	$(q)(q) = q^2$	0

TABLEAU 6.5   L'expérience binomiale pour trois essais, $n = 3$

Résultats			Probabilité	Valeur de la variable aléatoire binomiale
Essai 1	Essai 2	Essai 3		(nombre de succès)
F	F	F	$(p)(p)(p)$	3
F	F	P	$(p)(p)(q)$	2
F	P	F	$(p)(q)(p)$	2
F	P	P	$(p)(q)(q)$	1
P	F	F	$(q)(p)(p)$	2
P	F	P	$(q)(p)(q)$	1
P	P	F	$(q)(q)(p)$	1
P	P	P	$(q)(q)(q)$	0

Voyons maintenant de quelle façon on peut obtenir ces probabilités sans réellement construire de diagramme en arbre ou de tableau.

Dans le cas où $n = 3$, chaque résultat avec deux faces contient $n - 2 = 3 - 2 = 1$ pile et sa probabilité est le produit $(p)(p)(q) = p^2q$. En outre, le nombre de résultats avec précisément deux faces est égal au nombre de façons d'attribuer deux faces aux trois lancers: cette dernière valeur, obtenue à l'aide de la formule de combinaison 5.16 du chapitre 5, est égale à $_3C_2 = \dfrac{3!}{2!(3 - 2)!} = 3$. Ainsi, la probabilité d'obtenir deux faces en trois lancers d'une pièce de monnaie est $(_3C_2)(p^2q) = 3p^2q$.

En général, dans le cas de n lancers d'une pièce de monnaie:

- le nombre de façons d'obtenir x faces se calcule à l'aide de la formule 5.16 en utilisant x au lieu de r et est égal à $_nC_x = \dfrac{n!}{x!(n - x)!}$;

- la probabilité de chaque résultat avec précisément x faces est obtenue comme le produit de x facteurs tous égaux à p et de $(n - x)$ facteurs tous égaux à q; cette probabilité est égale à $p^xq^{(n - x)}$;

- la probabilité d'obtenir précisément x faces en n lancers d'une pièce de monnaie est donc égale à $_nC_x\, p^xq^{(n - x)}$.

Pour une variable aléatoire binomiale X de nature générale, il suffit de remplacer face par succès, pile par échec, tout en convenant que la probabilité de succès est notée p et que la probabilité d'échec est notée $q = (1 - p)$. On obtient ainsi la formule suivante pour la probabilité $P(x)$ de x succès:

Distribution binomiale

$$P(x) = {_nC_x}\,p^x(1-p)^{(n-x)} = \frac{n!}{x!(n-x)!}\,p^x(1-p)^{(n-x)} \qquad 6.7$$

$$x = 0, 1, 2, 3, …, n$$

où

n est le nombre d'essais ;

x est le nombre de succès ;

p est la probabilité de succès de chaque essai.

Exemple 6.4 Une employée de Télémarketing inc. appelle six ménages un jour donné pour vendre un produit. D'après son expérience passée, elle réussit à vendre le produit à 15 % des ménages qu'elle appelle. Calculez la distribution du nombre de ventes qu'elle fait ce jour-là.

Solution Voyons si les conditions d'une expérience binomiale sont satisfaites dans ce contexte. Puisque l'employée fait six appels ce jour-là, le nombre n d'essais s'élève à six. Pour chaque essai (appel), il n'y a que deux résultats : ou bien elle vend le produit (succès) ou bien elle ne le vend *pas* (échec). La vente du produit à un ménage n'influe pas sur la vente du produit à un autre ménage ; par conséquent, les essais (résultats des différents appels) sont indépendants. La probabilité de 0,15 est la même pour chaque appel. Ainsi, l'expérience répond à toutes les conditions. On indique le nombre de ventes par la variable aléatoire discrète X. La probabilité de réussite de chaque essai s'élève à 0,15.

$$P(X = 0) = \frac{6!}{0!(6-0)!}\,0{,}15^0(1-0{,}15)^{(6-0)} = 0{,}3771$$

$$P(X = 1) = \frac{6!}{1!(6-1)!}\,0{,}15^1(1-0{,}15)^{(6-1)} = 0{,}3993$$

$$P(X = 2) = \frac{6!}{2!(6-2)!}\,0{,}15^2(1-0{,}15)^{(6-2)} = 0{,}1762$$

$$P(X = 3) = \frac{6!}{3!(6-3)!}\,0{,}15^3(1-0{,}15)^{(6-3)} = 0{,}0415$$

$$P(X = 4) = \frac{6!}{4!(6-4)!}\,0{,}15^4(1-0{,}15)^{(6-4)} = 0{,}0055$$

$$P(X = 5) = \frac{6!}{5!(6-5)!}\,0{,}15^5(1-0{,}15)^{(6-5)} = 0{,}0004$$

$$P(X = 6) = \frac{6!}{6!(6-6)!}\,0{,}15^6(1-0{,}15)^{(6-6)} = 0{,}0000$$

$P(X = 0)$ indique la probabilité qu'aucune vente ne soit effectuée ce jour-là. De même, $P(X = 1)$ indique la probabilité que l'employée fasse exactement une vente, et ainsi de suite. Remarquez que toutes les valeurs de l'exemple sont comprises entre 0 et 1 et totalisent 1.

LA FONCTION DE RÉPARTITION D'UNE LOI BINOMIALE

Dans l'exemple des ventes d'un produit par téléphone, on pourrait vouloir connaître la probabilité de faire au plus une vente un jour donné. Dans ce cas, on a besoin de la fonction des probabilités cumulées, dite *fonction de répartition* (voir le chapitre 2). On note la probabilité de faire au plus une vente un jour donné par $P(X \leq 1)$.

$$P(X \leq 1) = P(X = 0) + P(X = 1)$$
$$= 0{,}3771 + 0{,}3993$$
$$= 0{,}7764$$

Le tableau 6.6 présente la fonction de répartition du nombre X de ventes en une journée.

TABLEAU 6.6 La fonction de répartition du nombre de ventes			
Valeur de X (x)	Probabilité P(x)	Probabilité cumulée	Trouvée ainsi :
0	0,3771	0,3771	
1	0,3993	0,7764	0,3771 + 0,3993
2	0,1762	0,9526	0,3771 + 0,3993 + 0,1762
3	0,0415	0,9941	
4	0,0055	0,9996	
5	0,0004	1,0000	
6	0,0000	1,0000	

LES TABLES DES LOIS BINOMIALES

Table binomiale : façon rapide de déterminer une probabilité.

On peut calculer les probabilités de lois binomiales à l'aide de la formule 6.7. Cependant, à l'exception des problèmes où n est petit (p. ex., $n = 3$ ou 4), les calculs sont plutôt fastidieux. Pour rendre la tâche plus facile, une table, qui donne les probabilités de 0, 1, 2, 3, … succès pour différentes valeurs de n et de p, est reproduite à l'annexe A. Un extrait de cette table figure au tableau 6.7.

TABLEAU 6.7 Les probabilités de lois binomiales où $n = 10$											
x	0,05	0,1	0,2	0,3	0,4	0,5	0,6	0,7	0,8	0,9	0,95
0	0,599	0,349	0,107	0,028	0,006	0,001	0,000	0,000	0,000	0,000	0,000
1	0,315	0,387	0,268	0,121	0,040	0,010	0,002	0,000	0,000	0,000	0,000
2	0,075	0,194	0,302	0,233	0,121	0,044	0,011	0,001	0,000	0,000	0,000
3	0,010	0,057	0,201	0,267	0,215	0,117	0,042	0,009	0,001	0,000	0,000
4	0,001	0,011	0,088	0,200	0,251	0,205	0,111	0,037	0,006	0,000	0,000
5	0,000	0,001	0,026	0,103	0,201	0,246	0,201	0,103	0,026	0,001	0,000
6	0,000	0,000	0,006	0,037	0,111	0,205	0,251	0,200	0,088	0,011	0,001
7	0,000	0,000	0,001	0,009	0,042	0,117	0,215	0,267	0,201	0,057	0,010
8	0,000	0,000	0,000	0,001	0,011	0,044	0,121	0,233	0,302	0,194	0,075
9	0,000	0,000	0,000	0,000	0,002	0,010	0,040	0,121	0,268	0,387	0,315
10	0,000	0,000	0,000	0,000	0,000	0,001	0,006	0,028	0,107	0,349	0,599

Exemple 6.5   Un sondage d'opinion réalisé par la maison Gallup Canada le 21 juin 2000 a révélé que 40 % des investisseurs ont acheté des actions de sociétés de haute technologie. Supposons que 10 investisseurs soient sélectionnés au hasard ce jour-là.
a) Quelle est la probabilité que précisément deux des investisseurs sélectionnés aient investi dans des actions de sociétés de haute technologie ?
b) Quelle est la probabilité qu'au plus sept investisseurs aient acheté des actions de sociétés de haute technologie ?

Solution   Vérifions si les conditions d'une expérience binomiale sont satisfaites dans ce contexte. Le nombre d'investisseurs s'élève à 10, donc $n = 10$. Il n'y a que deux résultats possibles pour chaque investisseur : il a investi ou il n'a pas investi dans des actions de sociétés de haute technologie. La probabilité d'un succès (l'investisseur a investi dans des actions de sociétés de haute technologie) est 0,40 et est constante. Puisque 10 investisseurs seulement sont sélectionnés au hasard à partir d'un grand nombre d'investisseurs, il est hautement improbable que la décision de l'un des 10 influe sur les décisions des autres. Par conséquent, il est raisonnable de supposer que les essais sont indépendants.

a) $n = 10$, $p = 0,40$ et $x = 2$

On cherche la valeur de $p = 0,40$ dans la partie supérieure du tableau, puis la valeur $x = 2$ dans la première colonne du tableau.

La probabilité requise, $P(2)$, est la valeur qui se trouve à l'intersection de la ligne correspondant à $x = 2$ et de la colonne correspondant à $p = 0,40$. Elle est égale à 0,121. À l'aide de la formule 6.7,

$$P(2) = \frac{10!}{2!(10-2)!}0,40^2(1-0,40)^{(10-2)} = 0,121$$

La valeur de la probabilité du tableau 6.7 est la même que celle calculée à l'aide de la formule 6.7. Cela ne doit pas nous surprendre puisque la table de distributions binomiales contient des probabilités résolues d'avance pour différentes valeurs de n et de p.

b) $P(X \leq 7) = P(0) + P(1) + P(2) + P(3) + P(4) + P(5) + P(6) + P(7)$
$= 0,006 + 0,040 + 0,121 + 0,215 + 0,251 + 0,201 + 0,111 + 0,042$
$= 0,987$

On peut aussi calculer cette valeur plus rapidement en utilisant la règle du complémentaire.
$P(X \leq 7) = 1 - P(X > 7)$
$= 1 - [P(8) + P(9) + P(10)]$
$= 1 - (0,011 + 0,002 + 0,000)$
$= 0,987$

LES LOGICIELS

Pour calculer des probabilités associées à des lois binomiales, il est plus facile et plus rapide d'utiliser une table que de recourir à la formule 6.7, pourvu, évidemment, que les valeurs de n et de p se trouvent dans la table dont on dispose. La plupart des tables données dans les manuels se limitent aux très petites valeurs de n et à quelques valeurs pour p. Si les valeurs d'intérêt ne se trouvent pas dans la table, on peut utiliser un logiciel statistique, comme le tableur Excel, pour trouver les probabilités d'un nombre précis de succès pour les valeurs données de n et de p. La façon d'utiliser Excel pour calculer les probabilités des lois binomiales est décrite dans la feuille de calcul Excel 6.2. À titre d'illustration, on utilisera l'exemple 6.4 de la vente d'un produit par téléphone.

FEUILLE DE CALCUL EXCEL 6.2

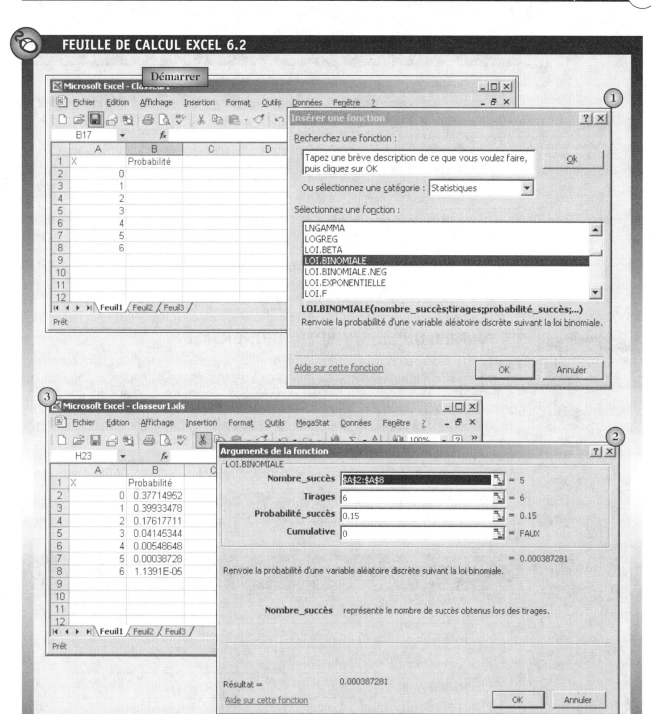

Instructions pour Microsoft Excel

A. Entrez le titre *X* dans la cellule A1, le titre *Probabilité* dans la cellule B1 et les valeurs possibles de la variable aléatoire binomiale *X* (dans notre exemple : 0, 1, 2, ..., 6) dans la colonne A à partir de la cellule A2. Cliquez sur la cellule B2.

B. Cliquez sur f_x (Insérer une fonction), sélectionnez Statistiques dans le menu des catégories de fonctions et LOI.BINOMIALE dans la liste des fonctions, puis cliquez sur OK.

C. Entrez les coordonnées des cellules contenant les valeurs possibles de *X* dans la zone Nombre_succès, la valeur de *n* (= 6 dans le cas présent) dans la zone Tirages et la valeur de *p* (= 0,15 dans le cas présent) dans la zone Probabilité_succès.

D. Dans la zone Cumulative, tapez *0* si vous désirez obtenir les probabilités ou *1* si vous souhaitez obtenir les probabilités cumulées. Cliquez sur OK.

E. La première valeur apparaît dans la cellule B2. Complétez la série en déplaçant le pointeur le long de la colonne B pour toutes les valeurs désirées.

■ RÉVISION 6.6

1. Un inspecteur choisit huit robinets au hasard dans un lot de grande taille et leur fait subir un test de contrôle de la qualité. Le service a pour directive de rejeter le lot si quatre robinets ou plus sont défectueux. Supposez que 4 % des robinets du lot soient défectueux.
   a) Quelle est la probabilité qu'aucun des robinets testés ne soit défectueux ?
   b) Quelle est la probabilité que deux des robinets testés soient défectueux ? Utilisez la formule 6.7 pour calculer la probabilité.
   c) Quelle est la probabilité que le lot soit rejeté ?

2. Trente pour cent des clients qui entrent dans un magasin donné font un achat. Supposez que six clients entrent dans le magasin et qu'ils prennent la décision d'acheter ou non de façon indépendante.
   a) Quelle est la probabilité que pas plus de deux clients fassent un achat ?
   b) Quelle est la probabilité qu'au moins quatre clients fassent un achat ? (Source : Adapté de Bowerman et autres, *Business Statistics in Practice*, 2ᵉ éd., p. 167.)

LA FORME D'UNE DISTRIBUTION BINOMIALE

La forme d'une distribution binomiale dépend des valeurs de n et de p. La figure 6.3 montre les distributions binomiales lorsque $n = 10$ et $p = 0{,}05$, $0{,}10$, $0{,}20$, $0{,}50$ et $0{,}70$. La distribution binomiale pour $p = 0{,}05$ est décalée vers la droite. À mesure que p s'approche de $0{,}50$, la distribution se décale moins et est symétrique lorsque $p = 0{,}50$. La distribution se décale vers la gauche quand p dépasse $0{,}50$. Dans la figure 6.4, on voit que pour $p = 0{,}10$, la distribution pour $n = 7$ est décalée vers la droite. Toutefois, à mesure que n augmente, la distribution devient de plus en plus symétrique.

Dans la figure 6.3, on remarque que pour la probabilité $p = 0{,}5$, la distribution est symétrique ; il en est ainsi, peu importe la valeur de n. Ainsi, la distribution binomiale est symétrique lorsque $p = 0{,}5$, elle est décalée vers la droite pour $p < 0{,}5$ et décalée vers la gauche pour $p > 0{,}5$. Pour toute valeur de p autre que $0{,}5$, l'asymétrie se réduit à mesure que n augmente.

FIGURE 6.3   La représentation graphique des distributions binomiales pour $n = 10$ et quelques valeurs de p

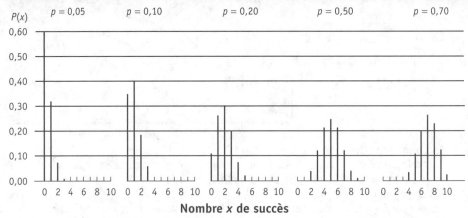

LA MOYENNE ET LA VARIANCE D'UNE DISTRIBUTION BINOMIALE

On peut déterminer les deux caractéristiques (moyenne et variance) qui résument une distribution binomiale en fonction de n et de p. Intuitivement, le nombre moyen de succès d'une expérience binomiale à long terme doit être égal au produit du nombre n d'essais et de la probabilité p de succès lors de chaque essai.

En formules,

Moyenne d'une distribution binomiale	$\mu = np$	**6.8**
Variance d'une distribution binomiale	$\sigma^2 = np(1-p)$	**6.9**

Nous donnons une preuve détaillée des formules 6.8 et 6.9 au chapitre 6, annexe A, sur le cédérom accompagnant ce manuel.

FIGURE 6.4   La représentation graphique des distributions binomiales pour $p = 0{,}10$ et quelques valeurs de n

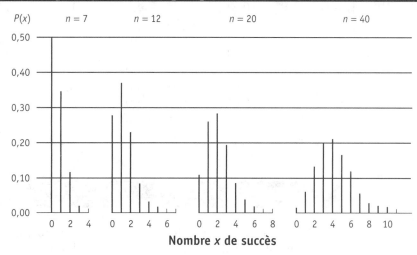

Exemple 6.6

Un sondage d'opinion réalisé par la maison Gallup Canada le 21 juin 2000 a révélé que 40% des investisseurs ont acheté des actions de sociétés de haute technologie. Supposons que 10 investisseurs soient sélectionnés au hasard ce jour-là.

a) Quel est le nombre espéré d'investisseurs, parmi les 10 sélectionnés, ayant acheté des actions de sociétés de haute technologie?

b) Quel est l'écart type du nombre d'investisseurs (dans l'échantillon de 10) ayant acheté des actions de sociétés de haute technologie?

Solution

a) Les conditions de l'expérience binomiale (exposées à la page 238) sont satisfaites. Un investissement dans des actions des sociétés de haute technologie est considéré comme un succès. Par conséquent:

$$p = \text{probabilité de succès} = 0{,}40$$
$$n = \text{nombre d'essais} = 10$$
$$\mu = np = (10)(0{,}40) = 4{,}0$$

Que nous indique $\mu = 4$?

Cette valeur espérée indique que si 40% des investisseurs ont acheté des actions de sociétés de haute technologie et que si l'on sélectionne plusieurs fois un échantillon aléatoire de 10 investisseurs, à long terme, en moyenne, 4 investisseurs sur 10 auront acheté des actions de sociétés de haute technologie.

b) $\sigma^2 = np(1-p) = (10)(0{,}40)(1 - 0{,}40) = 2{,}40$

$\sigma = \sqrt{(10)(0{,}40)(1 - 0{,}40)} = 1{,}55$

L'écart type du nombre d'investisseurs, sur les 10 choisis, ayant acheté des actions de sociétés de haute technologie est 1,55.

On peut vérifier les calculs de la moyenne et de la variance à l'aide des formules 6.2 et 6.4. En ce qui concerne la distribution (voir le tableau 6.7) pour $n = 10$ et $p = 0,4$, le détail des calculs figure ci-dessous.

Nombre d'investisseurs x	$P(x)$	$xP(x)$	μ	$(x - \mu)^2$	$(x - \mu)^2 P(x)$
0	0,006	0,000	4,0	16	0,096
1	0,040	0,040	4,0	9	0,360
2	0,121	0,242	4,0	4	0,484
3	0,215	0,645	4,0	1	0,215
4	0,251	1,004	4,0	0	0,000
5	0,201	1,005	4,0	1	0,201
6	0,111	0,666	4,0	4	0,444
7	0,042	0,294	4,0	9	0,378
8	0,011	0,088	4,0	16	0,176
9	0,002	0,018	4,0	25	0,050
10	0,000	0,000	4,0	36	0,000
Total		4,002[1]			2,404[2]

EXERCICES 6.9 À 6.22

6.9 Dans une expérience binomiale, $n = 4$ et $p = 0,25$. Déterminez les probabilités suivantes à l'aide de la formule des lois binomiales.
   a) $P(X = 2)$ b) $P(X = 3)$

6.10 Dans une expérience binomiale, $n = 5$ et $p = 0,40$. Déterminez les probabilités suivantes à l'aide de la formule des lois binomiales.
   a) $P(X = 1)$ b) $P(X = 2)$

6.11 Considérez une distribution binomiale où $n = 3$ et $p = 0,60$.
   a) Reportez-vous à l'annexe A et établissez la liste des probabilités pour les valeurs de x de 0 à 3.
   b) Déterminez la moyenne et l'écart type de la distribution à partir des définitions générales données dans les formules 6.2 et 6.4.

6.12 Considérez une distribution binomiale où $n = 5$ et $p = 0,30$.
   a) Reportez-vous à l'annexe A et établissez la liste des probabilités pour les valeurs de x de 0 à 5.
   b) Déterminez la moyenne et l'écart type de la distribution à partir des définitions générales données dans les formules 6.2 et 6.4.

6.13 La norme de l'industrie suggère que 10 % des nouveaux véhicules Nissan ont une garantie de service d'une année. Supposez que Nissan Scarborough (Ont.) ait vendu 12 véhicules Nissan hier. Et convenons de noter X le nombre de ces véhicules qui ont une garantie de service. Calculez :
   a) $P(X = 0)$.
   b) $P(X = 1)$.
   c) $P(X = 2)$.
   d) la moyenne et l'écart type de la distribution de X.

6.14 Selon l'Enquête sur la population active de 1998 de Statistique Canada, 2,8 % des camionneurs au Canada étaient des femmes. Supposez que le pourcentage n'ait pas changé depuis et que 20 camionneurs soient sélectionnés au hasard par une entreprise nationale pour être interviewés sur la qualité des conditions de travail.
   a) Quelle est la probabilité que deux des camionneurs sélectionnés soient des femmes ?

b) Quelle est la probabilité qu'aucun de ces 20 camionneurs ne soit une femme ?

c) Quelle est la probabilité qu'au plus deux de ces camionneurs soient des femmes ?

6.15 Un étudiant répond au hasard dans un test d'admission composé de 25 questions à choix multiple qui visent à vérifier les aptitudes en mathématiques. Chaque question propose cinq choix de réponses. Quelle est la probabilité que l'étudiant ait exactement 10 réponses justes ?

6.16 Un télévendeur fait six appels par heure et 30 % des personnes qu'il appelle achètent son produit. Trouvez :

a) la probabilité de conclure exactement quatre ventes durant les deux prochaines heures.

b) la probabilité de ne conclure aucune vente dans cette période.

c) la probabilité de conclure exactement deux ventes dans cette période.

d) le nombre moyen de ventes en deux heures.

6.17 Considérons une distribution binomiale où $n = 20$ et $p = 0,10$. À l'aide des tables des lois binomiales, trouvez :

a) $P(X \leq 5)$.   b) $P(X \geq 2)$.

6.18 Supposez que 60 % des gens préfèrent Coke à Pepsi. Vous sélectionnez 15 personnes au hasard aux fins d'une étude.

a) Quel est le nombre espéré de personnes dans cet échantillon qui préfèrent Coke ?

b) Quelle est la probabilité que 10 des personnes sondées préfèrent Coke ?

c) Quelle est la probabilité que pas plus de cinq personnes préfèrent Coke ?

6.19 Un responsable d'études de marché qui travaille pour un magasin de vente au détail a découvert que 80 % des clients sont des clients réguliers. Dix clients sont sélectionnés au hasard. Quelle est la probabilité :

a) que trois des clients sélectionnés soient des clients réguliers ?

b) qu'entre cinq et sept des clients sélectionnés (cinq et sept inclusivement) soient des clients réguliers ?

6.20 Considérons une distribution binomiale où $n = 12$ et $p = 0,60$. À l'aide du tableur Excel, trouvez :

a) $P(X \geq 4)$.

b) $P(X \leq 2)$.

c) Représentez graphiquement la distribution. La distribution est-elle symétrique ou asymétrique ? Expliquez votre réponse.

6.21 Une compagnie de téléphone de la région affirme que, dans 70 % des cas, elle peut résoudre les problèmes des clients le jour même où ils sont signalés. Supposez que 15 problèmes signalés cette année par des clients soient sélectionnés au hasard.

a) Combien de ces 15 problèmes vous attendriez-vous à voir résolus le jour où ils ont été signalés ?

b) Quelle est la probabilité que 10 des problèmes aient été résolus le jour où ils ont été signalés ?

c) Quelle est la probabilité que 10 ou 11 des problèmes aient été résolus le jour où ils ont été signalés ?

d) Quelle est la probabilité que plus de 10 des problèmes aient été résolus le jour où ils ont été signalés ?

6.22 Un fabricant de cadres de fenêtres sait par expérience que 5 % de la production comporte des défauts mineurs qui exigeront une correction. Quelle est la probabilité que, dans un échantillon de 20 cadres de fenêtres :

a) aucun n'ait besoin d'une correction ?

b) au moins un ait besoin d'une correction ?

c) plus de deux aient besoin d'une correction ?

6.5 LES DISTRIBUTIONS DE POISSON

Une autre classe importante de variables aléatoires discrètes est celle des lois de Poisson, nommées ainsi en mémoire du mathématicien Siméon Denis Poisson. Contrairement aux lois binomiales, les lois de Poisson comportent un nombre infini de valeurs. Elles comptent généralement le nombre d'événements *rares* (succès) qui se produisent durant un intervalle précis. L'intervalle peut être le temps, une distance, un endroit précis ou un volume. Voici quelques exemples typiques de variables qui obéissent à peu près à une telle loi :

- le nombre d'accidents de la circulation en un mois donné à une intersection très fréquentée ;
- le nombre d'imperfections d'un véhicule automobile fraîchement peint ;
- le nombre de réclamations en raison de décès reçues en un jour par une compagnie d'assurances ;
- le nombre de clients arrivant à une banque durant un intervalle de temps donné.

SIMÉON DENIS POISSON (1781-1840)

Le père de Siméon Denis Poisson fondait de grands espoirs en son fils et le destinait à la médecine. Cependant, une première tentative par le fils pour poser une feuille de chou sur les cloques d'un patient entraîna et la fin du patient et la fin des espoirs du père de voir son fils devenir médecin. Le destin lui réservait autre chose. Siméon Denis Poisson était brillant en mathématiques. À l'âge de 17 ans, il arriva premier à l'examen d'entrée de l'École polytechnique. Son diplôme en poche, il devint professeur adjoint à Polytechnique et enseigna de 1802 à 1808. Plus tard, il travailla comme astronome au Bureau des longitudes, puis comme professeur de mécanique à la faculté des sciences.

Il s'écoula bien des années avant que soit reconnu le travail de Poisson et avant qu'on lui accorde la place qui lui revenait dans l'histoire de la théorie mathématique des probabilités.

La première personne à utiliser les lois de Poisson en analyse statistique des événements rares fut von Bortkevitch (1898). L'un des exemples classiques de l'application de ces lois fut la distribution du nombre de soldats prussiens morts à la suite de ruades de chevaux.

Les lois de Poisson offrent un large éventail d'applications dans des domaines tels que l'étude du nombre d'arrivées de voitures par minute à un poste de péage sur les autoroutes, le nombre d'arrivées de clients par période de 10 minutes aux comptoirs dans des magasins de détail ou aux guichets d'une banque. Pour que la distribution de Poisson en constitue une bonne approximation, ces situations doivent respecter les critères suivants, appelés caractéristiques de l'expérience de Poisson :

1. La valeur de la variable aléatoire est le nombre de succès enregistrés durant un intervalle.
2. Le nombre de succès enregistrés durant un intervalle donné ne dépend pas du nombre de succès dans les autres intervalles.

3. À mesure que l'intervalle se réduit, la probabilité que deux ou plusieurs succès soient enregistrés dans l'intervalle s'approche de zéro. On connaît aussi cette caractéristique sous le nom de propriété d'un événement rare.

4. La probabilité qu'un succès ait lieu dans un intervalle est la même pour tous les intervalles de longueur égale, et le nombre moyen de succès durant un intervalle est proportionnel à la longueur de l'intervalle.

On peut décrire mathématiquement une distribution de Poisson à l'aide de la formule :

Distribution de Poisson
$$P(X = x) = \frac{\mu^x e^{-\mu}}{x!} \quad x = 0, 1, 2, 3, \ldots \qquad \textbf{6.10}$$

où

$P(X = x)$ est la probabilité que la variable X prenne la valeur x ;

μ est le nombre moyen d'occurrences (succès) dans un intervalle donné ;

e est la constante 2,71828... (base des logarithmes népériens) ;

x est la valeur de la variable X.

La variance d'une distribution de Poisson est égale à sa moyenne. Rappelez-vous que, pour une distribution binomiale, il y a un nombre fixe d'essais. Par exemple, dans un test de quatre questions à choix multiple, il ne peut y avoir que zéro, un, deux, trois ou quatre succès (bonnes réponses). Cependant, dans une distribution de Poisson, la variable X peut prendre un *nombre infini de valeurs*, à savoir 0, 1, 2, 3, 4, 5, ...

Afin d'illustrer le calcul des probabilités associées aux lois de Poisson, supposons qu'Air Canada perde rarement des bagages. Pour la plupart des vols, on n'a pas signalé de bagages mal gérés : certains signalent la perte d'un bagage, quelques-uns, la perte de deux bagages et il est rare que, pour un vol, on signale la perte de trois bagages. Supposons qu'un échantillon aléatoire de 1000 vols montre un total de 300 bagages perdus. Donc, le nombre moyen de bagages perdus par vol est 0,3, valeur trouvée ainsi : 300/1000. Si le nombre de bagages perdus par vol obéit à une loi de Poisson avec $\mu = 0,3$, on peut calculer les différentes probabilités à l'aide de la formule suivante :

$$P(x) = \frac{(0,3)^x (e^{-0,3})}{x!}$$

Par exemple, la probabilité de ne pas perdre de bagages est :

$$P(0) = \frac{(0,3)^0 (e^{-0,3})}{0!} = 0,7408$$

Autrement dit, pour 74 % des vols, on ne déclarera pas de perte de bagages. La probabilité que la ligne aérienne perde exactement un bagage est :

$$P(1) = \frac{(0,3)^1 (e^{-0,3})}{1!} = 0,2222$$

Ainsi, on s'attendrait à trouver exactement un bagage perdu sur environ 22 % des vols.

Exemple 6.7

Considérons l'exemple précédent portant sur le nombre de bagages perdus par Air Canada. Supposons que le nombre de bagages perdus par vol obéisse à une loi de Poisson ayant 0,3 pour moyenne.

a) Quelle est la probabilité qu'exactement deux bagages soient perdus pour un vol en particulier ?

b) Quelle est la probabilité qu'au moins trois bagages soient perdus pour un vol en particulier ?

Solution

a) $P(X = 2) = \dfrac{\mu^x e^{-\mu}}{x!} = \dfrac{0,3^2}{2!} e^{-0,3} = 0,0333$

Ainsi, on s'attendrait à trouver exactement deux bagages perdus pour environ 3 % des vols.

b) $P(X \geq 3) = 1 - P(X \leq 2)$ [règle du complémentaire]

$\quad = 1 - [P(X = 0) + P(X = 1) + P(X = 2)]$

On a déjà calculé $P(X = 0)$ et $P(X = 1)$ ci-dessus. $P(X = 2)$ est trouvée en a). Ainsi,

$$P(X \geq 3) = 1 - (0,7408 + 0,2222 + 0,0333) = 0,0037$$

Par conséquent, on s'attendrait à trouver au moins trois bagages perdus pour 0,37 % des vols.

L'UTILISATION DE LA TABLE DES LOIS DE POISSON

On peut également trouver les probabilités de l'exemple qui précède en utilisant la table des lois de Poisson de l'annexe 2, sur le cédérom accompagnant ce manuel. Une partie de la table est reproduite dans le tableau 6.8.

a) Pour trouver $P(X = 2)$ pour $\mu = 0,3$, repérez la colonne du tableau 6.8 intitulée « 0,3 » et lisez vers le bas de la colonne jusqu'à la ligne 2 de la colonne « x ». La probabilité est 0,0333.

b) Pour déterminer $P(X \geq 3)$, trouvez d'abord $P(X = 0)$, $P(X = 1)$ et $P(X = 2)$ tel qu'indiqué ci-dessus, additionnez ces valeurs, puis soustrayez la somme de 1. Ainsi, $P(X \geq 3) = 1 - (0,7408 + 0,2222 + 0,0333) = 0,0037$.

Il peut être fastidieux de calculer les probabilités cumulées d'une variable de Poisson à l'aide de la formule. Il peut être plus rapide et plus facile d'utiliser les tables de Poisson si elles incluent la valeur donnée de μ. Cependant, les tables sont limitées par l'espace disponible dans les manuels scolaires. Les tableurs sont plus intéressants pour calculer avec précision la distribution d'une variable de Poisson avec une valeur moyenne donnée. Vous trouverez plus bas les instructions pour effectuer ce calcul (voir la feuille de calcul Excel 6.5).

LA FORME DES DISTRIBUTIONS DE POISSON

Une distribution de Poisson est toujours décalée vers la droite. Pour les petites valeurs de μ, elle est très décalée. Elle devient de plus en plus symétrique à mesure que μ augmente. Par exemple, la figure 6.6 montre la distribution du nombre de services de

FEUILLE DE CALCUL EXCEL 6.5

Instructions pour Microsoft Excel

A. Entrez le titre *X* dans la cellule A1, le titre *Probabilité* dans la cellule B1 et les valeurs à attribuer à la variable aléatoire de Poisson *X* dans la colonne A à partir de la cellule A2. Cliquez sur la cellule B2.

B. Cliquez sur f_x (Insérer une fonction), sélectionnez Statistiques dans le menu des catégories de fonctions et LOI.POISSON dans la liste des fonctions, puis cliquez sur OK.

C. Entrez les coordonnées des cellules contenant les valeurs possibles de *X* dans la zone *X* et la valeur de la moyenne dans la zone Espérance.

D. Dans la zone Cumulative, tapez *0* si vous désirez obtenir les probabilités ou *1* si vous souhaitez obtenir les probabilités cumulées. Cliquez sur OK.

E. La première valeur apparaît dans la cellule B2. Cliquez sur la cellule B2 puis, dans la barre de menus, cliquez sur Format et Cellule. Dans la boîte de dialogue Format de cellule, cliquez sur l'onglet Nombre, sélectionnez la catégorie Nombre, tapez *4* dans la zone Nombre de décimales, puis cliquez sur OK.

F. Complétez la série en déplaçant le pointeur le long de la colonne B pour toutes les valeurs désirées.

TABLEAU 6.8   La table de Poisson pour différentes valeurs de μ (tirée de l'annexe 2)

x	0,1	0,2	0,3	0,4	μ 0,5	0,6	0,7	0,8	0,9
0	0,9048	0,8187	0,7408	0,6703	0,6065	0,5488	0,4966	0,4493	0,4066
1	0,0905	0,1637	0,2222	0,2681	0,3033	0,3293	0,3476	0,3595	0,3659
2	0,0045	0,0164	0,0333	0,0536	0,0758	0,0988	0,1217	0,1438	0,1647
3	0,0002	0,0011	0,0033	0,0072	0,0126	0,0198	0,0284	0,0383	0,0494
4	0,0000	0,0001	0,0003	0,0007	0,0016	0,0030	0,0050	0,0077	0,0111
5	0,0000	0,0000	0,0000	0,0001	0,0002	0,0004	0,0007	0,0012	0,0020
6	0,0000	0,0000	0,0000	0,0000	0,0000	0,0000	0,0001	0,0002	0,0003
7	0,0000	0,0000	0,0000	0,0000	0,0000	0,0000	0,0000	0,0000	0,0000

FIGURE 6.6   Les distributions de Poisson pour les moyennes de 0,7, de 2,0 et de 6,0

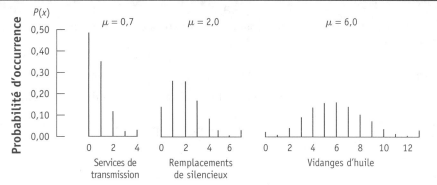

transmission, de remplacements de silencieux et de vidanges d'huile en une journée donnée au garage Avellino. Ces distributions obéissent à des lois de Poisson avec des moyennes de 0,7, de 2,0 et de 6,0, respectivement.

En bref, les distributions de Poisson forment une famille de distributions discrètes. Tout ce dont on a besoin pour construire une distribution de Poisson donnée est le nombre moyen de défectuosités, d'erreurs, etc., qu'on désigne par μ.

L'APPROXIMATION DE POISSON DE LA DISTRIBUTION BINOMIALE

Il y a plusieurs situations binomiales où n est très élevé et p, très peu élevée. Dans de tels cas, il se peut qu'on ne trouve pas de table pour déterminer les probabilités correspondant à la variable binomiale. Comme nous l'avons mentionné précédemment, on peut utiliser un ordinateur. Sinon, on peut approcher la distribution binomiale par une distribution de Poisson sans trop sacrifier de précision. Cependant, les trois conditions suivantes doivent être remplies simultanément:

- le nombre n d'essais de l'expérience binomiale doit être élevé;
- la probabilité p doit être faible;
- le produit de n et de p, c'est-à-dire np, doit être de grandeur modérée.

En fait, Poisson a prouvé que si, pour une valeur donnée de n et une constante, disons 8, on pose $p = 8/n$, alors à mesure que n augmente, la distribution binomiale correspondante se rapproche de plus en plus d'une distribution de Poisson avec $\mu = 8$. Jusqu'à quel point la valeur de n devrait-elle être élevée pour effectuer une bonne approximation? En pratique, on accepte l'approximation comme suffisamment bonne lorsque $p \leq 0,05$ et $n \geq 20$.

Exemple 6.8

La faculté d'administration d'une université envisage d'acheter une photocopieuse dotée d'un dispositif d'alimentation automatique. Le vendeur affirme que la probabilité d'un bourrage de papier dans la machine est 0,002.

a) À l'aide d'une approximation de Poisson, trouvez une valeur approchée de la probabilité que le papier ne bourre pas en aucun moment durant la photocopie d'un document de 200 pages.

b) À l'aide d'une approximation de Poisson, trouvez une valeur approchée de la probabilité que le papier bourre précisément une fois durant la photocopie d'un document de 200 pages.

c) Utilisez la formule de distribution binomiale pour a). Les probabilités calculées en a) et en c) concordent-elles ? Commentez l'approximation de Poisson de la distribution binomiale.

Solution

Soit X le nombre de fois qu'un bourrage de papier se produit durant la photocopie d'un document de 200 pages. Alors, X obéit à une loi binomiale avec $p = 0,002$ et $n = 200$.

Puisque $n > 20$ et $p < 0,05$, on peut approximer X par une loi de Poisson avec $\mu = (0,002)(200) = 0,4$.

a) Dire que le papier ne bourrera en aucun temps signifie que le nombre de bourrages est égal à 0.

Or, $P(X = 0) \approx \dfrac{\mu^x e^{-\mu}}{x!} = \dfrac{0,4^0 e^{-0,4}}{0!} = 0,6703$.

Ainsi, la probabilité de photocopier un document sans que se produise un bourrage est d'environ 0,6703.

b) Dire que le papier bourrera précisément une fois signifie que X prend la valeur 1. Or,

$$P(X = 1) \approx \frac{\mu^x e^{-\mu}}{x!} = \frac{0,4^1 e^{-0,4}}{1!} = 0,2681$$

La probabilité de photocopier un document et que se produise précisément un bourrage est d'environ 0,2681.

c) À l'aide de la formule de distribution binomiale, on obtient :

$$P(X = 0) = \frac{n!}{x!(n-x)!} p^x (1-p)^{(n-x)} = \frac{200!}{0!(200-0)!}(0,002)^0 (1-0,002)^{(200-0)}$$
$$= 0,6701$$

La valeur de $P(X = 0)$ calculée en a) est 0,6703 et celle calculée en c) est 0,6701. L'écart n'est que de 0,0002. Les deux valeurs sont très proches l'une de l'autre.

■ RÉVISION 6.7

Une compagnie d'assurances a établi que la probabilité qu'une femme de 30 ans choisie au hasard meure durant la prochaine année est 0,0007. Si la compagnie vend 4000 polices à des femmes de 30 ans cette année, quelle est la probabilité qu'elle verse, pour ces 4000 polices, exactement une indemnité pendant l'année ?

EXERCICES 6.23 À 6.28

6.23 Soit une loi de Poisson dont le paramètre est $\mu = 0,4$.
   a) Calculez $P(X = 0)$.
   b) Calculez $P(X > 0)$.

6.24 Soit une loi de Poisson dont le paramètre est $\mu = 4$.
   a) Calculez $P(X = 2)$.
   b) Calculez $P(X \leq 0)$.
   c) Calculez $P(X > 2)$.

6.25 Pallavi Singh est responsable des prêts. Les dossiers montrent qu'elle a eu en moyenne sept entretiens par jour avec des demandeurs d'emprunt. En supposant que le nombre quotidien d'entretiens obéisse à une loi de Poisson, trouvez la probabilité :
   a) qu'elle reçoive exactement trois demandeurs au cours d'une journée donnée.
   b) qu'elle ne reçoive aucun demandeur au cours d'une journée donnée.

6.26 Le service d'urgence d'un hôpital local reçoit, en moyenne, cinq patients par heure. En supposant que le nombre de patients reçus à l'heure obéisse à une loi de Poisson, calculez la probabilité que :
   a) le service d'urgence reçoive trois patients en une heure donnée.
   b) le service d'urgence reçoive plus de deux patients en une heure donnée.
   c) le service d'urgence reçoive trois patients en une demi-heure donnée.

6.27 On estime que 0,5 % des personnes qui appellent au service des finances de la région du Grand Toronto reçoivent un signal d'occupation. Trouvez la valeur approchée de la probabilité que, parmi les 600 personnes ayant appelé aujourd'hui, au moins 4 aient reçu un signal d'occupation.

6.28 Les auteurs et les éditeurs s'efforcent de réduire au minimum le nombre d'erreurs dans un manuel. Cependant, la présence d'un certain nombre d'erreurs est quasiment inévitable. M. J. A. Carman, éditeur d'ouvrages de statistiques, rapporte que le nombre moyen d'erreurs par page est 0,04. Trouvez une valeur approchée de la probabilité qu'il y ait moins de deux erreurs dans un chapitre de 50 pages.

RÉSUMÉ DU CHAPITRE

I. Une variable aléatoire est une expérience aléatoire dont chacun des résultats possibles est un nombre.

   A. On peut associer une variable aléatoire à n'importe quelle expérience aléatoire en attribuant une valeur numérique à chaque résultat possible de l'expérience.

   B. Une variable aléatoire discrète est une variable aléatoire qui peut prendre un ensemble fini ou dénombrable de valeurs possibles.

   C. Une variable aléatoire continue est une variable aléatoire qui peut prendre n'importe quelle valeur à l'intérieur d'un intervalle donné ou d'un ensemble d'intervalles.

II. Une distribution discrète est une liste de toutes les valeurs possibles d'une variable aléatoire discrète et des probabilités correspondantes. Les principales caractéristiques d'une distribution discrète sont:

   A. La somme des probabilités est égale à 1.

   B. La probabilité d'un résultat particulier est comprise entre 0 et 1.

III. La moyenne et la variance d'une distribution discrète sont calculées comme suit.

   La moyenne est égale à:

$$\mu = \sum[xP(x)]$$ **6.2**

   La variance est égale à:

$$\sigma^2 = \sum[(x - \mu)^2 P(x)]$$ **6.4**

IV. Une distribution binomiale possède les caractéristiques suivantes:

   A. Chaque essai admet deux résultats possibles: *succès* et *échec*.

   B. La probabilité d'un *succès* a la même valeur p d'un essai à l'autre.

   C. Les essais sont mutuellement indépendants.

   D. La distribution résulte du dénombrement des *succès* dans un nombre fixe n d'essais.

V. Les probabilités associées à une loi binomiale s'obtiennent comme suit:

$$P(x) = \frac{n!}{x!(n-x)!} p^x (1-p)^{(n-x)}$$ **6.7**

   A. La moyenne est calculée comme suit:

$$\mu = np$$ **6.8**

   B. La variance est:

$$\sigma^2 = np(1-p)$$ **6.9**

VI. Une distribution de Poisson possède les caractéristiques suivantes:

   A. Elle permet de déterminer le nombre de fois qu'un événement (*succès*) se produit durant un intervalle précis.

   B. Le nombre moyen de *succès* dans un intervalle est proportionnel à la longueur de l'intervalle.

   C. À mesure que l'intervalle se réduit, la probabilité que deux ou plusieurs *succès* se produisent dans l'intervalle s'approche de zéro.

   D. Les nombres de *succès* dans deux intervalles disjoints sont indépendants.

E. Les probabilités associées à une loi de Poisson s'obtiennent à partir de la formule suivante :

$$P(x) = \frac{\mu^x e^{-\mu}}{x!}$$ **6.10**

F. La moyenne et la variance d'une distribution de Poisson sont les mêmes.

VII. Une distribution binomiale telle que le nombre n d'essais est élevé et que la probabilité p d'un succès est petite peut être approximée par une distribution de Poisson dont la moyenne est np.

EXERCICES 6.29 À 6.59

6.29 Quelle est la différence entre une variable aléatoire et une distribution ?

6.30 Quelle est la différence entre une distribution discrète et une distribution continue ? Pour chacune des variables suivantes, indiquez si la distribution est discrète ou continue.
   a) La durée d'attente pour se faire couper les cheveux.
   b) Le nombre de voitures qu'un jogger croise chaque matin durant son circuit.
   c) Le nombre de coups sûrs en une partie pour une équipe féminine de balle molle d'une école secondaire.
   d) Le nombre de patients traités à l'Hôpital général de Scarborough entre 18 h et 22 h chaque soir.
   e) Le nombre de kilomètres parcourus par votre voiture depuis le dernier plein.
   f) Le nombre de défauts de surface visibles détectés par les inspecteurs de la qualité sur une nouvelle voiture.
   g) La quantité de boisson gazeuse dans une boîte de 341 ml.

6.31 Quelles sont les caractéristiques d'une expérience binomiale ?

6.32 Dans quelles conditions les distributions binomiales et de Poisson donnent-elles à peu près les mêmes résultats ?

6.33 La société Appartements Samson offre un grand nombre de logements à louer chaque mois. La direction se préoccupe du nombre d'appartements libres. Une étude récente a permis de déterminer la répartition du nombre X d'appartements libres un mois donné. Calculez la moyenne et l'écart type de cette variable X.

Nombre d'unités libres un mois donné	Probabilité
0	0,10
1	0,20
2	0,30
3	0,40

6.34 La valeur finale, à la fin de l'année, d'un investissement sera de 1000 $, de 2000 $ ou de 5000 $. Les probabilités de ces montants sont respectivement de 0,25, de 0,60 et de 0,15. Déterminez la moyenne et la variance de la valeur finale de l'investissement.

6.35 Le responsable du personnel d'une entreprise de fabrication étudie le nombre d'accidents de travail sur une période d'un mois. Il a obtenu la distribution suivante. Calculez la moyenne, la variance et l'écart type du nombre d'accidents en un mois.

Nombre d'accidents	Probabilité
0	0,40
1	0,20
2	0,20
3	0,10
4	0,10

6.36 La pâtisserie Corso offre des gâteaux spécialement décorés pour les anniversaires, les mariages et autres occasions spéciales, en plus des gâteaux ordinaires. Le tableau suivant contient le nombre total de gâteaux vendus par jour et les probabilités correspondantes. Calculez la moyenne, la variance et l'écart type du nombre de gâteaux vendus par jour.

Nombre de gâteaux vendus par jour	Probabilité
12	0,25
13	0,40
14	0,25
15	0,10

6.37 Une machine à cisailler Tamiami produit 10 % de morceaux défectueux, chiffre anormalement élevé. L'ingénieur du contrôle de la qualité a vérifié la production à l'aide d'un échantillonnage presque continu depuis que l'anomalie a été constatée. Quelle est la probabilité, dans un échantillon de 10 morceaux, que :
a) précisément 5 morceaux soient défectueux ?
b) 5 morceaux ou plus soient défectueux ?

6.38 Le responsable d'une boîte de nuit a observé que le nombre de clients masculins qui fréquentent sa boîte de nuit obéit à une loi de Poisson avec une moyenne de 30 par jour, et que le nombre de clientes obéit à une loi de Poisson avec une moyenne de 20 par jour. Le billet d'entrée coûte 20 $ au client et 10 $ à la cliente.
a) Trouvez la probabilité que 10 hommes fréquentent la boîte de nuit un jour sélectionné au hasard.
b) Si le nombre de clients masculins et le nombre de clientes sont mutuellement indépendants, trouvez la moyenne et l'écart type des recettes de la boîte de nuit provenant de la vente de billets d'entrée.

6.39 Une maison d'édition a estimé de la façon suivante la distribution de la demande X pour un certain livre.

Demande	Probabilité
500	0,3
1000	0,5
1500	0,2

Elle a décidé de faire imprimer 1000 exemplaires du livre. Le coût total d'impression des 1000 exemplaires s'élève à 20 000 $; le prix de vente est de 50 $, et tous les invendus peuvent être recyclés à 2 $ l'exemplaire. À quel bénéfice la maison d'édition peut-elle s'attendre pour ce projet ?

6.40 Trente pour cent de la population d'une communauté est hispanophone. Une hispanophone est accusée d'avoir assassiné une personne non hispanophone. Parmi les 12 jurés potentiels sélectionnés dans la communauté, seuls 2 sont hispanophones et 10 ne le sont pas. L'avocat de l'accusée conteste la sélection du jury, la jugeant partiale à l'encontre de sa cliente. Le procureur de la Couronne n'est pas d'accord, alléguant qu'une telle répartition n'implique aucun biais dans la composition du jury et n'est pas improbable si l'on suppose une sélection aléatoire des jurés. Qu'en pensez-vous ?

6.41 Alex Simpson a donné un cours sur la mécanique des fluides durant les 15 dernières années. Il s'est rendu compte que 15 % des étudiants ayant suivi ce cours n'ont pas obtenu la note de passage. On a tiré un échantillon de 30 de ses anciens étudiants.
a) Quelle est la probabilité qu'au moins 3 de ces 30 étudiants aient échoué ?
b) Quelle est la probabilité qu'exactement trois des étudiants aient échoué ?
c) Quelle est la valeur espérée du nombre d'étudiants ayant eu un échec dans un tel échantillon de 30 étudiants ?

6.42 La société Pneus et pièces d'auto Terry envisage un fractionnement d'actions de deux pour une. Avant de conclure la transaction, au moins deux tiers des 1200 actionnaires de l'entreprise doivent approuver la proposition. Pour évaluer la probabilité que la proposition soit approuvée, le directeur des finances a tiré un échantillon de 18 actionnaires, a communiqué avec chacun d'eux et a découvert que 14 approuvaient la proposition de fractionnement. Quelle est la probabilité d'obtenir exactement 14 approbations dans un échantillon de 18 actionnaires si l'on suppose que deux tiers des actionnaires approuvent la proposition ?

6.43 Le 4 novembre 2001, le *Toronto Star* rapportait que 15 % des couples vivaient en concubinage. Supposez que neuf couples aient été sélectionnés aléatoirement ce jour-là.
a) Quelle est la probabilité qu'exactement un des couples de l'échantillon vivait en concubinage ?
b) Quelle est la probabilité qu'aucun des couples de l'échantillon ne vivait en concubinage ?
c) Quelle est la valeur espérée du nombre de couples vivant en concubinage dans un tel échantillon de neuf couples ?

6.44 Dans son édition du 8 décembre 1998, *Le Quotidien* (Statistique Canada) rapportait que 5 % des étudiants détenant un baccalauréat ou un diplôme de niveau collégial ne payaient pas leur prêt dans les deux années suivant l'obtention de leur diplôme. Supposez qu'on tire un échantillon aléatoire de neuf étudiants détenant un diplôme de niveau collégial ou un baccalauréat.
a) Quelle est la probabilité qu'exactement deux des étudiants de l'échantillon ne payent pas leur prêt ?
b) Quelle est la probabilité qu'au moins trois de ces étudiants ne payent pas leur prêt ?
c) Quelle est la probabilité qu'aucun étudiant de l'échantillon ne paie son prêt ?
d) Quels sont la moyenne et l'écart type du nombre d'étudiants dans un tel échantillon de neuf étudiants qui ne payeront pas leur prêt ?

6.45 Des statistiques récentes suggèrent que 15 % de ceux qui magasinent en ligne sur le Web effectuent un achat. Un détaillant de la région souhaite vérifier cette donnée statistique. Pour ce faire, il a sélectionné un échantillon aléatoire de 16 visiteurs sur son site. Si l'affirmation est exacte :
a) quelle est la probabilité qu'exactement 4 des 16 visiteurs aient fait un achat ?
b) à combien d'achats le détaillant devrait-il s'attendre pour un tel échantillon de 16 visiteurs ?
c) quelle est la probabilité que quatre des visites ou plus se terminent par un achat ?

6.46 La recherche médicale a montré que la probabilité d'une guérison dans un cas de cancer de la peau détecté à un stade précoce et traité par la chimiothérapie est de 72%. On a tiré au hasard plusieurs échantillons, chacun se composant de sept patients atteints du cancer de la peau et traités de façon précoce par chimiothérapie. La variable aléatoire X correspond au nombre de patients guéris dans un échantillon donné. La distribution de la variable X est donnée ci-dessous.

x	$P(x)$
0	0,000
1	0,002
2	0,019
3	0,080
4	0,206
5	0,316
6	0,273
7	0,100

a) Trouvez le nombre espéré de patients guéris dans un échantillon de sept patients.

b) Calculez l'écart type du nombre de patients guéris dans un échantillon.

6.47 Maryse Richmond, psychologue, étudie les habitudes durant le jour d'étudiants de niveau collégial en matière de télévision. Elle croit que 45% d'entre eux regardent des feuilletons l'après-midi. Afin de pousser plus loin son étude, elle tire un échantillon de 10 étudiants. Supposez que son hypothèse soit exacte.

a) Construisez la distribution du nombre d'étudiants de l'échantillon qui regardent des feuilletons.

b) Trouvez la moyenne et l'écart type de cette distribution.

c) Quelle est la probabilité que, parmi les 10 étudiants sélectionnés, exactement 4 regardent des feuilletons ?

d) Quelle est la probabilité que moins de la moitié des étudiants sélectionnés regardent des feuilletons ?

6.48 En se fondant sur des données historiques concernant le retour de calculatrices de poche, le fabricant a estimé que 5% sont retournées pour être réparées alors qu'elles sont encore couvertes par la garantie. Supposez qu'une entreprise achète 30 calculatrices de poche.

a) Quelle est la probabilité qu'exactement 3 de ces 30 calculatrices exigent des réparations alors qu'elles sont encore sous garantie ?

b) Quelle est la probabilité qu'au moins quatre calculatrices exigent des réparations alors qu'elles sont encore sous garantie ?

c) Quelle est la probabilité qu'aucune calculatrice n'exige de réparations alors qu'elle est encore sous garantie ?

6.49 Un fabricant de puces d'ordinateur affirme que la probabilité qu'une puce soit défectueuse est de 0,002. Le fabricant vend ses puces en lots de 700 à Ordinateurs HBM.

a) Quel est le nombre moyen de puces défectueuses par lot ?

b) Quelle est la probabilité qu'aucune des 700 puces d'un lot ne soit défectueuse ?

6.50 Une ligne aérienne sait que 1% des personnes qui réservent des vols ne se présentent pas. Par conséquent, sa politique est de vendre 202 billets pour un vol d'une capacité de 200 passagers. Calculez la probabilité qu'il y ait un siège pour chaque personne qui a réservé et qui se présente.

6.51   Les ventes de voitures Lexus de la région du Grand Toronto obéissent à une loi de Poisson avec une moyenne de six voitures par jour.
a)   Quelle est la probabilité qu'aucune Lexus ne soit vendue un jour donné ?
b)   Quelle est la probabilité qu'au moins une Lexus soit vendue chaque jour pendant cinq jours consécutifs ?

6.52   Supposez que 1,5 % des intercalaires en plastique produits par une machine à moule à injection haute vitesse soient défectueux. Pour un échantillon de 200 intercalaires, trouvez la probabilité :
a)   qu'aucun intercalaire ne soit défectueux.
b)   que trois intercalaires ou plus soient défectueux.

6.53   Une étude de files d'attente à un comptoir d'un magasin situé dans le centre-ville de Scarborough a révélé qu'entre 16 h et 19 h les jours de semaine, il y a en moyenne quatre clients dans la file d'attente. Supposez que le nombre de clients dans la file durant cette période obéisse à une loi de Poisson. Quelle est la probabilité que vous alliez dans le magasin aujourd'hui durant cette période et :
a)   que vous ne trouviez aucun client en train d'attendre ?
b)   que vous trouviez quatre clients en train d'attendre ?
c)   que vous trouviez quatre clients ou moins en train d'attendre ?
d)   que vous trouviez quatre clients ou plus en train d'attendre ?

6.54   La probabilité qu'un bébé naissant souffre de l'une des nombreuses formes d'albinisme est de 1/17 000. Parmi les 25 000 prochaines naissances, quelle est la probabilité :
a)   qu'aucun bébé ne souffre d'albinisme ?
b)   que plus de deux bébés souffrent d'albinisme ?

6.55   *Le Quotidien* (Statistique Canada) rapporte qu'en moyenne, 5,1 vols de véhicules automobiles ont lieu toutes les 15 minutes. Supposez qu'on puisse approximer la distribution du nombre de vols dans une période de 15 minutes par une loi de Poisson.
a)   Quelle est la probabilité qu'exactement sept vols de véhicules aient lieu durant une période de 15 minutes ?
b)   Quelle est la probabilité qu'il n'y ait aucun vol de véhicule durant une période de 15 minutes ?
c)   Quelle est la probabilité qu'il y ait au moins un vol de véhicule durant une période de 15 minutes ?
(Source : www.statcan.ca/Daily/Francais/980127/q980127.htm.)

6.56   Nouveau Procédé inc., un important fournisseur de vêtements pour femmes par correspondance, annonce dans ses publicités qu'il répond dans la journée aux commandes reçues. Récemment, le traitement des commandes ne s'est pas déroulé comme prévu et l'entreprise a enregistré un grand nombre de plaintes. Bud Owens, le responsable du service des commandes, a complètement changé la méthode de traitement des commandes. Le but est d'avoir moins de cinq commandes non exécutées à la fin de 95 % des jours ouvrables. De fréquentes vérifications ont révélé que les commandes non exécutées à la fin d'une journée obéissent à une loi de Poisson avec une moyenne de deux commandes.
a)   Nouveau Procédé a-t-elle atteint intégralement son objectif ? Expliquez.
b)   Représentez graphiquement la distribution de Poisson des commandes non exécutées.

6.57   Une banque de la région du Grand Toronto reçoit en moyenne huit clients entre 8 h et 9 h chaque jour d'ouverture. Supposez qu'un processus de Poisson permette d'approximer la distribution de l'arrivée des clients.
a)   Quelle est la probabilité qu'un jour donné où la banque est ouverte, elle reçoive exactement trois clients entre 8 h et 9 h ?
b)   Quelle est la probabilité que la banque reçoive moins de trois clients durant cette période ?
c)   Quelle est la probabilité que la banque reçoive plus de quatre clients durant cette période ?

6.58   Selon la « théorie de janvier », si le marché boursier est à la hausse au mois de janvier, il continuera à la hausse le reste de l'année ; s'il est à la baisse au mois de janvier, il sera à la baisse le reste de l'année. Selon un article du *Wall Street Journal*, cette théorie a été valable pour 29 des 34 dernières années. Supposez que la théorie soit fausse. Quelle est la probabilité que cette situation se soit produite par hasard ? (Vous aurez probablement besoin d'un tableur comme Excel.)

6.59   Quatorze corps d'armée de l'armée allemande[3] ont conservé les archives des soldats morts à la suite de ruades de chevaux de 1875 à 1894. On dispose donc de $(14)(20) = 280$ données, une pour chaque combinaison d'un corps d'armée et d'une année de la période 1875-1894. Le nombre total de morts pour la période fut de 196. Répondez aux questions suivantes en supposant que le nombre de morts pour un corps d'armée et une année donnés obéisse à une loi de Poisson.
a) Trouvez le nombre espéré de morts par corps d'armée par année.
b) Trouvez la probabilité qu'il y ait exactement trois morts dans un corps d'armée et une année sélectionnés au hasard.
c) Trouvez la probabilité qu'il y ait au moins un mort dans un corps d'armée et une année sélectionnés au hasard.

EXERCICE 6.60
DONNÉES INFORMATIQUES

6.60   Reportez-vous aux données du fichier Exercice 6-60.xls sur le cédérom accompagnant ce manuel. Le fichier contient la liste de 174 entreprises choisies au hasard parmi les 1000 plus grandes entreprises en l'an 2000, ainsi que le nombre de leurs employés. Construisez le tableau des effectifs des employés. Convertissez cette distribution d'effectifs en une distribution de fréquences, qui est aussi une distribution de probabilité, en divisant chaque effectif par la somme des effectifs. Calculez la moyenne et l'écart type de cette distribution de probabilité.

www.exercices.ca 6.61

6.61   Allez à l'adresse www.homestore.ca. Cliquez sur la carte du menu sur la région *ON*, pour *Ontario*. Puis sélectionnez successivement *Toronto, Toronto Area, Durham Region, Bowmanville* et *Single Family Home*.
a) Créez une distribution du nombre de chambres dans des maisons unifamiliales. Calculez la moyenne et l'écart type de cette distribution.
b) Créez la distribution du nombre de salles de bain dans des maisons unifamiliales. Calculez la moyenne et l'écart type de cette distribution.
c) Représentez graphiquement les distributions obtenues en a) et en b). Commentez la forme de ces distributions.

CHAPITRE 6 — RÉPONSES AUX QUESTIONS DE RÉVISION

6.1 a)

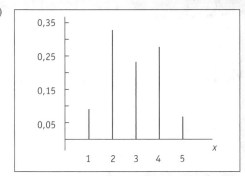

b) $P(X \geq 2) = P(2) + P(3) + P(4) + P(5)$
$= 0,34 + 0,23 + 0,28 + 0,07 = 0,92$

6.2

$x_2(\%)$ / $x_1(\%)$	-15	10	30
-5	$(0,2)(0,3)$ $= 0,06$	$(0,2)(0,2)$ $= 0,04$	$(0,2)(0,5)$ $= 0,10$
6	$(0,7)(0,3)$ $= 0,21$	$(0,7)(0,2)$ $= 0,14$	$(0,7)(0,5)$ $= 0,35$
15	$(0,1)(0,3)$ $= 0,03$	$(0,1)(0,2)$ $= 0,02$	$(0,1)(0,5)$ $= 0,05$

6.3 Distribution de X_1^2

x_1	x_1^2	Probabilité
-10	100	$0,2$
8	64	$0,5$
20	400	$0,3$

Distribution de $R = 2X_1 + 3X_2$

x_1	x_2	$r = 2x_1 + 3x_2$	$P(r)$
-10	-5	-35	$0,05$
-10	5	-5	$0,15$
-10	10	10	$0,00$
8	-5	1	$0,05$
8	5	31	$0,35$
8	10	46	$0,10$
20	-5	25	$0,10$
20	5	55	$0,10$
20	10	70	$0,10$

6.4 Soient X_1 le gain obtenu lors du premier jeu et X_2 le gain obtenu lors du deuxième jeu. P(gagner lors du premier jeu) = 18/37.

Distribution de X_1

x_1	Probabilité
-100	$19/37 = 0,5135$
$+100$	$18/37 = 0,4865$

Distribution de X_2

x_2	Probabilité
0	$18/37 = 0,4865$
-200	$(19/37)(19/37) = 0,2637$
200	$(19/37)(18/37) = 0,2498$

$E(X_1) = (-100)(0,5135) + (100)(0,4865) = -2,7$
$E(X_2) = (0)(0,4865) + (-200)(0,2637)$
$\qquad + (200)(0,2498) = -2,78$
$E(X_1 + X_2) = E(X_1) + E(X_2) = -2,7 - 2,78 = -5,48$

6.5 a)

x_2	$P(x_2)$	$E(X_2) = \mu$	$(x_2 - \mu)^2$	$(x_2 - \mu)^2 P(x_2)$
-5	$0,2$	4	81	$16,2$
5	$0,6$	4	1	$0,6$
10	$0,2$	4	36	$7,2$
Total	$1,0$			$24,0$

$SD(X_2) = \sqrt{24,0} = 4,9$

b) Rendement total $= R = 5X_1 + 10X_3$
Donc, $V(R) = 5^2 V(X_1) + 10^2 V(X_3) = 9100$
$\qquad SD(R) = \sqrt{9100} = 95,4$

6.6 **1.** $n = 8$, $p = 0,04$
En utilisant la formule de distribution binomiale (formule 6.7),

a) $P(X = 0) = \dfrac{8!}{0!(8-0)!}(0,04)^0(1-0,04)^{(8-0)}$
$\qquad = 0,7214$

b) $P(X = 2) = \dfrac{8!}{2!(8-2)!}(0,04)^2(1-0,04)^{(8-2)}$
$\qquad = 0,0351$

c) $P(X \geq 4) = P(4) + P(5) + P(6) + P(7) + P(8)$
$\qquad \approx 0,00016$

2. $n = 6$, $p = 0,30$
En utilisant une table binomiale,

a) $P(X \leq 2) = P(0) + P(1) + P(2)$
$\qquad = 0,118 + 0,303 + 0,324$
$\qquad = 0,745$

b) $P(x \geq 4) = P(4) + P(5) + P(6)$
$\qquad = 0,060 + 0,010 + 0,001$
$\qquad = 0,071$

6.7 $n = 4000$; $p = 0,0007$
Donc, $\mu = np = (4000)(0,0007) = 2,8$

$P(X = 1) = \dfrac{\mu^x e^{-\mu}}{x!} = \dfrac{(2,8)^1 e^{-2,8}}{1!} = 0,1703$

CHAPITRE 7

Les lois normales

Après avoir lu ce chapitre, vous serez en mesure :

- d'expliquer comment des probabilités sont attribuées à une variable aléatoire continue ;

- d'expliquer les caractéristiques d'une loi normale ;

- de définir et de calculer la valeur centrée réduite z correspondant à n'importe quelle observation d'une variable normale ;

- de déterminer, à l'aide de la distribution normale centrée réduite, la probabilité qu'une variable normale se trouve dans un intervalle donné ;

- d'utiliser les lois normales pour approximer une loi binomiale.

ABRAHAM DE MOIVRE (1667-1754)

La loi normale est l'un des plus importants concepts de la statistique et de la théorie des probabilités. Son importance dans ces domaines tient principalement à deux résultats. Le premier, bien connu sous le nom de « loi normale de la distribution des erreurs », présente la loi normale comme appropriée pour exprimer la distribution d'erreurs aléatoires. Ce résultat fut d'abord publié par le mathématicien américain Robert Adrain en 1808, puis fut obtenu de façon indépendante par le scientifique allemand Carl Friedrich Gauss, une année plus tard. Le deuxième résultat, appelé « théorème limite central » et attribué à Pierre-Simon Laplace, explique pourquoi la distribution normale se rencontre fréquemment dans le monde réel.

L'honneur d'être le premier à énoncer la formule de la courbe normale revient à Abraham de Moivre. Il fit en particulier la preuve que plus le nombre n d'essais augmente, plus la forme de la distribution binomiale se rapproche de celle de la distribution normale.

Abraham de Moivre naquit en France, mais à cause des persécutions religieuses, il émigra en Angleterre à l'âge de 18 ans. Par hasard, alors qu'il était à Londres, le *Principia* d'Isaac Newton suscita grandement son intérêt et inspira son travail en mathématiques. Sa contribution dans ce domaine fit de lui une légende chez les mathématiciens et son apport à la statistique posa un jalon dans la compréhension des événements du hasard. Il dédia son premier ouvrage, *The Doctrine of Chances*, à Newton. Celui-ci, alors âgé, était réputé pour chasser des élèves en leur disant : « Allez voir M. de Moivre, il connaît ces choses mieux que moi. » De Moivre fut loué par le poète et essayiste anglais Alexander Pope pour sa grande précision : « Qui, précis comme De Moivre, saurait tracer sans règle la toile d'une araignée[1] ? »

En dépit de ses réalisations scientifiques remarquables et de son amitié avec des hommes de science influents comme Newton, De Moivre mena une vie difficile. En effet, incapable d'obtenir un poste officiel, il manquait de ressources financières. Il vivotait grâce à son travail de précepteur en mathématiques et à la publication de ses recherches dans ce domaine. L'enseignement était pour lui un métier particulièrement difficile, car il devait se déplacer sur de grandes distances entre les maisons de ses élèves. Vers l'âge de 80 ans, il commença à souffrir de léthargie. On rapporte qu'il avait découvert qu'il dormait 15 minutes de plus chaque nuit. Partant de cette découverte, il calcula la date et l'heure précise de sa mort – en présumant qu'il mourrait le jour où il dormirait 24 heures. Il avait raison !

INTRODUCTION

Au chapitre 6, nous avons traité des familles de distributions discrètes. Souvenez-vous que ces distributions sont fondées sur les variables aléatoires discrètes, lesquelles ne peuvent prendre qu'un ensemble **fini** ou **dénombrable** de valeurs. Par exemple, le nombre de réponses justes à un examen composé de 10 questions de type « vrai ou faux ? » ne peut être que 0, 1, 2, ..., 10. Ici le nombre de valeurs possibles est 11 (un nombre fini). Le nombre de fois qu'on lance une pièce de monnaie jusqu'à ce qu'on obtienne la première face ne peut être que 1, 2, 3, ... Dans ce cas, l'ensemble de valeurs possibles est infini, mais dénombrable.

Cependant, la taille d'un Canadien adulte choisi au hasard peut être n'importe quelle valeur comprise, disons, entre 80 cm et 250 cm. (On a choisi un intervalle extrêmement large afin de s'assurer qu'aucune valeur possible ne soit omise.) L'ensemble de toutes les valeurs dans l'intervalle compris entre 80 et 250 est *infini*. De plus, il est impossible d'établir la liste de toutes ces valeurs. Entre deux valeurs quelconques de l'intervalle, aussi proches l'une de l'autre soient-elles, il est toujours possible de trouver une autre valeur. *L'ensemble de toutes les valeurs de l'intervalle est infini et non dénombrable.* La taille d'un Canadien adulte choisi au hasard est une **variable aléatoire continue.** Dans ce chapitre, nous étudierons la classe des distributions continues.

> **Variable aléatoire continue**   Variable pouvant prendre n'importe quelle valeur à l'intérieur d'un intervalle ou d'un ensemble d'intervalles.

Une variable aléatoire continue provient habituellement de la mesure d'attributs tels que la longueur, le poids, le temps et la température. Après une brève étude de la forme générale des distributions continues, nous examinerons en détail une famille très importante de distributions continues : les lois normales, qui jouent un rôle fondamental dans la théorie et l'application de l'inférence statistique.

7.1 L'ATTRIBUTION DE PROBABILITÉS À UNE VARIABLE ALÉATOIRE CONTINUE

L'une des principales distinctions entre les variables discrètes et les variables continues est la façon dont les probabilités des événements sont définies. Souvenez-vous que la *somme des probabilités doit toujours être égale à 1*. Dans le cas d'une variable discrète, on peut attribuer une probabilité positive à chacune des valeurs possibles de la variable de façon telle que le total de ces probabilités est 1. Cependant, dans le cas d'une variable continue, il est impossible d'attribuer une probabilité positive à chacune des valeurs dans l'intervalle et encore obtenir un total de 1. C'est pourquoi, dans ce cas, on suppose que la probabilité que la variable prenne une valeur précise est zéro. On attribue plutôt des probabilités à des intervalles de valeurs. En pratique, cette approche a un sens. Par exemple, la probabilité qu'un nouveau-né pèse *exactement* 4 kg (pas même une fraction de 1 g en plus ou en moins) est de zéro. Toutefois, il y a une probabilité raisonnablement élevée que le poids du nouveau-né se situe entre 3,9 kg et 4,1 kg.

La probabilité qu'une variable continue prenne une valeur en particulier est zéro. On attribue plutôt des probabilités à des intervalles de valeurs.

Nous expliquons maintenant comment, dans le cas d'une variable continue, on attribue des probabilités à des intervalles de valeurs. Supposons qu'on s'intéresse à la distribution de l'espérance de vie à la naissance d'un être humain de sexe masculin choisi au hasard. Il s'agit d'une variable aléatoire continue. Au chapitre 2, on a donné l'espérance de vie des hommes à la naissance dans 40 pays (voir le tableau 2.7) ; par la suite, on a représenté graphiquement ces données dans un histogramme de fréquences composé d'intervalles égaux et l'on a constaté que *l'aire totale de cet histogramme est égale à l'amplitude des intervalles de classe.* Si l'on divise les hauteurs des rectangles (échelle) par l'amplitude (intervalle de classe), l'aire totale au-dessous de l'histogramme regradué sera alors égale à 1. De même, l'aire de chaque rectangle sera égale à la fréquence de l'intervalle (proportion des données dont la valeur se trouve dans l'intervalle).

Supposons qu'on trace un histogramme de fréquences, dont l'aire totale est égale à 1, en utilisant un échantillon de très grande taille (par exemple des données sur l'espérance de vie des hommes dans différentes régions de divers pays durant des périodes distinctes) et des classes de très petite amplitude. L'aire de chaque rectangle sera alors une bonne approximation de la vraie probabilité que l'espérance de vie d'un homme choisi au hasard se situe dans l'intervalle associé. À mesure que la taille de l'échantillon augmente et que l'amplitude des classes se réduit, l'histogramme de fréquences convergera vers une forme qu'on appelle *fonction de densité* de la variable. (*Ce concept est étroitement lié au concept de densité en physique.*) La probabilité que la valeur de la variable appartienne à un intervalle précis sera alors égale à l'aire au-dessous de la fonction de *densité* dans cet intervalle.

Pour illustrer ce concept, on présente les histogrammes de fréquences des données simulées sur la grandeur des Canadiens adultes de sexe masculin. La figure 7.1 a) montre l'histogramme de fréquences pour un échantillon de taille 50 ; dans cet histogramme, les classes sont toutes d'amplitude 2. De même, dans les figures 7.1 b) et 7.1 c), on a utilisé des échantillons de taille 500 et 5000, et des classes d'amplitude 1 et 0,4 respectivement. La figure 7.1 d) montre la fonction de densité vers laquelle les histogrammes convergent.

FIGURE 7.1 Les histogrammes de fréquences pour la grandeur des Canadiens adultes de sexe masculin (données simulées)

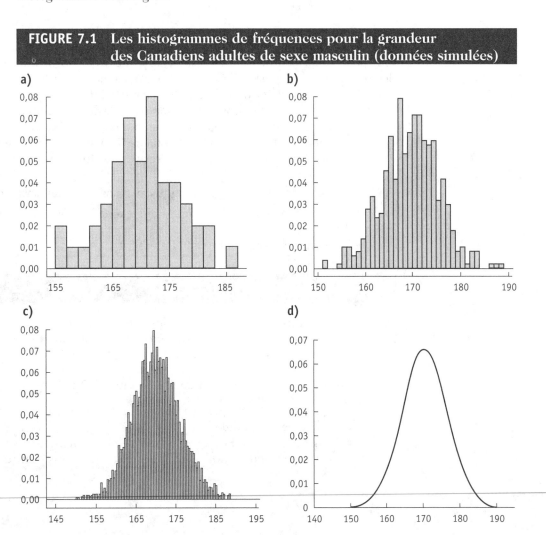

Une fonction de densité peut prendre plusieurs formes tant que : 1) elle est non négative (c'est-à-dire que la courbe se situe au-dessus de l'axe horizontal) et que 2) l'aire totale sous la courbe est égale à 1.

Exemple 7.1

Une étude menée par une banque a montré que le temps X pris par ses caissiers pour servir un client se situait dans l'intervalle de 1 à 6 minutes avec la fonction de densité :

$$f(x) = 0{,}2 \text{ pour } x \text{ entre 1 et 6}$$

Pour quelle fraction de clients le temps de service se situe-t-il entre 2 et 5 minutes ?

Solution

La figure 7.2 montre la représentation graphique de la fonction de densité.

FIGURE 7.2   La fonction de densité du temps de service à la clientèle d'une banque

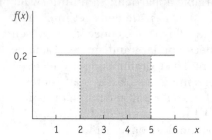

La hauteur de la courbe est $f(x) = 0{,}2$ pour chaque valeur de x comprise entre 1 et 6. Ainsi, la courbe est une droite horizontale située entre $x = 1$ et $x = 6$ à une hauteur de 0,2. La courbe se trouve au-dessus de l'axe horizontal, et l'aire totale au-dessous de la courbe est $0{,}2(6 - 1) = 1$. Ces éléments sont les conditions nécessaires pour que la courbe soit une fonction de densité valide.

On veut trouver la fraction des clients pour lesquels le temps de service est compris entre 2 et 5 minutes. Il s'agit de l'aire au-dessous de la courbe située entre 2 et 5 (qui correspond à la partie ombrée de la figure 7.2), et elle est égale à $0{,}2(5 - 2) = 0{,}6$. Ainsi, pour 60 % des clients, le temps de service se situe entre 2 et 5 minutes.

 Toute **fonction de densité** $f(x)$ doit satisfaire aux propriétés suivantes :

- $f(x)$ doit être non négative (c'est-à-dire que la courbe doit se situer au-dessus de l'axe horizontal) ;
- l'aire totale sous la courbe doit être égale à 1.

■ RÉVISION 7.1

Une étude a montré que la consommation d'essence (sur l'autoroute) d'une certaine marque de voitures compactes se situe entre 7,2 L/100 km et 8 L/100 km. Supposons que sa fonction de densité soit celle-ci :

$$f(x) = 1{,}25 \text{ pour } x \text{ entre 7,2 et 8}$$

a) Représentez graphiquement la courbe $f(x)$ et vérifiez qu'il s'agit d'une fonction de densité valide.

b) Trouvez la probabilité qu'une voiture de ce modèle sélectionnée au hasard ait une consommation (sur l'autoroute) comprise entre 7,5 L/100 km et 7,8 L/100 km.

Au chapitre 6, nous avons vu les formules pour calculer la valeur espérée et la variance d'une variable discrète. Les formules correspondantes dans le cas d'une variable continue exigent une connaissance du calcul intégral, et ce sujet n'est pas abordé dans le présent manuel.

On classe les distributions continues selon les formes des fonctions de densité. Par exemple, si la courbe prend la forme d'une droite horizontale, comme dans l'exemple plus haut, alors la distribution sera appelée *distribution uniforme* ou *loi uniforme*. Malheureusement, un cas aussi simple ne se présente pas très souvent en pratique. L'une des formes de fonctions de densité observées le plus fréquemment est celle des *distributions* ou *lois normales*. À présent, passons à l'étude détaillée de ces distributions normales.

7.2 LES LOIS NORMALES

Les lois normales jouent un rôle central en inférence statistique. Elles ont une signification théorique importante et servent comme approximation pour un grand nombre de variables aléatoires que l'on rencontre dans les problèmes pratiques, par exemple les salaires horaires des employés d'une grande entreprise, les notes des étudiants dans une grande classe, les variations quotidiennes en pourcentage de l'indice TSE 300 et les erreurs de mesure de phénomènes physiques et économiques. Dans certains cas, on obtient une loi normale en appliquant à la variable étudiée une transformation simple (comme la transformation logarithmique).

Les lois normales forment une «famille» de distributions. Pour chaque combinaison d'une moyenne μ et d'un écart type σ, on obtient une distribution normale différente. On définit chaque fonction de densité normale[2] (on l'appellera parfois *courbe normale*) pour toutes les valeurs comprises entre $-\infty$ et $+\infty$; cette fonction est complètement décrite par sa moyenne μ et son écart type σ.

La figure 7.3 illustre différentes lois normales. L'une des courbes de la figure 7.3 a) représente la distribution des durées de service des employés d'une usine de Vancouver, où la moyenne est de 20 ans et l'écart type, de 3,1 ans; une autre correspond aux durées de service dans une usine d'Halifax, où $\mu = 20$ et $\sigma = 3,9$ ans. La figure 7.3 a) présente graphiquement trois distributions où les moyennes sont les mêmes, mais où les écarts types sont différents. La figure 7.3 b) montre la distribution des salaires horaires de travailleurs dans deux sociétés; celles-ci ont différentes moyennes et différents écarts types.

 On appelle **variable normale** une variable aléatoire continue dont la fonction de densité est celle d'une loi normale. On dit également que cette variable **obéit à une loi normale.**

À toute variable X de moyenne μ et d'écart type σ est associée une *variable centrée réduite*, que l'on obtient en soustrayant μ de X et en divisant la différence par σ. Autrement dit, la variable centrée réduite correspondant à X est $Z = \dfrac{(X - \mu)}{\sigma}$.

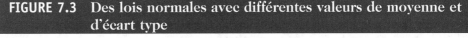

FIGURE 7.3   Des lois normales avec différentes valeurs de moyenne et d'écart type

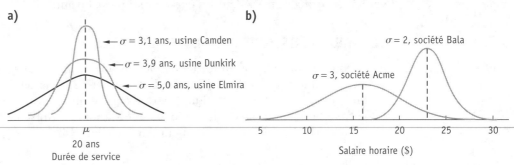

La variable centrée réduite Z a une moyenne de 0 et un écart type de 1. Une telle réduction est souvent utile lorsqu'on doit comparer deux variables aléatoires différentes.

Dans le cas des variables normales, le procédé de réduction s'avère très utile. La famille des variables normales possède les propriétés suivantes. Si X et Y sont des variables normales, alors :

- tout multiple non nul de X (tel que $3X$ ou $-5X$) est une variable normale ;

- si l'on ajoute une constante quelconque à X (telle que $X + 3$ ou $X - 4$), on obtient une variable normale (ainsi, $X + 3$ et $X - 4$ sont des variables normales) ;

- $X + Y$ est une variable aléatoire normale pourvu que les variables X et Y soient indépendantes.

Il découle des propriétés ci-dessus que, si X est une variable normale de moyenne μ et d'écart type σ, la variable centrée réduite $Z = \dfrac{(X - \mu)}{\sigma}$ sera également une variable normale. On appelle Z la *variable normale centrée réduite*.

 Pour toute variable normale X de moyenne μ et d'écart type σ, la variable centrée réduite $Z = \dfrac{(X - \mu)}{\sigma}$ est une variable normale de moyenne 0 et d'écart type 1, et est appelée **variable normale centrée réduite.**

La courbe normale correspondant à Z est appelée *courbe normale centrée réduite* ou *courbe Z* et on l'exprime à l'aide de la formule suivante[3] :

Fonction de densité normale centrée réduite	$f(z) = \dfrac{1}{\sqrt{2\pi}}\ e^{-z^2/2}$	7.1

Souvenez-vous que $\pi = 3,1415\ldots$ et $e = 2,71828\ldots$ Dans tout le reste du manuel, nous utiliserons la lettre Z pour désigner la variable normale centrée réduite.

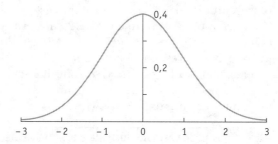

La courbe Z comporte les caractéristiques suivantes :

- elle a un sommet unique égal à sa moyenne 0 ;

- elle est symétrique autour de sa moyenne 0 ;

- elle est en forme de cloche ; à mesure qu'on s'éloigne de la valeur centrale 0 dans l'une ou l'autre des directions, la courbe s'approche rapidement de l'axe horizontal, mais ne le touche jamais.

Puisque la réduction de toute variable normale la transforme en variable Z, les variables normales possèdent les caractéristiques suivantes.

LES CARACTÉRISTIQUES DES LOIS NORMALES

- La courbe normale est en forme de cloche : elle a un sommet unique au centre et décroît à mesure que l'on s'éloigne de la valeur centrale dans l'une ou l'autre des directions. Elle est asymptotique, ce qui signifie qu'elle s'approche de plus en plus de l'axe horizontal sans jamais réellement le toucher. Autrement dit, les « queues » de la courbe s'étendent indéfiniment dans les deux directions.

- La courbe est symétrique autour de la valeur centrale. Si l'on coupe la courbe verticalement à sa valeur centrale, les deux moitiés sont le miroir l'une de l'autre. La valeur centrale est donc la moyenne arithmétique μ, et elle est également la médiane et le mode de la distribution. L'aire sous la courbe à droite de la moyenne représente la moitié, et l'aire sous la courbe à gauche de la moyenne représente l'autre moitié.

- Pour toute variable aléatoire normale X de moyenne μ et d'écart type σ, la variable centrée réduite $\dfrac{(X - \mu)}{\sigma}$ obéit à une variable normale centrée réduite.

Les figures 7.4 a) et b) présentent ces caractéristiques de la courbe normale.

FIGURE 7.4 Les caractéristiques d'une loi normale

a) **La courbe normale est symétrique.**
Les deux moitiés sont identiques.

b) **L'aire de chacune de ces moitiés**
est égale à 0,5.

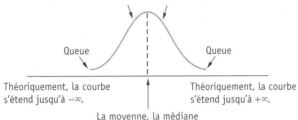

Queue   Queue

Théoriquement, la courbe   Théoriquement, la courbe
s'étend jusqu'à $-\infty$.   s'étend jusqu'à $+\infty$.

La moyenne, la médiane
et le mode sont égaux.

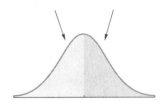

LE CALCUL DES PROBABILITÉS ASSOCIÉES À UNE LOI NORMALE

Comme nous l'avons vu, il existe une famille de lois normales. Pour chaque combinaison de valeurs de moyenne μ et d'écart type σ, on obtient un membre différent de cette famille. Par conséquent, le nombre de lois normales est infini. Il serait physiquement impossible de fournir une table des probabilités (comme pour les lois binomiales ou de Poisson) pour chaque combinaison de μ et de σ.

Heureusement, comme nous l'avons vu plus haut, la famille des lois normales possède la propriété suivante : pour toute variable normale X de moyenne μ et d'écart type σ, la variable centrée réduite $\dfrac{(X - \mu)}{\sigma}$ obéit à une variable normale centrée réduite, soit la loi normale de moyenne 0 et d'écart type 1. Cette propriété rend possible l'utilisation de tables de probabilités pour la variable normale centrée réduite afin de calculer les probabilités de toutes les variables normales. La table des probabilités pour Z se trouve à l'annexe F du présent manuel (nous l'appellerons la table Z).

Nous allons voir comment utiliser cette table pour trouver les aires ou les probabilités sous la courbe Z, de même que pour déterminer les probabilités de n'importe quelle variable normale en la convertissant en variable normale centrée réduite.

LE CALCUL DES PROBABILITÉS SOUS LA COURBE Z

Pour tout nombre positif z, la table Z donne la probabilité ou l'aire de la courbe Z entre sa valeur moyenne (qui est 0) et z. Par exemple, supposons qu'on veuille connaître la probabilité que la valeur de Z soit comprise entre 0 et 1,91. Ici $z = 1,91$. Dans la table Z, allez au bas de la colonne du tableau intitulée « z » jusqu'à 1,9. Ensuite, dirigez-vous horizontalement vers la droite et lisez la probabilité sous la colonne intitulée « 0,01 », soit 0,4719. Donc, la probabilité que la valeur de Z soit comprise entre 0 et 1,91 est 0,4719.

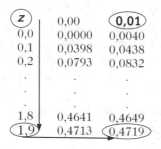

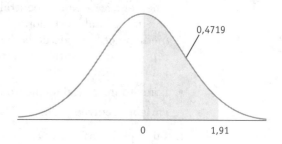

Les probabilités que la valeur de Z soit comprise entre 0 et z pour différentes valeurs de z figurent ci-dessous.

Valeur de z	Aire sous la courbe Z comprise entre 0 et z	Commentaire
2,84	0,4977	
1,0	0,3413	
0,49	0,1879	
1,325	approx. 0,4074	point milieu entre 0,4066 et 0,4082
3,5	approx. 0,5	pour z supérieur à 3,09, l'aire comprise entre 0 et z est presque 0,5

■ RÉVISION 7.2

Trouvez la probabilité que la valeur de Z soit comprise entre chacune des paires de valeurs suivantes :

      a) Entre 0 et 1,02.

      b) Entre 0 et 0,16.

      c) Entre 0 et 3,92.

Nous allons voir comment trouver la probabilité entre une valeur z négative et 0. Supposons qu'on veuille trouver l'aire sous la courbe Z entre −2,05 et 0. Puisque la courbe Z est symétrique par rapport à zéro, l'aire comprise entre −2,05 et 0 est la même que celle comprise entre 0 et 2,05. À l'aide de la table Z, en posant $z = 2,05$, on obtient que l'aire comprise entre 0 et 2,05 est égale à 0,4798. Ainsi, l'aire comprise entre −2,05 et 0 est 0,4798.

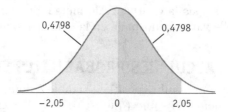

■ RÉVISION 7.3

Trouvez l'aire sous la courbe Z pour chacun des intervalles suivants :

      a) Entre −1,37 et 0.

      b) Entre −4,02 et 0.

Supposons que l'on cherche la probabilité que la valeur de Z soit supérieure à 1,36. Il s'agit de la même surface que l'aire sous la courbe Z à la droite de 1,36 :

$$P(X > 1,36) = \text{(aire totale à droite de 0)} - \text{(aire comprise entre 0 et 1,36)}$$
$$= 0,5 - \text{(valeur de la table } Z \text{ correspondant à } z = 1,36)$$
$$= 0,5 - 0,4131 = 0,0869$$

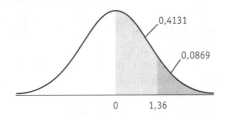

■ RÉVISION 7.4

Trouvez l'aire sous la courbe Z correspondant à chacune des valeurs suivantes :
   a) Supérieure à 2,04.
   b) Supérieure à 4,01.
   c) Inférieure à −2,58.

Voyons maintenant comment trouver l'aire sous la courbe Z entre une valeur négative et une valeur positive. Calculons l'aire comprise entre −0,98 et 2,12.

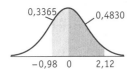

Aire comprise entre −0,98 et 2,12
   = (aire comprise entre −0,98 et 0) + (aire comprise entre 0 et 2,12)
   = (valeur correspondant à z = 0,98) + (valeur correspondant à z = 2,12)
   = 0,3365 + 0,4830 = 0,8195

■ RÉVISION 7.5

Trouvez la probabilité que la valeur de Z satisfasse à chacune des conditions suivantes :
   a) Entre −2,16 et 0,48.
   b) Entre −1,72 et 3,64.
   c) Supérieure à −1,63.

Enfin, supposons qu'on veuille trouver l'aire entre deux valeurs positives. À titre d'exemple, disons qu'on veut déterminer l'aire a comprise entre 0,61 et 1,76.

a = (aire comprise entre 0 et 1,76) − (aire comprise entre 0 et 0,61)
   = (valeur correspondant à z = 1,76) − (valeur correspondant à z = 0,61)
   = 0,4608 − 0,2291 = 0,2317

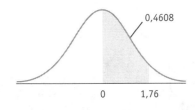 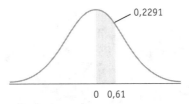 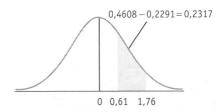

■ RÉVISION 7.6

Trouvez l'aire sous la courbe Z entre chacune des paires de valeurs suivantes :

a) Entre 1,42 et 2,76.
b) Entre −2,67 et −0,92.

LE CALCUL DES PROBABILITÉS INVERSES SOUS LA COURBE Z

Dans les exemples précédents, il fallait trouver l'aire sous la courbe Z entre deux valeurs z données ou l'aire à gauche ou à droite d'une valeur z précise. Dans les applications, on demande parfois de trouver la valeur z associée à une aire donnée.

Par exemple, supposons qu'on cherche la valeur z telle que l'aire sous la courbe Z comprise entre 0 et z soit de 0,2910.

Dans la section centrale de la table Z, cherchez le nombre 0,2910. À partir de l'aire 0,2910, déplacez-vous horizontalement vers la gauche jusqu'à la colonne intitulée « z » : vous obtenez 0,8. De nouveau, à partir de l'aire 0,2910, déplacez-vous verticalement jusqu'au sommet : vous obtenez alors le nombre 0,01. Ces deux nombres combinés donnent la valeur de z suivante : 0,8 + 0,01 = 0,81.

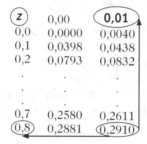

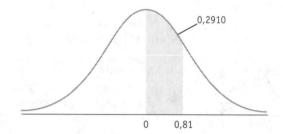

Supposons qu'on cherche une valeur z telle que l'aire sous la courbe Z et à la gauche de z soit 0,04.

Puisque l'aire totale à gauche de 0 est de 0,5, la valeur z recherchée doit être à gauche de 0 (c'est-à-dire qu'il doit s'agir d'un nombre négatif) ; de plus, l'aire comprise entre z et 0 est égale à (0,5 − 0,04) = 0,46. Dans la table Z, cherchez l'aire 0,46. Étant donné que la table ne contient pas ce nombre, trouvez les deux nombres dans la table qui sont le plus près de 0,46. Il s'agit de 0,4599 et 0,4608. À partir de 0,4599, déplacez-vous horizontalement vers la gauche et verticalement vers le haut pour obtenir une valeur z de (1,7 + 0,05) = 1,75. De même, la valeur z correspondant à une aire de 0,4608 est de 1,76.

Ainsi, la valeur requise de z est comprise entre 1,75 et 1,76. Puisque 0,46 est beaucoup plus près de 0,4599 que de 0,4608, la valeur z correspondant à une aire de 0,46 doit se situer beaucoup plus près de 1,75 que de 1,76. Approximons-la par 1,751. Étant donné que la valeur z requise est négative, elle doit être −1,751.

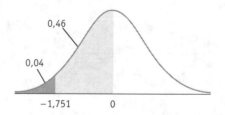

■ RÉVISION 7.7

Trouvez la valeur z telle que l'aire sous la courbe Z et à la droite de z soit 0,291.

EXERCICES 7.1 À 7.8

7.1 Dressez la liste des propriétés essentielles d'une fonction de densité.

7.2 Jeanne vit dans une banlieue de Toronto. Elle a observé que, le matin, le trajet en voiture à partir de chez elle jusqu'à son bureau situé au centre-ville prenait entre 40 et 60 minutes, avec une fonction de densité de $f(x) = 0,05$ pour x entre 40 et 60. Ses heures de bureau sont de 9 h 30 à 17 h 30.
   a) Si elle quitte la maison à 8 h 45, quelle est la probabilité qu'elle arrive au bureau à l'heure ?
   b) Si elle veut s'assurer d'arriver au bureau à l'heure au moins 80 % du temps, à quelle heure devrait-elle quitter la maison ?

7.3 Expliquez la signification de l'énoncé suivant : « Il n'y a pas qu'une seule loi normale, mais une "famille" de lois. »

7.4 Dressez la liste des principales caractéristiques d'une loi normale. Représentez graphiquement la courbe Z. Satisfait-elle aux caractéristiques exigées ?

7.5 À l'aide de la table Z, trouvez l'aire sous la courbe Z correspondant à chacune des valeurs suivantes :
   a) Entre $-0,36$ et 1,82.
   b) Entre 1,47 et 2,71.
   c) Entre 0 et 1,51.
   d) Supérieure à 1,94.
   e) Supérieure à $-0,82$.

7.6 À l'aide de la table Z, trouvez l'aire sous la courbe Z correspondant à chacune des valeurs suivantes :
   a) Inférieure à $-2,35$.
   b) Égale à 1,82.
   c) Entre $-4,03$ et $-1,35$.
   d) Entre $-2,37$ et 0.
   e) Entre $-3,89$ et 2,47.
   f) Entre $-3,46$ et 3,76.

7.7 À l'aide de la table Z, trouvez la valeur z correspondant à chacune des situations suivantes :
   a) L'aire à droite de z est 0,025.
   b) L'aire à gauche de z est 0,95.
   c) L'aire comprise entre 0 et z est 0,4.

7.8 À l'aide de la table Z, trouvez la valeur z correspondant à chacune des situations suivantes :
   a) L'aire comprise entre $-1,62$ et z est 0,3.
   b) L'aire comprise entre z et 1,46 est 0,46.
   c) L'aire comprise entre z et 2,06 est 0,2.

LE CALCUL DES PROBABILITÉS SOUS UNE COURBE NORMALE QUELCONQUE

Nous avons appris comment trouver les probabilités de la variable normale Z à l'aide de la table Z. Souvenez-vous que Z est une variable normale de moyenne 0 et d'écart type 1.

Cependant, la plupart des variables aléatoires normales que l'on rencontre en pratique ont une moyenne autre que 0 et un écart type différent de 1. Heureusement, comme nous l'avons vu plus haut, la réduction de n'importe quelle variable normale X donne la variable Z, c'est-à-dire que si X est une variable normale de moyenne μ et d'écart type σ, alors

$$\frac{(X - \mu)}{\sigma} = Z \text{ et, par conséquent, } X = \mu + Z\sigma \qquad \textbf{7.2}$$

Par exemple, $x = \mu + 1\sigma$ correspond à $z = 1,0$. De même, $x = \mu - 2\sigma$ correspond à $z = -2,0$; $x = \mu \ (= \mu + 0\sigma)$ correspond à $z = 0$; $x = \mu - 1,6\sigma$ correspond à $z = -1,6$; $z = 2,4$ correspond à $x = \mu + 2,4\sigma$.

Une valeur de Z indique donc à combien d'écarts types la valeur correspondante de X est de sa moyenne μ. Pour $z = 1$, le $x \ (= \mu + 1\sigma)$ correspondant est à un écart type à la droite de μ. Pour $z = -2$, la valeur correspondante $x \ (= \mu - 2\sigma)$ est à deux écarts types à la gauche de μ.

La relation entre les valeurs de X et de Z, exposée dans la formule 7.2, implique l'énoncé suivant :

Lorsqu'une valeur de X est à k écarts types de la moyenne μ, la valeur correspondante de Z est k, peu importe les valeurs de μ et de σ. On obtient la probabilité correspondant à cette valeur de X à partir de la table Z en utilisant z = k. Par conséquent, la probabilité est la même, peu importe les valeurs de μ et de σ.

La figure 7.5 illustre cette relation.

FIGURE 7.5   La relation entre les valeurs x et les valeurs z correspondantes

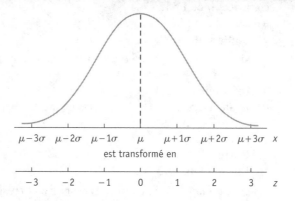

| $\mu-3\sigma$ | $\mu-2\sigma$ | $\mu-1\sigma$ | μ | $\mu+1\sigma$ | $\mu+2\sigma$ | $\mu+3\sigma$ | x |

est transformé en

| -3 | -2 | -1 | 0 | 1 | 2 | 3 | z |

Exemple 7.2

L'analyse des données de janvier 1980 à décembre 1999 montre que la variation mensuelle en pourcentage de l'indice TSE 300 est à peu près normalement distribuée avec une moyenne de 0,64 % et un écart type de 2,06 %. Quelle est la valeur z correspondant à une variation mensuelle de 3 % ? à une variation mensuelle de 6 % ?

Solution

Ici $\mu = 0,64$ et $\sigma = 2,06$.

À l'aide de la formule 7.2, la valeur z correspondant à $x = 3$ est $z = \dfrac{(3 - 0,64)}{2,06}$, soit environ 1,145. Ainsi, $x = 3$ est situé à environ 1,145 écart type de la valeur de μ, c'est-à-dire $x \approx \mu + (1,145)\sigma$.

La valeur z correspondant à $x = 6$ est $z = \dfrac{(6 - 0,64)}{2,06} \approx 2,602$. Autrement dit, $x = 6$ est situé à environ 2,602 écarts types de la valeur de μ, c'est-à-dire $x \approx \mu + (2,602)\sigma$.

■ RÉVISION 7.8

L'analyse des données de 1995 à 2000 montre que la variation annuelle en pourcentage de l'indice des prix à la consommation (IPC, tous les articles) au Canada est à peu près normalement distribuée avec une moyenne de 3,36 et un écart type de 5,1. Quelle est la valeur z correspondant à une variation annuelle en pourcentage de 1,0 ? à une variation de 8,0 ?

Nous utiliserons maintenant le processus de conversion pour calculer les probabilités d'une variable normale quelconque à l'aide de la table Z de l'annexe 3 (voir le cédérom accompagnant ce manuel).

Exemple 7.3

Dans l'exemple 7.2, on a constaté que la variation mensuelle de l'indice TSE 300 était à peu près normalement distribuée avec une moyenne de 0,64 % et un écart type de 2,06 %.
a) Quelle est la probabilité que la variation durant un mois choisi au hasard se situe entre 3 % et 6 % ?
b) Quelle est la probabilité que la variation durant un mois choisi au hasard se situe entre 0 % et 4 % ?

Solution

a) Ici $\mu = 0,64$ et $\sigma = 2,06$. Dans l'exemple 7.2, on a déjà trouvé que la valeur z correspondant à $x = 3$ est d'environ 1,145 et que la valeur z correspondant à $x = 6$ est d'environ 2,602.

La probabilité p sous la courbe normale (avec $\mu = 0,64$ et $\sigma = 2,06$) entre 3 et 6 est approximativement égale à l'aire sous la courbe Z entre 1,145 et 2,602 : d'où

p = (aire comprise entre 0 et 2,602) – (aire comprise entre 0 et 1,145)

$= 0,4953 - 0,3739 = 0,1214$.

La probabilité que la variation durant un mois choisi au hasard se situe entre 3 % et 6 % est d'environ 0,1214.

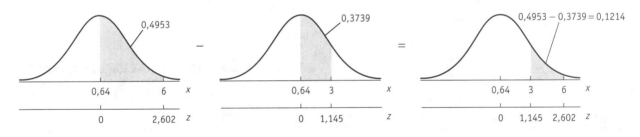

b) La valeur z correspondant à $x = 0$ est $\dfrac{(0 - 0,64)}{2,06} \approx -0,31$ et la valeur z correspondant à $x = 4$ est $\dfrac{(4 - 0,64)}{2,06} \approx 1,63$.

La probabilité p sous la courbe normale (avec $\mu = 0,64$ et $\sigma = 2,06$) comprise entre 0 et 4 est égale à l'aire sous la courbe Z comprise entre –0,31 et 1,63 : d'où

p = (aire comprise entre –0,31 et 0) + (aire comprise entre 0 et 1,63)

= (aire comprise entre 0 et 0,31) + (aire comprise entre 0 et 1,63)

$= 0,1217 + 0,4484 = 0,5701$.

Ainsi, la probabilité que la variation en pourcentage durant un mois choisi au hasard se situe entre 0 % et 4 % est d'environ 0,5701.

LA DÉTERMINATION DES PROBABILITÉS ASSOCIÉES AUX LOIS NORMALES À L'AIDE D'UN LOGICIEL

La feuille de calcul Excel 7.6 donne les instructions qui permettent d'utiliser ce logiciel pour trouver les probabilités d'une variable normale quelconque X de moyenne μ et d'écart type σ. Ce tableur donne, pour un nombre x, l'aire totale sous la courbe normale de X à gauche de la valeur x (et pas seulement l'aire entre la moyenne μ et x).

Considérons à nouveau l'exemple 7.3, où $\mu = 0{,}64$ et $\sigma = 2{,}06$, et supposons que l'on s'intéresse à l'aire sous la courbe normale entre 3 et 6.

Selon le tableur, la valeur correspondant à $x = 6$ est 0,995365 et la valeur correspondant à $x = 3$ est 0,874026. Ainsi, l'aire sous la courbe normale de X à gauche de 6 est 0,995365, et l'aire à gauche de 3 est 0,874026.

Par conséquent, l'aire entre 3 et 6 est $(0{,}995365 - 0{,}874026) = 0{,}121339$. Il faut noter que ce nombre est très proche de celui obtenu par le calcul manuel en utilisant la table Z. La petite différence provient de l'erreur d'arrondissement.

FEUILLE DE CALCUL EXCEL 7.6

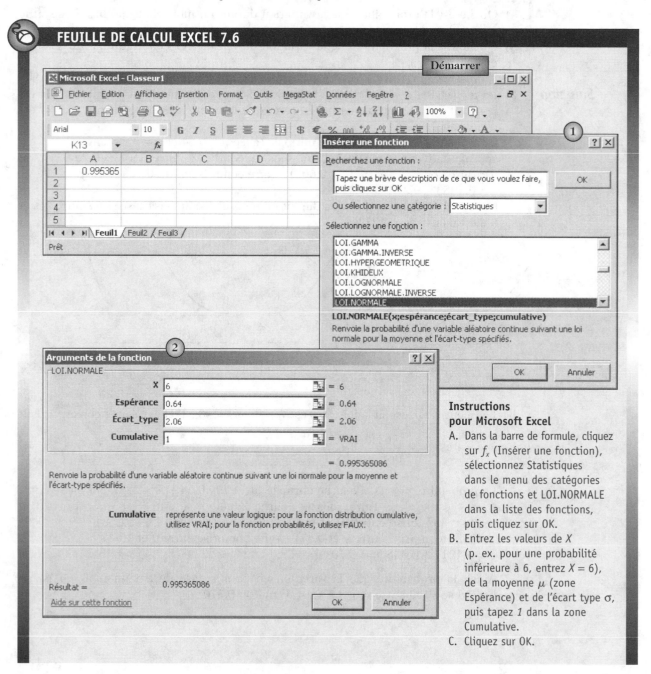

Instructions
pour Microsoft Excel

A. Dans la barre de formule, cliquez sur f_x (Insérer une fonction), sélectionnez Statistiques dans le menu des catégories de fonctions et LOI.NORMALE dans la liste des fonctions, puis cliquez sur OK.

B. Entrez les valeurs de X (p. ex. pour une probabilité inférieure à 6, entrez $X = 6$), de la moyenne μ (zone Espérance) et de l'écart type σ, puis tapez 1 dans la zone Cumulative.

C. Cliquez sur OK.

■ RÉVISION 7.9

Reprenons le problème de révision 7.8. Ainsi, la variation annuelle en pourcentage de l'indice des prix à la consommation (IPC, tous les articles) au Canada est à peu près normalement distribuée avec une moyenne de 3,36 et un écart type de 5,1. Quelle est la probabilité que la variation en pourcentage durant une année choisie au hasard se situe entre 1,0 et 8,0 ?

QUELQUES AIRES IMPORTANTES SOUS LA COURBE NORMALE

Vous trouverez ci-dessous quelques aires sous la courbe Z souvent utilisées dans le reste du manuel.

- L'aire entre −1 et +1 est 0,3413 + 0,3413 = 0,6826, soit environ 68 %.
- L'aire entre −1,645 et +1,645 est 0,45 + 0,45 = 0,90 ou 90 %.
- L'aire entre −1,96 et +1,96 est 0,475 + 0,475 = 0,95 ou 95 %.
- L'aire entre −2 et +2 est 0,4772 + 0,4772 = 0,9544, soit environ 95 %.
- L'aire entre −3 et +3 est 0,4987 + 0,4987 = 0,9974, soit presque toute l'aire.

En utilisant la conversion de la formule 7.2, on obtient les aires suivantes pour une loi normale quelconque de moyenne μ et d'écart type σ.

- L'aire entre $(\mu - 1\sigma)$ et $(\mu + 1\sigma)$ est 0,3413 + 0,3413, soit environ 68 %.
- L'aire entre $(\mu - 1,645\sigma)$ et $(\mu + 1,645\sigma)$ est 0,90 ou 90 %.
- L'aire entre $(\mu - 1,96\sigma)$ et $(\mu + 1,96\sigma)$ est 0,95 ou 95 %.
- L'aire entre $(\mu - 2\sigma)$ et $(\mu + 2\sigma)$ est 0,9544, soit environ 95 %.
- L'aire entre $(\mu - 3\sigma)$ et $(\mu + 3\sigma)$ est 0,9974, soit presque toute l'aire.

Ces probabilités figurent dans le diagramme ci-dessous.

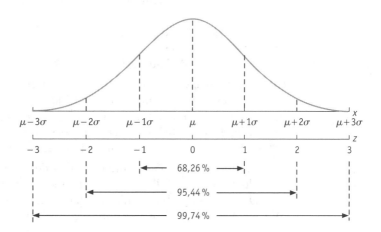

Exemple 7.4

Une usine utilise une remplisseuse pour mettre 360 ml de boisson gazeuse dans des bouteilles. Cette machine a un écart type de 2 ml, c'est-à-dire que le volume de liquide versé dans une bouteille est une variable de moyenne 360 ml et d'écart type 2 ml. Supposons que la distribution soit à peu près normale. Selon la politique de la direction, les bouteilles contenant moins de 358 ml sont considérées comme insuffisamment remplies et sont rejetées ; les bouteilles contenant plus de 362 ml sont considérées comme dangereusement trop remplies et sont rejetées. Quelle proportion de bouteilles rejette-t-on ?

Solution   Ici $\mu = 360$ ml et $\sigma = 2$ ml.

La proportion des bouteilles qu'on ne rejette pas correspond à l'aire sous la courbe normale correspondante comprise entre 358 et 362.

La valeur z correspondant à $x = 358$ est $(358 - 360)/2 = -1$ et la valeur z correspondant à $x = 362$ est $(362 - 360)/2 = +1$. Ainsi, $358 = (\mu - 1\sigma)$ et $362 = (\mu + 1\sigma)$. Par conséquent, l'aire comprise entre 358 et 362 est égale à l'aire entre $(\mu - 1\sigma)$ et $(\mu + 1\sigma)$, qui est 0,6826.

La proportion de bouteilles remplies qu'on ne rejette pas est donc 0,6826. On rejette toutes les bouteilles restantes. Par conséquent, la proportion de bouteilles rejetées est $1 - 0,6826 = 0,3174$.

EXERCICES 7.9 À 7.19

7.9 La moyenne d'une distribution normale est 60 et l'écart type, 5.
   a) Quelle proportion des observations est comprise entre 55 et 65 ?
   b) Quelle proportion des observations est comprise entre 50 et 70 ?
   c) Quelle proportion des observations est comprise entre 45 et 75 ?

7.10 Une population normale a une moyenne de 20 et un écart type de 4.
   a) Calculez les valeurs z associées à 18, à 20 et à 25.
   b) Quelle proportion de la population est comprise entre 20 et 25 ?
   c) Quelle proportion de la population est inférieure à 18 ?

7.11 Une population normale a une moyenne de 12,2 et un écart type de 2,5.
   a) Calculez les valeurs z associées à 10,0 et à 14,3.
   b) Quelle proportion de la population est comprise entre 12,2 et 14,3 ?
   c) Quelle proportion de la population est inférieure à 10,0 ?

7.12 Une étude récente des salaires horaires des équipes de maintenance d'importantes lignes aériennes a montré que la distribution des salaires horaires est à peu près normale avec une moyenne de 22 $ et un écart type de 4 $. Si l'on sélectionne au hasard un membre d'une équipe de maintenance, quelle est la probabilité que celui-ci gagne :
   a) entre 22 $ et 26 $ de l'heure ?
   b) plus de 26 $ de l'heure ?
   c) moins de 20 $ de l'heure ?

7.13 La moyenne d'une distribution normale est 400 kg et l'écart type, 10 kg.
   a) Quelle est l'aire comprise entre 415 kg et la moyenne 400 kg ?
   b) Quelle est l'aire comprise entre la moyenne et 395 kg ?
   c) Quelle est la probabilité qu'une observation choisie au hasard à partir de cette distribution ait une valeur inférieure à 395 kg ?

7.14 Une distribution normale a une moyenne de 50 et un écart type de 4.
   a) Calculez la probabilité qu'une valeur soit comprise entre 44 et 55.
   b) Calculez la probabilité qu'une valeur soit supérieure à 55.
   c) Calculez la probabilité qu'une valeur soit comprise entre 52 et 55.

7.15 Une population normale a une moyenne de 80 et un écart type de 14.
   a) Calculez la probabilité qu'une valeur choisie au hasard soit comprise entre 75 et 90.
   b) Calculez la probabilité qu'une valeur choisie au hasard soit de 75 ou moins.
   c) Calculez la probabilité qu'une valeur choisie au hasard soit comprise entre 55 et 70.

7.16 CNAE, une station qui ne diffuse que des nouvelles, a trouvé que le temps d'écoute des auditeurs qui syntonisent la station obéit à une loi normale. La moyenne de la distribution est 15,0 minutes et l'écart type, 3,5 minutes. Quelle est la probabilité qu'un auditeur donné syntonise la station :
   a) pendant plus de 20 minutes ?
   b) pendant 20 minutes ou moins ?
   c) entre 10 et 12 minutes ?

7.17 Selon les rapports, la moyenne du salaire de départ des étudiants diplômés de niveau collégial au printemps 2003 s'élevait à 36 280 $. Supposons que les salaires de départ obéissent à une loi normale avec un écart type de 3300 $. Quel est le pourcentage d'étudiants diplômés touchant des salaires de départ :
a) entre 35 000 $ et 40 000 $?
b) supérieurs à 45 000 $?
c) entre 40 000 $ et 45 000 $?

7.18 Une mesure de la qualité du service à la clientèle est le temps qu'un client choisi au hasard doit attendre pour être servi. Un directeur de banque a observé que ce temps d'attente à la banque ATM durant les heures de pointe est à peu près normalement distribué avec une moyenne de 2,3 minutes et un écart type de 0,8 minute. Quelle est la probabilité qu'un client choisi au hasard doive attendre plus de quatre minutes durant les heures de pointe ?

7.19 Un distributeur de cola est programmé pour distribuer une moyenne de 250 ml de cola par verre. L'écart type est 4 ml. La quantité versée obéit à une loi normale.
a) Quelle est la probabilité que la machine distribue entre 253 et 258 ml de cola ?
b) Quelle est la probabilité que la machine distribue 260 ml de cola ou plus ?
c) Quelle est la probabilité que la machine distribue entre 245 et 255 ml de cola ?

LE CALCUL DES PROBABILITÉS INVERSES SOUS UNE COURBE NORMALE QUELCONQUE

Dans les exemples précédents, il fallait trouver la probabilité qu'une variable normale prenne une valeur dans un intervalle donné. Nous allons maintenant examiner des exemples où l'on demande de trouver la valeur x d'une variable normale correspondant à une probabilité donnée.

Considérons l'exemple 7.4. Ici, on écrit souvent la spécification (358, 362) comme suit (360 − 2, 360 + 2) ou (360 ± 2). Supposons que la responsable de la production envisage de changer cette spécification à (360 ± a) et qu'elle aimerait savoir pour quelle valeur de a seulement 5 % des bouteilles remplies seront rejetées (c'est-à-dire que 95 % des bouteilles *ne* seront *pas* rejetées). Nous savons que la surface sous la courbe normale comprise entre ($\mu - 1,96\sigma$) et ($\mu + 1,96\sigma$) est 0,95. C'est pourquoi a devrait être égale à $1,96\sigma = 1,96 (2) = 3,92$.

Prenons un autre exemple. Supposons qu'un fabricant de pneus souhaite définir un minimum de garantie de kilométrage sur son nouveau pneu MX 100. Des tests révèlent que la moyenne de durée de vie de ses pneus est de 108 000 km avec un écart type de 3280 km. Le fabricant veut définir la garantie de vie minimale de façon qu'il n'ait pas plus de 4 % des pneus à remplacer. Quelle garantie minimale le fabricant devrait-il annoncer ?

Dans ce cas, $\mu = 108\,000$ et $\sigma = 3280$, et l'on veut trouver une valeur x de façon que la proportion des pneus ayant une vie inférieure à x soit de 0,04, c'est-à-dire que l'on veut que l'aire sous la courbe normale à gauche de x soit 0,04. Les éléments de ce problème figurent dans le diagramme de la page suivante, où la relation entre x et la valeur z correspondante est donnée par :

$$z = \frac{x - \mu}{\sigma} \quad \text{et} \quad x = \mu + z\sigma = 108\,000 + z(3280)$$

On veut donc que l'aire sous la courbe Z à gauche de z soit 0,04.

L'aire totale sous la courbe Z à gauche de 0 est de 0,5. Ainsi, la valeur z recherchée est située à gauche (c'est-à-dire qu'elle est négative), et l'aire sous la courbe Z comprise entre z et 0 est $(0,5 - 0,04) = 0,46$.

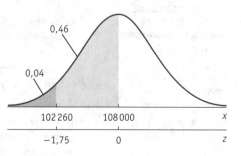

Cherchez dans la table Z l'aire la plus proche de 0,46, qui est 0,4599. À partir de cette valeur, déplacez-vous vers les marges pour obtenir 1,75. Étant donné que notre valeur z est à gauche de 0, on choisit −1,75.

Ainsi, la valeur z recherchée est proche de −1,75. (On ne peut trouver la valeur z exacte à partir de la table, car la probabilité 0,46 n'y figure pas.) On choisit la valeur approchée, soit −1,751.

Ainsi, la valeur de x est d'environ

$$x = (\mu + z\sigma) = 108\,000 + (-1,751)(3280) = 102\,257$$

Donc, le fabricant peut offrir un remplacement de pneu gratuit en guise de publicité pour tout pneu qui s'use avant d'atteindre 102 257 km. L'entreprise sait que, au bout du compte, seulement 4 % des pneus de l'usine seront remplacés.

Vous pouvez utiliser Excel pour trouver la valeur de toute variable normale lorsque la probabilité à gauche de cette valeur est précisée (voir la feuille de calcul Excel 7.7).

FEUILLE DE CALCUL EXCEL 7.7

Instructions pour Microsoft Excel

A. Cliquez sur le bouton f_x pour ouvrir la boîte Insérer une fonction ; dans la liste Catégorie de fonctions, choisissez Statistiques, puis dans la liste Nom de fonction, choisissez LOI.NORMALE.INVERSE.

B. Entrez la probabilité (par exemple, si vous voulez que la probabilité à gauche de x soit de 0,2, entrez 0,2), la moyenne et l'écart type.

C. Cliquez sur OK.

■ RÉVISION 7.10

Une analyse des notes des étudiants du cours ADM2623, *Analyse quantitative I*, de l'Université du Nouveau-Brunswick révèle que les notes étaient à peu près normalement distribuées, avec une moyenne de 59,27 et un écart type de 14,34. Si seulement 5 étudiants sur 84 ont obtenu A ou plus, à partir de quelle note a-t-on accordé un A ou plus ?

EXERCICES 7.20 À 7.25

7.20   Une distribution normale a une moyenne de 50 et un écart type de 4. Déterminez la valeur au-dessous de laquelle se retrouveront 95 % des observations.

7.21   Une distribution normale a une moyenne de 80 et un écart type de 14. Déterminez la valeur au-dessus de laquelle 80 % des valeurs seront obtenues.

7.22   Reportez-vous à l'exercice 7.19, où les quantités versées par un distributeur de cola dans un verre obéissent à une loi normale avec une moyenne de 250 ml et un écart type de 4 ml. Trouvez une valeur telle que, dans seulement 1 % des cas, la quantité de cola versée excède cette valeur.

7.23 Supposez que les coûts horaires d'exploitation d'un avion commercial obéissent à une loi normale avec une moyenne de 3100 $ et un écart type de 250 $. Trouvez une valeur telle que, dans seulement 3 % des cas, les coûts d'exploitation soient inférieurs à cette valeur.

7.24 Les ventes mensuelles de silencieux Ridus à Vancouver obéissent à une loi normale avec une moyenne de 1200 et un écart type de 225. Le point de vente Ridus a décidé de regarnir son stock au début de chaque mois de façon qu'il n'y ait que 5 % de probabilité de manquer de stock. Quel devrait être le volume du stock au début du mois ?

7.25 La remplisseuse utilisée par une usine pour mettre 360 ml de boisson gazeuse dans des bouteilles a un écart type de 3 ml. Selon la politique de la direction, les bouteilles contenant moins de 357 ml sont considérées comme insuffisamment remplies et sont rejetées ; celles qui contiennent plus de 363 ml sont considérées comme dangereusement trop remplies et sont rejetées. La machine remplit 1000 bouteilles par jour.
a) Combien de bouteilles rejette-t-on approximativement par jour ?
b) La direction veut changer la borne inférieure de l'intervalle d'acceptation (357 ml) de manière à réduire à 20 % le taux de rejet. Quelle devrait être la nouvelle borne inférieure ?
c) La direction a décidé de remplacer la remplisseuse de bouteilles pour faire baisser le taux de rejet à moins de 20 % tout en maintenant l'intervalle actuel d'acceptation (357 ml, 363 ml). Quel devrait être l'écart type de la nouvelle machine ?

7.3 L'APPROXIMATION NORMALE DE LA LOI BINOMIALE

LA STATISTIQUE EN ACTION

La distribution normale et les compétences

Les compétences d'une personne dépendent d'une combinaison de nombreux facteurs héréditaires et environnementaux, chacun ayant à peu près la même pondération ou influence sur les compétences. Ainsi, tout comme une distribution binomiale avec un grand nombre d'essais, plusieurs compétences et attributs obéissent à une loi normale. Par exemple, les résultats au test d'habileté scolaire (THS) sont normalement distribués avec une moyenne de 1000 et un écart type de 140.

Au chapitre 6, nous avons traité de la distribution binomiale qui est une distribution discrète. Les tables des probabilités de l'annexe A vont jusqu'à $n = 20$. Si un problème pratique impliquait une loi binomiale avec $n = 600$, il serait très long de produire les probabilités binomiales correspondant à une telle valeur de n. Une approche beaucoup plus efficace consiste à appliquer l'*approximation normale de la loi binomiale*.

Il semble raisonnable d'utiliser une distribution normale (une distribution continue) comme substitut à une distribution binomiale (une distribution discrète) dotée d'une valeur n élevée, car à mesure que n augmente, la forme de la distribution binomiale se rapproche davantage de celle d'une distribution normale. La figure 7.8 montre le changement de la forme d'une distribution binomiale avec $p = 0,50$ quand $n = 1$, $n = 3$ et $n = 20$. Dans le cas où $n = 20$, remarquez la façon dont la distribution se rapproche de la forme de la distribution normale. Autrement dit, comparez le cas $n = 20$ à la courbe normale de la figure 7.3.

FIGURE 7.8 Les distributions binomiales pour n égal à 1, 3 et 20, où $p = 0,50$

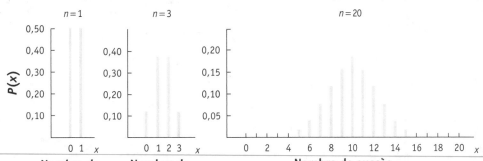

Quand la distribution normale constitue-t-elle une bonne approximation de la distribution binomiale ? Selon Cochran[4], si $p = 0,5$, n doit valoir au moins 30 ; si $p = 0,3$, n doit valoir au moins 80 ; si $p = 0,05$, n doit être aussi élevé que 1400. Cependant, nombre de statisticiens s'entendent pour dire que l'énoncé suivant convient à la plupart des applications commerciales et économiques : « *La valeur de* n *doit être suffisamment élevée pour que* np *et* n(1 − p) *soient tous deux d'au moins 5.* »

Avant d'appliquer l'approximation normale, on doit s'assurer que la distribution étudiée est bien une distribution binomiale. Souvenez-vous (voir le chapitre 6) que la distribution binomiale doit satisfaire aux quatre critères suivants :

Quand utiliser l'approximation normale ?

- Lors de chaque essai, il n'y a que deux résultats mutuellement exclusifs : un « succès » ou un « échec ».

- La distribution provient du dénombrement des succès en un nombre fixe d'essais.

- Les essais sont indépendants les uns des autres.

- La probabilité p reste la même d'essai en essai.

Pour illustrer l'application de l'approximation normale à la distribution binomiale, considérons l'exemple suivant. Le questionnaire de sondage est un outil important pour les études et les analyses du marché. Comme nous le verrons au chapitre suivant, l'erreur due aux non-réponses est un facteur qui influe de façon notable sur la qualité statistique des données recueillies à l'aide d'un questionnaire de sondage. Cela se produit lorsque certaines des personnes sélectionnées pour faire partie de l'échantillon refusent de répondre. Supposons que la probabilité de non-réponse soit de 0,3 (c'est-à-dire qu'il y a 30 % de probabilité qu'une personne choisie au hasard refuse de répondre au questionnaire). Si l'on poste un questionnaire à 80 personnes choisies au hasard, quelle est la probabilité qu'au moins 60 d'entre elles répondent ?

Remarquez que les critères de la distribution binomiale sont satisfaits ici : 1) il n'y a que deux résultats possibles – soit une personne de l'échantillon répondra (succès), soit elle ne répondra pas (échec) ; 2) on compte le nombre de succès – c'est-à-dire le nombre de personnes sur 80 qui répondront ; 3) les essais sont indépendants les uns des autres, ce qui veut dire que l'attitude de la 34e personne (réponse ou non-réponse) n'aura aucun effet sur celle de la 58e ; 4) la probabilité qu'une personne réponde demeure à 0,7 pour chacune des 80 personnes sélectionnées.

Par conséquent, on peut utiliser la formule binomiale 7.3 :

$$P(x) = {}_nC_x(p)^x(1-p)^{n-x} \qquad \text{7.3}$$

Pour trouver la probabilité que 60 personnes ou plus répondent, on doit tout d'abord calculer les probabilités $P(X = 60)$, $P(X = 61)$, ..., $P(X = 80)$ à l'aide de la formule binomiale, puis en faire le total. Il est fastidieux de résoudre le problème de cette façon.

On peut utiliser un tableur comme Excel pour trouver les différentes probabilités. La liste des probabilités binomiales figure ci-dessous pour $n = 80$, $p = 0,70$ et x, le nombre de personnes qui répondront, variant de 43 à 68. La probabilité associée à tout nombre x inférieur à 43 ou supérieur à 68 est plus petite que 0,001.

Nombre de répondants	Probabilité	Nombre de répondants	Probabilité	Nombre de répondants	Probabilité
43	0,001	52	0,059	61	0,048
44	0,002	53	0,072	62	0,034
45	0,003	54	0,084	63	0,023
46	0,006	55	0,093	64	0,014
47	0,009	56	0,097	65	0,008
48	0,015	57	0,095	66	0,004
49	0,023	58	0,088	67	0,002
50	0,033	59	0,077	68	0,001
51	0,045	60	0,063		

On peut trouver la probabilité de 60 réponses ou plus en additionnant $0,063 + 0,048 + ... + 0,001$, ce qui donne 0,197.

Cependant, dans ce cas-ci, $np = 80(0,7) = 56$ et $n(1 - p) = 80(0,3) = 24$; ainsi, np et $n(1 - p)$ sont plus grands que 5. Par conséquent, la forme de la distribution binomiale est proche de celle de la distribution normale. Un coup d'œil à la représentation graphique ci-dessous confirme cette affirmation. Tout ce qui reste à faire est de lisser les probabilités discrètes de manière à obtenir une distribution continue. Travailler avec une distribution normale exige beaucoup moins de calculs que de travailler avec une distribution binomiale.

L'astuce consiste à approximer la probabilité discrète de 56 réponses à l'aide de l'aire sous la courbe continue entre 55,5 et 56,5, puis d'approximer la probabilité de 57 réponses au moyen de l'aire comprise entre 56,5 et 57,5, et ainsi de suite. Cette méthode est à l'opposé de l'arrondissement des nombres à un entier. Ainsi, on peut approximer la probabilité que 60 personnes ou plus répondent à l'aide de l'aire à droite de 59,5.

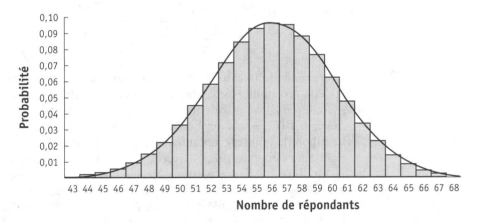

Étant donné que l'on utilise la distribution normale pour déterminer la probabilité binomiale de 60 succès ou plus, on doit, dans ce cas-ci, soustraire 0,5 de 60. On appelle la valeur 0,5 **facteur de correction de continuité.** Il faut effectuer ce léger ajustement parce qu'on utilise une distribution continue (la distribution normale) pour approximer une distribution discrète (la distribution binomiale).

Facteur de correction de continuité   Valeur 0,5 soustraite d'une valeur sélectionnée ou ajoutée à cette dernière, selon la question, lorsqu'une distribution discrète est approximée par une distribution continue.

COMMENT APPLIQUER LE FACTEUR DE CORRECTION ?

Dans cette section, nous abordons différents cas qui peuvent survenir. Soit x_1 et x_2 des entiers entre 0 et n tels que $x_1 \leq x_2$. Pour calculer la probabilité que le nombre de succès soit entre x_1 et x_2 (en incluant x_1 et x_2), utilisez l'aire sous la courbe normale entre $(x_1 - 0,5)$ et $(x_2 + 0,5)$, sauf dans les cas suivants :

- si $x_1 = 0$, alors utilisez $-\infty$ au lieu de $(x_1 - 0,5)$;
- si $x_2 = n$, alors utilisez $+\infty$ au lieu de $(x_2 + 0,5)$.

Nous illustrerons ces cas d'exception à l'aide d'exemples où $n = 20$.

Événement	x_1	x_2	Aire sous la courbe normale
Exactement 9 succès	9	9	entre 8,5 et 9,5
6 succès ou moins	0	6	à gauche de 6,5
Moins de 6 succès (c'est-à-dire {0, 1, ..., 5})	0	5	à gauche de 5,5
Au moins 17 succès (c'est-à-dire {17, 18, 19, 20})	17	20	à droite de 16,5
Plus de 6 succès, mais pas plus de 9 (c'est-à-dire {7, 8, 9})	7	9	entre 6,5 et 9,5
Au moins 8 succès, mais pas plus de 10 (c'est-à-dire {8, 9, 10})	8	10	entre 7,5 et 10,5

Pour utiliser la distribution normale afin d'approximer la probabilité de 60 réponses ou plus dans l'échantillon de 80 personnes, suivez la procédure décrite ci-après.

Étape 1   Trouvez la moyenne et l'écart type de la distribution binomiale, puis la valeur z correspondant à $x = 59,5$:

$$\mu = np = 80(0,70) = 56$$
$$\sigma = \sqrt{np(1-p)} = \sqrt{80(0,70)(1-0,70)} = 4,10$$
$$z = \frac{x - \mu}{\sigma} = \frac{59,5 - 56}{4,10} = 0,85$$

Étape 2   On cherche la probabilité sous la courbe normale (avec $\mu = 56$ et $\sigma = 4,10$) à droite de 59,5. Cette probabilité est égale à l'aire sous la courbe Z à droite de 0,85, soit $0,5 -$ (aire sous la courbe Z comprise entre 0 et 0,85) $= 0,5 - 0,3023 = 0,1977$.

Ainsi, 0,1977 est la probabilité approximative que 60 personnes ou plus dans l'échantillon de taille 80 répondent au questionnaire.

Nul doute que vous serez d'accord pour dire qu'utiliser l'approximation normale à la loi binomiale est une méthode beaucoup plus efficace pour obtenir une valeur approchée de la probabilité de 60 réponses ou plus. Le résultat se compare avantageusement à celui calculé aux pages 282 et 283 à l'aide de la distribution exacte. La probabilité établie à l'aide de la distribution binomiale est 0,197 alors que la probabilité déterminée à l'aide de l'approximation normale est 0,1977.

■ RÉVISION 7.11

Une étude a révélé qu'aucun des biens volés n'a été récupéré par son propriétaire dans 80 % des vols déclarés. On a sélectionné au hasard un échantillon de 200 cas de vols.

 a) Quelle est la probabilité qu'aucun bien volé ne soit récupéré dans 170 des vols ou plus ?

 b) Quelle est la probabilité qu'aucun bien volé ne soit récupéré dans 150 des vols ou plus ?

EXERCICES 7.26 À 7.32

7.26 Soit X une variable binomiale avec $n = 50$ et $p = 0,25$. Calculez :
 a) la moyenne et l'écart type de la variable.
 b) la probabilité que X soit égale à 15 ou plus.
 c) la probabilité que X soit égale à 10 ou moins.

7.27 Soit X une variable binomiale avec $n = 40$ et $p = 0,55$. Calculez :
 a) la moyenne et l'écart type de la variable.
 b) la probabilité que X soit égale ou supérieure à 25.
 c) la probabilité que X soit égale ou inférieure à 15.
 d) la probabilité que X soit comprise entre 15 et 25 inclusivement.

7.28 Le Service d'impôts Dottie se spécialise dans la préparation de déclarations de revenus au fédéral des clients de professions libérales. Une récente vérification des déclarations effectuée par l'Agence du revenu du Canada indique que cette société a commis une erreur dans 10 % des déclarations préparées l'année dernière. Supposez qu'elle ait le même taux d'erreur cette année et qu'elle ait préparé 60 déclarations. Quelle est la probabilité qu'elle commette :
 a) plus de six erreurs ?
 b) au moins cinq erreurs ?
 c) exactement six erreurs ?

7.29 Silencieux Express fait la publicité de l'installation d'un nouveau silencieux en 30 minutes ou moins. Cependant, au siège social de l'entreprise, le service des normes du travail a récemment mené une étude et a découvert que 20 % des silencieux n'étaient pas installés en 30 minutes ou moins. La succursale de Montréal en a installé 50 le mois dernier. Si le rapport de l'entreprise est juste :
 a) parmi ces 50 dossiers, à combien d'installations requérant plus de 30 minutes vous attendriez-vous ?
 b) quelle est la probabilité que moins de huit installations aient pris plus de 30 minutes ?
 c) quelle est la probabilité que huit installations ou moins aient pris plus de 30 minutes ?
 d) quelle est la probabilité qu'exactement 8 des 50 installations aient pris plus de 30 minutes ?

7.30 Une étude menée par le Club de santé holistique a révélé que 30 % de ses nouveaux membres souffraient d'un excès de poids. Une campagne conduite dans la région métropolitaine s'est traduite par l'adhésion de 500 nouveaux membres.
 a) On a suggéré que l'approximation normale de la loi binomiale soit utilisée pour déterminer la probabilité que 175 des nouveaux membres ou plus aient un excès de poids. Ce problème se qualifie-t-il de problème binomial ? Expliquez votre réponse.
 b) Quelle est la probabilité que 175 nouveaux membres ou plus aient un excès de poids ?
 c) Quelle est la probabilité que 140 nouveaux membres ou plus aient un excès de poids ?

7.31 Une recherche effectuée sur la première offense de jeunes contrevenants a révélé que 38 % d'entre eux récidivaient.

a) Quelle est la probabilité que, parmi les 100 nouveaux jeunes contrevenants en probation, au moins 30 récidivent ?

b) Quelle est la probabilité que 40 ou moins des jeunes contrevenants récidivent ?

c) Quelle est la probabilité qu'entre 30 et 40 (en incluant 30 et 40) des jeunes contrevenants récidivent ?

7.32 Selon un sondage téléphonique mené par ACNielsen Canada sur les principaux acheteurs d'épicerie dans les ménages, l'acheteur principal payait avec de l'argent comptant dans 6 transactions sur 10, avec une carte de débit dans 3 cas et avec une carte de crédit dans 1 cas. Quelle est la probabilité que, sur 30 transactions choisies au hasard à une épicerie donnée, une carte de débit soit utilisée dans plus de 15 des transactions ?

RÉSUMÉ DU CHAPITRE

I. Une variable aléatoire continue est une variable qui peut prendre n'importe quelle valeur à l'intérieur d'un intervalle ou d'un ensemble d'intervalles.

II. Pour une variable aléatoire continue :

A. La probabilité que la variable prenne n'importe quelle valeur précise est zéro.

B. On définit des probabilités pour des intervalles de valeurs. Pour tout intervalle de valeurs, la probabilité est égale à l'aire correspondante sous une courbe appelée *fonction de densité*.

III. Une fonction de densité doit satisfaire aux propriétés suivantes :

A. Elle doit être non négative (c'est-à-dire que la courbe doit se situer au-dessus de l'axe horizontal).

B. L'aire totale sous la courbe doit être égale à 1.

IV. Une distribution normale est une distribution continue.

A. Elle est complètement décrite par sa moyenne et son écart type.

B. Les lois normales forment une famille de distributions : chaque fois que la moyenne ou l'écart type change, on obtient une nouvelle distribution.

V. La fonction de densité normale (courbe normale) possède les caractéristiques suivantes :

A. Elle est en forme de cloche. Elle a un sommet unique au centre, et la courbe décroît dans chacune des directions à partir de la valeur centrale. Elle est asymptotique, ce qui signifie que la courbe se rapproche de plus en plus de l'axe horizontal, mais sans jamais le toucher.

B. Elle est symétrique par rapport à sa valeur centrale, qui est à la fois la moyenne, la médiane et le mode de la distribution.

VI. La distribution normale centrée réduite est une distribution normale particulière.

A. Elle a une moyenne de 0 et un écart type de 1.

VII. Toute variable normale X peut se convertir en une variable normale centrée réduite à l'aide de la formule suivante :

$$Z = \frac{(X - \mu)}{\sigma}$$

7.2

VIII. En transformant une variable normale en variable normale centrée réduite, on peut reporter la distance à partir de la moyenne en unités de l'écart type.

IX. La distribution normale permet d'approximer une distribution binomiale dans certaines conditions :
   A. np et $n(1-p)$ doivent tous deux être d'au moins 5, où n est le nombre d'essais et p, la probabilité d'un succès.

X. Le facteur de correction de continuité de 0,5 sert à étendre la valeur continue de X d'une demi-unité dans l'une ou l'autre direction. Cette correction compense à peu près le fait d'approximer une distribution discrète par une distribution continue.

EXERCICES 7.33 À 7.65

7.33 On a compilé des données dans des entreprises de fabrication d'aluminium ayant des caractéristiques similaires. On a observé que les ventes nettes et le nombre d'employés sont normalement distribués. La moyenne des ventes nettes est de 180 millions de dollars et l'écart type, de 25 millions. La moyenne du nombre d'employés est de 1500 et l'écart type, de 120. La société Alpax a des ventes de 170 millions et 1850 employés.
   a) Convertissez les ventes et le nombre d'employés d'Alpax en valeurs z.
   b) Comparez les ventes et le nombre d'employés d'Alpax avec ceux des autres fabricants.

7.34 Le service de comptabilité de Matériaux Barnabé inc., fabricant de garages, rapporte qu'il faut à deux employés du bâtiment en moyenne 32 heures, avec un écart type de 2 heures, pour monter le modèle MB2. Supposez que le temps de montage obéisse à une loi normale.
   a) Déterminez les valeurs z pour 32 et 34 heures. Quel pourcentage des garages prennent entre 32 et 34 heures à monter ?
   b) Quel est le pourcentage des garages qui prennent entre 29 et 34 heures à monter ?
   c) Quel est le pourcentage des garages qui prennent 28,7 heures ou moins à monter ?
   d) Déterminer x de façon que 5 % des garages prennent x heures ou plus à monter ?

7.35 Une étude sur les appels interurbains effectués à partir des bureaux d'une grande entreprise révèle que la durée des appels obéit à une loi normale. Le temps moyen par appel était de 4,2 minutes et l'écart type, de 0,60 minute.
   a) Quelle est la proportion des appels qui durent de 4,2 à 5 minutes ?
   b) Quelle est la proportion des appels qui durent plus de 5 minutes ?
   c) Quelle est la proportion des appels qui durent de 5 à 6 minutes ?
   d) Quelle est la proportion des appels qui durent de 4 à 6 minutes ?
   e) Dans le cadre de son rapport au président, le directeur des communications aimerait indiquer la durée x telle que 4 % des appels durent plus de x minutes. Quelle est cette durée x ?

7.36 La société de fabrication Nouvelle inc. offre une assurance dentaire à ses employés. Une étude récemment effectuée par le directeur des ressources humaines montre que le coût annuel par employé obéit à une loi normale, la moyenne étant 1280 $ et l'écart type, 420 $ par année.
   a) Quelle est la proportion des employés qui coûtent plus de 1500 $ par année en frais dentaires ?
   b) Quelle est la proportion des employés qui coûtent entre 1500 et 2000 $ par année en frais dentaires ?

c) Quelle est la proportion des employés qui n'ont pas de frais dentaires ?

d) Quel était le 90e centile des frais dentaires annuels des employés (c'est-à-dire un montant en dollars tel que 10 % des employés ont engagé des frais dentaires plus élevés que ce montant) ?

7.37 Alors que les coûts de plus en plus élevés des soins de santé deviennent un sérieux problème aux États-Unis, le temps d'attente extrêmement long dans les salles d'urgence des hôpitaux est une importante préoccupation au Canada. Le directeur de la médecine d'urgence d'un hôpital de Québec étudie les temps d'attente des patients. Il définit le temps d'attente comme le temps qui s'écoule entre l'heure d'arrivée d'un patient dans la salle d'urgence et le moment où il est vu par un médecin. L'étude indique que le temps d'attente obéit à une loi normale, avec une moyenne de 100 minutes et un écart type de 20 minutes.

a) Pour quelle proportion des patients le temps d'attente est-il entre 80 et 110 minutes ?

b) Quelle est la proportion des patients qui doivent attendre moins de 90 minutes ?

c) Quelle est la proportion des patients qui sont vus après plus de 90 minutes, mais moins de 130 minutes ?

d) Quelle est la proportion des patients qui attendent plus de 110 minutes, mais moins de 140 minutes ?

e) Quel est le 5e centile du temps d'attente du patient (c'est-à-dire la durée en minutes telle que le temps d'attente de seulement 5 % des patients lui est inférieur) ?

7.38 Une étude effectuée par Grossistes en meubles inc. sur le paiement des factures révèle que le délai entre le moment de la facturation et la réception du paiement obéit approximativement à une loi normale. Le temps moyen jusqu'à la réception du paiement est 18 jours et l'écart type est 5 jours.

a) Quel est le pourcentage des factures payées en 14 jours ?

b) Quel est le pourcentage des factures payées en plus de 25 jours ?

c) Quel est le pourcentage des factures payées en plus de 14 jours, mais en moins de 25 jours ?

d) La direction souhaite encourager les clients à payer leurs factures mensuelles aussitôt que possible. Dans ce but, elle a annoncé qu'une réduction de 2 % serait appliquée aux clients qui payent dans les sept jours suivant la date de facturation. Une étude menée quelques mois après l'annonce a montré que le pourcentage de clients payant leur facture dans les sept jours était de 4,8 %. Quelle est la variation en pourcentage des clients payant à l'intérieur des sept jours ?

7.39 Les commissions annuelles gagnées par les vendeurs de Machines inc., un fabricant de machinerie légère, obéissent à une loi normale, avec une moyenne de 50 000 $ et un écart type de 8000 $.

a) Quel est le pourcentage des vendeurs qui gagnent plus de 55 000 $ de commission par an ?

b) Quel est le pourcentage des vendeurs qui gagnent entre 40 000 $ et 65 000 $ de commission par an ?

c) Quel est le pourcentage des vendeurs qui gagnent entre 38 000 $ et 45 000 $ de commission par an ?

d) Le directeur des ventes veut offrir aux vendeurs qui gagnent de grosses commissions une prime de rendement de 2000 $. Il peut offrir une prime à 20 % des vendeurs. En vous fondant sur les données historiques, quel devrait être le point de séparation entre ceux qui obtiennent une prime de rendement et ceux qui n'en obtiennent pas ?

7.40 Le poids des boîtes de conserve de poires Monarque obéit approximativement à une loi normale, avec une moyenne de 1000 g et un écart type de 50 g. Calculez le pourcentage des boîtes de conserve qui pèsent :
a) moins de 860 g.
b) entre 1055 g et 1100 g.
c) entre 860 g et 1055 g.

7.41 La direction de Coop Électronique envisage d'adopter un système de prime de rendement pour augmenter la production. L'une des suggestions est de payer cette prime quand le nombre d'unités produites durant la semaine est dans les cinq derniers centiles. Selon les données historiques, la production hebdomadaire obéit à une loi normale ; la moyenne de cette distribution est de 4000 unités par semaine et l'écart type, de 60 unités par semaine. Si Coop Électronique adopte la suggestion, à partir de quel taux de production la prime de rendement sera-t-elle payée ?

7.42 Les flottes de camions Paulus utilisent exclusivement le Ford Super 1310. La direction a fait une étude des coûts d'entretien et a établi que le nombre de kilomètres parcourus durant l'année obéit à une loi normale. La moyenne de la distribution est 95 000 km et l'écart type, 3000 km.
a) Quel est le pourcentage de camions ayant parcouru 100 000 km ou plus ?
b) Quel est le pourcentage de camions ayant parcouru entre 91 000 km et 94 000 km ?
c) Combien de camions ont parcouru 98 000 km ou moins durant l'année ?
d) Est-il raisonnable de conclure qu'aucun des camions n'a roulé plus de 108 000 km ? Expliquez votre réponse.

7.43 Le revenu annuel d'un important groupe de superviseurs de la société Telégestion obéit approximativement à une loi normale. Le montant moyen gagné annuellement est 48 000 $ et l'écart type, 1200 $. La durée de service de ces mêmes superviseurs obéit approximativement à une loi normale également, avec une moyenne de 20 ans et un écart type de 5 ans. Julien Brière gagne 50 400 $ par année et compte 10 ans de service.
a) Comparez son revenu avec celui des autres superviseurs.
b) Comparez sa durée de service avec celle des autres superviseurs.
c) Le président de Telégestion veut donner une prime aux superviseurs dont le revenu est le moins élevé. S'il fixe à 8 % la proportion des superviseurs recevant la prime, quel est le point de séparation entre ceux qui reçoivent la prime et ceux qui ne la reçoivent pas ?

7.44 Un cadre de la société Wallon fait le trajet de sa maison en banlieue jusqu'à son bureau situé au centre-ville. On peut approximer la durée du trajet par la loi normale dont la moyenne est 45 minutes et l'écart type, 8 minutes.
a) Quel est le pourcentage de jours où le trajet lui prendra 40 minutes ou moins ?
b) Quel est le pourcentage de jours où le trajet lui prendra 50 minutes ou plus ?
c) Expliquez au cadre pourquoi la probabilité de se rendre au travail en exactement 40 minutes est égale à 0.
d) Certains jours, il y aura des accidents ou d'autres types de retard, si bien que le trajet prendra plus de temps que d'habitude. Quel est le 90e centile de la durée du trajet (c'est-à-dire la durée en minutes qui est excédée dans 10 % des cas seulement) ?

7.45 Un important détaillant offre une politique de retour « sans tracas ». Le nombre d'articles retournés par jour obéit approximativement à une loi normale, dont la moyenne est 10,3 et l'écart type, 2,25.
a) Quel est le pourcentage de jours où huit articles ou moins sont retournés ?
b) Quel est le pourcentage de jours où entre 12 et 14 articles sont retournés ?
c) Y a-t-il des jours sans retour ?

7.46 Une étude récente montre que 20 % des employés volent leur entreprise durant une année donnée. Si une entreprise emploie 50 personnes, quelle est la probabilité :
a) que moins de 5 employés volent ?
b) que plus de 5 employés volent ?
c) qu'exactement 5 employés volent ?
d) que plus de 5 mais moins de 15 employés volent ?

7.47 Des bouteilles en plastique de deux litres, qui seront utilisées pour embouteiller du cola, sont expédiées en lots de 100. Supposez que chaque bouteille ait 5 % de probabilité d'être défectueuse. Elle peut couler, être trop petite, etc.
a) Sur un échantillon de 100, à combien de bouteilles défectueuses vous attendez-vous ? Quel est l'écart type ?
b) Expliquez pourquoi cette situation respecte les hypothèses binomiales.
c) Quelle est la probabilité qu'un envoi de 100 bouteilles en plastique contienne 8 bouteilles défectueuses ou plus ?
d) Quelle est la probabilité qu'entre 8 et 10 bouteilles en plastique (8 et 10 inclus) soient défectueuses ?
e) Quelle est la probabilité qu'il y ait exactement huit bouteilles défectueuses ?
f) Quelle est la probabilité qu'il n'y ait aucune bouteille défectueuse ?

7.48 Le doyen d'une école de commerce a observé que 10 % des étudiants abandonnent le cours de statistique de base la première fois qu'ils s'y inscrivent. Ce semestre, la classe de statistique du professeur Nguyen compte 60 étudiants inscrits pour la première fois. Calculez les probabilités suivantes.
a) Selon vous, combien d'étudiants abandonneront le cours ? Quel est l'écart type ?
b) Cette situation respecte-t-elle les hypothèses binomiales ? Expliquez votre réponse.
c) Quelle est la probabilité qu'au moins huit étudiants abandonnent le cours ?
d) Quelle est la probabilité que huit étudiants ou moins abandonnent le cours ?
e) Quelle est la probabilité qu'exactement huit étudiants abandonnent le cours ?

7.49 On estime à 10 % le taux d'échec des étudiants qui suivent un cours d'introduction à la statistique dans une certaine université. Ce trimestre, 80 étudiants suivent le cours.
a) Combien d'étudiants vous attendez-vous à voir échouer ? Quel est l'écart type ?
b) Quelle est la probabilité qu'exactement 10 étudiants échouent ?
c) Quelle est la probabilité qu'au moins cinq étudiants échouent ?

7.50 Une étude a montré que 40 % des poursuites à haute vitesse en automobile se terminent par un léger ou un grave accident. Durant un mois au cours duquel on a enregistré 50 poursuites à haute vitesse, quelle est la probabilité que 25 ou plus se traduisent par un léger ou un grave accident ?

7.51 Un sondage effectué par le *National Post* à la mi-année 2001 a montré que les Canadiens, qui ont à leur disposition 9 % de la réserve d'eau douce mondiale, sont presque également divisés quant à leur opinion sur la qualité de l'eau fournie par leur municipalité. Quarante-six pour cent des répondants ont affirmé ne pas croire que l'eau du robinet est salubre. En supposant que les opinions n'aient pas radicalement changé depuis, quelle est la probabilité que, dans un groupe de 50 Canadiens choisis au hasard, moins de 20 d'entre eux n'aient pas confiance en la qualité de l'eau du robinet ?

7.52 Les aéroports canadiens qui gèrent des vols internationaux ont pour objectif de débarquer les passagers et les bagages de chacun des avions en 45 minutes. Interprétez cet objectif comme s'il signifiait que dans 95 % des vols, les passagers sont débarqués et ont récupéré leurs valises en 45 minutes et que dans 5 % des cas, il faut plus de temps. Supposez également que le temps nécessaire à ces opérations obéisse à peu près à une loi normale.

a) Si l'écart type du temps nécessaire à ces opérations est de cinq minutes, quel est le temps moyen pour le débarquement d'un avion ?

b) Supposez que l'écart type soit de 10 minutes, et non pas de 5 minutes comme on le propose en a). Quelle est alors la moyenne ?

c) Une cliente dispose de 30 minutes à partir du moment où son avion atterrit pour monter dans sa limousine. En supposant un écart type de 10 minutes, quelle est la probabilité qu'elle arrive à temps ?

7.53 Le registraire d'une université a étudié les moyennes pondérées cumulatives (MPC) des étudiants sur plusieurs années. Supposez que la distribution de la MPC soit à peu près normale, avec une moyenne de 3,10 et un écart type de 0,30.

a) Quelle est la probabilité qu'un étudiant de l'université ait une MPC entre 2,00 et 3,00 ?

b) Quel est le pourcentage des étudiants en probation (c'est-à-dire ayant une MPC inférieure à 2,00) ?

c) Le nombre d'étudiants de l'université s'élève à 10 000. Combien d'étudiants figurent sur la liste du doyen (c'est-à-dire qu'ils ont une MPC de 3,70 ou plus) ?

d) Pour avoir droit à une bourse d'études, un étudiant doit être dans le décile le plus élevé. Quelle est la MPC qu'un étudiant doit obtenir pour avoir droit à une bourse d'études ?

7.54 Laure recevra son diplôme d'études collégiales cette année. Elle a passé le test d'admission à l'université et a obtenu un résultat de 30. Son directeur l'a informée que seulement 2 % des étudiants qui passent cet examen obtiennent un résultat plus élevé. Le résultat moyen de tous les étudiants est 18,3. Les amis de Laure, Catherine et Antoine, ont également passé ce test, mais ils n'ont pas obtenu d'autre renseignement que leur note. Catherine a eu 25 et Antoine, 18. En vous fondant sur ces données, quel était le rang centile de Catherine et d'Antoine ? Partez du principe que la distribution des résultats est à peu près normale.

7.55 Le poids des boîtes de conserve de jambon produites par la société Jambon Bayonne obéit à une loi normale avec une moyenne de 4,2 kg et un écart type de 0,4 kg. L'étiquette indique un poids de 4 kg.

a) Quelle est la proportion de jambons qui pèsent moins que le poids inscrit sur l'étiquette ?

b) Le propriétaire de la société étudie deux propositions pour réduire la proportion de jambons en deçà du poids inscrit sur l'étiquette. Il peut faire passer le poids moyen à 4,3 kg et laisser l'écart type tel quel, ou encore il peut laisser le poids moyen à 4,2 kg et faire passer l'écart type de 0,4 kg à 0,2 kg. Quel changement recommanderiez-vous ?

7.56 Dans les locations d'automobile sur quatre ans, la plupart des entreprises autorisent l'utilisation du véhicule jusqu'à 80 000 km. Si le locataire dépasse ce kilométrage, une pénalité de 15 ¢ du kilomètre s'ajoute au coût de location. Partez du principe que le nombre de kilomètres parcourus pour des locations de quatre ans obéit à peu près à une loi normale. La moyenne est 72 000 km et l'écart type, 8000 km.

a) Quel pourcentage des locations entraînera une pénalité à cause d'un dépassement de kilométrage ?

b) Supposez que la société automobile veuille changer les modalités de la location de façon que, selon les anciennes données, 25 % des locations dépassent la limite. Où la nouvelle limite supérieure devrait-elle se situer ?

c) En général, on dit qu'une voiture de quatre ans est à faible kilométrage si elle a parcouru moins de 60 000 km. Quel est le pourcentage des voitures qui sont considérées comme à faible kilométrage ?

7.57   Les ventes annuelles de romans d'amour obéissent approximativement à une loi normale. Cependant, la moyenne et l'écart type sont inconnus. Quarante pour cent du temps, les ventes sont supérieures à 470 000 et 10 % du temps, elles sont supérieures à 500 000. Quels sont la moyenne et l'écart type ?

7.58   En proposant des garanties sur les téléviseurs, le fabricant veut définir des limites de façon que peu de téléviseurs exigent des réparations à ses frais. D'autre part, la période de garantie doit être assez longue pour que l'acheteur considère l'achat comme attirant. Pour un nouveau téléviseur, le nombre de mois avant que des réparations ne soient nécessaires est à peu près normalement distribué, avec une moyenne de 36,84 et un écart type de 3,34 mois. Où les limites de la garantie devraient-elles se situer de sorte que seuls 10 % des téléviseurs exigent des réparations aux frais du fabricant ?

7.59   Une société de télémarketing envisage d'acheter une machine qui sélectionne au hasard des numéros de téléphone et les compose automatiquement. La société effectue la plupart de ses appels en soirée. Les appels faits à des numéros appartenant à des entreprises sont donc inutiles. Le fabricant de la machine assure que sa programmation réduit les appels effectués dans des entreprises à 15 % de tous les appels. Pour vérifier cette affirmation, le directeur des achats de la société a programmé la machine pour qu'elle tire un échantillon de 150 numéros de téléphone. En supposant que l'affirmation du fabricant soit juste, déterminez la probabilité que 30 ou plus de ces numéros soient des numéros d'entreprises.

7.60   Pour devenir membres de l'organisation Mensa, les personnes doivent avoir un quotient intellectuel situé dans les 2 % supérieurs. On a choisi 500 personnes au hasard.
a) Quelle est la probabilité que pas plus de quatre d'entre elles soient admissibles ?
b) Quelle est la probabilité qu'au moins huit d'entre elles soient admissibles ?

7.61   Selon un article publié dans le *Globe and Mail* daté du 13 avril 2001, une étude menée par ACNielson Canada montre que 69 % des ménages canadiens possédaient un ordinateur personnel en 2000. Si 50 ménages au Canada étaient choisis au hasard en 2000, quelle est la probabilité que 40 ou plus d'entre eux possèdent un ordinateur personnel ?

7.62   Pour les épiceries, le maintien d'un niveau optimal de stocks de biens périssables constitue un problème qui a d'importantes répercussions sur le plan économique. Elles doivent jeter les biens invendus après la date d'expiration, ce qui leur fait subir des pertes. D'autre part, si les épiceries ne conservent pas suffisamment de stocks, certaines demandes sont insatisfaites, ce qui entraîne une perte d'achalandage. L'une des solutions à ce problème consiste à renouveler souvent les stocks en petites quantités. Dans ce cas, les frais de renouvellement des stocks deviennent élevés. Catherine, la gérante d'une épicerie de Vancouver, a remarqué que la demande hebdomadaire de tomates est à peu près normalement distribuée avec une moyenne de 800 kg et un écart type de 80 kg. Elle a donc décidé de commander un stock de tomates fraîches de 900 kg chaque lundi matin et de jeter les tomates invendues le samedi soir.
a) Quelle est la probabilité que l'épicerie manque de tomates d'ici samedi soir ?
b) Quelle est la probabilité qu'une quantité supérieure à 150 kg de tomates reste invendue et que la gérante les jette le samedi soir ?
c) Quelle est la probabilité que l'épicerie manque de tomates plus de 10 fois sur une période de 50 semaines ?

7.63 Une analyse des données historiques montre qu'une moyenne de 10 % des clients ne respectent pas leur réservation du jour de l'An. En conséquence, la direction d'un hôtel de Victoria disposant de 100 chambres a décidé d'accepter des réservations pour 105 chambres le jour de l'An prochain. Quelle est la probabilité que tous les clients qui se présentent à l'hôtel obtiennent une chambre ?

7.64 Le service d'entretien d'un édifice gouvernemental a décidé de changer la pile de chacune des 120 horloges de l'édifice une fois par année (365 jours). Le service sait que la durée de vie de la marque de pile utilisée obéit approximativement à une loi normale, avec une moyenne de 430 jours et un écart type de 40 jours.

   a) Quelle est la probabilité que les piles d'au moins 10 horloges ne fonctionnent plus au moment de les remplacer ?

   b) Quelle est la probabilité que les quatre horloges du hall principal fonctionnent encore au moment de remplacer les piles ?

   c) Si le service veut une probabilité d'au moins 0,9 que les quatre horloges du hall principal fonctionnent encore au moment de remplacer les piles, après combien de jours devra-t-on remplacer les piles ?

7.65 Reportez-vous à l'exercice 7.62. Supposez que la gérante veuille changer la quantité de la commande de 900 kg par une autre quantité afin de réduire la probabilité de rupture des stocks à 4 %. Quelle devrait être la quantité de la nouvelle commande ?

www.exercices.ca 7.66

7.66 Allez sur le site www.statcan.ca/start_f.html. Après avoir lu et accepté le contrat de licence, cliquez sur Recherche dans CANSIM. Cliquez ensuite sur Numéro de série, entrez le numéro de série D845650, puis cliquez sur Continuer deux fois. Extrayez les données mensuelles sur les logements au Canada à partir de 1960 pour présenter en WK1 (feuille de calcul générique) les dates en ligne. Présentez les données relatives au logement au Canada dans une feuille de calcul Excel.

   a) Trouvez la moyenne et l'écart type de cet ensemble de données.

   b) En supposant que les données soient normalement distribuées, calculez la probabilité que le nombre de mises en chantier, durant un mois sélectionné au hasard, ait été supérieur à 150 000. Comparez cette probabilité avec la proportion réelle de mois durant lesquels le nombre de mises en chantier excédait 150 000. La distribution normale donne-t-elle une bonne approximation du résultat réel ?

EXERCICES 7.67 À 7.70
DONNÉES INFORMATIQUES

7.67 Reportez-vous à l'ensemble de données du fichier Exercice 7-67.xls (voir le cédérom accompagnant ce manuel) sur l'augmentation annuelle en pourcentage de l'IPC (tous les articles) au Canada. Calculez la moyenne et l'écart type de l'ensemble de données. À l'aide d'un tableur, calculez la probabilité que la variation en pourcentage de l'IPC n'excède pas 2 % durant une année choisie au hasard, en supposant que ces variations soient normalement distribuées. Comparez cette probabilité avec la proportion réelle des années durant lesquelles la variation en pourcentage de l'IPC n'excédait pas 2 %. La distribution normale donne-t-elle une bonne approximation du résultat réel ?

7.68 Reportez-vous à l'ensemble de données du fichier Exercice 7-68.xls sur l'augmentation en pourcentage de l'indice TSE 300. Calculez la moyenne et l'écart type de l'ensemble de données. À l'aide d'un tableur, calculez la probabilité que l'augmentation mensuelle en pourcentage de l'indice TSE 300 soit au moins de 1,5 % durant un mois choisi au hasard, en supposant que ces augmentations soient normalement distribuées. Comparez cette probabilité avec la proportion réelle de mois durant lesquels l'augmentation en pourcentage de l'indice TSE 300 était au moins de 1,5 %. La distribution normale donne-t-elle une bonne approximation du résultat réel ?

7.69 Reportez-vous au fichier Exercice 7-69.xls qui contient diverses données sur 100 entreprises choisies au hasard à partir de la liste des plus grandes entreprises au Canada en 2000 sur le site globeinvestor.com. Et considérez la colonne N de ce fichier, qui donne le rendement annuel en pourcentage des actions ordinaires des 100 entreprises de l'échantillon. Calculez la moyenne et l'écart type de l'ensemble de données. À l'aide d'un tableur, calculez la probabilité que le rendement en pourcentage des actions ordinaires d'une entreprise choisie au hasard dans la liste soit supérieur à 2 %, en supposant que ces rendements soient normalement distribués. Comparez cette probabilité avec la proportion réelle d'entreprises qui ont un rendement sur les actions ordinaires supérieur à 2 %. La distribution normale donne-t-elle une bonne approximation du résultat réel ?

7.70 Reportez-vous à l'ensemble de données du fichier Exercice 7-70.xls sur les notes d'étudiants inscrits à un cours de méthodes quantitatives et d'analyse de l'Université du Nouveau-Brunswick.
   a) Calculez la moyenne et l'écart type de l'ensemble de données.
   b) La note de passage est de 45 %. À l'aide d'un logiciel, calculez la proportion d'étudiants ayant échoué, en supposant que les notes soient normalement distribuées. Comparez cette fraction avec la proportion réelle d'étudiants ayant échoué.
   c) On souhaite que seulement 5 % des meilleurs élèves obtiennent A plus. Calculez la limite inférieure donnant droit à un A plus, en supposant que les notes soient normalement distribuées. À l'aide des données réelles, trouvez le nombre d'étudiants qui obtiendraient réellement un A plus si l'on appliquait cette limite.

7.1 a) La courbe est située au-dessus de l'axe horizontal. De plus, l'aire totale sous la courbe est
$(1{,}25)(8{,}0 - 7{,}2) = 1{,}0$. C'est pourquoi la courbe
est une fonction de densité valide.

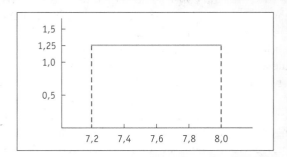

b) L'aire sous la courbe comprise entre 7,5 et 7,8
est $1{,}25(7{,}8 - 7{,}5) = 0{,}375$.

7.2 a) 0,3461
b) 0,0636
c) Presque 0,5

7.3 a) 0,4147
b) Presque 0,5

7.4 a) $0{,}5 - 0{,}4793 = 0{,}0207$
b) Presque $(0{,}5 - 0{,}5) =$ presque 0
c) Elle est égale à (aire à gauche de 0) – (aire comprise entre –2,58 et 0) $= 0{,}5 - 0{,}4951 = 0{,}0049$.

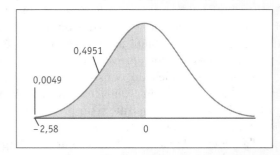

7.5 a) Elle est égale à (aire comprise entre –2,16 et 0)
+ (aire comprise entre 0 et 0,48)
$= 0{,}4846 + 0{,}1844 = 0{,}6690$.
b) Elle est égale à (aire comprise entre –1,72 et 0)
+ (aire comprise entre 0 et 3,64)
$= 0{,}4573 + (\text{presque } 0{,}5) =$ presque 0,9573.
c) Elle est égale à (aire comprise entre –1,63 et 0)
+ (aire à droite de 0) $= 0{,}4484 + 0{,}5 = 0{,}9484$.

7.6 a) Elle est égale à (aire comprise entre 0 et 2,76) –
(aire comprise entre 0 et 1,42)
$= 0{,}4971 - 0{,}4222 = 0{,}0749$.
b) Elle est égale à (aire comprise entre –2,67 et 0)
– (aire comprise entre –0,92 et 0)
$= 0{,}4962 - 0{,}3212 = 0{,}1750$.

7.7 (Aire comprise entre 0 et z) $= 0{,}5 - 0{,}291 = 0{,}209$.
Donc, $z = 0{,}553$ approximativement.

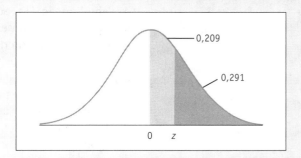

7.8 a) La valeur z correspondant à 1,0 est
$$\frac{1{,}0 - 3{,}36}{5{,}1} \approx -0{,}463$$

b) La valeur z correspondant à 8,0 est
$$\frac{8{,}0 - 3{,}36}{5{,}1} \approx 0{,}91$$

7.9 La probabilité est la suivante : aire comprise entre
1,0 et 8,0 = aire sous la courbe Z comprise entre
–0,463 et 0,91 = (aire comprise entre –0,463 et 0)
+ (aire comprise entre 0 et 0,91)
$= 0{,}1784 + 0{,}3186 = 0{,}497$.

7.10 On cherche un nombre x de sorte que l'aire à droite
de x soit $\dfrac{5}{84} = 0{,}059$.

Donc, l'aire entre μ et x doit être $0{,}5 - 0{,}059 = 0{,}441$.
La valeur z telle que 0,441 soit l'aire comprise entre
0 et z sous la courbe Z est égale à 1,563 environ.
Donc, la valeur requise de x est $(\mu + 1{,}563\sigma) =$
$59{,}27 + (1{,}563)(14{,}34) = 81{,}68$.

7.11 $\mu = np = 200(0{,}80) = 160$

$\sigma = \sqrt{np(1-p)} = \sqrt{200(0{,}80)(1-0{,}80)} = 5{,}66$

a) $z = \dfrac{169{,}5 - 160}{5{,}66} = 1{,}68$

À partir de la table Z, on trouve que l'aire
correspondant à $z = 1{,}68$ est 0,4535. On soustrait
de 0,5000, ce qui donne la probabilité requise,
soit 0,0465.

b) $z = \dfrac{149{,}5 - 160}{5{,}66} = -1{,}86$

À partir de la table Z, l'aire comprise entre –1,86
et 0 est 0,4686. Donc, la probabilité requise est
$0{,}5 + 0{,}4686 = 0{,}9686$.

Cette section présente une révision des principaux concepts, termes, symboles et formules introduits dans les chapitres 5, 6 et 7 qui traitent des méthodes d'évaluation de l'incertitude. À titre d'exemple d'incertitude dans le domaine des affaires, on peut penser au service du contrôle de la qualité dans la plupart des usines de production de masse. En général, ce service ne dispose ni du personnel ni du temps pour vérifier, disons, l'ensemble des 200 modules enfichables produits en deux heures. Selon les règles en vigueur, il peut être nécessaire de tirer un échantillon de 5 modules, puis d'autoriser l'envoi des 200 modules si les 5 fonctionnent correctement. Cependant, si 1 ou plusieurs modules de l'échantillon sont défectueux, les 200 seront vérifiés. Lorsque les cinq modules choisis fonctionnent correctement, on ne peut pas avoir la certitude absolue que l'envoi des modules est une bonne décision. Il se pourrait que les 5 choisis au hasard soient les seuls à fonctionner correctement sur les 200 ! La théorie de la probabilité permet de mesurer le degré d'incertitude, dans ce cas-ci de l'envoi de modules défectueux. La probabilité comme mesure d'incertitude entre aussi en jeu lorsqu'on achète un billet de Loto 6/49 et qu'on veut connaître la probabilité de gagner le gros lot.

Au chapitre 5, nous avons expliqué qu'une *probabilité* est une valeur comprise entre 0 et 1 inclusivement, valeur exprimant les chances ou notre conviction qu'un événement donné puisse se produire. Un spécialiste des prévisions météorologiques pourrait annoncer que la probabilité de pluie est 0,20. Le directeur de projet d'une entreprise soumissionnant dans le cadre d'un contrat de station de métro à Bangkok pourrait évaluer à 0,50 les chances d'obtenir le contrat. Nous avons examiné les façons dont les probabilités peuvent se combiner à l'aide des règles d'addition et de multiplication, de certains principes de la combinatoire et de l'important théorème de Bayes.

Le chapitre 6 présente les distributions *discrètes* – la *distribution binomiale* et la *distribution de Poisson*. Une distribution discrète consiste à énumérer tous les résultats possibles d'une expérience et la probabilité associée à chaque résultat. Une telle distribution permet d'évaluer des résultats provenant d'un échantillon.

À titre d'exemple, une entreprise d'études de consommation, comme la National Family Opinion (NFO), a effectué un sondage pour savoir si les acheteurs d'épicerie peuvent citer le nom de la marque d'un produit lorsque ce nom ne figure pas sur l'emballage. Pour la question 1, NFO a effacé le nom d'une soupe et a donné cinq choix à l'acheteur : 1) Campbell's, 2) Knorr, 3) Progresso, 4) Chalet Suzanne et 5) Heinz.

Il y avait six questions similaires, et 1000 acheteurs ont participé à l'expérience. Bien sûr, il est possible que les acheteurs qui ne connaissent pas les différentes étiquettes et noms de marque choisissent un nom au hasard – c'est-à-dire devinent le nom. On génère une distribution binomiale pour voir à quoi ressemblerait une distribution aléatoire de choix. Ces probabilités figurent dans la colonne 2 du tableau suivant. Les nombres espérés de personnes procédant au hasard et obtenant un nombre donné de réponses correctes figurent dans la colonne 3. Il faut noter que l'on s'attend à ce que seulement 2 acheteurs sur 1000 *devinent* 5 des 6 questions correctement. On ne prévoit presque aucun acheteur capable de deviner six marques sur six. La distribution réelle des réponses se trouve dans la colonne 4. Une comparaison des colonnes 3 et 4 indique qu'un important pourcentage des acheteurs peut trouver le nom de la marque du produit en regardant l'étiquette. NFO en conclurait qu'il est hautement improbable qu'un si grand nombre d'acheteurs citent correctement autant de noms de marques au hasard.

1 Nombre de choix corrects	2 Probabilité*	3 Nombre espéré si l'on procède au hasard	4 Nombre observé de participants du sondage
0	0,262	262	5
1	0,393	393	16
2	0,246	246	10
3	0,082	82	27
4	0,015	15	81
5	0,002	2	346
6	0,000	0	515
	1,000	1000	1000

* Probabilités tirées de l'annexe A

Au chapitre 7, nous avons introduit la classe des distributions continues. Nous avons étudié en détail un membre très important de cette classe : la distribution normale. Certains phénomènes, comme les salaires horaires des employés d'une grande entreprise, les notes des élèves d'une grande classe, les variations quotidiennes (en pourcentage) de l'indice TSE 300, les erreurs de mesure commises dans certaines données en physique et en économie, obéissent approximativement à une loi normale. Dans certains cas, de simples transformations de variables (telles les transformations logarithmiques) produisent une distribution normale.

En fait, il existe une famille de distributions normales – chacune étant dotée de sa propre moyenne et de son propre écart type. Il y en a une, par exemple, pour une moyenne de 100 $ et un écart type de 5 $, une autre pour une moyenne de 149 $ et un écart type de 5,26 $ et ainsi de suite. On a remarqué qu'une distribution normale est en forme de cloche, qu'elle est symétrique autour de sa moyenne et que les queues de la courbe normale s'étendent indéfiniment dans chaque direction. Puisqu'il y a un nombre illimité de distributions normales, il est difficile de comparer directement deux ou plusieurs distributions. Les distributions d'intérêt sont plutôt *centrées et réduites*. La distribution des valeurs centrées et réduites d'une variable normale est également normale et on l'appelle *distribution* ou *loi Z*. Celle-ci a une moyenne de 0 et un écart type de 1. Elle est très utile, par exemple, pour comparer des distributions dont les unités sont différentes. La distribution des revenus de cadres moyens et la distribution des appréciations de leur rendement sont des exemples de distributions avec des unités différentes. Elle est également utile pour calculer la probabilité que divers événements se produisent.

GLOSSAIRE

Chapitre 5

Ensemble fondamental   Ensemble de tous les résultats possibles d'une expérience aléatoire.

Événement   Ensemble de un ou de plusieurs résultats d'une expérience aléatoire. Par exemple, un événement peut être trois valves défectueuses dans un envoi de huit valves à un garagiste.

Expérience aléatoire   Processus i) répétitif de nature (du moins conceptuellement), ii) dont le résultat lors de tout essai est incertain et appartient toujours à un ensemble bien défini de résultats possibles et iii) associant à chacun de ses résultats un nombre, appelé probabilité du résultat, de sorte que si l'on répète l'expérience un grand nombre de fois, la proportion de fois qu'un résultat se produira sera égale, en moyenne, à sa probabilité.

Formule de multiplication   Une des formules utilisées pour compter le nombre de résultats possibles d'une expérience : s'il y a m façons de faire une chose et n façons d'en faire une autre, il y a alors $m \times n$ façons de les faire toutes les deux. Par exemple, un magasin d'articles de sport offre deux manteaux de sport et trois pantalons différents pour 400 $. Combien de tenues différentes peut-il y avoir ? Réponse : $m \times n = 2 \times 3 = 6$.

Formule pour compter les arrangements Formule servant à compter le nombre de façons possibles de choisir de manière ordonnée r objets parmi n. Le nombre de choix est déterminé ainsi :

$$_nP_r = \frac{n!}{(n-r)!}$$

Formule pour compter les combinaisons Formule servant à compter le nombre de façons possibles de choisir r objets à partir d'un ensemble de n objets. Si la série a, b, c est considérée comme identique à la série b, a, c et à la série c, b, a, le nombre de choix se trouve ainsi :

$$_nC_r = \frac{n!}{r!(n-r)!}$$

Indépendant Des événements sont dits indépendants quand le fait que l'un se produise n'a aucune incidence sur la probabilité des autres.

Probabilité Valeur comprise entre 0 et 1 inclusivement, qui indique la probabilité qu'un événement donné se produise.

Probabilité classique Probabilité attribuée à des résultats d'expérience aléatoire en partant de l'hypothèse que chacun des résultats est également probable. À l'aide de ce concept de probabilité, s'il y a n résultats possibles, la probabilité d'un résultat donné est $1/n$. Ainsi, dans le lancer d'une pièce de monnaie, la probabilité d'obtenir face est 1/2.

Probabilité conditionnelle Probabilité qu'un événement se produise étant donné qu'un autre événement s'est déjà produit.

Probabilité empirique Estimation de la probabilité des résultats d'une expérience aléatoire fondée sur l'expérience. Par exemple, une compagnie d'assurances estime la probabilité de décès causé par un accident d'une personne donnée dans une ville à partir des décès accidentels dans cette ville. Si 100 des 100 000 personnes de la ville sont mortes à la suite d'un accident, la compagnie d'assurances peut estimer la probabilité de ce type de décès d'une personne donnée en divisant 100 par 100 000, c'est-à-dire $\frac{100}{100\,000} = 0,001$.

Probabilité subjective Probabilité attribuée à un événement en fonction de n'importe quelle donnée disponible – intuition, opinion personnelle, opinion des autres, rumeur, etc.

Règle générale d'addition Sert à trouver la probabilité d'un événement complexe composé de A ou de B.

$$P(A \text{ ou } B) = P(A) + P(B) - P(A \text{ et } B)$$

Règle générale de multiplication Sert à trouver la probabilité d'un événement complexe composé de A

et de B. Par exemple, on sait qu'il y a 3 radios défectueuses dans une boîte contenant 10 radios. Quelle est la probabilité que les deux premières radios choisies dans la boîte soient défectueuses ?

$$P(A \text{ et } B) = P(A)P(B\,|\,A) = \frac{3}{10} \times \frac{2}{9} = \frac{6}{90} \approx 0,067$$

où $P(B\,|\,A)$ signifie « probabilité que B se produise étant donné que A s'est déjà produit ».

Règle spéciale d'addition Pour appliquer cette règle, les événements doivent être mutuellement exclusifs. Si A et B sont des événements exclusifs, la probabilité que A ou B se produise se trouve ainsi :

$$P(A \text{ ou } B) = P(A) + P(B)$$

Par exemple, la probabilité d'obtenir un ou deux points dans le lancer du dé est la suivante :

$$P(A \text{ ou } B) = \frac{1}{6} + \frac{1}{6} = \frac{2}{6} = \frac{1}{3}$$

Règle spéciale de multiplication Si deux événements ne sont pas liés – c'est-à-dire sont indépendants –, on peut appliquer cette règle pour déterminer la probabilité que les deux événements se produisent en même temps.

$$P(A \text{ et } B) = P(A)P(B)$$

Par exemple, la probabilité d'obtenir deux faces au lancer de deux pièces de monnaie est :

$$P(A \text{ et } B) = P(A)P(B) = \frac{1}{2} \times \frac{1}{2} = \frac{1}{4}$$

Résultat Issue d'une expérience aléatoire.

Théorème de Bayes Élaboré par le pasteur Bayes au XVIIIe siècle, il sert à trouver la probabilité qu'un événement A se produise étant donné que l'événement B s'est produit.

Chapitre 6

Distribution discrète Liste de toutes les valeurs possibles d'une variable aléatoire discrète et des probabilités correspondantes.

Distribution ou loi de Poisson Distribution souvent utilisée pour approximer des probabilités binomiales lorsque n est grand et p, petit. On ne définit pas précisément ce qui est considéré comme « grand » ou « petit », mais une règle générale veut que n soit égal ou supérieur à 20 et que p soit égal ou inférieur à 0,05.

Variable aléatoire Expérience aléatoire dont chacun des résultats possibles est un nombre. Par exemple, le nombre d'accidents sur l'autoroute 20 durant une fin de semaine pourrait s'élever à 10, à 11 ou à 12 ou à un autre nombre entier.

Variable aléatoire binomiale Variable discrète dotée des caractéristiques suivantes :

1. Elle compte le nombre total de succès lors d'un nombre fixe n d'essais de Bernoulli.

2. Chaque essai de Bernoulli n'a que deux résultats possibles : succès ou échec.

3. Chaque essai est indépendant de tout autre essai (par exemple, le résultat de l'essai 1 – succès ou échec – n'a aucune incidence sur le résultat de l'essai 2).

4. La probabilité p d'un succès reste la même d'essai en essai.

Variable aléatoire continue Variable aléatoire pouvant prendre n'importe quelle valeur à l'intérieur d'un intervalle donné ou d'un ensemble d'intervalles.

Variable aléatoire discrète Variable aléatoire qui peut prendre n'importe quelle valeur dans un ensemble fini ou dénombrable de valeurs possibles.

Chapitre 7

Distribution ou loi normale Distribution continue en forme de cloche ; la moyenne divise cette distribution en deux parties égales ; en outre, la courbe normale s'étend indéfiniment dans chacune des directions, c'est-à-dire qu'elle ne touche jamais l'axe horizontal. En convertissant une distribution normale en une *distribution normale centrée réduite,* on peut, par exemple, comparer deux ou plusieurs distributions normales mesurées par des unités différentes (comme les revenus et les années de service).

Facteur de correction de continuité Sert à améliorer la précision de l'approximation d'une distribution discrète (binomiale) par une distribution continue (normale).

Valeur z Distance entre une valeur donnée et la moyenne de la population mesurée en unités de l'écart type.

◼▬ EXERCICES

PARTIE I – REMPLISSEZ LES ESPACES LAISSÉS EN BLANC

1. En vous fondant sur votre évaluation du marché boursier, vous estimez à 50-50 les chances que les prix des actions commencent à baisser dans deux mois. Ce concept de probabilité fondée sur votre croyance s'appelle _____.

2. On mène une étude sur l'absentéisme en classe. Dans notre étude des probabilités, cette activité particulière s'appelle _____.

3. Reportez-vous à l'exercice 2. On a découvert que 126 étudiants étaient absents le lundi matin. Ce nombre (126) s'appelle _____.

4. Pour appliquer la règle d'addition suivante :

$$P(A \text{ ou } B \text{ ou } C) = P(A) + P(B) + P(C),$$

les événements doivent être _____.

5. La direction affirme que la probabilité qu'un relais soit défectueux n'est que de 0,001. Le nom de la règle utilisée pour trouver la probabilité que le relais *ne* soit *pas* défectueux est _____. La formule de cette règle s'appelle _____. La probabilité qu'un relais donné ne soit pas défectueux est _____.

6. Pour une distribution, la somme des probabilités de tous les résultats possibles doit être égale à _____.

7. La distribution binomiale est-elle une distribution discrète ou continue ?

8. Les caractéristiques d'une distribution binomiale sont : _____, _____, _____ et _____.

9. La distribution de Poisson est-elle discrète ou continue ? _____

10. Pour construire une distribution de Poisson, vous avez besoin de _____.

11. Les caractéristiques d'une distribution normale et de la courbe normale qui l'accompagne sont : _____, _____ et _____.

12. Si l'on convertit les valeurs d'une distribution normale en une distribution de moyenne 0 et d'écart type 1, cette nouvelle distribution s'appelle _____.

PARTIE II – PROBLÈMES

13. On a donné un cours sur les principes de gestion à tous les employés d'ABC Électronique. À la fin de la période, les employés ont passé un test. Voici les résultats qu'ils ont obtenus.

Note	Nombre d'employés
A	20
B	35
C	90
D	40
F	10
Abandon	5

Quelle est la probabilité qu'un employé choisi au hasard :
a) ait obtenu un A ?
b) ait obtenu un C ou plus ?
c) n'ait pas échoué ou abandonné ?

14. On affirme que l'Aldradine, un nouveau médicament contre l'acné, est efficace à 80 % – autrement dit, lorsqu'on applique le médicament à une personne au hasard souffrant d'acné, la probabilité d'une nette amélioration est de 0,8. On applique le médicament à un groupe de 15 personnes. Quelle est la probabilité que :
a) les 15 personnes présentent des améliorations significatives ?
b) moins de 9 des 15 personnes présentent des améliorations significatives ?
c) 12 personnes ou plus présentent des améliorations significatives ?

15. À partir des données historiques concernant les réclamations de polices d'assurance habitation, une compagnie d'assurances a découvert qu'il y avait eu en moyenne quatre réclamations par période de huit ans.
a) Quelle est la probabilité qu'aucune réclamation ne soit déposée sur une période de huit ans ?
b) Quelle est la probabilité qu'au moins une réclamation soit déposée sur une période de huit ans ?

16. Une étude sur l'assistance aux parties des Canadiens de Montréal durant la saison 2000-2001 a révélé que la distribution de l'assistance était à peu près normale avec une moyenne de 20 105 et un écart type de 750.
a) Quelle est la probabilité qu'une partie choisie au hasard ait une assistance de 21 000 amateurs ou plus ?
b) Quel est le pourcentage des parties où l'assistance est comprise entre 19 000 et 21 000 ?
c) Trouvez le nombre tel que, dans 20 % des parties, l'assistance ait été inférieure à ce nombre.

17. Le tableau ci-dessous présente les principales causes de décès au Canada par 100 000 personnes.

Cause de décès	Hommes	Femmes	Total
Toutes formes de cancer	230	149	379
Maladies cardiovasculaires	307	188	495
Autres	265	258	523
Total	802	595	1397

Source : www.statcan.ca/start_f.html.

a) Quelle est la probabilité qu'une personne choisie au hasard dans la population canadienne meure du cancer ?

b) Quelle est la probabilité qu'une personne choisie au hasard dans la population canadienne soit une femme et qu'elle meure d'une maladie cardiovasculaire ?

c) Quelle est la probabilité qu'un Canadien (un homme) choisi au hasard meure du cancer ou d'une maladie cardiovasculaire ?

18. L'Agence du revenu du Canada a mis de côté 2000 déclarations de revenus dans lesquelles le montant des dons de charité semblait excessif. Revenu Canada tire un échantillon de 6 déclarations à partir du groupe des 2000. Si deux déclarations ou plus de cet échantillon ont des montants « excessifs » déduits pour des dons de charité, le groupe entier fera l'objet d'une vérification. Quelle est la probabilité que le groupe entier fasse l'objet d'une vérification si, sur 2000 déclarations, 400 ont des déductions excessives ? si 600 ont des déductions excessives ?

19. Un concessionnaire d'automobiles a en stock deux modèles A et B de voiture. Le modèle A coûte 21 736 $ et le modèle B, 34 000 $. De tous les clients intéressés à acheter une voiture, 6 % achèteraient le modèle A, 15 %, le modèle B et 79 % n'achèteraient ni l'un ni l'autre. Trouvez les ventes espérées par client.

20. Avant de signer un contrat avec un auteur, une maison d'édition demande à son service de marketing d'analyser le marché potentiel du livre. Le tableau ci-dessous présente le nombre d'exemplaires vendus et les probabilités estimées correspondantes.

Nombre d'exemplaires vendus	Probabilité
12 000	0,4
15 000	0,2
20 000	0,1
30 000	0,3

a) Calculez la valeur espérée et l'écart type du nombre d'exemplaires vendus du livre.

b) Calculez la valeur espérée et l'écart type du revenu de la maison d'édition si chaque livre se vend 89 $.

CAS

A. LE PLAGIAT ET INTERNET

Internet fournit une foule de renseignements sur presque tous les sujets ; aussi, les étudiants sont-ils souvent tentés de copier des extraits d'articles et de les coller directement dans leurs travaux de session, donc de plagier. Cette situation est devenue un sérieux problème pour les universités, qui prennent des mesures pour empêcher ces plagiats. Un professeur a mis au point un logiciel qui, pour comparer deux articles donnés, tire au hasard certaines suites de cinq mots dans un article et vérifie si elles se trouvent dans l'autre article. Il compte utiliser cette méthode pour comparer les 2500 mots du travail de session de chacun de ses étudiants avec 500 articles originaux dans Internet, qu'il estime populaires auprès de ses étudiants. Il a besoin de votre aide pour définir une valeur limite de rejet : s'il s'avère qu'un devoir a plus de suites en commun avec l'original que la valeur limite de rejet, il interrogera l'étudiant à ce sujet. Il veut s'assurer de ne pas porter de fausses accusations contre un étudiant honnête. Il a observé que, pour n'importe quel choix d'un article et d'un devoir rédigé indépendamment de l'article, la probabilité qu'une suite de cinq mots choisie au hasard dans le travail de session figure également dans l'article est 0,04.

1. Supposez que le professeur compare avec un article original 20 suites de 5 mots choisies au hasard dans un devoir.
   a) Supposez que le devoir soit rédigé indépendamment de l'original. Quelle est la probabilité qu'au moins cinq des suites choisies au hasard fassent partie de l'article ? qu'au moins 10 en fassent partie ?
   b) En vous basant sur votre réponse en a), serait-il juste de soupçonner un étudiant de plagiat si au moins 5 des 20 suites choisies au hasard dans son travail figuraient également dans l'article ? si au moins 10 y figuraient ?

2. À présent, supposez que le professeur compare avec un article original 200 suites de 5 mots choisies au hasard dans un devoir.
   a) Supposez que le devoir soit rédigé indépendamment de l'original. Quelle est la probabilité que plus de cinq des suites choisies au hasard figurent dans l'article ? que plus de 15 y figurent ?
   b) En vous fondant sur votre réponse en a), serait-il juste d'accuser un étudiant de plagiat si plus de cinq des suites choisies au hasard dans son travail figuraient également dans l'article ? si plus de 15 y figuraient ?

3. Maintenant, supposez que le professeur compare avec un article original 200 suites de 5 mots dans un devoir et qu'il répète cet exercice indépendamment pour chacun des 500 articles présents dans Internet.
   a) Si l'étudiant rédige son travail indépendamment des originaux, quelle est la probabilité que, pour au moins un des 500 articles, plus de 15 des suites choisies au hasard dans le devoir apparaissent dans l'article ?
   b) En vous fondant sur votre réponse en a), serait-il juste d'accuser un étudiant de plagiat si, pour au moins un des 500 articles originaux, plus de 15 des suites choisies au hasard dans son devoir figuraient également dans l'article ?

En vous basant sur les réponses aux questions ci-dessus, quelle politique recommanderiez-vous au professeur ?

B. JÉRÔME APPLIQUE SES CONNAISSANCES

Jérôme Lebrun est directeur d'une petite entreprise de télémarketing. Il évalue le taux de ventes des travailleurs expérimentés dans le but d'établir des normes minimales afin de procéder à de nouvelles embauches. Durant les dernières semaines, il a enregistré le nombre d'appels fructueux par heure de l'équipe. Ces données figurent plus bas et sont accompagnées de certaines statistiques descriptives qu'il a obtenues à l'aide d'un tableur. Jérôme a étudié à l'université et a appris à quoi ressemblent différentes distributions (binomiales, normales, de Poisson et autres). Pourriez-vous donner quelques conseils à Jérôme sur le type de distribution à utiliser pour que celle-ci convienne autant que possible à ses données, puis sur la façon de décider s'il doit engager un employé à l'essai si ce dernier a atteint les normes de production ? Vos conseils sont importants, car ils signifient que l'employé aura droit à une augmentation salariale. De plus, dans le passé, certains employés découragés ont quitté leur emploi, croyant qu'ils n'atteindraient jamais la norme établie.

Nombre d'appels fructueux en une heure durant la semaine du 14 août :

4 2 3 1 4 5 5 2 3 2 2 4 5 2 5 3 3 0 1 3 2 8 4 5 2 2 4 1 5 5 4 5 1 2 4

Statistiques descriptives :

N	Moyenne	Médiane	Moyenne tronquée	Écart type	Erreur type
35	3,229	3,000	3,194	1,682	0,284

Minimum	Maximum	Premier quartile	Troisième quartile
0,0	8,000	2,000	5,000

C. LA CARTE DE CRÉDIT

Avant d'émettre une carte de crédit, les banques évaluent ou notent généralement le client sur la probabilité qu'il soit rentable. Voici un tableau de notation typique.

Âge	Moins de 25 ans (12 points)	De 25 à 29 (5 points)	De 30 à 34 (0 point)	35 et plus (18 points)
Nombre d'années à la même adresse	Moins de 1 (9 points)	De 1 à 2 (0 point)	De 3 à 4 (13 points)	5 et plus (20 points)
Âge de la voiture	Aucun (18 points)	De 0 à 1 an (12 points)	De 2 à 4 ans (13 points)	5 ans et plus (3 points)
Paiement mensuel de la voiture	Aucun (15 points)	De 1 à 99 $ (6 points)	De 100 à 299 $ (4 points)	300 $ et plus (0 point)
Coût du logement	De 1 à 199 $ (0 point)	De 200 à 399 $ (10 points)	Propriétaire (12 points)	Vit avec ses parents (24 points)
Compte chèques et compte d'épargne	Les deux (15 points)	Compte chèque seulement (3 points)	Compte épargne seulement (2 points)	Aucun (0 point)

La note correspond à la somme des points des six éléments. Par exemple, Joanne Labelle a moins de 25 ans (12 points), demeure à la même adresse depuis 2 ans (0 point), possède une voiture qui a 4 ans d'usure (13 points) avec des paiements mensuels de 75 $ (6 points), a des paiements pour le logement de 200 $ (10 points) et un compte chèques (3 points). Elle obtient 44 points.

La banque utilise ensuite un deuxième tableau pour convertir les points en probabilité approximative d'être un client rentable. Voici un exemple de tableau.

Note	30	40	50	60	70	80	90
Probabilité	0,70	0,78	0,85	0,90	0,94	0,95	0,96

La note de 44 points de Joanne signifie que la probabilité qu'elle soit une cliente rentable pour la banque est d'environ 0,81. Autrement dit, 81 % des clients comme Joanne seront rentables pour les activités liées aux cartes de crédit.

Voici les résultats des entrevues effectuées auprès de trois clients potentiels choisis indépendamment les uns des autres.

Nom	David Marois	Éric Souci	Anne Verdi
Âge	42	23	33
Nombre d'années à la même adresse	9	2	5
Âge de la voiture	2	3	7
Paiement mensuel de la voiture	140 $	99 $	175 $
Coût du logement	300 $	200 $	Entièrement payé
Compte chèques et compte d'épargne	Les deux	Compte chèques seulement	Aucun

a) Notez chacun de ces clients. Estimez leur probabilité d'être un client rentable pour la banque.

b) Quelle est la probabilité que les trois soient rentables ?

c) Quelle est la probabilité qu'aucun ne soit rentable ?

d) Trouvez la distribution du nombre de clients rentables parmi ce groupe de trois.

CHAPITRE 8

Les méthodes d'échantillonnage et le théorème limite central

OBJECTIFS D'APPRENTISSAGE

Après avoir lu ce chapitre, vous serez en mesure :

- d'expliquer sous quelles conditions un échantillon permet de se renseigner sur une population ;

- de décrire les méthodes de sélection d'un échantillon ;

- de définir et d'élaborer la distribution de la moyenne d'un échantillon ;

- d'expliquer le théorème limite central ;

- d'utiliser le théorème limite central pour déterminer les probabilités associées à différents intervalles de valeurs possibles de la moyenne d'un échantillon prélevé dans une population donnée.

PRASANTA CHANDRA MAHALANOBIS (1893-1972)

1498
1548
1598
1648
1698
1748
1898
1948
2000

Les premiers exemples d'une théorie d'échantillonnage se trouvent dans les travaux de Pierre-Simon Laplace (1749-1827). Toutefois, les méthodes d'échantillonnage utilisées par Laplace étaient non probabilistes. A. N. Kiaer (1838-1919), A. L. Bowley (1869-1957) et P. C. Mahalanobis furent des pionniers de la théorie et de l'application de l'échantillonnage probabiliste. La reconnaissance mondiale de la théorie d'échantillonnage résulte en grande partie de l'œuvre du professeur Mahalanobis.

Né à Calcutta en Inde, Prasanta Chandra Mahalanobis obtint son diplôme en physique et acheva une licence ès sciences en mathématiques et en physique au King's College de Cambridge, Angleterre, en 1915. Juste avant son retour en Inde après l'obtention de son diplôme, il tomba par hasard sur un numéro du journal de statistique *Biometrika*. Ce fut le coup de foudre. La statistique devint alors son champ d'intérêt privilégié ; il mit au point et appliqua avec succès des méthodes statistiques dans des domaines aussi variés que l'anthropologie, l'épidémiologie, la démographie, la météorologie, le contrôle des inondations, l'estimation du rendement des récoltes et le développement de politiques économiques nationales.

Mahalanobis s'intéressa surtout au domaine de l'échantillonnage à grande échelle. Sa contribution aux enquêtes par sondage fut très importante, tant du point de vue philosophique que méthodologique. Ses méthodes ont été appliquées avec succès à de nombreux problèmes pratiques, comme l'estimation de la récolte de jute dans la province du Bengale. Le célèbre économiste et statisticien américain H. Hotelling a déclaré : « À ma connaissance, aucune méthode d'échantillonnage aléatoire n'a été élaborée aux États-Unis ou ailleurs dans le monde avec autant de précision que celle du professeur Mahalanobis. »

De 1947 à 1951, Mahalanobis siégea à la Sous-commission des Nations Unies sur l'échantillonnage statistique. Ses efforts incessants furent en grande partie responsables de la recommandation finale de cette sous-commission visant à étendre ces méthodes d'échantillonnage à toutes les régions du monde.

Mahalanobis a fondé l'Institut indien de statistique, un des meilleurs instituts d'études statistiques dans le monde. Il a également créé le périodique *Sankhya*, un journal de statistique qui est toujours considéré comme l'un des meilleurs dans le domaine.

Mahalanobis est devenu membre de la London Royal Society en 1945. Il se vit décerner le titre de *Padma Vibhushan*, le plus grand honneur national, par le président de l'Inde en 1968.

INTRODUCTION

Dans les chapitres 1 à 4, nous avons mis l'accent sur les méthodes permettant de décrire les caractéristiques essentielles d'un ensemble de données. Nous avons concentré notre analyse sur des ensembles où la totalité des observations étaient disponibles. Aux chapitres 5 à 7, nous avons posé les fondements de l'inférence statistique en étudiant la théorie des probabilités, les variables aléatoires discrètes et les variables aléatoires continues. Il faut se rappeler qu'en inférence statistique, on ne peut accéder à toutes les données qui nous intéressent (la population). Ainsi, notre objectif est de déduire l'information désirée sur une population en choisissant adéquatement un sous-ensemble de celle-ci, qu'on nomme *échantillon*, et en analysant les observations qu'il contient. Il arrive souvent que l'information recherchée soit la valeur d'un paramètre de la population, par exemple la *moyenne arithmétique* μ ou l'*écart type* σ. Dans ce cas, on calcule la valeur d'une statistique d'échantillon appropriée, puis on l'utilise comme estimation du paramètre de la population.

Idéalement, on aimerait choisir une méthode d'échantillonnage et une statistique de manière à être certain que l'estimation obtenue soit très proche de la valeur réelle du paramètre de population qui nous intéresse. Malheureusement, il n'existe pas de méthode semblable (à moins, bien sûr, de pouvoir recenser l'ensemble des observations de toute la population). Toutefois, et bien que cela puisse surprendre, certaines méthodes peuvent fournir des estimations qui ont de fortes chances de s'approcher de la valeur du paramètre de la population, même si la taille de l'échantillon est relativement petite comparativement à celle de la population. Par exemple, si l'on sonde seulement quelques centaines d'électeurs choisis adéquatement au Canada, on peut se faire une assez bonne idée de l'opinion de millions d'électeurs canadiens. Nous exposerons ces méthodes dans ce manuel. Les deux étapes principales à suivre sont les suivantes :

- **Le prélèvement de l'échantillon.** Il est absolument essentiel que l'échantillon prélevé soit représentatif de la population concernant le paramètre étudié. Comme le veut la règle, « à données inexactes, résultats erronés ». Si l'échantillon choisi n'est pas représentatif de la population entière, aucune méthode ne pourra fournir une estimation fiable de la valeur du paramètre étudié. Dans ce chapitre, nous examinerons différentes méthodes utilisées pour sélectionner un échantillon.

- **L'analyse des données de l'échantillon.** Le choix d'une statistique appropriée pour estimer le paramètre étudié est crucial. Elle doit être choisie de telle sorte que sa valeur se rapproche de celle du paramètre de la population.

Au début de ce chapitre, nous exposerons les différentes méthodes utilisées pour le prélèvement d'un échantillon. Nous établirons ensuite la distribution de probabilité de la moyenne échantillonnale pour le cas d'un *échantillon aléatoire simple avec remise*, qui est la méthode d'échantillonnage probabiliste la plus élémentaire. Nous réaliserons à quel point les moyennes de différents échantillons prélevés dans la même population tendent à se regrouper autour de la moyenne de cette population. Finalement, nous présenterons le théorème limite central, une des plus importantes avancées en statistique. Nous verrons que dans le cas d'un échantillon aléatoire simple prélevé avec remise, la distribution de la moyenne échantillonnale tend à s'approcher d'une distribution normale, même pour un échantillon de taille modérée.

8.1 L'ÉCHANTILLONNAGE

Dans bien des cas, on doit se limiter aux données d'un échantillon pour tirer des conclusions sur la population entière. Les principales raisons d'effectuer un échantillonnage sont les suivantes :

1. **La nature destructive de certains tests.** Dans le domaine de la production industrielle, les plaques d'acier, les câbles et autres produits semblables doivent avoir une

certaine résistance à la traction. Pour s'assurer qu'un produit satisfait aux normes, le service de contrôle de la qualité sélectionne un échantillon dans la production courante. On étire chaque pièce jusqu'à ce qu'elle se brise, puis on note le point de rupture (habituellement mesuré en mégapascals). Évidemment, si l'on vérifiait la résistance à la traction de toutes les plaques ou de tous les câbles produits, il n'y en aurait plus à vendre. Pour cette même raison, la société Kodak ne teste qu'un échantillon de films pour vérifier la qualité de tous les films produits, et les cultivateurs de pommes de terre vérifient la germination de quelques tubercules seulement avant de les semer.

2. **L'impossibilité physique de vérifier toutes les unités d'une population.** Supposons qu'on s'intéresse à la population de tous les poissons, oiseaux, serpents ou moustiques du Canada. Non seulement la population est-elle grande, mais les individus qui la composent se déplacent continuellement, alors que certains naissent et d'autres meurent. Au lieu d'essayer de compter tous les canards du Canada ou de peser tous les poissons du lac Érié, on fait des estimations à l'aide de différentes méthodes – par exemple, on compte tous les canards dans certains étangs sélectionnés au hasard, on vérifie les prises de pêche ou l'on installe des filets en des endroits déterminés du lac. La seule façon d'estimer la teneur en or du minerai dans les mines d'or de la région de Hemlo en Ontario est d'analyser un échantillon de ce minerai. Dans le scandale de Bre-X en 1997, le promoteur canadien David Walsh a floué les investisseurs de milliards de dollars en produisant un rapport erroné sur l'analyse d'un échantillon de minerai provenant d'une mine de la jungle indonésienne.

3. **Le coût prohibitif des études couvrant toutes les unités d'une population.** Les sondeurs d'opinion publique et les entreprises de recherche auprès des consommateurs, par exemple Pollara, contactent habituellement moins de 2000 des 8,2 millions de familles canadiennes. Certaines entreprises de sondage d'opinion demandent environ 50 000 $ pour poster des sondages et compiler les réponses afin de tester un produit (une céréale pour déjeuner, de la nourriture pour chat ou du parfum, par exemple). Si on l'étendait aux 8,2 millions de familles canadiennes, la même étude coûterait environ 1 milliard de dollars.

4. **La précision satisfaisante des résultats d'échantillonnage.** Même si l'on disposait de moyens financiers suffisants, on peut douter que la précision supplémentaire d'un échantillonnage de 100 % – c'est-à-dire d'un recensement de la population entière – soit essentielle dans la plupart des cas. Par exemple, le gouvernement fédéral n'utilise que les données recueillies auprès de quelques magasins d'alimentation répartis à travers le pays pour déterminer l'indice mensuel du prix des aliments. Le prix du pain, du beurre, du lait et d'autres produits alimentaires courants sont inclus dans cet indice. Il est peu probable que l'inclusion de tous les commerces d'alimentation du Canada influerait sur l'indice de manière significative, puisque ces prix ne varient en général que de quelques cents entre les différents commerces.

5. **Le temps requis pour contacter la population entière.** Supposons qu'une candidate aux élections fédérales veuille déterminer ses chances d'être élue. Un sondage effectué auprès d'un échantillon d'électeurs par une firme spécialisée prendra seulement un ou deux jours. Si la firme utilisait la même équipe de sondeurs et travaillait 7 jours par semaine, presque 20 années seraient nécessaires pour contacter toute la population des électeurs ! Même si l'on pouvait réunir une équipe plus nombreuse de sondeurs, les coûts associés à cette tâche n'en vaudraient peut-être pas la peine. Comme on le verra, un sondage effectué auprès d'un échantillon de taille modérée permettrait probablement d'estimer le pourcentage réel du vote populaire que la candidate recevrait avec une marge d'erreur relativement faible. Ainsi, la dépense supplémentaire et le temps requis pour déterminer avec certitude le pourcentage exact du vote populaire ne semblent pas justifiés.

8.2 LES MÉTHODES D'ÉCHANTILLONNAGE

On peut diviser les méthodes d'échantillonnage en deux catégories : i) sans remise et ii) avec remise.

Dans un **échantillonnage sans remise,** chaque unité de la population ne peut apparaître plus d'une fois dans l'échantillon. Supposons qu'en vue d'estimer la taille moyenne des 150 étudiants d'une classe, on prélève un échantillon aléatoire de 20 étudiants de cette classe. Si le prélèvement s'effectue sans remise, l'étudiant nommé Robert Martin ne pourra apparaître qu'une seule fois dans l'échantillon.

 Échantillonnage sans remise   Chaque unité de la population ne peut apparaître qu'une seule fois dans l'échantillon.

Prenons l'exemple où il n'y aurait que quatre étudiants dans la classe, et que leur taille soit respectivement 180, 160, 190 et 175 cm. La population est peu nombreuse ($N = 4$). Supposons qu'on choisisse sans remise un échantillon aléatoire de deux étudiants dans cette population. L'ensemble des résultats possibles des différents échantillons est alors {{180, 160}, {180, 190}, {180, 175}, {160, 190}, {160, 175}, {190, 175}}. Le nombre total d'échantillons possibles est de 6 (= $_4C_2$). En général, *si la population est constituée de N unités ou individus et si l'on prélève sans remise un échantillon de n unités dans cette population, le nombre total d'échantillons possibles sera de $_NC_n$.* Il faut noter que si deux étudiants de la population ont la même taille, par exemple si les tailles des étudiants de la population sont 180, 160, 190 et 160 cm, les résultats des échantillons possibles de deux étudiants seront {{180, 160}, {180, 190}, {180, 160}, {160, 190}, {160, 160}, {190, 160}}. (On doit sélectionner des paires d'étudiants et observer la taille de chaque étudiant choisi.)

Dans un **échantillonnage avec remise,** chaque unité de la population peut apparaître plus d'une fois dans l'échantillon. Supposons qu'il y ait trois étudiants dans la classe, et que leur taille respective soit 180, 160 et 165 cm. Si l'on choisit avec remise un échantillon aléatoire de deux étudiants dans cette population, l'ensemble des résultats possibles des différents échantillons sera {{180, 180}, {180, 160}, {180, 165}, {160, 160}, {160, 165}, {165, 165}}.

 Échantillonnage avec remise   Chaque unité de la population peut apparaître plusieurs fois dans l'échantillon.

On peut également diviser en deux autres catégories les méthodes d'échantillonnage : i) probabiliste et ii) non probabiliste.

Avec une **méthode probabiliste,** la distribution de probabilité du nombre de fois que les différentes unités de la population peuvent apparaître dans l'échantillon est prédéterminée. L'échantillon est sélectionné au hasard, en accord avec cette distribution de probabilité. Avec une **méthode non probabiliste,** la sélection de l'échantillon n'est pas aléatoire. L'inclusion d'une unité dans l'échantillon est laissée au jugement ou à la convenance de la personne qui effectue l'échantillonnage.

 Échantillonnage probabiliste   La distribution de probabilité du nombre de fois que les différentes unités de la population peuvent apparaître dans l'échantillon sélectionné au hasard est prédéterminée.

 Échantillonnage non probabiliste   La sélection n'est pas aléatoire ; l'inclusion d'une unité dans l'échantillon est laissée au jugement ou à la convenance de la personne qui effectue l'échantillonnage.

Les entrevues menées par les équipes de nouvelles télévisées auprès des passants dans la rue en vue de sonder l'opinion publique sur un sujet donné et les sondages effectués par les réseaux de télévision à la sortie des bureaux de vote un jour de scrutin sont des exemples typiques d'échantillonnage non probabiliste.

Qu'elle soit probabiliste ou non, aucune méthode d'échantillonnage ne garantit que l'échantillon sélectionné soit vraiment représentatif de la population étudiée. Toutefois, avec une méthode probabiliste, on peut utiliser la théorie des probabilités pour formuler des énoncés sur la précision et l'exactitude des résultats obtenus. On ne peut cependant pas toujours utiliser une méthode d'échantillonnage probabiliste. Les chercheurs qui doivent choisir un échantillon de patients atteints du cancer pour tester un nouveau médicament, par exemple, doivent procéder avec des patients volontaires. Dans ce manuel, nous limiterons notre étude à l'*échantillonnage probabiliste*.

8.3 LES MÉTHODES D'ÉCHANTILLONNAGE PROBABILISTE

Il n'existe pas de méthode idéale pour sélectionner un échantillon probabiliste dans une population donnée. La méthode utilisée pour sélectionner un échantillon de factures à partir des factures rangées dans un classeur n'est peut-être pas la plus appropriée pour choisir un échantillon national d'électeurs en vue d'étudier les intentions de vote. Toutes les méthodes d'échantillonnage probabiliste ont cependant le même objectif : *déterminer les unités de la population à inclure dans l'échantillon.*

L'ÉCHANTILLONNAGE ALÉATOIRE SIMPLE

C'est la méthode la plus simple d'échantillonnage probabiliste. La plupart des autres ne sont que des variations de celle-ci. Le prélèvement d'un échantillon aléatoire simple peut être effectué de deux manières : sans remise ou avec remise.

L'ÉCHANTILLONNAGE ALÉATOIRE SIMPLE SANS REMISE

Avec l'**échantillonnage aléatoire simple sans remise (ASSR)**, chaque échantillon possible de la taille désirée n a la même probabilité d'être choisi. De plus, chaque unité de la population a la même chance d'être sélectionnée.

 Échantillonnage aléatoire simple sans remise (ASSR) Avec la méthode d'échantillonnage simple sans remise, chaque échantillon possible de la taille désirée n a la même probabilité d'être sélectionné.

Pour illustrer cette méthode, supposons qu'on veuille étudier le nombre d'années de service des 5600 employés d'une certaine société. Chaque employé correspond à une unité de la population, et la variable étudiée est le nombre d'années de service. La taille de la population est de 5600. Supposons qu'on veuille prélever un échantillon aléatoire simple sans remise de 52 employés. On peut choisir l'échantillon en écrivant le nom de chaque employé sur une feuille de papier et en déposant toutes les feuilles dans une boîte. Après les avoir mélangées, on fait une première sélection en prenant une feuille dans la boîte sans regarder.

Le nombre d'années de service correspondant à l'employé sélectionné est enregistré. La feuille de papier est retirée du lot (la boîte contient maintenant une feuille en moins). On répète ce procédé jusqu'à ce qu'on obtienne un échantillon de taille 52.

L'ÉCHANTILLONNAGE ALÉATOIRE SIMPLE AVEC REMISE

L'**échantillonnage aléatoire simple avec remise (ASAR)** est une variante de la méthode ASSR. À chaque tirage, une unité est prélevée dans la population et est ensuite replacée dans cette population avant de procéder au tirage suivant. (Ainsi, après avoir tiré une feuille de papier d'une boîte, on note la valeur prise par la variable étudiée pour cette unité et l'on remet la feuille dans la boîte avant de prendre la feuille suivante.)

 Échantillonnage aléatoire simple avec remise (ASAR) Cette méthode est une variante de la méthode ASSR. On choisit une unité dans une population, puis on l'y replace avant de procéder au tirage suivant.

En pratique, on utilise rarement la méthode ASAR. En effet, il n'est pas logique de choisir le même employé plus d'une fois. Toutefois, dans ce chapitre, nous utiliserons surtout cette méthode, et ce, pour deux raisons :

- Cette méthode se prête facilement à l'analyse mathématique.

- En pratique, on a le plus souvent affaire à de grandes populations. Ainsi, la probabilité qu'une unité soit sélectionnée plus d'une fois est très faible. Les deux méthodes (avec et sans remise) sont alors pratiquement équivalentes. Par contre, lorsque la population est très petite, les deux méthodes peuvent fournir des résultats fort différents. Vous devrez consulter un ouvrage spécialisé sur la théorie d'échantillonnage pour trouver les formules appropriées au cas sans remise.

LA SÉLECTION D'UN ÉCHANTILLON ALÉATOIRE SIMPLE AVEC DES NOMBRES ALÉATOIRES

Une table de nombres aléatoires permet de sélectionner efficacement les éléments d'un échantillon.

En pratique, tirer au hasard des feuilles de papier dans une boîte n'est pas très commode. Pour sélectionner un échantillon aléatoire, il est plus facile d'utiliser un numéro d'identification pour chaque employé et une table de nombres aléatoires (voir l'annexe B). Comme son nom l'indique, cette table est constituée d'une suite de nombres générés aléatoirement, et la probabilité de sélectionner l'employé n° 0351 est presque la même que pour l'employé n° 3722 ou n° 2643. Le biais est pratiquement éliminé dans ce processus de sélection.

Voyons comment on peut utiliser cette table pour sélectionner un échantillon aléatoire simple sans remise parmi les 5600 employés de l'exemple précédent. Puisqu'il y a 5600 employés, on attribuera à chacun d'eux un numéro de 0000 à 5599 ; on utilisera donc des nombres aléatoires de quatre chiffres. On doit d'abord choisir un point de départ dans la suite. N'importe quel nombre fera l'affaire. Supposons que l'on commence avec le nombre de la troisième colonne et de la quatrième ligne : 37397. On peut maintenant procéder à partir de ce nombre, soit en suivant les colonnes, soit en suivant les lignes. On suivra ici les lignes. Les nombres aléatoires, à partir de ce nombre, sont les suivants :

37397 93379 56454 59818 45827 74164 71666 46977 61545 00835
93251 87203 36759 49197 85967 01704 19634 21898 17147...

Organisons ces nombres en groupes de quatre chiffres :

3739 7933 7956 4545 9818 4582 7741 6471
6664 6977 6154 5008 3593 2518 7203 3675
9491 9785 9670 1704 1963 4218 9817...

Les quatre premiers chiffres sont 3739. Ce nombre est donc le numéro du premier employé de l'échantillon et l'ancienneté de cet employé constitue la première observation de l'échantillon. Les deux groupes de quatre chiffres suivants sont 7933 et 7956. On saute ces nombres, puisque le numéro le plus élevé attribué à un employé est 5599. On a ensuite le nombre 4545. L'ancienneté de cet employé correspond à la deuxième observation de notre échantillon. On poursuit l'exercice en rejetant les nombres supérieurs à 5599 ou ceux qui ont déjà servi, jusqu'à ce qu'on obtienne un échantillon de la taille désirée.

LA CRÉATION D'UNE SUITE DE NOMBRES ALÉATOIRES À L'AIDE D'EXCEL

On peut également utiliser un logiciel comme Excel pour générer des nombres aléatoires (ou ce qu'on appelle plus communément des *nombres pseudo-aléatoires*).

Supposons qu'on veuille générer 100 nombres aléatoires de trois chiffres chacun (entre 000 et 999). La feuille de calcul Excel 8.1 présente les instructions à suivre pour les obtenir.

Souvenez-vous que si l'on veut utiliser des nombres aléatoires pour choisir un échantillon sans remise de taille 100, on aura en réalité besoin de plus de 100 nombres, puisqu'on devra rejeter ceux qui seraient déjà apparus. Il faut donc générer des nombres aléatoires supplémentaires. (Un total de 200 nombres devrait suffire.)

FEUILLE DE CALCUL EXCEL 8.1

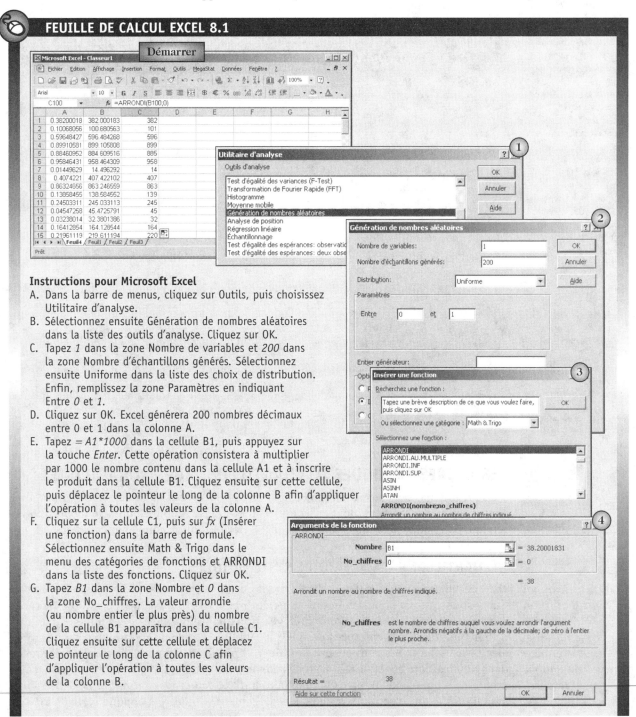

Instructions pour Microsoft Excel

A. Dans la barre de menus, cliquez sur Outils, puis choisissez Utilitaire d'analyse.

B. Sélectionnez ensuite Génération de nombres aléatoires dans la liste des outils d'analyse. Cliquez sur OK.

C. Tapez *1* dans la zone Nombre de variables et *200* dans la zone Nombre d'échantillons générés. Sélectionnez ensuite Uniforme dans la liste des choix de distribution. Enfin, remplissez la zone Paramètres en indiquant Entre *0* et *1*.

D. Cliquez sur OK. Excel générera 200 nombres décimaux entre 0 et 1 dans la colonne A.

E. Tapez *=A1*1000* dans la cellule B1, puis appuyez sur la touche *Enter*. Cette opération consistera à multiplier par 1000 le nombre contenu dans la cellule A1 et à inscrire le produit dans la cellule B1. Cliquez ensuite sur cette cellule, puis déplacez le pointeur le long de la colonne B afin d'appliquer l'opération à toutes les valeurs de la colonne A.

F. Cliquez sur la cellule C1, puis sur *fx* (Insérer une fonction) dans la barre de formule. Sélectionnez ensuite Math & Trigo dans le menu des catégories de fonctions et ARRONDI dans la liste des fonctions. Cliquez sur OK.

G. Tapez *B1* dans la zone Nombre et *0* dans la zone No_chiffres. La valeur arrondie (au nombre entier le plus près) du nombre de la cellule B1 apparaîtra dans la cellule C1. Cliquez ensuite sur cette cellule et déplacez le pointeur le long de la colonne C afin d'appliquer l'opération à toutes les valeurs de la colonne B.

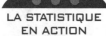
■ RÉVISION 8.1

Les noms des étudiants inscrits à un cours de méthodes quantitatives sont indiqués dans le tableau 8.1. Cinq étudiants seront sélectionnés au hasard et donneront leur appréciation du cours.

a) En utilisant les nombres aléatoires 31, 07, 86, 25, 16, 07, 36 et 73, sélectionnez un échantillon aléatoire sans remise de taille 5.

b) Avec les mêmes nombres aléatoires qu'en a), sélectionnez un échantillon aléatoire avec remise de taille 5.

c) Utilisez maintenant les nombres aléatoires de l'annexe B en commençant au début de la ligne 2, et sélectionnez un échantillon aléatoire sans remise de taille 5.

TABLEAU 8.1   La liste des étudiants inscrits au cours BA 2603 (1A)
Méthodes quantitatives 1 Enseignant : S. Kabadi

Numéro	Nom	Sexe	Numéro	Nom	Sexe
00	Allaby, P.	M	20	Mahon, C.	M
01	Ashworth, W.	F	21	Malloy, J.	M
02	Aube, D.	M	22	Matheson, S.	F
03	Avery, L.	F	23	McDougall, D.	M
04	Beswick, B.	F	24	Merriam, R.	M
05	Brittany, S.	M	25	Miller, C.	M
06	Calabrese, A.	M	26	Morin, N.	F
07	Casey, K.	F	27	Morofsky, B.	F
08	Chamberlain, J.	F	28	Nicholson, J.	F
09	Chedore, M.	F	29	Nicolle, D.	M
10	Colbourne, C.	F	30	Paul, C.	F
11	Cowan, S.	M	31	Phillips, C.	M
12	Demers, E.	M	32	Pile, A.	M
13	Devereux, L.	F	33	Putnam, A.	F
14	Gendreau, P.	M	34	Richards, C.	M
15	Goetzen, C.	M	35	Ross, C.	M
16	Goggin, K.	F	36	Sheaves, G.	F
17	Hawker, K.	F	37	Thornton, T.	M
18	Hayden, A.	M	38	Watson, C.	M
19	Lawrence, C.	F	39	Wheeler, C.	F

LES AUTRES MÉTHODES D'ÉCHANTILLONNAGE PROBABILISTE

L'échantillonnage aléatoire simple est la méthode probabiliste la plus élémentaire. Nous présenterons brièvement trois autres méthodes : l'échantillonnage aléatoire systématique, l'échantillonnage aléatoire stratifié et l'échantillonnage par grappes.

L'ÉCHANTILLONNAGE ALÉATOIRE SYSTÉMATIQUE

Dans un échantillon aléatoire systématique, la première unité est choisie au hasard.

Dans certaines situations, il peut être difficile de prélever un échantillon aléatoire simple. Supposons que la population qui nous intéresse soit constituée de 2000 factures rangées dans des classeurs. Pour prélever un échantillon aléatoire simple, il faudrait d'abord numéroter les factures de 0000 à 1999 puis, à l'aide d'une table de nombres aléatoires, sélectionner un échantillon de 100 nombres. Ensuite, on devrait retrouver dans les classeurs chacune des factures correspondant à ces 100 nombres. Cette tâche prendrait beaucoup de temps. On pourrait plutôt effectuer un *échantillonnage aléatoire systématique* en sélectionnant dans les classeurs une facture à chaque série de 20. On choisirait la première facture au hasard entre 1 et 20, à l'aide d'un processus aléatoire (comme une table de nombres aléatoires). Par exemple, si l'on choisissait la facture nº 10 pour débuter, l'échantillon se composerait de la 10ᵉ, 30ᵉ, 50ᵉ facture et ainsi de suite. Puisque la première unité est choisie au hasard, chaque unité de la population a la même chance d'être sélectionnée dans l'échantillon.

Avec l'**échantillonnage aléatoire systématique,** les unités de la population sont arbitrairement numérotées de 1 à N. On choisit un nombre k entre 1 et N. La première unité est prélevée au hasard dans la population. À partir de cette donnée, on ajoute toute $k^{\text{ième}}$ unité à l'échantillon jusqu'à ce qu'on obtienne un échantillon de taille n.

 Échantillonnage aléatoire systématique   Méthode d'échantillonnage qui consiste à numéroter arbitrairement les unités de la population de 1 à N, choisir un nombre k entre 1 et N, prélever au hasard une première unité dans la population et ajouter toute $k^{\text{ième}}$ unité jusqu'à ce qu'on obtienne un échantillon de taille n.

Voici les règles à suivre pour sélectionner le nombre k et la première unité.

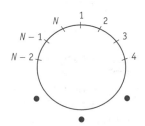

- Supposons que N/n soit un nombre entier. Le nombre k sera alors égal à N/n. On choisit ensuite au hasard un nombre entre 1 et k. Ce nombre correspondra à la première unité prélevée dans la population. Prenons par exemple la liste des étudiants présentée au tableau 8.1, où $N = 40$. On veut prélever un échantillon aléatoire systématique de taille $n = 5$. Donc, $k = 40/5 = 8$. On numérote les étudiants de la population de 1 à 40. Supposons que le nombre choisi au hasard entre 1 et 8 soit 2. Notre échantillon comprendra les 2ᵉ, 10ᵉ, 18ᵉ, 26ᵉ et 34ᵉ étudiants de la liste.

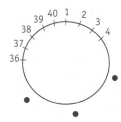

- Supposons maintenant que N/n ne soit pas un nombre entier. Le nombre k sera alors le premier nombre entier précédant N/n. On peut illustrer le processus de sélection de la manière suivante : on dispose les nombres de 1 à N dans le sens horaire sur la circonférence d'un cercle. Pour commencer, on choisit au hasard un nombre entre 1 et N et l'on ajoute l'unité correspondant à ce nombre à l'échantillon. En se déplaçant dans le sens horaire sur la circonférence du cercle, on ajoute ensuite l'unité correspondant à chaque $k^{\text{ième}}$ nombre à l'échantillon.

Revenons à la liste d'étudiants du tableau 8.1 et supposons cette fois que la taille de l'échantillon soit $n = 7$. Dans ce cas, $N/n = 40/7 = 5{,}714$, qui n'est pas un nombre entier. On posera donc $k = 5$. On sélectionne un nombre au hasard entre 1 et 40 ; supposons que ce nombre soit 26. Notre échantillon comprendra alors les 26ᵉ, 31ᵉ, 36ᵉ, 1ᵉʳ, 6ᵉ, 11ᵉ et 16ᵉ étudiants de la liste.

Examinons maintenant une autre application de l'échantillonnage aléatoire systématique. Supposons que la direction d'un magasin veuille étudier la valeur totale des articles achetés par chaque client à chacune de ses visites au magasin. Dans ce cas, la population est constituée par l'ensemble de toutes les visites effectuées par tous les clients. Il est presque impossible de sélectionner un échantillon aléatoire simple à partir de cette population. Une variante de l'échantillonnage aléatoire systématique peut simplifier la tâche. Choisissez un nombre k et sélectionnez au hasard un nombre r entre 1 et k. Interrogez le $r^{\text{ième}}$ client quittant le magasin, et interrogez ensuite chaque $k^{\text{ième}}$ client quittant le magasin, jusqu'à ce que vous obteniez un échantillon de la taille désirée. Par exemple, supposons que $k = 20$, et que le nombre sélectionné au hasard entre 1 et 20 soit 11. On interrogera alors les 11ᵉ, 31ᵉ, ... clients.

L'échantillonnage aléatoire systématique présente deux avantages par rapport à l'échantillonnage aléatoire simple : l'échantillon est plus facile à constituer et les unités échantillonnées sont réparties plus uniformément dans la liste des unités de la population.

Le deuxième point mentionné peut toutefois devenir un désavantage s'il existe un motif ou une suite logique dans la liste des unités de population. Supposons par exemple qu'on veuille étudier les ventes journalières totales d'un magasin, et qu'on sélectionne un échantillon aléatoire systématique avec $k = 7$. Si l'on choisit au hasard un nombre *r* entre 1 et 7 et qu'on enregistre les ventes totales durant les jours *r*, *r* + 7 et ainsi de suite, on tombera toujours sur le même jour de la semaine (tous les lundis ou tous les jeudis, par exemple). L'échantillon obtenu représentera alors les ventes totales d'un jour particulier de la semaine et non de tous les jours.

L'ÉCHANTILLONNAGE ALÉATOIRE STRATIFIÉ

Dans plusieurs situations réelles, la population est plutôt hétérogène. Il est tout de même possible de la diviser en sous-groupes qui présentent une plus grande homogénéité. Supposons qu'on s'intéresse à la taille moyenne des adultes d'une ville. Puisque les hommes sont généralement plus grands que les femmes, on obtient deux sous-groupes relativement plus homogènes en divisant la population en deux: les hommes et les femmes. Supposons maintenant qu'on veuille estimer le revenu familial moyen dans une ville. Dans la plupart des villes, les zones résidentielles peuvent être divisées en quartiers de classes aisée, moyenne et défavorisée. Les sous-groupes relativement plus homogènes d'une population diversifiée se nomment des *strates*. Dans de telles situations, on obtient un échantillon plus représentatif de la population en tenant compte de ces strates.

 Échantillonnage aléatoire stratifié On divise la population en sous-groupes nommés strates, et l'on sélectionne un échantillon aléatoire simple dans chacune des strates.

Puisque l'objectif est d'obtenir un échantillon représentatif de la population, il est préférable d'attribuer à chaque strate une taille d'échantillon qui lui est proportionnelle. Ainsi, le rapport entre la taille de l'échantillon et la taille totale de la strate reste le même pour chaque strate, et il est égal à *n/N*. C'est ce qu'on appelle un *échantillonnage aléatoire stratifié proportionnel*.

Supposons qu'on veuille analyser les dépenses publicitaires des 500 plus grandes sociétés du Canada. L'objectif de l'étude est de déterminer si les sociétés qui affichent des rendements élevés sur l'investissement (une mesure du bénéfice) dépensent plus en publicité, pour chaque dollar de vente, que les sociétés qui affichent un moins bon rendement. Supposons que les 500 sociétés soient divisées en 5 strates (voir le tableau 8.2).

TABLEAU 8.2 La taille des échantillons prélevés dans chaque strate (échantillon aléatoire stratifié proportionnel)

Strate	Bénéfice (rendement sur l'investissement)	Nombre de sociétés	Pourcentage du total	Nombre échantillonné*
1	30% et plus	20	4	2
2	De 20% à moins de 30%	40	8	4
3	De 10% à moins de 20%	190	38	19
4	De 0% à moins de 10%	180	36	18
5	Déficit	70	14	7
Total		500	100	50

* 4% de 50 = 2; 8% de 50 = 4, etc.

Si l'on devait sélectionner 50 sociétés pour les étudier de près, on devrait inclure 2 sociétés affichant un profit de 30% et plus, 4 sociétés avec un profit de 20% à moins de 30% et ainsi de suite.

Dans certaines situations, il n'est pas possible de prélever un échantillon de taille proportionnelle dans chaque strate. On utilisera alors un *échantillon aléatoire stratifié non proportionnel*. Un échantillonnage non proportionnel est parfois nécessaire pour s'assurer que l'échantillon conserve certaines propriétés essentielles.

Dans un échantillon aléatoire stratifié non proportionnel, on devra pondérer les résultats selon l'importance de la strate par rapport à la population totale. Par exemple, si l'on utilise un échantillonnage non proportionnel dans l'exemple précédent, on pondère le résultat de l'échantillon prélevé dans la strate 1 (comme sa moyenne d'échantillon) par 4/100, celui de la strate 2 par 8/100, celui de la strate 3 par 38/100 et ainsi de suite. Qu'on utilise un échantillonnage proportionnel ou non, chaque unité ou individu de la population a une chance de faire partie de l'échantillon.

Dans bien des cas, un échantillon aléatoire stratifié présentera l'avantage de refléter les caractéristiques de la population plus précisément que le ferait un échantillon aléatoire simple ou systématique. Il faut noter que dans le tableau 8.2, 4 % des sociétés affichent un rendement sur l'investissement de 30 % et plus (strate 1), alors que 14 % affichent un déficit (strate 5). Si l'on prélevait un échantillon aléatoire simple de taille 50, on pourrait ne sélectionner aucune société dans la strate 1 ou 5. Un échantillon aléatoire stratifié proportionnel nous assure que deux sociétés de la strate 1 et sept sociétés de la strate 5 seront représentées dans l'échantillon global.

L'ÉCHANTILLONNAGE PAR GRAPPES

On utilise souvent un échantillon par grappes pour réduire le coût d'échantillonnage, particulièrement lorsque la population est dispersée sur un grand territoire. Avec un **échantillonnage par grappes,** on divise la population en sous-groupes qu'on appelle grappes et l'on prélève ensuite un échantillon aléatoire simple de grappes. Toutes les unités de chaque grappe sélectionnée forment l'échantillon final.

 Échantillonnage par grappes   On divise la population en sous-groupes nommés grappes ; un échantillon aléatoire simple de grappes est prélevé et l'ensemble de toutes les unités de toutes les grappes sélectionnées forme l'échantillon final.

Pour donner un exemple d'échantillonnage par grappes, supposons qu'on veuille étudier les dépenses mensuelles de nourriture des familles de Halifax. Si l'on voulait sélectionner un échantillon aléatoire simple ou un échantillon stratifié de familles, on aurait besoin de la liste de toutes les familles de cette ville. De plus, les familles sélectionnées dans l'échantillon seraient dispersées dans toute la région de Halifax. La collecte de données sur ces familles risquerait donc d'être dispendieuse et fastidieuse. Une méthode plus pratique, moins coûteuse et plus rapide consiste à considérer chaque quartier de Halifax comme une grappe, puis à sélectionner un échantillon aléatoire simple de quartiers. On collecte ensuite les données sur toutes les familles dans chacun des quartiers sélectionnés.

Les méthodes d'échantillonnage mentionnées dans les sections précédentes ne constituent pas une liste exhaustive des méthodes disponibles. Si vous devez travailler dans le cadre d'un projet de recherche en marketing, en finance, en comptabilité ou autre, vous devrez peut-être consulter des ouvrages spécialisés en méthodes d'échantillonnage.

■ RÉVISION 8.2

Référez-vous à la révision 8.1 et à la liste des étudiants du tableau 8.1.
   a) Vous devez prélever un échantillon aléatoire systématique de taille 4. Quelle devrait être la valeur de k ? Supposez que le premier nombre aléatoire sélectionné soit 7. Quel sera l'échantillon correspondant ?
   b) Vous voulez maintenant sélectionner un échantillon aléatoire systématique de taille 9. Quelle devrait être la valeur de k ? Supposez que le premier nombre aléatoire sélectionné soit 17. Quel sera l'échantillon correspondant ?

c) Vous devez veiller à ce qu'il y ait un nombre égal d'hommes et de femmes dans l'échantillon. En utilisant les nombres 31, 07, 86, 25, 16, 07, 36, 73, 92, 11, 37, 17, 81, 29, 03, 82, 12, 96 et 63, sélectionnez un échantillon aléatoire stratifié de taille 6.

d) Divisez l'ensemble des 40 étudiants en 10 grappes – 00 à 03, 04 à 07, ..., 36 à 39. Utilisez les nombres aléatoires mentionnés en c) pour sélectionner un échantillon aléatoire par grappes de taille 8.

LES AVANTAGES ET LES DÉSAVANTAGES DES DIFFÉRENTES MÉTHODES D'ÉCHANTILLONNAGE PROBABILISTE

L'échantillonnage aléatoire simple est la plus élémentaire des méthodes d'échantillonnage probabiliste. On indique ci-dessous les avantages et les inconvénients des autres méthodes en prenant l'échantillonnage aléatoire simple comme référence.

- Un échantillon aléatoire stratifié est généralement plus représentatif (dans le sens probabiliste) de la population. En effet, à l'intérieur de chaque strate, les données sont relativement homogènes. Toutefois, il n'est pas toujours possible de diviser la population en strates homogènes.

- La méthode d'échantillonnage aléatoire systématique est une des plus faciles à appliquer, et on la choisit souvent pour cette raison. Dans certaines situations (par exemple, si l'on doit sélectionner un échantillon aléatoire de Canadiens qui traversent la frontière américaine), c'est la meilleure méthode disponible. Un échantillon aléatoire systématique n'est généralement pas très représentatif des caractéristiques de la population. Si les données de la population affichent une tendance, la qualité de ce type d'échantillonnage pourra alors être soit très bonne, soit très mauvaise, selon la nature de la tendance.

- En général, on utilise un échantillon par grappes à cause de son côté pratique et du coût peu élevé associé à l'échantillonnage. Contrairement à l'échantillonnage aléatoire stratifié, si les données sont hétérogènes dans chaque grappe et si toutes les grappes sont plus ou moins semblables, un échantillon par grappes pourra être très représentatif de la population.

EXERCICES 8.1 À 8.2

8.1 Exposez les avantages et les désavantages des différentes méthodes d'échantillonnage probabiliste.

8.2 Le tableau suivant regroupe les 20 plus grandes sociétés au Canada en 2000. On y indique leur revenu total (en milliers de dollars).

Numéro d'identification	Société	Revenu total	Numéro d'identification	Société	Revenu total
00	BCE inc.	18 209 000	10	Financière Manuvie	14 152 000
01	RBC Banque Royale	22 841 000	11	PanCanadian Petroleum	7 475 900
02	Banque CIBC	23 124 000	12	Banque TD	20 075 000
03	Banque Scotia	18 996 000	13	Bombardier inc.	16 194 000
04	Thompson Corp.	6 569 000	14	Alberta inc.	6 329 300
05	Banque de Montréal	18 629 000	15	Alcan inc.	9 244 000
06	Canadien Pacifique	16 152 900	16	Talisman Energy	4 946 900
07	Bell Canada	13 185 000	17	Petro-Canada	9 521 000
08	Imperial Oil	16 859 000	18	Magna International	10 720 000
09	Quebecor inc.	10 934 800	19	Shell Canada	8 189 000

Supposons qu'à partir de cette liste, on veuille sélectionner un échantillon de sociétés afin d'étudier certains indicateurs économiques.

a) Sélectionnez un échantillon aléatoire simple sans remise de taille 8.

b) Sélectionnez un échantillon aléatoire simple avec remise de taille 8.

c) Sélectionnez un échantillon aléatoire systématique de taille 8.

d) Divisez la liste de sociétés en trois groupes : i) celles dont le revenu total est supérieur à 16 milliards de dollars, ii) celles dont le revenu total varie entre 8 et 16 milliards, et iii) celles dont le revenu total est inférieur à 8 milliards. En utilisant ces sous-groupes comme s'il s'agissait de strates, sélectionnez un échantillon aléatoire stratifié de taille 9.

e) Sélectionnez un échantillon par grappes de taille 8 en utilisant les groupes 00 à 03, 04 à 07, 08 à 11, 12 à 15, et 16 à 19 comme grappes.

(Dans chacun des cas, utilisez la table de nombres aléatoires présentée à l'annexe B, page 687 du manuel, en commençant au début de la ligne 7.)

8.4 LES ERREURS ATTRIBUABLES OU NON À L'ÉCHANTILLONNAGE

Le but de l'échantillonnage est de sélectionner un sous-ensemble représentatif de la population, de l'analyser et d'obtenir une estimation de la valeur d'un paramètre donné de la population. L'estimation obtenue par échantillonnage diffère presque toujours de la valeur réelle du paramètre. L'erreur associée à l'estimation est attribuable en partie à l'échantillonnage et en partie à d'autres facteurs.

L'ERREUR ATTRIBUABLE À L'ÉCHANTILLONNAGE

Ce type d'erreur, inhérent au processus d'échantillonnage et au choix de l'estimateur, est dû au fait que l'échantillon ne contient qu'une partie des observations de la population. À titre d'exemple, considérons la population constituée par les cinq employés du département de production d'une société et supposons qu'on s'intéresse à la cote de rendement moyenne des employés de ce département. Supposons aussi que la cote de chacun des employés de la population considérée soit respectivement 97, 103, 96, 99 et 105. Un statisticien n'ayant pas accès à la population entière décide de prélever un échantillon aléatoire simple sans remise de taille 2 et d'utiliser la moyenne de l'échantillon comme estimateur de la moyenne de la population. Si l'ensemble des cotes observées dans l'échantillon est {97, 105}, la valeur de la moyenne de cet échantillon sera de (97 + 105)/2 = 101. Si l'ensemble des cotes observées dans l'échantillon est {103, 96}, la moyenne sera de (103 + 96)/2 = 99,5. La moyenne de la population est (97 + 103 + 96 + 99 + 105)/5 = 100. L'erreur d'estimation attribuable à l'échantillonnage est donc de (101 − 100) = 1 avec le premier échantillon, alors qu'elle est de (99,5 − 100) = −0,5 avec le deuxième.

L'ERREUR NON ATTRIBUABLE À L'ÉCHANTILLONNAGE

Sans relation directe avec la méthode d'échantillonnage ou avec l'estimateur utilisé, les trois causes principales de ce type d'erreur sont l'enregistrement des données, la non-réponse et la sélection de l'échantillon.

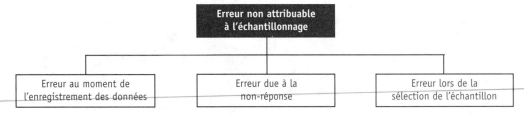

- **L'erreur dans l'enregistrement des données.** Une telle erreur peut se produire au moment de l'enregistrement de la valeur d'une observation. Supposons qu'on s'intéresse au revenu familial des ménages d'une certaine population. Une famille sélectionnée dans l'échantillon pourrait simplement déclarer un faux revenu. Durant l'élection présidentielle aux États-Unis en 2000, tous les sondages avaient sous-estimé les votes obtenus par le candidat Buchanan. Il est maintenant généralement admis que cette erreur était due à la conception singulière de certains bulletins de vote. Un grand nombre d'électeurs qui pensaient voter pour Gore ont en réalité voté pour Buchanan. Lorsque les observations sont mesurées à l'aide d'un instrument, une erreur peut aussi se produire à cause d'un équipement inadéquat ou défectueux.

- **L'erreur due à la non-réponse.** Une telle erreur se produit lorsqu'une personne refuse ou omet de répondre. Si l'on ne peut obtenir les données d'une partie significative de l'échantillon et qu'on néglige simplement ces données ou qu'on les remplace par d'autres, cela peut causer un biais important dans les résultats. Les données manquantes peuvent correspondre à un sous-groupe de la population ayant des caractéristiques particulières. Ainsi, la valeur de l'estimation obtenue à partir d'un tel échantillon pourrait être assez éloignée de la valeur réelle du paramètre dans la population. On ne doit donc ménager aucun effort pour réduire le plus possible le taux de non-réponse.

- **L'erreur lors de la sélection de l'échantillon.** Dans toute méthode d'échantillonnage probabiliste, on doit établir la liste de toutes les unités de la population et sélectionner un échantillon à partir de cette liste selon une distribution de probabilité précisée. Si certaines unités sont omises de la liste, elles ne pourront jamais être représentées dans l'échantillon, ce qui augmentera l'imprécision de l'estimation obtenue. De plus, la difficulté de constituer une liste exhaustive de toutes les unités ou individus de la population rend souvent difficile la sélection aléatoire d'un échantillon. Par exemple, si l'on doit recueillir un échantillon aléatoire de clients dans un centre commercial, il peut être difficile de respecter un processus strictement aléatoire. En effet, on peut être plus facilement attiré par les visages sympathiques et être porté à éviter les gens d'allure antipathique.

Un cas classique d'échantillonnage erroné est celui effectué en 1936 par le *Literary Digest*, un magazine américain populaire de l'époque, dans le but de prévoir le résultat de l'élection présidentielle. Le sondage effectué par le *Literary Digest* donnait le candidat républicain A. Landon gagnant par une proportion de trois votes contre deux. Durant l'élection, le candidat démocrate F. Roosevelt a cependant obtenu 62 % des votes. Un autre sondage, mené en même temps par George Gallup, avait pourtant prédit la victoire de Roosevelt. Comment cela a-t-il pu se produire ? L'échantillon prélevé par le *Literary Digest* avait été choisi à partir de la liste des abonnés au magazine qui avaient le téléphone ; en 1936, ces deux catégories de gens étaient principalement composées de personnes aisées qui appuyaient les républicains. Par conséquent, une grande partie de la population, formée principalement de partisans de Roosevelt, n'avait aucune chance d'être représentée dans l'échantillon. De plus, des 10 millions de bulletins envoyés par la poste, seulement 2,3 millions ont été retournés. Le taux de non-réponse était donc très élevé.

8.5 LA DISTRIBUTION D'ÉCHANTILLONNAGE DE LA MOYENNE

LA STATISTIQUE EN ACTION

Le premier recensement au Canada

On croit que le premier recensement de l'ère moderne s'est tenu au Canada. Il fut effectué par Jean Talon, premier statisticien officiel du Canada, entre les mois de février et mars 1666. Il comprenait des renseignements se rapportant à la famille, au sexe, à l'âge et à la profession.

Comme nous l'avons vu dans la section précédente, l'estimation de la valeur du paramètre d'une population calculée à l'aide des données d'un échantillon diffère presque toujours de la valeur réelle de ce paramètre. Pour qu'une méthode d'estimation soit efficace, les erreurs doivent être assez petites, et l'on doit avoir une certaine connaissance de leur distribution de probabilité. Nous étudierons la distribution de probabilité de l'erreur d'échantillonnage dans les cas suivants :

- les données utilisées sont obtenues à l'aide d'un échantillon aléatoire simple prélevé avec ou sans remise ;
- le paramètre qu'on veut estimer est la moyenne de la population ;
- l'estimateur utilisé pour estimer la moyenne de la population est la moyenne échantillonnale.

On démontrera qu'il est possible d'obtenir une erreur d'estimation attribuable à l'échantillonnage relativement faible. Cela permettrait, par exemple, au service du contrôle de la qualité d'une entreprise de production à grande échelle d'autoriser la mise en marché de puces en se basant sur des tests effectués sur un échantillon de seulement 50 unités, ou à la SRC de faire une prédiction assez précise des résultats d'une élection fédérale en se basant sur un échantillon d'environ 1000 électeurs. On étudiera en particulier la distribution de probabilité de la moyenne d'un échantillon aléatoire simple prélevé avec ou sans remise. *Comme on étudiera seulement l'erreur attribuable à l'échantillonnage, on supposera que l'erreur attribuable à d'autres facteurs est nulle.*

L'exemple de la cote de rendement dont on a discuté précédemment a montré que les moyennes observées varient d'un échantillon à l'autre. La moyenne des cotes de rendement du premier échantillon de deux employés était de 101 et la moyenne du deuxième échantillon, de 99,5. Un troisième échantillon aurait probablement affiché une moyenne différente. La moyenne de la population était de 100. En répertoriant les valeurs de la moyenne de tous les échantillons possibles de taille 2 et en déterminant les probabilités de leur occurrence, on obtient la **distribution d'échantillonnage de la moyenne** correspondant à la méthode d'échantillonnage utilisée.

 Distribution d'échantillonnage de la moyenne La distribution de probabilité des valeurs de la moyenne d'un échantillon sélectionné en utilisant une méthode d'échantillonnage précise.

La distribution de la moyenne de l'échantillon dépend de la méthode d'échantillonnage utilisée. À partir de la même population, on aura une distribution particulière pour la moyenne d'un échantillon prélevé avec remise, une autre pour un échantillon prélevé sans remise et encore une autre pour un échantillon aléatoire stratifié, et ainsi de suite.

8.6 LA DISTRIBUTION D'ÉCHANTILLONNAGE DE LA MOYENNE D'UN ÉCHANTILLON ALÉATOIRE SIMPLE PRÉLEVÉ AVEC REMISE

Rappelez-vous que lorsque la population est grande, l'échantillonnage avec remise est presque équivalent à l'échantillonnage sans remise.

Exemple 8.1

Les entreprises Hansa ne comptent que cinq employés de production. Le salaire horaire de ces cinq employés est indiqué au tableau 8.3.
a) Quelle est la moyenne de la population ?
b) Quelle est la distribution de la moyenne échantillonnale si l'on prélève, avec remise, un échantillon aléatoire de taille 2 ?
c) Quelle est la distribution de la moyenne échantillonnale pour un échantillon aléatoire de taille 3 prélevé avec remise ?
d) Quels sont les moyennes et les écarts types des distributions obtenues en b) et en c) ?
e) Que peut-on constater lorsqu'on compare la distribution de la population et les deux distributions d'échantillonnage mentionnées ci-dessus ?

TABLEAU 8.3   Le salaire horaire des employés de production des entreprises Hansa

Employé	Salaire horaire ($)
Jean	8
Léa	8
Marc	10
Alain	12
Luc	10

Solution

a) La moyenne de la population est

$$\mu = \frac{(8 + 8 + 10 + 12 + 10)}{5} = 9,60\,\$$$

b) Les 25 échantillons aléatoires de taille 2 pouvant être prélevés avec remise dans la population considérée et les moyennes respectives sont présentés dans le tableau 8.4. (Rappelez-vous que pour choisir un échantillon avec cette méthode, on peut écrire les noms des cinq employés sur cinq feuilles de papier et les déposer dans une boîte. On devra tirer au hasard une feuille dans la boîte, noter le nom de l'employé et remettre la feuille dans la boîte avant d'effectuer le deuxième tirage. On peut aussi attribuer les numéros 00, 01, 02, 03 et 04 aux cinq employés, puis sélectionner deux nombres entre 00 et 04 à l'aide d'une table de nombres aléatoires. Vérifiez si vous obtenez un des 25 échantillons possibles présentés au tableau 8.4.)

La distribution de probabilité résultante est résumée au tableau 8.5.

TABLEAU 8.4 Les moyennes de tous les échantillons aléatoires possibles de taille 2 prélevés avec remise

Échantillon	Employés	Salaire horaire ($)	Moyenne ($\bar{x}$)	Échantillon	Employés	Salaire horaire ($)	Moyenne ($\bar{x}$)
1	Jean, Jean	8, 8	8	14	Marc, Alain	10, 12	11
2	Jean, Léa	8, 8	8	15	Marc, Luc	10, 10	10
3	Jean, Marc	8, 10	9	16	Alain, Jean	12, 8	10
4	Jean, Alain	8, 12	10	17	Alain, Léa	12, 8	10
5	Jean, Luc	8, 10	9	18	Alain, Marc	12, 10	11
6	Léa, Jean	8, 8	8	19	Alain, Alain	12, 12	12
7	Léa, Léa	8, 8	8	20	Alain, Luc	12, 10	11
8	Léa, Marc	8, 10	9	21	Luc, Jean	10, 8	9
9	Léa, Alain	8, 12	10	22	Luc, Léa	10, 8	9
10	Léa, Luc	8, 10	9	23	Luc, Marc	10, 10	10
11	Marc, Jean	10, 8	9	24	Luc, Alain	10, 12	11
12	Marc, Léa	10, 8	9	25	Luc, Luc	10, 10	10
13	Marc, Marc	10, 10	10				

TABLEAU 8.5 La distribution de la moyenne échantillonnale pour un échantillon aléatoire simple prélevé avec remise ($n = 2$)

Moyenne d'échantillon	Nombre d'occurrences	Probabilité
8	4	0,16
9	8	0,32
10	8	0,32
11	4	0,16
12	1	0,04

c) On obtient la distribution d'échantillonnage de la moyenne en procédant de la même manière qu'en b) : on dresse la liste des 125 échantillons possibles de taille 3 pouvant être prélevés avec remise dans la population, puis on calcule leur moyenne respective (voir le tableau 8.6). La distribution de probabilité résultante est résumée au tableau 8.7, à la page suivante.

TABLEAU 8.6 Les moyennes de tous les échantillons aléatoires possibles de taille 3 prélevés avec remise

Échantillon	Employés	Salaire horaire ($)	Moyenne ($\bar{x}$)
1	Jean, Jean, Jean	8, 8, 8	8
2	Jean, Jean, Léa	8, 8, 8	8
3	Jean, Jean, Marc	8, 8, 10	8,67
⋮			
124	Luc, Luc, Alain	10, 10, 12	10,67
125	Luc, Luc, Luc	10, 10, 10	10

TABLEAU 8.7   La distribution de la moyenne échantillonnale pour un échantillon aléatoire simple prélevé avec remise ($n = 3$)

Moyenne d'échantillon	Nombre d'occurrences	Probabilité
8	8	0,064
8,67	24	0,192
9,33	36	0,288
10	32	0,256
10,67	18	0,144
11,33	6	0,048
12	1	0,008

d) On notera la moyenne de la distribution de la moyenne échantillonnale $\overline{X}$ par $\mu_{\overline{X}}$ et son écart type par $\sigma_{\overline{X}}$. Donc, pour $n = 2$, on obtient :

$$\mu_{\overline{X}} = 8(0,16) + 9(0,32) + \ldots + 12(0,04) = 9,6$$

$$\sigma_{\overline{X}} = \sqrt{(8 - 9,6)^2 0,16 + (9 - 9,6)^2 0,32 + \ldots + (12 - 9,6)^2 0,04} = 1,058$$

Pour $n = 3$, on a :

$$\mu_{\overline{X}} = 8(0,064) + 8,67(0,192) + \ldots + 12(0,008) = 9,6$$

$$\sigma_{\overline{X}} = \sqrt{(8 - 9,6)^2 0,064 + (8,67 - 9,6)^2 0,192 + \ldots + (12 - 9,6)^2 0,008} = 0,864$$

e) Référez-vous à la figure 8.2.

FIGURE 8.2   La distribution du salaire horaire des employés de la population et les distributions de la moyenne échantillonnale des salaires horaires pour la méthode d'échantillonnage aléatoire simple avec remise, où $n = 2$ et $n = 3$

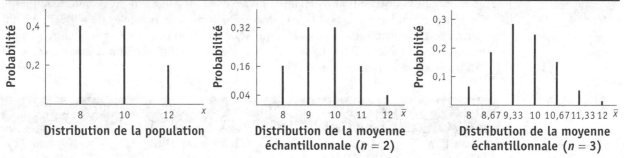

Distribution de la population

Distribution de la moyenne échantillonnale ($n = 2$)

Distribution de la moyenne échantillonnale ($n = 3$)

On peut faire les constatations suivantes :

Dans chaque cas ($n = 2$ et $n = 3$), la moyenne des moyennes échantillonnales est égale à 9,6, ce qui correspond aussi à la moyenne μ de la population.

L'écart type des salaires de la population est de $\sigma = 1,497$ et l'écart type des moyennes échantillonnales est de 1,058 ($= 1,497/\sqrt{2}$) si $n = 2$, et de 0,864 ($= 1,497/\sqrt{3}$) si $n = 3$. On démontrera plus loin qu'en général, lorsqu'un échantillon aléatoire simple de taille n est prélevé avec remise, l'écart type de la distribution d'échantillonnage de la moyenne est de $\sigma/\sqrt{n}$.

Les formes de la distribution des salaires de la population et des distributions d'échantillonnage de la moyenne sont différentes. La distribution de la moyenne d'échantillon pour $n = 3$ se rapproche davantage d'une forme de cloche que celle de la population.

■ RÉVISION 8.3

L'ancienneté des cadres de la société Lemay est la suivante :

Nom	Années
M. Doré	20
M. Hall	22
M. Maltais	26
M. Paré	24
M. Jonas	28

Supposons que ces cinq cadres constituent notre population.

a) Quelles sont les valeurs de la moyenne et de l'écart type de la population ?

b) Quelle est la distribution d'échantillonnage de la moyenne si l'on prélève, avec remise, un échantillon aléatoire de taille 2 ?

c) Quels sont la moyenne et l'écart type de la distribution d'échantillonnage de la moyenne ?

On démontrera maintenant que les constatations faites dans l'exemple 8.1 e) peuvent également être justifiées théoriquement en utilisant les propriétés de la moyenne et de la variance d'une combinaison linéaire de variables aléatoires indépendantes, présentées au chapitre 6.

Supposons qu'on prélève, avec remise, un échantillon aléatoire simple de taille n parmi les cinq employés de production des entreprises Hansa. On ne peut savoir à l'avance qui de Jean, Léa, Marc, Alain ou Luc sera la première personne sélectionnée dans l'échantillon. Le salaire horaire de cette personne est donc une variable aléatoire qu'on nommera X_1. Cette variable a la même distribution de probabilité que celle du salaire horaire de tous les employés de la population. Ainsi, $\mu_{X_1} = \mu$ et $\sigma_{X_1} = \sigma$. De la même manière, le salaire horaire de la deuxième personne de l'échantillon, de la troisième et ainsi de suite sont aussi des variables aléatoires. On les nommera $X_2, X_3, \ldots$ Puisque le prélèvement de l'échantillon se fait avec remise, les variables $X_1, X_2, X_3, \ldots, X_n$ sont identiquement distribuées (elles ont toutes la même distribution que la population), et elles sont indépendantes entre elles. Ainsi, $\mu_{X_1} = \mu_{X_2} = \ldots = \mu_{X_n} = \mu$; $\sigma_{X_1} = \sigma_{X_2} = \ldots = \sigma_{X_n} = \sigma$; et $X_1, X_2, X_3, \ldots, X_n$ sont mutuellement indépendantes.

On a $\bar{X} = \dfrac{(X_1 + X_2 + \ldots + X_n)}{n}$. On obtient donc, en utilisant les propriétés de la moyenne,

$$\mu_{\bar{X}} = \frac{\mu_{X_1} + \mu_{X_2} + \mu_{X_3} + \ldots + \mu_{X_n}}{n} = \frac{\mu + \mu + \mu + \ldots + \mu}{n} = \mu \qquad \textbf{8.1}$$

Ensuite, en utilisant les propriétés de la variance, on obtient :

$$\sigma_{\bar{X}}^2 = \frac{\sigma_{X_1}^2 + \sigma_{X_2}^2 + \sigma_{X_3}^2 + \ldots + \sigma_{X_n}^2}{n^2} = \frac{\sigma^2 + \sigma^2 + \sigma^2 + \ldots + \sigma^2}{n^2} = \frac{\sigma^2}{n}$$

Donc,

$$\sigma_{\bar{X}} = \sqrt{\frac{\sigma^2}{n}} = \frac{\sigma}{\sqrt{n}} \qquad \textbf{8.2}$$

L'écart type $\sigma_{\bar{X}}$ de la distribution d'échantillonnage de la moyenne se nomme l'**erreur type de la moyenne**. Lorsqu'on prélève un échantillon aléatoire simple avec remise de taille n, l'erreur type de la moyenne est de $\sigma_{\bar{X}} = \dfrac{\sigma}{\sqrt{n}}$.

■ RÉVISION 8.4

Le rendement en pourcentage des actions ordinaires des 1000 plus grandes sociétés canadiennes en 2000 affiche une moyenne de 10,3 % et un écart type de 441,5 %. Quels seront la moyenne et l'écart type de la distribution d'échantillonnage de la moyenne si un échantillon aléatoire de taille 40 est prélevé avec remise dans cette population ?

EXERCICES 8.3 À 8.6

8.3 Voici les données observées dans une population de quatre unités : {12, 12, 14, 16}.
   a) Quelles sont les valeurs de la moyenne et de l'écart type de la population ?
   b) Combien d'échantillons aléatoires simples de taille 3 peut-on prélever avec remise dans cette population ?
   c) Quelle est la distribution d'échantillonnage de la moyenne si l'on choisit un échantillon aléatoire simple avec remise de taille 2 ?
   d) Quels sont la moyenne et l'écart type de la distribution d'échantillonnage de la moyenne ?
   e) Quelle relation observez-vous entre la moyenne de la distribution d'échantillonnage et la moyenne de la population ?
   f) Quelle relation observez-vous entre l'écart type de la distribution d'échantillonnage et celui de la population ?

8.4 Voici les données relatives à une population de cinq unités : {2, 2, 4, 4, 8}.
   a) Quelles sont les valeurs de la moyenne et de l'écart type de la population ?
   b) Combien d'échantillons aléatoires simples de taille 2 peut-on prélever avec remise dans cette population ?
   c) Quelle est la distribution d'échantillonnage de la moyenne si l'on choisit un échantillon aléatoire simple avec remise de taille 2 ?
   d) Quels sont la moyenne et l'écart type de la distribution d'échantillonnage de la moyenne ?
   e) Quelle relation observez-vous entre la moyenne de la distribution d'échantillonnage et la moyenne de la population ?
   f) Quelle relation observez-vous entre l'écart type de la distribution d'échantillonnage et celui de la population ?

8.5 Il y a quatre partenaires dans l'étude juridique Duhamel et associés. Voici le nombre de causes que chaque associé a plaidé le mois dernier :

Associé	Nombre de causes
Hétu	2
Turgeon	6
Duhamel	3
Delisle	5

   a) Quelles sont les valeurs de la moyenne et de l'écart type de la population ?
   b) Quelle est la distribution d'échantillonnage de la moyenne si l'on choisit un échantillon aléatoire simple avec remise de taille 2 ?
   c) Quels sont la moyenne et l'écart type de la distribution d'échantillonnage de la moyenne ?
   d) Comparez la moyenne et l'écart type de la distribution d'échantillonnage aux valeurs correspondantes de la population.

8.6 Quatre conseillers en vente travaillent chez un concessionnaire automobile. On indique ci-dessous le nombre de voitures que chacun d'eux a vendues la semaine dernière.

Conseiller en vente	Voitures vendues
1	8
2	6
3	4
4	10

a) Quelles sont les valeurs de la moyenne et de l'écart type de la population ?
b) Quelle est la distribution d'échantillonnage de la moyenne si l'on choisit un échantillon aléatoire simple avec remise de taille 2 ?
c) Quels sont la moyenne et l'écart type de la distribution d'échantillonnage de la moyenne ?
d) Comparez la moyenne et l'écart type de la distribution d'échantillonnage aux valeurs correspondantes de la population.

LA FORME DE LA DISTRIBUTION DE LA MOYENNE ÉCHANTILLONNALE OBTENUE PAR ÉCHANTILLONNAGE ALÉATOIRE SIMPLE AVEC REMISE

Analysons maintenant la forme de la distribution d'échantillonnage de la moyenne si l'on utilise un échantillon aléatoire simple avec remise.

On a vu plus haut que si X_1 désigne la variable aléatoire correspondant à la première unité choisie dans la population, X_2, celle correspondant à la deuxième unité et ainsi de suite, la distribution de probabilité de chacune de ces variables est la même que celle de la population. Si la distribution de la variable dans la population d'origine suit une loi normale, la distribution commune de $X_1, X_2, ..., X_n$ suivra aussi une loi normale. La somme de variables aléatoires normalement distribuées obéit toujours à une loi normale. De plus, lorsqu'on multiplie une variable de loi normale par une constante (dans ce cas par $1/n$), on obtient encore une variable de loi normale. On peut donc en déduire que $\bar{X} = \dfrac{(X_1 + X_2 + ... + X_n)}{n}$ est normalement distribué.

Qu'arrive-t-il si la variable n'est pas distribuée normalement dans la population ? La distribution exacte de la moyenne échantillonnale dépend directement de la distribution de la variable dans la population d'origine. Il pourrait donc être difficile d'élaborer une théorie cohérente sur l'estimation. Heureusement, une avancée très importante en statistique, le théorème limite central, permet de démontrer que si un échantillon aléatoire simple avec remise est prélevé, la distribution d'échantillonnage de la moyenne sera toujours approximativement normale si la taille de l'échantillon est suffisamment grande, peu importe la forme de la distribution dans la population de référence. (On en a eu quelques indications à la figure 8.2.) Étudions maintenant le théorème limite central.

8.7 LE THÉORÈME LIMITE CENTRAL

Ce théorème fondamental en statistique stipule que si un échantillon aléatoire simple de taille n est prélevé avec remise dans une population, alors la forme de la distribution d'échantillonnage de la moyenne se rapproche de plus en plus de celle d'une distribution normale, au fur et à mesure que n augmente. Il s'agit là d'un résultat extrêmement pratique en statistique puisqu'il permet de caractériser la distribution de la moyenne de l'échantillon sans avoir aucune information sur la forme de la distribution dans la population originale à partir de laquelle on a prélevé l'échantillon. En d'autres mots, le *théorème limite central* peut toujours s'appliquer, quelle que soit la distribution de la variable dans la population de référence.

PIERRE-SIMON LAPLACE (1749-1827)

Le théorème limite central, un des postulats les plus importants en statistique, est attribué à Pierre-Simon Laplace, une personnalité plutôt controversée. Plusieurs considèrent Laplace comme un des plus brillants esprits scientifiques de la fin du XVIIIᵉ siècle. Il occupe une position remarquable dans les annales des mathématiques.

Laplace était un français d'origine paysanne. Dans sa jeunesse, il étudia en vue d'une carrière ecclésiastique, suivant en cela les intentions de son père. Toutefois, à l'âge de 16 ans, il découvrit ses talents pour les mathématiques. À partir de ce moment-là, il abandonna ses études précédentes pour se consacrer à ses nouveaux intérêts et fit des progrès remarquables pour son âge précoce, s'assurant ainsi d'une position de professeur de mathématiques à l'École militaire de Paris. Il fut plus tard membre de l'Académie des sciences à Paris. La plus grande partie de ses travaux scientifiques permirent des avancées en mathématiques, en physique et surtout en astronomie.

Parallèlement à sa carrière scientifique, Laplace a eu une carrière politique remarquable. À l'époque de Napoléon Bonaparte, Laplace se fit décerner la Légion d'honneur et il fut brièvement ministre de l'Intérieur. Il ne garda ce poste qu'environ six semaines et en fut démis parce que, selon les propres mots de Napoléon, « il portait l'esprit de "l'infiniment petit" jusque dans l'administration ». Il fut nommé Comte de l'Empire en 1806 et devint Marquis en 1817 sous le règne des Bourbons.

---

d   **Théorème limite central**   Si l'on sélectionne un échantillon aléatoire simple avec remise de taille n dans une population, la distribution de la moyenne de l'échantillon se rapproche de plus en plus d'une distribution normale, pour des valeurs de plus en plus grandes de n.

À partir de quelle valeur de n *peut-on considérer que la distribution de la moyenne échantillonnale est approximativement normale ?* La réponse à cette question dépend de la forme de la distribution de la variable étudiée dans la population de référence. Dans certains cas, si la distribution d'origine est symétrique, une valeur de n aussi petite que 10 sera suffisante. Toutefois, si la distribution de la variable dans la population d'origine est fortement asymétrique, une valeur de n beaucoup plus grande (de l'ordre de quelques centaines parfois) sera nécessaire. *Dans la plupart des applications en gestion et en économie, un* n *de 30 (ou plus) donne des résultats satisfaisants.* Dans l'exemple 8.1 sur les salaires horaires des cinq employés des entreprises Hansa, on a représenté (voir la figure 8.2, page 322) la distribution de la moyenne pour des échantillons de taille $n = 2$ et 3, et l'on a constaté que la distribution de la moyenne d'un échantillon de taille 3 s'approche davantage de la loi normale. Si l'on représentait la distribution de la moyenne échantillonnale pour $n = 20$ ou 30, on obtiendrait une forme très proche de la normale. Le théorème limite central est illustré à la figure 8.3.

Observez la convergence vers une courbe normale, peu importe la forme de la distribution de la variable dans la population de référence.

FIGURE 8.3   L'illustration du théorème limite central pour plusieurs distributions dans la population de référence

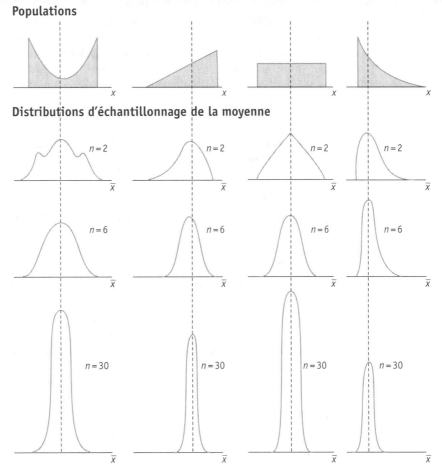

Dans la plupart des applications en gestion et en économie, un échantillon de taille 30 est suffisamment grand pour que la distribution de la moyenne de l'échantillon soit approximativement de loi normale.

LA VÉRIFICATION DU THÉORÈME LIMITE CENTRAL

Bien qu'il existe une preuve rigoureuse du théorème limite central, les notions mathématiques requises par sa démonstration débordent du cadre de cet ouvrage. Pour vérifier ce théorème, trois possibilités s'offrent à vous :

1. **L'énumération.** Fixez quelques valeurs de n, par exemple 10, 20 et 30 et calculez les valeurs de la moyenne de tous les échantillons aléatoires simples de même taille qu'on peut prélever avec remise dans la population, pour chaque n fixé. Déterminez la distribution de probabilité de la moyenne échantillonnale et représentez-la graphiquement. Si la population est grande, cette opération prendra évidemment un temps énorme.

2. **La méthode empirique.** Attribuez un nombre à chaque unité de la population, écrivez chaque nombre sur une feuille de papier, et déposez toutes les feuilles dans une boîte. Ensuite, tirez au hasard des feuilles dans cette boîte de façon à former plusieurs échantillons aléatoires simples avec remise de même taille, calculez la moyenne de chaque échantillon et déterminez les fréquences de la distribution observée. Représentez graphiquement cette distribution. Il faudra répéter le processus pour quelques tailles d'échantillon différentes (par exemple pour $n = 10$, 20 et 30) afin de pouvoir analyser l'impact de la taille de l'échantillon sur la forme de la distribution observée de la moyenne.

Si un assez grand nombre d'échantillons de même taille est prélevé, la forme de la distribution observée sera assez proche de celle de la distribution d'échantillonnage de la moyenne. Encore là, il vous faudra beaucoup de temps pour appliquer cette méthode.

3. **La simulation par ordinateur.** On a déjà vu dans ce chapitre comment utiliser Excel afin de générer des nombres aléatoires. La méthode empirique décrite plus haut peut aussi être suivie en utilisant Excel afin de générer, pour chaque valeur de n, un certain nombre d'échantillons. Cette approche se nomme la *simulation par ordinateur*.

L'UTILISATION DE LA DISTRIBUTION D'ÉCHANTILLONNAGE DE LA MOYENNE

Dans le domaine de la gestion, la plupart des décisions sont prises sur la foi de résultats d'échantillonnage. Voici quelques exemples.

- La société Arm & Hammer veut s'assurer que les contenants de son détergent contiennent réellement 5,9 L, comme indiqué sur l'étiquette. D'après les relevés de la société, le procédé de remplissage indique une quantité moyenne de 5,9 L par contenant avec un écart type de 0,15 L. Lors de sa vérification matinale effectuée sur un échantillon de 40 contenants, le technicien au contrôle de la qualité observe une quantité moyenne de 5,85 L par contenant. L'écart observé est-il acceptable ? Devrait-il interrompre l'opération de remplissage ?

- La société ACNielsen fournit de l'information aux entreprises qui font de la publicité à la télévision. Des études indiquent qu'en moyenne, un Canadien adulte regarde la télévision environ 21 heures par semaine. Supposons que l'écart type du temps d'écoute soit de 1,50 heure par semaine. Dans un échantillon aléatoire de 50 Canadiens, serait-il raisonnable d'observer un temps d'écoute moyen de 24 heures par semaine ?

- Otis Canada inc. veut établir les normes de capacité maximale pour un nouveau type d'ascenseur plus grand. Supposons que le poids moyen d'un adulte canadien soit 75 kg avec un écart type de 7 kg. La distribution du poids des adultes canadiens est asymétrique à droite et ne s'approche donc pas d'une loi normale. Quelle est la probabilité que le poids moyen d'un échantillon de 30 adultes soit de 80 kg ou plus ?

Dans chacune des situations présentées, on dispose de certains renseignements sur la population. On veut calculer la probabilité que la moyenne d'un échantillon prélevé dans cette population se situe dans un certain intervalle, et comprendre comment cette information peut influer sur la prise de décision.

En appliquant les concepts élaborés dans la section précédente, on peut calculer la probabilité que la moyenne d'un échantillon se situe dans un certain intervalle. On sait que si l'on prélève un échantillon aléatoire simple avec remise, on utilisera la loi normale pour caractériser la distribution de la moyenne échantillonnale si l'une des deux conditions suivantes est satisfaite :

1. Dans la population de référence, la variable étudiée est normalement distribuée. Dans ce cas, la taille de l'échantillon n'est pas un facteur.

2. Dans la population de référence, la distribution de la variable étudiée n'est pas connue ou elle n'est pas normale, mais la taille n de l'échantillon est suffisamment grande. (En général, un échantillon de taille 30 ou plus est considéré assez grand pour la plupart des applications en gestion et en économie.)

Sous chacune de ces deux conditions, la distribution de $\overline{X}$, la moyenne de l'échantillon, sera exactement ou approximativement normale de moyenne μ (la même que celle de la population) et d'écart type $\dfrac{\sigma}{\sqrt{n}}$, où σ est l'écart type de la population.

Ainsi, la distribution de la variable centrée réduite Z correspondante

$$\frac{\bar{X} - \mu}{\sigma/\sqrt{n}} \qquad \textbf{8.3}$$

sera exactement ou approximativement normale, de moyenne 0 et d'écart type 1 (cette normale particulière est aussi appelée la loi normale centrée réduite). Toute valeur $\bar{x}$ de la moyenne d'échantillon peut être transformée en une valeur z en utilisant la formule 8.3 comme suit :

$$z = \frac{\bar{x} - \mu}{\sigma/\sqrt{n}} \qquad \textbf{8.4}$$

Exemple 8.2

Le service du contrôle de la qualité chez Coca inc. enregistre les quantités de cola versées dans ses contenants de grand format. La quantité exacte contenue dans chaque bouteille est minutieusement contrôlée, mais il existe une petite variation d'une bouteille à l'autre. La société veut s'assurer que la quantité versée n'est pas inférieure à celle indiquée sur l'étiquette. D'un autre côté, elle souhaiterait que cette quantité ne soit pas supérieure non plus, pour des raisons de sécurité et de rentabilité. La quantité moyenne par bouteille est de 3 L et l'écart type, de 40 mL.

a) On choisit un échantillon aléatoire simple avec remise de 64 bouteilles au hasard dans la production totale, afin de mesurer et de noter la quantité de cola dans ces bouteilles. Quelle est la probabilité que la valeur de la moyenne de l'échantillon soit d'au moins 3,014 L ?

b) À 8 h ce matin, le technicien au contrôle de la qualité a sélectionné au hasard 64 bouteilles dans la chaîne de remplissage et a observé une quantité moyenne de cola de 3,014 L par bouteille. Ce résultat est-il surprenant ? En d'autres mots, l'erreur d'échantillonnage est-elle inhabituelle ? Ce résultat indique-t-il qu'il y a trop de cola versé dans les bouteilles durant le procédé de remplissage ?

Solution

La taille de l'échantillon ($n = 64$) est assez grande (plus de 30) pour appliquer le théorème limite central. Il s'ensuit que la distribution d'échantillonnage de la moyenne $\bar{X}$ est approximativement normale, de moyenne $\mu_{\bar{X}} = \mu = 3$ et d'écart type $\sigma_{\bar{X}} = \dfrac{\sigma}{\sqrt{n}} = \dfrac{0,04}{\sqrt{64}} = 0,005$.

a) Pour trouver la probabilité demandée, on doit déterminer l'aire sous la courbe normale à droite de 3,014. La valeur z correspondant à $\bar{x} = 3,014$ est :

$$z = \frac{\bar{x} - 3}{0,005} = \frac{3,014 - 3}{0,005} = 2,8$$

La probabilité que la moyenne de l'échantillon soit d'au moins 3,014 correspond à l'aire sous la courbe de la normale centrée réduite, à droite de 2,8.

D'après la table normale Z (voir l'annexe F), l'aire sous la courbe entre 0 et 2,8 est de 0,4974.

Donc, l'aire sous la courbe à droite de 2,8 est de $0,5 - 0,4974 = 0,0026$. La probabilité que la moyenne de l'échantillon soit au moins de 3,014 est de 0,0026.

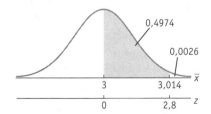

b) D'après la solution obtenue en a), la probabilité que la moyenne de l'échantillon soit d'au moins 3,014 est égale à 0,0026. La probabilité d'obtenir une erreur d'échantillonnage de $3,014 - 3,0 = 0,014$ ou plus est donc de 0,26 %.

Il s'agit d'un résultat très rare et inhabituel. On peut en déduire que si la moyenne de la quantité de cola versée dans chaque bouteille est de 3 L avec un écart type de 40 mL, il est alors très peu probable (probabilité = 0,0026) que la moyenne d'un échantillon de taille 64 soit de 3,014 L ou plus. En d'autres mots, si la moyenne de l'échantillon est de 3,014 L ou plus, il est hautement probable que la moyenne de la quantité de cola versée dans les bouteilles durant le procédé de remplissage ne soit plus de 3 L. Le technicien au contrôle de la qualité devrait voir le superviseur de production pour décider si une correction doit être apportée au procédé de remplissage afin de réduire la quantité de cola versée dans chaque bouteille.

■ RÉVISION 8.5

Référez-vous aux données de l'exemple 8.2 sur le cola. Calculez la probabilité que la quantité moyenne de cola pour un échantillon de 64 bouteilles grand format soit de 2,995 L ou moins. Une quantité moyenne de cola de 2,995 L dans un échantillon de 64 bouteilles vous paraîtrait-elle vraisemblable ?

Dans le domaine de la gestion, plusieurs situations exigent qu'on tire des conclusions sur une population, même si peu de renseignements sont disponibles à son sujet. Le théorème limite central peut alors nous aider. On sait qu'indépendamment de la forme de la distribution dans la population de référence, si l'on sélectionne avec remise un échantillon aléatoire suffisamment grand, la distribution d'échantillonnage de la moyenne suivra approximativement une loi normale.

Dans la plupart des situations pratiques, on ne connaît pas l'écart type σ de la population. La solution logique est de remplacer σ dans la formule 8.3 par son estimateur, l'écart type S de l'échantillon.

Toutefois, même si la variable étudiée est normalement distribuée dans la population d'origine, la distribution de la variable $\left(\dfrac{\bar{X} - \mu}{S/\sqrt{n}}\right)$ n'est pas normale. Cette distribution de probabilité a été étudiée en détail par Gosset, qui lui a donné le nom de « distribution ou loi de Student ». On la nomme loi t de Student ou, plus simplement, loi t.

Tout comme la loi normale, la distribution t de Student constitue une famille de distributions. Le paramètre qui caractérise chaque membre de cette famille se nomme « degrés de liberté », représenté par le symbole dl. Chaque valeur de $dl = 1, 2, \ldots$ définit une courbe de distribution unique. La table de la distribution t de Student à l'annexe 4, sur le cédérom accompagnant ce manuel, ou à l'annexe G du manuel, contient certaines probabilités pour des degrés de liberté différents. Nous verrons plus en détail cette distribution au chapitre 9. Plus le nombre de degrés de liberté augmente, plus la distribution t se rapproche d'une loi normale ; lorsque dl tend vers l'infini, la loi de Student converge vers la loi normale.

Gosset a démontré qu'avec une population normalement distribuée, la distribution de $\left(\dfrac{\bar{X} - \mu}{S/\sqrt{n}}\right)$ est la loi t de Student avec $dl = (n - 1)$. Dans ce cas, si $\bar{x}$ est la valeur de la moyenne de l'échantillon et s, celle de son écart type, on écrit la valeur correspondante $t = \dfrac{\bar{x} - \mu}{s/\sqrt{n}}$. Ainsi,

$$t = \frac{\bar{x} - \mu}{s/\sqrt{n}} \qquad \textbf{8.5}$$

Pour de grands échantillons, le nombre de degrés de liberté $dl = (n - 1)$ est grand et, dans ce cas, la distribution t s'approche de la distribution Z. (Il n'est pas vraiment nécessaire de faire une telle approximation. Les probabilités avec une distribution t peuvent être facilement obtenues avec Excel, comme nous le verrons plus en détail au chapitre 9.)

Exemple 8.3

On veut vérifier si la valeur moyenne de la capitalisation boursière (en millions de dollars) des 1000 plus grandes sociétés au Canada, durant l'année 2000, était de 1173 (voir le site Web www.globeinvestor.com). Supposons que la population soit normalement distribuée. On sélectionne, avec remise, un échantillon aléatoire simple de 100 de ces sociétés, et la valeur moyenne observée est de 1126. L'écart type de l'échantillon est de 4350. En se basant sur les données d'échantillonnage, peut-on trouver raisonnable que les 1000 plus grandes sociétés aient une valeur boursière moyenne de 1173 (en millions de dollars) ?

Solution

Comme la taille de l'échantillon $n = 100$ est grande, on peut supposer que la distribution de $\left(\dfrac{\bar{X} - \mu}{S/\sqrt{n}} \right)$ est approximativement normale. (Nous verrons au chapitre 9 comment trouver les probabilités en utilisant la distribution t.) La valeur de l'écart type de l'échantillon est $s = 4350$.

Si $\mu = 1173$, la valeur z correspondant à $\bar{x} = 1126$

est de $z = \dfrac{1126 - 1173}{4350/\sqrt{100}} = -0,108$.

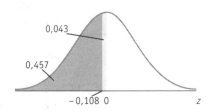

Si l'on consulte la table normale Z, l'aire sous la courbe entre $-0,108$ et 0 est approximativement de 0,043. Donc, l'aire à gauche de $-0,108$ est approximativement de $(0,5 - 0,043) = 0,457$. Si la valeur réelle de la moyenne de la population est de 1173, il y a de fortes chances (45,7 %) d'obtenir une moyenne d'échantillon de 1126 ou moins. Inversement, si l'on a une valeur de moyenne d'échantillon de 1126, on n'a pas de raison de douter de l'exactitude de l'énoncé.

■ RÉVISION 8.6

Selon une étude, le loyer mensuel moyen d'un appartement avec deux chambres à coucher à Vancouver est de 890 $. Afin de vérifier cette affirmation, un statisticien a sélectionné avec remise un échantillon aléatoire simple de 50 appartements, et il a observé un loyer mensuel moyen de 864 $ avec un écart type de 70 $. En se basant sur les données d'échantillonnage, que peut-on dire au sujet de cette étude ? (Supposez que la distribution de la population soit approximativement normale.)

EXERCICES 8.7 À 8.10

8.7   On affirme que la moyenne des données d'une certaine population est de 60. L'écart type de la population est de 12. Vous sélectionnez un échantillon aléatoire de taille 100. Dans chacun des cas suivants, comment réagissez-vous à cette affirmation ?
a) La valeur de la moyenne observée dans l'échantillon est de 63.
b) La valeur de la moyenne observée dans l'échantillon est de 59.

8.8   On prétend que la moyenne d'une variable dans une certaine population est de 75. L'écart type de la population est de 5 et la forme de la distribution est inconnue. Vous sélectionnez un échantillon aléatoire de taille 40. Dans chacun des cas suivants, comment réagissez-vous à cet énoncé ?
a) La valeur de la moyenne d'échantillon observée est de 74,5.
b) La valeur de la moyenne d'échantillon observée est de 77.

8.9   La note moyenne d'une classe de 300 étudiants à un examen de statistique est de 68,2 (sur un maximum de 100) avec un écart type de 9,2. On sélectionne un échantillon aléatoire simple avec remise de 40 étudiants. Quelle est la probabilité que la note moyenne de l'échantillon soit :
a) inférieure à 65 ?
b) supérieure à 72 ?

8.10 Un fabricant de pneus affirme que la durée de vie moyenne de ses pneus MX100 est de 108 000 km, avec un écart type de 3280 km. Afin de vérifier cette affirmation, on sélectionne un échantillon aléatoire simple avec remise de 100 pneus et l'on mesure leur durée de vie.

a) Quelle est la probabilité que la durée de vie moyenne des pneus de l'échantillon soit supérieure à 109 000 km ?

b) Quelle est la probabilité que la durée de vie moyenne des pneus de l'échantillon soit inférieure à 108 400 km ?

c) Si la moyenne de l'échantillon est de 108 800 km, qu'est-ce que cela indique au sujet de l'affirmation du fabricant ?

8.8 LA DISTRIBUTION D'ÉCHANTILLONNAGE DE LA MOYENNE D'UN ÉCHANTILLON ALÉATOIRE SIMPLE PRÉLEVÉ SANS REMISE

Le théorème limite central stipule ceci : si un échantillon aléatoire simple de taille n est prélevé avec remise dans une population (ASAR), la distribution d'échantillonnage de la moyenne se rapproche de plus en plus d'une distribution normale, au fur et à mesure que n augmente.

Ce résultat ne s'applique généralement pas lorsque l'échantillon est prélevé sans remise. Par exemple, dans le problème où les salaires horaires de cinq employés forment la population, la taille N de la population est de 5. Si l'on utilise un échantillon aléatoire sans remise, la taille de l'échantillon ne peut être supérieure à 5, puisque chaque unité ne peut se retrouver plus d'une fois dans l'échantillon. L'échantillon de taille $n = 5$ correspond exactement à la population entière. Pour $n = 4$, la distribution d'échantillonnage de la moyenne s'éloigne fortement de la loi normale.

Heureusement, dans la plupart des applications, la population est plutôt grande. Dans ce cas, même si le prélèvement s'effectue sans remise, la probabilité qu'une unité se retrouve plus d'une fois dans l'échantillon sera négligeable. Il s'ensuit donc que les résultats obtenus par un échantillonnage sans remise seront approximativement les mêmes que ceux qu'on obtiendrait par un échantillonnage avec remise. On résume ce point ci-dessous.

Si la taille N de la population est grande et le rapport n/N, appelé *taux de sondage*, est plus petit que 0,05, et si l'échantillon aléatoire simple de taille n est prélevé sans remise, alors :

- la moyenne $\mu_{\bar{X}}$ de la distribution d'échantillonnage de la moyenne est exactement égale à la moyenne de la population ;

- l'écart type $\sigma_{\bar{X}}$ de la distribution d'échantillonnage de la moyenne est approximativement égal à $\dfrac{\sigma}{\sqrt{n}}$;

- si la distribution de la variable dans la population de référence est normale, la distribution d'échantillonnage de la moyenne s'approche aussi d'une normale. Si la distribution de la population n'est pas normale, mais que la taille d'échantillon n est suffisamment grande, la distribution d'échantillonnage de la moyenne est approximativement normale.

Lorsque la taille N de la population est petite, l'analyse de la distribution d'échantillonnage de la moyenne devient plus complexe. On peut démontrer qu'en général, lorsqu'un échantillon aléatoire sans remise de n unités ou individus est choisi à partir d'une population de taille N, l'écart type $\sigma_{\bar{X}}$ des valeurs des moyennes d'échantillon est :

$$\sigma_{\bar{X}} = \frac{\sigma}{\sqrt{n}} \sqrt{\left(\frac{N-n}{N-1}\right)}$$

8.6

On en donne un exemple à l'annexe A du chapitre 8 sur le cédérom accompagnant ce manuel.

Le terme $\sqrt{\left(\dfrac{N-n}{N-1}\right)}$ se nomme le **facteur de correction pour une population finie**. Il faut noter que $\sqrt{\left(\dfrac{N-n}{N-1}\right)}$ est inférieur à 1. L'écart type de $\bar{X}$ sera donc plus petit lorsque l'échantillon est prélevé sans remise.

Lorsque la taille N de la population est grande si on la compare à n, le terme $\sqrt{\left(\dfrac{N-n}{N-1}\right)}$ est presque égal à 1. Ainsi, $\sigma_{\bar{X}}$ est approximativement égal à $\dfrac{\sigma}{\sqrt{n}}$. On a donc les mêmes formules que dans le cas d'un échantillonnage avec remise.

Exemple 8.4

Considérons de nouveau le problème de l'exemple 8.3. On veut vérifier si la valeur moyenne de la capitalisation boursière (en millions de dollars) des 1000 plus grandes sociétés au Canada, durant l'année 2000, était de 1173. Supposons, pour la population considérée, que l'écart type soit de 3500. Un échantillon aléatoire simple de taille 100 prélevé sans remise permet d'observer une moyenne de 1200. Si la distribution d'échantillonnage de $\bar{X}$ est approximativement normale, que peut-on conclure ?

Solution

Puisque le taux de sondage $n/N = 100/1000$ est plus grand que 0,05, on utilisera le *facteur de correction pour une population finie*.

$$\text{Donc, } \sigma_{\bar{X}} = \frac{\sigma}{\sqrt{n}} \sqrt{\left(\frac{N-n}{N-1}\right)} = \frac{3500}{\sqrt{100}} \sqrt{\left(\frac{900}{999}\right)} = 332{,}205.$$

Si la valeur moyenne de la capitalisation boursière des 1000 sociétés est bien de 1173, $\bar{X}$ est approximativement normale avec une moyenne de 1173 et un écart type de 332,205.

Dans ce cas, la valeur z correspondant à $\bar{x} = 1200$ est de $z = \dfrac{1200 - 1173}{332{,}205} = 0{,}081$.

D'après la table Z, l'aire sous la courbe à droite de 0,081 est approximativement égale à $0{,}5 - 0{,}0323 = 0{,}4677$.

Donc, si la moyenne réelle de la population est de 1173, on a alors de fortes chances (46,77 %) d'observer une moyenne d'échantillon de 1200 ou plus. Inversement, puisque la moyenne de l'échantillon est de 1200, il n'y a aucune raison de douter de l'exactitude de ces valeurs.

■ RÉVISION 8.7

Examinons de nouveau le problème de révision 8.4 où il est question du rendement en pourcentage des actions ordinaires pour les 1000 plus grandes sociétés canadiennes en 2000. La moyenne de la population est de 10,3 % et l'écart type, de 441,5 %. Supposons qu'on sélectionne un échantillon aléatoire simple sans remise de taille 200 dans cette population. En supposant que la distribution d'échantillonnage de $\bar{X}$ soit approximativement normale, déterminez la probabilité que la moyenne d'échantillon soit :
a) inférieure à 2 %.
b) supérieure à 40 %.

EXERCICES 8.11 À 8.14

8.11 On affirme que la valeur moyenne d'un loyer pour un appartement d'une chambre à coucher à Victoria est de 580 $ par mois. Afin de vérifier cette affirmation, un échantillon aléatoire simple sans remise de 50 appartements d'une chambre à coucher a été choisi et la moyenne et l'écart type observés sont respectivement de 565 $ et de 150 $. En vous basant sur ces renseignements, que diriez-vous au sujet de cette affirmation ?

8.12 Il faut en moyenne 330 minutes à un contribuable pour préparer, remplir et poster une déclaration de revenus. Une agence de protection du consommateur a sélectionné sans remise un échantillon aléatoire simple de 40 contribuables. Dans chacun des cas suivants, que diriez-vous de l'énoncé ?
a) Les valeurs de la moyenne et de l'écart type observées dans l'échantillon étaient respectivement de 320 et de 80 minutes.
b) Les valeurs de la moyenne et de l'écart type observées dans l'échantillon étaient respectivement de 350 et de 80 minutes.
c) Quelles suppositions avez-vous faites pour arriver aux résultats obtenus en a) et en b) ?

8.13 Le gérant d'un commerce en équipement électronique affirme que le montant moyen des ventes par facture s'élevait à 450 $ le mois dernier, avec un écart type de 60 $. Selon les registres comptables du commerce, on a relevé un total de 400 factures durant ce même mois. Un vérificateur indépendant a sélectionné un échantillon aléatoire simple sans remise de 50 de ces factures et il a observé une valeur moyenne de 470 $. Supposez que la distribution d'échantillonnage de $\overline{X}$ soit approximativement normale. En vous basant sur les renseignements fournis par l'échantillon, comment réagissez-vous à l'affirmation du gérant ?

8.14 Le directeur du service de placement étudiant dans une université a affirmé que le revenu mensuel moyen des 200 étudiants en économie qui ont obtenu leur diplôme l'hiver dernier était de 3000 $, avec un écart type de 600 $. Afin de vérifier ces chiffres, un groupe d'étudiants de deuxième année a sélectionné un échantillon aléatoire simple sans remise de 36 diplômés en économie. Le revenu mensuel moyen des étudiants sélectionnés était de 2900 $. Supposez que la distribution d'échantillonnage de $\overline{X}$ soit approximativement normale. En vous basant sur les renseignements fournis par l'échantillon, comment réagissez-vous aux chiffres avancés par le directeur ?

8.9 LA DISTRIBUTION D'ÉCHANTILLONNAGE D'UNE PROPORTION

Dans certaines applications, les unités d'une population ne prennent que deux valeurs, par exemple 1 et 0, pour indiquer la présence (ou l'absence) d'une certaine caractéristique. On souhaite alors estimer la proportion p des unités de la population prenant la valeur 1. Voici quelques exemples.

- Supposons qu'un politicien effectue un sondage afin de connaître sa popularité auprès des électeurs. Dans ce cas, chaque observation (autrement dit chaque vote) sera soit « pour », soit « contre » le candidat. On peut représenter chaque vote favorable par 1 et chaque vote défavorable par 0. Le politicien veut estimer la proportion d'électeurs qui l'appuient. Cette proportion correspond à la proportion p des unités prenant la valeur 1 dans la population.

- Supposons qu'on veuille estimer la proportion des maisons de Montréal dont le sous-sol est aménagé. Chaque maison de la population a soit un sous-sol aménagé (noté par la valeur 1), soit un sous-sol non aménagé (noté par la valeur 0).

La distribution de la population est la suivante :

Valeur	Probabilité
1	p
0	$(1 - p)$

Comme nous l'avons vu au chapitre 6, il s'agit là d'une distribution binomiale avec $n = 1$; la moyenne de cette distribution est $\mu = p$ et l'écart type, $\sigma = \sqrt{p(1 - p)}$.

Si l'on sélectionne un échantillon aléatoire simple avec remise, de taille n, dans cette population, chaque observation de l'échantillon correspondra à la valeur 0 ou 1. Dans ce cas, la moyenne de l'échantillon $\bar{X}$ est $\bar{X} = \dfrac{\text{nombre de « 1 » dans l'échantillon}}{n}$ = proportion des unités de l'échantillon prenant la valeur « 1 ».

Puisque la moyenne d'échantillon représente ici la proportion d'unités d'échantillon prenant la valeur 1, on représentera $\bar{X}$ par $\hat{p}$. En utilisant le théorème limite central (ou l'approximation normale d'une distribution binomiale – voir le chapitre 7), on sait que pour un échantillon de taille suffisamment grande, $\hat{p}$ a une distribution approximativement normale, de moyenne p et d'écart type $\dfrac{\sigma}{\sqrt{n}} = \sqrt{\dfrac{p(1 - p)}{n}}$.

Quelle doit être la valeur de n pour que l'approximation normale soit acceptable ? Selon Cochran[1], pour $p = 0,5$, n doit avoir une valeur d'au moins 30 ; pour $p = 0,3$, cette valeur doit être au moins de 80 ; pour $p = 0,05$, la valeur de n doit être aussi grande que 1400. Toutefois, plusieurs statisticiens sont d'avis que la règle générale suivante est appropriée dans la plupart des applications en gestion et en économie : «n doit avoir une valeur minimale de 30 et p doit être tel que np et $n(1 - p)$ aient chacun une valeur minimale de 5. »

Exemple 8.5

Une entreprise multinationale affirme que 45 % de ses employés sont de sexe féminin. Afin de vérifier cette affirmation, un statisticien a sélectionné un échantillon aléatoire simple sans remise de 40 employés et y a observé 30 % de femmes. En vous basant sur ces données, que pensez-vous de l'affirmation de la société ?

Solution

On attribue la valeur 1 à la personne sélectionnée si elle est de sexe féminin, et la valeur 0 s'il s'agit d'un homme. La taille de la population (le nombre total d'employés dans l'entreprise) est grande. Donc, le prélèvement sans remise donne à peu près les mêmes résultats que le prélèvement avec remise. Si l'affirmation de la société est fondée, $p = 0,45$, et $\sigma = \sqrt{0,45(1 - 0,45)} = 0,497$.

On a $n = 40 > 30$, $np = 40\,(0,45) = 18 > 5$, et $n\,(1 - p) = 40\,(0,55) = 22 > 5$. On peut donc supposer que la taille de l'échantillon n est assez grande pour utiliser l'approximation normale. Par conséquent, la distribution de $\hat{p}$ est approximativement normale avec une moyenne $= 0,45$ et un écart type $= \dfrac{0,497}{\sqrt{40}} \approx 0,079$.

La valeur z correspondant à $\hat{p} = 0,3$ est $z = \dfrac{0,3 - 0,45}{0,079} \approx -1,9$.

D'après la table Z, la probabilité que z soit plus petit ou égal à $-1,9 = 0,5 - 0,4713 = 0,0287$.

Cette probabilité est très petite. Les résultats de l'échantillon n'appuient donc pas l'affirmation de la société. Il est hautement probable que cette affirmation soit erronée.

EXERCICES 8.15 À 8.16

8.15 Statistique Canada rapportait que le taux de chômage était de 7,2 % en août 2001. Pour vérifier ces chiffres peu après leur publication, un statisticien a sélectionné un échantillon aléatoire simple sans remise de taille 200 dans la population apte au travail au Canada.

a) Si le rapport de Statistique Canada est fondé, quelle est la probabilité que plus de 8 % des gens sélectionnés dans l'échantillon soient sans emploi ?

b) Si 8 % des personnes sélectionnées sont sans emploi, comment réagissez-vous au rapport de Statistique Canada ?

8.16 Une étude menée par le *National Post* au cours de l'année 2001 indique que 46 % des Canadiens n'ont pas confiance dans la qualité de l'eau potable fournie par les services publics. Afin de vérifier ces résultats, un chercheur a sélectionné un échantillon aléatoire simple sans remise de 1000 Canadiens.

a) Si les résultats de l'étude sont exacts et que l'opinion des gens n'a pas changé depuis, quelle est la probabilité que plus de 55 % des Canadiens sélectionnés dans l'échantillon n'aient pas confiance dans la qualité de l'eau fournie par les services publics ?

b) Si 55 % des gens échantillonnés affirment qu'ils n'ont pas confiance dans la qualité de l'eau fournie par les services publics, que pouvez-vous dire au sujet de l'étude publiée par le *National Post* ?

RÉSUMÉ DU CHAPITRE

I. Plusieurs raisons justifient le recours à l'échantillonnage d'une population :

A. Les tests détruisent souvent les unités testées ; on ne peut donc pas les réintégrer dans la population.

B. Il peut être impossible d'observer ou de localiser tous les membres d'une population.

C. L'étude de toutes les unités d'une population peut avoir un coût prohibitif.

D. Les résultats d'un échantillon permettent dans bien des cas d'estimer adéquatement la valeur du paramètre de la population, ce qui fait économiser temps et argent.

E. Contacter tous les membres d'une population prendrait trop de temps.

II. Le prélèvement de l'échantillon peut se faire avec ou sans remise.

A. Dans un échantillon avec remise, chaque unité de la population peut apparaître plus d'une fois dans l'échantillon.

B. Dans un échantillon sans remise, chaque unité de la population ne peut apparaître qu'une seule fois dans l'échantillon.

III. Il existe deux types de méthodes d'échantillonnage : les méthodes probabilistes et les méthodes non probabilistes.

A. Avec un échantillonnage probabiliste, la probabilité que chaque unité de la population soit sélectionnée dans l'échantillon est prédéterminée. Il existe plusieurs méthodes d'échantillonnage probabiliste.

1. Avec un échantillonnage aléatoire simple sans remise, tous les échantillons de taille n ont la même chance d'être sélectionnés.

2. L'échantillonnage aléatoire simple avec remise est une variante de l'échantillonnage aléatoire simple sans remise, dans lequel chaque unité de la population peut apparaître plus d'une fois.

3. Dans un échantillonnage aléatoire systématique, on choisit au hasard un point de départ, à la suite duquel toutes les $k^{\text{ième}}$ unités sont sélectionnées pour faire partie de l'échantillon.

4. Dans un échantillonnage aléatoire stratifié, la population est divisée en plusieurs sous-groupes nommés strates, et un échantillon aléatoire simple est prélevé dans chaque strate.

5. Dans un échantillonnage par grappes, la population est divisée en sous-groupes nommés grappes. On prélève alors un échantillon aléatoire simple de grappes et toutes les unités de chaque grappe sélectionnée composent l'échantillon final.

B. Avec un échantillonnage non probabiliste, l'inclusion d'une unité dans l'échantillon est laissée au jugement ou à la convenance de la personne qui sélectionne l'échantillon.

IV. L'erreur d'estimation est la différence entre la valeur réelle du paramètre de la population et l'estimation obtenue à partir de l'échantillon. Elle est en partie attribuable à l'échantillonnage, c'est-à-dire à la méthode employée pour prélever l'échantillon et à la statistique utilisée pour estimer le paramètre.

V. La distribution d'échantillonnage de la moyenne est la distribution de probabilité de toutes les valeurs possibles de la moyenne d'un échantillon.

VI. Pour un échantillon aléatoire simple, de taille n, prélevé avec remise :
A. La moyenne des moyennes d'échantillons est égale à la moyenne de la population.

B. L'écart type des moyennes d'échantillons, qu'on nomme *erreur type de la moyenne*, est égal à $\sigma/\sqrt{n}$, où σ est l'écart type de la population.

C. Si la distribution de la variable étudiée obéit à la loi normale dans la population de référence, la distribution de la moyenne échantillonnale suivra également une loi normale, quelle que soit la taille de l'échantillon.

D. Lorsqu'on ne connaît pas la distribution de la variable étudiée dans la population de référence, mais que la taille de l'échantillon est assez grande, le théorème limite central stipule que la distribution de la moyenne échantillonnale sera approximativement normale. Habituellement, une valeur minimale de n égale à 30 est suffisante dans la plupart des applications en gestion et en économie.

E. Lorsque l'écart type σ de la population est inconnu, on lui substitue l'écart type S de l'échantillon. Dans ce cas, si la distribution de la variable étudiée est normale dans la population de référence, alors $\left(\dfrac{\bar{X} - \mu}{S/\sqrt{n}}\right)$ suivra une

« distribution t de Student avec $(n-1)$ degrés de liberté ». Pour de grandes valeurs de n, cette distribution a presque la même forme que la loi normale.

VII. Pour un échantillon aléatoire simple, de taille n, prélevé sans remise :
A. La moyenne des moyennes d'échantillons est égale à la moyenne de la population.

B. L'écart type des moyennes d'échantillons (erreur type de la moyenne) est de

$$\sigma_{\bar{X}} = \frac{\sigma}{\sqrt{n}} \sqrt{\left(\frac{N-n}{N-1}\right)}\,,$$ où N est la taille de la population et σ, l'écart type de la population.

C. Si la taille N de la population est grande, le prélèvement sans remise équivaut approximativement au prélèvement avec remise. Dans ce cas, l'erreur type de la moyenne est approximativement égale à $\dfrac{\sigma}{\sqrt{n}}$.

EXERCICES 8.17 À 8.38

8.17   Un statisticien veut choisir un échantillon aléatoire simple avec remise de 10 familles dans votre ville afin d'étudier le revenu familial. Décrivez la méthode qui conviendrait à cet objectif.

8.18   Décrivez l'erreur attribuable à l'échantillonnage et l'erreur non attribuable à l'échantillonnage. La valeur d'une erreur due à l'échantillonnage peut-elle être de zéro ? Si oui, qu'est-ce que cela signifie ?

8.19   Énumérez les raisons pouvant justifier l'échantillonnage. Illustrez chaque raison par un exemple.

8.20   On effectue une étude sur les établissements financiers qui offrent des services bancaires (y compris les coopératives de crédit et les sociétés de fiducie). Certains d'entre eux sont très importants, avec un actif de plus de 500 millions de dollars ; d'autres sont de taille moyenne, avec un actif entre 100 et 500 millions ; les autres ont un actif inférieur à 100 millions. Expliquez de quelle façon vous sélectionneriez un échantillon de ces établissements.

8.21   Un fabricant de produits de plastique veut vérifier le diamètre intérieur des tuyaux en PVC qu'il produit. Une machine-outil extrude les tuyaux, qui sont ensuite coupés en longueurs de 3 m. Chaque machine produit environ 720 tuyaux par période de deux heures. Comment choisiriez-vous un échantillon dans la production de deux heures d'une machine-outil en particulier ?

8.22   Une étude portant sur le nombre de chambres de motel dans une ville a établi qu'on y trouvait 25 établissements. La Chambre de commerce et le Bureau du tourisme analysent conjointement le nombre de chambres disponibles par établissement. Les résultats sont les suivants :

90, 72, 75, 60, 75, 72, 84, 72, 88, 74, 105, 115, 68, 74, 80, 64, 104, 82, 48, 58, 60, 80, 48, 58, 100.

a)   À l'aide de nombres aléatoires tirés de la première ligne de la table de l'annexe B, sélectionnez un échantillon aléatoire de cinq motels issus de cette population : i) prélevé avec remise ; ii) prélevé sans remise.

b)   Faites un échantillonnage systématique de taille 5 en prenant 03 comme premier nombre.

c)   Faites un échantillonnage systématique de taille 8 en prenant 09 comme premier nombre.

d)   Supposez que les 10 derniers motels de la liste offrent des tarifs spéciaux. Faites un échantillonnage stratifié : divisez la population en deux strates, les motels à tarifs normaux et ceux qui offrent des tarifs spéciaux, et sélectionnez un échantillon aléatoire de trois motels dans la première strate et de deux motels dans la deuxième. (Utilisez des nombres aléatoires de la huitième ligne de la table de l'annexe B.)

8.23   Dans le cadre de son programme de service à la clientèle, Air Canada a décidé de sélectionner au hasard 10 passagers de son premier vol journalier entre Montréal et Toronto afin d'obtenir leur opinion sur les services au sol, le service à bord, la nourriture offerte, etc. Pour déterminer l'échantillon, chaque passager s'est vu attribuer un numéro en montant à bord. Le premier numéro était 001 et le dernier, 250.

a) Sélectionnez un échantillon aléatoire simple sans remise de taille 10. (Utilisez des nombres aléatoires de la dixième ligne de la table de l'annexe B.)

b) Sélectionnez un échantillon aléatoire systématique de taille 10 en commençant avec le nombre 17.

c) Évaluez les deux méthodes en indiquant leurs avantages et inconvénients respectifs.

d) De quelle autre façon pourrait-on sélectionner un échantillon aléatoire parmi les 250 passagers?

8.24 Un service de contrôle de la qualité emploie quatre techniciens durant le jour. On indique ci-dessous le nombre de fois que chaque technicien a demandé au superviseur d'interrompre la production au cours de la semaine dernière.

Technicien	Nombre d'interruptions
Roger	4
Claudia	5
Louis	3
Thomas	2

a) Combien d'échantillons aléatoires simples de taille 2 différents peut-on prélever avec remise dans cette population?

b) Déterminez la distribution d'échantillonnage de la moyenne pour un tel échantillon.

c) Comparez la moyenne et l'écart type de la moyenne échantillonnale à ceux de la population.

8.25 Il y a cinq caissiers à la succursale du centre-ville d'une certaine banque. La semaine dernière, on a relevé le nombre d'erreurs suivant commises par chacun de ces caissiers: 2, 3, 5, 3 et 5. Un vérificateur qui n'a pas accès aux données de la population veut sélectionner au hasard un échantillon de taille 2.

a) Si le vérificateur prélève un échantillon aléatoire simple de taille 2 avec remise, combien d'échantillons différents peut-il obtenir?

b) Déterminez la distribution d'échantillonnage de la moyenne pour un tel échantillon.

c) Calculez la moyenne et l'écart type de la moyenne échantillonnale et comparez-les à ceux de la population.

8.26 La société Sony fabrique un baladeur qui fonctionne avec deux piles AA. Supposez que la durée de vie moyenne de ces piles soit de 35,0 heures. La distribution de la durée de vie des piles est très proche de la loi normale, avec un écart type de 5,5 heures. Dans le cadre de son programme de contrôle, Sony teste des échantillons de 25 piles prélevés aléatoirement sans remise.

a) Que peut-on dire sur la forme de la distribution d'échantillonnage de la moyenne?

b) Quelle est l'erreur type de la moyenne?

c) Quelle est la proportion des échantillons ayant une durée de vie moyenne supérieure à 36 heures?

d) Quelle est la proportion des échantillons ayant une durée de vie moyenne supérieure à 34,5 heures?

e) Quelle est la proportion des échantillons ayant une durée de vie moyenne se situant entre 34,5 et 36 heures?

8.27   Un fabricant de réfrigérateurs emploie six vendeurs à son point de vente de Saint-Jean. On indique ci-dessous le nombre de réfrigérateurs vendus par chaque vendeur le mois dernier.

Vendeur	Nombre de ventes
Blouin	54
Nguyen	50
Quintal	52
Doré	48
Marois	50
Martin	52

a) Combien d'échantillons aléatoires simples de taille 4 différents peut-on prélever avec remise dans cette population ?

b) Déterminez la distribution d'échantillonnage de la moyenne pour un échantillon aléatoire simple avec remise de taille 2.

c) Quels sont la moyenne et l'écart type de la population ? Quels sont la moyenne et l'écart type de la distribution d'échantillonnage de la moyenne déterminée en b) ?

8.28   Des études récentes indiquent que les femmes âgées de 50 ans dépensent en moyenne 350 $ par année en produits d'hygiène personnelle. La distribution des montants dépensés est asymétrique à droite. On sélectionne sans remise un échantillon aléatoire simple de 40 femmes. Le montant moyen dépensé par les femmes de cet échantillon est de 335 $ et l'écart type, de 45 $. Quelle conclusion pouvez-vous tirer de ces résultats ?

8.29   La société CD CRA a réglé la durée moyenne des plages sur un disque compact à 135 secondes (2 minutes et 15 secondes). Cela donne assez de temps à l'animateur pour insérer des messages commerciaux dans chaque segment de 10 minutes. Supposez que la distribution de la durée d'une plage s'approche d'une loi normale avec un écart type de huit secondes. On sélectionne un échantillon aléatoire simple sans remise de 40 plages dans différents CD vendus par l'entreprise.

a) Que pouvez-vous dire sur la forme de la distribution de la moyenne d'échantillon ?

b) Quelle est l'erreur type de la moyenne ?

c) Pour quel pourcentage des échantillons devrait-on observer une moyenne supérieure à 138 minutes ?

d) Pour quel pourcentage des échantillons devrait-on observer une moyenne supérieure à 133 minutes ?

e) Pour quel pourcentage des échantillons la moyenne sera-t-elle comprise entre 133 et 138 minutes ?

8.30   La société de transport Messagerie Canada prétend que le poids moyen de ses camions de livraison chargés est de 2500 kg avec un écart type de 70 kg. Supposez que la population ait une distribution normale. On décide de sélectionner un échantillon aléatoire simple sans remise de 40 camions et de les peser. Trouvez le nombre a tel qu'approximativement 95 % des échantillons produiront un poids moyen compris dans l'intervalle $(2500 \pm a)$.

8.31   Dans l'édition du 23 mars 2001 du *BC Stats Infoline,* on rapporte qu'en 1998, l'âge moyen au moment du mariage en Colombie-Britannique était de 28,8 ans. On ne connaît ni la forme de la distribution ni l'écart type de la population. Si l'on sélectionne sans remise un échantillon aléatoire simple de 60 hommes qui se sont mariés en 1998, quelle est la probabilité que leur âge moyen ait été de moins de 28 ans au moment de leur mariage ? Supposez que l'écart type de l'échantillon soit de 2,5 années.

8.32   Supposez qu'on lance un dé équilibré deux fois et qu'on observe ce qui apparaît sur la face supérieure du dé à chaque lancer.
   a) Quel est le nombre de résultats possibles ?
   b) Énumérez chacun des résultats possibles et calculez la moyenne correspondante.
   c) Sur un graphique semblable à celui de la figure 8.2, comparez la distribution du résultat d'un seul lancer avec celle de la moyenne obtenue en deux lancers.
   d) Calculez la moyenne et l'écart type de chaque distribution et comparez-les.

8.33   Le gérant d'un marché d'alimentation prétend que le montant moyen dépensé par ses clients est de 23,50 $. La distribution du montant dépensé par les clients du magasin est asymétrique à droite. Pour un échantillon aléatoire simple de 50 clients prélevé sans remise, répondez aux questions suivantes :
   a) Si la moyenne et l'écart type de l'échantillon sont respectivement de 25,00 $ et de 5,00 $, comment réagissez-vous au chiffre avancé par le gérant ?
   b) Supposez que le chiffre avancé soit correct et que l'écart type de la population soit de 6,00 $. Trouvez le nombre a tel qu'approximativement 90 % des échantillons produiront une moyenne comprise dans l'intervalle $(23,50 \pm a)$.

8.34   Dans l'édition du 1er juin 2001 du *BC Stats Infoline,* on rapporte que le revenu hebdomadaire moyen des travailleurs de Colombie-Britannique était de 666,14 $ en mars 2001. Supposez qu'on sélectionne un échantillon aléatoire simple sans remise de 40 travailleurs, et qu'on note leur revenu hebdomadaire. Dans chacun des cas suivants, quelle serait votre réaction à cet article ?
   a) Les valeurs de la moyenne et de l'écart type de l'échantillon sont respectivement de 655 $ et de 26,80 $.
   b) Les valeurs de la moyenne et de l'écart type de l'échantillon sont respectivement de 670 $ et de 25,00 $.

8.35   Le résultat moyen à un test d'évaluation scolaire des athlètes étudiants est de 947 avec un écart type de 205. Si vous prélevez avec remise un échantillon aléatoire simple de 60 de ces étudiants, quelle est la probabilité que leur résultat moyen au test soit inférieur à 900 ?

8.36   Un politicien prétend qu'il jouit d'une cote de popularité de 60 % dans sa province. Un échantillon aléatoire simple sans remise de 100 électeurs de cette province est sélectionné.
   a) Si l'affirmation du politicien est fondée, quelle est la probabilité qu'au moins 70 % des électeurs de l'échantillon votent pour lui ?
   b) Supposez que seulement 48 % des électeurs de l'échantillon appuient le politicien. Que diriez-vous de son affirmation ?

8.37 Selon un rapport publié par la Fédération canadienne de l'agriculture, le nombre d'exploitations agricoles au Canada a diminué d'environ 18,3 % depuis 1976. Toutefois, l'étendue totale des terres cultivées est demeurée relativement stable. Cela s'explique par l'augmentation importante de la taille des exploitations agricoles. Dans le recensement de 1996, on rapporte qu'il y avait 276 548 exploitations au Canada, et que leur taille moyenne était de 608 acres. Vous décidez de vérifier si la taille moyenne des exploitations a changé depuis 1996 en analysant un échantillon de 100 exploitations.

a) Quelle méthode d'échantillonnage choisiriez-vous pour sélectionner l'échantillon ? Expliquez votre réponse.

b) Supposez que vous ayez sélectionné sans remise un échantillon aléatoire simple de 100 exploitations et que vous ayez obtenu une moyenne $\bar{x} = 560$ acres et un écart type s = 180 acres. D'après ces renseignements, pensez-vous que la taille moyenne des exploitations a changé depuis 1996 ?

8.38 Un sondage effectué par Gallup en février 2002 indique que 48 % des Canadiens de plus de 18 ans s'opposent au mariage entre conjoints de même sexe. Supposez qu'on sélectionne un échantillon aléatoire simple sans remise de 500 Canadiens de plus de 18 ans.

a) Supposez que l'opinion des Canadiens n'ait pratiquement pas changé depuis ce sondage. Quelle est la probabilité que moins de 40 % des gens interrogés s'opposent au mariage entre conjoints de même sexe ?

b) Si 40 % des gens interrogés se disent opposés au mariage entre conjoints de même sexe, que pensez-vous des résultats du sondage Gallup ?

www.**exercices**.ca 8.39 À 8.40

8.39 Vous devez estimer le bénéfice moyen par action de l'ensemble des compagnies aériennes. Vous décidez de prélever un échantillon aléatoire simple sans remise de six compagnies à partir de certains renseignements disponibles sur le Web. En utilisant un certain moteur de recherche, vous obtenez la liste suivante :

AMR Corporation	Delta Air Lines, Inc.	Midwest Express Holdings
Air Canada, Inc.	Deutsche Lufthansa AG	
AirTran Holdings, Inc.	Frontier Airlines, Inc.	Northwest Airlines Corp.
Alaska Air Group, Inc.	Great Lakes Aviation, Ltd.	Ryanair Holdings Inc.
America West Holdings		SkyWest, Inc.
Amtran Inc.	Hawaiian Airlines, Inc.	Southwest Airlines Co.
Atlantic Coast Airl Hldgs	Japan Airlines Co., Ltd.	Tower Air, Inc.
British Airways	KLM Royal Dutch Airlines	Trans World Airlines, Inc.
China Eastern Airlines	Lan Chile S.A.	UAL Corporation
China Southern Airlines	Mesa Air Group, Inc.	US Airways Group, Inc.
	Mesaba Holdings, Inc.	Vanguard Airlines
Continental Airlines, Inc.	Midway Airlines Corp.	Virgin Express Holdings
		Western Pacific Airlines

Numérotez les compagnies de 00 à 33.

a) Quelles compagnies seront incluses dans l'échantillon si les nombres aléatoires sont 13, 07, 41, 24, 05, 43, 01, 21 ?

b) Pour trouver les bénéfices par action (EPS – *Earnings per share*) de chacune des compagnies échantillonnées, procédez de la façon suivante : allez sur le site http://cf.finance.yahoo.com/. Sélectionnez Marchés canadiens et cliquez sur Recherche de symbole. Tapez le nom de la compagnie. Cliquez sur Recherche.

c) Trouvez la moyenne des bénéfices par action pour l'échantillon sélectionné.

d) Quelles compagnies seront incluses dans l'échantillon si vous faites un échantillonnage systématique et que le premier nombre aléatoire est 04 ?

8.40   Le site Web http://estat.statcan.ca/ présente un répertoire de données statistiques sur le Canada. Rendez-vous sur ce site ; après avoir accepté les conditions d'utilisation, cliquez sur Recherche dans CANSIM. Sous Méthode de recherche, cochez Numéro de série et cliquez sur Continuer. Inscrivez le numéro de série D845650 dans la fenêtre prévue à cet effet, puis cliquez sur Continuer. Sélectionnez le format WK1 (fichier générique pour tableur) périodes = lignes dans le menu déroulant et récupérez les données à partir de janvier 1960. Cliquez ensuite sur Extraire et téléchargez le fichier, que vous pourrez ouvrir par la suite à l'aide d'Excel.

a) Trouvez la moyenne et l'écart type de cet ensemble de données.

b) Sélectionnez un échantillon avec remise de taille 30 à partir de ces données. Avec Excel, générez des nombres aléatoires et utilisez-les pour obtenir l'échantillon désiré. Trouvez la moyenne d'échantillon. Comparez cette valeur à celle de la moyenne de la population et faites vos commentaires en vous basant sur le théorème limite central.

EXERCICES 8.41 À 8.43 DONNÉES INFORMATIQUES

8.41   Référez-vous aux données sur les chutes de neige annuelles à Halifax, de 1945 à 2000 (voir le fichier Exercice 8-41.xls sur le cédérom accompagnant ce manuel). Considérez les données du fichier comme celles de la population entière.

a) Trouvez la moyenne et l'écart type de la population considérée.

b) Chacune de ces données correspond à la somme des quantités de neige tombée durant tous les jours d'hiver de l'année. Selon le théorème limite central, quelle devrait être la forme de la distribution de la quantité annuelle de neige tombée pour la population considérée ?

c) Construisez un histogramme de la distribution des données de la population. La forme de l'histogramme est-elle en accord avec celle que vous aviez prévue en b) ?

d) Quels seraient la moyenne et l'écart type de la distribution d'échantillonnage de la moyenne si un échantillon aléatoire simple de taille 30 était prélevé avec remise dans cette population ? Quelle serait la probabilité d'obtenir une moyenne d'échantillon supérieure à 2030 ?

e) Sélectionnez un échantillon aléatoire simple sans remise de taille 30 (utilisez Excel). Calculez la moyenne de cet échantillon et comparez-la à celle de la population.

8.42 Le pourcentage de variation de l'indice des prix à la consommation (IPC) sert à mesurer le taux annuel d'inflation. Référez-vous aux données sur le pourcentage d'augmentation de l'indice IPC au Canada entre 1915 et 2001 (voir le fichier Exercice 8-42.xls sur le cédérom accompagnant ce manuel). Considérez les données du fichier comme celles de la population entière.

a) Trouvez la moyenne et l'écart type de la population.

b) Quels seraient la moyenne et l'écart type de la distribution d'échantillonnage de la moyenne si un échantillon aléatoire simple de taille 30 était prélevé avec remise dans cette population ? Quelle serait la probabilité d'obtenir une moyenne d'échantillon supérieure à 3 % ?

c) Sélectionnez un échantillon aléatoire simple avec remise de taille 30 (utilisez Excel). Trouvez la moyenne de l'échantillon et comparez-la à celle de la population.

8.43 Vous voulez trouver l'écart type des taux annuels d'inflation au Canada entre 1915 et 2001. Référez-vous aux données sur le pourcentage d'augmentation de l'indice IPC (toutes les unités) au Canada entre 1915 et 2001 (voir le fichier Exercice 8-43.xls sur le cédérom accompagnant ce manuel).

a) Trouvez l'écart type de la population.

b) L'écart type de l'échantillon est un bon estimateur de celui de la population. Sélectionnez 50 échantillons aléatoires simples sans remise de taille 30. Trouvez les valeurs des écarts types de chacun de ces échantillons. Construisez un histogramme de la distribution observée des écarts types d'échantillons. La forme de l'histogramme devrait être une bonne approximation de la distribution de l'écart type de l'échantillon. Que pensez-vous de la forme de l'histogramme ?

CHAPITRE 8   RÉPONSES AUX QUESTIONS DE RÉVISION

8.1   a)   {Phillips, C., Casey, K., Miller, C., Goggin, K., Sheaves, G.}

b)   {Phillips, C., Casey, K., Miller, C., Goggin, K., Casey, K.}

c)   {Wheeler, C., Chedore, M., Ross, C., Phillips, C., Putnam, A.}

8.2   a)   Dans ce cas, $N = 40$ et $n = 4$.

Donc, $k = \dfrac{N}{n} = \dfrac{40}{4} = 10$

L'échantillon systématique inclura les 7e, 17e, 27e et 37e étudiants (c'est-à-dire les étudiants numérotés 6, 16, 26 et 36). L'échantillon comprendra {Calabrese, A., Goggin, K., Morin, N., Sheaves, G.}.

b)   Dans ce cas, $N = 40$ et $n = 9$.

Donc, $\dfrac{N}{n} = \dfrac{40}{9} = 4,44$

Il s'ensuit que $k = 4$. L'échantillon systématique inclura les étudiants numérotés 16, 20, 24, 28, 32, 36, 00, 04 et 08.

c)   Pour sélectionner un échantillon aléatoire sans remise de trois étudiants de sexe masculin, attribuez un nouveau numéro aux 21 étudiants de sexe masculin (00-20), dans leur ordre d'apparition. Avec les nombres aléatoires donnés, on obtient l'échantillon suivant : {Goetzen, C., Pile, A., McDougall, D.}. Pour sélectionner un échantillon aléatoire sans remise de trois étudiantes, attribuez un nouveau numéro aux 19 étudiantes (00-18), dans leur ordre d'apparition. En procédant à partir du dernier nombre aléatoire utilisé, on obtient l'échantillon suivant : {Sheaves, G., Casey, K., Morin, N.}.

d)   L'échantillon par grappes obtenu comprend les 7e et 3e grappes. L'échantillon final comprend donc les étudiants numérotés {08, 09, 10, 11, 24, 25, 26, 27}.

8.3   a) $\mu = \dfrac{20 + 22 + 26 + 24 + 28}{5} = 24$;

$\sigma = \sqrt{\dfrac{(20 - 24)^2 + \ldots + (28 - 24)^2}{5}} = \sqrt{8} = 2,828$

b)   La distribution d'échantillonnage de la moyenne pour un échantillon aléatoire avec remise ($n = 2$)

Moyenne d'échantillon $\bar{x}$	Nombre d'occurrences	Probabilité
20	1	0,04
21	2	0,08
22	3	0,12
23	4	0,16
24	5	0,20
25	4	0,16
26	3	0,12
27	2	0,08
28	1	0,04

c) $\mu_{\bar{X}} = 20(0,04) + \ldots + 28(0,04) = 24$;

$\sigma_{\bar{X}} = \sqrt{(20 - 24)^2 0,04 + \ldots + (28 - 24)^2 0,04} = 2$

8.4   La moyenne des moyennes d'échantillons $= \mu_{\bar{X}} =$ moyenne de la population $= 10,3\,\%$. L'erreur type $=$ l'écart type des valeurs de la moyenne d'échantillon $= \dfrac{\sigma}{\sqrt{n}} = \dfrac{441,5}{\sqrt{40}} = 69,81\,\%$.

8.5 $\bar{X}$ a une distribution approximativement normale avec $\mu_{\bar{X}} = 3$ L et $\sigma_{\bar{X}} \approx \dfrac{\sigma}{\sqrt{n}} = \dfrac{0,04}{\sqrt{64}} = 0,005$.

La valeur de z correspondant à $\bar{x} = 2,995$ est

$z = \dfrac{2,995 - 3}{0,005} = -1$.

L'aire à gauche de -1 sous la courbe Z est de $0,5 - 0,3413 = 0,1587$.

La probabilité d'obtenir une valeur de moyenne d'échantillon de 2,995 L ou moins est assez grande (probabilité $= 0,1587$). Donc, une moyenne d'échantillon de 2,995 L ne constitue pas un résultat improbable.

8.6   Puisque la distribution est approximativement normale dans la population de référence, il en est de même pour la distribution de $\bar{X}$. Supposez que l'affirmation soit fondée. On a alors $\mu_{\bar{X}} = \mu = 890$ et $\sigma_{\bar{X}} \approx \dfrac{\sigma}{\sqrt{n}}$. Si l'on substitue $s = 70$ à σ, on obtient

$t = \dfrac{\bar{x} - \mu}{s/\sqrt{n}} = \dfrac{864 - 890}{70/\sqrt{50}} = -2,626$.

Puisque la taille de l'échantillon est assez grande ($n = 50$), on peut approcher t à l'aide de z. L'aire sous la courbe de Z à gauche de $-2,626$ est approximativement de $(0,5 - 0,4956) = 0,0044$. Si l'affirmation est fondée, la chance d'obtenir une moyenne d'échantillon d'une valeur de 864 ou moins est approximativement de $0,44\,\%$. C'est une très faible probabilité, et il est donc raisonnable de conclure que l'affirmation n'est pas fondée.

8.7   Puisque $n/N = 200/1000$ est plus grand que 0,05, on utilisera le *facteur de correction pour une population finie*. Donc,

$\sigma_{\bar{X}} = \dfrac{\sigma}{\sqrt{n}} \sqrt{\left(\dfrac{N - n}{N - 1}\right)} = \dfrac{441,5}{\sqrt{200}} \sqrt{\left(\dfrac{800}{999}\right)} = 27,937$

La distribution de $\bar{X}$ est approximativement normale avec une moyenne de 10,3 et un écart type de 27,937.

a)   La valeur de z correspondant à $\bar{x} = 2$ est

de $z = \dfrac{2 - 10,3}{27,937} = -0,297$.

L'aire sous la courbe Z à gauche de $-0,297$ est approximativement de $(0,5 - 0,1167) = 0,3833$.

b)   La valeur de z correspondant à $\bar{x} = 40$ est

de $z = \dfrac{40 - 10,3}{27,937} = 1,063$.

L'aire sous la courbe Z à droite de 1,063 est approximativement de $(0,5 - 0,3561) = 0,1439$.

CHAPITRE 9

L'estimation et les intervalles de confiance

OBJECTIFS D'APPRENTISSAGE

Après avoir lu ce chapitre, vous serez en mesure :

- de définir un estimateur et de déterminer les propriétés souhaitées d'un estimateur telles que l'absence de biais, l'efficacité et la convergence ;

- de définir une estimation ponctuelle et une estimation par intervalle ;

- de définir un intervalle de confiance, un niveau de confiance et une marge d'erreur ;

- de construire un intervalle de confiance pour estimer la moyenne d'une population lorsque l'écart type de cette population est connu ;

- de construire un intervalle de confiance pour estimer la moyenne d'une population lorsque la population est normalement distribuée et l'écart type de la population est inconnu ;

- de construire un intervalle de confiance pour estimer une proportion relative à une population ;

- de déterminer la taille de l'échantillon nécessaire pour estimer une moyenne ou une proportion, en fonction de la marge d'erreur et du niveau de confiance souhaités ;

 - de construire un intervalle de confiance pour estimer la variance d'une population lorsque la population est normalement distribuée.

JERZY NEYMAN (1894-1981)

L'histoire de la théorie de l'inférence statistique remonte aux travaux de Jacob Bernoulli et aux contributions majeures de Pierre-Simon Laplace. Toutefois, c'est à Jerzy Neyman que l'on doit d'avoir établi les fondements de cette théorie.

Jerzy Neyman est né de parents polonais à Bendery, en Russie. Son premier amour est la physique, mais sa maladresse en laboratoire le fait opter pour son autre grande passion, les mathématiques. Durant le conflit qui oppose la Russie à la Pologne, peu après la Première Guerre mondiale, Neyman est emprisonné en Russie en tant que ressortissant d'un pays ennemi. En 1921, libéré à la faveur d'un échange de prisonniers, il revient en Pologne. Il entreprend alors une carrière de recherche en statistique et étudie cette science à différentes universités de Pologne, notamment à Varsovie et à Cracovie. En 1925, il obtient une bourse d'études de la Fondation Rockefeller, ce qui l'amène à travailler à Londres avec Karl Pearson. Au cours de la décennie suivante, il fait des recherches innovatrices en statistique, en collaboration avec Egon Pearson, le fils de Karl. Ensemble, ils établissent les fondations de la théorie des tests d'hypothèses. Neyman élabore une théorie de l'estimation par intervalle de confiance et approfondit ses recherches en collaboration avec ses étudiants. À ce propos, David Kendall affirma un jour : « Nous avons tous appris à discuter de statistique avec un accent polonais. »

La situation économique difficile en Pologne incite Neyman à aller travailler au laboratoire d'Egon Pearson à Londres en 1934, avant de se rendre à Berkeley, en Californie, en 1938. Là, il met sur pied un département de statistique qui deviendra l'un des meilleurs au monde.

Les travaux de Jerzy Neyman ont été mondialement reconnus. Il a été décoré de la Guy Medal in Gold par la Royal Statistical Society (Londres) et de la U.S. National Medal of Sciences. Pour une biographie plus détaillée de Jerzy Neyman, vous pouvez consulter l'ouvrage de James W. Tankard Jr., *The Statistical Pioneers,* Schenkman Publishing, 1984.

INTRODUCTION

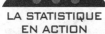

LA STATISTIQUE EN ACTION

L'estimation de la consommation de carburant

Les estimations de consommation d'essence maintenant affichées sur la plupart des véhicules neufs sont devenues un facteur déterminant au moment de l'achat d'une automobile. Toutefois, peu de consommateurs connaissent la signification réelle de ces chiffres.

Les estimations de consommation d'essence se font à partir de données obtenues lors de tests en laboratoire avec un prototype de pré-production. Le véhicule testé roule sur un tapis dans des conditions rigoureusement contrôlées. On interrompt toutes les fonctions électriques commandées par le conducteur. Par conséquent, la consommation réelle d'essence pourra varier considérablement de la consommation estimée selon la façon de conduire, le moment et l'endroit où le véhicule est conduit, et les fonctions électriques supplémentaires actionnées par le conducteur. En fait, ces estimations permettent surtout de comparer la consommation d'essence de différents véhicules.

Au chapitre 8, nous avons étudié le concept d'échantillonnage. Nous avons vu qu'il était souvent impossible d'analyser une population dans son entier. En effet, il arrive que cette tâche soit trop longue, qu'elle entraîne la destruction des produits ou atteigne des coûts prohibitifs. Nous avons présenté plusieurs méthodes d'échantillonnage et nous avons étudié la distribution de la moyenne d'un échantillon aléatoire simple prélevé avec remise dans la population de référence.

Au chapitre 8, nous avons supposé que la valeur de certains paramètres de la population était connue, par exemple la moyenne ou l'écart type. Toutefois, dans la plupart des applications en gestion et en économie, de tels renseignements *ne sont pas* disponibles. En fait, l'estimation des paramètres d'une population constitue une application importante de l'échantillonnage. Il arrive souvent, par exemple, qu'on veuille connaître la valeur de la moyenne d'une population alors qu'on ne peut collecter les données de la population entière. Dans un tel cas, on sélectionne aléatoirement un échantillon d'observations dans la population, à partir duquel on calcule une valeur qui devrait s'approcher de la moyenne de la population. Cette valeur se nomme une *estimation de la moyenne de la population*. La moyenne de l'échantillon sélectionné est habituellement utilisée pour estimer la moyenne de la population. La formule de la moyenne de l'échantillon se nomme l'*estimateur de la moyenne de la population*. Il peut aussi arriver qu'on veuille estimer la valeur de la variance de la population. Dans ce cas, la variance de l'échantillon sélectionné est en général utilisée comme estimation de la variance de la population. Dans ce chapitre, nous présentons les concepts fondamentaux de la théorie de l'estimation et de l'inférence en statistique.

 On peut obtenir une estimation d'un paramètre de population en suivant les deux étapes ci-dessous :
i) à l'aide d'une méthode d'échantillonnage appropriée, on sélectionne un échantillon d'une taille donnée dans la population ;
ii) à l'aide d'une statistique appropriée définie à partir de l'échantillon, on obtient l'estimation désirée.
La statistique utilisée correspond à l'**estimateur du paramètre.** La valeur de l'estimateur, calculée à partir des données observées dans l'échantillon, constitue l'**estimation du paramètre.**

Dans ce manuel, nous supposerons, dans la plupart des cas, que les résultats sont obtenus à l'aide d'un *échantillon aléatoire simple*. L'estimateur résultant est donc une variable aléatoire.

Dans ce chapitre, nous présentons deux méthodes importantes pour estimer un paramètre d'une population : i) *l'estimation ponctuelle* et ii) *l'estimation par intervalle*. Une estimation ponctuelle n'est constituée que d'un seul nombre (comme 3,6 ou −2,1). Ce nombre correspond à la valeur de l'estimateur calculée à partir des données de l'échantillon. Une estimation par intervalle nous donne plus d'information. Chaque estimation fournit un intervalle de valeurs pour estimer le paramètre de la population.

Comme nous le verrons, une estimation par intervalle peut contenir ou non la valeur du paramètre qu'on veut estimer. Deux critères permettent d'évaluer la qualité d'un intervalle pour estimer un paramètre :
i) le niveau de confiance : on peut le définir comme la probabilité que l'intervalle contienne la valeur réelle du paramètre de la population ;
ii) la précision ou marge d'erreur : elle se mesure à l'aide de l'amplitude de l'intervalle et dépend du niveau de confiance et de l'erreur type de l'estimateur.

Le niveau de confiance et la précision (ou marge d'erreur) sont généralement inversement liés. Pour une taille d'échantillon fixée, plus le niveau de confiance est élevé, moins la précision de l'intervalle sera bonne. Nous verrons comment élaborer un intervalle ayant un niveau de confiance suffisamment élevé tout en conservant une marge d'erreur suffisamment petite.

Sauf indication contraire, nous supposerons dans ce chapitre que les données proviennent d'un échantillon aléatoire simple prélevé avec remise (ASAR). Rappelez-vous cependant que lorsque la taille N de la population est très grande, un prélèvement sans remise (ASSR) donne sensiblement les mêmes résultats qu'un prélèvement avec remise (ASAR).

9.1 L'ESTIMATEUR ET L'ESTIMATION PONCTUELLE

 Un **estimateur** est une statistique d'échantillon utilisée pour estimer la valeur d'un paramètre de population. C'est une variable aléatoire. La valeur prise par l'estimateur dans un échantillon donné se nomme **estimation ponctuelle.**

Supposons qu'on veuille estimer le nombre d'heures moyen consacré au travail par les cadres de Nortel la semaine dernière. Ici, la population est constituée par tous les cadres de Nortel, et la variable qui nous intéresse est le nombre d'heures que chacun d'eux a consacré à son travail. Le paramètre qu'on veut estimer est la moyenne de cette variable dans la population considérée. Pour obtenir l'estimation désirée, on pourrait sélectionner un échantillon aléatoire de 50 cadres et utiliser la moyenne de l'échantillon comme estimateur. Notez que cet estimateur est une variable aléatoire puisqu'il peut prendre différentes valeurs selon l'échantillon sélectionné. Supposons que pour un échantillon spécifique de 50 cadres, la moyenne soit de 56,2 heures. Ce nombre constitue une estimation ponctuelle de la moyenne de la population. Il s'agit en fait de la valeur de l'estimateur calculée à partir de l'échantillon observé. On donne ci-dessous d'autres exemples d'estimation ponctuelle.

- Une politicienne souhaite estimer le pourcentage d'électeurs qui l'appuient. La proportion d'électeurs appuyant la politicienne dans un échantillon aléatoire de 1000 électeurs est un bon estimateur du pourcentage d'électeurs qui l'appuient dans la population.

- On peut évaluer la vigueur de l'économie nationale à l'aide de la moyenne et de la variance du revenu familial annuel. Statistique Canada utilise la moyenne et la variance des revenus familiaux annuels d'un échantillon aléatoire de 38 000 familles pour estimer la moyenne et la variance du revenu familial annuel de la population.

- Des études médicales récentes révèlent que l'exercice joue un rôle important dans le maintien de la santé. Le directeur des ressources humaines chez OCF, un important fabricant de vitres, souhaite estimer le nombre moyen d'heures que ses employés consacrent à l'exercice chaque semaine. Un échantillon de 70 employés a permis d'observer une moyenne de 3,3 heures d'exercice la semaine dernière. La moyenne de l'échantillon (3,3 heures) est une estimation ponctuelle de la moyenne inconnue de la population.

Le choix d'un estimateur dépend de sa capacité à fournir une valeur suffisamment proche de la valeur réelle du paramètre de la population. Évidemment, un estimateur idéal prendrait toujours exactement la valeur du paramètre d'intérêt de la population. Il n'est toutefois pas possible de définir un tel estimateur, à moins que notre échantillon corresponde à la population entière. Dans certaines situations, il est même carrément impossible d'obtenir une estimation ponctuelle exactement égale à la valeur réelle du paramètre de la population.

Supposons qu'on s'intéresse à la taille (en cm) des quatre étudiants d'une classe, et que les données de la population soient {162, 172, 158, 180}.

La moyenne de la population est donc de 168 cm. Supposons qu'un chercheur n'ayant pas accès à la population entière veuille estimer la moyenne de la population et utilise la moyenne d'un échantillon de taille 2 comme estimateur. Aucune des 10 valeurs possibles de l'estimateur n'est égale à la valeur de la moyenne de la population (vous pouvez le vérifier en calculant les valeurs de la moyenne d'échantillon pour chacun des 16 échantillons avec remise possibles de taille 2). Donc, il n'y a aucune chance que l'estimation ponctuelle obtenue par le chercheur soit exactement égale à la valeur réelle de la moyenne de la population.

Il est souhaitable que les valeurs possibles d'un estimateur se concentrent autour de la valeur réelle du paramètre et soient réparties également des deux côtés de celle-ci. L'absence de biais, l'efficacité et la convergence sont des propriétés que devrait posséder un bon estimateur.

L'ABSENCE DE BIAIS

Un estimateur est **non biaisé** si sa valeur espérée est égale au paramètre qu'il estime. Cela implique que si l'on sélectionne un grand nombre d'échantillons, les estimations ponctuelles calculées à partir de chacun d'eux seront réparties des deux côtés du paramètre de la population, et la moyenne de ces estimations sera certainement assez rapprochée de la valeur réelle du paramètre de la population.

 Un estimateur **non biaisé** est un estimateur dont la valeur espérée est égale au paramètre à estimer.

La différence entre la valeur espérée de l'estimateur et la valeur réelle du paramètre à estimer se nomme le biais (voir la figure 9.1).

Au chapitre 8, nous avons vu que pour la moyenne $\bar{X}$ de l'échantillon, $E(\bar{X}) = \mu$. Donc, $\bar{X}$ est un estimateur non biaisé de la moyenne de la population μ. Par contre, la médiane d'un échantillon n'est pas toujours un estimateur non biaisé de μ. On peut également démontrer que la variance de l'échantillon S^2 est un estimateur non biaisé de la variance de la population σ^2.

FIGURE 9.1   La distribution d'un estimateur d'un paramètre de population θ

a) Estimateur non biaisé

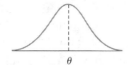

θ

b) Estimateur biaisé

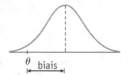

θ ⊢ biais

■ RÉVISION 9.1

Supposons qu'on s'intéresse à la taille des quatre étudiants d'une classe et que les données de cette population soient {160, 170, 165, 173}. Trouvez les valeurs espérées de la variance et de l'écart type d'un échantillon aléatoire avec remise de taille 2. Vérifiez si la variance et l'écart type de l'échantillon sont des estimateurs non biaisés de la variance et de l'écart type de la population.

L'absence de biais est une propriété très importante qui sera primordiale pour les résultats présentés dans les sections 9.3 à 9.7. Toutefois, l'utilisation d'un estimateur non biaisé ne garantit pas que les estimations ponctuelles qui en découlent soient nécessairement proches de la valeur réelle du paramètre à estimer. Par exemple, supposons que la valeur d'un paramètre d'une population donnée soit connue et égale à 200. Considérons un estimateur de ce paramètre qui, selon l'échantillon sélectionné, ne pourrait prendre que deux valeurs, 20 et 380, chacune de ces valeurs ayant la même probabilité d'être observée. (Ce qui signifie que pour la moitié des échantillons possibles, l'estimation ponctuelle sera égale à 20 et pour l'autre moitié, elle sera égale à 380). Bien que l'estimateur utilisé soit non biaisé ($\frac{1}{2}(20) + \frac{1}{2}(380) = 200 =$ valeur du paramètre de la population), aucune des valeurs qu'il peut prendre ne s'approche du paramètre de la population.

On voit donc qu'un estimateur non biaisé n'est pas nécessairement un bon estimateur. Les valeurs possibles de l'estimateur doivent aussi se concentrer fortement autour de la valeur réelle du paramètre de la population.

L'EFFICACITÉ ET L'EFFICACITÉ RELATIVE

Le sens fondamental du terme **efficacité** implique que la probabilité que l'estimateur prenne une valeur proche du paramètre à estimer sera assez élevée. Si l'estimateur est non biaisé, l'efficacité peut se définir facilement en termes de sa variance.

On dit qu'un estimateur non biaisé est **relativement plus efficace** qu'un autre estimateur non biaisé si sa variance est plus petite. La figure 9.2 illustre les distributions de deux estimateurs non biaisés, A et B, d'un paramètre de population θ. L'estimateur A ayant une plus petite variance, il est relativement plus efficace que l'estimateur B.

Il va sans dire que si on a le choix entre deux estimateurs non biaisés, on choisira le plus efficace des deux, dans la mesure où les coûts associés aux estimations respectives sont à peu près les mêmes.

 Dans la classe de tous les estimateurs non biaisés d'un paramètre, le plus **efficace** est celui qui possède la plus petite variance.

Logiquement, le choix de la moyenne de l'échantillon comme estimateur de la moyenne de la population semble aller de soi. Ce choix peut aussi se justifier mathématiquement. On a déjà vu que la moyenne de l'échantillon est un estimateur non biaisé de μ. On peut montrer que, si la distribution de la variable étudiée suit une loi normale dans la population de référence, alors la moyenne d'un échantillon aléatoire de taille n possède la plus petite variance de tous les estimateurs sans biais de μ, quelle que soit la valeur de n. *La moyenne de l'échantillon est donc un estimateur efficace de μ.*

Un estimateur doit également être convergent. Nous étudierons cette propriété à la section 9.6.

FIGURE 9.2   La distribution de deux estimateurs non biaisés d'un paramètre de population θ

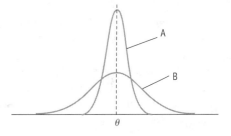

EXERCICES 9.1 À 9.4

9.1   Donnez la définition d'un estimateur non biaisé.

9.2   Supposez qu'on veuille estimer la valeur maximale d'une variable dans une population donnée. (Par exemple, on veut estimer la longueur du plus gros poisson d'un lac ou la plus grande baisse quotidienne de la valeur de l'indice TSE 300 survenue ces 30 dernières années.) Pour ce faire, on prélève, avec remise, un échantillon aléatoire de taille n dans la population de référence et l'on utilise la valeur maximale de l'échantillon comme estimateur.

    a) Croyez-vous que cet estimateur est non biaisé pour estimer le « maximum » de la population ? Expliquez votre réponse.

    b) Supposez que la population se compose des quatre étudiants d'une classe de statistique, que la variable étudiée soit la note obtenue et que les données de cette population soient {85, 60, 92, 78}. On prélève un échantillon de taille 2. Trouvez toutes les estimations ponctuelles possibles avec cet estimateur. Vérifiez s'il s'agit d'un estimateur non biaisé du « maximum » de la population.

9.3   Donnez la définition de l'efficacité relative d'un estimateur non biaisé.

9.4   La médiane de l'échantillon n'est pas toujours un estimateur non biaisé de la moyenne de la population μ. On peut tout de même démontrer qu'avec une population normalement distribuée, la médiane de l'échantillon $\hat{X}$ est telle que $E(\hat{X}) = \mu$, et $\sigma_{\hat{X}} = 1{,}25 \dfrac{\sigma}{\sqrt{n}}$. Pour une taille d'échantillon donnée, comparez la moyenne de l'échantillon à sa médiane. Déterminez lequel de ces estimateurs est relativement plus efficace pour estimer la moyenne d'une population normalement distribuée.

9.2 L'ESTIMATION PAR INTERVALLE ET L'INTERVALLE DE CONFIANCE

Dans la section précédente, nous avons vu que la valeur d'un estimateur sera rarement parfaitement égale à celle du paramètre de population que l'on veut estimer. Une estimation ponctuelle ne fournit pas assez d'information pour connaître le degré de proximité entre la valeur estimée et la valeur réelle du paramètre. Plutôt que de donner une estimation ponctuelle du paramètre, on préférera souvent l'estimer par un intervalle de valeurs. Une estimation par intervalle se révèle plus utile puisqu'on peut lui associer un niveau de confiance et un degré de précision (ou une marge d'erreur). Parmi tous les intervalles possibles qu'on peut obtenir à partir d'un estimateur, seulement certains contiendront la valeur réelle du paramètre qu'on veut estimer. Supposons qu'il y ait une probabilité de 0,9 qu'un intervalle contienne la valeur réelle du paramètre de la population (si l'on prélève un grand nombre d'échantillons de même taille, environ 90 % des intervalles contiendront la valeur réelle du paramètre de la population). On dit alors que l'intervalle utilisé pour estimer le paramètre est un *intervalle de confiance à 90 %* (ou à 0,9). La probabilité de 0,9 s'appelle le *niveau de confiance de l'intervalle*. On désigne habituellement le niveau de confiance par l'expression $(1 - \alpha)$. Donc, pour un niveau de confiance de 90 %, $(1 - \alpha) = 0{,}9$ ou $\alpha = 1 - 0{,}9 = 0{,}1$. Pour un niveau de confiance de 99 %, $\alpha = 1 - 0{,}99 = 0{,}01$. Les limites supérieure et inférieure d'un intervalle de confiance (ou bornes de l'intervalle) sont des variables aléatoires. Leur valeur peut varier selon l'échantillon observé.

> **_d_**   Un **intervalle de confiance** fournit un ensemble de valeurs plausibles du paramètre qu'on veut estimer. Avant d'observer un échantillon précis, on considère que les limites inférieure et supérieure (ou bornes) de l'intervalle sont des variables aléatoires. Si la probabilité que l'intervalle contienne la valeur réelle du paramètre est fixée à $(1 - \alpha)$, on dit que cet intervalle est un **intervalle de confiance** à $(1 - \alpha)$ et que son **niveau de confiance** est de $(1 - \alpha)$.

Supposons qu'on veuille estimer le revenu moyen des cadres intermédiaires dans le secteur de la vente au détail, à l'aide d'un intervalle de confiance à 95 %. Si l'on calcule l'intervalle plusieurs fois à partir d'échantillons différents, certains de ces intervalles contiendront la valeur réelle du revenu moyen, alors que d'autres ne la contiendront pas.

La figure 9.3 présente certains intervalles possibles. Il faut noter que tous les intervalles n'incluent pas la valeur réelle de la moyenne de la population. Les deux bornes du cinquième intervalle sont en deçà de la moyenne de la population. Puisque le niveau de confiance est fixé à 95 %, environ 95 % de ces intervalles contiendront la vraie valeur du revenu moyen, et 5 % d'entre eux ne la contiendront pas.

Afin de prendre certaines décisions politiques importantes, supposons qu'une agence gouvernementale veuille estimer le revenu annuel moyen des travailleurs de la construction. Supposons aussi qu'on utilise un intervalle de confiance à 90 % et qu'on obtienne l'intervalle suivant : (53 000 \$, 59 000 \$). Comme on a fixé le niveau de confiance à 90 %, l'intervalle obtenu peut contenir ou non la valeur réelle de la moyenne de la population (il y a une probabilité de 0,9 d'obtenir un intervalle qui contiendra la valeur de la moyenne de la population). L'agence devrait-elle alors supposer que cet intervalle particulier contient la moyenne de la population et l'utiliser dans sa prise de décision ? La direction devra répondre à cette question en se basant sur deux critères : i) la valeur du niveau de confiance de l'intervalle et ii) le coût d'une décision qui serait basée sur de mauvais renseignements, s'il s'avère que l'intervalle ne contient pas la valeur réelle de la moyenne de la population. Dans certaines applications, un niveau de confiance de 90 % est considéré comme suffisant, mais il existe des situations délicates où l'on a besoin d'un plus grand niveau de confiance.

FIGURE 9.3   Quelques estimations par intervalle de confiance de μ

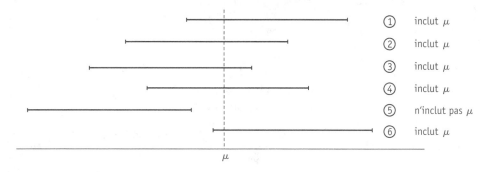

Une méthode pratique pour construire un intervalle de confiance afin d'estimer un paramètre d'une population consiste à prendre un estimateur non biaisé du paramètre et à définir un intervalle d'amplitude raisonnable autour de sa valeur. On verra comment construire de tels intervalles pour la moyenne et la proportion de la population.

9.3 L'INTERVALLE DE CONFIANCE POUR LA MOYENNE DE LA POPULATION LORSQUE L'ÉCART TYPE σ DE LA POPULATION EST CONNU

Au chapitre 7, nous avons vu comment calculer les probabilités correspondant à la variable normale centrée réduite Z. Toutefois, nous utiliserons ici une nouvelle notation.

On nommera *aire à droite* la région sous la courbe Z à droite d'une valeur z donnée, et *aire à gauche* la région sous la courbe à gauche d'une valeur z donnée.

Pour toute valeur de α entre 0 et 1, on utilise la notation z_α pour désigner la valeur z avec une aire à droite (probabilité) correspondante égale à α. Si α se situe entre 0 et 0,5, l'aire entre 0 et z_α est de $(0,5 - \alpha)$. La valeur z_α est donc la valeur z dans la table normale centrée réduite (cette table est présentée à l'annexe F) correspondant à une probabilité de $(0,5 - \alpha)$.

Par exemple, $z_{0,05}$ est la valeur de z dans la table normale correspondant à la probabilité $(0,5 - 0,05) = 0,45$ et est égale à 1,645 ; $z_{0,025}$ est la valeur de z dans la table normale correspondant à la probabilité $(0,5 - 0,025) = 0,475$ et est égale à 1,96.

Vu la symétrie de la courbe normale centrée réduite, l'aire à gauche de $-z_\alpha$ est également α. Donc, pour toute valeur de α entre 0 et 1, les probabilités correspondant à l'aire à gauche de $-z_{\alpha/2}$ et à l'aire à droite de $z_{\alpha/2}$ sont toutes deux égales à $\alpha/2$.

Puisque l'aire totale sous la courbe normale est égale à 1, l'aire entre $-z_{\alpha/2}$ et $z_{\alpha/2}$ est de $(1 - \alpha)$.

On a donc :

$$P(-z_{\alpha/2} \leq Z \leq z_{\alpha/2}) = (1 - \alpha) \qquad \textbf{9.1}$$

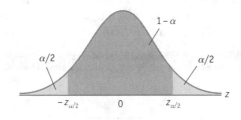

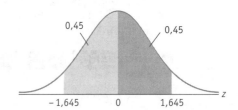

Par exemple, pour $\alpha = 0,1$, on a $\alpha/2 = 0,05$, $z_{0,05} = 1,645$, et $(1 - \alpha) = 0,9$. Ainsi, $P(-1,645 \leq Z \leq 1,645) = 0,9$.

De la même façon, on obtient :

$$P(-1,96 \leq Z \leq 1,96) = 0,95$$
$$P(-2,58 \leq Z \leq 2,58) = 0,99$$

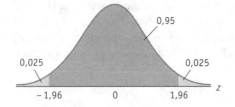

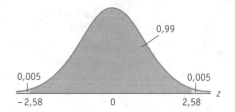

Au chapitre 8, nous avons vu que la valeur espérée de la moyenne $\bar{X}$ de l'échantillon est $E(\bar{X}) = \mu$ (la moyenne de la population) et que son écart type (qu'on nomme aussi erreur type de la moyenne) est $\sigma_{\bar{X}} = \dfrac{\sigma}{\sqrt{n}}$, où σ est l'écart type de la population. De plus, si la distribution de la population est approximativement normale ou si la taille de l'échantillon est grande, la distribution de $\bar{X}$ est alors approximativement normale, et $Z = \dfrac{\bar{X} - \mu}{\sigma/\sqrt{n}}$ est approximativement une variable normale centrée réduite. En substituant cette expression à Z dans la formule 9.1, on obtient :

$$P\left(-z_{\alpha/2} \le \frac{\bar{X} - \mu}{\sigma/\sqrt{n}} \le z_{\alpha/2}\right) = (1 - \alpha) \qquad \textbf{9.2}$$

Une simple manipulation algébrique de la formule 9.2 donne ce qui suit[1] :

$$P(\bar{X} - z_{\alpha/2}\,\sigma/\sqrt{n} \le \mu \le \bar{X} + z_{\alpha/2}\,\sigma/\sqrt{n}) = (1 - \alpha) \qquad \textbf{9.3}$$

Par exemple,

$$P(\bar{X} - 1{,}645\sigma/\sqrt{n} \le \mu \le \bar{X} + 1{,}645\sigma/\sqrt{n}) = 0{,}90$$
$$P(\bar{X} - 1{,}96\sigma/\sqrt{n} \le \mu \le \bar{X} + 1{,}96\sigma/\sqrt{n}) = 0{,}95$$
$$P(\bar{X} - 2{,}58\sigma/\sqrt{n} \le \mu \le \bar{X} + 2{,}58\sigma/\sqrt{n}) = 0{,}99$$

■ RÉVISION 9.2

Trouvez la valeur appropriée de z dans chacun des cas suivants :

   a) $P(\bar{X} - z\sigma/\sqrt{n} \le \mu \le \bar{X} + z\sigma/\sqrt{n}) = 0{,}8$

   b) $P(\bar{X} - z\sigma/\sqrt{n} \le \mu \le \bar{X} + z\sigma/\sqrt{n}) = 0{,}94$

   c) $P(\bar{X} - z\sigma/\sqrt{n} \le \mu \le \bar{X} + z\sigma/\sqrt{n}) = 0{,}98$

Les expressions ci-dessus peuvent être interprétées de la manière décrite ci-après. Supposons que la population soit normalement distribuée ou que la taille n de l'échantillon soit suffisamment grande. Pour un échantillon aléatoire de taille n, la probabilité que l'intervalle $(\bar{X} - 1{,}645\sigma/\sqrt{n},\ \bar{X} + 1{,}645\sigma/\sqrt{n})$ contienne la valeur réelle de la moyenne de la population μ est alors de 0,9 (notez que les bornes de l'intervalle sont des variables aléatoires). Donc, $(\bar{X} - 1{,}645\sigma/\sqrt{n},\ \bar{X} + 1{,}645\sigma/\sqrt{n})$ est un intervalle de confiance à 90 %.

On l'écrit souvent sous la forme $(\bar{X} \pm 1{,}645\sigma/\sqrt{n})$.

Il s'ensuit également que $(\bar{X} - 1{,}96\sigma/\sqrt{n},\ \bar{X} + 1{,}96\,\sigma\sqrt{n})$ ou $(\bar{X} \pm 1{,}96\sigma/\sqrt{n})$ est un intervalle de confiance à 95 %, et que $(\bar{X} - 2{,}58\,\sigma/\sqrt{n},\ \bar{X} + 2{,}58\,\sigma/\sqrt{n})$ ou $(\bar{X} \pm 2{,}58\sigma/\sqrt{n})$ est un intervalle de confiance à 99 %.

En général,

$$(\bar{X} - z_{\alpha/2}\sigma/\sqrt{n},\ \bar{X} + z_{\alpha/2}\sigma/\sqrt{n})\ \text{ou}\ (\bar{X} \pm z_{\alpha/2}\sigma/\sqrt{n}) \qquad \textbf{9.4}$$

est un intervalle de confiance à $(1 - \alpha)$ pour estimer la moyenne de la population μ.
$(1 - \alpha)$ est le niveau de confiance ;
$\bar{X} - z_{\alpha/2}\sigma/\sqrt{n}$ est la limite inférieure (ou borne inférieure) de l'intervalle ;
$\bar{X} + z_{\alpha/2}\sigma/\sqrt{n}$ est la limite supérieure (ou borne supérieure) de l'intervalle.

■ RÉVISION 9.3

Supposons qu'un échantillon aléatoire de taille n soit prélevé dans une population dont la distribution est approximativement normale. Trouvez les expressions dans chacun des cas suivants.

    a) Un intervalle de confiance à 80 % pour estimer la moyenne de la population.
    b) Un intervalle de confiance à 98 % pour estimer la moyenne de la population.
    c) Un intervalle de confiance à 85 % pour estimer la moyenne de la population.

LA SIMULATION PAR ORDINATEUR

À l'aide d'un ordinateur, on peut sélectionner au hasard des échantillons à partir des données d'une population, calculer rapidement les intervalles de confiance et démontrer que ces intervalles de confiance incluent habituellement, mais pas toujours, la valeur du paramètre de la population. L'exemple 9.1 nous aidera à le démontrer.

Exemple 9.1

D'après son expérience de plusieurs années dans le secteur de la location d'automobiles, la Town Bank sait que la distance parcourue (en milliers de kilomètres) durant une location de quatre ans est normalement distribuée avec une moyenne de 80 et un écart type de 8. On veut déterminer quelle proportion des intervalles de confiance à 95 % inclura la valeur réelle de la moyenne de la population, qui est de 80. Sélectionnez 60 échantillons aléatoires de taille 30, issus d'une distribution normale de moyenne 80 et d'écart type 8. Pour chaque échantillon, calculez l'estimation par intervalle avec un niveau de confiance de 95 %.

Solution

On suit les instructions (voir la feuille de calcul Excel 9.4) pour générer 60 échantillons aléatoires, chacun de taille 30, issus d'une distribution normale de moyenne 80 et d'écart type 8. Ensuite, on calcule les 60 intervalles correspondants.

Le tableau de la page suivante contient les résultats des 60 échantillons. Parmi les 60 intervalles obtenus avec un niveau de confiance de 95 %, 2 seulement (ou 3,33 %) n'incluent pas la moyenne de la population (80). Les intervalles qui *n'incluent pas* la moyenne de la population sont imprimés en caractères gras. Ainsi, 96,67 % des intervalles, soit 58 sur 60, contiennent la valeur réelle de la moyenne de la population, ce qui est très proche du niveau de confiance fixé à 95 %. Notez qu'on obtiendrait fort probablement une proportion légèrement différente avec un autre ensemble de 60 échantillons.

Numéro de l'échantillon	Moyenne	Intervalle de confiance à 95 %	Numéro de l'échantillon	Moyenne	Intervalle de confiance à 95 %
1	81,81	(78,95 ; 84,67)	31	81,67	(78,81 ; 84,53)
2	79,92	(77,06 ; 82,78)	32	82,09	(79,23 ; 84,96)
3	80,33	(77,47 ; 83,19)	33	78,91	(76,04 ; 81,77)
4	81,02	(78,15 ; 83,88)	34	79,90	(77,03 ; 82,76)
5	78,98	(76,12 ; 81,84)	35	82,16	(79,30 ; 85,03)
6	79,13	(76,27 ; 82,00)	36	79,16	(76,30 ; 82,03)
7	80,90	(78,04 ; 83,77)	37	80,10	(77,23 ; 82,96)
8	79,18	(76,32 ; 82,04)	38	78,13	(75,27 ; 81,00)
9	**76,95**	**(74,09 ; 79,81)**	39	81,40	(78,54 ; 84,26)
10	78,79	(75,92 ; 81,65)	40	81,09	(78,23 ; 83,95)
11	78,86	(76,00 ; 81,73)	41	79,04	(76,17 ; 81,90)
12	81,93	(79,06 ; 84,79)	42	77,37	(74,50 ; 80,23)
13	82,45	(79,59 ; 85,32)	43	78,98	(76,12 ; 81,84)
14	79,92	(77,06 ; 82,78)	44	80,50	(77,63 ; 83,36)
15	79,60	(76,74 ; 82,47)	**45**	**83,43**	**(80,57 ; 86,29)**
16	78,50	(75,64 ; 81,36)	46	79,42	(76,56 ; 82,28)
17	79,95	(77,08 ; 82,81)	47	78,07	(75,21 ; 80,93)
18	79,79	(76,93 ; 82,65)	48	81,95	(79,09 ; 84,81)
19	80,67	(77,81 ; 83,54)	49	81,63	(78,77 ; 84,49)
20	78,98	(76,11 ; 81,84)	50	77,99	(75,13 ; 80,85)
21	81,01	(78,14 ; 83,87)	51	80,09	(77,23 ; 82,96)
22	80,24	(77,38 ; 83,10)	52	81,46	(78,60 ; 84,32)
23	77,95	(75,09 ; 80,81)	53	78,05	(75,19 ; 80,92)
24	79,39	(76,52 ; 82,25)	54	79,72	(76,86 ; 82,58)
25	79,53	(76,67 ; 82,40)	55	79,46	(76,60 ; 82,32)
26	78,94	(76,07 ; 81,80)	56	79,53	(76,67 ; 82,39)
27	78,01	(75,15 ; 80,87)	57	79,46	(76,60 ; 82,32)
28	81,16	(78,30 ; 84,03)	58	79,84	(76,97 ; 82,70)
29	81,18	(78,32 ; 84,04)	59	78,31	(75,44 ; 81,17)
30	79,54	(76,68 ; 82,40)	60	79,73	(76,87 ; 82,59)

FEUILLE DE CALCUL EXCEL 9.4

Instructions pour Microsoft Excel : Génération de données aléatoires*

A. Dans la barre de menus, cliquez sur Outils, puis sélectionnez Utilitaire d'analyse et Génération de nombres aléatoires.

B. Entrez le nombre d'échantillons sélectionnés dans la fenêtre Nombre de variables (= 60 dans le cas présent) et la taille de chaque échantillon dans la fenêtre Nombre d'échantillons générés (= 30). Choisissez le type de distribution (= normale) et entrez les valeurs de la moyenne (= 80) et de l'écart type (= 8) dans les zones prévues à cet effet.

Instructions pour Microsoft Excel : Estimation d'un intervalle de confiance

A. Trouvez la moyenne de chacune des 60 colonnes (A à BH) (voir les instructions au chapitre 3, page 92).

B. Copiez les valeurs correspondant aux moyennes et collez-les dans une nouvelle colonne (BJ). (Cette manœuvre peut être exécutée comme suit : au moment de coller les valeurs de moyennes, cliquez avec le bouton droit de la souris sur la colonne BJ1, puis sélectionnez Collage spécial. Dans la boîte de dialogue, cochez ensuite les cases Valeurs et Transposé.)

C. Dans la nouvelle colonne BK, entrez les 60 valeurs de $z_{\alpha/2}\, \sigma/\sqrt{n}$ [dans le cas présent, $(1,96)8/\sqrt{30} = 2,86$].

D. Faites correspondre les colonnes comme suit : BL1 = BJ1 − BK1, puis BM1 = BJ1 + BK1. Déplacez ensuite le pointeur le long des colonnes BL1 et BM1 de manière à englober 60 cellules. Les entrées des colonnes BL et BM représenteront respectivement les bornes (ou limites) inférieures et supérieures des intervalles de confiance.

* Dans la version française d'Excel, l'expression « *Number of Randoms Numbers* » a été traduite par « Nombres d'échantillons générés ». Il s'agit en fait du nombre d'observations qu'on veut générer dans chaque échantillon.

Exemple 9.2

Un professeur d'économie veut estimer la valeur moyenne des bénéfices par action des 1000 plus grandes entreprises au Canada. Il a donc sélectionné un échantillon aléatoire de 30 entreprises à partir de la liste des *Top 1000* du *Report on Business* publié par *The Globe and Mail,* et il a noté les bénéfices par action de chacune d'elles. Les données de l'échantillon sont présentées ci-dessous.

0,30	1,39	0,51	1,24	−0,24	0,68	1,61	8,21	−3,04	0,07
−0,14	0,17	6,61	−12,21	1,12	−0,98	0,69	0,2	0,42	−3,04
2,94	−0,44	−0,56	−0,26	1,61	1,23	0,04	1,2	0,13	−0,52

On suppose que la distribution de la population est approximativement normale, avec un écart type de 3,04.

a) Déterminez une estimation ponctuelle de la valeur moyenne des bénéfices par action des 1000 plus grandes entreprises au Canada.

b) Déterminez un intervalle de confiance à 95 % pour estimer la valeur moyenne des bénéfices par action de ces 1000 entreprises.

c) Interprétez les résultats.

Solution

Puisque la distribution de la population est approximativement normale, la distribution de $\bar{X}$ est, elle aussi, approximativement normale.

a) Le meilleur estimateur qu'on peut utiliser pour estimer la moyenne de la population est la moyenne de l'échantillon. L'estimation ponctuelle qui en découle est

$$\bar{x} = \frac{(0,3 + 1,39 + \ldots + 0,13 - 0,52)}{30} = 0,298.$$

b) En utilisant la formule 9.4, on obtient, pour un niveau de confiance de 95 %, l'intervalle :

$$(\bar{x} \pm z_{0,025}\sigma/\sqrt{n}) = (0,298 \pm (1,96)(3,04)/\sqrt{30}) = (0,298 \pm 1,088) \text{ ou } (-0,790 \,; 1,386).$$

c) On peut interpréter l'intervalle de confiance à 95 % de la manière suivante : supposons qu'on sélectionne un grand nombre d'échantillons de 30 entreprises chacun, que l'on calcule la moyenne de chaque échantillon et l'intervalle de confiance à 95 % correspondant, comme on l'a fait précédemment, alors environ 95 % de ces intervalles contiendront la valeur réelle de la moyenne de la population μ et environ 5 % des intervalles ne la contiendront pas. On ignore si l'intervalle $(-0,790 \,; 1,386)$ obtenu plus haut est un de ceux qui contiennent la valeur réelle de μ, mais puisque le niveau de confiance est élevé, on pourrait raisonnablement penser que oui.

■ RÉVISION 9.4

Supposons que le taux de variation mensuel de l'indice TSE 300 entre 1980 et 2000 ait une distribution approximativement normale avec un écart type de 2,05 %. Pour estimer la moyenne du taux de variation mensuel durant cette période, on a sélectionné un échantillon de taille 20 (voir les données ci-dessous). (Source : Statistique Canada, CANSIM D100050.)

3,92	1,69	1,79	−1,00	−2,05	1,41	2,65	−1,09	3,92	1,48
2,00	0,85	0,31	1,46	3,92	0,94	0,46	2,91	0,23	0,71

Déterminez une estimation par intervalle de confiance à 90 % de la moyenne de la population considérée.

LA MARGE D'ERREUR

 Dans l'expression $(\overline{X} \pm z_{\alpha/2}\sigma/\sqrt{n})$ qui définit un intervalle de confiance de niveau $(1 - \alpha)$ pour estimer la moyenne μ d'une population, le terme $\pm z_{\alpha/2}\sigma/\sqrt{n}$ se nomme la **marge d'erreur.**

Donc, la marge d'erreur associée à un intervalle de confiance à 90 % pour estimer μ est $\pm 1{,}645\sigma/\sqrt{n}$, et elle est $\pm 1{,}96\sigma/\sqrt{n}$ pour un intervalle de confiance à 95 %. La marge d'erreur permet de déterminer l'amplitude (ou la précision) de l'intervalle de confiance. Sa valeur dépend de σ, de n et du niveau de confiance $(1 - \alpha)$. Pour des valeurs fixées de σ et de n, si l'on augmente le niveau de confiance, α diminue et donc $z_{\alpha/2}$ augmente. Cela entraîne une augmentation de la marge d'erreur et de l'amplitude de l'intervalle, et par conséquent, une diminution de sa précision. Il faut noter que pour un niveau de confiance $(1 - \alpha)$ fixé, l'augmentation de la taille n de l'échantillon entraîne une diminution de la marge d'erreur de l'intervalle. (Par exemple, calculez les marges d'erreur pour $[\sigma = 2, (1 - \alpha) = 0{,}95, n = 10]$ et pour $[\sigma = 2, (1 - \alpha) = 0{,}95, n = 50]$. Nous reviendrons sur cette question à la section 9.6.

EXERCICES 9.5 À 9.8

9.5   Donnez les expressions de l'erreur type de la moyenne, de la marge d'erreur et de l'intervalle de confiance pour estimer la moyenne μ d'une population dans chacun des cas suivants :
   a) On prélève, dans une population approximativement normale, un échantillon aléatoire de taille 8 et l'on veut que $\alpha = 0{,}1$.
   b) On prélève un échantillon de taille 50 et l'on veut que $\alpha = 0{,}025$.
   c) On prélève un échantillon de taille 60 et l'on veut que $\alpha = 0{,}01$.

9.6   Trouvez les expressions de la marge d'erreur et de l'intervalle de confiance pour estimer la moyenne μ d'une population dans chacun des cas suivants :
   a) La taille de l'échantillon est égale à 64 et $\alpha = 0{,}025$.
   b) La distribution de la population est approximativement normale, la taille de l'échantillon est égale à 15, et $\alpha = 0{,}01$.
   c) La taille de l'échantillon est égale à 100 et $\alpha = 0{,}05$.
   d) La distribution de la population est approximativement normale, la taille de l'échantillon est égale à 9 et $\alpha = 0{,}1$.

9.7   L'Association canadienne des producteurs de betterave à sucre veut estimer la consommation annuelle moyenne de sucre des Canadiens d'âge adulte. Un échantillon de 16 Canadiens a permis d'observer une consommation annuelle moyenne de 26 kg. En supposant que la distribution de la population soit approximativement normale, avec un écart type de 6 kg, donnez une estimation par intervalle de confiance à 90 % de la moyenne de la population.

9.8   La Chambre de commerce de la région du Grand Toronto veut estimer le temps moyen que les travailleurs ayant un emploi au centre-ville prennent pour se rendre au travail. Un échantillon de 15 travailleurs indique les temps suivants (en minutes) :

29	38	38	33	37	21	42	34	29	35
40	38	34	42	30					

En supposant que la distribution soit approximativement normale dans la population de référence, avec un écart type de 5,2, donnez une estimation par intervalle de confiance à 98 % pour la moyenne de la population. Interprétez le résultat.

9.4 L'INTERVALLE DE CONFIANCE POUR LA MOYENNE DE LA POPULATION LORSQUE L'ÉCART TYPE σ DE LA POPULATION EST INCONNU

À la section 9.3, nous avons obtenu l'expression d'un intervalle de confiance pour estimer la moyenne de la population, basé sur la moyenne de l'échantillon lorsque : i) la distribution est approximativement normale dans la population de référence ou la taille de l'échantillon est assez grande et ii) la valeur de l'écart type σ de la population est connue. De telles situations sont très rares en économie et en gestion. Dans la plupart des cas pratiques, si la moyenne d'une population est inconnue, l'écart type l'est aussi. Nous examinerons maintenant les situations où μ et σ sont tous les deux inconnus. Dans l'annexe A du chapitre 9 (voir le cédérom accompagnant ce manuel), nous élaborons un intervalle de confiance pour estimer la variance σ^2 d'une population.

Dans cette section, nous développons un intervalle de confiance pour estimer μ lorsque :

 i) la population est normalement distribuée ; et

ii) l'écart type de la population est inconnu.

Nous avons vu que lorsque la population est normalement distribuée, $\bar{X}$ est aussi normalement distribuée avec une moyenne de μ et un écart type de $\dfrac{\sigma}{\sqrt{n}}$. Donc,

$\dfrac{\bar{X} - \mu}{\sigma/\sqrt{n}} = Z$ (la variable normale centrée réduite). Ainsi, l'expression de l'intervalle de confiance de niveau $(1 - \alpha)$ pour estimer μ est : $(\bar{X} \pm z_{\alpha/2}\, \sigma/\sqrt{n})$.

Si l'écart type σ de la population est inconnu, on ne peut calculer la valeur des bornes de l'intervalle. Une solution logique à ce problème serait de remplacer tout simplement σ par son estimateur S (l'écart type de l'échantillon). Toutefois, la variable aléatoire $\dfrac{\bar{X} - \mu}{S/\sqrt{n}}$ n'est pas normalement distribuée.

 La distribution de $\dfrac{\bar{X} - \mu}{S/\sqrt{n}}$ se nomme la **distribution t de Student avec $dl = (n - 1)$ degrés de liberté,** et la variable aléatoire correspondante est notée T.

 (Pour une définition plus précise de la distribution de Student, consultez l'annexe B du chapitre 9 sur le cédérom.)

WILLIAM SEALY GOSSET (1876-1937)

William Sealy Gosset naquit à Canterbury, en Angleterre. Il obtint un premier prix en mathématiques en 1897 et un diplôme avec mention d'honneur en chimie en 1899, au New College d'Oxford. Peu après, il entra au service d'Arthur Guinness and Sons, brasseur à Dublin, et il y demeura le reste de sa vie. Chez Guinness, William s'occupait de recherche statistique sur l'effet de différents facteurs sur la qualité de la bière. Ce travail consistait surtout à analyser des ensembles de données de petite taille. Comme la plupart des études statistiques disponibles à l'époque s'appliquaient à des échantillons de grande taille, Gosset consacra une partie importante de ses recherches à la mise au point de nouvelles théories s'appliquant aux petits échantillons.

Dans ce travail, il profita grandement de son association avec Karl et Egon Pearson, R. Fisher et J. Neyman. À cause de l'obsession du secret qui régnait à cette époque dans les cercles industriels du Royaume-Uni, Guinness lui permit de publier son travail à la condition d'utiliser un pseudonyme. Il publia donc son travail en utilisant le nom d'auteur « Student ». Son ouvrage le plus connu se trouve dans sa publication de 1908, *The Probable Error of a Mean*, où il donnait une caractérisation et une table des probabilités pour la distribution de $\dfrac{\overline{X} - \mu}{S/\sqrt{n}}$ lorsqu'un échantillon aléatoire de taille *n* est choisi dans une distribution normale. Cette distribution est maintenant connue sous le nom de « distribution *t* » ou « distribution de Student ».

Gosset était un homme modeste, gentil et tolérant, et il n'aimait pas la controverse. Il était également menuisier et adorait l'opéra. Pour une biographie plus détaillée de William Gosset, consultez l'ouvrage de E. S. Pearson, *"Student": A Statistical Biography of William Sealy Gosset*, R. L. Plackett et G. A. Barnard, Oxford, University Press, 1990.

LA DISTRIBUTION OU LOI DE STUDENT

La distribution *t* de Student présente les caractéristiques suivantes :

- Comme la loi normale centrée réduite, la distribution de Student est une distribution continue et son domaine de définition s'étend de $-\infty$ à $+\infty$.

- Comme la loi normale centrée réduite, la courbe de la distribution de Student est en forme de cloche et est symétrique par rapport à zéro.

- Chaque nombre de degrés de liberté dl = 1, 2, … définit une distribution de Student particulière.

- La distribution de Student est plus aplatie au centre que la loi normale. Pour des valeurs croissantes de dl, la distribution *t* de Student se rapproche de plus en plus de la distribution normale centrée réduite.

Différentes distributions *t* de Student et la distribution normale centrée réduite sont représentées graphiquement à la figure 9.5.

LES PROBABILITÉS AVEC UNE DISTRIBUTION *t* DE STUDENT

Gosset a élaboré une table de probabilités pour la loi de Student. Certaines probabilités clés et les valeurs de *t* correspondantes sont présentées dans la table « Loi *t* de Student » à l'annexe G de ce manuel. On la désignera simplement par le terme **table *t*.**

FIGURE 9.5   Les distributions t de Student pour $dl = 2$ et $dl = 10$ et la distribution normale centrée réduite

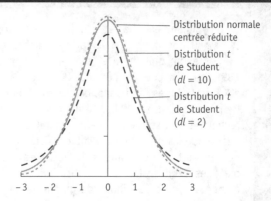

Supposons qu'on cherche la valeur t telle que l'aire (probabilité) sous la courbe de Student avec $dl = 12$ à droite de cette valeur soit de 0,025. On note cette valeur de t par $t_{0,025}$. Ce nombre se trouve dans la table t à l'intersection de la ligne correspondant à $dl = 12$ et de la colonne correspondant au « Seuil de signification pour un test unilatéral » = 0,025. Donc, $t_{0,025} = 2,179$.

Il faut noter qu'une distribution t est symétrique par rapport à zéro. La probabilité correspondant à l'aire à gauche de $-t_{0,025}$ ($= -2,179$) est aussi égale à 0,025. Ainsi, l'aire entre $-2,179$ et $+2,179$ est égale à $(1 - 0,025 - 0,025) = 0,95$.

   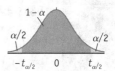

Généralement, pour toute valeur de α entre 0 et 1, la probabilité correspondant à l'aire à droite du nombre $t_{\alpha/2}$ est égale à $\alpha/2$; la probabilité correspondant à l'aire à gauche de $-t_{\alpha/2}$ est aussi égale à $\alpha/2$. La somme des aires de ces deux surfaces est égale à α. L'aire sous la courbe t entre $-t_{\alpha/2}$ et $t_{\alpha/2}$ est donc de $(1 - \alpha)$; c'est-à-dire que,

$$P(-t_{\alpha/2} \leq T \leq t_{\alpha/2}) = (1 - \alpha) \qquad \textbf{9.5}$$

La valeur de $t_{\alpha/2}$ est donnée dans la table t à l'intersection de la ligne correspondant au nombre de degrés de liberté dl et de la colonne correspondant au « Seuil de signification pour un test unilatéral » = $\alpha/2$.

Exemple 9.3
a) Trouvez $t_{0,1}$ pour une loi de Student avec $dl = 12$.
b) Trouvez la valeur t d'une variable de Student avec $dl = 20$ telle que l'aire sous la courbe à gauche de ce point soit de 0,01.
c) Trouvez la valeur t d'une variable de Student avec $dl = 15$ telle que l'aire sous la courbe à droite de ce point soit de 0,95.
d) Trouvez la valeur t d'une variable de Student avec $dl = 40$ telle que l'aire sous la courbe entre $-t$ et t soit de 0,9.

Solution
a) On trouve cette valeur dans la table t de Student à l'intersection de la ligne correspondant à $dl = 12$ et de la colonne correspondant au « Seuil de signification pour un test unilatéral » = 0,1. Elle est égale à 1,356.
b) La probabilité correspondant à l'aire à droite de $t_{0,01}$ est de 0,01. À cause de la symétrie de la courbe, la probabilité correspondant à l'aire à gauche de $-t_{0,01}$ est aussi de 0,01. On cherche donc $-t_{0,01}$. Dans la table t, à l'intersection de la ligne $dl = 20$ et de la colonne « Seuil de signification pour un test unilatéral » = 0,01, on trouve $t_{0,01} = 2,528$. Donc, la valeur recherchée de t est égale à $-2,528$.

c) Puisque l'aire à droite de t doit être de 0,95, l'aire à gauche de t est de $(1 - 0,95) = 0,05$. Donc, $t = -t_{0,05}$. La valeur $t_{0,05}$ se trouve dans la table t de Student à l'intersection de la ligne $dl = 15$ et de la colonne « Seuil de signification pour un test unilatéral » = 0,05 et est égale à 1,753. Donc, $t = -1,753$.

d) $(1 - \alpha) = 0,9$. Donc, $\alpha = 0,1$ et $P\,(-t_{0,05} \leq T \leq t_{0,05}) = 0,9$. La valeur de $t = t_{0,05}$ se trouve dans la table de Student à l'intersection de la ligne $dl = 40$ et de la colonne « Seuil de signification pour un test unilatéral » = 0,05 et est égale à 1,684.

■ RÉVISION 9.5

1. Trouvez la valeur t d'une variable de Student avec $dl = 20$ telle que l'aire sous la courbe entre $-t$ et $+t$ soit de 0,9.
2. Pour une distribution de Student avec $dl = 15$, trouvez $t_{0,1}$.
3. Trouvez la valeur t d'une variable de Student avec $dl = 10$ telle que l'aire à gauche de ce point soit de 0,01.

La table t présentée à l'annexe G ne donne que les probabilités les plus utiles en inférence statistique. Les probabilités générales peuvent être obtenues à l'aide d'un logiciel. Les instructions concernant l'utilisation d'Excel sont données dans la feuille de calcul Excel 9.6.

Supposons qu'on veuille trouver l'aire sous la courbe t avec $dl = 10$, entre $-2,4$ et $+2,4$. MegaStat (dans Excel) donne l'aire à droite de $+2,4$ [noté par $p(upper)$] et l'aire à gauche de $+2,4$ [noté par $p(lower)$]. Le résultat obtenu est $p(upper) = 0,0187$ et $p(lower) = 0,9813$. L'aire comprise entre $-2,4$ et $+2,4$ est donc égale à $0,9813 - 0,0187 = 0,9626$.

La procédure pour trouver l'inverse de la probabilité (c'est-à-dire la valeur de t correspondant à une probabilité donnée) est similaire. Dans MegaStat, on doit choisir *calculate t given probability* au lieu de *calculate probability given t*.

FEUILLE DE CALCUL EXCEL 9.6

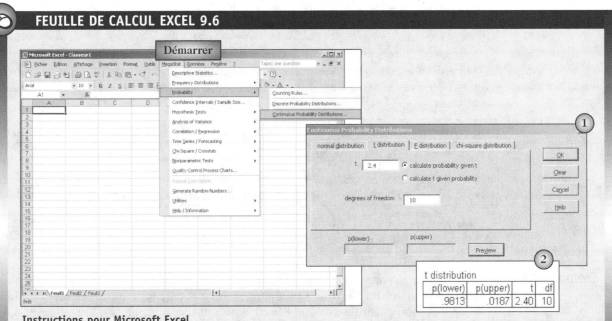

Instructions pour Microsoft Excel

A. Dans la barre de menus, cliquez sur MegaStat, puis sélectionnez *Probability* et *Continuous Probability Distributions*.
B. Dans la boîte de dialogue, cliquez sur l'onglet *t distribution*.
C. Cochez la case *calculate probability given t* et entrez la valeur de t (= 2,4 dans le cas présent). Entrez ensuite la valeur de dl dans la zone *degrees of freedom* (= 10 dans le cas présent) et cliquez sur OK. Les résultats apparaîtront dans la feuille de calcul Excel.

(Pour trouver la probabilité inverse, cochez la case *calculate t given probability*.)

LE CALCUL DES INTERVALLES DE CONFIANCE POUR ESTIMER UNE MOYENNE DE POPULATION LORSQUE σ EST INCONNU

On a vu à la page 360 que si un échantillon aléatoire de taille n est prélevé dans une population normalement distribuée, la variable $T = \dfrac{\bar{X} - \mu}{S/\sqrt{n}}$ suit une distribution t avec $dl = (n - 1)$. Un intervalle de confiance de niveau $(1 - \alpha)$ pour estimer la moyenne μ peut donc être obtenu en utilisant la courbe t plutôt que la courbe Z.

Par exemple, si $n = 20$, dans les conditions indiquées plus haut, $T = \dfrac{\bar{X} - \mu}{S/\sqrt{n}} = \dfrac{\bar{X} - \mu}{S/\sqrt{20}}$ suit une loi de Student avec $dl = 19$.

Supposons qu'on veuille obtenir un intervalle de confiance à 95 %. Dans ce cas, $(1 - \alpha) = 0{,}95$ et, par conséquent, $\alpha = 1 - 0{,}95 = 0{,}05$.

D'après la table t, on trouve, à l'intersection de la ligne $dl = 19$ et de la colonne « Seuil de signification pour un test unilatéral » $= 0{,}025$, une valeur de $t_{0,025} = 2{,}093$.

Ainsi, pour $dl = 19$,

$$P\left(-2{,}093 \leq \frac{\bar{X} - \mu}{S/\sqrt{20}} \leq 2{,}093\right) = 0{,}95$$

Après quelques manipulations algébriques, on obtient :

$$P(\bar{X} - 2{,}093S/\sqrt{20} \leq \mu \leq \bar{X} + 2{,}093S/\sqrt{20}) = 0{,}95$$

Donc, un intervalle de confiance à 95 % pour estimer μ est donné par :
$$(\bar{X} - 2{,}093S/\sqrt{20},\ \ \bar{X} + 2{,}093S/\sqrt{20})\ (\text{ou}\ \bar{X} \pm 2{,}093S/\sqrt{20})$$

 Si un échantillon de taille n est sélectionné dans une population normalement distribuée, l'intervalle de confiance de niveau $(1 - \alpha)$ pour estimer la moyenne μ de la population, lorsque l'écart type σ de la population est inconnu, est donné par

$$(\bar{X} - t_{\alpha/2}S/\sqrt{n},\ \bar{X} + t_{\alpha/2}S/\sqrt{n})\ \text{ou}\ (\bar{X} \pm t_{\alpha/2}S/\sqrt{n}) \qquad \textbf{9.6}$$

On présente ci-dessous des intervalles de confiance pour μ avec différentes valeurs de n et différents niveaux de confiance. Retrouvez ces intervalles à l'aide de la table t de Student.

n	Niveau de confiance	α	dl	Valeur de $t_{\alpha/2}$	Intervalle de confiance
8	98 %	0,02	7	2,998	$(\bar{X} \pm 2{,}998S/\sqrt{8})$
20	90 %	0,1	19	1,729	$(\bar{X} \pm 1{,}729S/\sqrt{20})$
30	95 %	0,05	29	2,045	$(\bar{X} \pm 2{,}045S/\sqrt{30})$

Il faut noter que dans la table de Student, les valeurs t correspondant à $dl = \infty$ sont identiques aux valeurs z dans la table normale centrée réduite.

Exemple 9.4

Dans l'exemple 9.2, on voulait estimer la moyenne des bénéfices par action des 1000 plus grandes entreprises au Canada. On a supposé que l'écart type de la population était connu. Supposons maintenant que l'écart type soit inconnu, mais que la distribution de la population soit approximativement normale. On a sélectionné un échantillon aléatoire de 10 entreprises dans la population considérée. Voici les données de cet échantillon :

6,42	0,53	0	0,01	−0,55	0,94	0,06	−0,45	0,48	0,34

a) Utilisez les données de cet échantillon pour estimer, à l'aide d'un intervalle de confiance à 95 %, la moyenne des bénéfices par action des 1000 plus grandes entreprises au Canada.

b) Interprétez vos résultats.

Solution

a) Comme la distribution de la population est approximativement normale, $T = \dfrac{\bar{X} - \mu}{S/\sqrt{10}}$ est approximativement de loi de Student avec $dl = (n-1) = 9$. Donc, l'intervalle de confiance à 95 % est $(\bar{X} \pm t_{0,025} S/\sqrt{10})$.

La valeur $t_{0,025}$ est donnée dans la table t, à l'intersection de la ligne $dl = 9$ et de la colonne « Seuil de signification pour un test unilatéral » = 0,025. Elle est égale à 2,262.

$$\bar{x} = \frac{6,42 + 0,53 + \ldots + 0,48 + 0,34}{10} = 0,778$$

$$s = \sqrt{\frac{(6,42 - 0,778)^2 + (0,53 - 0,778)^2 + \ldots + (0,34 - 0,778)^2}{9}}$$

$$= 2,033$$

Par conséquent, l'estimation par intervalle au niveau de confiance de 95 % est $(0,778 \pm 2,262(2,033)/\sqrt{10})$ ou $(-0,676\,;\,2,232)$.

b) Avec le niveau de confiance utilisé, on sait que 95 % des échantillons de taille 10 produiront un intervalle qui contient la valeur réelle de la moyenne de la population. Avec l'échantillon spécifique observé, on a obtenu l'intervalle $(-0,676\,;\,2,232)$. On ignore si la valeur réelle de μ appartient à cet intervalle, mais le fait que 95 % des intervalles produits contiennent μ nous incite à penser que oui.

La résolution à l'aide d'Excel

On indique ci-dessous la marche à suivre pour obtenir une estimation par intervalle de confiance en utilisant Excel (voir la feuille de calcul Excel 9.7).

FEUILLE DE CALCUL EXCEL 9.7

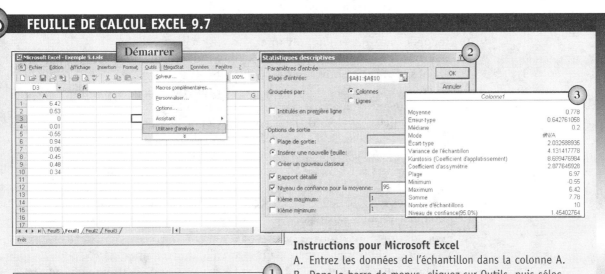

Instructions pour Microsoft Excel

A. Entrez les données de l'échantillon dans la colonne A.

B. Dans la barre de menus, cliquez sur Outils, puis sélectionnez Utilitaire d'analyse et Statistiques descriptives. Cliquez sur OK.

C. Dans la zone Plage d'entrée, entrez les coordonnées des cellules de la colonne A contenant les données de l'échantillon (dans notre exemple, A1 : A10). Cochez ensuite les cases Rapport détaillé et Niveau de confiance pour la moyenne, puis entrez le niveau de confiance souhaité (= 95 dans le cas présent) dans la zone prévue à cet effet. Cliquez sur OK. Vous obtiendrez ainsi le tableau des résultats. La marge d'erreur de l'intervalle apparaît sur la dernière ligne de ce tableau.

■ RÉVISION 9.6

Dans la révision 9.4, on voulait estimer le taux de variation mensuel moyen de l'indice TSE 300 entre 1980 et 2000. On supposait que l'écart type de la population était connu. Supposons maintenant que cet écart type soit inconnu, mais que la distribution soit normale dans la population de référence. Les données de l'échantillon de taille 20 sont :

| 3,92 | 1,69 | 1,79 | −1,00 | −2,05 | 1,41 | 2,65 | −1,09 | 3,92 | 1,48 |
| 2,00 | 0,85 | 0,31 | 1,46 | 3,92 | 0,94 | 0,46 | 2,91 | 0,23 | 0,71 |

En utilisant les données de cet échantillon, estimez, à l'aide d'un intervalle de confiance à 95%, le taux de variation mensuel moyen de l'indice TSE 300 entre 1980 et 2000.

Théoriquement, l'intervalle de confiance donné par la formule 9.6 n'est valable que si la variable étudiée se distribue selon une loi normale dans la population de référence. Des statisticiens ont tout de même observé que l'intervalle s'avère relativement robuste en ce sens que, même si la distribution dans la population ne correspond pas tout à fait à une loi normale, cet intervalle donne quand même des résultats fiables.

EXERCICES 9.9 À 9.15

9.9 Répondez aux questions suivantes :
   a) Trouvez la valeur t d'une variable de Student avec $dl = 30$ telle que l'aire sous la courbe entre $−t$ et $+t$ soit 0,8.
   b) Pour une distribution t avec $dl = 6$, trouvez $t_{0,005}$.
   c) Trouvez la valeur t d'une variable de Student avec $dl = 24$ telle que l'aire sous la courbe à gauche de ce point soit 0,1.
   d) Trouvez la valeur t d'une variable de Student avec $dl = 12$ telle que l'aire sous la courbe à gauche de ce point soit 0,9.
   e) À l'aide de la loi de Student avec $dl = 14$, déterminez la valeur de $t_{0,995}$.

9.10 Répondez aux questions suivantes :
   a) Trouvez la valeur t d'une variable de Student avec $dl = 7$ telle que l'aire sous la courbe entre $−t$ et $+t$ soit 0,99.
   b) Trouvez la valeur t d'une variable de Student avec $dl = 18$ telle que l'aire sous la courbe à gauche de ce point soit 0,025.
   c) Déterminez la valeur de $t_{0,025}$ pour une loi de Student avec $dl = 8$.
   d) Trouvez la valeur t d'une variable de Student avec $dl = 8$ telle que l'aire sous la courbe à gauche de ce point soit 0,99.
   e) Déterminez la valeur de $t_{0,99}$ pour une loi de Student avec $dl = 10$.

Dans chacun des exercices 9.11 à 9.15, supposez que la distribution de la population soit approximativement normale.

9.11 Répondez aux questions suivantes :
   a) Donnez la forme générale d'un intervalle de confiance à 95% pour estimer la moyenne μ d'une population si l'écart type σ de cette population est inconnu et si l'échantillon utilisé est de taille 12.
   b) Donnez la forme générale d'un intervalle de confiance à 90% pour estimer la moyenne μ d'une population si l'écart type σ de cette population est inconnu et si l'échantillon utilisé est de taille 20.
   c) Donnez la forme générale d'un intervalle de confiance à 99% pour estimer la moyenne μ d'une population si l'écart type σ de cette population est inconnu et si l'échantillon utilisé est de taille 8.

9.12   Dans chacun des cas suivants, donnez la forme générale d'un intervalle de confiance pour estimer la moyenne μ d'une population.

a) Le niveau de confiance requis pour l'intervalle est de 95 % et l'échantillon utilisé est de taille 15.

b) Le niveau de confiance requis pour l'intervalle est de 98 % et l'échantillon utilisé est de taille 24.

c) Le niveau de confiance requis pour l'intervalle est de 99 % et l'échantillon utilisé est de taille 12.

9.13   Le gérant d'un centre commercial veut estimer le montant moyen dépensé lors de chaque visite par les clients. Un échantillon aléatoire de 20 clients a fourni les montants suivants :

48,16 $	42,22 $	46,82 $	51,54 $	23,78 $	41,86 $	51,35 $
58,84 $	54,86 $	37,92 $	52,64 $	48,59 $	50,82 $	46,94 $
52,68 $	43,88 $	61,83 $	61,69 $	49,17 $	61,46 $	

À l'aide d'un intervalle de confiance à 99 %, donnez une estimation du montant moyen dépensé par visite par les clients de ce centre commercial. Serait-il raisonnable de supposer que la moyenne de cette population soit de 50,00 $? de 60,00 $? Expliquez vos réponses.

9.14   Dans le cadre d'une étude de faisabilité visant à estimer le coût moyen d'un service de garderie pour les employés d'une grande entreprise de la région de Toronto, un échantillon aléatoire de 10 employés utilisant des services de garderie a été sélectionné. Voici les montants dépensés la semaine dernière par ces employés pour des services de garderie :

382 $ 286 $ 208 $ 428 $ 189 $ 160 $ 416 $ 262 $ 226 $ 191 $

Présentez une estimation par intervalle de confiance à 98 % pour la moyenne de la population. Interprétez le résultat. Serait-il raisonnable de supposer que la moyenne soit de 320 $?

9.15   Le propriétaire d'une ferme avicole veut estimer le nombre moyen d'œufs pondus par poule. Un échantillon de 20 poules a été sélectionné, et l'on a noté le nombre d'œufs pondus par chacune d'elles en un mois. La moyenne et l'écart type du nombre d'œufs par poule observés dans l'échantillon s'élèvent respectivement à 21,9 et 2,1.

a) Donnez une estimation ponctuelle du nombre moyen d'œufs qu'une poule de cette ferme pond en un mois ?

b) Présentez une estimation par intervalle de confiance à 98 % du nombre moyen d'œufs qu'une poule de cette ferme pond en un mois.

c) Expliquez pourquoi et sous quelles conditions on doit utiliser la distribution t de Student en b).

d) Serait-il raisonnable de conclure que les poules de cette ferme pondent, en moyenne, 22 œufs par mois ? qu'elles pondent, en moyenne, 24 œufs par mois ?

9.5 L'INTERVALLE DE CONFIANCE POUR ESTIMER UNE PROPORTION

LA STATISTIQUE EN ACTION

Les parts de marché d'un produit

Les entreprises mènent souvent des études de marché afin de connaître la réaction des consommateurs face à leurs produits. Un des principaux objectifs de ces études est d'estimer la part de marché d'un produit. La part de marché d'un produit d'une marque déterminée est le rapport des ventes totales du produit de cette marque (en unités ou en dollars) sur les ventes totales de toutes les marques des produits de même type. On peut obtenir une estimation ponctuelle de la part de marché d'un produit déterminé en sélectionnant aléatoirement un échantillon de points de vente, en calculant le rapport des ventes totales de ce produit dans les points de vente sélectionnés sur les ventes totales de tous les produits de même type dans ces mêmes points de vente. Pour obtenir une estimation par intervalle de confiance, on aura besoin d'estimer l'écart type de ce rapport. Comme on peut le deviner, il n'y a pas de moyen facile d'obtenir une telle estimation. Une méthode récente en statistique, appelée «Jackknife», peut toutefois nous faciliter la tâche.

Comme nous l'avons vu au chapitre 8, dans certaines applications, les données de la population ne prennent que deux valeurs, par exemple 0 et 1, et l'on s'intéresse à estimer la proportion p de données égales à 1 dans cette population. Supposons qu'un politicien mène un sondage pour estimer sa popularité auprès des électeurs. Chaque donnée (chaque vote) sera soit *pour* le candidat, auquel cas on lui donnera la valeur 1, soit *contre*, auquel cas on lui donnera la valeur 0. La variable étudiée ne prend que deux valeurs, 0 ou 1, et sa distribution dans la population de référence est la suivante :

Valeur	Probabilité
1	p
0	$(1-p)$

La moyenne μ de la population est donc égale à p, et son écart type σ est $\sqrt{p(1-p)}$.

Si l'on prélève un échantillon aléatoire de taille n dans cette population, chaque observation de l'échantillon sera 0 ou 1, et la moyenne $\bar{X}$ de l'échantillon sera :

$$\bar{X} = \frac{\text{nombre de «1» dans l'échantillon}}{n} = \text{proportion de «1» dans l'échantillon.}$$

Puisque $\bar{X}$ représente ici une proportion, on la notera par le symbole $\hat{p}$.

D'après le théorème limite central étudié au chapitre 8, si la taille n de l'échantillon est suffisamment grande, la distribution de $\hat{p}$ sera approximativement normale avec une moyenne de p et un écart type de $\dfrac{\sigma}{\sqrt{n}} = \sqrt{\dfrac{p(1-p)}{n}}$.

Dans la plupart des applications en économie et en gestion, on admet généralement que pour utiliser l'approximation normale, « n doit avoir une valeur minimale de 30 et p doit être tel que np et $n(1-p)$ aient chacun une valeur minimale de 5 ». Ainsi, lorsque n est suffisamment grand, l'intervalle de confiance de niveau $(1-\alpha)$ pour estimer une proportion p de la population est :

$$(\hat{p} \pm z_{\alpha/2}\sigma/\sqrt{n}) = (\hat{p} \pm z_{\alpha/2}\sqrt{p(1-p)/n}) \qquad \textbf{9.7}$$

Cette formule n'est pas très pratique, car pour calculer les bornes de l'intervalle, il faut connaître la valeur de p, alors que c'est justement ce qu'on veut estimer ! On peut démontrer que $\hat{p}(1-\hat{p})/(n-1)$ est un estimateur non biaisé de la variance, $p(1-p)/n$, de $\hat{p}$.

Pour un n suffisamment grand, $\dfrac{\hat{p}-p}{\sqrt{\hat{p}(1-\hat{p})/n}}$ est approximativement de loi normale centrée réduite. Donc,

 Lorsque n est assez grand, l'intervalle de confiance approché de niveau $(1-\alpha)$ pour estimer p est le suivant :

$$(\hat{p} \pm z_{\alpha/2}\sqrt{\hat{p}(1-\hat{p})/n}) \qquad \textbf{9.8}$$

Exemple 9.5   On a récemment rapporté des niveaux élevés de plomb dans le sang de jeunes enfants qui mâchent ou sucent des bijoux. Une étude menée par Santé Canada à la fin de l'année 2000 a révélé que dans un échantillon de 95 bijoux de faible valeur (coûtant moins de 20 $ chacun), 65 bijoux avaient une teneur en plomb variant entre 50 et 100 %. Estimez, à l'aide d'un intervalle de confiance à 90 %, la proportion de bijoux peu onéreux ayant une teneur en plomb de 50 % ou plus.

Solution   La valeur de la proportion $\hat{p}$ de l'échantillon est de 65/95 = 0,68. Si l'on considère que cette valeur est relativement proche de celle de p, on a $np \approx n\hat{p} = 65 > 5$ et $n(1 - p) \approx n(1 - \hat{p}) = 30 > 5$. De plus, $n = 95 > 30$. On peut donc supposer que la distribution de $\hat{p}$ soit approximativement normale. La formule 9.8 permet d'obtenir un intervalle de confiance à 90 % de p :

$$0,68 \pm (1,645)\sqrt{0,68(1 - 0,68)/95} = 0,68 \pm 0,079 \text{ ou } (0,601\,;\,0,759).$$

Une formule donnant un intervalle de confiance exact de niveau $(1 - \alpha)$ a été élaborée par M. S. Bartlett. (Pour plus de détails, vous pouvez consulter l'annexe B du chapitre 9 sur le cédérom accompagnant ce manuel.)

■ RÉVISION 9.7

On a conduit une étude de marché pour estimer la proportion de personnes au foyer qui peuvent reconnaître la marque d'un produit nettoyant d'après la forme et la couleur du contenant. Parmi les 1400 personnes échantillonnées, 420 ont pu identifier la marque du produit.

     a) Donnez une estimation ponctuelle de la proportion de personnes au foyer capables d'identifier la marque du produit.

     b) Faites une estimation par intervalle au niveau de confiance de 99 % pour la proportion étudiée.

LA SOLUTION À L'AIDE D'EXCEL

On précise maintenant la marche à suivre pour calculer des estimations par intervalle de confiance pour la proportion d'une population à l'aide d'Excel. Prenons un exemple.

Exemple 9.6   Pour estimer la proportion de maisons en vente possédant un sous-sol aménagé, à Victoria (C.-B.), un chercheur a sélectionné aléatoirement un échantillon de taille 20. Les données sont présentées ci-dessous (1 indique la présence d'un sous-sol aménagé et 0, l'absence de sous-sol aménagé).

| 1 | 0 | 0 | 1 | 0 | 0 | 1 | 1 | 1 | 0 |
| 1 | 0 | 0 | 1 | 1 | 0 | 1 | 1 | 0 | 1 |

Calculez un intervalle de confiance à 95 % pour estimer la proportion de maisons en vente à Victoria qui possèdent un sous-sol aménagé.

Solution   La marche à suivre est indiquée dans la feuille de calcul Excel 9.8, à la page suivante.

La solution fournie par Excel est basée sur la formule 9.8, où l'on utilise l'approximation normale. Dans ce problème, $\hat{p} = 0,55$. On obtient une estimation par intervalle de confiance de niveau 95 % de la proportion de la population de $(0,332\,;\,0,768)$. Il faut noter que cet intervalle est trop large pour être vraiment utile. Dans la prochaine section, nous verrons comment établir un intervalle de confiance avec une meilleure précision.

FEUILLE DE CALCUL EXCEL 9.8

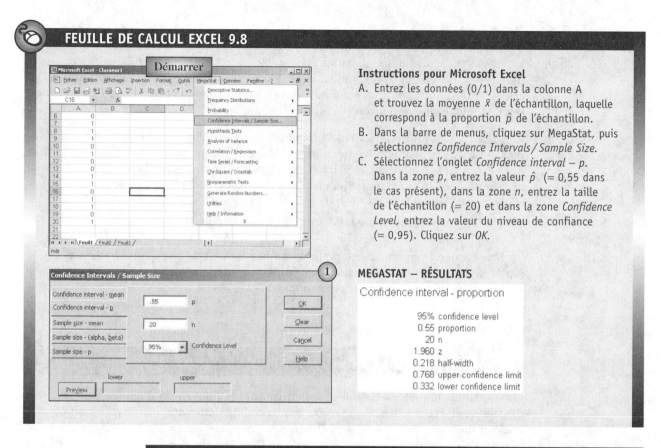

Instructions pour Microsoft Excel

A. Entrez les données (0/1) dans la colonne A et trouvez la moyenne $\bar{x}$ de l'échantillon, laquelle correspond à la proportion $\hat{p}$ de l'échantillon.

B. Dans la barre de menus, cliquez sur MegaStat, puis sélectionnez *Confidence Intervals / Sample Size*.

C. Sélectionnez l'onglet *Confidence interval – p*. Dans la zone *p*, entrez la valeur $\hat{p}$ (= 0,55 dans le cas présent), dans la zone *n*, entrez la taille de l'échantillon (= 20) et dans la zone *Confidence Level*, entrez la valeur du niveau de confiance (= 0,95). Cliquez sur *OK*.

MEGASTAT – RÉSULTATS

Confidence interval - proportion

95%	confidence level
0.55	proportion
20	n
1.960	z
0.218	half-width
0.768	upper confidence limit
0.332	lower confidence limit

EXERCICES 9.16 À 9.19

9.16 Le propriétaire d'une station-service veut déterminer la proportion de clients qui utilisent son nouveau service « Payez à la pompe ». Ce service permet aux clients d'utiliser leur carte de crédit à la pompe sans devoir se rendre à la caisse située à l'intérieur de la station-service. Il a interrogé un échantillon de 100 clients et a appris que 80 d'entre eux payaient à la pompe.

    a) Donnez une estimation ponctuelle de la proportion de clients qui utilisent son nouveau service « Payez à la pompe ».

    b) Estimez la valeur de l'écart type de la proportion de l'échantillon.

    c) Donnez une estimation par intervalle de confiance à 95 % pour la proportion de la population.

    d) Interprétez vos résultats.

9.17 Marie Wilson prévoit se présenter à la mairie de sa municipalité. Avant de poser sa candidature, elle souhaite sonder l'opinion des électeurs. Un échantillon de 400 électeurs lui indique que 300 d'entre eux l'appuieraient dans cette élection.

    a) Obtenez une estimation ponctuelle de la proportion d'électeurs de la population qui appuient sa candidature.

    b) Estimez la valeur de l'écart type de la proportion de l'échantillon.

    c) Estimez, à l'aide d'un intervalle de confiance à 99 %, la proportion d'électeurs de la population qui appuient sa candidature.

    d) Interprétez vos résultats.

9.18 Le réseau CBC veut remplacer une de ses émissions d'information de grande audience consacrée aux enquêtes criminelles par une nouvelle émission de variétés s'adressant aux familles. Avant de prendre une décision finale, les cadres du réseau procèdent à un sondage auprès d'un échantillon de 400 téléspectateurs. Après avoir vu la nouvelle émission, 250 téléspectateurs ont fait savoir qu'ils la regarderaient et ont approuvé le remplacement de l'émission actuelle.

a) Donnez une estimation ponctuelle de la proportion de tous les téléspectateurs canadiens qui préféreraient remplacer l'émission sur les enquêtes criminelles par une émission de variétés.

b) Estimez l'écart type de la proportion de l'échantillon.

c) Donnez une estimation par intervalle de confiance à 99 % pour la proportion de la population.

d) Interprétez vos résultats.

9.19 L'entreprise Gateway Printing achète des verres de plastique sur lesquels elle imprime des logos à l'occasion d'événements sportifs, de bals d'étudiants, d'anniversaires et d'autres événements particuliers. Le propriétaire, Alain Martin, a reçu une grosse livraison ce matin. Afin de s'assurer de la qualité de la livraison, il a sélectionné aléatoirement un échantillon de 300 verres. De ce nombre, il en a trouvé 15 qui présentaient des défauts.

a) Donnez une estimation ponctuelle de la proportion de verres défectueux dans la population.

b) Estimez, par un intervalle de confiance à 95 %, la proportion de verres défectueux dans la population.

c) M. Martin a un accord avec son fournisseur lui permettant de retourner les lots contenant plus de 10 % d'objets défectueux. Devrait-il retourner ce lot ? Expliquez votre réponse.

9.6 LA DÉTERMINATION DE LA TAILLE DE L'ÉCHANTILLON

Un intervalle trop large (*manque de précision*) ou avec un niveau de confiance trop faible (*manque d'exactitude*) n'est pas très utile. Si l'on veut estimer la note moyenne des 100 étudiants d'une classe, un niveau de confiance de 99,9 % donnerait probablement un intervalle beaucoup trop large pour que l'estimation obtenue soit assez précise. La marge d'erreur associée à un tel intervalle serait beaucoup trop grande. Par ailleurs, un niveau de confiance de 10 % produirait certes un intervalle plus étroit, mais pas nécessairement plus utile puisque, dans ce cas, il y aurait 90 % de chances qu'il ne contienne pas la valeur réelle de la moyenne de la population. Un niveau de confiance de 95 % nous permettrait par contre d'obtenir un intervalle plus adéquat. Idéalement, le niveau de confiance et la précision d'un intervalle devraient être suffisamment élevés pour que l'estimation obtenue soit vraiment utile. Pour une population donnée et une taille d'échantillon fixée, en diminuant l'amplitude de l'intervalle de confiance, on réduit du même coup la probabilité que la valeur réelle de la moyenne de la population appartienne à l'intervalle et, conséquemment, le niveau de confiance de l'intervalle. En pratique, on détermine à l'avance le niveau de confiance qu'on souhaite obtenir, et il revient au statisticien d'établir un intervalle qui respecte ces exigences. La propriété de *convergence* que possèdent de nombreux estimateurs permet de concevoir un intervalle possédant un degré de précision satisfaisant en choisissant un échantillon de taille suffisamment grande.

LA CONVERGENCE D'UN ESTIMATEUR

Cette propriété caractérise la dispersion de la distribution de probabilité de l'estimateur lorsque la taille n de l'échantillon tend vers l'infini. (Une telle propriété se nomme propriété *asymptotique*.)

 On dit qu'un estimateur est convergent si sa distribution de probabilité tend à se concentrer de plus en plus autour de la valeur du paramètre lorsque la taille n de l'échantillon tend vers l'infini[2].

La figure 9.9 illustre le comportement d'un estimateur convergent. Dans ce cas, pour $n = 10$, l'estimateur est biaisé pour estimer le paramètre θ de la population et il possède une grande variance. Toutefois, lorsque n augmente, le biais et la variance de l'estimateur diminuent. À la limite, lorsque n tend vers l'infini, le biais et la variance tendent tous deux vers zéro. Si l'estimateur est non biaisé, la propriété de convergence peut s'exprimer sous la forme suivante[3] :

> **d** Un estimateur non biaisé est *convergent* si sa variance tend vers zéro lorsque la taille n de l'échantillon tend vers l'infini.

FIGURE 9.9   La distribution d'un estimateur convergent d'un paramètre de population θ pour différentes tailles d'échantillon

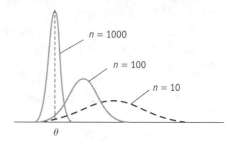

Au chapitre 8, nous avons vu que $\bar{X}$ est un estimateur non biaisé de μ, et l'écart type de $\bar{X}$ (qu'on appelle aussi erreur type de la moyenne) est $\sigma_{\bar{X}} = \dfrac{\sigma}{\sqrt{n}}$. Pour tout nombre réel positif ϵ, on peut rendre $\dfrac{\sigma}{\sqrt{n}}$ plus petit que ϵ en donnant à n une valeur strictement plus grande que $\left(\dfrac{\sigma}{\epsilon}\right)^2$. $\bar{X}$ est donc un estimateur convergent de μ.

Exemple 9.7

Supposons qu'on utilise la moyenne de l'échantillon $\bar{X}$ comme estimateur ponctuel de la moyenne μ d'une population. Si l'écart type de la population est égal à 8, quelle taille l'échantillon doit-il avoir pour que la valeur de l'erreur type de la moyenne soit plus petite que 0,4 ?

Solution

On sait que $\sigma = 8$. Pour que l'erreur type de la moyenne soit inférieure à $\epsilon = 0{,}4$, on doit avoir $n > \left(\dfrac{\sigma}{\epsilon}\right)^2 = \left(\dfrac{8}{0{,}4}\right)^2 = 400$.

On utilisera maintenant la propriété de convergence de la moyenne de l'échantillon pour obtenir un intervalle de confiance pour μ avec la précision et le niveau de confiance souhaités.

CAS 1 : LA VARIANCE DE LA POPULATION EST CONNUE

Supposons qu'on veuille obtenir une estimation par intervalle au niveau de confiance de 95 % de la moyenne μ de la population. On a vu que $\bar{X}$ est un estimateur non biaisé et convergent de μ, et l'écart type de $\bar{X}$, qu'on appelle aussi l'erreur type de la moyenne, est $\sigma_{\bar{X}} = \dfrac{\sigma}{\sqrt{n}}$. Supposons aussi que la distribution de la population soit normale ou que la taille de l'échantillon soit assez grande. On peut alors utiliser la loi normale pour caractériser la distribution de $\bar{X}$, et, dans ce cas, $(\bar{X} \pm 1{,}96\sigma/\sqrt{n})$ est un intervalle de confiance à 95 % pour estimer μ.

Si l'on fixait l'amplitude de l'intervalle à 0,2, la marge d'erreur serait de $(1,96\sigma/\sqrt{n}) = 0,1$.

Cela implique que $\sqrt{n} = \dfrac{1,96\sigma}{0,1}$ ou que $n = \left(\dfrac{1,96\sigma}{0,1}\right)^2$.

Par conséquent, si l'on connaît la valeur de σ, on peut calculer la taille appropriée de l'échantillon. De manière générale, si le niveau de confiance $(1 - \alpha)$ de l'intervalle $(\bar{X} \pm z_{\alpha/2}\sigma/\sqrt{n})$ est fixé et si la marge d'erreur de l'intervalle ne doit pas être supérieure à une valeur donnée E, la taille n de l'échantillon devrait être telle que :

$$z_{\alpha/2}\sigma/\sqrt{n} \leq E \qquad \textbf{9.9}$$

c'est à dire que $\sqrt{n} \geq \dfrac{z_{\alpha/2}\sigma}{E}$

ou

$$n \geq \left(\dfrac{z_{\alpha/2}\sigma}{E}\right)^2 \qquad \textbf{9.10}$$

Cette valeur de n ne sera pas nécessairement entière. S'il s'agit d'une fraction, on l'arrondira à l'entier supérieur.

Exemple 9.8 | La directrice du contrôle de la qualité d'une entreprise d'embouteillage de boissons gazeuses a décidé d'estimer quotidiennement la quantité moyenne de boisson versée dans les bouteilles de 350 ml, à l'aide d'un intervalle de confiance à 95 %. Pour ce faire, elle devra sélectionner chaque jour un échantillon aléatoire de bouteilles dans la production quotidienne, mesurer la quantité de boisson versée dans chaque bouteille afin de déterminer la moyenne de l'échantillon et calculer l'intervalle de confiance correspondant. On sait que l'écart type de la quantité de boisson versée dans chaque bouteille est de 16 ml. Si la directrice veut que la marge d'erreur de son estimation soit au plus de 2 ml, quelle doit être la taille de l'échantillon ?

Solution | On souhaite que la taille de l'échantillon soit assez grande (d'au moins 30) afin que la loi normale puisse approximer la distribution de $\bar{X}$. Pour que la marge d'erreur ne soit pas supérieure à $E = 2$, on doit avoir un échantillon de taille n au moins égale à

$$\left(\dfrac{z_{0,025}\sigma}{E}\right)^2 = \left(\dfrac{(1,96)(16)}{2}\right)^2 = 245,86.$$

La taille de l'échantillon est plus grande que 30, comme on le souhaitait. L'approximation normale peut donc s'appliquer. On peut alors conclure qu'un échantillon d'au moins 246 bouteilles nous assurerait que la marge d'erreur maximale de l'intervalle ne soit pas supérieure à 2 ml.

■ RÉVISION 9.8

Revenons à la révision 9.4. On a vu que le taux de variation mensuel de l'indice TSE 300 entre 1980 et 2000 avait une distribution approximativement normale, avec un écart type de 2,05 %. On veut maintenant obtenir une estimation par intervalle de confiance à 95 % du taux de variation mensuel moyen durant cette même période. Quelle doit être la taille de l'échantillon pour que la marge d'erreur de l'intervalle ne dépasse pas 0,5 % ?

CAS 2 : LA VARIANCE DE LA POPULATION EST INCONNUE

On a vu précédemment que si la distribution est normalement distribuée dans la population de référence et que l'écart type σ de la population est inconnu, alors l'intervalle de confiance de niveau $(1 - \alpha)$ pour estimer μ est donné par $(\bar{X} \pm t_{\alpha/2}S/\sqrt{n})$, où $t_{\alpha/2}$ est obtenu à l'aide de la distribution t de Student à $(n - 1)$ degrés de liberté. Supposons maintenant qu'on veuille limiter la marge d'erreur maximale de l'intervalle à une valeur fixée E. On devrait alors avoir :

$$\frac{t_{\alpha/2}S}{\sqrt{n}} \leq E \qquad\qquad \textbf{9.11}$$

ce qui implique que $\sqrt{n} \geq \dfrac{t_{\alpha/2}S}{E}$

ou

$$n \geq \left(\frac{t_{\alpha/2}S}{E}\right)^2 \qquad\qquad \textbf{9.12}$$

On ne peut calculer la valeur de n que si l'on connaît $t_{\alpha/2}$ et S. Il est toutefois impossible de déterminer la valeur de $t_{\alpha/2}$ puisqu'elle dépend du nombre de degrés de liberté $(n - 1)$ de la loi de Student (n est ici inconnu) et la valeur de S (on ne peut en effet calculer l'écart type de l'échantillon si l'on ne connaît même pas sa taille).

En fait, aucune valeur finie de n ne peut garantir que la marge d'erreur de l'intervalle ne soit pas supérieure à E.

Une valeur de n, pour laquelle l'intervalle satisfait approximativement à ces exigences, peut cependant être obtenue en estimant au préalable l'écart type s à l'aide d'un échantillon témoin de taille appropriée. Dans la formule 9.12, on utilise alors l'écart type s de l'échantillon témoin et l'on remplace la valeur de t par la valeur de z correspondant au niveau de confiance donné. On obtient :

$$n \geq \left(\frac{z_{\alpha/2}s}{E}\right)^2 \qquad\qquad \textbf{9.13}$$

Exemple 9.9 | Une étudiante en administration publique veut déterminer le revenu mensuel moyen des conseillers municipaux des grandes villes. Elle souhaite obtenir une estimation de la moyenne par un intervalle de confiance à 95 %, avec une marge d'erreur n'excédant pas 100 $. L'étudiante a consulté un rapport du ministre du Travail, dans lequel on estimait l'écart type des revenus mensuels de la population considérée à 1000 $. Sachant que la distribution de la population est approximativement normale, déterminez la valeur approximative de la taille n de l'échantillon.

Solution | La taille minimale n de l'échantillon devrait être de :

$$\left(\frac{z_{\alpha/2}s}{E}\right)^2 = \left(\frac{z_{0,025}(1000)}{100}\right)^2 = \left(\frac{1,96(1000)}{100}\right)^2 = 384,16.$$

Donc, si l'on sélectionne un échantillon de taille 385, il y a de fortes chances que la marge d'erreur de l'estimation par intervalle de confiance à 95 % ne dépasse pas 100 $. Toutefois, ce résultat n'est pas certain. La marge d'erreur pourrait aussi être supérieure à 100 $.

■ RÉVISION 9.9

Le registraire de l'université a besoin d'aide pour déterminer le nombre de dossiers d'étudiants qu'il doit analyser. Il veut estimer la moyenne arithmétique de la note moyenne de tous les étudiants de deuxième cycle depuis les 10 dernières années. Cette moyenne doit être estimée avec une marge d'erreur maximale de 0,05. Une analyse préliminaire a permis d'estimer l'écart type à 0,279. Déterminez la taille de l'échantillon qui devrait être observé si le niveau de confiance est de 99 %.

CAS 3 : LE CAS DES PROPORTIONS

On considère que les données de la population ne prennent que deux valeurs, disons 0 et 1, et l'on veut estimer p, la proportion des données de la population prenant la valeur 1. Ici la moyenne μ de la population correspond à p, et l'écart type à $\sigma = \sqrt{p(1-p)}$. Donc, lorsque $\mu = p$ est inconnu, σ l'est également.

Si l'on a une idée de la valeur approximative $\bar{p}$ de p, on peut l'utiliser pour déterminer une valeur approximative $\bar{\sigma} = \sqrt{\bar{p}(1-\bar{p})}$ de σ. En substituant $\bar{\sigma}$ à σ dans la formule 9.10, on obtient, pour une marge d'erreur maximale E, la valeur minimale approximative de n suivante :

$$n \geq \left(\frac{z_{\alpha/2}\bar{\sigma}}{E}\right)^2 \qquad \textbf{9.14}$$

Pour tout échantillon de cette taille, il y a de fortes chances que la marge d'erreur ne soit pas supérieure à E, pourvu que la valeur n trouvée soit assez grande pour que np et $n(1-p)$ soient tous deux supérieurs à 5. (Autrement, la formule 9.14 n'est pas valable, car on ne peut supposer une approximation normale.) Ce résultat n'est cependant qu'approximatif. On ne peut pas être certain que la marge d'erreur sera inférieure ou égale à E. Elle pourrait en effet être plus grande.

Heureusement, dans le cas des proportions, on peut trouver une valeur de n qui satisfait pleinement à ces exigences. On peut en effet démontrer que pour toute valeur de p,

$$\sigma = \sqrt{p(1-p)} \leq 0{,}5 \qquad \textbf{9.15}$$

Ce résultat est clairement illustré à la figure 9.10, qui représente les valeurs de $\sqrt{p(1-p)}$ pour tout p entre 0 et 1.

FIGURE 9.10   Les valeurs de $\sqrt{p(1-p)}$ pour p entre 0 et 1

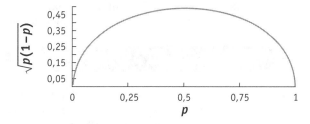

On obtient la relation suivante :

$$\left(\frac{0{,}5 z_{\alpha/2}}{E}\right)^2 \geq \left(\frac{z_{\alpha/2}\sigma}{E}\right)^2$$

Il s'ensuit donc qu'un échantillon de taille

$$n \geq \left(\frac{0,5z_{\alpha/2}}{E}\right)^2 \qquad \textbf{9.16}$$

permet de conserver une marge d'erreur maximale de E, pourvu que cette valeur de n soit assez grande pour pouvoir utiliser une approximation normale.

Exemple 9.10

Un chercheur veut estimer la proportion de villes canadiennes qui confient la collecte des ordures au secteur privé. Plus précisément, il veut obtenir une estimation par intervalle de cette proportion avec un niveau de confiance de 90 %, et souhaite que la marge d'erreur de son estimation n'excède pas 0,05. Une étude effectuée trois années plus tôt a permis d'estimer la proportion étudiée à 0,3. Le chercheur ne s'attend pas à ce que cette proportion soit très différente maintenant. Quelle doit être la taille de l'échantillon ?

Solution

En utilisant la formule 9.16, on obtient :

$$\left(\frac{0,5z_{\alpha/2}}{E}\right)^2 = \left(\frac{0,5(1,645)}{0,05}\right)^2 = 270,6$$

Cette valeur de n est assez grande pour utiliser l'approximation normale. [Comme la valeur de p doit être proche de 0,3, on a $271(0,3) > 5$ et $271(0,7) > 5$.] Une valeur de $n = 271$ est donc suffisante.

En utilisant la formule 9.14, on obtient la valeur approximative de n suivante :

$$n \geq \left(\frac{z_{\alpha/2}\,\overline{\sigma}}{E}\right)^2 = \left(\frac{1,645\sqrt{0,3(1-0,3)}}{0,05}\right)^2 = 227,31$$

La taille minimale n de l'échantillon devrait se situer entre 228 et 271, selon le coût de l'échantillonnage.

■ RÉVISION 9.10

À l'occasion d'un projet de recherche mené dans un cours de sciences économiques, une étudiante veut obtenir une estimation par intervalle de confiance à 95 % de la proportion des adultes du Nouveau-Brunswick âgés de 20 à 40 ans qui investissent dans les valeurs boursières. Si elle veut que la marge d'erreur de son estimation n'excède pas 0,04, quelle taille devra avoir l'échantillon sélectionné ?

EXERCICES 9.20 À 9.28

9.20 Supposez qu'on veuille estimer la valeur moyenne des rendements par action des 1000 plus grandes entreprises canadiennes en 2000, et qu'on utilise la moyenne de l'échantillon comme estimateur. Si l'écart type de la population est de 3,04, quelle taille doit avoir l'échantillon choisi pour que la valeur de l'erreur type de la moyenne soit inférieure à 0,3 ?

9.21 On veut estimer la moyenne d'une population avec une marge d'erreur n'excédant pas 5 et un niveau de confiance de 99 %. L'écart type de la population est 15. Quelle taille l'échantillon doit-il avoir ?

9.22 On sait que l'écart type d'une population est de 10. On veut estimer la moyenne de la population avec une marge d'erreur n'excédant pas 2 et un niveau de confiance de 95 %. Quelle taille l'échantillon doit-il avoir ?

9.23 On voudrait estimer une certaine proportion dans une population donnée à l'aide d'un intervalle de confiance à 99 %. Des études antérieures avaient permis d'estimer cette proportion à 0,45. Quelle devrait être la taille de l'échantillon pour que la marge d'erreur de l'intervalle ne dépasse pas 0,10 ?

9.24 On voudrait estimer une certaine proportion pour une population donnée, à l'aide d'un intervalle de confiance à 95 %. Des études antérieures avaient permis d'estimer cette proportion à 0,15. Quelle devrait être la taille de l'échantillon pour que la marge d'erreur de l'intervalle n'excède pas 0,05 ?

9.25 Une machine coupe l'extrémité verte des carottes, les nettoie et place 6 carottes dans chaque emballage ; 20 emballages sont mis dans une boîte pour l'expédition. Pour vérifier le poids des boîtes, on en inspecte seulement quelques-unes. Des analyses préliminaires ont permis d'estimer l'écart type du poids à 0,2 kg. Combien de boîtes devrait-on inclure dans l'échantillon pour que la marge d'erreur de l'estimation du poids moyen n'excède pas 0,05 kg, au niveau de confiance de 95 % ?

9.26 On prévoit faire un sondage afin de déterminer le temps moyen que les cadres d'une entreprise consacrent par semaine à regarder la télévision. Un échantillon témoin a permis d'obtenir une estimation préliminaire de l'écart type du temps d'écoute de trois heures par semaine. Combien de cadres devrait-on interroger dans le nouveau sondage pour que la marge d'erreur de l'estimation de la moyenne, au niveau de confiance de 98 %, soit approximativement de 0,8 ?

9.27 Des sondages antérieurs indiquent que 30 % des touristes qui se rendent au casino dépensent plus de 1000 $ en une fin de semaine. La direction du casino veut vérifier ces chiffres.
   a) Dans la nouvelle étude, on propose d'estimer cette proportion à l'aide d'un intervalle de confiance à 90 %. On souhaiterait que la marge d'erreur associée à cette estimation n'excède pas 1 %. Quelle taille l'échantillon devrait-il avoir ?
   b) La direction prétend que la taille de l'échantillon déterminée en a) est trop grande. Que peut-on faire pour réduire cette taille ? Faites des suggestions et calculez de nouveau la taille de l'échantillon.

9.28 Supposez que le bureau du premier ministre veuille estimer la proportion de la population qui appuie la politique actuelle sur le contrôle des armes à feu. Une analyse préliminaire, effectuée par les conseillers du premier ministre, indique que cette proportion serait d'environ 0,6. Le premier ministre exige que la marge d'erreur de l'estimation ne dépasse pas 0,04. Si le niveau de confiance est fixé à 95 % :
   a) Quelle taille l'échantillon devrait-il avoir ?
   b) Quelle taille l'échantillon devrait-il avoir si aucune information n'était disponible sur la valeur de la proportion ?

9.7 LE FACTEUR DE CORRECTION POUR UNE POPULATION FINIE (SECTION FACULTATIVE)

Dans ce chapitre, nous avons supposé jusqu'à maintenant que l'échantillon aléatoire était prélevé avec remise dans la population de référence (ASAR). Nous avons indiqué que lorsque la taille N de la population est très grande, un prélèvement sans remise donne sensiblement les mêmes résultats qu'un prélèvement avec remise. Analysons maintenant les cas où l'échantillon est prélevé sans remise dans une population dont la taille n'est pas très grande.

Nous avons vu au chapitre 8 qu'avec un échantillon aléatoire de taille n prélevé sans remise dans une population de taille N, la valeur espérée de la moyenne $\bar{X}$ de l'échantillon est $\mu_{\bar{X}} = \mu$, et son écart type

$$\sigma_{\bar{X}} = \frac{\sigma}{\sqrt{n}} \sqrt{\frac{N-n}{N-1}}$$

9.17

où μ et σ désignent respectivement la moyenne et l'écart type de la population. Nous avons également vu que lorsque le taux de sondage (le ratio n/N) est assez petit, le terme $\sqrt{\frac{N-n}{N-1}}$ (le facteur de correction pour une population finie) est presque égal à 1, et $\sigma_{\bar{X}}$ est approximativement égal à $\frac{\sigma}{\sqrt{n}}$. Toutefois, quand le ratio n/N est grand, il est préférable d'utiliser l'expression exacte de l'écart type $\sigma_{\bar{X}}$ (formule 9.17) pour construire l'intervalle de confiance.

Il est d'usage d'utiliser le facteur de correction pour une population finie lorsque le taux de sondage (n/N) est supérieur à 0,05. Dans ces conditions, l'intervalle

$$\bar{X} \pm t_{\alpha/2} \frac{S}{\sqrt{n}} \left(\sqrt{\frac{N-n}{N-1}} \right)$$

9.18

donne une bonne approximation de l'intervalle de confiance de niveau $(1 - \alpha)$ pour estimer μ. La valeur $t_{\alpha/2}$ est lue dans la table t de Student avec $dl = (n - 1)$.

Exemple 9.11

On compte 250 familles dans un certain village du Québec. On veut estimer le montant moyen des contributions familiales annuelles en dons de charité dans ce village. Un sondage effectué auprès d'un échantillon de 40 familles a permis d'observer une moyenne de 450 \$, avec un écart type de 75 \$. En supposant que la distribution de la population soit approximativement normale, donnez une estimation par intervalle de confiance à 90 % de la moyenne des contributions annuelles en dons de charité des familles de ce village.

Solution

Il faut d'abord noter que le taux de sondage $n/N = 40/250 = 0,16$ est supérieur à 0,05, sans être trop élevé. Donc, en utilisant la formule 9.18, on obtient l'estimation approximative suivante, pour un niveau de confiance de 90 % :

$$\bar{x} \pm t_{0,05} \frac{s}{\sqrt{n}} \left(\sqrt{\frac{N-n}{N-1}} \right) = 450 \pm 1,684 \frac{75}{\sqrt{40}} \left(\sqrt{\frac{250-40}{250-1}} \right)$$

$$= 450 \pm 18,34 = (431,66 \,;\, 468,34)$$

EXERCICES 9.29 À 9.32

Dans chacun des exercices 9.29, 9.30 et 9.32, supposez que la distribution de la population soit approximativement normale.

9.29 On prélève sans remise un échantillon aléatoire de taille 49 à partir d'une population de 500 unités. La moyenne de l'échantillon est de 40 et l'écart type, de 9. Donnez une estimation de la moyenne de la population à l'aide d'un intervalle de confiance à 99 %.

9.30 On choisit sans remise un échantillon aléatoire de taille 36 dans une population de 300 unités. La moyenne de l'échantillon est de 35 et l'écart type, de 5. Donnez une estimation de la moyenne de la population à l'aide d'un intervalle de confiance à 95 %.

9.31 Trois cents soudeurs travaillent au chantier maritime de Halifax. Un échantillon aléatoire de 30 soudeurs prélevé sans remise dans la population considérée révèle que 18 d'entre eux ont suivi un cours de formation approuvé.

Estimez, à l'aide d'un intervalle de confiance à 95 %, la proportion de soudeurs de ce chantier ayant suivi un tel cours.

9.32 Hier soir, 20 760 spectateurs assistaient au match des Canadiens de Montréal. Un échantillon aléatoire de 2000 spectateurs prélevé sans remise dans l'assistance révèle que la quantité moyenne de boissons gazeuses consommées par personne était de 1,86 avec un écart type de 0,50. Donnez une estimation par intervalle de confiance à 99 % du nombre moyen de boissons gazeuses consommées par personne dans la population considérée.

RÉSUMÉ DU CHAPITRE

I. Une *estimation d'un paramètre de population* peut être obtenue à l'aide des deux étapes suivantes : i) dans la population de référence, on sélectionne un échantillon d'une taille donnée en utilisant une méthode d'échantillonnage appropriée, et ii) on choisit une statistique appropriée pour définir l'estimateur du paramètre et l'on calcule sa valeur à l'aide des données de l'échantillon.

   A. À l'étape i), on a supposé, sauf indication contraire, que l'échantillon aléatoire simple était sélectionné *avec remise* (ASAR) dans la population de référence.

II. On considère deux méthodes pour estimer un paramètre : i) *l'estimation ponctuelle* et ii) *l'estimation par intervalle*.

III. Un *estimateur* est une statistique d'échantillon utilisée pour estimer la valeur d'un paramètre de population. C'est une variable aléatoire. La valeur prise par l'estimateur dans un échantillon spécifique est appelée *estimation ponctuelle*.

   A. Les propriétés recherchées d'un estimateur sont : i) l'absence de biais, ii) l'efficacité et iii) la convergence.

   B. Un estimateur est *non biaisé* lorsque sa valeur espérée est égale au paramètre qu'il cherche à estimer. La moyenne et la variance de l'échantillon constituent des estimateurs non biaisés de la moyenne et de la variance de la population.

   C. Un estimateur non biaisé est *relativement plus efficace* qu'un autre estimateur non biaisé si sa variance est moindre que celle de l'autre estimateur. Un estimateur non biaisé est *efficace* si sa variance est minimale dans la classe de tous les estimateurs non biaisés.

   D. Un estimateur est *convergent* si sa distribution tend à se concentrer de plus en plus autour de la valeur du paramètre lorsque la taille n de l'échantillon tend vers l'infini.

   E. Un *estimateur non biaisé* est convergent si sa variance tend vers zéro lorsque la taille n de l'échantillon tend vers l'infini. La moyenne de l'échantillon constitue un estimateur convergent de la moyenne de la population.

IV. Un *intervalle de confiance* de niveau $(1 - \alpha)$ permet d'obtenir un ensemble de valeurs plausibles pour estimer le paramètre de population. Les bornes de l'intervalle sont des variables aléatoires dont les valeurs dépendent de l'échantillon observé. Une estimation par intervalle peut être obtenue en calculant la valeur de chacune de ces bornes à l'aide d'un échantillon spécifique.

   A. L'expression $(1 - \alpha)$ se nomme le *niveau de confiance* de l'intervalle. Elle correspond à la probabilité que l'intervalle contienne la valeur réelle du paramètre qu'on veut estimer.

B. Si la distribution de la variable étudiée est normale dans la population de référence ou si la taille de l'échantillon est suffisamment grande, alors

$$(\bar{X} - z_{\alpha/2}\,\sigma/\sqrt{n},\ \bar{X} + z_{\alpha/2}\,\sigma/\sqrt{n})\ \text{ou}\ (\bar{X} \pm z_{\alpha/2}\,\sigma/\sqrt{n}) \qquad \textbf{9.4}$$

est un *intervalle de confiance* de niveau $(1 - \alpha)$ pour estimer la moyenne μ de la population.

$z_{\alpha/2}\,\sigma/\sqrt{n}$ se nomme la *marge d'erreur*.

$\bar{X} - z_{\alpha/2}\sigma/\sqrt{n}$ se nomme la *borne inférieure de l'intervalle de confiance*.

$\bar{X} + z_{\alpha/2}\sigma/\sqrt{n}$ se nomme la *borne supérieure de l'intervalle de confiance*.

C. Pour un échantillon de taille n prélevé dans une population normalement distribuée avec un écart type de σ, $\dfrac{(n-1)s^2}{\sigma^2}$ suit une distribution du khi-deux (χ^2) avec $dl = (n-1)$ (voir l'annexe A du chapitre 9 sur le cédérom).

D. Si la population est normalement distribuée et qu'un échantillon de taille n est prélevé, alors $T = \dfrac{\bar{X} - \mu}{S/\sqrt{n}}$ suit une distribution t de Student avec $dl = (n-1)$. Ainsi, l'intervalle de confiance de niveau $(1 - \alpha)$ pour estimer la moyenne μ, lorsque l'écart type σ de la population est inconnu, est donné par :

$$(\bar{X} - t_{\alpha/2}S/\sqrt{n},\ \bar{X} + t_{\alpha/2}S/\sqrt{n})\ \text{ou}\ (\bar{X} \pm t_{\alpha/2}S/\sqrt{n}) \qquad \textbf{9.6}$$

où $t_{\alpha/2}$ est tel que l'aire à droite de ce point, sous la courbe de Student à $(n-1)$ degrés de liberté, est de $\alpha/2$.

V. Pour estimer la proportion p des unités d'une population ayant une caractéristique précise, si la taille n de l'échantillon est assez grande, l'intervalle de confiance de niveau $(1 - \alpha)$ est donné par :

$$(\hat{p} \pm z_{\alpha/2}\sqrt{\hat{p}(1-\hat{p})/n}) \qquad \textbf{9.8}$$

où $\hat{p}$ est la proportion de l'échantillon (la proportion des données de l'échantillon possédant cette caractéristique).

VI. Pour que la marge d'erreur de l'intervalle de confiance de niveau $(1 - \alpha)$ $\bar{X} \pm z_{\alpha/2}\sigma/\sqrt{n}$ n'excède pas E, la taille n de l'échantillon doit satisfaire :

$$n \geq \left(\frac{z_{\alpha/2}\sigma}{E}\right)^2 \qquad \textbf{9.10}$$

VII. Lorsque l'écart type σ de la population est inconnu, mais que la population est normalement distribuée, la marge d'erreur de l'intervalle de confiance approprié pour estimer la moyenne μ est $(t_{\alpha/2}\,S/\sqrt{n})$. Puisque $t_{\alpha/2}$ et S dépendent tous deux de l'échantillon, on ne peut pas utiliser cette formule pour déterminer la taille de l'échantillon permettant d'obtenir une marge d'erreur E fixée. Dans ce cas, on obtiendra une estimation préliminaire s de l'écart type, en se basant sur des études antérieures ou en utilisant un échantillon témoin par exemple, et l'on déterminera une valeur approximative de n à l'aide de la formule :

$$n \approx \left(\frac{z_{\alpha/2}s}{E}\right)^2 \qquad \textbf{9.13}$$

VIII. Dans le cas d'une proportion, une valeur de n pour laquelle la marge d'erreur de l'intervalle est approximativement égale à E est donnée par :

$$n \approx \left(\frac{z_{\alpha/2}\bar{\sigma}}{E}\right)^2 \qquad \textbf{9.14}$$

où $\bar{\sigma} = \sqrt{\bar{p}(1-\bar{p})}$ et $\bar{p}$ est une estimation préliminaire de p obtenue à partir d'études antérieures ou d'un échantillon témoin.

A. Une valeur de n qui satisfait :

$$n \geq \left(\frac{0,5 z_{\alpha/2}}{E} \right)^2 \qquad \textbf{9.16}$$

permet assurément de conserver une marge d'erreur maximale de E.

IX. Lorsque la population est finie et qu'on y prélève, sans remise, un échantillon aléatoire de taille n, $\sigma_{\bar{X}} = \dfrac{\sigma}{\sqrt{n}} \sqrt{\dfrac{N-n}{N-1}}$, où σ est l'écart type de la population.

A. Lorsque la taille de la population est modérément grande et que sa distribution est approximativement normale,

$$\bar{X} \pm t_{\alpha/2} \frac{S}{\sqrt{n}} \left(\sqrt{\frac{N-n}{N-1}} \right) \qquad \textbf{9.18}$$

constitue une bonne approximation de l'intervalle de confiance de niveau $(1 - \alpha)$ pour μ, où la valeur $t_{\alpha/2}$ est déterminée avec $dl = (n - 1)$.

EXERCICES 9.33 À 9.62

9.33 Le Bureau du tourisme du Nouveau-Brunswick souhaite estimer la proportion de touristes qui prévoient faire du camping dans la province cette année. Les études antérieures estiment la proportion de campeurs à 35 %. Pour obtenir la nouvelle estimation, un sondage est effectué dans les centres d'information touristique situés aux frontières de la province. Quelle taille l'échantillon doit-il avoir pour que la marge d'erreur de l'estimation soit d'au plus 2 %, au niveau de confiance de 95 % ?

9.34 Un sondage réalisé par le magazine *Maclean's* auprès d'un échantillon de 352 abonnés révèle qu'en moyenne ces derniers passent 13,4 heures par semaine sur Internet, avec un écart type de 6,8 heures. Donnez une estimation par intervalle du temps moyen d'utilisation d'Internet chez les abonnés de ce magazine, au niveau de confiance de 95 %.

9.35 Une firme de recherche mène un sondage afin de déterminer le montant hebdomadaire moyen consacré à l'achat de cigarettes par les fumeurs réguliers. Un échantillon de 49 fumeurs révèle que $\bar{x} = 54\,\$$ et $s = 10\,\$$.
a) Donnez une estimation ponctuelle de la moyenne de la population.
b) Donnez une estimation par intervalle de confiance à 95 % pour μ.

9.36 Référez-vous à l'exercice précédent. Supposez maintenant que l'échantillon contienne 64 fumeurs (au lieu de 49). Supposez aussi que la moyenne et l'écart type du nouvel échantillon soient identiques au précédent (respectivement de 54 $ et de 10 $).
a) Calculez l'intervalle de confiance à 95 % pour μ.
b) Expliquez pourquoi cet intervalle est plus étroit que celui déterminé à l'exercice précédent.

9.37 Un sondage doit être effectué dans une région rurale du Québec, afin de déterminer le revenu familial moyen des ménages. Un échantillon témoin de 10 familles a permis d'observer un écart type de 500 $. Le commanditaire du sondage exige une marge d'erreur maximale de 100 $ et un niveau de confiance de 95 % pour l'estimation de la moyenne. Combien de familles devraient faire partie du sondage ?

9.38 Un propriétaire de station-service aimerait estimer le nombre moyen de litres d'essence vendu à ses clients. En consultant ses relevés, il examine un échantillon aléatoire de 60 ventes, qui lui indique une quantité moyenne de 21,2 L avec un écart type de 4,1 L.
a) Donnez une estimation ponctuelle de la moyenne de la population.
b) Donnez une estimation par intervalle, au niveau de confiance de 99 %, pour la moyenne de la population.
c) Interprétez les résultats obtenus en b).

9.39 Un inspecteur des viandes de Calgary a la responsabilité d'estimer le poids net moyen des emballages de viande hachée dont l'étiquette indique 1 kg. Il réalise que tous les emballages ne peuvent évidemment avoir un poids exact de 1 kg. Un échantillon de 36 emballages donne un poids moyen de 1,01 kg avec un écart type de 0,02 kg.
   a) Donnez une estimation ponctuelle de la moyenne de la population.
   b) Déterminez une estimation par intervalle, au niveau de confiance de 95 %, pour la moyenne de la population.

9.40 Un échantillon aléatoire de 85 chefs d'équipe, superviseurs et autres employés de direction d'une multinationale indique qu'en moyenne ces personnes ont conservé le même emploi durant 6,5 années avant d'obtenir une promotion. L'écart type de l'échantillon est de 1,7 année. À l'aide d'un intervalle de confiance à 95 %, estimez le nombre moyen d'années pendant lequel un employé de cette catégorie doit conserver le même emploi avant d'obtenir une promotion.

9.41 Une enquête menée en l'an 2000 auprès de 50 stations libre-service de la région de Toronto révélait un prix moyen de 0,64 $ le litre pour l'essence sans plomb, avec un écart type de 0,01 $ le litre.
   a) À l'aide d'un intervalle de confiance à 99 %, donnez une estimation du prix moyen de l'essence sans plomb dans les stations libre-service de la région de Toronto en l'an 2000.
   b) Serait-il raisonnable de conclure que le prix moyen de l'essence sans plomb dans les stations libre-service de Toronto était de 0,63 $ le litre en l'an 2000 ? Expliquez votre réponse.

9.42 Un restaurateur veut estimer les ventes quotidiennes moyennes de son restaurant. Un échantillon aléatoire de 50 jours a permis d'observer des ventes quotidiennes moyennes de 3000 $, et un écart type de 300 $.
   a) Donnez une estimation ponctuelle des ventes quotidiennes moyennes de ce restaurant.
   b) Faites une estimation par intervalle de confiance à 99 % de ses ventes quotidiennes moyennes.
   c) Le restaurateur prétend que ses ventes quotidiennes moyennes sont de 3500 $. D'après les résultats de l'échantillon, que pensez-vous de son affirmation ?

9.43 Dans un sondage effectué par Ipsos-Reid en août 2001, 63 % des 1000 adultes canadiens interrogés sont opposés aux aliments génétiquement modifiés (OGM).
   a) Donnez une estimation par intervalle de confiance à 95 % de la proportion de Canadiens qui sont opposés aux OGM.
   b) D'après les résultats du sondage, quelle serait votre réaction si l'on prétendait que moins de 60 % des Canadiens sont opposés aux aliments génétiquement modifiés ?

9.44 Dottie Kleman est surnommée « Madame Biscuit ». Ses biscuits sont vendus dans 50 succursales dans tout le Canada. Mme Kleman est préoccupée par l'absentéisme de ses employés. On indique ci-dessous le nombre de jours d'absence observé dans un échantillon de 10 employés, au cours de la dernière période de paie de deux semaines.

4   1   0   2   1   1   2   1   0   2

En supposant que la population de référence ait une distribution approximativement normale, répondez aux questions suivantes :
   a) Déterminez la moyenne et l'écart type de l'échantillon.
   b) Donnez une estimation par intervalle de confiance à 99 % de la moyenne de la population (expliquez le choix de votre intervalle).
   c) Est-il raisonnable de conclure que l'employé moyen ne s'est pas absenté plus d'une journée durant la dernière période de paie ?

9.45 À l'occasion de la vérification annuelle de ses comptes, un agent de courtage sélectionne aléatoirement un échantillon de 36 clients. Il vérifie la valeur totale de leurs comptes et obtient une moyenne de 32 000 $ avec un écart type de 8200 $. Estimez, à l'aide d'un intervalle de confiance à 90 %, la valeur moyenne des comptes de tous ses clients.

9.46 Les Canadiens semblent divisés sur la question du statut juridique, des droits et obligations des couples en union de fait, sans égard à l'orientation sexuelle. Un sondage effectué en février 2000 par la firme Gallup auprès d'un échantillon aléatoire de 1003 Canadiens adultes âgés de 18 ans et plus a révélé que 48 % des répondants étaient opposés au mariage entre conjoints de même sexe. En supposant que les opinions aient peu changé depuis ce sondage, estimez, à l'aide d'un intervalle de confiance à 95 %, la proportion des adultes canadiens qui s'opposent au mariage entre conjoints de même sexe. D'après vos résultats, que pensez-vous de l'affirmation selon laquelle « moins de la moitié des Canadiens sont opposés au mariage entre conjoints de même sexe » ?

9.47 On veut estimer la proportion de comptables qui ont changé d'employeur depuis les trois dernières années. On utilise un niveau de confiance de 95 % et la marge d'erreur de l'estimation ne doit pas excéder 3 %. Une étude menée il y a plusieurs années révélait que 21 % des comptables avaient changé d'employeur au cours d'une période de trois ans.
a) Afin de mettre à jour cette étude, combien de dossiers de comptables devrait-on examiner ?
b) Combien de comptables devraient être contactés si l'on ne disposait d'aucune information préliminaire concernant la proportion de la population ?

9.48 Un sondage récent, mené auprès de 50 cadres masculins sans emploi, a montré qu'il leur a fallu en moyenne 26 semaines avant de trouver un nouvel emploi. L'écart type de l'échantillon était de 6,2 semaines. Donnez une estimation par intervalle, au niveau de confiance de 95 %, pour la moyenne de la population. D'après vos résultats, serait-il raisonnable de penser qu'il faut, en moyenne, 28 semaines à un cadre masculin avant de trouver un nouvel emploi ? Expliquez votre réponse.

9.49 Vous prévoyez mener un sondage afin de déterminer la proportion de travailleurs qui occupent au moins deux emplois. Un échantillon témoin de taille 50 révèle que cinq individus occupent au moins deux emplois. Vous fixez le niveau de confiance de votre estimation à 95 % et la marge d'erreur maximale à 2 %. Combien d'individus devriez-vous inclure dans votre sondage afin de satisfaire à vos exigences ?

9.50 Le verdict de culpabilité de Robert Latimer, qui a mis fin aux jours de sa fille handicapée par compassion, a suscité beaucoup d'émoi au Canada autour de la question du suicide assisté. Un sondage mené par la firme Gallup en novembre 1998 auprès de 1004 adultes canadiens de plus de 18 ans a révélé que 77 % des répondants étaient en faveur de l'euthanasie pratiquée par un médecin pour raisons humanitaires. (Ces personnes sont d'avis que les médecins devraient être autorisés à mettre fin aux jours d'un patient atteint d'une maladie incurable et qui éprouve de grandes souffrances.) À l'aide d'un intervalle de confiance à 95 %, estimez la proportion de Canadiens qui approuvaient cette pratique en novembre 1998.

9.51 Une psychologue industrielle étudie actuellement le niveau de stress des cadres œuvrant dans des entreprises spécialisées en services Internet. Elle a mis au point un questionnaire permettant, croit-elle, de mesurer le niveau de stress. Un résultat supérieur à 80 indique un niveau de stress alarmant. Un échantillon aléatoire de 15 cadres a donné les résultats suivants :

94	78	83	90	78	99	97	90
97	90	93	94	100	75	84	

Supposez que la distribution soit approximativement normale dans la population de référence.
a) Déterminez le niveau moyen de stress des cadres de cet échantillon et donnez une estimation ponctuelle de la moyenne de la population.

b) Calculez un intervalle de confiance à 95 % pour estimer le niveau moyen de stress dans la population étudiée.

c) Est-il raisonnable de conclure que les cadres des entreprises spécialisées en services Internet ont un niveau moyen de stress alarmant, d'après le test de la psychologue ?

9.52 L'entreprise Badik se spécialise dans la construction de terrasses et de patios. Le temps moyen requis pour construire un patio standard est de huit heures, avec une équipe de deux travailleurs. Cette estimation est basée sur un échantillon de 40 patios récemment construits. L'écart type de l'échantillon est de trois heures.

a) Donnez une estimation par intervalle, au niveau de confiance de 90 %, pour la moyenne de la population.

b) Serait-il raisonnable de conclure que le temps moyen requis pour construire un patio est en réalité de neuf heures ? Expliquez votre réponse.

9.53 Un sondage réalisé par l'Association canadienne des restaurateurs et des services alimentaires (CRFA) auprès de 60 couples de jeunes mariés a révélé que le nombre moyen de repas pris au restaurant était de 2,76 repas par semaine avec un écart type de 0,75. Donnez une estimation par intervalle, au niveau de confiance de 98 %, pour la moyenne de la population considérée.

9.54 Les salaires peu élevés payés par les entreprises canadiennes ont été tenus en grande partie responsables de l'exode des cerveaux observé au Canada. Un sondage, mené au cours de l'année 2000 par Stornoway Communications en collaboration avec Canoë, a été effectué auprès d'un échantillon de 522 adultes canadiens. Neuf répondants sur 10 ont affirmé avoir déjà envisagé de déménager aux États-Unis, et 81 % ont avoué que les salaires plus élevés étaient un facteur important de leur décision. Les répondants âgés de 35 ans et plus ont aussi déclaré que les impôts élevés les préoccupaient particulièrement. Estimez, à l'aide d'un intervalle de confiance à 99 %, la proportion d'adultes canadiens qui ont envisagé un déménagement aux États-Unis au cours de l'année 2000.

9.55 Le fabricant d'une nouvelle imprimante à jet d'encre aimerait promouvoir son produit en indiquant le nombre de pages qu'un utilisateur peut imprimer avec une cartouche d'encre. Un échantillon de 10 cartouches a donné les résultats suivants :

| 2698 | 2028 | 2474 | 2395 | 2372 | 2475 | 1927 | 3006 | 2334 | 2379 |

Supposez que la distribution soit approximativement normale dans la population de référence.

a) Donnez une estimation ponctuelle du nombre moyen de pages imprimées par cartouche.

b) Estimez, à l'aide d'un intervalle de confiance à 95 %, la moyenne du nombre de pages imprimées par cartouche.

9.56 Le service des ressources humaines de la société Electronics inc. aimerait ajouter un plan d'assurance dentaire aux avantages sociaux de ses employés. La question est de savoir quel montant d'argent un employé moyen et sa famille consacrent annuellement aux soins dentaires. Dans un échantillon de 45 employés, le montant moyen dépensé l'année dernière était de 1820 $, avec un écart type de 660 $.

a) Estimez, à l'aide d'un intervalle de confiance à 95 %, le montant annuel moyen consacré aux soins dentaires familiaux par les employés de l'entreprise.

b) L'information recueillie en a) a été transmise au président d'Electronics inc. Il a fait savoir qu'il pourrait accorder 1700 $ par employé pour les soins dentaires. Que pensez-vous de cette proposition ? Expliquez votre réponse.

9.57 Une compagnie de téléphone note dans son rapport annuel que « le client moyen dépense 60 $ par mois pour les appels locaux et interurbains ». Un échantillon de 12 clients a permis d'observer les montants mensuels suivants (en $) :

| 64 | 66 | 64 | 66 | 59 | 62 | 67 | 61 | 64 | 58 | 54 | 66 |

Supposez que la distribution du montant dépensé en appels locaux et inter-urbains soit approximativement normale dans la population de référence.

a) Donnez une estimation ponctuelle de la moyenne de la population.

b) Donnez une estimation par intervalle, au niveau de confiance de 90%, pour la moyenne de la population.

c) Est-il vraisemblable, comme le note le rapport de la compagnie, que le client moyen dépense 60 $ par mois en appels locaux et interurbains ? Expliquez votre réponse.

9.58 Pour estimer la moyenne d'une population, une étudiante a mené un sondage et obtenu l'intervalle (46,08 ; 53,92), au niveau de confiance de 95%. Elle est certaine que la moyenne de l'échantillon est 50 et l'écart type, 16, mais ne peut se souvenir de la taille exacte de l'échantillon. Pouvez-vous l'aider ?

9.59 Dans un sondage effectué par Ipsos-Reid en août 2001 sur l'opinion des Ontariens concernant la tragédie de l'eau contaminée à Walkerton, 22% des 1001 répondants blâmaient le gouvernement provincial dans cette affaire. Donnez une estimation par intervalle, au niveau de confiance de 95%, de la proportion d'Ontariens qui blâmaient le gouvernement.

9.60 Le nombre de visites est déterminant pour expliquer la vente d'une propriété résidentielle. Un échantillon de 15 maisons récemment vendues à Montréal affiche une moyenne de 24 visites, avec un écart type de 5 visites. En supposant que la distribution soit approximativement normale dans la population de référence, estimez, à l'aide d'un intervalle de confiance à 98%, la moyenne de la population considérée.

9.61 Un sondage effectué par *Maclean's* en janvier 2001 sur l'opinion publique des Canadiens concernant leur système de santé a révélé que 54% des 1400 répondants sont en faveur de l'imposition d'un ticket modérateur.

a) À l'aide d'un intervalle de confiance à 95%, estimez la proportion de Canadiens en faveur d'un ticket modérateur.

b) D'après votre réponse en a), pouvez-vous raisonnablement conclure qu'une majorité de Canadiens approuvent l'imposition de ces frais ?

9.62 Le chef de police d'une municipalité rapporte que 500 contraventions ont été émises le mois dernier. Un échantillon de 35 de ces contraventions révèle que le montant moyen des amendes était de 54 $, avec un écart type de 4,50 $. En supposant que la population soit normalement distribuée, donnez une esti-mation par intervalle, au niveau de confiance de 95%, pour le montant moyen d'une contravention dans cette municipalité.

www.exercices.ca 9.63 À 9.64

9.63 Le site Web www.sia.ca est un site où l'on trouve de l'information sur les maisons à vendre au Canada. Supposez que vous vouliez estimer, à l'aide d'un intervalle de confiance à 95%, le prix de vente moyen des *maisons unifamiliales* de deux étages possédant au moins deux chambres à coucher actuellement en vente dans la région du Grand Montréal. Allez sur ce site et cliquez sur la province de Québec sur la carte et cochez « Grand Montréal ». Définissez le type de propriété désiré (Maison unifamiliale – Maison – Deux étages) et précisez le nombre de chambres sous « Caractéristiques ». À partir de la liste obtenue, sélectionnez un échantillon aléatoire simple avec remise de 10 maisons et enregistrez leur prix de vente. En supposant que la distribution soit approxima-tivement normale dans la population de référence, déterminez une estimation par intervalle, au niveau de confiance de 95%, pour le prix moyen des maisons de ce type dans la région du Grand Montréal.

9.64 Le site Web www.strategis.gc.ca est un excellent site où l'on trouve de l'information sur les entreprises canadiennes. Supposez qu'on veuille estimer, avec un intervalle de confiance à 95 %, le taux mensuel moyen de faillites commerciales au Canada depuis les six dernières années. Sélectionnez un échantillon aléatoire simple avec remise de 10 mois. (Attribuez à chacun de ces mois un numéro de 1 à 72. Sélectionnez au hasard un échantillon de 10 nombres de 1 à 72 à l'aide d'une table de nombres aléatoires.) Allez ensuite sur le site www.strategis.ic.gc.ca/epic/internet/inbsf-osb.nsf/fr/h_br01011f.html et cliquez sur Statistiques mensuelles. Trouvez le nombre de faillites commerciales pour chacun des mois de l'échantillon. En supposant que les données aient une distribution approximativement normale dans la population de référence, faites une estimation par intervalle de confiance à 95 % du nombre mensuel moyen de faillites commerciales au Canada.

EXERCICES 9.65 À 9.67 DONNÉES INFORMATIQUES

9.65 Référez-vous aux données concernant le marché immobilier sur le cédérom accompagnant ce manuel (voir le fichier 9-65.xls). Ce dernier contient des renseignements sur un échantillon de maisons vendues en 2001 à Victoria (C.-B.).
a) À l'aide d'un intervalle de confiance à 95 %, estimez le prix de vente moyen des maisons à Victoria en 2001.
b) À l'aide d'un intervalle de confiance à 90 %, estimez la proportion de maisons dont le prix de vente est supérieur à 240 000 $.
c) Donnez une estimation par intervalle, au niveau de confiance de 98 %, pour le nombre moyen de chambres à coucher des maisons vendues à Victoria en 2001.
d) Donnez une estimation par intervalle, au niveau de confiance de 95 %, pour la proportion de maisons vendues comprenant au moins deux salles de bains.
(Note : Dans les parties b) et d) de cet exercice, vous devrez d'abord convertir les données selon les attributs 0 – 1 avant de suivre les instructions pour Excel.)

9.66 Référez-vous au fichier 100 of Top Companies.xls sur le cédérom accompagnant ce manuel. Vous y trouverez des renseignements sur le rendement par action de 100 des 1000 plus grandes entreprises au Canada en 2000 (publiés par *Globe Interactive*). Considérez-les comme les données de la population.
a) Déterminez la moyenne de la population.
b) Sélectionnez 60 échantillons aléatoires simples sans remise de taille 30 (voir les étapes à suivre au chapitre 8). Calculez la moyenne et l'écart type de chaque échantillon, puis calculez une estimation par intervalle, au niveau de confiance de 98 %, pour la moyenne de la population.
c) Déterminez la proportion des intervalles de confiance qui contiennent la valeur de la moyenne de la population. Commentez vos résultats.

9.67 Référez-vous aux données du fichier Exercice 9-67.xls sur le cédérom accompagnant ce manuel. Vous y trouverez les valeurs de l'indice TSE 300 et le prix des actions de BCE et d'Air Canada à la fin de 20 semaines de l'année 2000, sélectionnées au hasard.
a) Estimez, à l'aide d'un intervalle de confiance à 92 %, la valeur moyenne de l'indice TSE 300 pendant l'année 2000.
b) Estimez, à l'aide d'un intervalle de confiance à 95 %, la valeur moyenne des actions de BCE pendant l'année 2000.
c) Estimez, à l'aide d'un intervalle de confiance à 90 %, la valeur moyenne des actions d'Air Canada pendant l'année 2000.

CHAPITRE 9 RÉPONSES AUX QUESTIONS DE RÉVISION

9.1
$$\mu = \frac{160 + 170 + 165 + 173}{4} = 167$$

$$\sigma^2 = \frac{(160 - 167)^2 + \ldots + (173 - 167)^2}{4} = 24,5$$

$$\sigma = \sqrt{24,5} \approx 4,95$$

Numéro d'échantillon	Échantillon	Probabilité	s^2	s
1	160, 160	1/16	0	0
2	160, 170	1/16	50	7,071
3	160, 165	1/16	12,5	3,536
4	160, 173	1/16	84,5	9,192
5	170, 160	1/16	50	7,071
6	170, 170	1/16	0	0
7	170, 165	1/16	12,5	3,536
8	170, 173	1/16	4,5	2,121
9	165, 160	1/16	12,5	3,536
10	165, 170	1/16	12,5	3,536
11	165, 165	1/16	0	0
12	165, 173	1/16	32	5,657
13	173, 160	1/16	84,5	9,192
14	173, 170	1/16	4,5	2,121
15	173, 165	1/16	32	5,657
16	173, 173	1/16	0	0

$$E(S^2) = 0\left(\frac{1}{16}\right) + 50\left(\frac{1}{16}\right) + \ldots + 32\left(\frac{1}{16}\right) + 0\left(\frac{1}{16}\right)$$
$$= 24,5$$

$$E(S) = 0\left(\frac{1}{16}\right) + 7,071\left(\frac{1}{16}\right) + \ldots + 5,657\left(\frac{1}{16}\right) +$$
$$0\left(\frac{1}{16}\right) = 3,889$$

Donc, $E(S^2) = \sigma^2$. Par contre, $E(S) \neq \sigma$.

9.2
a) $(1 - \alpha) = 0,8$; donc, $\alpha = 1 - 0,8 = 0,2$; $\alpha/2 = 0,1$; l'aire entre 0 et $z_{0,1}$ est de $(0,5 - 0,1) = 0,4$. D'après la table Z (normale centrée réduite), $z = z_{0,1} \approx 1,282$.

b) $(1 - \alpha) = 0,94$; donc, $\alpha/2 = 0,03$; l'aire entre 0 et $z_{0,03}$ est de $(0,5 - 0,03) = 0,47$. D'après la table Z, $z = z_{0,03} \approx 1,88$.

c) $(1 - \alpha) = 0,98$; donc, $\alpha/2 = 0,01$; l'aire entre 0 et $z_{0,01}$ est de $(0,5 - 0,01) = 0,49$. D'après la table Z, $z = z_{0,01} \approx 2,327$.

9.3
a) $(\bar{X} \pm 1,282\sigma/\sqrt{n})$
b) $(\bar{X} \pm 2,327\sigma/\sqrt{n})$
c) $(\bar{X} \pm 1,44\sigma/\sqrt{n})$

9.4 $1,326 \pm (1,645)(2,05)/\sqrt{20} = (1,326 \pm 0,754)$ ou $(0,572 ; 2,080)$

9.5
1. $\alpha = (1 - 0,9) = 0,1$. $t = t_{\alpha/2} = t_{0,05}$ (pour $dl = 20$) $= 1,725$ (d'après la table de Student).
2. D'après la table de Student, on obtient $t_{0,1}$ (pour $dl = 15$) $= 1,341$.
3. $t = -t_{0,01}$ (pour $dl = 10$) $= -2,764$ (d'après la table de Student).

9.6 $\bar{x} = 1,326$; $s = 1,649$; $\alpha = (1 - 0,95) = 0,05$. D'après la table de Student, on trouve $t_{\alpha/2} = t_{0,025} = 2,093$ pour $dl = (n - 1) = 19$. L'intervalle de confiance à 95 % pour la moyenne de la population est donc de :
$$1,326 \pm (2,093)(1,649)/\sqrt{20} = (1,326 \pm 0,772)$$
$$= (0,554 ; 2,098)$$

Sortie de résultats MegaStat (Excel) Descriptive Statistics	# 1
count	20
mean	1,3260
sample variance	2,7205
sample standard deviation	1,6494
standard error of the mean	0,3688
confidence interval, 95 % lower	0,5541
confidence interval, 95 % upper	2,0979
confidence interval, 99 % lower	0,2708
confidence interval, 99 % upper	2,3812

9.7
a) L'estimation ponctuelle de la proportion de la population est $\hat{p}$ est $\frac{420}{1400} = 0,3$.

b) Pour un niveau de confiance de 99 %, l'intervalle est :
$$\hat{p} \pm z_{0,005}\sqrt{\hat{p}(1 - \hat{p})/n}$$
$$= 0,3 \pm (2,575)\sqrt{0,3(0,7)/1400}$$
$$= (0,2685 ; 0,3315)$$

9.8
$$\left(\frac{1,96\,(2,05)}{0,5}\right)^2 = 64,58$$

La taille de l'échantillon devrait être d'au moins 65.

9.9
$$\left(\frac{z_{\alpha/2}s}{E}\right)^2 = \left(\frac{z_{0,005} \times 0,279}{0,05}\right)^2 = \left(\frac{2,575 \times 0,279}{0,05}\right)^2$$
$$= 206,45$$

On devrait donc choisir un échantillon de taille 207 ou plus.

9.10
$$\left(\frac{0,5z_{\alpha/2}}{E}\right)^2 = \left(\frac{0,5 \times z_{0,025}}{0,04}\right)^2 = \left(\frac{0,5 \times 1,96}{0,04}\right)^2$$
$$= 600,25$$

Une valeur de $n = 601$ serait donc suffisante.

RÉVISION DES CHAPITRES 8 ET 9

Au chapitre 8, nous avons expliqué pourquoi l'échantillonnage était parfois nécessaire. On a recours à l'échantillonnage lorsqu'il est impossible d'observer chaque unité ou individu de la population. Les coûts et le temps nécessaire pour contacter toutes les familles canadiennes et noter leurs revenus annuels, par exemple, seraient beaucoup trop importants. De plus, l'observation d'une unité peut, dans certains cas, entraîner sa destruction. Un fabricant de médicaments ne peut vérifier l'efficacité de chaque comprimé manufacturé, puisqu'il n'en aurait plus à vendre. Voilà pourquoi on utilise un échantillon prélevé dans la population de référence pour estimer un de ses paramètres. Un échantillon constitue un sous-ensemble de la population. Pour obtenir une bonne estimation, on doit veiller à ce que chaque unité de la population ait une chance d'être sélectionnée dans l'échantillon. On peut utiliser différentes méthodes d'échantillonnage probabiliste, par exemple l'*échantillonnage aléatoire simple*, l'*échantillonnage aléatoire stratifié*, l'*échantillonnage systématique* et l'*échantillonnage par grappes*.

Quelle que soit la méthode d'échantillonnage utilisée, la valeur d'une statistique d'échantillon est rarement égale à celle du paramètre étudié dans la population. Ainsi, il y a peu de chances que la moyenne d'un échantillon soit exactement la même que la moyenne de la population. La différence entre la valeur de la statistique d'échantillon et celle du paramètre étudié peut s'expliquer par deux facteurs : i) l'erreur d'échantillonnage et ii) l'erreur non attribuable à l'échantillonnage.

Au chapitre 8, nous avons démontré que si l'on sélectionnait un échantillon aléatoire simple avec remise (ASAR), la moyenne des moyennes de tous les échantillons possibles serait alors exactement égale à la moyenne de la population. Nous avons aussi constaté que l'écart type de la distribution des moyennes échantillonnales était égal à l'écart type de la population, divisé par la racine carrée de la taille de l'échantillon. On peut donc conclure que la dispersion de la distribution de la moyenne échantillonnale est moindre que celle de la variable étudiée dans la population de référence. Par ailleurs, lorsque la taille de l'échantillon augmente, la dispersion de la distribution d'échantillonnage de la moyenne diminue. Lorsque la population est de grande taille, un prélèvement d'échantillon avec remise donnera sensiblement les mêmes résultats qu'un prélèvement sans remise.

Le théorème limite central est fondamental en inférence statistique. Si la distribution de la variable étudiée est de loi normale dans la population et si un échantillon aléatoire simple est prélevé avec remise dans cette population, alors la moyenne échantillonnale suivra également une distribution normale. Le théorème limite central stipule que même si la distribution n'est pas normale dans la population de référence, la distribution de la moyenne échantillonnale s'approche d'une distribution normale si la taille de l'échantillon est suffisamment grande. D'un point de vue pratique, le théorème peut s'appliquer lorsque l'échantillon comprend au moins 30 observations.

Au chapitre 9, nous avons mis l'accent sur l'estimation ponctuelle et l'estimation par intervalle d'un paramètre de population. Un estimateur est une statistique d'échantillon utilisée pour estimer un paramètre. C'est une variable aléatoire puisque sa valeur dépend de l'échantillon observé. Une estimation ponctuelle est constituée d'un seul nombre et est obtenue en calculant la valeur de l'estimateur approprié à l'aide des données d'un échantillon spécifique. Un intervalle de confiance de niveau $(1 - \alpha)$ permet d'obtenir un ensemble de valeurs plausibles pour estimer le paramètre étudié. L'expression $(1 - \alpha)$ se nomme le niveau de confiance de l'intervalle et correspond à la probabilité qu'un tel intervalle contienne la valeur réelle du paramètre. Les bornes de l'intervalle sont des variables aléatoires puisqu'elles dépendent de l'échantillon observé. L'amplitude de l'intervalle permet de mesurer la précision de l'estimation. Supposons qu'on estime le revenu annuel moyen de tous les comptables de Montréal (la population) à 85 200 $, en se basant sur les données d'un échantillon. Cette valeur est une *estimation ponctuelle*. Si l'on estime que le revenu annuel moyen de tous les comptables de Montréal se situe probablement entre 78 600 $ et 91 400 $, il s'agit d'une *estimation par intervalle*. Les deux limites (78 600 $ et 91 400 $) sont les *bornes de l'intervalle de confiance* pour la moyenne de la population. Nous avons donné la marche à suivre pour établir un intervalle de confiance pour estimer une moyenne et une proportion de population. Nous avons aussi expliqué comment déterminer la taille d'échantillon requise en fonction de la dispersion de la population, du niveau de confiance désiré et la précision souhaitée de l'estimation.

◼▬ GLOSSAIRE

Chapitre 8

Distribution d'échantillonnage de la moyenne Distribution de probabilité des valeurs possibles de la moyenne d'un échantillon de taille n prélevé selon une méthode d'échantillonnage donnée.

Échantillonnage aléatoire simple Méthode d'échantillonnage selon laquelle tous les échantillons possibles de taille n ont la même probabilité d'être choisis et toutes les unités de la population ont la même chance d'être sélectionnées.

Échantillonnage aléatoire simple avec remise (ASAR) Chaque unité est prélevée au hasard dans la population, est observée et remise dans la population avant de procéder au tirage suivant. Une unité peut donc apparaître plus d'une fois dans l'échantillon.

Échantillonnage aléatoire simple sans remise (ASSR) Les unités sélectionnées ne sont pas remises dans la population. Chaque unité ne peut donc apparaître qu'une seule fois dans l'échantillon.

Échantillonnage aléatoire stratifié La population est divisée en sous-groupes relativement homogènes, nommés strates, et un *échantillon aléatoire simple* est ensuite sélectionné dans chaque strate.

Échantillonnage aléatoire systématique Les unités de la population sont numérotées arbitrairement de 1 à N. On choisit au hasard un nombre k entre 1 et N. On sélectionne aléatoirement la première unité à inclure dans l'échantillon, puis on ajoute chaque $k^{\text{ième}}$ unité, jusqu'à ce qu'on obtienne un échantillon de la taille n désirée.

Échantillonnage non probabiliste La sélection de l'échantillon n'est pas aléatoire. L'inclusion d'une unité dans l'échantillon est arbitraire et laissée au jugement ou à la convenance de la personne qui sélectionne l'échantillon.

Échantillonnage par grappes Méthode fréquemment utilisée pour réduire le coût d'échantillonnage lorsque la population est géographiquement dispersée. On divise la population en sous-groupes qu'on nomme grappes et l'on sélectionne un échantillon aléatoire simple de grappes de tailles prédéterminées. L'ensemble de toutes les unités incluses dans les grappes sélectionnées constitue l'échantillon final.

Échantillonnage probabiliste Avec une telle méthode, l'échantillon est sélectionné au hasard et il est possible de déterminer la probabilité d'inclusion de chaque unité dans l'échantillon.

Erreur d'échantillonnage Erreur d'estimation entièrement attribuable à la méthode d'échantillonnage et au choix de l'estimateur.

Erreur non attribuable à l'échantillonnage Erreur d'estimation qui n'a pas de relation directe avec la méthode d'échantillonnage ou l'estimateur utilisés ; elle est causée par d'autres facteurs.

Théorème limite central Si un échantillon aléatoire simple est prélevé avec remise dans la population de référence, la distribution d'échantillonnage de la moyenne tend vers une loi normale lorsque la taille de l'échantillon augmente, quelle que soit la forme de la distribution de la population.

Chapitre 9

Estimateur Statistique d'échantillon utilisée pour estimer la valeur d'un paramètre de population.

Estimateur convergent d'un paramètre Estimateur dont la distribution tend à se concentrer de plus en plus autour de la valeur du paramètre qu'il estime, lorsque la taille n de l'échantillon augmente.

Estimateur efficace d'un paramètre Estimateur non biaisé possédant la plus petite variance dans la classe des estimateurs non biaisés de ce paramètre.

Estimateur non biaisé d'un paramètre Estimateur dont la valeur espérée est égale au paramètre à estimer.

Estimation ponctuelle Estimation constituée par un seul nombre qui correspond à la valeur de l'estimateur calculée à partir des données de l'échantillon spécifique observé.

Intervalle de confiance Intervalle qui fournit un ensemble de valeurs plausibles pour estimer un paramètre, avec un niveau de confiance spécifique. Une estimation calculée à l'aide d'un intervalle de confiance s'appelle une *estimation par intervalle*.

Niveau de confiance d'un intervalle Probabilité que l'intervalle contienne la valeur réelle du paramètre de la population.

EXERCICES

PARTIE I – CHOIX MULTIPLE

1. On attribue un numéro d'identification à 6200 employés : de 0001 à 6200. On choisit au hasard un nombre entre 0001 et 0200. Le nombre obtenu est 0153. Ensuite, on collecte les données concernant les employés dont les numéros sont 0153, 0353, 0553 et ainsi de suite. Ce type d'échantillonnage se nomme :
   a) un échantillonnage aléatoire simple.
   b) un échantillonnage aléatoire systématique.
   c) un échantillonnage aléatoire stratifié.
   d) un échantillonnage par grappes.

2. Vous divisez une circonscription en secteurs. Ensuite, vous sélectionnez aléatoirement un ensemble de 12 secteurs et vous observez toutes les unités des secteurs sélectionnés. L'ensemble de toutes ces unités constitue votre échantillon. Ce type d'échantillonnage se nomme :
   a) un échantillonnage aléatoire simple.
   b) un échantillonnage aléatoire systématique.
   c) un échantillonnage aléatoire stratifié.
   d) un échantillonnage par grappes.

3. En supposant qu'aucun autre facteur ne puisse expliquer l'erreur associée à une estimation, l'erreur d'échantillonnage est :
   a) égale à la moyenne de la population.
   b) un paramètre de la population.
   c) la différence entre la statistique d'échantillon et le paramètre de la population.
   d) toujours positive.

4. Parmi les énoncés suivants, lequel est vrai ?
   a) Une estimation par intervalle de confiance ne peut contenir de valeurs négatives.
   b) La distribution utilisée pour calculer les intervalles de confiance est toujours la loi normale centrée réduite.
   c) Toute estimation par intervalle de confiance doit inclure le paramètre de la population.
   d) Aucun des énoncés précédents n'est vrai.

5. Parmi les facteurs suivants, lesquels ont une influence sur la marge d'erreur associée à l'intervalle de confiance pour estimer la moyenne d'une population ?
   a) Le niveau de confiance de l'intervalle.
   b) La valeur de la moyenne de l'échantillon.
   c) La taille de l'échantillon.
   d) La marge d'erreur d'un tel intervalle dépend des trois facteurs mentionnés.

6. On calcule la moyenne et l'écart type d'un échantillon de 50 observations prélevé à partir d'une population dont la distribution est asymétrique à droite et qui a un écart type de 4. On veut déterminer un intervalle de confiance pour estimer la moyenne. Parmi les affirmations suivantes, laquelle est correcte ?
   a) On ne peut déterminer un intervalle de confiance, car la distribution n'est pas normale dans la population de référence.
   b) On peut utiliser une distribution de Student.
   c) On peut utiliser z, puisque le théorème limite central stipule que la distribution de la moyenne échantillonnale sera approximativement normale.
   d) Toutes les propositions précédentes sont erronées.

7. Laquelle des affirmations suivantes *ne s'applique pas* aux distributions de Student ?
   a) La distribution est asymétrique à droite.
   b) Il s'agit d'une distribution continue.
   c) Elle a une moyenne de zéro.
   d) Le paramètre qui caractérise cette famille de distributions s'appelle *le nombre de degrés de liberté*.

8. Dans une distribution de Student, lorsque le nombre de degrés de liberté augmente :
   a) la distribution s'approche d'une distribution normale centrée réduite.
   b) la distribution devient de plus en plus asymétrique.
   c) la distribution devient une distribution continue.
   d) la distribution devient plus aplatie.

9. Parmi les énoncés suivants, lesquels caractérisent correctement la moyenne d'un échantillon aléatoire simple de taille n prélevé avec remise dans la population de référence ?
   a) C'est un estimateur non biaisé de la moyenne de la population.
   b) C'est un estimateur convergent de la moyenne de la population.
   c) C'est un estimateur efficace de la moyenne de la population.
   d) Aucun de ces énoncés.

10. On sélectionne un échantillon de 15 observations dans une population normalement distribuée, et l'on veut déterminer un intervalle de confiance à 98 % pour estimer la moyenne de la population. La valeur appropriée de t est :
    a) 2,947.
    b) 2,977.
    c) 2,624.
    d) Toutes ces réponses sont erronées.

PARTIE II – PROBLÈMES

11. Une étude indique qu'en moyenne les femmes prennent 8,6 semaines de congé sans solde après la naissance d'un enfant. Supposez que la distribution soit approximativement normale dans la population de référence et présente un écart type de 2,0 semaines. On sélectionne un échantillon de 35 femmes dans la population considérée. Quelle est la probabilité que la moyenne d'un tel échantillon soit d'au moins 8,8 semaines ?

12. Le gérant d'un magasin note que le nombre moyen de tee-shirts vendus par semaine est de 1210 avec un écart type de 325. La distribution des ventes hebdomadaires de tee-shirts suit une loi normale. On sélectionne un échantillon aléatoire de 25 semaines. Quelle est la probabilité d'observer une moyenne inférieure ou égale à 1100 dans un tel échantillon ?

Dans les exercices 13 à 19, supposez que la distribution soit approximativement normale dans la population de référence.

13. Le propriétaire du café Nord-Pacifique veut estimer le nombre moyen de repas servis en une journée. Un échantillon de 60 jours indique une moyenne de 160 repas par jour avec un écart type de 20 repas. Calculez une estimation par intervalle, au niveau de confiance de 98 %, pour le nombre moyen de repas par jour servis dans ce café.

14. Le gérant du restaurant Hamburger-Express veut estimer le temps moyen d'attente des clients au comptoir du service à l'auto. Un échantillon de 80 clients indique un temps moyen de 2,65 minutes avec un écart type de 0,45 minute. Donnez une estimation par intervalle de confiance à 90 % pour le temps moyen d'attente.

15. Le directeur des services administratifs d'une grande entreprise analyse l'utilisation des photocopieuses de la compagnie. Un échantillon aléatoire de six appareils a été sélectionné et le nombre de copies (en milliers) faites hier sur chacun d'eux a été enregistré. Voici les résultats observés :

826   931   1126   918   1011   1101

Estimez, à l'aide d'un intervalle de confiance à 95 %, le nombre moyen de photocopies faites avec chaque photocopieuse de l'entreprise.

16. Jean Clément est l'animateur d'une émission de tribune téléphonique dans une station de radio. Durant son émission matinale, il discute de sujets d'actualité locale et nationale avec ses auditeurs. Ce matin, il s'interrogeait sur le nombre d'heures quotidien que les enfants de moins de 12 ans passent à regarder la télévision. Voici le nombre d'heures que les enfants des cinq derniers intervenants ont passé devant la télévision hier soir :

3,0   3,5   4,0   4,5   3,0

Serait-il raisonnable d'établir un intervalle de confiance à partir de ces données pour estimer le nombre moyen d'heures passées devant la télévision par les enfants de moins de 12 ans ? Si oui, calculez un tel intervalle avec un niveau de confiance adéquat et interprétez vos résultats. Sinon, dites pourquoi un intervalle de confiance n'est pas approprié.

17. La société Bidule inc. fabrique des gadgets de toute sorte. Elle produit en moyenne 250 articles par jour. Le nouveau propriétaire vient d'acheter une machine afin d'accroître la production journalière. Un échantillon de 16 jours de production avec la machine a permis d'observer une moyenne de 240 articles par jour, avec un écart type de 35. Calculez un intervalle de confiance à 95 % pour estimer le nombre moyen d'articles produits par jour. Est-il raisonnable de conclure que la production journalière moyenne de gadgets a augmenté ? Expliquez votre conclusion.

18. Le fabricant d'un tube de puissance utilisé dans les appareils audio de qualité veut estimer la durée de vie du tube (en milliers d'heures). La marge d'erreur de l'estimation ne doit pas excéder 0,10 (c'est-à-dire 100 heures), avec un niveau de confiance de 95 %. En supposant que l'écart type de la durée de vie soit de 0,90 (900 heures), quelle devrait être la taille de l'échantillon utilisé ?

19. Le gérant d'une quincaillerie veut estimer le montant moyen des achats faits au magasin. La marge d'erreur de l'estimation ne doit pas excéder 4,00 $ avec un niveau de confiance de 95 %. Le gérant ne connaît pas l'écart type des montants, mais il s'attend à ce qu'il soit d'environ 25,00 $. Quelle taille l'échantillon doit-il avoir ?

20. Dans un sondage mené par Ipsos-Reid et GPC Communications en mai 2001, on a demandé à 4704 adultes au Canada quelle devait être la priorité du gouvernement fédéral et 36 % des répondants ont indiqué que le système de santé devrait être prioritaire. En vous basant sur les résultats de ce sondage, estimez, à l'aide d'un intervalle de confiance à 95 %, la proportion d'adultes canadiens qui souhaitent que leur gouvernement donne priorité à la santé.

21. Ces dernières années, le pourcentage des personnes qui achètent un véhicule neuf par Internet est devenu assez important pour préoccuper les concessionnaires d'automobiles. Ceux-ci s'inquiètent de l'effet de ce type d'achat sur leur volume de ventes. On veut estimer la proportion d'achats de voitures effectués par Internet. Des études antérieures ont estimé à 8 % la proportion de véhicules achetés par Internet. Quelle taille l'échantillon d'acheteurs doit-il avoir pour que la marge d'erreur de la nouvelle estimation ne dépasse pas 2 % avec un niveau de confiance de 98 % ?

22. Par le passé, la proportion de fumeurs de plus de 24 ans s'élevait à 0,30. D'importantes campagnes de sensibilisation sur les méfaits du tabac sur la santé ont été menées récemment à la radio et à la télévision. Dans un échantillon de 500 adultes, seulement 25 % des personnes sélectionnées ont indiqué qu'elles fumaient. En vous basant sur les données de cet échantillon, estimez, à l'aide d'un intervalle de confiance à 98 %, la proportion d'adultes qui fument dans la population de référence. Est-il raisonnable de conclure que la proportion de fumeurs a diminué ?

23. Avec le mouvement souverainiste au Québec et les revendications autonomistes des provinces de l'Ouest, la question de l'unité nationale est toujours d'actualité au Canada. Dans un sondage mené par Ipsos-Reid et GPC Communications, on a demandé à 4704 adultes au Canada quelle importance le gouvernement fédéral devrait accorder, selon eux, à la question de l'unité nationale. Parmi les personnes interrogées, 62 % ont répondu que le gouvernement devrait accorder une grande importance à cette question.

   a) Calculez une estimation par intervalle, au niveau de confiance de 95 %, de la proportion de Canadiens d'âge adulte qui croient que cette question devrait être considérée comme très importante.

   b) D'après votre réponse en a), comment réagiriez-vous si l'on vous disait que moins de 60 % des Canadiens d'âge adulte estiment que cette question devrait avoir une grande importance ?

ÉTUDE DE CAS

L'INDUSTRIE CANADIENNE DU GAZ ET DU PÉTROLE AU CANADA

Le pétrole figure parmi les exportations les plus importantes du Canada et constitue un secteur clé de l'économie canadienne. La situation instable dans le secteur du pétrole et du gaz entraîne des fluctuations importantes dans le prix des produits pétroliers. Par conséquent, le ministre canadien de l'Industrie souhaite étudier la situation de l'industrie canadienne du gaz et du pétrole et réviser ses politiques à son endroit. S'il n'y a pas de croissance significative dans ce secteur économique, le gouvernement pourrait envisager de nouvelles mesures incitatives pour lui venir en aide. Le ratio cours-bénéfice constitue un bon indicateur de la santé d'un secteur économique. Comme ce rapport permet de prévoir la croissance d'une entreprise ou d'un secteur d'activité économique, la tendance observée dans ce rapport pourra servir de critère dans l'établissement des politiques. Les conseillers en statistique du ministre ont sélectionné aléatoirement un groupe de 18 entreprises canadiennes du secteur pétrolier et gazier, cotées à la Bourse de Toronto. Le tableau ci-contre contient les données sur le ratio cours-bénéfice de ces entreprises telles qu'elles ont été publiées dans les éditions de juillet 2001, de décembre 2000 et de juillet 2000 de la *TSE Review*.

a) En vous basant sur ces données d'échantillonnage, estimez, à l'aide d'intervalles de confiance à 95 %, la moyenne des ratios cours-bénéfice des entreprises canadiennes du secteur « pétrole et gaz » pour chacun des semestres précités.

b) D'après les estimations obtenues, que pouvez-vous déduire sur la tendance dans l'industrie du pétrole et du gaz ? Pensez-vous que cette industrie a connu une croissance durant la période considérée ? Quelle aurait été votre recommandation au ministre canadien de l'Industrie ?

Juill. 01	Déc. 00	Juill. 00
12,8	12,2	11,7
6,3	5,1	7,1
5,4	8,3	11,5
5,1	19,7	16,3
11,2	18,8	16,8
5,6	11,8	13,4
2,3	2,6	7,6
13,8	8,6	81,5
13,5	14,1	38,9
51,9	40,9	43,8
4,3	7,1	8,3
4,3	21,5	112,5
4,9	7	10,6
9,6	17,5	17,9
2,8	8,5	7,7
9,6	32	15,8
6,5	8,6	11,9
6,5	8,6	11,9

Les tests d'hypothèses

OBJECTIFS D'APPRENTISSAGE

Après avoir lu ce chapitre, vous serez en mesure :

- d'établir l'hypothèse nulle et la contre-hypothèse d'un test d'hypothèse ;
- de définir les erreurs de première espèce et de deuxième espèce ;
- de décrire la procédure d'un test d'hypothèse en cinq étapes ;
- de distinguer un test d'hypothèse unilatéral d'un test d'hypothèse bilatéral ;
- d'effectuer un test d'hypothèse sur une moyenne de population ;
- d'effectuer un test d'hypothèse sur une proportion de population ;
- d'expliquer la relation existant entre les tests d'hypothèses et les intervalles de confiance ;
- de calculer la probabilité de commettre une erreur de deuxième espèce et la puissance d'un test d'hypothèse.

EGON S. PEARSON (1895-1980)

On reconnaît que John Arbuthnot (1710) fut le premier à publier des résultats concernant un test d'hypothèse statistique. Arbuthnot élabora un test pour démontrer que « *cette égalité des hommes et des femmes n'est pas un effet de la chance, mais de la divine Providence* [1] ». En 1812, Pierre-Simon Laplace développa et mit en application un modèle statistique pour tester l'hypothèse selon laquelle *les comètes ne sont pas des membres habituels du système solaire*. Toutefois, c'est R. A. Fisher (1925) qui étaya les fondements de la théorie moderne des tests d'hypothèses. Sous sa forme actuellement connue, la théorie fut élaborée par J. Neyman et E. Pearson (1933).

Egon S. Pearson était le fils unique de Karl Pearson, un des fondateurs de la statistique du XXe siècle. Il grandit avec ce père attentionné et demeura avec lui jusqu'à un âge avancé. Très jeune, il eut accès aux travaux de son père sur la statistique ainsi qu'à la revue *Biometrika* dont ce dernier était l'éditeur. Dès l'âge de cinq ans, un de ses jeux préférés consistait à écrire sa propre revue qui, comme il le relata plus tard, « n'était que du gribouillage avec de la craie ». Il estimait énormément son père et le qualifiait parfois même de « dieu » paternel.

Après avoir obtenu son baccalauréat, il devint, en 1921, conférencier du département de statistique appliquée du University College de Londres, où son père travaillait. Il assista aux conférences de ce dernier et c'est à ce moment qu'il entreprit sa carrière de chercheur en statistique. Il effectua ses travaux les plus importants en 1925, après avoir rencontré Jerzy Neyman. Ensemble, ils élaborèrent la *théorie de Neyman-Pearson sur les tests d'hypothèses*, devenue une des théories fondamentales en statistique.

Après le décès de son père, Egon accepta le poste d'éditeur en chef de *Biometrika* et entreprit de réviser *Tables for Statisticians and Biometricians*, l'œuvre paternelle en deux volumes, publiée en 1954 et en 1972.

Durant la Seconde Guerre mondiale, Egon participa à l'effort de guerre. L'un des principaux membres du groupe Operations Research de l'Ordnance Board au ministère de la Défense, il travailla sur des projets comme l'analyse de la fragmentation des obus frappant les avions. Il trouvait ce travail « indéniablement agréable [...] en dépit des bombardements, des bombes volantes des V1 et V2 [2] ». On lui remit le prix CBE (Commander of the Order of the British Empire) pour ses services en temps de guerre. Malgré ses grandes réalisations, Egon Pearson était réputé pour sa modestie et sa chaleur ainsi que pour son honnêteté et sa vivacité.

Pour une biographie détaillée d'Egon Pearson, vous pouvez consulter l'ouvrage de James W. Tankard Jr., *The Statistical Pioneers*, Schenkman Publishing, 1984.

INTRODUCTION

Au chapitre 5, nous avons entrepris l'étude de l'inférence statistique. Souvenez-vous qu'en inférence statistique, la difficulté vient du fait que toutes les données de la population d'intérêt ne sont pas disponibles. On doit se restreindre aux données d'un échantillon pour tirer des conclusions qui se rapportent à la population entière. Les problèmes d'inférence statistique classique se classent en deux catégories : i) l'estimation et ii) les tests d'hypothèses.

Aux chapitres 5 à 7, nous avons présenté les fondements de l'inférence statistique en étudiant la théorie des probabilités, les variables aléatoires discrètes et les variables aléatoires continues. Au chapitre 8, nous avons introduit différentes méthodes d'échantillonnage ainsi que le concept de distribution d'échantillonnage. Nous avons étudié plus particulièrement les propriétés de la distribution d'échantillonnage de la moyenne. Au chapitre 9, nous avons abordé la théorie statistique de l'estimation. Dans ce cas, nous cherchions à estimer la valeur d'un paramètre de population particulier. Nous avons examiné deux types d'estimation : i) l'estimation ponctuelle et ii) l'estimation par intervalle de confiance.

Dans ce chapitre, nous entreprenons l'étude de la *théorie statistique des tests d'hypothèses*. Dans ce contexte, une **hypothèse** est un *énoncé portant sur la distribution d'une variable dans la population d'intérêt*. Nous nous limiterons aux hypothèses portant sur la valeur d'un paramètre de cette population. Voici quelques exemples d'hypothèses que nous pourrions vouloir vérifier à l'aide d'un test :

- Le nombre moyen de kilomètres parcourus par les personnes qui louent un véhicule utilitaire sport pendant trois années est supérieur à 52 000 km.
- Les familles canadiennes vivent en moyenne 11,8 années dans un logement unifamilial donné.
- Le salaire moyen de départ des diplômés du baccalauréat ayant obtenu leur diplôme dans une école d'administration est de 2800 $ par mois.
- Huit personnes sur 10 qui jouent au Loto 6/49 ne gagnent jamais plus de 100 $ par jeu.

Un test d'hypothèse est une procédure qui permet de trancher entre *deux hypothèses complémentaires*. Habituellement, une de ces hypothèses est basée sur des considérations théoriques ou pratiques, ou correspond à une affirmation qu'on voudrait vérifier. En réalité, une seule des deux hypothèses confrontées est vraie. Si l'on pouvait observer toutes les unités de la population étudiée, on pourrait déterminer avec certitude laquelle des deux hypothèses est vraie. Mais la plupart du temps, il est impossible de recenser toute la population et la seule information disponible est obtenue à l'aide d'un échantillon. Un test d'hypothèse permet de déterminer laquelle des deux hypothèses est la plus plausible, en se basant sur les données de cet échantillon.

Comme nous l'avons vu au chapitre 9, une décision basée sur des données d'échantillon ne peut être infaillible. On souhaitera alors réduire au minimum la probabilité de prendre une mauvaise décision.

10.1 LE CADRE DE BASE DES TESTS D'HYPOTHÈSES

Pour illustrer le principe de base d'un test d'hypothèse, on utilisera une analogie tirée du système judiciaire canadien. Supposons qu'une personne soit accusée de meurtre et qu'elle soit jugée devant un tribunal. Le juge (ou le jury) considère les deux *hypothèses complémentaires* suivantes : i) *la personne accusée est non coupable* ou ii) *la personne accusée est coupable*. Ces deux hypothèses couvrent toute la gamme des possibilités.

Le juge (ou le jury) écoute les arguments des deux parties (le procureur de la Couronne et l'avocat de la défense) et rend son verdict en fonction de la « preuve » présentée. Il faut noter que rien ne garantit que la bonne décision sera prise chaque fois. De temps à autre, une personne coupable peut être déclarée non coupable et une personne innocente peut être déclarée coupable. Le tableau suivant présente les différentes possibilités.

Décision du tribunal ⟍ Réalité	La personne est déclarée « non coupable »	La personne est déclarée « coupable »
La personne est « innocente »	Bonne décision	*Erreur*
La personne est « coupable »	*Erreur*	Bonne décision

Notre système judiciaire est conçu de telle sorte que la personne accusée bénéficie de la présomption d'innocence, jusqu'à preuve du contraire. Un verdict de culpabilité ne peut être rendu que si la preuve présentée établit, *hors de tout doute raisonnable*, que la personne accusée est coupable. Le fait de déclarer « coupable » une personne innocente constitue donc une erreur beaucoup plus grave que de disculper une personne coupable. En cas de doute, le juge doit déclarer que la personne « n'est pas coupable ».

L'hypothèse selon laquelle « la personne est non coupable » représente donc le *statu quo*. On l'appelle l'**hypothèse nulle** et on la note H_0. On appelle l'hypothèse complémentaire, « la personne est coupable », la **contre-hypothèse** et on la note H_1. Le fait de rejeter l'hypothèse nulle H_0 quand, en réalité, cette hypothèse est vraie, est l'erreur la plus grave et s'appelle une **erreur de première espèce** (ou erreur de type I). L'autre type d'erreur (ne pas rejeter l'hypothèse nulle alors qu'on le devrait) s'appelle une **erreur de deuxième espèce** (ou erreur de type II).

Par défaut, la personne accusée est considérée « non coupable ». Le procureur de la Couronne doit tenter de prouver la contre-hypothèse, « la personne est coupable ». L'hypothèse nulle, « la personne est non coupable », n'est rejetée que s'il existe des preuves suffisantes contre elle.

Il faut noter que la décision du juge se solde toujours par un verdict de culpabilité ou de non-culpabilité. Jamais il ne déclarera un accusé « innocent ».

Cette analogie permet de décrire le principe de base des tests d'hypothèses classiques.

L'objectif d'un test est de vérifier une certaine *hypothèse* **sur la distribution d'une variable dans une population donnée.** Cette hypothèse correspond, la plupart du temps, à la contre-hypothèse H_1. *A priori,* on suppose vraie son hypothèse complémentaire, l'**hypothèse nulle H_0,** et l'on essaie d'accumuler suffisamment de preuves contre cette dernière pour pouvoir la rejeter en faveur de H_1.

La tâche consiste à prélever un échantillon dans la population considérée, à recueillir les données de cet échantillon, à les analyser et à tirer l'une des conclusions suivantes : i) les données de l'échantillon permettent de rejeter H_0 en faveur de H_1 ou ii) les données de l'échantillon ne permettent pas de rejeter H_0 en faveur de H_1.

Le tableau suivant présente les deux types d'erreurs auxquels on s'expose lorsqu'on prend une décision à l'aide d'un test d'hypothèse.

Résultat du test ⟍ Réalité	On ne rejette pas H_0	On rejette H_0 en faveur de H_1
H_0 est vraie	Bonne décision	Erreur de première espèce
H_1 est vraie	Erreur de deuxième espèce	Bonne décision

Idéalement, on souhaiterait pouvoir contrôler simultanément ces deux types d'erreur. Lorsque la taille de l'échantillon est fixée, ce n'est malheureusement pas possible. Si l'on essaie de réduire la probabilité de commettre un de ces deux types d'erreur, la probabilité de commettre l'autre type d'erreur augmente. Puisque l'erreur de première espèce est généralement considérée comme la plus grave, c'est elle qu'on choisira de contrôler en priorité. Dans les tests d'hypothèses classiques, on fixe à l'avance la valeur maximale tolérable pour la probabilité de réalisation de cette erreur. *La probabilité de commettre une erreur de première espèce s'appelle le* **seuil de signification d'un test.** On le désigne par la lettre grecque **α** (prononcée alpha). On représente la *probabilité de commettre une erreur de deuxième espèce* par la lettre grecque **β** (prononcée bêta). Un test devrait donc être conçu pour *limiter le seuil de signification α à une valeur prédéterminée et réduire au minimum la probabilité β de commettre une erreur de deuxième espèce.*

---

d   Test d'hypothèse   Procédure statistique qui permet de faire un choix entre deux hypothèses complémentaires sur la distribution d'une population, appelées hypothèse nulle et contre-hypothèse, en se basant sur les données d'un échantillon aléatoire prélevé dans la population de référence. Cette procédure consiste à établir une règle de décision, à analyser les données d'un échantillon et à tirer une des conclusions suivantes : i) « les données de l'échantillon permettent de rejeter l'hypothèse nulle en faveur de la contre-hypothèse » ou ii) « les données de l'échantillon ne permettent pas de rejeter l'hypothèse nulle ».

10.2 LES CINQ ÉTAPES D'UN TEST D'HYPOTHÈSE

On présente maintenant une procédure en cinq étapes qui permet de tester systématiquement une hypothèse. Le diagramme suivant présente ces étapes. Plus bas, on exposera en détail chacune d'elles.

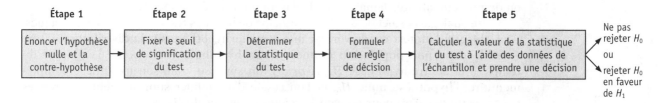

L'ÉTAPE 1 : ÉNONCER L'HYPOTHÈSE NULLE H_0 ET LA CONTRE-HYPOTHÈSE H_1

La première étape consiste à énoncer l'*hypothèse nulle* H_0 et la *contre-hypothèse* H_1. Les hypothèses examinées concernent toujours la **distribution d'une variable dans la population d'intérêt.** Dans ce chapitre, elles portent plus précisément sur la valeur d'un paramètre de cette distribution.

En général, la contre-hypothèse est celle qu'on cherche à démontrer. Il s'agit habituellement d'une *hypothèse de recherche,* d'une hypothèse basée sur des considérations théoriques ou pratiques, d'une affirmation ou d'une déclaration qu'on voudrait vérifier ou d'une hypothèse qui représente un changement.

Contre-hypothèse Hypothèse qui correspond généralement à ce qu'on cherche à démontrer. On la désigne par H_1.

L'hypothèse nulle représente habituellement le *statu quo*. On suppose *a priori* que cette hypothèse est vraie. Si les données de l'échantillon fournissent des preuves suffisantes contre cette hypothèse, on pourra la rejeter en faveur de la contre-hypothèse. En l'absence de preuves suffisantes, on ne rejettera pas l'hypothèse nulle.

Hypothèse nulle Hypothèse qui représente habituellement le *statu quo*. On la note H_0. On suppose *a priori* que cette hypothèse est vraie et on ne la rejette que si les données de l'échantillon permettent de la réfuter.

Il faut insister sur le fait que le non-rejet de H_0 ne permet pas d'affirmer que cette hypothèse soit vraie. Cela signifie plutôt que les données de l'échantillon n'ont pas permis d'obtenir des preuves suffisantes contre H_0.

Voici quelques exemples d'hypothèses nulles et de contre-hypothèses.

- Une société pharmaceutique prétend que son nouveau médicament est plus efficace que tous ceux actuellement sur le marché, pour soigner une certaine maladie. Supposons que le meilleur médicament, actuellement en vente sur le marché, ait un taux d'efficacité de 60%. (Autrement dit, 60% des patients qui prennent ce médicament guérissent de la maladie.) Avant d'approuver l'assertion de la société, Santé Canada effectuera un test d'hypothèse pour vérifier si le nouveau médicament est réellement plus efficace. Pour protéger les Canadiens contre les médicaments inefficaces, Santé Canada n'acceptera *pas* l'assertion de la société à moins de disposer de suffisamment de preuves en sa faveur. Les deux hypothèses qui doivent être confrontées sont donc:

    H_0: Le nouveau médicament n'est pas plus efficace que les médicaments actuellement sur le marché.

    H_1: Le nouveau médicament est plus efficace que les médicaments actuellement sur le marché.

    Si p désigne la proportion de patients pour lesquels le nouveau médicament est efficace, alors on peut formuler les deux hypothèses de la manière suivante:

    $H_0: p \leq 0{,}6$
    $H_1: p > 0{,}6$

- Supposons que le résultat du test effectué par Santé Canada soit en faveur de ce nouveau médicament. La société pharmaceutique voudrait maintenant que l'on consigne officiellement que l'efficacité du nouveau médicament est de 70%. Elle fournit des preuves statistiques pour soutenir son assertion. Santé Canada les analyse et découvre que celles-ci sont fiables. Santé Canada doit tout de même effectuer sa propre étude statistique avant de rendre sa décision finale. À moins que son étude ne révèle des preuves suffisantes que l'efficacité du médicament est inférieure à 70%, Santé Canada approuvera l'assertion de la société pharmaceutique. En d'autres mots, les hypothèses du test sont maintenant:

    $H_0: p \geq 0{,}7$
    $H_1: p < 0{,}7$

- L'ingénieur du contrôle de la qualité du service d'emballage chez Kraft General Foods Canada inc. a des raisons de croire que la machine qui remplit les boîtes de céréales Grape Nuts a tendance à verser un peu plus de céréales que prévu et que le poids moyen des boîtes dépasse la quantité de 453 grammes indiquée sur l'étiquette. Le réglage de la machine ne peut être modifié à la baisse. La direction décide donc d'effectuer périodiquement un test statistique à partir des poids d'un échantillon aléatoire de boîtes récemment emballées pour vérifier si le réglage a changé. Si le poids moyen est réellement supérieur à 453 g et que le problème n'est pas corrigé, la société perdra de l'argent puisqu'on emballe une trop grande quantité de céréales. D'un autre côté, si la société fermait le service d'emballage pendant un certain temps pour réparer la machine, alors qu'en réalité celle-ci ne présente aucun problème, elle subirait des pertes encore plus importantes. La fermeture à tort du service d'emballage constitue donc l'erreur la plus grave. Ainsi, à moins d'avoir des preuves accablantes contre cette hypothèse, on supposera que le réglage n'a pas changé et que le poids moyen des boîtes remplies par la machine est de 453 g.

  En conséquence, si μ représente le poids moyen des boîtes, on considérera les hypothèses suivantes :

  H_0 : $\mu = 453$
  H_1 : $\mu > 453$

  Étant donné que le réglage de la machine ne peut être modifié à la baisse, ces deux hypothèses sont complémentaires.

- Dans les domaines de la physique ou de l'économie, on peut vérifier une théorie à l'aide d'un test d'hypothèse. Celle-ci ne sera rejetée que si l'on dispose de suffisamment de preuves contre elle. Une certaine théorie en économie suppose que le taux d'inflation annuel moyen (mesuré en tant que variation en pourcentage de l'indice des prix à la consommation [IPC] de tous les biens et services) au Canada, au cours du dernier siècle, était d'au moins 3,6 %. Un groupe d'étudiants souhaite effectuer un test d'hypothèse pour vérifier s'il est possible de réfuter cette théorie. Si μ représente le taux d'inflation annuel moyen au Canada au cours du dernier siècle, les hypothèses du test qui doit être effectué sont :

  H_0 : $\mu \geq 3,6$
  H_1 : $\mu < 3,6$

- Selon un rapport publié par Statistique Canada en 1998, un Canadien moyen âgé de 15 à 24 ans dort 8,5 heures par nuit. Un spécialiste en sciences sociales prétend que, depuis ce temps, les jeunes Canadiens n'ont plus le même emploi du temps. On voudrait vérifier, en particulier, si le nombre d'heures de sommeil a changé depuis 1998. Les hypothèses du test qui doit être effectué sont :

  H_0 : $\mu = 8,5$
  H_1 : $\mu \neq 8,5$

- Une société fabrique deux catégories d'ampoules. Les ampoules de catégorie supérieure ont une durée de vie moyenne de 2400 heures, tandis que les ampoules de catégorie inférieure ont une durée de vie moyenne de 2000 heures. Les deux catégories d'ampoules sont d'apparence identique. On ne peut les distinguer que par les indications estampillées sur chaque ampoule. Par erreur, un lot de 5000 ampoules non estampillées s'est mélangé avec un autre, et l'employé responsable ne sait pas à quelle catégorie elles appartiennent. Il décide donc de choisir aléatoirement un échantillon d'ampoules du lot et de les tester. Tout le lot se vendra comme s'il s'agissait d'ampoules de catégorie inférieure à moins que l'échantillon ne lui fournisse suffisamment de preuves du contraire. Dans ce cas, les hypothèses qui devraient être confrontées sont :

  H_0 : $\mu = 2000$
  H_1 : $\mu = 2400$

- En finance, on mesure communément le risque d'un investissement à l'aide de l'écart type de son rendement. Plus l'écart type est élevé, plus l'investissement est risqué. Un investisseur prévoit acquérir de nouvelles actions s'il obtient suffisamment de preuves que celles-ci sont moins risquées que celles déjà en sa possession. Si σ_1 désigne l'écart type du rendement des actions qu'il possède déjà et σ_2, celui des nouvelles actions, alors les hypothèses devant être testées sont :

    $H_0: \sigma_1 \leq \sigma_2$
    $H_1: \sigma_1 > \sigma_2$

- La direction d'une compagnie aérienne a remarqué qu'il semblait y avoir davantage de passagers ne se présentant pas sur les vols au départ de Toronto que sur ceux au départ de Montréal. Si tel était le cas, cette situation aurait un effet non négligeable sur les politiques de la compagnie concernant les horaires de vol et la vente de billets. Avant de modifier ses politiques, la direction a donc décidé d'effectuer un test d'hypothèse. Dans ce contexte, les hypothèses du test sont :

    H_0 : Le nombre de passagers absents au départ de Toronto n'est pas supérieur à celui des vols quittant Montréal.
    H_1 : Le nombre de passagers absents au départ de Toronto est supérieur à celui des vols quittant Montréal.

Dans les sept premiers exemples présentés, les hypothèses concernent la valeur d'un ou de plusieurs paramètres. Dans le dernier exemple, les hypothèses concernent plutôt la forme de la distribution d'une variable dans deux populations différentes.

Dans ce chapitre, les hypothèses considérées dans un test porteront sur la valeur d'un seul paramètre de population, par exemple la moyenne ou la proportion. Les hypothèses seront énoncées sous une forme telle que $\mu = 5$, $\mu \leq 4$, $\mu > 9$, $\mu \neq 3$ ou $p < 0{,}6$. Pour éviter les complexités mathématiques, nous ne considérerons que les cas où l'hypothèse nulle contient une égalité (par exemple $\mu = 5$, ou $\mu \leq 4$, ou $\mu \geq 9$, ou $p = 0{,}4$). Les tests portant sur la différence entre les valeurs relatives des paramètres de différentes populations seront vus au chapitre suivant.

■ RÉVISION 10.1

1. Selon une théorie sur le marché boursier élaborée par certains économistes, le taux de variation mensuel moyen de l'indice TSE 300 durant les 45 dernières années n'est pas supérieur à 0,2. Un groupe d'étudiants, qui n'a pas accès à toutes les données des 45 dernières années sur l'indice TSE 300, souhaite analyser un échantillon pour vérifier si celui-ci permet de réfuter la théorie. Quelles devraient être les hypothèses du test effectué ?

2. Une économiste prétend avoir analysé les données publiées par Globe Interactive sur le rendement des 1000 plus grandes entreprises canadiennes durant l'année 2000. Elle soutient que le rendement moyen des actions de ces entreprises en l'an 2000 était de 0,604. Un groupe d'étudiants souhaite vérifier cette allégation avant de l'inclure dans un essai. Les étudiants n'ont pas accès à toutes les données, mais peuvent recueillir l'information sur un échantillon d'entreprises. Ils accepteront l'allégation à moins que l'échantillon ne permette de la réfuter. Quelles devraient être les hypothèses du test effectué par le groupe d'étudiants ?

L'ÉTAPE 2 : FIXER LE SEUIL DE SIGNIFICATION DU TEST

Après avoir établi l'hypothèse nulle et la contre-hypothèse, la prochaine étape consiste à déterminer le seuil de signification.

> **Seuil de signification d'un test**   Probabilité qu'une erreur de première espèce soit commise. Autrement dit, il s'agit de la probabilité de rejeter l'hypothèse nulle H_0 alors qu'en réalité, elle est vraie. On désigne le seuil de signification par la lettre grecque α (qu'on prononce alpha).

Le seuil de signification s'appelle aussi « niveau de risque ». Il correspond au risque pris si l'on décide de rejeter l'hypothèse nulle avec le test, alors qu'en réalité elle est vraie.

Dans un test d'hypothèse classique, le seuil de signification doit être fixé avant d'établir la règle de décision et de recueillir les données. La valeur la plus couramment utilisée pour α est 0,05.

À titre d'exemple, supposons que le contrat signé entre un fabricant d'ordinateurs et un fournisseur de cartes de circuit imprimé (CCI) stipule qu'une livraison contenant plus de 6 % de cartes au-dessous de la norme prescrite sera rejetée.

Le 21 novembre, le fabricant d'ordinateurs reçoit une livraison de 4000 cartes. Puisqu'il est très long d'inspecter individuellement les 4000 cartes, il décide d'effectuer un test statistique sur les hypothèses suivantes :

H_0 : La livraison contient 6 % ou moins de cartes sous la norme.
H_1 : La livraison contient plus de 6 % de cartes sous la norme.

Le fabricant décide d'inspecter un échantillon de 50 cartes et de refuser la livraison si l'échantillon contient plus de 3 cartes sous la norme (c'est-à-dire plus de 6 %). La **valeur critique du test** est le nombre 3.

Dans l'échantillon observé, quatre cartes sont sous la norme. La livraison est donc refusée.

Si la livraison ne respectait effectivement pas les termes du contrat, alors la décision de la retourner au fournisseur serait justifiée. Cependant, si ces 4 cartes étaient les seules sous la norme parmi les 4000 cartes, alors seulement 0,1 % de toute la livraison (4/4000 = 0,001) serait sous la norme. C'est bien moins que 6 %. La décision de refuser la livraison serait donc erronée. Sur le plan du test d'hypothèse, on aurait rejeté l'hypothèse nulle (selon laquelle la livraison n'était pas sous la norme) alors qu'on n'aurait pas dû le faire. En rejetant l'hypothèse nulle alors qu'en réalité elle était vraie, on a commis une erreur de première espèce. La probabilité de commettre une telle erreur est α.

On pourrait réduire le risque d'erreur α en augmentant la valeur critique du test, la faisant passer de 3 à 10 par exemple. Cependant, cette modification aura pour effet d'accroître la probabilité de commettre une erreur de deuxième espèce.

> **Erreur de deuxième espèce**   Erreur commise quand on ne rejette pas l'hypothèse nulle alors qu'en réalité, elle est fausse. La probabilité de commettre une erreur de deuxième espèce est désignée par la lettre grecque β (prononcée bêta).

Le fabricant d'ordinateurs commettrait une erreur de deuxième espèce s'il acceptait une livraison de CCI contenant en réalité 15 % de cartes sous la norme. Comment cette situation pourrait-elle se produire ? Supposons que seulement 2 des 50 cartes de l'échantillon soient sous la norme. Selon la règle de décision initiale, la livraison serait acceptée puisque l'échantillon contiendrait moins de 6 % de cartes sous la norme.

Un test d'hypothèse devrait être conçu de façon à limiter le risque d'erreur de première espèce α à une valeur prédéterminée et, en même temps, réduire au minimum le risque d'erreur de deuxième espèce β.

L'ÉTAPE 3 : DÉTERMINER LA STATISTIQUE DU TEST

On doit maintenant choisir une statistique d'échantillon appropriée pour établir la règle de décision du test. Cette statistique s'appelle **statistique du test.** Puisque la valeur de cette statistique dépend des données d'un échantillon aléatoire, il s'agit d'une variable aléatoire.

> **Statistique du test** Statistique d'échantillon choisie de manière appropriée pour établir la règle de décision du test. Il s'agit d'une variable aléatoire dont la valeur est déterminée à partir des données d'un échantillon.

Considérons maintenant le problème mentionné plus haut concernant le poids moyen des boîtes de céréales Grape Nuts. Les hypothèses du test sont :

$H_0: \mu = 453$

$H_1: \mu > 453$

Aux chapitres 8 et 9, nous avons vu que la moyenne échantillonnale $\bar{X}$ est le meilleur estimateur de la moyenne de population. Il s'agit d'un estimateur sans biais, convergent et, en général, efficace. Ainsi, il serait raisonnable de baser notre décision sur la valeur de $\bar{X}$, calculée à partir des poids d'un échantillon de boîtes de céréales Grape Nuts.

Si l'hypothèse nulle est vraie (autrement dit si la valeur de μ est de 453), alors il y a peu de chances que la valeur de $\bar{X}$ soit très différente de 453. Une valeur de $\bar{X}$ beaucoup plus petite que 453 ne fera que renforcer la décision en faveur de l'hypothèse nulle, puisque la contre-hypothèse stipule que μ est supérieure à 453. Cependant, une valeur de $\bar{X}$ beaucoup plus grande que 453 suggérera que la valeur de μ pourrait être supérieure à 453.

Ainsi, une règle de décision logique consiste à *choisir une valeur critique $\bar{x}_C$, et à rejeter H_0 en faveur de H_1 si la valeur $\bar{x}$ calculée à partir des données de l'échantillon observé est plus grande que $\bar{x}_C$. Si la valeur calculée de $\bar{x}$ est inférieure ou égale à $\bar{x}_C$, on ne rejette pas H_0.* La valeur critique $\bar{x}_C$ est donc le point de jonction entre la région où H_0 sera rejetée (qu'on appelle région critique) et la région où H_0 ne sera pas rejetée.

Supposons que l'écart type σ de la population soit connu. On peut alors centrer et réduire $\bar{X}$ pour obtenir la règle de décision équivalente suivante : on calcule la valeur $\dfrac{\bar{x} - 453}{\sigma/\sqrt{n}}$ à partir des données de l'échantillon observé. Si cette valeur est supérieure à $z_C = \dfrac{\bar{x}_C - 453}{\sigma/\sqrt{n}}$, alors « on rejette H_0 en faveur de H_1 ». Sinon, « on ne rejette pas H_0 ».

Ainsi, $\dfrac{\bar{X} - 453}{\sigma/\sqrt{n}}$ est une **statistique centrée réduite du test** et l'on appelle z_C la **valeur critique** de cette statistique.

À partir de quelle valeur peut-on considérer que $\dfrac{\bar{x} - 453}{\sigma/\sqrt{n}}$ est assez grande pour décider de rejeter H_0 en faveur de H_1? En d'autres mots, quelle doit être la valeur critique z_C? Comme on le verra plus loin, la réponse à cette question dépend du seuil de signification fixé pour le test.

Supposons que la distribution de la variable étudiée soit de loi normale dans la population de référence. Si la valeur de l'écart type de la population est connue, alors quand H_0 est vraie (autrement dit $\mu = 453$), $\dfrac{\bar{X} - 453}{\sigma/\sqrt{n}} = Z$ est une variable de loi normale centrée réduite. C'est pourquoi dans ce cas, on l'appelle la **statistique Z** et l'on nomme le test correspondant un **test Z**.

Supposons maintenant que la distribution ne soit pas normale dans la population de référence, mais que la taille de l'échantillon soit suffisamment grande. En vertu du théorème limite central, quand H_0 est vraie ($\mu = 453$), la distribution de $\dfrac{\bar{X} - 453}{\sigma/\sqrt{n}}$ est approximativement de loi normale centrée réduite. On traitera donc cette statistique comme la **statistique Z,** et l'on appliquera les règles d'un **test Z**.

À présent, supposons que la distribution de la population soit normale, mais que l'écart type de la population soit inconnu. Dans ce cas, si H_0 est vraie ($\mu = 453$), nous avons vu au chapitre 9 que $\dfrac{\bar{X} - 453}{S/\sqrt{n}} = T$ suivra une loi t de Student. On utilisera alors T pour désigner la statistique du test. On l'appellera **statistique t,** et l'on nommera le test correspondant un **test t**.

Dans des chapitres ultérieurs, nous aurons recours à d'autres statistiques comme F et χ^2 (khi-deux).

L'ÉTAPE 4 : FORMULER UNE RÈGLE DE DÉCISION

Une règle de décision est un critère qui permet de décider pour quelles valeurs de la statistique du test on peut rejeter H_0 en faveur de H_1 ou pas. L'ensemble des valeurs de la statistique du test pour lesquelles on peut rejeter l'hypothèse nulle s'appelle **la région critique du test.**

À titre d'exemple, reprenons le problème concernant le poids moyen des boîtes de céréales Grape Nuts. Les hypothèses confrontées sont :

H_0: $\mu = 453$
H_1: $\mu > 453$

Supposons que l'on connaisse l'écart type σ. Comme on l'a vu plus haut, la statistique du test est $\dfrac{\bar{X} - 453}{\sigma/\sqrt{n}}$ et la règle de décision consiste à rejeter H_0 si la valeur de cette statistique calculée à partir des données d'échantillon est supérieure à la valeur critique z_C.

Avec cette règle de décision, le risque d'erreur de première espèce correspond à la probabilité que la valeur de la statistique du test soit supérieure à z_C lorsque H_0 est vraie (c'est-à-dire lorsque $\mu = 453$). La valeur critique z_C doit donc être choisie de telle sorte que cette probabilité n'excède pas le seuil de signification α qui a été fixé à l'avance. Puisqu'on souhaite aussi réduire au minimum la probabilité de commettre une erreur de deuxième espèce, on ne doit pas hésiter à rejeter H_0 pour des valeurs trop grandes de la statistique. Ainsi, la valeur critique z_C doit être telle que la probabilité que $\dfrac{\bar{X} - 453}{\sigma/\sqrt{n}}$ soit supérieure à z_C quand $\mu = 453$ est exactement égale à α.

Supposons que la population soit normalement distribuée ou que la taille de l'échantillon soit suffisamment grande. Si H_0 est vraie, alors $\mu = 453$ et $\dfrac{\overline{X} - 453}{\sigma/\sqrt{n}} = Z$ est une variable normale centrée réduite, ou considérée comme telle. Dans ce cas, la valeur critique z_C sera telle que l'aire (probabilité) sous la courbe normale Z à droite de z_C est égale à α. Aux chapitres 8 et 9, nous avons noté cette valeur z_α. Supposons que le seuil de signification soit fixé à $\alpha = 0,05$. Alors, $z_C = z_{0,05} = 1,645$. [Dans la table normale Z de l'annexe F, on trouve la valeur z correspondant à la probabilité $(0,5 - 0,05) = 0,45$.] La **région critique**, ou **zone de rejet de H_0**, se trouve ainsi à droite de 1,645 (voir la figure 10.1). Il faut noter que, dans la figure :

- la statistique Z est supposée être utilisée pour le test et sa distribution, lorsque H_0 est vraie, est une loi normale centrée réduite ;
- la zone de rejet de H_0 est située à droite de la valeur critique 1,645. Elle est donc constituée par l'ensemble des valeurs de Z supérieures à 1,645 ;
- la zone de non-rejet de H_0 (c'est-à-dire la région où l'hypothèse nulle n'est pas rejetée) se trouve à gauche de 1,645 ; elle est constituée par l'ensemble des valeurs de Z inférieures ou égales à 1,645 ;
- l'aire sous la courbe correspondant à la région critique est égale au seuil de signification fixé, soit 0,05 ;
- le test s'appelle **test unilatéral à droite** puisque la région critique est située à l'extrémité droite de la distribution.

FIGURE 10.1   La région critique et le seuil de signification pour un test unilatéral à droite

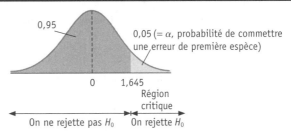

La règle de décision d'un test peut aussi s'exprimer sous une autre forme, à l'aide du **seuil expérimental**. Nous l'étudierons à la section 10.5.

 Région critique   Ensemble des valeurs de la statistique du test pour lesquelles l'hypothèse nulle H_0 est rejetée.

 Valeurs critiques   Points de jonction entre la région critique et la zone où H_0 n'est pas rejetée.

L'ÉTAPE 5 : CALCULER LA VALEUR DE LA STATISTIQUE DU TEST ET PRENDRE UNE DÉCISION

La cinquième et dernière étape d'un test d'hypothèse consiste à prendre une décision quant au rejet ou non de l'hypothèse nulle. Cette décision est basée sur la valeur de la statistique du test, qu'on calcule à partir des données de l'échantillon, et sur la règle de décision établie à l'étape 4.

Poursuivons avec le problème concernant le poids moyen des boîtes de céréales Grape Nuts (voir la figure 10.1). Supposons que la valeur $\dfrac{\bar{x} - 453}{\sigma/\sqrt{n}}$, calculée à partir des données d'échantillon, soit 2,34. Pour un seuil de signification de 0,05, la valeur de la statistique du test se trouve dans la région critique (2,34 est supérieur à 1,645). Il serait peu probable d'observer une valeur de Z aussi élevée si l'hypothèse nulle était vraie. On rejettera donc l'hypothèse nulle H_0.

Si la valeur de la statistique du test avait été de 0,71, l'hypothèse nulle n'aurait pas pu être rejetée (la valeur 0,71 ne se trouve pas dans la région critique). Selon la règle de décision établie, on considère comme plausible une valeur de la statistique du test égale à 0,71 lorsque l'hypothèse nulle est vraie.

Dans un test d'hypothèse, seulement deux conclusions sont possibles : soit *rejeter H_0 en faveur de H_1*, soit *ne pas rejeter H_0*. Nous insistons de nouveau sur la possibilité que l'hypothèse nulle soit rejetée alors qu'elle ne devrait pas l'être (erreur de première espèce). Il est aussi possible que l'hypothèse nulle ne soit pas rejetée alors qu'elle devrait l'être (erreur de deuxième espèce).

10.3 LE TEST UNILATÉRAL ET LE TEST BILATÉRAL

On a décrit les différentes étapes d'un test d'hypothèse, et on les a appliquées à l'exemple du poids des boîtes de céréales Grape Nuts. On a vu que, si l'écart type σ de la population est connu, la statistique $Z = \dfrac{\bar{X} - 453}{\sigma/\sqrt{n}}$ doit être utilisée pour le test, alors que si l'écart type est inconnu, on utilise plutôt la statistique $T = \dfrac{\bar{X} - 453}{S/\sqrt{n}}$. Dans un cas comme dans l'autre, la règle de décision consiste à déterminer une valeur critique et à rejeter l'hypothèse nulle si la valeur de la statistique du test calculée à partir de l'échantillon est supérieure à cette valeur critique. Dans cet exemple, la zone de rejet de H_0 est située à l'extrémité droite de la distribution de la statistique du test, pour $\mu = 453$. Le seuil de signification α du test est égal à l'aire à droite de la valeur critique, sous la courbe correspondante. Il s'agit donc d'un **test unilatéral à droite.**

Considérons maintenant le problème présenté dans la section précédente concernant l'allégation faite par le spécialiste en sciences sociales sur le changement dans les habitudes de sommeil des jeunes Canadiens. On veut vérifier si le nombre moyen d'heures de sommeil des jeunes Canadiens a changé depuis 1998. Les hypothèses du test sont :

H_0: $\mu = 8,5$

H_1: $\mu \neq 8,5$

Si H_0 est vraie, il est fort probable que la valeur de $\bar{X}$ se situe au voisinage de 8,5. Il y a donc peu de chances d'observer une valeur de $\bar{X}$ beaucoup plus petite ou beaucoup plus grande que 8,5. Ainsi, la règle de décision logique consiste à rejeter H_0 si la valeur de la statistique du test est trop petite ou si elle est trop grande. Il faut donc déterminer deux valeurs critiques pour $\bar{x}$: une limite inférieure $\bar{x}_{C_1}$ (plus petite que 8,5) et une limite supérieure $\bar{x}_{C_2}$ (plus grande que 8,5).

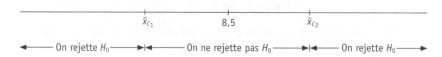

Lorsque l'écart type σ de la population est connu, la règle de décision peut s'exprimer de la manière suivante : si la valeur $\dfrac{\bar{x} - 8,5}{\sigma/\sqrt{n}}$ calculée à partir des données d'échantillon est plus petite que $z_{C_1} = \dfrac{\bar{x}_{C_1} - 8,5}{\sigma/\sqrt{n}}$ ou plus grande que $z_{C_2} = \dfrac{\bar{x}_{C_2} - 8,5}{\sigma/\sqrt{n}}$, alors on rejette H_0 en faveur de H_1. Sinon, on ne rejette pas H_0. La figure 10.2 illustre cet énoncé.

FIGURE 10.2 La région critique et le seuil de signification pour un test bilatéral

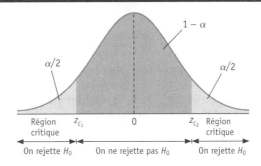

La région critique est constituée de deux parties : l'ensemble des valeurs plus petites que z_{C_1} et l'ensemble des valeurs plus grandes que z_{C_2}. Elle correspond aux deux extrémités de la distribution de la statistique du test. C'est pourquoi le test s'appelle un **test bilatéral.**

Comme toujours, les valeurs critiques doivent être choisies de telle sorte que la probabilité de commettre une erreur de première espèce (autrement dit, quand H_0 est vraie, la probabilité que la valeur de la statistique du test se trouve dans la région critique) soit égale au seuil de signification α.

Puisque la distribution de la statistique du test est symétrique, le seuil de signification α sera partagé également entre ces deux parties. Ainsi quand H_0 est vraie, la probabilité que la statistique du test se situe dans chacune des parties de la région critique doit être de $\alpha/2$.

Lorsque l'écart type de la population est inconnu, on utilise $\dfrac{\bar{X} - 8,5}{S/\sqrt{n}}$ comme statistique du test.

Considérons, comme autre exemple, le problème présenté à la section 10.2 concernant le taux d'inflation annuel moyen au Canada durant le dernier siècle. Dans ce problème, un test d'hypothèse était effectué par un groupe d'étudiants dans le but de réfuter une certaine théorie selon laquelle ce taux d'inflation annuel moyen était d'au moins 3,6 %. Les hypothèses du test effectué par les étudiants sont :

$H_0 : \mu \geq 3,6$

$H_1 : \mu < 3,6$

De nouveau, la conclusion du test sera basée sur la valeur de $\bar{X}$.

Si H_0 est vraie (autrement dit si la valeur réelle de μ est de 3,6 ou plus), il est fort probable la valeur de $\bar{X}$ soit près ou supérieure à 3,6. Il y a donc peu de chances que $\bar{X}$ soit beaucoup plus petit que 3,6. Ainsi, la règle de décision logique du test consiste à rejeter H_0 si la valeur $\bar{x}$, calculée à partir des données de l'échantillon, est inférieure à une valeur critique $\bar{x}_C$.

FIGURE 10.3   Les probabilités qu'une erreur de première espèce se produise pour différentes valeurs de μ sous H_0

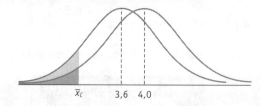

La probabilité qu'une erreur de première espèce se produise est la probabilité, quand H_0 est vraie, que $\bar{X}$ soit plus petit que $\bar{x}_C$. On doit choisir la valeur critique $\bar{x}_C$ de sorte que, pour tout μ satisfaisant H_0 (c'est à dire pour tout $\mu \geq 3,6$), cette probabilité n'excède pas le seuil de signification α.

De toutes les valeurs possibles de $\mu \geq 3,6$, cette probabilité sera maximale quand $\mu = 3,6$. (Plus la valeur de μ est petite, plus cette probabilité sera grande.) La figure 10.3 illustre ce cas lorsque $\bar{X}$ est normalement distribué. Il faut noter que l'aire sous la courbe à gauche de $\bar{x}_C$ est plus grande quand $\mu = 3,6$ que quand $\mu = 4,0$.

Ainsi, pour un seuil de signification α, en déterminant la valeur critique du test sous l'hypothèse que $\mu = 3,6$, on s'assure que la probabilité de commettre une erreur de première espèce sera $\leq \alpha$, quelle que soit la valeur réelle de $\mu \geq 3,6$.

Lorsque l'écart type σ de la population est connu, on peut formuler la règle de décision sous la forme équivalente suivante : si la valeur $\dfrac{\bar{x} - 3,6}{\sigma/\sqrt{n}}$, calculée en utilisant les données de l'échantillon, est plus petite que $z_C = \dfrac{\bar{x}_C - 3,6}{\sigma/\sqrt{n}}$, alors on rejette H_0 en faveur de H_1. Sinon, on ne rejette pas H_0 (voir la figure 10.4).

FIGURE 10.4   La région critique et le seuil de signification pour un test unilatéral à gauche

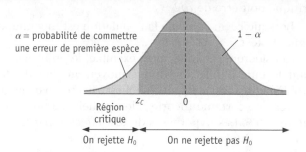

La zone de rejet de H_0 est située à gauche de la valeur critique. Il s'agit d'un **test unilatéral à gauche** puisque la région critique est située à l'extrémité gauche de la distribution de la statistique du test. Le seuil de signification α correspond à la probabilité, lorsque $\mu = 3,6$, que $\dfrac{\bar{X} - 3,6}{\sigma/\sqrt{n}}$ soit plus petite que la valeur critique z_C.

En résumé :

LA STATISTIQUE DU TEST

Si l'hypothèse nulle est de la forme $\mu = \mu_0$, $\mu \leq \mu_0$ ou $\mu \geq \mu_0$ pour une valeur fixée μ_0, alors la statistique du test est :

$\dfrac{\bar{X} - \mu_0}{\sigma/\sqrt{n}}$ si la valeur de l'écart type σ de la population est connue ;

$\dfrac{\bar{X} - \mu_0}{S/\sqrt{n}}$ si la valeur de l'écart type σ de la population n'est *pas* connue.

CAS 1

Toutes les valeurs du paramètre testé qui satisfont la contre-hypothèse H_1 sont supérieures à celles qui satisfont l'hypothèse nulle H_0 (par exemple, H_0 : $\mu \leq 453$, H_1 : $\mu > 453$; ou H_0 : $\mu = 100$, H_1 : $\mu > 100$; ou H_0 : $\mu = 20$, H_1 : $\mu = 80$). La règle de décision consistera à rejeter H_0 si la valeur de la statistique du test calculée à partir de l'échantillon est supérieure à une certaine valeur critique. La région critique du test est concentrée à l'extrême droite de la distribution de la statistique utilisée. Ainsi, il s'agit d'un **test unilatéral à droite.**

CAS 2

Toutes les valeurs du paramètre testé qui satisfont la contre-hypothèse H_1 sont inférieures à celles qui satisfont l'hypothèse nulle H_0 (par exemple, H_0 : $\mu \geq 80\,000$, H_1 : $\mu < 80\,000$; ou H_0 : $\mu = 100$, H_1 : $\mu < 100$; ou H_0 : $\mu = 80$, H_1 : $\mu = 20$). La règle de décision consistera à rejeter H_0 si la valeur de la statistique du test calculée à partir de l'échantillon est inférieure à une certaine valeur critique. La région critique du test est concentrée à l'extrême gauche de la distribution de la statistique utilisée. Ainsi, il s'agit d'un **test unilatéral à gauche.**

CAS 3

Toutes les valeurs du paramètre testé qui satisfont la contre-hypothèse H_1 se situent de part et d'autre de la valeur spécifiée sous H_0 (par exemple, H_0 : $\mu = 8,5$; H_1 : $\mu \neq 8,5$). On doit déterminer deux valeurs critiques. La règle de décision consistera à rejeter l'hypothèse nulle si la valeur de la statistique du test calculée à partir de l'échantillon est inférieure à la plus petite de ces deux valeurs critiques ou supérieure à la plus grande. La région critique est située aux deux extrémités de la distribution de la statistique du test. Ainsi, il s'agit d'un **test bilatéral.**

■ RÉVISION 10.2

Pour chacun des problèmes 1 et 2 de la révision 10.1, spécifiez la statistique qui doit être utilisée pour le test, dites s'il s'agit d'un test unilatéral à droite, unilatéral à gauche ou bilatéral et donnez la règle de décision.

10.4 LE TEST SUR LA MOYENNE D'UNE POPULATION LORSQUE L'ÉCART TYPE σ DE LA POPULATION EST CONNU

À la section 10.2, nous avons présenté les cinq étapes d'un test d'hypothèse et les avons appliquées au problème sur le poids moyen des boîtes de céréales Grape Nuts. On a supposé que l'écart type de population était connu et que la distribution de population était à peu près normale ou que la taille de l'échantillon était assez grande. C'est pourquoi on a considéré que la statistique du test, quand H_0 est vraie, était approximativement une variable de loi normale centrée réduite. Le test utilisé était un test Z unilatéral à droite. Voyons maintenant la procédure générale d'un test Z bilatéral et celle d'un test Z unilatéral à gauche au moyen des exemples suivants. Dans chacun d'eux, on suppose que l'écart type de la population de référence est connu.

Exemple 10.1

Reprenez le problème concernant l'allégation faite par le spécialiste en sciences sociales sur les habitudes de sommeil des jeunes Canadiens. Supposons que, dans la population de référence, la distribution s'approche de la loi normale avec un écart type de 0,9. Effectuez un test d'hypothèse avec un seuil de signification α de 0,05.

Solution

On utilise la procédure en cinq étapes décrite précédemment dans ce chapitre.

Étape 1

Comme on l'a vu, les hypothèses de ce test sont :
$$H_0: \mu = 8,5$$
$$H_1: \mu \neq 8,5$$

Étape 2

Le seuil de signification est fixé à $\alpha = 0,05$.

Étape 3

La statistique du test est $\dfrac{\bar{X} - 8,5}{\sigma/\sqrt{n}} = \dfrac{\bar{X} - 8,5}{0,9/\sqrt{n}}$. Puisque la distribution s'approche de la loi normale dans la population de référence, si H_0 est vraie, $\dfrac{\bar{X} - 8,5}{0,9/\sqrt{n}} = Z$, une variable de loi normale centrée réduite.

Étape 4

Il s'agit d'un test bilatéral. Il y aura donc deux valeurs critiques, z_{C_1} et z_{C_2} et la règle de décision consistera à rejeter H_0 si la valeur de la statistique Z du test est inférieure à z_{C_1} ou supérieure à z_{C_2}.

Il faut choisir les valeurs z_{C_1} et z_{C_2} de sorte que la probabilité de commettre une erreur de première espèce soit égale au seuil de signification $\alpha = 0,05$. Puisque la région critique se compose de deux parties, la probabilité $\alpha = 0,05$ doit être divisée également entre ces deux parties. Ainsi, quand $\mu = 8,5$, la probabilité que la statistique du test soit plus petite que z_{C_1} doit être de $0,05/2 = 0,025$, et la probabilité qu'elle soit plus grande que z_{C_2} doit aussi être de 0,025. En raison de la symétrie de la loi normale centrée réduite, $z_{C_1} = -z_{0,025} = -1,96$ et $z_{C_2} = z_{0,025} = 1,96$. [N'oubliez pas que $z_{0,025}$ est le nombre qui fait en sorte que l'aire située à droite de celui-ci sous la courbe normale centrée réduite est de 0,025. Dans la table, il s'agit de la valeur de z correspondant à la probabilité $(0,5 - 0,025) = 0,475$.]

La règle de décision du test est donc la suivante : rejeter H_0 en faveur de H_1 si la valeur de la statistique du test calculée à l'aide de l'échantillon observé est plus petite que $-1,96$ ou si elle est plus grande que 1,96. On ne rejette pas H_0 si la valeur de la statistique du test se situe dans l'intervalle qui s'étale de $-1,96$ à $1,96$ (bornes incluses).

Étape 5   Pour appliquer le test, on prélève un échantillon aléatoire dans la population de référence, on calcule la valeur de la statistique du test $z = \dfrac{\overline{x} - 8{,}5}{0{,}9/\sqrt{n}}$ et, en fonction de cette valeur et de la règle de décision, on prend la décision de rejeter H_0 en faveur de H_1 ou de ne pas rejeter H_0.

Supposons qu'on dispose des données suivantes recueillies sur un échantillon de 25 Canadiens choisis au hasard dans le groupe d'âge des 15 à 24 ans.

7,8	9,1	9,5	10,2	9,9	9,7	9,2	8,7	7,9
9,6	8,9	9,1	8,1	9,8	8,8	8,3	9,2	9,4
9,0	8,9	7,8	8,4	8,6	7,9	8,7		

Ainsi, $\overline{x} = \dfrac{(7{,}8 + 9{,}1 + \ldots + 7{,}9 + 8{,}7)}{25} = 8{,}9$.

La valeur de la statistique du test est $z = \dfrac{(\overline{x} - 8{,}5)}{0{,}9/\sqrt{25}} = \dfrac{(8{,}9 - 8{,}5)}{0{,}9/5} = 2{,}22$.

La valeur 2,22 se situe dans la région critique puisqu'elle est supérieure à 1,96. Ainsi, on rejette H_0 en faveur de H_1. Les données de l'échantillon permettent, au seuil de signification $\alpha = 0{,}05$, de rejeter H_0 et d'accepter l'allégation selon laquelle le nombre moyen d'heures de sommeil des jeunes Canadiens diffère de 8,5 heures.

LA SOLUTION À L'AIDE DE L'ORDINATEUR

Voici les instructions qui permettront de trouver la solution à l'aide d'Excel.

Le test Z quand σ est connu n'est pas programmé dans Excel. Vous devez entrer les données de l'échantillon dans une colonne de la feuille Excel (la colonne A, par exemple) et choisir Outils, Utilitaire d'analyse et Statistiques descriptives. Entrez ensuite la plage où sont situées les données, cochez la boîte Rapport détaillé et cliquez sur OK. Vous obtenez les résultats présentés dans la sortie d'Excel ci-dessous.

Colonne 1	
Moyenne	8,9
Erreur-type	0,137598
Médiane	8,9
Mode	7,8
Écart-type	0,687992
Variance de l'échantillon	0,473333
Kurtosis (Coefficient d'aplatissement)	−0,80747
Coefficient d'asymétrie	−0,0509
Plage	2,4
Minimum	7,8
Maximum	10,2
Somme	222,5
Nombre d'échantillons	25

La sortie inclut notamment la valeur de la moyenne d'échantillon $\overline{x} = 8{,}9$. On peut calculer la valeur de la statistique du test à l'aide d'Excel ou d'une calculatrice :

$$z = \dfrac{(\overline{x} - 8{,}5)}{0{,}9/\sqrt{25}} = \dfrac{(8{,}9 - 8{,}5)}{0{,}9/5} = 2{,}22.$$

Exemple 10.2

Reprenez le problème présenté à la section 10.2 concernant le taux d'inflation annuel moyen (mesuré par le pourcentage de variation de l'indice des prix à la consommation de tous les biens et services). Dans ce problème, un test d'hypothèse devait être effectué par un groupe d'étudiants dans le but de réfuter une certaine théorie selon laquelle le taux d'inflation annuel moyen au Canada au cours du dernier siècle était d'au moins 3,6 %. Supposons que le pourcentage de variation annuelle de l'IPC au Canada durant le dernier siècle soit normalement distribué avec un écart type de 5,1. Effectuez le test d'hypothèse avec un seuil de signification $\alpha = 0,01$.

Solution

On utilise la procédure en cinq étapes décrite à la section 10.2.

Étape 1

Nous avons vu à la section 10.2 que les hypothèses du test sont :
$H_0 : \mu \geq 3,6$
$H_1 : \mu < 3,6$

Étape 2

Le seuil de signification a été fixé à $\alpha = 0,01$.

Étape 3

On utilisera $\dfrac{\bar{X} - 3,6}{\sigma/\sqrt{n}} = \dfrac{\bar{X} - 3,6}{5,1/\sqrt{n}}$ comme statistique du test. Puisque la population est normalement distribuée, la statistique du test obéit à une loi normale centrée réduite, lorsque $\mu = 3,6$.

Étape 4

Il s'agit d'un test unilatéral à gauche. La règle de décision consiste donc à rejeter H_0 si la valeur de la statistique du test calculée à l'aide de l'échantillon observé est plus petite qu'une certaine valeur critique. On doit choisir cette valeur critique de telle sorte que la probabilité, quand $\mu = 3,6$, que la statistique du test appartienne à la région critique soit égale à $\alpha = 0,01$.

L'aire à gauche de la valeur critique, sous la courbe normale centrée réduite, doit être égale à 0,01. La valeur critique correspond donc à $-z_{0,01} = -2,326$.

La règle de décision consiste à rejeter H_0 en faveur de H_1 si la valeur de la statistique du test calculée à l'aide de l'échantillon est plus petite que $-2,326$. On ne rejettera pas H_0 si cette valeur est plus grande ou égale à $-2,326$.

Étape 5

Pour appliquer le test, on doit prélever un échantillon aléatoire dans la population de référence, calculer la valeur de la statistique $z = \dfrac{\bar{x} - 3,6}{5,1/\sqrt{n}}$ et, en fonction de cette valeur et de la règle de décision, décider de rejeter H_0 en faveur de H_1 ou de ne pas rejeter H_0.

À titre d'exemple, on a recueilli les données suivantes sur le pourcentage de variation annuelle de l'IPC à partir d'un échantillon de 10 années choisies au hasard au cours du dernier siècle. (Source : Statistique Canada, Données CANSIM.)

3,0	8,2	1,1	−4,5	4,0
3,0	1,2	−8,4	0,0	9,8

Par conséquent, $\bar{x} = \dfrac{(3,0 + 8,2 + \ldots + 0,0 + 9,8)}{10} = 1,74$.

La valeur de la statistique du test est $z = \dfrac{(\bar{x} - 3,6)}{5,1/\sqrt{10}} = \dfrac{(1,74 - 3,6)}{5,1/\sqrt{10}} = -1,15$.

Puisque −1,15 est supérieur à −2,326, on ne rejette *pas* H_0. Les données de l'échantillon ne permettent *pas* de rejeter H_0, au seuil de signification $\alpha = 0,01$. La théorie ne peut donc pas être réfutée sur la base de l'information recueillie.

On peut aussi utiliser Excel pour obtenir la solution de cet exemple.

Exemple 10.3

Considérez le problème présenté à la section 10.2 concernant les ampoules. On doit déterminer, au moyen d'un test d'hypothèse, si un lot de 5000 ampoules appartient à la catégorie supérieure ayant une durée de vie moyenne de 2400 heures ou à la catégorie inférieure ayant une durée de vie moyenne de 2000 heures. Par défaut, les ampoules se vendront comme si elles étaient de catégorie inférieure. Supposons que la distribution de la durée de vie des deux catégories d'ampoules s'approche d'une loi normale avec un écart type de 300 heures. Effectuez un test d'hypothèse avec un seuil de signification $\alpha = 0{,}025$.

Solution

On utilise la procédure en cinq étapes décrite à la section 10.2.

Étape 1

Comme nous l'avons vu à la section 10.2, les hypothèses de ce test sont :
$$H_0: \mu = 2000$$
$$H_1: \mu = 2400$$

Étape 2

Le seuil de signification est fixé à $\alpha = 0{,}025$.

Étape 3

On utilisera $\dfrac{\bar{X} - 2000}{\sigma/\sqrt{n}} = \dfrac{\bar{X} - 2000}{300/\sqrt{n}}$ comme statistique du test. La distribution de la population s'approche d'une loi normale. Ainsi, quand H_0 est vraie, on traitera $\dfrac{\bar{X} - 2000}{300/\sqrt{n}}$ comme une variable normale centrée réduite.

Étape 4

Puisque la valeur de μ spécifiée sous la contre-hypothèse (= 2400) est supérieure à celle spécifiée sous l'hypothèse nulle (= 2000), il s'agit d'un test unilatéral à droite. La règle de décision consistera à rejeter H_0 si la valeur de la statistique du test est plus grande qu'une certaine valeur critique.

Puisque le seuil de signification du test est fixé à 0,025, l'aire sous la courbe normale située à droite de la valeur critique doit être égale à 0,025. Autrement dit, la valeur critique est $z_{0,025} = 1{,}96$. La région critique du test correspond donc à l'ensemble des valeurs supérieures à 1,96. Ainsi, la règle de décision consistera à rejeter H_0 en faveur de H_1 si la valeur de la statistique du test est plus grande que 1,96. On ne rejettera pas H_0 si cette valeur est plus petite ou égale à 1,96.

Étape 5

Pour appliquer le test, on doit prélever un échantillon aléatoire dans la population, calculer la valeur de la statistique du test $z = \dfrac{\bar{x} - 2000}{300/\sqrt{n}}$ et, en fonction de cette valeur et de la règle de décision, décider de rejeter H_0 en faveur de H_1 ou de ne pas rejeter H_0.

LES RÈGLES DE DÉCISION POUR UN TEST Z AU SEUIL DE SIGNIFICATION α

Test Z unilatéral à droite	La valeur critique du test est z_α. La région critique est située à droite de z_α. On rejette H_0 si la valeur z de la statistique du test, calculée à partir de l'échantillon, est supérieure à z_α.
Test Z unilatéral à gauche	La valeur critique du test est $-z_\alpha$. La région critique est située à gauche de $-z_\alpha$. On rejette H_0 si la valeur z de la statistique du test, calculée à partir de l'échantillon, est inférieure à $-z_\alpha$.
Test Z bilatéral	Les valeurs critiques inférieure et supérieure sont $-z_{\alpha/2}$ et $z_{\alpha/2}$. La région critique est composée de deux zones : la région à gauche de $-z_{\alpha/2}$ et la région à droite de $z_{\alpha/2}$. On rejette H_0 si la valeur z de la statistique du test, calculée à partir de l'échantillon, est inférieure à $-z_{\alpha/2}$ ou si elle est supérieure à $z_{\alpha/2}$.

■ RÉVISION 10.3

1. Reprenez le problème 1 de la révision 10.1 concernant la valeur moyenne du taux de variation mensuel de l'indice TSE 300 au cours des 45 dernières années. Supposez que la population soit normalement distribuée avec un écart type de 6,24.

    a) Déterminez la région critique et la règle de décision du test pour $\alpha = 0,04$.

    b) Considérez les données suivantes sur le taux de variation mensuel de l'indice TSE 300 obtenues à l'aide d'un échantillon de 12 mois choisis au hasard parmi les 45 dernières années. (Source : Statistique Canada, Données CANSIM.)

          4,8   3,4   4,7   0,8   0,9   1,9
          −2,8 −1,7 0,3   2,0   3,0   1,6

    Calculez la valeur de la statistique du test. Quelle devrait être votre décision ?

2. Reprenez le problème 2 de la révision 10.1 concernant la valeur moyenne du bénéfice par action des 1000 plus grandes entreprises canadiennes en 2000. Supposez que la population soit normalement distribuée avec un écart type de 3,04.

    a) Déterminez la région critique et la règle de décision du test pour $\alpha = 0,08$.

    b) Considérez les données suivantes sur le bénéfice par action pour un échantillon de 15 entreprises choisies au hasard dans la liste des 1000 plus grandes entreprises au Canada en 2000. (Source : Données sur les 1000 plus grandes entreprises publiées par Globe Interactive.)

          1,7   0   0,3   0   −13,8   1,9   0,3   0,8
          0,2 −0,8 0,6   0,7   2,8   3,8   1,4

    Calculez la valeur de la statistique du test. Quelle devrait être votre décision ?

10.5 LE SEUIL EXPÉRIMENTAL

Considérons de nouveau l'exemple 10.1 concernant l'allégation faite par le spécialiste en sciences sociales sur les habitudes de sommeil des jeunes Canadiens. Les hypothèses du test sont :

$H_0: \mu = 8,5$
$H_1: \mu \neq 8,5$

Il s'agit d'un test bilatéral. Lorsque la distribution de la population s'approche d'une loi normale ou que la taille d'échantillon est suffisamment grande, et que l'écart type de la population est connu, on doit utiliser le test Z. La règle de décision est alors basée sur la statistique $\dfrac{\bar{X} - 8,5}{\sigma/\sqrt{n}}$. Elle consiste à rejeter H_0 si z (la valeur de la statistique du test calculée à partir des données d'échantillon) est plus grande que $z_{\alpha/2}$ ou si elle est plus petite que $-z_{\alpha/2}$.

Dans l'exemple, $\alpha = 0,05$. Ainsi, $z_{0,025} = 1,96$ et $-z_{0,025} = -1,96$. La valeur de la statistique du test obtenue à partir de l'échantillon est $z = 2,22$. Puisqu'elle se situe dans la région critique (elle est plus grande que 1,96), on peut rejeter H_0 en faveur de H_1, au seuil de signification $\alpha = 0,05$.

Si le seuil de signification avait plutôt été fixé à $\alpha = 0,01$, alors les deux valeurs critiques seraient $z_{0,005} = 2,575$ et $-z_{0,005} = -2,575$. Puisque la valeur calculée de z (= 2,22) se situe entre −2,575 et 2,575, on ne peut *pas* rejeter H_0, au seuil de signification $\alpha = 0,01$.

Ainsi, pour un seuil de signification α fixé :

si $z_{\alpha/2} < z = 2,22$, notre décision sera de rejeter H_0 ;

si $z_{\alpha/2} \geq z = 2,22$, notre décision sera de ne *pas* rejeter H_0.

La valeur α^*, pour laquelle le changement de décision a lieu, est telle que $z = 2,22 = z_{\alpha^*/2}$.

À partir de la table normale, on obtient $\alpha^* = 2(0,5 - 0,4868) = 0,0264$ (voir la figure ci-dessous). Selon la table Z, l'aire sous la courbe située entre 0 et 2,22 est égale à 0,4868. Ainsi, $\alpha^*/2 =$ l'aire à droite de $2,22 = (0,5 - 0,4868) = 0,0132$ et $\alpha^* = 2(0,0132) = 0,0264$. On appelle cette valeur le **seuil expérimental du test.** Elle correspond au seuil de signification α pour lequel la valeur z calculée à partir des données de l'échantillon est une valeur critique. On peut l'interpréter comme le **seuil de signification observé.**

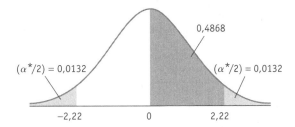

Pour $\alpha \leq \alpha^* = 0,0264$, la valeur critique $z_{\alpha/2}$ serait supérieure ou égale à 2,22, et notre décision serait de ne *pas* rejeter H_0.

Pour $\alpha > 0,0264$, la valeur critique $z_{\alpha/2}$ serait inférieure à 2,22. Dans ce cas, la valeur calculée de z (= 2,22) se trouverait dans la région critique et notre décision serait de rejeter H_0.

---

d | **Seuil expérimental d'un test d'hypothèse** Seuil de signification α^* pour lequel la valeur de la statistique du test calculée à partir de l'échantillon observé correspond à une valeur critique du test.

Si le seuil de signification fixé α est supérieur au seuil expérimental α^*, la décision du test sera de « rejeter H_0 en faveur de H_1 ».

Si le seuil de signification fixé α est inférieur ou égal au seuil expérimental α^*, la décision du test sera de « ne *pas* rejeter H_0 ».

Reprenons maintenant l'exemple 10.2 concernant le taux d'inflation annuel moyen au Canada durant le dernier siècle. Dans cet exemple, les hypothèses du test sont :

H_0 : $\mu \geq 3,6$

H_1 : $\mu < 3,6$

Il s'agit d'un test unilatéral à gauche. La valeur de l'écart type de la population est connue et est égale à 5,1. Ainsi, la statistique du test est $\dfrac{\overline{X} - 3,6}{5,1/\sqrt{n}}$. Puisqu'on suppose que la distribution est normale dans la population de référence, il s'agit d'un test Z unilatéral à gauche. Pour un seuil de signification α, la valeur critique du test correspond à $-z_\alpha$, et la région critique est située à gauche de $-z_\alpha$.

La valeur de la statistique du test, calculée à partir des données d'échantillon, était $z = -1,15$.

Le seuil expérimental de ce test correspond au seuil de signification α^* pour lequel $-z_{\alpha^*} = z = -1,15$.

À partir de la table normale présentée à l'annexe F, on obtient $\alpha^* = 0,1251$. [Dans la table Z, on donne l'aire sous la courbe située entre 0 et 1,15, qui est égale à 0,3749. Ainsi, $\alpha^* = (0,5 - 0,3749) = 0,1251$.]

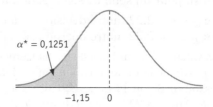

Pour tout seuil de signification α inférieur ou égal au seuil expérimental α^*, la valeur critique $-z_\alpha$ serait inférieure ou égale à $-1{,}15$, et notre décision serait de « ne pas rejeter H_0 ». Pour tout seuil de signification α supérieur au seuil expérimental α^*, la valeur critique serait supérieure à $-1{,}15$ et notre décision serait de « rejeter H_0 ».

En général, le seuil expérimental se définit ainsi :

	Valeur du seuil expérimental α^*	
	Pour une statistique quelconque	Pour la statistique Z
Test unilatéral à droite	α^* est tel que la valeur de la statistique du test calculée à partir de l'échantillon correspond à la valeur critique du test.	α^* est tel que $z = z_{\alpha^*}$
Test unilatéral à gauche	α^* est tel que la valeur de la statistique du test calculée à partir de l'échantillon correspond à la valeur critique du test.	α^* est tel que $z = -z_{\alpha^*}$
Test bilatéral	α^* est tel que la valeur de la statistique du test calculée à partir de l'échantillon correspond à une des deux valeurs critiques du test.	α^* est tel que $|z| = z_{\alpha^*/2}$

■ RÉVISION 10.4

1. Référez-vous au problème 1 de la révision 10.3.
   a) Calculez le seuil expérimental.
   b) Quelle serait votre décision si le seuil de signification était fixé à $\alpha = 0{,}3$? s'il était fixé à $\alpha = 0{,}01$?

2. Référez-vous au problème 2 de la révision 10.3.
   a) Calculez le seuil expérimental.
   b) Quelle serait votre décision si le seuil de signification était fixé à $\alpha = 0{,}1$? s'il était fixé à $\alpha = 0{,}48$?

10.6 LA RELATION ENTRE LE TEST D'HYPOTHÈSE ET L'INTERVALLE DE CONFIANCE (SECTION FACULTATIVE)

Vous avez sans doute observé des similitudes entre la procédure d'un test d'hypothèse sur une moyenne et la construction d'un intervalle de confiance que nous avons traité au chapitre 9. Les deux reposent sur les propriétés de la distribution d'échantillonnage de la moyenne étudiée au chapitre 8. En fait, J. Neyman a élaboré la théorie de l'estimation par intervalle de confiance presque parallèlement au travail effectué de pair avec E. Pearson sur les tests d'hypothèses. Nous clarifierons maintenant la relation qui existe entre les deux théories.

CAS 1 : LE TEST BILATÉRAL

Considérons le test bilatéral suivant :

$H_0: \mu = \mu_0$

$H_1: \mu \neq \mu_0$

Supposons que la population soit normalement distribuée et que l'écart type de la population, σ, soit connu. Pour un seuil de signification α fixé, la règle de décision du test est la suivante :

$$\text{Ne pas rejeter } H_0 \text{ si } -z_{\alpha/2} \leq \frac{\bar{x} - \mu_0}{\sigma/\sqrt{n}} \leq z_{\alpha/2}.$$

Comme démontré dans le chapitre 9, l'expression $-z_{\alpha/2} \leq \frac{\bar{x} - \mu_0}{\sigma/\sqrt{n}} \leq z_{\alpha/2}$ est équivalente à l'expression $\bar{x} - z_{\alpha/2}\sigma/\sqrt{n} \leq \mu_0 \leq \bar{x} + z_{\alpha/2}\sigma/\sqrt{n}$. Ainsi, la règle de décision susmentionnée peut être énoncée comme suit :

Ne pas rejeter H_0 si $\bar{x} - z_{\alpha/2}\sigma/\sqrt{n} \leq \mu_0 \leq \bar{x} + z_{\alpha/2}\sigma/\sqrt{n}$, autrement dit si μ_0 se trouve dans l'intervalle $(\bar{x} - z_{\alpha/2}\sigma/\sqrt{n},\ \bar{x} + z_{\alpha/2}\sigma/\sqrt{n})$.

L'intervalle $(\bar{x} - z_{\alpha/2}\sigma/\sqrt{n},\ \bar{x} + z_{\alpha/2}\sigma/\sqrt{n})$ est l'intervalle de confiance de niveau $(1 - \alpha)$ pour estimer la moyenne μ d'une population (voir la formule 9.4 à la page 356). En conséquence, on peut aussi énoncer la règle de décision du test comme suit :

> *Ne pas rejeter H_0 si μ_0 se trouve dans l'intervalle de confiance de niveau $(1 - \alpha)$ pour estimer la moyenne de la population.*

L'argument simple qui suit démontrera qu'avec cette règle de décision, la probabilité de commettre une erreur de première espèce est égale à α. Selon la définition de l'intervalle de confiance, la probabilité que l'intervalle contienne la valeur réelle de la moyenne de la population est de $(1 - \alpha)$. Si la valeur réelle de la moyenne de la population est μ_0, alors la probabilité que H_0 soit rejetée correspond à la probabilité que l'intervalle de confiance ne contienne pas μ_0, laquelle est égale à $1 - (1 - \alpha) = \alpha$.

CAS 2 : LE TEST UNILATÉRAL À GAUCHE

Considérons le test unilatéral à gauche suivant :

$H_0: \mu \geq \mu_0$

$H_1: \mu < \mu_0$

Supposons que la population soit normalement distribuée et que l'écart type de la population, σ, soit connu. Pour un seuil de signification α fixé, la règle de décision est la suivante :

$$\text{Ne pas rejeter } H_0 \text{ si } \frac{\bar{x} - \mu_0}{\sigma/\sqrt{n}} \geq -z_\alpha.$$

En effectuant quelques manipulations algébriques, cette expression peut s'écrire sous la forme $\mu_0 \leq \bar{x} + z_\alpha \sigma/\sqrt{n}$. Ainsi, la règle de décision susmentionnée peut être énoncée comme suit :

Ne *pas* rejeter H_0 si $\mu_0 \leq \bar{x} + z_\alpha \sigma/\sqrt{n}$, autrement dit si μ_0 est inférieur ou égal à $\bar{x} - z_\alpha \sigma/\sqrt{n}$.

> *L'intervalle constitué des valeurs inférieures ou égales à* $\bar{X} + z_\alpha \sigma/\sqrt{n}$ *s'appelle un* **intervalle de confiance unilatéral à gauche de niveau $(1 - \alpha)$**, *et* $\bar{X} + z_\alpha \sigma/\sqrt{n}$ *est la* **borne supérieure** *de cet intervalle.*

En conséquence, on peut aussi énoncer la règle de décision du test comme suit :

> *Ne pas rejeter H_0 si μ_0 est inférieure ou égale à la borne supérieure de l'intervalle de confiance unilatéral à gauche de niveau $(1 - \alpha)$ pour estimer μ.*

CAS 3 : LE TEST UNILATÉRAL À DROITE

De la même manière, on peut démontrer que, dans le cas d'un test Z unilatéral à droite, la règle de décision peut être énoncée comme suit :

Ne *pas* rejeter H_0 si μ_0 est supérieure ou égale à $\bar{x} - z_\alpha \sigma/\sqrt{n}$.

> *L'intervalle constitué des valeurs supérieures ou égales à* $\bar{X} - z_\alpha \sigma/\sqrt{n}$ *s'appelle un* **intervalle de confiance unilatéral à droite de niveau $(1 - \alpha)$**, *et* $\bar{X} - z_\alpha \sigma/\sqrt{n}$ *est la* **borne inférieure** *de cet intervalle.*

Ainsi, on peut aussi énoncer la règle de décision comme suit :

> *Ne pas rejeter H_0 si μ_0 est supérieure ou égale à la borne inférieure de l'intervalle de confiance unilatéral à droite de niveau $(1 - \alpha)$ pour estimer μ.*

■ RÉVISION 10.5

1. Considérez le problème 1 de la révision 10.3.
    a) Calculez l'intervalle de confiance approprié (bilatéral, unilatéral à gauche ou unilatéral à droite) au niveau de confiance $(1 - \alpha)$.
    b) Quelle serait votre décision en fonction de l'intervalle calculé en a) ? Concorde-t-elle avec votre décision basée sur le seuil expérimental ?

2. Considérez le problème 2 de la révision 10.3.
    a) Calculez l'intervalle de confiance approprié (bilatéral, unilatéral à gauche ou unilatéral à droite) au niveau de confiance $(1 - \alpha)$.
    b) Quelle serait votre décision en fonction de l'intervalle calculé en a) ? Concorde-t-elle avec votre décision basée sur le seuil expérimental ?

10.7 L'ERREUR DE DEUXIÈME ESPÈCE

Rappelons que le seuil de signification d'un test d'hypothèse, noté par le symbole α, correspond à la probabilité qu'une erreur de première espèce soit commise. Autrement dit, il représente la probabilité que l'hypothèse nulle soit rejetée avec le test alors qu'en réalité, celle-ci est vraie.

Il est aussi possible que l'hypothèse nulle ne soit pas rejetée avec le test, alors qu'en réalité, elle est fausse (autrement dit quand H_1 est vraie). On appelle ce type d'erreur une erreur de deuxième espèce. On désigne la probabilité de commettre une erreur de deuxième espèce par la lettre grecque β (bêta).

Puisque l'erreur de première espèce est généralement plus grave, on fixe à l'avance le seuil de signification α et l'on conçoit le test de sorte que la probabilité de commettre une erreur de première espèce ne soit pas supérieure à α et que la probabilité de commettre une erreur de deuxième espèce β soit minimale parmi tous les tests de même seuil de signification. (La démonstration de l'optimalité des tests découle du fameux théorème de Neyman-Pearson. Cette preuve n'est pas présentée dans ce manuel, car elle repose sur des notions mathématiques trop avancées.)

Illustrons le calcul de β pour le test de l'exemple 10.3 concernant la durée de vie des ampoules. Un lot de 5000 ampoules appartient soit à la catégorie supérieure avec une durée de vie moyenne de 2400 heures, soit à la catégorie inférieure avec une durée de vie moyenne de 2000 heures. Par défaut, les ampoules se vendront comme étant de catégorie inférieure.

Les hypothèses du test sont:

H_0: $\mu = 2000$

H_1: $\mu = 2400$

Il s'agit d'un test unilatéral à droite. On a utilisé le test Z puisque la distribution de la durée de vie des deux catégories d'ampoules s'approche d'une loi normale avec un écart type de 300 heures. Le seuil de signification du test a été fixé à $\alpha = 0{,}025$.

À partir des données de l'échantillon sélectionné, on calcule la valeur $z = \dfrac{\bar{x} - 2000}{\sigma/\sqrt{n}} = \dfrac{\bar{x} - 2000}{300/\sqrt{n}}$. Si cette valeur est supérieure à 1,96, on rejette H_0 en faveur de H_1. Si elle est inférieure ou égale à 1,96, on ne rejette pas H_0.

On peut aussi énoncer la règle de décision de la manière suivante: si la valeur $\bar{x}$ calculée à partir des données de l'échantillon est supérieure à $\bar{x}_C = 2000 + 1{,}96(300/\sqrt{n})$, on rejette H_0 en faveur de H_1. Si elle est inférieure ou égale à $\bar{x}_C$, on ne rejette pas H_0.

Le test est conçu pour maintenir le risque d'erreur de première espèce α à environ 0,025. Calculons maintenant le risque d'erreur de deuxième espèce β correspondant.

Le risque d'erreur de deuxième espèce correspond à la probabilité de ne pas rejeter H_0 alors qu'en réalité H_1 est vraie. Si H_1 est vraie (autrement dit si la valeur de μ réelle est 2400), la distribution de $\bar{X}$ s'approche d'une loi normale de moyenne 2400 et d'écart type $\sigma/\sqrt{n} = 300/\sqrt{n}$. Selon la règle de décision, il s'agit de la probabilité que la valeur de $\bar{X}$ soit inférieure ou égale à $\bar{x}_C$.

Supposons qu'on prélève un échantillon de quatre ampoules. Alors $\bar{x}_C = 2000 + 1{,}96(300/\sqrt{4}) = 2294$. La probabilité que la valeur de $\bar{X}$ soit inférieure ou égale à 2294 est approximativement $0{,}5 - 0{,}26 = 0{,}24$ [voir la figure 10.5 a)]. Notez que la valeur z correspondant à 2294 est de $\dfrac{2294 - 2400}{150} = -0{,}707$.

FIGURE 10.5 a)   La probabilité d'une erreur de deuxième espèce

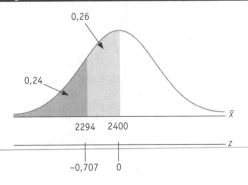

Dans la figure 10.5 b), les zones ombrées correspondent aux risques d'erreur de première et de deuxième espèce quand $n = 4$.

FIGURE 10.5 b)   La relation entre α et β

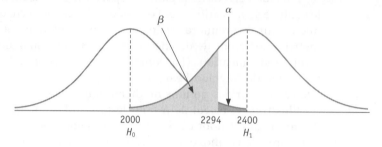

- Si l'on réduit le risque d'erreur de première espèce α, la valeur z_α augmente et la valeur critique $\bar{x}_C$ se déplace vers la droite. Ainsi, le risque d'erreur de deuxième espèce β augmente. Inversement, si l'on augmente α, $\bar{x}_C$ se déplace vers la gauche, ce qui fait diminuer la valeur de β.

- Supposons qu'on augmente la taille n de l'échantillon, la faisant passer de 4 à 9. L'écart type de $\bar{X}$ devient $300/\sqrt{9} = 100$ et $\bar{x}_C = 2000 + 1,96(300/\sqrt{9}) = 2196$. Si H_1 est vraie, alors $\bar{X}$ a une moyenne de 2400 et un écart type de $300/\sqrt{9} = 100$. La probabilité que la valeur de $\bar{X}$ soit inférieure ou égale à 2196 est approximativement égale à $(0,5 - 0,4793) = 0,0207$.

Si la taille de l'échantillon était de $n = 25$, alors $\bar{x}_C = 2000 + 1,96(60) = 2117,6$, l'écart type de $\bar{X}$ serait de $300/\sqrt{25} = 60$, et la probabilité qu'une erreur de deuxième espèce soit commise serait très près de zéro.

Ainsi, à mesure que n augmente de 4 à 25 : i) l'écart type de $\bar{X}$ diminue et ii) la valeur de $\bar{x}_C$ se déplace vers la gauche. Chacun de ces phénomènes contribue à diminuer la valeur de β, qui passe de 0,24 à presque zéro.

En résumé,

> *Pour une taille d'échantillon fixe, diminuer la valeur de α fait augmenter la valeur de β, et augmenter la valeur de α fait diminuer la valeur de β. Pour une valeur fixée de α, on peut réduire la valeur de β en augmentant la taille de l'échantillon.*

Dans l'exemple précédent, on a conçu le test avec un seuil de signification $\alpha = 0,025$. On a ensuite calculé les valeurs correspondantes de β pour différentes tailles d'échantillon. La valeur $(1 - \beta)$ s'appelle la **puissance du test**. Par exemple, lorsque la taille de l'échantillon $n = 4$, on obtient $\beta = 0,24$. La puissance du test est alors de $(1 - 0,24) = 0,76$.

 Puissance d'un test   Probabilité de rejeter H_0 alors qu'en réalité H_1 est vraie. Autrement dit, c'est la probabilité que le test détecte la fausseté de l'hypothèse nulle, c'est-à-dire qu'il détecte correctement une contre-hypothèse vraie. La puissance d'un test est égale à $(1 - \beta)$.

Pour de plus amples détails sur la puissance d'un test, consultez l'annexe A du chapitre 10 sur le cédérom accompagnant ce manuel.

■ RÉVISION 10.6

1. Reportez-vous au problème 1 de la révision 10.3. Déterminez le risque d'erreur de deuxième espèce β, lorsque la valeur réelle de μ est 3,0.

2. Reportez-vous au problème 2 de la révision 10.3. Déterminez la puissance du test lorsque la valeur réelle de μ est 1,6.

EXERCICES 10.1 À 10.8

Pour chacun des exercices 10.1 à 10.4, répondez aux questions suivantes :
- a) S'agit-il d'un test unilatéral ou bilatéral ?
- b) Quelle est la règle de décision ?
- c) Quelle est la valeur de la statistique du test ?
- d) Quelle est votre conclusion concernant H_0 ?
- e) Déterminez et interprétez le seuil expérimental du test pour l'échantillon observé.

10.1　Vous disposez des renseignements suivants :
H_0: $\mu = 50$
H_1: $\mu \neq 50$
La moyenne de l'échantillon de taille 36 qui a été prélevé est 49.
L'écart type de la population est 5. Utilisez $\alpha = 0,05$.

10.2　Les renseignements suivants sont disponibles :
H_0: $\mu \leq 10$
H_1: $\mu > 10$
La moyenne de l'échantillon de taille 36 qui a été prélevé est 12.
L'écart type de la population est 3. Utilisez $\alpha = 0,02$.

10.3　On sélectionne un échantillon de taille 49 à partir d'une certaine population. La moyenne de l'échantillon est 21. L'écart type de la population est 6. Effectuez un test pour confronter les hypothèses suivantes, avec un seuil de signification de 0,05 :
H_0: $\mu \leq 20$
H_1: $\mu > 20$

10.4　On sélectionne un échantillon de taille 64 à partir d'une certaine population. La moyenne de l'échantillon est 215. L'écart type de la population est 15. Effectuez un test pour confronter les hypothèses suivantes, avec un seuil de signification de 0,03 :
H_0: $\mu \geq 220$
H_1: $\mu < 220$

Pour les exercices 10.5 et 10.6 :
  a) Présentez l'hypothèse nulle et la contre-hypothèse du test.
  b) Énoncez la règle de décision.
  c) Calculez la valeur de la statistique du test.
  d) Donnez votre conclusion.
  e) Déterminez et interprétez le seuil expérimental pour l'échantillon observé.

10.5 Le fabricant de pneus radiaux ceinturés d'acier X15 pour camion affirme que ses pneus peuvent parcourir au moins 80 000 km en moyenne avant l'usure de la bande de roulement. L'écart type du kilométrage pour la population considérée est de 8000 km. L'entreprise de camionnage Caron a acheté 48 pneus X15 et a observé un kilométrage moyen de 79 200 km pour les camions équipés de ces pneus. D'après l'expérience de Caron, peut-on en conclure, au seuil de signification $\alpha = 0,05$, que l'affirmation du fabricant est fausse ?

10.6 La chaîne de restaurants MacBurger affirme que le temps d'attente moyen des clients est de trois minutes avec un écart type d'une minute. Le service du contrôle de la qualité a constaté que, pour un échantillon de 50 clients du restaurant MacBurger du boulevard Paré, le temps d'attente moyen était de 2,75 minutes. Au seuil de signification de 0,05, peut-on en conclure que le temps d'attente moyen est inférieur à trois minutes ?

10.7 Par le passé, le taux de rotation annuel moyen des bouteilles de 200 comprimés d'un certain médicament sur les étagères des pharmacies était de 6,0 avec un écart type de 0,50. (Ceci indique que le stock de ce médicament sur les étagères des pharmacies était remplacé, en moyenne, six fois par an.) On soupçonne aujourd'hui que le taux de rotation moyen a changé. Supposez que la distribution s'approche d'une loi normale dans la population de référence et que l'écart type n'ait pas changé. Fixez le seuil de signification du test à $\alpha = 0,05$.
  a) Déterminez l'hypothèse nulle et la contre-hypothèse du test.
  b) Quelle est la probabilité qu'une erreur de première espèce soit commise ?
  c) Donnez l'équation de la statistique du test.
  d) Indiquez la règle de décision.
  e) Un échantillon aléatoire de taille 64 a montré un taux de rotation moyen de 5,84 fois par année.
      i) Peut-on rejeter l'hypothèse nulle ?
     ii) Déterminez et interprétez le seuil expérimental du test pour l'échantillon observé.
    iii) Quelle est la probabilité qu'une erreur de deuxième espèce soit commise si la valeur réelle de la moyenne de la population est de 5,9 ?
         Déterminez la puissance du test pour cette contre-hypothèse.

10.8 Reportez-vous au problème concernant le taux d'inflation annuel moyen au Canada au cours du dernier siècle. Supposez que la distribution de la population s'approche d'une loi normale avec un écart type de 5,1.
  a) Développez un test d'hypothèse avec $\alpha = 0,05$.
  b) Calculez la probabilité de commettre une erreur de deuxième espèce avec ce test si $n = 16$ et $\mu = 0,32$. Déterminez la puissance du test pour cette contre-hypothèse.

10.8 LE TEST SUR LA MOYENNE D'UNE POPULATION LORSQUE L'ÉCART TYPE σ DE LA POPULATION EST INCONNU

Pour développer la théorie présentée dans les sections 10.4 à 10.7, nous avons supposé que l'écart type de la population était connu. Cependant, dans la plupart des cas pratiques, cet écart type est inconnu. Comme dans le chapitre 9, on substituera l'écart type σ par son estimation, s, obtenue à partir des données d'échantillon. Si l'hypothèse nulle se présente sous la forme $\mu = \mu_0$, $\mu \leq \mu_0$ ou $\mu \geq \mu_0$, on utilisera $\dfrac{\bar{X} - \mu_0}{S/\sqrt{n}}$ comme statistique du test.

Aux chapitres 8 et 9, nous avons étudié en détail la distribution d'échantillonnage de la statistique $\dfrac{\bar{X} - \mu}{S/\sqrt{n}}$. Nous avons notamment appris que, lorsque la population est normalement distribuée, $\dfrac{\bar{X} - \mu}{S/\sqrt{n}}$ obéit à une loi t de Student avec $(n-1)$ degrés de liberté. Cette statistique est relativement robuste en ce sens que, même si la distribution de la population n'est pas tout à fait normale, la loi de Student avec $(n-1)$ degrés de liberté donne une bonne approximation de la distribution de t, pour une taille d'échantillon n modérément élevée. Ainsi, lorsque la population est normalement distribuée et que la valeur réelle de la moyenne de la population est μ_0, la distribution de la statistique du test $T = \dfrac{\bar{X} - \mu_0}{S/\sqrt{n}}$ est la loi de Student avec $(n-1)$ degrés de liberté. On appelle le test correspondant un **test t**. Selon les hypothèses confrontées, les règles de décision pour un test t sont les suivantes:

LES RÈGLES DE DÉCISION POUR UN TEST t AU SEUIL DE SIGNIFICATION α

Test t unilatéral à droite	La valeur critique du test est t_α (le nombre de degrés de liberté est $dl = n - 1$). La région critique est située à droite de t_α. On rejette H_0 si la valeur de t, calculée à partir de l'échantillon, est supérieure à t_α.
Test t unilatéral à gauche	La valeur critique du test est $-t_\alpha$ (le nombre de degrés de liberté est $dl = n - 1$). La région critique est située à gauche de $-t_\alpha$. On rejette H_0 si la valeur de t, calculée à partir de l'échantillon, est inférieure à $-t_\alpha$.
Test t bilatéral	Les valeurs critiques sont $-t_{\alpha/2}$ et $t_{\alpha/2}$. La région critique est située à gauche de $-t_{\alpha/2}$ et à droite de $t_{\alpha/2}$. On rejette H_0 si la valeur de t, calculée à partir de l'échantillon, est inférieure à $-t_{\alpha/2}$ ou si elle est supérieure à $t_{\alpha/2}$.

Illustrons la règle de décision d'un test t à l'aide d'un exemple.

Exemple 10.4 Considérons de nouveau le problème sur le taux d'inflation annuel moyen. Un groupe d'étudiants veut effectuer un test d'hypothèse pour vérifier s'il est possible de conclure que le taux d'inflation annuel moyen au cours du dernier siècle au Canada était inférieur à 3,6 %. Les données suivantes correspondent aux taux de variation annuels de l'IPC durant 10 années sélectionnées au hasard au cours du dernier siècle. (Source : Statistique Canada, Données CANSIM.)

3,0	8,2	1,1	–4,5	4,0	3,0	1,2	–8,4	0,0	9,8

Concevez un test d'hypothèse avec un seuil de signification $\alpha = 0,01$ en supposant que la distribution soit normale dans la population de référence et que la valeur de l'écart type de cette population soit inconnue.

Solution On utilise la procédure en cinq étapes dont il a été question à la section 10.2.

Étapes 1 et 2 Les hypothèses du test sont :

$H_0 : \mu \geq 3,6$

$H_1 : \mu < 3,6$

Le seuil de signification est $\alpha = 0,01$.

Étape 3 On utilise $T = \dfrac{\bar{X} - 3,6}{S/\sqrt{n}}$ comme statistique du test.

Étape 4 Il s'agit d'un test unilatéral à gauche. Puisque la population est normalement distribuée, c'est un test t. La règle de décision consiste à rejeter H_0 en faveur de H_1 si la valeur de t calculée à l'aide des données d'échantillon est inférieure à $-t_{0,01}$ (degrés de liberté, $dl = n - 1 = 9$). On ne rejette pas H_0 si la valeur de t est supérieure ou égale à $-t_{0,01}$.

On obtient la valeur critique $-t_{0,01}$ ($dl = 9$) à partir de la table de Student de l'annexe G. Pour $dl = 9$ et un seuil de signification $\alpha = 0,01$, cette valeur est égale à $-2,821$.

Étape 5 À partir des données d'échantillon, on obtient :

$$\bar{x} = \frac{(3,0 + 8,2 + \ldots + 0,0 + 9,8)}{10} = 1,74$$

$$s = \sqrt{\frac{(3,0 - 1,74)^2 + \ldots + (9,8 - 1,74)^2}{9}} = 5,38$$

La valeur de la statistique $t = \dfrac{(\bar{x} - 3,6)}{s/\sqrt{10}} = \dfrac{(1,74 - 3,6)}{5,38/\sqrt{10}} = -1,09$.

Puisque la valeur de t ($= -1,09$) est supérieure à $-2,821$, on ne rejette *pas* H_0. Les données de l'échantillon ne permettent pas, au seuil de signification $\alpha = 0,01$, de rejeter H_0.

Dans la feuille de calcul Excel 10.6, on présente la solution du problème à l'aide d'Excel (MegaStat).

La valeur t obtenue avec MegaStat est $-1,09$, valeur identique à celle obtenue manuellement. Le seuil expérimental (*p-value*) est 0,1513. Nous avons vu à la section 10.5 que cette valeur correspond au seuil de signification observé. C'est le seuil de signification α^* pour lequel la valeur t calculée à partir de l'échantillon ($= -1,09$) est égale à la valeur critique du test (dans ce cas-ci $-t_\alpha$).

	Seuil expérimental α^*
Test t unilatéral à droite	α^* est tel que $t = t_{\alpha^*}$ ($dl = n - 1$)
Test t unilatéral à gauche	α^* est tel que $t = -t_{\alpha^*}$ ($dl = n - 1$)
Test bilatéral	α^* est tel que $|t| = t_{\alpha^*/2}$ ($dl = n - 1$)

À la section 10.5, nous avons présenté la règle de décision en fonction du seuil expérimental. Puisque le seuil de signification sélectionné ($\alpha = 0,01$) est plus petit que le seuil expérimental ($= 0,151$), on ne rejette pas H_0. Si le seuil de signification α avait été supérieur au seuil expérimental, la décision aurait été de rejeter H_0.

FEUILLE DE CALCUL EXCEL 10.6

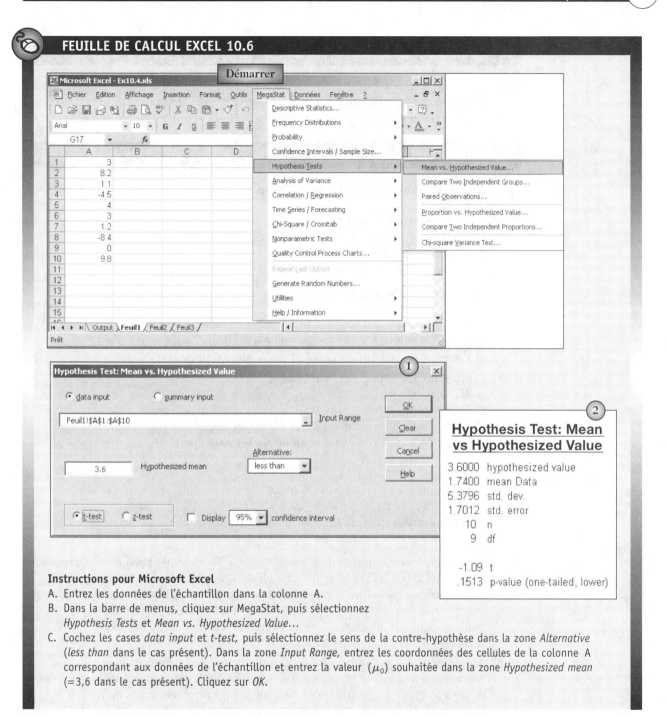

Instructions pour Microsoft Excel

A. Entrez les données de l'échantillon dans la colonne A.

B. Dans la barre de menus, cliquez sur MegaStat, puis sélectionnez *Hypothesis Tests* et *Mean vs. Hypothesized Value*...

C. Cochez les cases *data input* et *t-test*, puis sélectionnez le sens de la contre-hypothèse dans la zone *Alternative* (*less than* dans le cas présent). Dans la zone *Input Range*, entrez les coordonnées des cellules de la colonne A correspondant aux données de l'échantillon et entrez la valeur (μ_0) souhaitée dans la zone *Hypothesized mean* (=3,6 dans le cas présent). Cliquez sur *OK*.

Il est à noter qu'on peut obtenir les résultats du test avec MegaStat même si l'on ne dispose pas de l'ensemble complet des données de l'échantillon. Il suffit d'entrer respectivement les valeurs de $\bar{x}$, de s et de n dans les lignes 2, 3 et 4 de la colonne A (on laisse la ligne 1 vide), de cocher *summary input* au lieu de *data input* et d'entrer les coordonnées des quatre premières cellules de la colonne A dans la zone *Input Range*.

■ RÉVISION 10.7

Reprenez les problèmes 1 et 2 de la révision 10.3 en supposant, cette fois, que l'écart type de la population soit inconnu. Dans chaque cas, calculez la valeur de la statistique du test. Quelle décision devrait-on prendre au seuil de signification $\alpha = 0,05$?

EXERCICES 10.9 À 10.22

Pour chacun des exercices 10.9 à 10.22, supposez que la distribution de la population s'approche d'une normale.
Pour les exercices 10.9 et 10.10 :
  a) Présentez la règle de décision.
  b) Calculez la valeur de la statistique du test.
  c) Donnez votre conclusion.

10.9   Considérez les hypothèses suivantes :
$$H_0: \mu \le 10$$
$$H_1: \mu > 10$$
Pour un échantillon aléatoire de 10 observations, la moyenne est 12 et l'écart type, 3. Utilisez un seuil de signification de 0,05.

10.10   Considérez les hypothèses suivantes :
$$H_0: \mu = 400$$
$$H_1: \mu \ne 400$$
Pour un échantillon aléatoire de 12 observations, la moyenne est 407 et l'écart type, 6. Utilisez un seuil de signification de 0,01.

Pour les exercices 10.11 et 10.12 :
  a) Présentez les hypothèses du test.
  b) Présentez la règle de décision.
  c) Calculez la valeur de la statistique du test.
  d) Donnez votre conclusion.

10.11   Une récente étude nationale a montré que les élèves du secondaire regardaient en moyenne 6,8 DVD par mois. Un échantillon aléatoire de 36 élèves du secondaire a révélé que le nombre moyen de DVD regardés le mois dernier était de 6,2 avec un écart type de 0,5. Au seuil de signification de 0,05, peut-on conclure que les élèves ont regardé, en moyenne, moins de 6,8 DVD le mois dernier ?

10.12   Au moment de son embauche comme serveuse au restaurant familial Chez Jérôme, on avait dit à Maryse Berthiaume : « Tu peux gagner, en moyenne, plus de 20 $ par jour en pourboires. » Durant ses 35 premiers jours de travail au restaurant, le montant quotidien moyen de ses pourboires a été de 24,85 $ avec un écart type de 3,24 $. Au seuil de signification de 0,01, Maryse peut-elle conclure qu'elle gagne, en moyenne, plus de 20 $ par jour en pourboires ?

10.13   À partir des anciens dossiers, on sait que la durée de vie moyenne d'une certaine marque de piles utilisées dans les horloges numériques est de 305 jours. On a récemment modifié la pile pour qu'elle dure plus longtemps. Un échantillon de 20 piles modifiées a permis d'observer une durée moyenne de 311 jours avec un écart type de 12 jours. Au seuil de signification de 0,05, peut-on conclure que la modification a eu pour effet d'augmenter la durée de vie moyenne de la pile ?

10.14   Le directeur des ventes des Éditions Réjean, éditeur de livres scolaires, affirme que chaque représentant fait en moyenne 40 appels de vente par semaine aux professeurs. Plusieurs représentants prétendent que cette estimation est trop faible. Un échantillon aléatoire de 35 représentants a révélé que le nombre moyen d'appels effectués la semaine dernière s'élevait à 42, avec un écart type de 2,1 appels. Au seuil de signification de 0,05, peut-on conclure, pour l'ensemble des représentants de la maison d'édition, que le nombre d'appels moyen par représentant la semaine dernière était supérieur à 40 ?

10.15 La direction des Industries White étudie une nouvelle méthode pour monter ses voiturettes de golf. Avec la méthode actuelle, il faut 42,3 minutes, en moyenne, pour monter la voiturette. Le temps de montage moyen d'un échantillon aléatoire de 24 voiturettes à l'aide de la nouvelle méthode est de 40,6 minutes avec un écart type de 2,7 minutes. Au seuil de signification de 0,10, peut-on conclure que la nouvelle méthode est plus rapide ?

10.16 Les dossiers de la société Camions Rivard révèlent que la durée de vie moyenne des bougies d'allumage utilisées actuellement est de 34 200 km. Un fabricant affirme que ses bougies d'allumage ont une durée de vie moyenne supérieure à 34 200 km. Le propriétaire d'un parc de véhicules a acheté un grand nombre d'ensembles de cette marque de bougies. Un échantillon de 18 ensembles a révélé que la durée de vie moyenne était de 35 600 km et l'écart type, de 2400 km. Est-ce une preuve suffisante pour justifier l'affirmation du fabricant, au seuil de signification de 0,05 ?

10.17 Service rapide, une chaîne d'ateliers de mise au point automobile, annonce que son personnel peut changer l'huile, remplacer le filtre à huile et lubrifier n'importe quelle automobile ordinaire en 15 minutes ou moins, en moyenne. Des clients se sont plaints au Bureau administratif national, alléguant que le service est beaucoup plus lent. Pour vérifier l'affirmation de Service rapide, le Bureau a fait faire la mise au point de 21 voitures et a observé un temps de service moyen de 18 minutes avec un écart type de 1 minute. Au seuil de signification de 0,05, peut-on réfuter l'affirmation de Service rapide ?

10.18 On programme une machine pour remplir un contenant de 9,0 g de médicament. Un échantillon de huit contenants a permis d'observer les quantités suivantes (en grammes) :

9,2   8,7   8,9   8,6   8,8   8,5   8,7   9,0

Au seuil de signification de 0,01, peut-on conclure que le poids moyen par contenant est inférieur à 9,0 g ?

10.19 Dans une ferme de poulets du Manitoba, on a constaté que le poids moyen des poulets âgés de cinq mois est de 1,9 kg. Pour essayer d'augmenter leur poids, un additif spécial a été ajouté à la nourriture des poulets. Les poids subséquents (en kilogrammes) d'un échantillon de poulets de cinq mois, choisi au hasard, étaient les suivants :

2,01   1,92   1,89   1,9   1,85   1,94   1,92   1,93   2,0   1,98

Au seuil de signification de 0,01, peut-on conclure que l'additif spécial a fait augmenter le poids moyen des poulets ? Calculez le seuil expérimental.

10.20 Le temps de conservation du chlore liquide ajouté aux piscines pour combattre les algues est relativement court. Les dossiers indiquent que la durée de conservation moyenne d'un contenant de chlore de 15 litres est de 2160 heures (90 jours). À titre d'expérience, un additif spécial a été ajouté au chlore pour voir s'il augmenterait sa durée de conservation. Un échantillon aléatoire de neuf contenants de chlore indiquait les durées de conservation (en heures) suivantes :

2159   2170   2180   2179   2160   2167   2171   2181   2185

Au seuil de signification de 0,025, peut-on conclure que l'additif a augmenté la durée de vie moyenne du chlore ? Calculez le seuil expérimental.

10.21 L'Association des éleveurs de truites du Nouveau-Brunswick soutient qu'un pêcheur attrape en moyenne quatre truites durant une journée entière de pêche à la mouche dans ses lacs et rivières. Pour faire sa mise à jour annuelle, le personnel de l'Association a recouru à un échantillon de 12 pêcheurs afin d'établir le nombre de truites attrapées durant la journée. Les résultats observés étaient les suivants : 4, 4, 3, 2, 6, 8, 7, 1, 9, 3, 1 et 6. Au seuil de signification de 0,05, peut-on conclure que le nombre moyen de truites pêchées est supérieur à quatre ? Calculez le seuil expérimental du test.

10.22 Une maison de sondage soutient qu'un agent effectue en moyenne 53 entrevues par semaine. La société a introduit une forme de sondage simplifié et veut évaluer son efficacité. Le nombre d'entrevues effectuées au cours d'une semaine par un échantillon aléatoire de 15 agents est :

53   57   50   55   58   54   60   52   59   62   60   60   51   59   56

Au seuil de signification de 0,05, peut-on conclure que le nombre hebdomadaire moyen d'entrevues effectuées par les agents est supérieur à 53 ? Calculez le seuil expérimental.

10.9 LE TEST SUR UNE PROPORTION

LA STATISTIQUE EN ACTION

En Europe, de 1957 à 1961, des milliers d'enfants sont nés avec des malformations dues aux effets de la thalidomide, un médicament contre la nausée que certaines femmes prenaient durant la grossesse. En réaction à cette situation, on a modifié en 1962 les directives de réglementation pharmaceutique de l'Amérique du Nord. À l'heure actuelle, Santé Canada exige que des experts « qualifiés par une formation et une expérience scientifiques » effectuent des tests d'hypothèses statistiques rigoureux pour évaluer l'efficacité et la sécurité des nouveaux médicaments avant qu'ils soient approuvés.

Au chapitre 9, nous avons traité des intervalles de confiance pour estimer une proportion de la population. Dans un tel cas, pour chaque unité de la population, la variable étudiée ne peut prendre que deux valeurs, « 1 » ou « 0 », et l'on s'intéresse à la *proportion p des unités de cette population* qui prennent la valeur « 1 ».

Considérons l'exemple présenté à la section 10.2 sur l'efficacité d'un nouveau médicament, qui se définit comme la probabilité qu'un patient choisi au hasard et traité avec ce nouveau médicament guérisse de la maladie. En attribuant la valeur « 1 » à chaque patient qui guérit et la valeur « 0 » à chaque patient qui ne guérit pas, on pourrait aussi définir cette efficacité comme la proportion p de tous les patients traités avec ce médicament qui guérissent de la maladie, c'est-à-dire la proportion p des unités dotées de la valeur « 1 » dans cette population conceptuelle infinie.

Nous verrons maintenant comment effectuer un test d'hypothèse sur la valeur d'une proportion de population.

Supposons qu'on sélectionne un échantillon aléatoire de taille n dans la population de référence (autrement dit, on choisit au hasard n personnes souffrant de la maladie, on leur administre le médicament et l'on recueille les données d'échantillon 0/1). Aux chapitres 8 et 9, nous avons vu que la moyenne d'échantillon $\hat{p}$, qui est aussi la proportion de « 1 » dans l'échantillon, est telle que $E(\hat{p}) = p$ et $\sigma_{\hat{p}} = \sqrt{\dfrac{p(1-p)}{n}}$.

Si l'hypothèse nulle se présente sous la forme $p = p_0$, $p \leq p_0$ ou $p \geq p_0$ pour une valeur fixée p_0, alors la statistique du test sera $\dfrac{\hat{p} - p_0}{\sqrt{p_0(1-p_0)/n}}$.

Nous avons vu au chapitre 8 que si la taille n de l'échantillon est assez grande, la distribution de $\hat{p}$ est approximativement normale. Pour la plupart des applications en économie et en gestion, l'approximation normale sera suffisamment bonne si la valeur de n est telle que $n \geq 30$, $np \geq 5$ et $n(1 - p) \geq 5$. Il s'ensuit que :

> *Si p_0 désigne la valeur de la proportion étudiée dans la population de référence et si la taille n de l'échantillon est assez élevée, c'est-à-dire si $n \geq 30$, $n(p_0) \geq 5$ et $n(1 - p_0) \geq 5$, la statistique du test $\dfrac{\hat{p} - p_0}{\sqrt{p_0(1 - p_0)/n}}$ se distribue approximativement selon une loi normale centrée réduite. Cela signifie que la statistique du test est approximativement une statistique Z et on la traitera comme telle. La règle de décision du test sera donc la même que dans le cas du test Z (voir la section 10.4).*

Exemple 10.5 | Reprenons le problème sur l'efficacité d'un nouveau médicament mis au point par une entreprise pharmaceutique. Celle-ci affirme que son nouveau produit est plus efficace que le meilleur médicament actuellement sur le marché, qui a une efficacité de 60 %. Santé Canada veut effectuer un test d'hypothèse avant d'approuver ce nouveau médicament. On a sélectionné au hasard un échantillon de 30 patients souffrant de la maladie et traité chacun avec le nouveau médicament. Les résultats figurent ci-dessous. (Ici, « 1 » signifie que le patient a guéri et « 0 », que le patient n'a pas guéri.)

| 0 | 1 | 1 | 1 | 0 | 1 | 1 | 1 | 0 | 1 | 0 | 0 | 1 | 1 | 0 | 0 |
| 1 | 0 | 1 | 1 | 1 | 1 | 0 | 1 | 1 | 1 | 1 | 0 | 1 | 1 | | |

Concevez un test d'hypothèse avec un seuil de signification $\alpha = 0{,}05$.

Solution | On utilisera la procédure en cinq étapes décrite à la section 10.2.

Étape 1 | Comme nous l'avons vu à la section 10,2, les hypothèses du test sont :
$$H_0: p \leq 0{,}6$$
$$H_1: p > 0{,}6$$

Étape 2 | On a fixé le seuil de signification $\alpha = 0{,}05$.

Étape 3 | On utilisera $\dfrac{\hat{p} - 0{,}6}{\sqrt{0{,}6(1 - 0{,}6)/n}}$ comme statistique du test.

Étape 4 | Il s'agit d'un test unilatéral à droite puisque les valeurs du paramètre p satisfaisant H_1 sont toutes plus élevées que celles qui satisfont H_0.

$n = 30$, $n(p_0) = 30(0{,}6) = 18 > 5$ et $n(1 - p_0) = 30(1 - 0{,}6) = 12 > 5$. C'est pourquoi la statistique du test est approximativement une statistique Z, et on la traitera comme telle. La règle de décision consiste donc à rejeter H_0 en faveur de H_1 si la valeur z calculée à l'aide de l'échantillon observé est supérieure à $z_\alpha = z_{0,05} = 1{,}645$. On ne rejettera pas H_0 si la valeur z est inférieure ou égale à $1{,}645$.

Étape 5 | À partir des données d'échantillon, on obtient $\hat{p} = \dfrac{20}{30} = 0{,}6667$.

Ainsi, $z = \dfrac{0{,}6667 - 0{,}6}{\sqrt{0{,}6(1 - 0{,}6)/30}} = 0{,}7457$.

La valeur $0{,}7457$ ne se situe pas dans la région critique puisqu'elle est inférieure à la valeur critique $1{,}645$. Ainsi, au seuil de signification $\alpha = 0{,}05$, les données de l'échantillon ne permettent pas de rejeter H_0. En d'autres mots, on *ne* peut soutenir l'hypothèse selon laquelle le nouveau médicament est plus efficace.

On arrive à la même conclusion en utilisant la règle de décision basée sur le seuil expérimental. Rappelons que le seuil expérimental correspond au seuil de signification observé. C'est la valeur α^* qui fait en sorte que $z_{\alpha^*} = 0{,}7457$, Ainsi, $\alpha^* \approx (0{,}5 - 0{,}2720) = 0{,}2280$. (Selon la table normale centrée réduite, l'aire sous la courbe Z entre 0 et $0{,}7457$ est approximativement de $0{,}2720$. Ainsi, l'aire à droite de $0{,}7457$ est de $0{,}5 - 0{,}2720 = 0{,}2280$.)

Puisque le seuil de signification α ($= 0{,}05$) est inférieur au seuil expérimental α^* ($= 0{,}2280$), on ne rejette pas H_0.

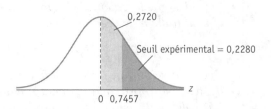

La feuille de calcul Excel 10.7 présente les instructions permettant de résoudre ce problème à l'aide d'Excel.

FEUILLE DE CALCUL EXCEL 10.7

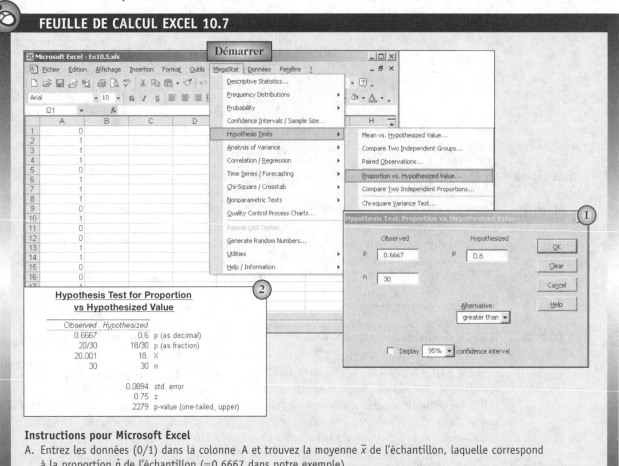

Instructions pour Microsoft Excel

A. Entrez les données (0/1) dans la colonne A et trouvez la moyenne $\bar{x}$ de l'échantillon, laquelle correspond à la proportion $\hat{p}$ de l'échantillon (=0,6667 dans notre exemple).

B. Dans la barre de menus, cliquez sur MegaStat, puis sélectionnez *Hypothesis Tests* et *Proportion vs. Hypothesized Value*...

C. Dans la boîte de dialogue, entrez la valeur p souhaitée (=0,6667 dans notre exemple) dans la zone *Observed p*, la valeur p_0 (=0,6) dans la zone *Hypothesized p* et la taille de l'échantillon (=30) dans la zone *n*. Sélectionnez ensuite le sens de la contre-hypothèse (*greater than* dans notre exemple) dans la zone *Alternative* et cliquez sur *OK*.

La feuille de calcul Excel 10.7 présente les menus et les sorties de résultats d'Excel avec MegaStat. On voit que les valeurs de $z = 0,75$ et du seuil expérimental $\alpha^* = 0,2279$ (*p-value*) sont les mêmes que celles obtenues manuellement (la différence provient de l'arrondissement).

MegaStat permet aussi de calculer un intervalle de confiance à 90%, à 95% ou à 99%. (Pour ce faire, cochez *Display* dans l'écran 1 et choisissez le niveau approprié de l'intervalle de confiance.) Il faut noter que, même dans le cas d'un test unilatéral, les bornes inférieure et supérieure de l'intervalle de confiance données dans la sortie de MegaStat sont celles de l'intervalle bilatéral de niveau $(1 - \alpha)$ et qu'elles ne correspondent pas aux limites supérieure et inférieure de la règle de décision énoncée en fonction des intervalles de confiance présentée à la page 418.

■ RÉVISION 10.8

Un rapport récent a indiqué qu'au moins 40 % des personnes impliquées dans un accident mineur de la circulation cette année ont été victimes d'au moins un autre accident de la circulation au cours des cinq dernières années. Un groupe consultatif qui estimait cette proportion trop élevée a décidé de vérifier s'il pouvait contredire les résultats du rapport. Un échantillon aléatoire de 200 accidents de la circulation cette année a révélé que 74 personnes avaient également été impliquées dans un autre accident au cours des cinq dernières années. Utilisez un seuil de signification de 0,01.

a) Déterminez les hypothèses du test.
b) Est-il approprié d'utiliser Z comme statistique du test ? Expliquez votre réponse.
c) Quelle devrait être la règle de décision ?
d) Calculez la valeur de la statistique du test et concluez.
e) Déterminez et interprétez le seuil expérimental du test.

EXERCICES 10.23 À 10.28

10.23 Considérez les hypothèses suivantes :

H_0: $p \leq 0,70$
H_1: $p > 0,70$

Un échantillon de 100 observations a révélé que $\hat{p} = 0,75$. Au seuil de signification de 0,05, pouvez-vous rejeter l'hypothèse nulle ?

10.24 Considérez les hypothèses suivantes :

H_0: $p = 0,40$
H_1: $p \neq 0,40$

Un échantillon de 120 observations a révélé que $\hat{p} = 0,30$. Au seuil de signification de 0,05, pouvez-vous rejeter l'hypothèse nulle ?

10.25 Le Conseil national de sécurité a rapporté que 52 % des conducteurs sur les autoroutes du Canada sont des hommes. Un échantillon de 300 voitures se dirigeant vers l'est sur l'autoroute 40 hier a révélé que 170 étaient conduites par des hommes. Au seuil de signification de 0,01, peut-on conclure que la proportion d'hommes qui conduisaient sur la 40 hier était plus élevée que le nombre rapporté par les statistiques nationales ?

10.26 Un récent article indiquait qu'en raison de la faiblesse de l'économie, un seul nouveau diplômé du collège sur trois se trouve un travail en sortant de l'école. Une enquête effectuée auprès de 200 récents diplômés de votre collège a révélé que 80 d'entre eux avaient des emplois. Au seuil de signification de 0,03, peut-on conclure que la proportion de récents diplômés de votre collège ayant un emploi est supérieure à un sur trois ?

10.27 Le restaurant Poulet Délice affirme qu'il livre 90 % de ses commandes dans les 10 minutes suivant la réception de la commande. Un échantillon de 100 commandes a révélé que 82 avaient été livrées dans le délai promis. Au seuil de signification de 0,10, peut-on conclure que Poulet Délice livre moins de 90 % des commandes en moins de 10 minutes ?

10.28 D'anciens dossiers montrent que 50 % des étudiants d'universités canadiennes changent leur principale branche d'étude après leur première année. Un échantillon aléatoire de 100 étudiants a révélé que 48 avaient fait un tel changement. Y a-t-il une augmentation de la proportion d'étudiants qui réalisent ce changement ? Utilisez un seuil de signification de 0,05.

RÉSUMÉ DU CHAPITRE

I. Étant donné deux hypothèses complémentaires sur la distribution d'une variable dans la population de référence, appelées hypothèse nulle H_0 et contre-hypothèse H_1, l'objectif d'un test d'hypothèse est de prendre l'une des deux décisions suivantes : i) rejeter H_0 en faveur de H_1 ou ii) *ne pas* rejeter H_0.

II. Deux types d'erreur peuvent se produire lorsqu'on effectue un test d'hypothèse :

A. Une erreur de première espèce se produit lorsqu'on rejette l'hypothèse nulle alors qu'en réalité, elle est vraie.

1. La probabilité qu'une erreur de première espèce soit commise est appelée « seuil de signification » du test, et est notée par α.

B. Une erreur de deuxième espèce se produit lorsqu'on ne rejette *pas* l'hypothèse nulle alors qu'en réalité, elle est fausse.

1. On désigne la probabilité de commettre une erreur de deuxième espèce par β.
2. On appelle la valeur $(1 - \beta)$ la puissance du test.

III. Les étapes pour effectuer un test d'hypothèse sont :

A. Énoncer l'hypothèse nulle H_0 et la contre-hypothèse H_1.

B. Fixer le seuil de signification α du test.

1. Les seuils de signification les plus fréquemment utilisés sont 0,01, 0,05 et 0,10, mais toute valeur comprise entre 0 et 1,00 peut être choisie.

C. Déterminer la statistique du test.

1. La statistique du test est une variable aléatoire puisque sa valeur dépend de l'échantillon particulier sélectionné. On calcule la valeur de cette statistique à partir des données observées dans l'échantillon utilisé pour déterminer si l'on rejette ou pas l'hypothèse nulle.

2. Dans ce chapitre, nous avons présenté deux statistiques pour tester la valeur d'une moyenne de population.

a) Lorsqu'on connaît l'écart type σ de la population, on utilise la statistique $\dfrac{\bar{X} - \mu_0}{\sigma/\sqrt{n}}$, où μ_0 est la valeur de μ spécifiée dans l'hypothèse nulle. Si la distribution est normale dans la population de référence et si la moyenne de la population $\mu = \mu_0$, alors $\dfrac{\bar{X} - \mu_0}{\sigma/\sqrt{n}} = Z$, la variable normale centrée réduite. Cette statistique s'appelle la statistique Z, et le test correspondant, le test Z. Si la distribution de la population est à peu près normale ou si la taille d'échantillon est suffisamment élevée et si la moyenne de la population $\mu = \mu_0$, on traite la statistique $\dfrac{\bar{X} - \mu_0}{\sigma/\sqrt{n}}$ comme une statistique Z et l'on utilise le test Z.

b) Lorsqu'on ne connaît pas l'écart type σ de la population, on utilise la statistique $\dfrac{\bar{X} - \mu_0}{S/\sqrt{n}}$. Si la distribution de la population est normale et la moyenne de la population $\mu = \mu_0$, la distribution de $\dfrac{\bar{X} - \mu_0}{S/\sqrt{n}} = T$ est la distribution t de Student avec $(n - 1)$ degrés de liberté. On appelle le test correspondant un test t.

c) Si la taille de l'échantillon est grande, le nombre de degrés de liberté est élevé. La distribution de Student est alors presque la même que la distribution normale centrée réduite.

3. Pour tester la valeur d'une proportion de population, on utilise comme statistique du test $\dfrac{\hat{p} - p_0}{\sqrt{\dfrac{p_0(1 - p_0)}{n}}}$. Si $n \geq 30$, $np_0 \geq 5$ et $n(1 - p_0) \geq 5$ et si la proportion de la population $p = p_0$, la statistique du test se distribue approximativement comme une normale centrée réduite. C'est pourquoi on utilise un test Z.

D. Formuler la règle de décision.

1. La règle de décision indique la ou les conditions de rejet de l'hypothèse nulle. La zone de rejet de l'hypothèse nulle s'appelle la région critique du test.

2. Dans un test bilatéral, la région critique est répartie de façon égale entre les extrémités supérieure et inférieure de la distribution de la statistique du test.

3. Dans un test unilatéral, toute la région critique est concentrée du même côté de la distribution : soit dans l'extrémité supérieure (test unilatéral à droite), soit dans l'extrémité inférieure (test unilatéral à gauche).

4. Les valeurs critiques d'un test constituent les points de division entre la zone de rejet de l'hypothèse nulle H_0 et la zone où l'on ne la rejette pas.

E. Prélever un échantillon aléatoire dans la population de référence, calculer la valeur de la statistique du test, prendre une décision au sujet de l'hypothèse nulle et interpréter les résultats.

IV. Le seuil expérimental d'un test d'hypothèse est le seuil de signification observé du test. C'est la valeur du seuil de signification α^* pour laquelle la valeur critique du test est égale à la valeur de la statistique du test calculée à partir des données de l'échantillon observé.

EXERCICES 10.29 À 10.56

Pour chacun des exercices 10.29 à 10.56, supposez que la distribution s'approche d'une loi normale dans la population de référence.

10.29 Les responsables d'un nouveau programme de contrôle de poids annoncent que ceux qui suivent le programme perdront en moyenne 5 kg durant les deux premières semaines. Un échantillon aléatoire de 50 personnes ayant participé au nouveau programme a permis d'observer une perte moyenne de poids de 4,6 kg avec un écart type de 1,3 kg, au cours des deux premières semaines. Au seuil de signification de 0,05, peut-on conclure que les participants au programme perdront en moyenne moins de 5 kg durant les deux premières semaines ? Déterminez le seuil expérimental du test.

10.30 L'entreprise Dole Pineapple inc. se préoccupe du fait que ses conserves de 250 g d'ananas en tranches sont remplies de façon excessive. Le service du contrôle de la qualité a prélevé un échantillon aléatoire de 50 conserves, et il a constaté que leur poids moyen était de 252 g avec un écart type de 6 g. Au seuil de signification de 0,05, peut-on conclure que le poids moyen des conserves est supérieur à 250 g ? Déterminez le seuil expérimental du test.

10.31 Une agence immobilière se spécialise dans la vente de fermes en Nouvelle-Écosse. Ses dossiers indiquent qu'il faut en moyenne 90 jours pour vendre une ferme. Compte tenu des conditions économiques actuelles, l'agence croit que le temps moyen de vente est à présent supérieur à 90 jours. Une étude effectuée partout dans la province auprès d'un échantillon de 100 fermes vendues récemment a révélé que le temps moyen de vente est de 94 jours, avec un écart type de 22 jours. Au seuil de signification de 0,10, peut-on conclure qu'il y a eu augmentation du temps de vente ?

10.32 Selon un président de syndicat de la région, le revenu brut moyen des plombiers dans une ville est normalement distribué, avec une moyenne de 50 000 $ et un écart type de 3000 $. Un journaliste d'enquête a découvert que, pour un échantillon de 120 plombiers, le revenu brut moyen était de 50 500 $. Au seuil de signification de 0,10, est-il raisonnable de conclure que le revenu moyen est différent de 50 000 $? Déterminez le seuil expérimental du test.

10.33 Selon une étude de Statistique Canada, le nombre moyen d'heures de travail rémunéré des Canadiens âgés de moins de 15 ans est de 3,1 heures par jour. Vous estimez que ce chiffre est trop élevé et décidez d'effectuer votre propre test. Dans un échantillon aléatoire de 60 Canadiens âgés de moins de 15 ans, vous constatez que la moyenne est de 2,95 heures de travail payé par jour et que l'écart type est de 1,2 heure. Pouvez-vous conclure que la moyenne de la population considérée est inférieure à 3,1 heures ? Utilisez un seuil de signification de 0,05. Déterminez et interprétez le seuil expérimental du test.

10.34 En 2000, le prix moyen de l'essence sans plomb dans un libre-service s'élevait à 0,69 $ le litre dans l'ensemble du pays. Un échantillon aléatoire de 35 stations libres-services de la région de Montréal a révélé que le prix moyen était de 0,70 $ le litre et que l'écart type était de 0,02 $ le litre. Au seuil de signification de 0,05, peut-on conclure que le prix de l'essence était plus élevé que la moyenne nationale dans la région de Montréal ? Déterminez le seuil expérimental du test.

10.35 La pépinière Simard emballe ses paillis d'écorce de pin dans des sacs de 25 kg. D'après un long historique, le service de production rapporte que la distribution du poids des sacs s'approche d'une loi normale avec un écart type de 1,2 kg. Chaque soir, Alexandre Simard, directeur de la production, pèse 10 sacs choisis au hasard et calcule le poids moyen de l'échantillon. Les poids des 10 sacs de l'échantillon prélevé dans la production d'aujourd'hui figurent ci-dessous :

24,2   24,1   25,3   23,8   23,9   24,6   24,8   25,6   24,8   24,5

a) Alexandre Simard peut-il conclure que la moyenne des poids des sacs de la production d'aujourd'hui est inférieure à 25 kg ? Utilisez un seuil de signification de 0,01.

b) Expliquez pourquoi Alexandre Simard peut utiliser la statistique Z pour le test.

c) Déterminez le seuil expérimental du test.

10.36 Une récente étude nationale rapportait que l'allocation hebdomadaire moyenne qu'un enfant de neuf ans reçoit de ses parents s'élève à 3,65 $. Un échantillon aléatoire de 45 enfants de neuf ans d'Edmonton a révélé que l'allocation moyenne est de 3,69 $ avec un écart type de 0,24 $. Au seuil de signification de 0,05, peut-on conclure que l'allocation moyenne que les enfants de neuf ans d'Edmonton reçoivent est différente de la moyenne nationale de 3,65 $ rapportée ?

10.37 Un fabricant de motocyclettes annonce que ses véhicules consomment une moyenne de 2,6 L par 100 km. Un échantillon de huit motocyclettes a permis d'observer les consommations d'essence suivantes (litres/100 km) :

2,5   2,4   2,8   2,4   2,5   2,3   2,6   2,4

Au seuil de signification de 0,05, peut-on conclure que le ratio de consommation d'essence moyen est inférieur aux 2,6 L par 100 km annoncés ?

10.38 Le magasin Meubles Marois affirme à ses clients qu'une commande spéciale est fabriquée et livrée en 6 semaines (42 jours) au maximum. Au cours des récents mois, le propriétaire a reçu plusieurs plaintes alléguant que les commandes spéciales prennent plus de 42 jours. Un échantillon aléatoire de 12 commandes spéciales livrées au cours du mois dernier a montré que le temps d'attente moyen était de 51 jours avec un écart type de 8 jours. Au seuil de signification de 0,05, que peut-on conclure ? Calculez le seuil expérimental du test.

10.39 Un étudiant canadien de niveau universitaire boit en moyenne 4,8 L de café par mois. Un échantillon de 12 étudiants de l'Université de Windsor a permis d'observer les quantités de café suivantes consommées au cours du mois dernier :

4,75   4,96   4,57   4,82   4,85   5,82   5,43   4,65
4,60   5,14   4,89   5,26

Au seuil de signification de 0,05, peut-on conclure qu'il existe une différence significative entre la quantité moyenne de café consommée à l'Université de Windsor et la moyenne nationale de 4,8 L ?

10.40 La salle postanesthésique (salle de réveil) d'un hôpital de Montréal a été récemment agrandie. On espérait qu'avec cet agrandissement, la salle pourrait accueillir plus de 25 patients par jour, en moyenne. Un échantillon aléatoire de 15 jours a révélé les nombres quotidiens de patients suivants :

25   27   25   26   25   28   28   27   24
26   25   29   25   27   24

Au seuil de signification de 0,01, peut-on conclure que le nombre moyen de patients par jour est supérieur à 25 ? Déterminez et interprétez le seuil expérimental du test.

10.41 Sur le site Web www.egolf.com, un site d'achats en ligne, on affirme qu'en moyenne, 6,5 acheteurs retournent leurs marchandises chaque jour. Pour vérifier cette affirmation, on a enregistré le nombre de retours par jour pendant 12 jours choisis au hasard. Voici les résultats :

0   4   3   4   9   4   5   9   1   6   7   10

Au seuil de signification de 0,01, peut-on conclure que le nombre moyen de retours de marchandises des acheteurs en ligne sur ce site est inférieur à 6,5 ?

10.42 Au cours des récentes saisons, on a critiqué la longueur des parties de la Ligue majeure de base-ball. Un rapport indiquait qu'une partie dure en moyenne 3,5 heures. Pour un échantillon de 17 parties, on a observé les durées suivantes. (Il faut noter que les minutes ont été changées en fraction d'heure pour être exprimées sous la forme décimale.)

2,98   3,40   2,70   2,25   3,23   3,17   2,93
3,18   3,80   2,38   3,75   3,20   3,27   2,52
2,58   4,45   2,45

Peut-on conclure que la durée moyenne d'une partie est inférieure à 3,5 heures ? Utilisez un seuil de signification de 0,05.

10.43 L'entreprise Montres suisses affirme qu'en moyenne, ses montres tiennent l'heure, c'est-à-dire qu'elles n'avanceront pas ou ne retarderont pas durant une semaine. On a enregistré les secondes en avance (+) ou en retard (−) après une semaine, pour un échantillon de 18 montres.

+0,38   −0,20   −0,38   −0,32   +0,32   −0,23   +0,30
+0,25   −0,10   −0,37   −0,61   −0,48   −0,47   −0,64
−0,04   +0,20   −0,68   +0,05

Est-il raisonnable de conclure que le gain ou la perte de temps moyen des montres est différent de zéro ? Utilisez un seuil de signification de 0,05. Déterminez le seuil expérimental du test.

10.44 Ci-dessous figurent les taux de rendement annuels (en pourcentage) d'un échantillon de 12 fonds communs de placement imposables du marché monétaire.

4,63	4,15	4,76	4,70	4,65	4,52	4,70	5,06
4,42	4,51	4,24	4,52				

Au seuil de signification de 0,05, peut-on conclure que le taux de rendement moyen de tous les fonds tels que ceux-là est supérieur à 4,50 % ?

10.45 Une machine distributrice de cola est programmée pour verser une moyenne de 250 ml de cola par verre avec un écart type de 10 ml. Des tests de contrôle sur la quantité moyenne de cola versée par la machine sont effectués périodiquement à l'aide d'échantillons de taille 36. Le seuil de signification utilisé est de 10 %.

a) Quelles sont les valeurs critiques du test ?

b) Si la quantité moyenne réelle versée par la machine passe à 245 ml, quelle est la probabilité que cette variation ne soit pas détectée par le test ?

c) Si la quantité moyenne réelle versée par la machine passe à 253 ml, quelle est la probabilité que cette variation ne soit pas détectée par le test ?

10.46 Un important constructeur automobile souhaite revoir sa garantie. Celle-ci couvre le groupe motopropulseur de toutes les nouvelles voitures pendant deux ans ou jusqu'à 30 000 km. Le service du contrôle de la qualité du constructeur affirme que le nombre moyen de kilomètres parcourus par les propriétaires au cours des deux premières années est supérieur à 30 000. Un échantillon de 35 voitures a révélé que le nombre moyen de kilomètres parcourus était de 30 850, avec un écart type de 3200 km. Au seuil de signification de 0,05, peut-on donner raison au service du contrôle de la qualité ?

10.47 Considérez les hypothèses suivantes :

$H_0: \mu \le 50$
$H_1: \mu > 50$

Supposez que l'écart type de la population soit 10. Le risque d'erreur de première espèce est fixé à 0,01. On souhaiterait que le risque d'erreur de deuxième espèce, si la moyenne réelle de la population est 55, ne dépasse pas 0,30. Quelle taille l'échantillon doit-il avoir pour répondre à ces exigences ?

10.48 Les propriétaires d'un centre commercial souhaitent étudier les habitudes de consommation des clients. Selon des études antérieures, un client type passe en moyenne 0,75 heure au centre commercial, avec un écart type de 0,10 heure. Récemment, les propriétaires ont ajouté des restaurants spécialisés afin que les clients restent plus longtemps dans le centre commercial. Cet ajout ne devrait pas affecter l'écart type du temps passé dans le centre commercial. Les propriétaires ont retenu les services d'une firme-conseil afin d'évaluer l'impact des nouveaux restaurants sur le temps moyen passé dans leur centre commercial. Un échantillon aléatoire de 45 clients a été prélevé par la firme. Le temps moyen passé dans le centre commercial par les clients de l'échantillon était de 0,80 heure.

a) Concevez un test d'hypothèse pour déterminer si l'on peut conclure que le temps moyen passé par les clients dans le centre commercial est supérieur à 0,75 heure. Utilisez un seuil de signification de 0,05.

b) Supposez que le temps moyen passé dans le centre commercial ait augmenté de 0,75 à 0,77 heure. Quelle est la probabilité que cette augmentation ne soit pas détectée par le test ?

c) Lorsque la firme a présenté les renseignements spécifiés en b) aux propriétaires du centre commercial, ces derniers étaient préoccupés par la possibilité qu'une étude ne soit pas en mesure de détecter une variation de 0,75 à 0,77 heure. Comment la probabilité d'un tel événement pourrait-elle être réduite ?

10.49 Une revue nationale pour les épiciers indique que le client type passe en moyenne huit minutes à attendre en ligne à la caisse. Un échantillon de 24 clients d'une certaine épicerie a permis d'observer un temps d'attente moyen à la caisse de 7,5 minutes avec un écart type de 3,2 minutes. Peut-on conclure, au seuil de signification $\alpha = 0,05$, que le temps d'attente moyen dans cette épicerie est inférieur à celui rapporté par le magazine ?

10.50 En se basant sur l'expérience passée, une compagnie d'assurances estime que les dommages moyens causés par une catastrophe naturelle dans son secteur s'élèvent à 5000 $. Après avoir instauré plusieurs plans pour empêcher les pertes, la compagnie d'assurances a échantillonné au hasard 200 titulaires de police et a découvert que le montant moyen par réclamation s'élevait à 4800 $, avec un écart type de 1300 $. Peut-on conclure, au seuil de signification $\alpha = 0,05$, que la mise en place des plans de prévention a permis de réduire le montant moyen des réclamations ?

10.51 En 2000, le prix moyen d'un billet d'aller-retour à tarif réduit pour un vol de Halifax à Toronto était de 367 $. Un échantillon aléatoire de passages à tarif réduit aller-retour entre Halifax et Toronto le mois dernier a permis d'observer les montants suivants :

| 421 | 336 | 390 | 430 | 410 | 350 | 370 | 380 | 399 | 365 |
| 391 | 375 | 381 | | | | | | | |

Au seuil de signification de 0,01, peut-on conclure que le prix moyen a augmenté ? Quelle est la valeur du seuil expérimental ?

10.52 La politique de la Commission de transport de banlieue est d'ajouter un itinéraire d'autobus si plus de 55 % des utilisateurs potentiels se disent prêts à utiliser cet itinéraire. Un échantillon de 70 utilisateurs potentiels a révélé que 42 personnes utiliseraient un nouvel itinéraire proposé. Peut-on conclure que celui-ci répond aux critères de la Commission de transport de banlieue ? Utilisez un seuil de signification de 0,05.

10.53 Lise Denis est contrôleuse pour les Industries Marois. Elle croit que le problème actuel de rentrée de fonds des Industries Marois s'explique par le lent recouvrement des comptes clients. Elle croit aussi que plus de 60 % des comptes sont en souffrance depuis plus de trois mois. Un échantillon aléatoire de 200 comptes a montré que 140 d'entre eux dataient de plus de trois mois. Au seuil de signification de 0,01, peut-elle conclure que plus de 60 % des comptes sont en souffrance depuis plus de trois mois ?

10.54 En se basant sur les expériences passées, un fabricant de téléviseurs a découvert que tout au plus 10 % de ses appareils nécessitaient des réparations au cours des deux premières années d'utilisation. Dans un échantillon aléatoire de 80 téléviseurs fabriqués il y a deux ans, 14 ont nécessité des réparations. Au seuil de signification de 0,05, peut-on conclure que le pourcentage de téléviseurs nécessitant des réparations a augmenté ? Déterminez le seuil expérimental du test.

10.55 Précédemment, 44 % des personnes ayant fait affaire avec l'Agence de voyages Leblanc pour planifier leurs vacances voulaient visiter l'Europe. Un échantillon de 1000 dossiers a été choisi au hasard durant la dernière saison la plus occupée. On a découvert que 480 personnes voulaient aller en Europe durant leurs vacances. Peut-on conclure que le pourcentage des personnes voulant visiter l'Europe a considérablement augmenté ? Effectuez un test avec un seuil de signification de 0,05.

10.56 Un urbaniste affirme qu'à l'échelle nationale, 20 % de toutes les familles louant un appartement au début de l'année déménagent durant la même année. Dans un échantillon aléatoire de 200 familles ayant loué un appartement à Toronto au début de l'année, 56 ont déménagé durant la même année. Au seuil de signification de 0,01, ces chiffres permettent-ils de conclure que la proportion de familles ayant loué un appartement à Toronto au début de l'année qui déménagent au cours de la même année est plus élevée que la moyenne nationale de 20 %? Déterminez le seuil expérimental du test.

www.exercices.ca 10.57 À 10.58

10.57 Le salaire moyen des joueurs de la LNH durant l'année 2000-2001 était de 1 483 949 $. Vous croyez que le salaire moyen des joueurs a augmenté depuis ce temps. Le site Web http://nhlpa.com présente une foule de renseignements sur les joueurs de la Ligue nationale de hockey. On y retrouve les principales statistiques et le salaire pour chaque joueur. Sélectionnez un échantillon aléatoire de 20 joueurs actuels de la LNH et notez leur salaire durant l'année en cours. Effectuez un test d'hypothèse statistique afin de vérifier s'il est possible de conclure que le salaire moyen des joueurs a effectivement augmenté depuis 2001. Utilisez $\alpha = 0,05$. Déterminez et interprétez le seuil expérimental du test. (Supposez que la distribution des salaires s'approche d'une loi normale dans la population de référence.)

10.58 Un agent immobilier affirme que le prix des maisons à Oshawa (Ont.) a augmenté de 20 % depuis le printemps 1998. L'édition du printemps 1998 du journal *Land Economist* indiquait qu'à Oshawa, le prix moyen d'une maison unifamiliale de trois chambres à coucher durant cette période était de 190 000 $. Vous doutez que le prix des maisons ait tant augmenté dans cette région et vous voulez vérifier l'affirmation de l'agent immobilier. Vous effectuez pour cela un test d'hypothèse, au seuil de signification $\alpha = 0,05$. Allez sur le site Web www.sia.ca. Sur la carte, cliquez sur Ontario > Centre 5 > Durham Region > E16 Oshawa. Sélectionnez un échantillon aléatoire avec remise de 15 maisons unifamiliales avec 3 chambres à coucher et enregistrez leur prix. (Utilisez la table de nombres aléatoires de l'annexe B pour faire votre sélection.) Calculez et interprétez le seuil expérimental. (Supposez que la distribution du prix de vente des maisons s'approche d'une loi normale.)

EXERCICES 10.59 À 10.60
DONNÉES INFORMATIQUES

10.59 Reportez-vous aux données du fichier Exercice 10-59.xls sur le cédérom accompagnant ce manuel. Ces données portent sur le prix des actions de BCE enregistré à la fin de la semaine durant 20 semaines sélectionnées au hasard en 2000. Effectuez un test d'hypothèse, au seuil de signification de 0,05, pour vérifier si le prix moyen des actions de BCE en 2000 était significativement différent de 18,6. Déterminez et interprétez le seuil expérimental du test. (Supposez que le prix de l'action soit à peu près normalement distribué.)

10.60 Reportez-vous aux données du fichier Exercice 10-60.xls sur le cédérom accompagnant ce manuel, dans lequel figurent les données sur un échantillon de maisons vendues à Victoria (C.-B.) en 2001.

a) Selon le rapport du groupe financier RBC, le prix de vente moyen d'une maison à Victoria en 2001 était de 210 200 $. Effectuez un test d'hypothèse pour vérifier, au seuil de signification $\alpha = 0,05$, si le prix moyen des maisons vendues à Victoria en 2001 était significativement supérieur à 210 200 $. Calculez et interprétez le seuil expérimental du test.

b) Un agent immobilier affirme que la valeur médiane des prix des maisons à Victoria en 2001 était de 221 000 $. Avec un test d'hypothèse au seuil de signification $\alpha = 0,05$, peut-on conclure que la valeur médiane des maisons vendues à Victoria en 2001 était inférieure à 221 000 $? Calculez et interprétez le seuil expérimental du test. (Supposez que les prix de vente des maisons soient à peu près normalement distribués.)

CHAPITRE 10   RÉPONSES AUX QUESTIONS DE RÉVISION

10.1 **1.** H_0: $\mu \le 0{,}2$; H_1: $\mu > 0{,}2$

2. H_0: $\mu = 0{,}604$; H_1: $\mu \ne 0{,}604$

10.2 **1.** La statistique du test est :

$\dfrac{\bar{X} - 0{,}2}{\sigma/\sqrt{n}}$ si la valeur de σ est connue ;

$\dfrac{\bar{X} - 0{,}2}{S/\sqrt{n}}$ si la valeur de σ n'est pas connue.

Il s'agit d'un test unilatéral à droite. La règle de décision consistera à déterminer une valeur critique, z_α ou t_α, et à rejeter H_0 si la valeur de la statistique du test calculée à partir des données de l'échantillon est supérieure à la valeur critique.

2. La statistique du test est :

$\dfrac{\bar{X} - 0{,}604}{\sigma/\sqrt{n}}$ si la valeur de σ est connue ;

$\dfrac{\bar{X} - 0{,}604}{S/\sqrt{n}}$ si la valeur de σ n'est pas connue.

Il s'agit d'un test bilatéral. La règle de décision consistera à déterminer une valeur critique supérieure, $z_{\alpha/2}$ ou $t_{\alpha/2}$, et une valeur critique inférieure, $-z_{\alpha/2}$ ou $-t_{\alpha/2}$, et à rejeter H_0 si la valeur de la statistique du test calculée à partir des données de l'échantillon est plus grande que la valeur critique supérieure ou si elle est plus petite que la valeur critique inférieure.

10.3 **1.** a) Il s'agit d'un test Z unilatéral à droite. La valeur critique du test est $z_{0,04} \approx 1{,}751$. La règle de décision consiste à rejeter H_0 si la valeur z calculée à partir des données de l'échantillon est supérieure à 1,751.

b) $\bar{x} = \dfrac{4{,}8 + 3{,}4 + \ldots + 1{,}6}{12} = 1{,}575$

$z = \dfrac{(1{,}575 - 0{,}2)}{6{,}24/\sqrt{12}} = 0{,}76$

Puisque 0,76 est inférieur à 1,751, on ne rejette *pas* H_0.

2. a) Il s'agit d'un test Z bilatéral. La valeur critique supérieure du test est $z_{\alpha/2} = z_{0,04} \approx 1{,}751$, et la valeur critique inférieure est $-z_{0,04} \approx -1{,}751$. La règle de décision consiste à rejeter H_0 si la valeur z calculée à partir des données de l'échantillon est supérieure à 1,751 ou si elle est inférieure à $-1{,}751$.

b) $\bar{x} = \dfrac{1{,}7 + 0 + \ldots + 1{,}4}{15} = -0{,}007$

$z = \dfrac{(-0{,}007 - 0{,}604)}{3{,}04/\sqrt{15}} = -0{,}78$

Puisque $-0{,}78$ se situe entre $-1{,}751$ et $+1{,}751$, on ne rejette *pas* H_0.

10.4 **1.** a) La valeur z est 0,76. Le seuil expérimental α^* est tel que $z_{\alpha^*} = 0{,}76$. Selon la table, il est égal à $(0{,}5 - 0{,}2764) = 0{,}2236$.

b) $\alpha = 0{,}3$ est supérieur à 0,2236. On rejette H_0.
$\alpha = 0{,}01$ est inférieur à 0,2236. On ne rejette *pas* H_0.

2. a) La valeur z est $-0{,}78$. Le seuil expérimental α^* est tel que $z_{\alpha^*/2} = 0{,}78$. Selon la table, il est égal à $2(0{,}5 - 0{,}2823) = 0{,}4354$.

b) $\alpha = 0{,}1$ est inférieur à 0,4354. On ne rejette pas H_0.
$\alpha = 0{,}48$ est supérieur à 0,4354. On rejette H_0.

10.5 **1.** a) Il s'agit d'un test Z unilatéral à droite. $\alpha = 0{,}04$. Ainsi, la borne inférieure de l'intervalle de confiance unilatéral à 96 % est

$\bar{x} - z_{0,04}\, \sigma/\sqrt{n}$

$= 1{,}575 - 1{,}751\left(\dfrac{6{,}24}{\sqrt{12}}\right) = -1{,}579$

b) Puisque $\mu_0 = 0{,}2$ appartient à l'intervalle de confiance unilatéral à droite (0,2 est supérieur à $-1{,}579$), on ne rejette *pas* H_0. $\alpha = 0{,}04$ est inférieur au seuil expérimental (= 0,2236) calculé au problème 1 de la révision 10.4. Ainsi, la décision basée sur le seuil expérimental est la même.

2. a) Il s'agit d'un test Z bilatéral. $\alpha = 0{,}08$. Ainsi, les bornes de l'intervalle de confiance bilatéral à 92 % sont

$(\bar{x} - z_{0,04}\sigma/\sqrt{n}\, , \; \bar{x} + z_{0,04}\sigma/\sqrt{n})$

$= \left(-0{,}007 - 1{,}751\dfrac{3{,}04}{\sqrt{15}}, \; -0{,}007 + 1{,}751\dfrac{3{,}04}{\sqrt{15}}\right)$

$= (-1{,}381 \,; 1{,}367)$

b) Puisque $\mu_0 = 0{,}604$ se situe dans l'intervalle de confiance bilatéral à 92 %, on ne rejette pas H_0. $\alpha = 0{,}08$ est inférieur au seuil expérimental (= 0,4354) calculé au problème 2 de la révision 10.4. Ainsi, la décision basée sur le seuil expérimental est la même.

10.6 **1.** La valeur critique de

$\bar{X}$ est $\mu_0 + z_{0,04}\ \sigma/\sqrt{n}$

$$= 0,2 + 1,751\left(\frac{6,24}{\sqrt{12}}\right) = 3,354$$

Si la valeur réelle de μ est 3,0, alors $\bar{X}$ obéit à une loi normale de moyenne 3 et d'écart type $\frac{6,24}{\sqrt{12}} = 1,801$.

$\beta = P(\bar{X} \leq 3,354) = P(Z \leq 0,1966) = 0,578$

2. Les valeurs critiques de $\bar{X}$ sont

$$\mu_0 - z_{0,04}\sigma/\sqrt{n} = 0,604 - 1,751\left(\frac{3,04}{\sqrt{15}}\right)$$

$$= -0,77$$

et

$$\mu_0 + z_{0,04}\sigma/\sqrt{n} = 0,604 + 1,751\left(\frac{3,04}{\sqrt{15}}\right)$$

$$= 1,978$$

Si la valeur réelle de μ est 1,6, alors $\bar{X}$ obéit à une loi normale de moyenne 1,6 et d'écart type $\frac{3,04}{\sqrt{15}} = 0,785$.

$\beta = P\left(-0,77 \leq \bar{X} \leq 1,978\right)$

$\quad = P(-3,019 \leq Z \leq 0,482)$

$\quad = 0,4987 + 0,1851 = 0,6838$

Puissance $= 1 - \beta = 0,3162$

10.7 Dans le cas du problème 1 de la révision 10.3, la statistique du test est $T = \dfrac{\bar{X} - 0,2}{S/\sqrt{12}}$. Il s'agit d'un test t unilatéral à droite.

La valeur critique est $t_{0,05}$ $(df = 11) = 1,796$. Ainsi, la règle de décision consiste à rejeter H_0 si la valeur t calculée à partir des données de l'échantillon est supérieure à 1,796.
$\bar{x} = 1,575$

$$s = \sqrt{\frac{(4,8 - 1,575)^2 + \ldots + (1,6 - 1,575)^2}{11}} = 2,303$$

$$t = \frac{\bar{x} - 0,2}{s/\sqrt{n}} = \frac{1,575 - 0,2}{2,303/\sqrt{12}} = 2,07$$

Puisque la valeur calculée t est supérieure à 1,796, on rejette H_0.

Dans le cas du problème 2 de la révision 10.3, la statistique du test est $T = \dfrac{\bar{X} - 0,604}{S/\sqrt{15}}$.

Il s'agit d'un test t bilatéral.

Les valeurs critiques sont $t_{0,025}$ $(df = 14) = 2,145$ et $-t_{0,025}$ $(df = 14) = -2,145$. Ainsi, la règle de décision consiste à rejeter H_0 si la valeur t calculée à partir des données de l'échantillon est supérieure à 2,145 ou si elle est inférieure à $-2,145$.

$\bar{x} = -0,007$

$$s = \sqrt{\frac{(1,7 - 0,007)^2 + \ldots + (1,4 - 0,007)^2}{14}}$$

$$= 3,9958$$

$$t = \frac{\bar{x} - 0,604}{s/\sqrt{n}} = \frac{-0,007 - 0,604}{3,9958/\sqrt{15}} = -0,59$$

Puisque la valeur calculée de t se situe entre $-2,145$ et $+2,145$, on ne rejette *pas* H_0.

10.8 a) $H_0: p \geq 0,4$; $H_1: p < 0,4$

b) La statistique du test est $\left(\dfrac{\hat{p} - 0,4}{\sqrt{(0,4)(0,6)/200}}\right)$.

$n = 200 > 30$; $np_0 = 200(0,4) = 80 > 5$;
$n(1 - p_0) = 200(1 - 0,4) = 120 > 5$.

Ainsi, la statistique du test est approximativement une statistique Z.

c) Il s'agit d'un test unilatéral à gauche. La valeur critique est $-z_\alpha = -z_{0,01} = -2,326$. La règle de décision consiste à rejeter H_0 si la valeur z calculée à partir des données de l'échantillon est inférieure à $-2,326$.

d) $\hat{p} = 74/200 = 0,37$

$$z = \frac{0,37 - 0,4}{\sqrt{(0,4)(0,6)/200}} = -0,866$$

Puisque la valeur calculée de z $(= -0,866)$ est supérieure à $-2,326$, on ne rejette *pas* H_0.

e) Le seuil expérimental est la valeur α^* telle que $-z_{\alpha^*} = -0,866$. Il est approximativement égal à $(0,5 - 0,3065) = 0,1935$.

Pour un seuil de signification inférieur ou égal à 0,1935, on ne rejette pas H_0. Pour un seuil de signification supérieur à 0,1935, on rejette H_0.

CHAPITRE 11

L'inférence statistique : deux populations

Après avoir lu ce chapitre, vous serez en mesure :

- d'expliquer la différence entre des échantillons dépendants et des échantillons indépendants ;

- de tester l'hypothèse de l'égalité de deux moyennes et d'obtenir un intervalle de confiance pour la différence entre deux moyennes, en utilisant des échantillons indépendants ;

- de tester l'hypothèse de l'égalité de deux moyennes et d'obtenir un intervalle de confiance pour la différence entre deux moyennes, en utilisant un échantillon de données appariées ;

- de tester l'hypothèse de l'égalité de deux proportions et d'obtenir un intervalle de confiance pour la différence entre deux proportions.

FRANCIS YSIDRO EDGEWORTH (1845-1926)

R. A. Fisher et W. S. Gosset ont apporté quelques-unes des contributions clés à l'inférence statistique concernant la différence entre deux moyennes. Toutefois, c'est au professeur F. Y. Edgeworth qu'on attribue le mérite d'avoir été l'un des premiers à entreprendre une étude systématique du sujet.

Francis Ysidro Edgeworth est né à Edgeworthstown, en Irlande. Son père est mort alors qu'il était âgé de deux ans. Il a donc été élevé par des tuteurs jusqu'à ce qu'il entre au Trinity College, à Dublin, à l'âge de 17 ans, où il a étudié les langues modernes. Ensuite, il a obtenu un diplôme avec très grande distinction en *litteræ humaniores* à l'Université d'Oxford en 1869. On possède peu d'information sur sa vie de 1870 à 1877, année de son admission au barreau.

En 1880, il obtint le poste de maître de conférence en logique au King's College, à Londres. En 1888, il fut nommé professeur d'économie à ce même collège et, en 1890, il devint titulaire de la Tooke Chair of Economic Science. En 1891, il fut nommé *Drummond Professor of Political Economy* à Oxford et occupa cette fonction le reste de sa vie.

Aucun registre n'indique qu'Edgeworth ait obtenu une formation officielle en mathématiques au-delà des cours d'algèbre élémentaire. Compte tenu du fait qu'il était autodidacte dans cette discipline, les connaissances mathématiques approfondies qu'il a démontrées dans son premier ouvrage, *Mathematical Psychics*, publié en 1881, sont étonnantes. Dans cet ouvrage, Edgeworth a mis au point le « *Calculus of Feeling, of Pleasure and Pain* ». Dans sa critique, Marshall, un des plus grands économistes de tous les temps, a carrément déclaré : « Cet ouvrage relève du génie, et je crois qu'on peut s'attendre à beaucoup de cet homme dans l'avenir[1]. »

En 1883, Edgeworth s'est intéressé à la statistique et à la théorie des probabilités, intérêt qui s'est intensifié au contact de Galton, son cousin éloigné. Il a conservé cet intérêt jusqu'à la fin de ses jours. L'anecdote rapportée par Bowley[2] illustre bien son enthousiasme pour le sujet. En 1904, alors qu'un groupe d'économistes se promenait en vélo près de Cambridge et qu'Edgeworth abordait le sujet de la statistique, Cannan s'est approché de Bowley et lui a dit : « Ralentissez, Bowley, car Edgeworth ne peut parler de mathématiques à plus de 12 miles à l'heure. » Les principaux travaux d'Edgeworth en inférence statistique portant sur la différence entre deux moyennes ont été publiés dans une série de quatre essais, en 1885.

Pigou a qualifié les trois volumes sur les indices d'Edgeworth, publiés en 1887, de « type d'ouvrage auquel le terme *classique* s'applique à merveille[3] ».

Edgeworth était un homme généreux et affectueux, à l'esprit vif et candide quand il s'intéressait à la nature humaine. En outre, il était réservé, compliqué, fier et susceptible. S'il ne s'est jamais marié, ce n'est pas par manque de sensibilité, mais plutôt à cause de sa nature difficile. Évoquant ses origines mixtes hispano-irlandaises, Marshall avait l'habitude de dire : « Francis est un homme charmant, mais vous devez vous méfier d'Ysidro[4]. »

INTRODUCTION

Au chapitre 5, nous avons entrepris l'étude de l'inférence statistique. Aux chapitres 5 à 7, nous avons établi les bases de ce sujet en étudiant la théorie des probabilités, les variables discrètes et les variables continues. Le chapitre 8 a permis d'introduire différentes méthodes d'échantillonnage ainsi que le concept de distribution d'échantillonnage d'une variable statistique. Au chapitre 9, nous avons examiné la théorie statistique de l'estimation. Nous avons décrit en détail comment obtenir des estimateurs ponctuels et des intervalles pour une moyenne et pour une proportion dans une population. Au chapitre 10, nous avons commencé l'étude des tests d'hypothèses en décrivant les principes de ces tests et en élaborant des procédures pour tester des hypothèses sur les valeurs d'une moyenne et d'une proportion. Nos procédures comportaient : i) le choix d'un échantillon aléatoire tiré de la population ; ii) la sélection d'une statistique et d'une règle de décision appropriées ; iii) le calcul de la valeur de la statistique à partir de l'échantillon choisi et iv) la prise d'une décision en fonction de cette valeur et de la règle de décision.

Dans ce chapitre, nous élargirons les notions abordées aux chapitres 9 et 10 en indiquant comment construire un intervalle de confiance pour la différence entre des moyennes ou des proportions dans deux populations et en élaborant des procédures pour tester des hypothèses sur ces différences. Voici quelques exemples de paramètres que nous étudierons :

- la différence entre la valeur moyenne des propriétés résidentielles vendues par les agents immobiliers, hommes ou femmes, à Laval ;
- la différence entre le nombre moyen d'articles défectueux produits durant les quarts de jour et de soir à la société Produits Kimble ;
- la différence entre le nombre moyen de jours d'absence des jeunes travailleurs (moins de 21 ans) et des travailleurs âgés (plus de 60 ans) dans le secteur de l'alimentation rapide ;
- la différence entre les proportions de diplômés de l'Université du Nouveau-Brunswick et de diplômés de l'Université de Windsor qui ont réussi à l'examen de comptable agréé au premier essai.

Nous élaborerons des procédures basées sur la différence entre des moyennes ou des proportions dans deux échantillons tirés au hasard de deux populations. La distribution d'échantillonnage de la différence entre les deux moyennes d'échantillon, ou les deux proportions, dépend du fait que les deux échantillons sont dépendants ou indépendants. Nous examinerons ces deux cas séparément. La prochaine section abordera le cas des moyennes quand les deux échantillons sont tirés indépendamment. Dans la section 11.2, nous traiterons des moyennes lorsque les deux échantillons sont dépendants. La section 11.4 présentera le cas des proportions.

11.1 LA DIFFÉRENCE ENTRE DEUX MOYENNES : ÉCHANTILLONS INDÉPENDANTS

Commençons par un exemple. Les employés de l'usine de Vancouver-Est d'une multinationale demandent des salaires plus élevés que ceux que la société offre aux travailleurs de l'usine située à Oshawa (Ont.). Ils justifient cette demande par la différence de plus de 60 000 $ entre le prix moyen des maisons unifamiliales à Vancouver-Est et à Oshawa. Avant de prendre une décision sur cette question, la direction de la société souhaite étudier la différence entre le prix des maisons unifamiliales en vente aux deux endroits. Plus particulièrement, soient μ_1 et μ_2 les prix moyens respectifs des maisons unifamiliales en vente à Vancouver-Est et à Oshawa. La direction souhaite étudier la différence $(\mu_1 - \mu_2)$.

LE TEST D'HYPOTHÈSE SUR LA DIFFÉRENCE ENTRE DEUX MOYENNES

La première étape logique consisterait à vérifier la véracité de l'affirmation des employés concernant la différence entre le prix moyen des maisons unifamiliales en vente dans les deux endroits.

Exemple 11.1

La société veut effectuer un test d'hypothèse pour vérifier si elle peut affirmer que la différence entre les valeurs moyennes du prix des maisons unifamiliales en vente à Vancouver-Est et à Oshawa est supérieure à 60 000 $. En conséquence, elle recueille, *indépendamment,* des échantillons de prix aux deux endroits. Ceux-ci sont inscrits plus bas (en milliers de dollars, arrondis au millier près). (Source : www.homestore.ca.)

Vancouver-Est 345 290 279 259 410 174 252 455 228 369
Oshawa 219 122 200 134 179 204 129 132 174 142 136 159 168 170 227

En supposant que les distributions soient approximativement normales, peut-on conclure, au seuil de signification de 0,05, que la différence entre les deux moyennes est supérieure à 60 000 $?

Solution

On utilisera la procédure en cinq étapes présentée au chapitre 10.

Étape 1

Rappelons que μ_1 et μ_2 désignent les prix moyens respectifs des maisons unifamiliales à Vancouver-Est et à Oshawa. L'hypothèse nulle et la contre-hypothèse sont :

$$H_0: (\mu_1 - \mu_2) \leq 60$$
$$H_1: (\mu_1 - \mu_2) > 60$$

Étape 2

Le seuil de signification α a été fixé à 0,05.

Étape 3

Une approche logique consisterait à calculer les valeurs des moyennes $\bar{X}_1$ et $\bar{X}_2$ des échantillons aléatoires indépendants et à fonder nos conclusions sur l'analyse de la valeur de la différence $(\bar{X}_1 - \bar{X}_2)$.

Au chapitre 8, nous avons vu que :

$$E(\bar{X}_1) = \mu_1, \quad E(\bar{X}_2) = \mu_2, \quad V(\bar{X}_1) = \frac{\sigma_1^2}{n_1} \quad \text{et} \quad V(\bar{X}_2) = \frac{\sigma_2^2}{n_2}$$

Ici σ_1 et σ_2 sont les écarts types dans les deux populations.

En utilisant la formule 6.3 de la page 233 (voir le chapitre 6), on obtient[6] :

$$E(\bar{X}_1 - \bar{X}_2) = \mu_1 - \mu_2 \qquad \textbf{11.1}$$

Ainsi, $(\bar{X}_1 - \bar{X}_2)$ *est un estimateur sans biais de* $(\mu_1 - \mu_2)$.

Variance de $(\bar{X}_1 - \bar{X}_2)$ $\qquad V(\bar{X}_1 - \bar{X}_2) = \frac{\sigma_1^2}{n_1} + \frac{\sigma_2^2}{n_2} \qquad \textbf{11.2}$

En conséquence, l'écart type de $(\bar{X}_1 - \bar{X}_2)$ est :

Écart type de $(\bar{X}_1 - \bar{X}_2)$ $\qquad \sigma_{(\bar{X}_1 - \bar{X}_2)} = \sqrt{\dfrac{\sigma_1^2}{n_1} + \dfrac{\sigma_2^2}{n_2}}$ **11.3**

Au chapitre 8, nous avons vu que si les distributions dans les populations sont normales, alors $\bar{X}_1$ et $\bar{X}_2$ obéissent toutes deux à une loi normale et donc $(\bar{X}_1 - \bar{X}_2)$ également obéit à une loi normale. (La somme ou la différence de deux variables normales indépendantes est une variable normale.)

Ainsi,

$$\frac{(\bar{X}_1 - \bar{X}_2) - (\mu_1 - \mu_2)}{\sqrt{\dfrac{\sigma_1^2}{n_1} + \dfrac{\sigma_2^2}{n_2}}}$$ **11.4**

est une variable normale centrée réduite.

Si les valeurs des écarts types de la population sont inconnues, on remplace σ_1^2 et σ_2^2 dans la formule 11.4 par leurs estimateurs sans biais S_1^2 et S_2^2 pour obtenir la variable aléatoire :

$$\frac{(\bar{X}_1 - \bar{X}_2) - (\mu_1 - \mu_2)}{\sqrt{\dfrac{S_1^2}{n_1} + \dfrac{S_2^2}{n_2}}}$$ **11.5**

On peut démontrer[7] que, si les distributions sont normales, une *approximation raisonnable* de la distribution de la variable aléatoire 11.5 est la *distribution t de Student*. Les degrés de liberté de cette loi t sont donnés par la formule suivante :

Degrés de liberté $\qquad dl = \dfrac{(S_1^2/n_1 + S_2^2/n_2)^2}{\dfrac{(S_1^2/n_1)^2}{n_1 - 1} + \dfrac{(S_2^2/n_2)^2}{n_2 - 1}}$ **11.6**

L'approximation est meilleure quand les tailles d'échantillon sont grandes.

Puisque l'hypothèse nulle est $H_0 : (\mu_1 - \mu_2) \leq 60$, on utilisera comme statistique :

$$\frac{(\bar{X}_1 - \bar{X}_2) - 60}{\sqrt{\dfrac{S_1^2}{n_1} + \dfrac{S_2^2}{n_2}}}$$

Étape 4   Dans notre problème, les distributions sont approximativement normales. Ainsi, quand H_0 est vraie, notre statistique obéit approximativement à une loi t de Student. Il s'agit d'un test t unilatéral à droite. La valeur critique est $t_\alpha = t_{0,05}$. Notre règle de décision est la suivante : on rejette H_0 si la valeur expérimentale de t (la valeur de la statistique calculée à partir des données des deux échantillons) est supérieure à $t_{0,05}$. La formule 11.6 donne les degrés de liberté de la distribution t.

Étape 5 | À partir des données des échantillons, on obtient :

$$\bar{x}_1 = \frac{345 + \dots + 369}{10} = 306{,}1 \quad \bar{x}_2 = \frac{219 + \dots + 227}{15} = 166{,}3$$

$$s_1 = \sqrt{\frac{(345 - 306{,}1)^2 + \dots + (369 - 306{,}1)^2}{9}} = 87{,}0$$

$$s_2 = \sqrt{\frac{(219 - 166{,}3)^2 + \dots + (227 - 166{,}3)^2}{14}} = 34{,}2$$

$$t = \frac{(\bar{x}_1 - \bar{x}_2) - 60}{\sqrt{\dfrac{s_1^2}{n_1} + \dfrac{s_2^2}{n_2}}} = \frac{(306{,}1 - 166{,}3) - 60}{\sqrt{\dfrac{(87{,}0)^2}{10} + \dfrac{(34{,}2)^2}{15}}} = 2{,}76$$

Les degrés de liberté sont :

$$dl = \frac{(s_1^2/n_1 + s_2^2/n_2)^2}{\dfrac{(s_1^2/n_1)^2}{n_1 - 1} + \dfrac{(s_2^2/n_2)^2}{n_2 - 1}} = \frac{[(87{,}0)^2/10 + (34{,}2)^2/15]^2}{\dfrac{[(87{,}0)^2/10]^2}{9} + \dfrac{[(34{,}2)^2/15]^2}{14}} = 10{,}9$$

À partir de la table t de l'annexe G, on trouve que, pour $dl = 11$, $t_{0,05} = 1{,}796$. Ainsi, la région de rejet est l'intervalle $[1{,}796 \, ; \, ° \, [$.

Puisque la valeur expérimentale de t ($= 2{,}76$) est supérieure à $1{,}796$, notre décision est la suivante : les données échantillonnales permettent, à un seuil $\alpha = 0{,}05$, de rejeter H_0 et d'accepter l'allégation des employés selon laquelle le prix moyen des maisons unifamiliales en vente dans Vancouver-Est dépasse de plus de 60 000 \$ le prix moyen à Oshawa.

La valeur expérimentale de t dans la feuille de calcul Excel 11.1 (elle s'appelle *Statistique t* dans la sortie) est la même que celle calculée manuellement.

Excel ne donne pas de sorties séparées pour les tests unilatéral et bilatéral. Dans la même sortie, il donne les valeurs de t_α [appelée *Valeur critique de t (unilatéral)*] et $t_{\alpha/2}$ [appelée *Valeur critique de t (bilatéral)*]. La valeur critique du test unilatéral à droite est t_α, celle pour un test unilatéral à gauche est $-t_\alpha$; enfin, les valeurs critiques pour un test bilatéral sont $-t_{\alpha/2}$ et $t_{\alpha/2}$.

De plus, dans la même sortie, Excel donne les seuils expérimentaux pour les tests unilatéral et bilatéral. Le seuil d'un test bilatéral s'appelle $P(T <\, = t)$ *bilatéral* dans la sortie. On peut obtenir les seuils des tests unilatéraux à droite et à gauche de la manière décrite ci-après.

Dans le cas d'un test unilatéral à droite :

Si la valeur de t est positive, alors le seuil est la valeur de la sortie appelée $P(T <\, = t)$ unilatéral.

Si la valeur de t est négative, alors le seuil est égal à [1 − P(T <\, = t) unilatéral].

Dans le cas du test unilatéral à gauche, les règles sont inversées.

FEUILLE DE CALCUL EXCEL 11.1

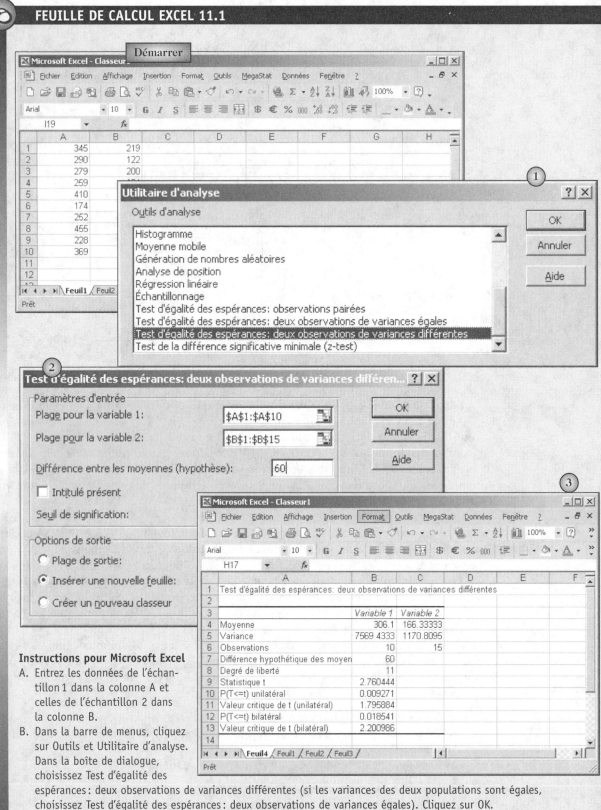

Instructions pour Microsoft Excel

A. Entrez les données de l'échantillon 1 dans la colonne A et celles de l'échantillon 2 dans la colonne B.

B. Dans la barre de menus, cliquez sur Outils et Utilitaire d'analyse. Dans la boîte de dialogue, choisissez Test d'égalité des espérances: deux observations de variances différentes (si les variances des deux populations sont égales, choisissez Test d'égalité des espérances: deux observations de variances égales). Cliquez sur OK.

C. Dans la zone Plage pour la variable 1, entrez les coordonnées des cellules de la colonne A correspondant aux données de l'échantillon 1, puis, dans la zone Plage pour la variable 2, entrez les coordonnées des cellules de la colonne B correspondant aux données de l'échantillon 2. Entrez ensuite la valeur testée de $(\mu_1 - \mu_2)$ apparaissant dans H_0 (60 dans le cas présent) dans la zone Différence entre les moyennes (hypothèse) et la valeur du seuil de signification (0,05 dans le cas présent) dans la zone prévue à cet effet. Cliquez sur OK.

Dans notre exemple, la valeur de t est positive (2,76). Puisqu'il s'agit d'un test unilatéral à droite, le seuil expérimental est égal à la valeur $P(T <= t)$ *unilatéral* dans la sortie, qui est égale à environ 0,0093.

On pourrait aussi obtenir la solution à l'aide de MegaStat dans Excel en choisissant *Hypothesis Tests* et *Compare Two Independent Groups...*

LE CAS OÙ $\sigma_1^2 = \sigma_2^2 = \sigma^2$

Parfois, les deux populations à l'étude ont la même variance (autrement dit $\sigma_1^2 = \sigma_2^2 = \sigma^2$). Dans ces cas, la formule 11.3 pour l'écart type de $(\bar{X}_1 - \bar{X}_2)$ est réduite à :

$$\sigma_{(\bar{X}_1 - \bar{X}_2)} = \sqrt{\sigma^2\left(\frac{1}{n_1} + \frac{1}{n_2}\right)} \qquad \textbf{11.7}$$

Si la valeur de σ^2 est inconnue, alors on la remplace par ce que l'on appelle son **estimateur groupé** S_p^2, défini par :

Estimateur groupé de la variance $\qquad S_p^2 = \dfrac{(n_1-1)S_1^2 + (n_2-1)S_2^2}{(n_1 + n_2 - 2)} \qquad \textbf{11.8}$

Si chacune des deux populations est normalement distribuée, alors

$$T = \frac{(\bar{X}_1 - \bar{X}_2) - (\mu_1 - \mu_2)}{\sqrt{S_p^2\left(\frac{1}{n_1} + \frac{1}{n_2}\right)}} \qquad \textbf{11.9}$$

obéit à une loi t de Student[10] avec les degrés de liberté $dl = (n_1 + n_2 - 2)$.

Ainsi, dans ce cas, une statistique appropriée serait :

$$\frac{(\bar{X}_1 - \bar{X}_2) - d_0}{\sqrt{S_p^2\left(\frac{1}{n_1} + \frac{1}{n_2}\right)}} \qquad \textbf{11.10}$$

Ici on suppose que l'hypothèse nulle a la forme :

$$H_0 : \mu_1 - \mu_2 = d_0 \qquad \text{ou} \qquad H_0 : \mu_1 - \mu_2 \leq d_0 \qquad \text{ou} \qquad H_0 : \mu_1 - \mu_2 \geq d_0$$

Par exemple, dans le problème du prix des maisons à vendre, la valeur de d_0 est 60.

On résume à la page suivante les différents choix de statistiques et le type de test correspondant. (De nouveau, on suppose que l'hypothèse nulle est l'une des trois formules mentionnées plus haut.)

Cas	Statistique	Type de test	Règle de décision
i) Les variances des populations sont connues.	$\dfrac{(\bar{X}_1 - \bar{X}_2) - d_0}{\sqrt{\dfrac{\sigma_1^2}{n_1} + \dfrac{\sigma_2^2}{n_2}}}$	Si les distributions dans les deux populations sont normales, alors la statistique est une variable Z et le test est un test Z. Lorsque les distributions des populations sont approximativement normales ou que les tailles d'échantillon sont grandes, la statistique est approximativement une variable Z et l'on considère le test comme un test Z.	*Test Z unilatéral à droite :* On rejette H_0 si la valeur expérimentale de z est supérieure à z_α. *Test Z unilatéral à gauche :* On rejette H_0 si la valeur expérimentale de z est inférieure à $-z_\alpha$. *Test Z bilatéral :* On rejette H_0 si la valeur expérimentale de z est inférieure à $-z_{\alpha/2}$ ou si elle est supérieure à $z_{\alpha/2}$.
ii) On sait que $\sigma_1^2 = \sigma_2^2 = \sigma^2$. Cependant, la valeur de σ^2 est inconnue.	$\dfrac{(\bar{X}_1 - \bar{X}_2) - d_0}{\sqrt{S_p^2\left(\dfrac{1}{n_1} + \dfrac{1}{n_2}\right)}}$	Si les distributions des populations sont normales, alors quand H_0 est vraie, la statistique obéit à une loi t avec $dl = (n_1 + n_2 - 2)$. Ainsi, il s'agit d'une variable t, et le test est un test t.	*Test t unilatéral à droite :* On rejette H_0 si la valeur expérimentale de t est supérieure à t_α. *Test t unilatéral à gauche :* On rejette H_0 si la valeur expérimentale de t est inférieure à $-t_\alpha$.
iii) $\sigma_1^2 \neq \sigma_2^2$ et les variances sont inconnues.	$\dfrac{(\bar{X}_1 - \bar{X}_2) - d_0}{\sqrt{\dfrac{S_1^2}{n_1} + \dfrac{S_2^2}{n_2}}}$	Si les distributions des populations sont normales, alors, sous H_0, cette statistique obéit *approximativement* à une loi t avec les degrés de liberté donnés par la formule 11.6. Ainsi, il s'agit approximativement d'une variable t, et l'on considère le test comme un test t.	*Test t bilatéral :* On rejette H_0 si la valeur expérimentale de t est inférieure à $-t_{\alpha/2}$ ou si elle est supérieure à $t_{\alpha/2}$.

Comme nous l'avons mentionné au chapitre 9, la distribution t de Student est relativement robuste. Autrement dit, elle sert de bonne approximation à la distribution de la statistique dans les cas ii) et iii), même si les distributions dans les deux populations ne sont pas normales (pourvu, évidemment, qu'elles ne soient pas extrêmement anormales).

Il faut noter que, pour une très grande valeur des degrés de liberté, la distribution t est presque la même que la distribution Z.

■ RÉVISION 11.1

La société Tonte de pelouse Jérôme fabrique et monte des tondeuses, qui sont livrées aux concessionnaires partout dans le pays. Jérôme a créé de nouvelles procédures pour monter le moteur sur le cadre de la tondeuse. Il prétend que le temps moyen nécessaire pour cette opération avec la nouvelle procédure est inférieur à celui de la procédure existante. Les variances des temps de montage, que l'on utilise l'une ou l'autre des deux procédures, sont approximativement les mêmes. Pour vérifier si la nouvelle procédure est plus rapide, on a décidé d'effectuer une étude des temps et mouvements. On a chronométré un échantillon de cinq employés utilisant la procédure existante et un échantillon indépendant de six employés qui utilisaient la nouvelle procédure. Les résultats, en minutes, figurent ci-dessous.

| Procédure existante | 5 | 4 | 9 | 7 | 5 | |
| Nouvelle procédure | 3 | 7 | 4 | 8 | 5 | 4 |

Au seuil de signification de 0,10, peut-on conclure que l'allégation de Jérôme est juste ? Supposez que les populations soient à peu près normalement distribuées.

LES INTERVALLES DE CONFIANCE POUR LA DIFFÉRENCE ENTRE DEUX MOYENNES

Poursuivons avec le problème concernant la demande d'indemnité différentielle des employés de l'usine de Vancouver-Est. En fonction des résultats du test d'hypothèse, la direction de la société a décidé d'accepter l'allégation des employés et d'offrir une indemnité différentielle aux employés de l'usine de Vancouver-Est. Cependant, pour déterminer la valeur de cette indemnité, elle doit disposer d'un intervalle de confiance pour la différence entre les prix moyens des maisons unifamiliales en vente aux deux endroits.

Cas i) Les valeurs de σ_1^2 et de σ_2^2 sont connues.	Si les deux populations sont normalement distribuées ou si les tailles des échantillons sont grandes, alors un intervalle de confiance de niveau $(1 - \alpha)$ pour $(\mu_1 - \mu_2)$ est donné par $$(\bar{X}_1 - \bar{X}_2) \pm z_{\alpha/2}\sqrt{\frac{\sigma_1^2}{n_1} + \frac{\sigma_2^2}{n_2}}$$
Cas ii) $\sigma_1^2 = \sigma_2^2 = \sigma^2$. Cependant, la valeur de σ^2 est inconnue.	Si les populations sont normalement distribuées, alors un intervalle de confiance de niveau $(1 - \alpha)$ pour $(\mu_1 - \mu_2)$ est donné par $$(\bar{X}_1 - \bar{X}_2) \pm t_{\alpha/2}\sqrt{S_p^2\left(\frac{1}{n_1} + \frac{1}{n_2}\right)}$$ La distribution t a $(n_1 + n_2 - 2)$ degrés de liberté.
Cas iii) $\sigma_1^2 \neq \sigma_2^2$ et les variances sont inconnues.	Si les populations sont normalement distribuées, alors un intervalle de confiance *approché* de niveau $(1 - \alpha)$ pour $(\mu_1 - \mu_2)$ est donné par $$(\bar{X}_1 - \bar{X}_2) \pm t_{\alpha/2}\sqrt{\frac{S_1^2}{n_1} + \frac{S_2^2}{n_2}}$$ Les degrés de liberté de la distribution t sont donnés par la formule 11.6.

À l'aide des résultats obtenus plus haut concernant la distribution d'échantillonnage de la différence entre deux moyennes d'échantillon et en procédant de la même manière que dans les sections 9.4 et 9.6, on obtient les expressions pour les intervalles de confiance pour $(\mu_1 - \mu_2)$, la différence entre deux moyennes. Le tableau au bas de la page 451 présente les formules pour les bornes de ces intervalles. Ici S_1 et S_2 sont les écarts types des deux échantillons, et S_p, la valeur donnée dans la formule 11.8.

Exemple 11.2

Considérez à nouveau l'exemple précédent sur la différence entre les prix moyens des maisons en vente dans Vancouver-Est et à Oshawa, en Ontario. La direction de la société souhaite obtenir un intervalle de confiance à 95 % pour la différence entre les prix moyens des maisons unifamiliales en vente aux deux endroits. À l'aide des données d'échantillon de l'exemple précédent, obtenez un intervalle de confiance à 95 % pour la différence entre les moyennes. Interprétez le résultat obtenu.

Solution

Puisque les distributions dans les populations sont approximativement normales et que l'on ne dispose d'aucune information sur les valeurs des écarts types des populations, on utilisera l'intervalle de confiance dans le cas iii) du tableau de la page 451.

Dans l'exemple précédent, on a déjà calculé :

$$\bar{x}_1 = 306,1 \,;\, \bar{x}_2 = 166,3 \,;\, s_1 = 87,0 \,;\, s_2 = 34,2 \,;\, dl = 11$$

$$\alpha = 1 - 0,95 = 0,05 \qquad \text{Pour } dl = 11, \, t_{\alpha/2} = t_{0,025} = 2,201$$

Ainsi, un intervalle de confiance à 95 % pour $(\mu_1 - \mu_2)$ est :

$$(\bar{x}_1 - \bar{x}_2) \pm t_{\alpha/2} \sqrt{\frac{s_1^2}{n_1} + \frac{s_2^2}{n_2}} = (306,1 - 166,3) \pm 2,201 \sqrt{\frac{(87,0)^2}{10} + \frac{(34,2)^2}{15}}$$

$$= (76,2 \,;\, 203,4)$$

Cet intervalle admet l'interprétation suivante. La méthode utilisée a une probabilité d'environ 0,95 de produire un intervalle contenant la vraie valeur de la différence $(\mu_1 - \mu_2)$. L'intervalle $(76,2 \,;\, 203,4)$ obtenu peut ou non contenir la valeur de $(\mu_1 - \mu_2)$. Cependant, étant donné le niveau de confiance élevé (d'environ 0,95), il est raisonnable de supposer que $(\mu_1 - \mu_2)$ se trouve dans l'intervalle.

On voit que l'intervalle $(76,2 \,;\, 203,4)$ est très large. Si l'on veut obtenir un intervalle de confiance plus étroit, on doit choisir de plus grands échantillons ou un niveau de confiance moins élevé.

LA SOLUTION À L'AIDE DE L'ORDINATEUR

On peut obtenir l'intervalle de confiance requis à l'aide d'Excel.

L'option Utilitaire d'analyse du menu Outils dans Excel n'a pas de macro pour calculer directement l'intervalle de confiance pour la différence entre deux moyennes. Cependant, à l'aide de MegaStat, on peut obtenir un intervalle de confiance à 90 %, à 95 % ou à 99 % en choisissant *Hypothesis Tests*, *Compare Two Independent Groups...*, en entrant les données et en choisissant le type de test, *Display,* et le niveau de confiance souhaité.

■ RÉVISION 11.2

Référez-vous au problème de révision 11.1. Construisez un intervalle de confiance à 90 % pour la différence entre les temps moyens requis pour monter les moteurs sur les cadres à l'aide de la procédure existante et en utilisant la nouvelle procédure de Jérôme.

EXERCICES 11.1 À 11.10

Dans chacun des exercices 11.1 à 11.10, supposez que les distributions soient approximativement normales.

11.1 Un échantillon de 40 observations a été tiré d'une population. La moyenne est de 102 et l'écart type, de 5. Un échantillon de 50 observations est tiré indépendamment d'une seconde population. La moyenne est de 99 et l'écart type, de 6. À un seuil de signification de 0,01, peut-on conclure que les valeurs moyennes dans les deux populations sont différentes ?

11.2 Un échantillon de 65 observations a été tiré d'une population. La moyenne est de 2,67 et l'écart type, de 0,75. Un échantillon de 50 observations est tiré indépendamment d'une seconde population. La moyenne est de 2,59 et l'écart type, de 0,66. À un seuil de signification de 0,05, peut-on conclure que la moyenne dans la première population est supérieure ?

Pour les exercices 11.3 et 11.4, supposez que les variances soient égales.

11.3 Un échantillon aléatoire de 10 observations a été prélevé d'une population et l'on a obtenu une moyenne de 23 et un écart type de 4. Dans un échantillon indépendant de 8 observations tiré d'une seconde population, la moyenne fut de 26 et l'écart type, de 5. À un seuil de signification de 0,05, peut-on conclure à une différence entre les moyennes dans les deux populations ?

11.4 Un échantillon aléatoire de 15 observations a été prélevé d'une population et l'on a obtenu une moyenne de 350 et un écart type de 12. Dans un échantillon indépendant de 17 observations tiré d'une seconde population, la moyenne fut de 342 et l'écart type, de 15. À un seuil de signification de 0,1, peut-on conclure à une différence entre les moyennes des deux populations ?

11.5 La société d'aliments pour bébés Gilbert souhaite comparer le gain de poids des enfants qui utilisent sa marque avec les résultats obtenus par son compétiteur. Dans un échantillon aléatoire de 30 bébés utilisant les produits Gilbert, le gain de poids moyen dans les trois premiers mois suivant la naissance fut de 3,5 kg. L'écart type d'échantillon était de 1,01 kg. Dans un échantillon aléatoire de 20 bébés utilisant la marque du compétiteur, le gain moyen fut de 3,7 kg avec un écart type de 1,3 kg. À un seuil de signification de 0,05, peut-on conclure que les bébés utilisant la marque Gilbert ont pris moins de poids ? Calculez l'intervalle de confiance à 99 % pour le poids supplémentaire moyen, dans la population, pris par les bébés utilisant la marque Gilbert.

11.6 Dans le cadre d'une étude sur les employés de l'entreprise, le directeur des ressources humaines de PNC souhaite comparer la distance que parcourent les employés d'Edmonton et de Montréal pour se rendre au bureau du centre-ville. Deux échantillons aléatoires ont été tirés : les 35 employés d'Edmonton choisis font en moyenne 590 km par mois avec un écart type de 50 km ; les 40 employés de Montréal du second échantillon parcourent en moyenne 610 km par mois avec un écart type de 40 km. À un seuil de signification de 0,05, y a-t-il une différence entre le nombre moyen de kilomètres parcourus mensuellement par les employés d'Edmonton et celui parcouru par les employés de Montréal ? Calculez un intervalle de confiance à 90 % pour la différence entre les distances moyennes parcourues dans les deux villes.

11.7 Une analyste financière souhaite comparer les taux de rotation des actions du secteur pétrolier par rapport à d'autres actions, comme celles de GE et d'IBM. Elle choisit aléatoirement 32 actions du secteur pétrolier et 49 autres actions. Le taux de rotation moyen de l'échantillon des actions du secteur pétrolier était de 31,4 % avec un écart type de 5,1 %. Pour l'échantillon des autres actions, le taux moyen était de 34,9 % et l'écart type, de 6,7 %. La différence entre les taux de rotation des deux types d'actions est-elle significative ? Utilisez un seuil de signification de 0,01.

11.8 Une étude récente comparait le temps que passent ensemble les couples ayant un seul revenu et les couples ayant deux revenus. Des échantillons aléatoires de 15 couples ayant un seul revenu et de 12 couples ayant deux revenus ont été tirés. Selon les dossiers compilés par les femmes durant l'étude, le temps moyen passé à regarder la télévision en couple chez les couples ayant un seul revenu était de 61 minutes par jour, avec un écart type de 15,5 minutes. Les couples ayant deux revenus regardaient la télévision ensemble pendant 48,4 minutes en moyenne, avec un écart type de 18,1 minutes. À un seuil de signification de 0,01, peut-on conclure que les couples ayant un seul revenu passent, en moyenne, plus de temps à regarder la télévision ensemble ?

11.9 Des échantillons aléatoires de notes d'un examen de *Statistique 201* sont :

Hommes	72	69	98	66	85	76	79	80	77
Femmes	81	67	90	78	81	80	76		

À un seuil de signification de 0,01, les notes des femmes sont-elles plus élevées en moyenne que celle des hommes ? Supposez que les variances des populations soient égales.

11.10 Lisa Morin est la directrice du budget de la société Nouveau processus. Elle aimerait comparer les frais de déplacement quotidiens du personnel des ventes à ceux du personnel de vérification. Elle a recueilli les données suivantes :

Ventes (en dollars)	131	135	146	165	136	142	
Vérification (en dollars)	130	102	129	143	149	120	139

À un seuil de signification de 0,1, peut-elle conclure que les dépenses quotidiennes des vendeurs sont supérieures à celles des vérificateurs ? Supposez que les variances des populations soient égales.

11.2 LA DIFFÉRENCE ENTRE DEUX MOYENNES : ÉCHANTILLONS DÉPENDANTS

Dans la section précédente, nous avons mis au point un test pour déterminer la différence entre deux moyennes à partir d'échantillons aléatoires tirés *indépendamment* de deux populations. Autrement dit, les données recueillies dans une population ne sont d'aucune façon liées aux données recueillies dans l'autre.

Dans certaines situations, les données des deux échantillons peuvent être appariées. Plus précisément, on est en présence d'une seule population sur laquelle sont définies deux variables. Dans ces cas, on prélève un échantillon aléatoire de paires de données. En voici quelques exemples.

- **Une étude « avant et après ».** On illustrera ce cas à l'aide de deux exemples. Supposons qu'on veuille montrer que, en diffusant de la musique douce dans la zone de production, on peut accroître la productivité des travailleurs. Ici, la population est l'ensemble des travailleurs de l'entreprise et les variables sont : la productivité d'un travailleur sans musique et la productivité d'un travailleur avec musique. On commence par tirer un échantillon aléatoire de travailleurs ; dans un premier temps, on mesure leur production dans un environnement sans musique ; puis on installe des enceintes et l'on mesure de nouveau la production des *mêmes* travailleurs. On obtient une paire de mesures sur chaque travailleur de l'échantillon – avant et après avoir placé les enceintes dans la zone de production. Les mesures sont prises *sur le même ensemble de travailleurs*. Comme deuxième exemple, supposons qu'on veuille étudier l'efficacité d'un programme de perte de poids. Les deux variables sont : le poids d'une personne avant d'entreprendre le programme et son poids après avoir suivi le programme. Un échantillon de participants est choisi au hasard. Le poids de chaque personne de l'échantillon est noté avant le début du programme. On demande ensuite à chacun des participants de suivre le programme pendant un temps précis. Ensuite, on note de nouveau le poids de chaque personne du *même* échantillon. Les données se présentent sous la forme de paires de mesures : les poids avant et les poids après des *mêmes personnes*.

- **L'appariement selon une caractéristique commune.** Supposons qu'on souhaite comparer le rendement moyen en pourcentage de fonds communs de placement canadiens, sur une année et sur cinq années. On peut tirer deux échantillons aléatoires indépendants sur l'ensemble des fonds et noter le rendement sur une année du premier échantillon et le rendement sur cinq années du second échantillon. Dans ce cas, il est possible que, par pur hasard, l'un des échantillons soit constitué de fonds plus prospères que l'autre. En conséquence, l'écart entre les rendements moyens sur un an et sur cinq ans serait artificiellement surévalué. On peut résoudre ce problème en tirant aléatoirement un échantillon de fonds communs de placement et en notant, pour chacun d'entre eux, le rendement en pourcentage sur une année et celui sur cinq années.

Convenons de noter les paires (X_{11}, X_{21}), (X_{12}, X_{22}), ..., (X_{1n}, X_{2n}) ainsi obtenues. Dans ce cas, $\{X_{11}, X_{12}, ..., X_{1n}\}$ sont les données de la variable 1 et $\{X_{21}, X_{22}, ..., X_{2n}\}$ sont les données de la variable 2. Les deux valeurs dans chaque paire ont habituellement une caractéristique commune et ne sont donc plus indépendantes. On parle alors, par abus, d'**échantillons dépendants** ou liés.

Supposons qu'un professeur de l'Université Saint-Thomas, à Fredericton, croie que la note du cours *Introduction à la statistique* obtenue par les diplômés en économie est plus basse, en moyenne, que la note obtenue par ces étudiants pour le cours *Introduction à l'économie*. Il a donc décidé d'étudier la différence entre μ_1, la valeur moyenne des notes (sur 100) de statistique, et μ_2, la valeur moyenne des notes d'économie. Il tire un échantillon aléatoire de n diplômés en économie et compile pour chaque étudiant de l'échantillon sa note en statistique et celle en économie. Les données sont donc constituées d'une paire de notes, une en statistique et l'autre en économie, pour chaque étudiant de l'échantillon. Les deux valeurs de chaque paire ont une caractéristique commune : ce sont les notes d'un même étudiant.

Soit (X_1, X_2) la paire associée à un étudiant choisi au hasard dans la population, où X_1 désigne la variable 1 et X_2, la variable 2. Posons $D = X_1 - X_2$, la différence entre les deux variables. Alors,

$$E(X_1) = \mu_1, \quad E(X_2) = \mu_2 \quad \text{et} \quad E(D) = \mu_D = \mu_1 - \mu_2 \qquad \textbf{11.11}$$

Ainsi, plutôt que d'étudier la différence entre les deux valeurs moyennes μ_1 et μ_2, on peut étudier la valeur moyenne μ_D de D. Le problème de l'étude de la différence entre les moyennes de X_1 et de X_2 se réduit donc à étudier la moyenne d'une seule variable D, qui est la différence entre ces deux variables. Pour cela, on utilisera les méthodes abordées aux chapitres 9 et 10.

Pour les paires (X_{11}, X_{21}), (X_{12}, X_{22}), …, (X_{1n}, X_{2n}) dans l'échantillon apparié, on calcule les différences

$$D_1 = X_{11} - X_{21}, \quad D_2 = X_{12} - X_{22}, \dots, \quad D_n = X_{1n} - X_{2n}$$

Soit

$$\bar{D} = \frac{D_1 + \dots + D_n}{n} \qquad \textbf{11.12}$$

Alors,

$$E(\bar{D}) = \mu_D = \mu_1 - \mu_2 \qquad \textbf{11.13}$$

Autrement dit, $\bar{D}$ est un estimateur sans biais de $\mu_1 - \mu_2$.

Soit S_D l'écart type de l'échantillon $D_1, \dots, D_n$.

Si la variable D obéit à une loi normale,

$$T = \frac{\bar{D} - \mu_D}{S_D / \sqrt{n}} \qquad \textbf{obéit à une loi } t \textbf{ de Student} \atop \textbf{avec des degrés de liberté } dl = n - 1. \qquad \textbf{11.14}$$

LE TEST D'HYPOTHÈSE SUR LA DIFFÉRENCE ENTRE DEUX MOYENNES

Reprenons le problème concernant la différence entre les valeurs moyennes des notes obtenues pour les cours de statistique et d'économie.

Exemple 11.3

Le professeur souhaite effectuer un test d'hypothèse pour vérifier si la moyenne μ_1 des notes (sur 100) en statistique est plus basse que la moyenne μ_2 des notes en économie. Il tire un échantillon aléatoire de 11 diplômés en économie. Voici leurs notes dans les deux matières.

Nom	Statistique	Économie	Nom	Statistique	Économie
Meena Ahsan	80	75	Rob Penney	70	65
Chun Cheng	75	70	Melody Sexton	83	85
Jan Harvey	75	80	Mary Tan	83	87
Jim Lim	85	90	Catherine Williams	90	95
Sarita Sen	70	75	Darren Young	80	85
Meera Patel	87	90			

À un seuil de signification de 0,05, peut-on conclure que la note moyenne en statistique est inférieure à la note moyenne en économie ? Supposez que l'écart entre ces notes soit à peu près normalement distribué.

Solution

On utilisera la procédure en cinq étapes présentée au chapitre 10.

Étape 1

Soit $D = X_1 - X_2$ la différence entre les notes obtenues en statistique et en économie par un étudiant donné. À l'aide de la formule 11.13, l'hypothèse nulle et la contre-hypothèse peuvent s'écrire :

$$H_0 : \mu_D \geq 0$$
$$H_1 : \mu_D < 0$$

Étape 2

On a fixé $\alpha = 0,05$.

Étape 3

On utilisera $\dfrac{\bar{D} - 0}{S_D / \sqrt{n}} = \dfrac{\bar{D}}{S_D / \sqrt{11}}$ comme statistique.

Étape 4

La variable D est à peu près normalement distribuée. Ainsi, quand $\mu_D = 0$, la statistique obéit approximativement à une loi t de Student avec les degrés de liberté $dl = (n - 1) = 10$. Ainsi, il s'agit approximativement d'une variable t, et notre test est approximativement un test t unilatéral à gauche portant sur la moyenne de la variable D. On utilisera donc le test t pour une moyenne, abordé à la section 10.8. Notre règle de décision est la suivante : *on rejette H_0 si la valeur expérimentale de t est inférieure à $-t_\alpha = -t_{0,05} = -1,812$.*

Étape 5

On calcule d'abord les valeurs de $D = X_1 - X_2$.

Statistique	80	75	75	85	70	87	70	83	83	90	80
Économie	75	70	80	90	75	90	65	85	87	95	85
Différence (d)	5	5	-5	-5	-5	-3	5	-2	-4	-5	-5

$$\bar{d} = \frac{5 + \ldots - 5}{11} = -1,73 \; ; \quad s_D = \sqrt{\frac{(5 + 1,73)^2 + \ldots + (-5 + 1,73)^2}{10}} = 4,43$$

$$t = \frac{\bar{d}}{s_D / \sqrt{11}} = \frac{-1,73}{4,43 / \sqrt{11}} = -1,29$$

La valeur expérimentale de t est supérieure à la valeur critique $-1,812$. Ainsi, on ne peut *pas* rejeter H_0. À $\alpha = 0,05$, on *ne* peut conclure que la note moyenne des étudiants suivant le cours de statistique est inférieure à leur note moyenne au cours d'économie.

La feuille de calcul Excel 11.2 indique les instructions pour MegaStat ainsi que les sorties pour le problème précédent.

La valeur expérimentale de la statistique t dans la sortie de MegaStat est de $-1,29$. Elle est la même que celle obtenue manuellement.

De plus, le seuil expérimental est 0,1125.

FEUILLE DE CALCUL EXCEL 11.2

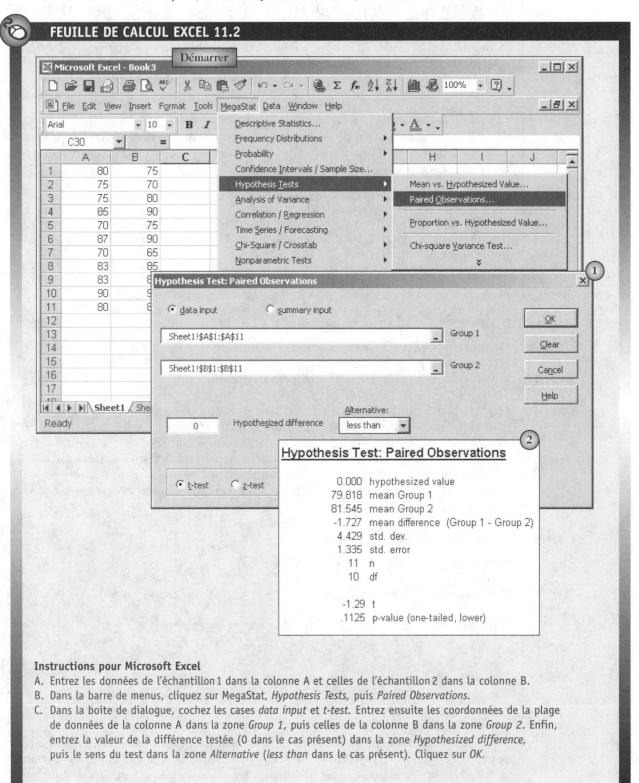

Instructions pour Microsoft Excel

A. Entrez les données de l'échantillon 1 dans la colonne A et celles de l'échantillon 2 dans la colonne B.

B. Dans la barre de menus, cliquez sur MegaStat, *Hypothesis Tests,* puis *Paired Observations.*

C. Dans la boîte de dialogue, cochez les cases *data input* et *t-test*. Entrez ensuite les coordonnées de la plage de données de la colonne A dans la zone *Group 1*, puis celles de la colonne B dans la zone *Group 2*. Enfin, entrez la valeur de la différence testée (0 dans le cas présent) dans la zone *Hypothesized difference*, puis le sens du test dans la zone *Alternative* (*less than* dans le cas présent). Cliquez sur *OK*.

■ RÉVISION 11.3

Un économiste croit que la valeur moyenne de l'augmentation hebdomadaire en pourcentage du cours des actions de BCE en 2000 était plus élevée que celle de l'indice TSE 300. Pour vérifier cet énoncé, il a choisi aléatoirement huit semaines en 2000 et a enregistré les augmentations en pourcentage de l'indice TSE 300 et du cours des actions de BCE. Les données sont inscrites ci-dessous.

TSE 300	–3,8	–7,5	–1,5	–3,1	–0,9	–1,4	2,9	1,7
BCE	8,3	–6,5	–1,3	1,8	12,9	4,0	5,1	7,2

À un seuil de signification $\alpha = 0,05$, peut-on conclure que l'affirmation de l'économiste est juste ? Supposez que les écarts entre les rendements obéissent approximativement à une loi normale.

LES INTERVALLES DE CONFIANCE POUR LA DIFFÉRENCE ENTRE DEUX MOYENNES

Dans la sous-section précédente, nous avons vu que l'appariement des données permet de réduire l'étude de $(\mu_1 - \mu_2)$, autrement dit la différence entre les deux moyennes, à l'étude de la moyenne $\mu_D = (\mu_1 - \mu_2)$ d'une seule variable D. N'oubliez pas que les valeurs de D représentent les différences entre les valeurs appariées de X_1 et de X_2. On obtient donc un intervalle de confiance de niveau $(1 - \alpha)$ pour $(\mu_1 - \mu_2) = \mu_D$ à partir de la formule 9.6 en remplaçant $\overline{X}$ et S par $\overline{D}$ et S_D respectivement. Ainsi, *si un échantillon de données appariées de taille n est prélevé et que les écarts entre les deux valeurs d'une paire sont normalement distribués dans la population, alors l'intervalle de confiance de niveau $(1 - \alpha)$ pour $(\mu_1 - \mu_2)$ est donné par:*

Intervalle de confiance de niveau $(1 - \alpha)$ pour μ_D	$\overline{D} \pm t_{\alpha/2}\, S_D/\sqrt{n}$	11.15

où $\overline{D}$ *est la valeur moyenne des différences entre les deux données d'une même paire de l'échantillon.*

Exemple 11.4

Poursuivons avec l'exemple précédent concernant la différence entre les notes moyennes obtenues par les diplômés de l'Université Saint-Thomas dans les cours de statistique et d'économie. Le professeur souhaite estimer la différence moyenne des notes dans ces deux cours. En utilisant les données de l'exemple précédent, déterminez l'intervalle de confiance à 99 % pour la différence entre les deux moyennes.

Solution

Dans l'exemple précédent, on a déjà calculé $\overline{d} = -1,73$, $s_D = 4,43$. Notons d'abord que $\alpha = (1 - 0,99) = 0,01$. Pour $dl = (n - 1) = 10$, on obtient $t_{\alpha/2} = t_{0,005} = 3,169$. Ainsi, en utilisant la formule 11.15, on obtient l'intervalle de confiance à 99 % suivant :

$$-1,73 \pm (3,169)(4,43)/\sqrt{11} = (-5,9628\,;2,5028)$$

On peut obtenir l'intervalle de confiance en utilisant Excel : on trouve d'abord les valeurs des différences D, puis on utilise les instructions décrites dans la feuille de calcul Excel 9.7.

■ RÉVISION 11.4

Considérez le problème de révision 11.3. En utilisant les données appariées, déterminez l'intervalle de confiance à 95 % pour la différence entre les variations hebdomadaires moyennes en pourcentage de l'indice TSE 300 et du cours des actions de BCE, en 2000.

11.3 LES AVANTAGES ET LES INCONVÉNIENTS DE L'UTILISATION D'UN ÉCHANTILLON DE DONNÉES APPARIÉES

Dans certains cas, comme dans l'étude de l'efficacité d'un programme de perte de poids, l'échantillon de données appariées est évidemment plus approprié et plus facile à recueillir. Cependant, dans d'autres situations, on doit faire un choix. (Par exemple, dans le cas de l'étude de l'effet de la musique sur la productivité des travailleurs, on pourrait tirer deux échantillons indépendants de travailleurs avant et après l'installation des enceintes.) Dans de tels cas, en choisissant un critère d'appariement approprié, on peut accroître la puissance du test (c'est-à-dire la probabilité d'accepter une contre-hypothèse vraie) pour la même valeur de α (seuil de signification du test).

À titre d'illustration, reprenons le problème de comparaison des notes moyennes des étudiants obtenues en statistique et en économie.

L'hypothèse nulle et la contre-hypothèse sont :

$H_0 : \mu_1 - \mu_2 \geq 0$
$H_1 : \mu_1 - \mu_2 < 0$

Supposons qu'on tire un échantillon aléatoire de 11 diplômés en économie et que l'on compile leurs notes en statistique. De plus, on prélève *indépendamment* un autre échantillon de 11 diplômés et l'on compile leurs notes en économie. Les deux échantillons indépendants sont donnés ci-dessous.

| Statistique | 83 | 71 | 78 | 86 | 81 | 71 | 88 | 82 | 85 | 90 | 78 |
| Économie | 85 | 73 | 72 | 86 | 91 | 92 | 63 | 93 | 87 | 85 | 89 |

La sortie d'Excel pour le test d'hypothèse est la suivante :

TEST *t* : DEUX ÉCHANTILLONS EN SUPPOSANT DES VARIANCES INÉGALES		
	Variable 1	**Variable 2**
Moyenne	81,18182	83,27273
Variance	39,36364	93,41818
Nombre d'observations	11	11
Différence moyenne sous H_0	0	
dl	17	
Stat *t*	−0,60181	
$P(T < = t)$ unilatéral	0,27762	
Valeur critique *t* unilatérale	1,739606	
$P(T < = t)$ bilatéral	0,55524	
Valeur critique *t* bilatérale	2,109819	

On observe ce qui suit :

- La valeur de la statistique t dans le cas des échantillons non appariés ($= -0{,}60181$) est nettement plus près de zéro que dans le cas d'un échantillon de données appariées ($= -1{,}29$).

  C'est habituellement le cas quand le critère d'appariement amène une forte corrélation positive entre les données appariées. (Si la note d'un étudiant est élevée dans le cours de statistique, il est alors fort probable que l'étudiant est bon et que, par conséquent, sa note en économie sera élevée. Par ailleurs, si l'étudiant a obtenu une note faible en statistique, alors il est très probable qu'il aura aussi une note faible en économie. Dans ce cas, on dit que les données appariées sont positivement corrélées. Nous étudierons en détail le concept de corrélation entre deux variables au chapitre 13.) En général, dans le cas d'une corrélation positive entre les données appariées, l'écart type de $\bar{D}$ est plus petit que l'écart type de la formule 11.3 de la variable aléatoire ($\bar{X}_1 - \bar{X}_2$) utilisée dans le contexte d'échantillons indépendants. La valeur de la statistique t dans le cas de l'échantillon de données appariées tend donc à s'éloigner davantage de zéro que dans le cas des échantillons indépendants. En conséquence, quand H_1 est vraie, la probabilité que la valeur expérimentale de t se trouve dans la région de rejet tend à être plus élevée dans le cas d'un échantillon de données appariées.

- La valeur critique dans le cas d'échantillons indépendants ($= -1{,}740$) est plus près de zéro que dans le cas d'un échantillon de données appariées ($= -1{,}812$) puisque le nombre de degrés de liberté de la statistique t est ($n - 1$) $= 10$ dans le cas d'un échantillon de données appariées, tandis que celui dans le cas des échantillons indépendants est beaucoup plus grand ($= 17$). Cela contribue à diminuer la probabilité de rejet de H_0 quand H_1 est vraie.

- Dans notre exemple, la corrélation positive est suffisamment grande pour dominer l'effet de la diminution des degrés de liberté. Ainsi, la probabilité de rejet de H_0, quand H_1 est vraie, est plus élevée dans le cas d'un échantillon de données appariées.

On conclut donc ce qui suit :

> *Il est avantageux d'utiliser un échantillon de données appariées uniquement quand l'appariement se fait de telle sorte que les données appariées ont une forte corrélation positive. (Autrement dit, de grandes valeurs ont plus de chance d'être appariées avec de grandes valeurs, et de petites valeurs ont plus de chance d'avoir des partenaires ayant de faibles valeurs.)*
>
> *Si les données appariées n'ont pas une corrélation positive suffisamment grande, alors le test qui en découle risque d'être moins puissant que celui provenant des échantillons indépendants parce que la valeur ($n - 1$) des degrés de liberté de la statistique est plus petite.*

EXERCICES 11.11 À 11.16

Dans chacun des cas suivants, supposez que les distributions des écarts soient approximativement normales.

11.11 Le tableau ci-dessous donne le nombre d'unités défectueuses produites durant le quart de jour et le quart de soir pour un échantillon de quatre journées de travail le mois dernier.

	Journée			
	1	2	3	4
Quart de jour	10	12	15	19
Quart de soir	8	9	12	15

À un seuil de signification de 0,05, peut-on conclure que le nombre moyen d'unités défectueuses produites le mois dernier durant le quart de soir était inférieur à celui du quart de jour ?

11.12 Les observations appariées suivantes montrent le nombre de contraventions remises pour excès de vitesse par les agents Lebrun et Laplace de la GRC au cours des cinq derniers mois.

	Mois				
	Mai	Juin	Juillet	Août	Septembre
Agent Lebrun	30	22	25	19	26
Agent Laplace	26	19	20	15	19

À un seuil de signification de 0,05, peut-on conclure qu'il existe une différence entre les nombres moyens de contraventions données par les deux agents ?

11.13 Une enquête est menée par l'Université de l'Atlantique du Nord pour mesurer l'effet des changements de l'environnement sur les étudiants internationaux. Une des facettes de l'enquête est une comparaison entre le poids des étudiants à leur arrivée au campus et leur poids une année plus tard. Un échantillon aléatoire de 11 étudiants internationaux est choisi pour l'étude.

Nom	Poids (en kg)		Nom	Poids (en kg)	
	À l'arrivée	Une année plus tard		À l'arrivée	Une année plus tard
Nassar	56	65	Farouk	68	69
Hu	71	71	Thatcher	80	84
Obie	45	44	Sambul	91	95
Silverman	86	96	Onassis	82	82
Mehta	47	53	Pierre	116	122
Joshi	62	61			

Au seuil de signification de 0,01, peut-on conclure qu'il y a, en moyenne, une augmentation de poids durant la première année ? À l'aide des mêmes données, obtenez un intervalle de confiance à 95 % pour l'augmentation moyenne du poids durant la première année.

11.14 La direction de la chaîne de magasins Meubles à rabais a instauré un système de primes destiné aux représentants. Pour évaluer ce système innovateur, 12 représentants ont été sélectionnés au hasard et l'on a noté leurs revenus hebdomadaires avant et après l'instauration du système.

Représentant	Avant	Après	Représentant	Avant	Après
Sid Mahone	320 $	340 $	Peg Maneuso	625 $	631 $
Carol Quick	290	285	Anita Loma	560	560
Ashok Varde	421	475	John Cuso	360	365
Andy Jones	510	510	Carl Utz	431	431
Jean Loan	210	210	A.S. Kushner	506	525
Fan Tseng	402	500	Fern Lawton	505	619

Peut-on conclure à une augmentation significative du revenu hebdomadaire des représentants grâce au système innovateur? Utilisez un seuil de signification de 0,05. À l'aide des mêmes données, déterminez un intervalle de confiance à 90 % pour l'augmentation moyenne du revenu hebdomadaire d'un représentant grâce au système.

11.15 Harry Hutchings est propriétaire du Centre d'haltérophilie Hutchings. Il affirme qu'en prenant une vitamine spéciale, un haltérophile peut augmenter sa force. On sélectionne au hasard 10 athlètes étudiants et l'on teste leur force à l'aide du développé-couché standard. Après deux semaines d'entraînement régulier et de prise de supplément de vitamines, on soumet de nouveau les étudiants au même test. Les résultats figurent ci-dessous.

Nom	Poids soulevé Avant	Après
Evie Gorky	86	89
Bob Mack	115	114
Lou Brandon	156	156
Karl Unger	96	97
Sue Koontz	52	51
Pat O'Leary	57	58
Kim Dennis	85	87
Connie Kaye	53	54
Tom Dama	89	88
Maxine Sims	57	56

Au seuil de signification de 0,01, peut-on conclure que la vitamine spéciale augmente la force des athlètes?

11.16 Le gouvernement fédéral a récemment accordé des fonds à un programme spécial qui visait à réduire le crime dans les secteurs très criminalisés. Une étude sur l'impact du programme dans huit secteurs très criminalisés de Toronto, en Ontario, donnait les résultats suivants.

	Nombre de crimes par secteur							
	A	B	C	D	E	F	G	H
Avant	14	7	4	5	17	12	8	9
Après	2	7	3	6	8	13	3	5

Y a-t-il eu une diminution du nombre de crimes depuis l'application du programme? Utilisez un seuil de signification de 0,01.

11.4 LA DIFFÉRENCE ENTRE DEUX PROPORTIONS

Dans les trois sections précédentes, nous avons abordé des problèmes d'inférence statistique sur la différence entre deux moyennes. Dans un nombre important de problèmes tirés du monde réel, les données sont plutôt qualitatives. Dans un tel cas, on s'intéresse à l'estimation ou au test d'hypothèse sur la proportion des individus dans la population qui présentent une modalité donnée du caractère étudié. On peut remplacer ce caractère par la variable X définie ainsi : X prend la valeur « 1 » si l'individu présente la modalité sur laquelle porte notre attention, et prend la valeur « 0 » sinon. Ensuite, on s'intéresse à l'estimation ou au test d'hypothèse sur la proportion des individus de la population qui ont une valeur « 1 » (on l'appelle la *proportion de la population*). Aux chapitres 9 et 10, il était question des procédures d'estimation et des tests d'hypothèses sur la valeur d'une seule proportion. Dans cette section, nous élaborerons des procédures destinées à construire des intervalles de confiance et à tester des hypothèses sur la différence de deux proportions. Voici quelques exemples :

- General Motors envisage un nouveau design pour la Pontiac Grand Am. La direction, qui s'intéresse à la proportion des acheteurs potentiels aimant le nouveau design, veut savoir s'il y a une différence entre cette proportion chez les moins de 30 ans et celle chez les plus de 60 ans.

- Air Canada effectue une enquête sur la peur de prendre l'avion chez les adultes, après les événements du 11 septembre 2001. Plus précisément, elle veut savoir s'il existe une différence entre la proportion d'hommes et de femmes qui ont peur de prendre l'avion.

Dans chacun des cas ci-dessus, on peut coder chaque individu de la population par un « 1 » ou un « 0 ». Par exemple, dans le cas de la Grand Am, on attribue à chaque acheteur potentiel une valeur « 1 » s'il « aime le nouveau design » ou un « 0 » s'il « n'aime pas le nouveau design ». On veut comparer la proportion, p_1, de « 1 » dans la première population, avec la proportion, p_2, de « 1 » dans la deuxième population. On tire des échantillons indépendants à partir des deux populations, et l'on calcule les proportions expérimentales $\hat{p}_1 = \overline{X}_1 = \dfrac{Y_1}{n_1}$ et $\hat{p}_2 = \overline{X}_2 = \dfrac{Y_2}{n_2}$. Ici Y_1 et Y_2 désignent le nombre de données dans leurs échantillons respectifs avec une valeur « 1 ». Ces proportions estimées serviront de base pour la construction des intervalles de confiance et pour les tests d'hypothèses sur la différence entre deux proportions.

LE TEST D'HYPOTHÈSE SUR LA DIFFÉRENCE ENTRE DEUX PROPORTIONS

L'exemple suivant illustre le test des deux échantillons indépendants pour l'écart entre deux proportions.

Exemple 11.5

La société Parfum Manelli a récemment mis au point une nouvelle fragrance qu'elle prévoit mettre en marché sous le nom de Céleste. Le service des ventes de Manelli s'intéresse particulièrement à la proportion de jeunes femmes et à la proportion de femmes plus âgées qui aiment la nouvelle fragrance *suffisamment pour l'acheter*. On a décidé de tirer *indépendamment* des échantillons aléatoires de la population de jeunes femmes et de la population de femmes plus âgées. On a demandé à chaque femme de l'échantillon de sentir Céleste et de dire si elle l'aimait suffisamment pour acheter la bouteille. Concevez un test d'hypothèse pour déterminer si les deux proportions sont différentes. Utilisez un seuil de signification de 0,05.

Solution | On utilisera la procédure habituelle de test d'hypothèse en cinq étapes.

Étape 1 | On note p_1 la proportion de jeunes femmes dans la *population* qui achèteraient Céleste et p_2 la proportion des femmes plus âgées qui l'achèteraient.

L'hypothèse nulle et la contre-hypothèse sont :
$H_0 : p_1 - p_2 = 0$
$H_1 : p_1 - p_2 \neq 0$

Étape 2 | On a fixé le seuil de signification à 0,05.

Étape 3 | On définit les proportions expérimentales : $\hat{p}_1 = \overline{X}_1 = \dfrac{Y_1}{n_1}$ et $\hat{p}_2 = \overline{X}_2 = \dfrac{Y_2}{n_2}$. Ici Y_1 et Y_2 désignent le nombre de valeurs « 1 » dans les échantillons. À l'aide du même argument que celui utilisé pour obtenir les formules 11.1 à 11.4, on montre que[11] :

$$E(\hat{p}_1 - \hat{p}_2) = p_1 - p_2 \qquad\qquad \textbf{11.16}$$

Ainsi, $(\hat{p}_1 - \hat{p}_2)$ **est un estimateur sans biais de** $(p_1 - p_2)$.

Variance de $(\hat{p}_1 - \hat{p}_2)$ $\qquad V(\hat{p}_1 - \hat{p}_2) = \dfrac{p_1(1-p_1)}{n_1} + \dfrac{p_2(1-p_2)}{n_2}$ $\qquad \textbf{11.17}$

Les valeurs de p_1 et de p_2 sont inconnues. Cependant, selon l'hypothèse nulle, on a $p_1 = p_2$. Notant p cette proportion commune et faisant la substitution dans la formule 11.17, on obtient :

$$V(\hat{p}_1 - \hat{p}_2) = p(1-p) \left(\dfrac{1}{n_1} + \dfrac{1}{n_2} \right) \qquad\qquad \textbf{11.18}$$

Puisque la valeur de p est inconnue, on lui substitue l'estimateur sans biais suivant, $\hat{p}$, appelé **estimateur groupé.**

Estimateur groupé de p $\qquad \hat{p} = \dfrac{Y_1 + Y_2}{n_1 + n_2}$ $\qquad\qquad \textbf{11.19}$

On obtient alors la variable centrée réduite :

$$\dfrac{(\hat{p}_1 - \hat{p}_2)}{\sqrt{\hat{p}(1-\hat{p}) \left(\dfrac{1}{n_1} + \dfrac{1}{n_2} \right)}} \qquad\qquad \textbf{11.20}$$

On utilisera la formule 11.20 comme statistique.

Étape 4 | Il s'agit d'un test bilatéral. On suppose les tailles d'échantillon suffisamment grandes pour que la distribution de la statistique puisse être approximée par la loi normale Z. On effectuera donc un test Z bilatéral. Les valeurs limites de rejet (valeurs critiques) sont $-z_{\alpha/2} = -z_{0,025} = -1,96$ et $z_{\alpha/2} = z_{0,025} = 1,96$. On rejettera l'hypothèse nulle si la valeur z expérimentale est inférieure à $-1,96$ ou supérieure à $1,96$.

Étape 5 | À présent, on tire deux échantillons indépendants et l'on prend une décision. Supposons qu'un échantillon aléatoire de 100 jeunes femmes révèle que 20 aiment assez la fragrance Céleste pour l'acheter. De même, un échantillon de 200 femmes plus âgées a révélé que 100 aimaient suffisamment le parfum pour l'acheter. Ainsi,

$$\hat{p}_1 = \frac{y_1}{n_1} = \frac{20}{100} = 0,2 \; ; \quad \hat{p}_2 = \frac{y_2}{n_2} = \frac{100}{200} = 0,5$$

De plus,

$$n_1 p_1 = 20, \; n_1(1 - p_1) = 80, \; n_2 p_2 = 100 \text{ et } n_2(1 - p_2) = 100.$$

Chacun de ces nombres est supérieur à 5. De ce fait, n_1 et n_2 sont assez élevés pour assurer la normalité de la statistique sous H_0.

On combine ou groupe les proportions dans l'échantillon à l'aide de la formule 11.19.

$$\hat{p} = \frac{y_1 + y_2}{n_1 + n_2} = \frac{20 + 100}{100 + 200} = 0,40$$

La valeur de la statistique est:

$$z = \frac{\hat{p}_1 - \hat{p}_2}{\sqrt{\hat{p}(1 - \hat{p})\left(\dfrac{1}{n_1} + \dfrac{1}{n_2}\right)}} = \frac{0,2 - 0,5}{\sqrt{0,4(1 - 0,4)\left(\dfrac{1}{100} + \dfrac{1}{200}\right)}} = -5,00$$

La valeur z expérimentale $-5,00$ se trouve dans la zone de rejet, c'est-à-dire qu'elle est à gauche de $-1,96$. Par conséquent, au seuil de signification de 0,05, les données échantillonnales permettent de rejeter l'hypothèse nulle, c'est-à-dire qu'on peut conclure que les deux proportions sont différentes.

Pour trouver le seuil expérimental, on consulte la table Z (voir l'annexe F) et l'on cherche α de façon que $z_\alpha = 5,00$, c'est-à-dire qu'on cherche $P(Z > 5)$. La valeur z la plus élevée qui figure dans la table est 3,09 avec une probabilité correspondante de 0,4990. Donc, la probabilité de trouver une valeur z supérieure à 5,00 est pratiquement nulle. On indique donc que le seuil expérimental est presque 0.

Dans l'exemple ci-dessus, l'hypothèse nulle est $H_0: p_1 - p_2 = 0$. En général, l'hypothèse nulle peut prendre la forme $H_0: p_1 - p_2 = p_d$ ou $H_0: p_1 - p_2 \leq p_d$ ou $H_0: p_1 - p_2 \geq p_d$ pour une constante donnée p_d.

On résume les différents cas et le choix correspondant de la statistique dans le tableau ci-dessous:

Cas i): $p_d \neq 0$	Statistique $= \dfrac{(\hat{p}_1 - \hat{p}_2) - p_d}{\sqrt{\dfrac{\hat{p}_1(1 - \hat{p}_1)}{n_1} + \dfrac{\hat{p}_2(1 - \hat{p}_2)}{n_2}}}$
Cas ii): $p_d = 0$	Statistique $= \dfrac{(\hat{p}_1 - \hat{p}_2)}{\sqrt{\hat{p}(1 - \hat{p})\left(\dfrac{1}{n_1} + \dfrac{1}{n_2}\right)}}$

On suppose que la taille de l'échantillon soit suffisamment élevée, de sorte qu'avec $(p_1 - p_2) = p_d$, on peut approximer la statistique par la variable normale Z. On peut ensuite approximer le test par le test Z. La règle de décision est la même que celle du test Z exposée au chapitre 10, à la page 413.

■ RÉVISION 11.5

Des 150 adultes qui ont essayé une nouvelle pastille à la menthe poivrée et à saveur de pêche, 87 l'ont jugée excellente. Des 200 enfants sélectionnés, 123 l'ont jugée excellente. À l'aide d'un seuil de signification de 0,10, peut-on conclure à une différence entre les proportions d'adultes et d'enfants qui trouvent la nouvelle saveur excellente ?

LES INTERVALLES DE CONFIANCE POUR LA DIFFÉRENCE ENTRE DEUX PROPORTIONS

De nouveau, on suppose que les tailles d'échantillon soient suffisamment grandes pour que la variable aléatoire $(\hat{p}_1 - \hat{p}_2)$ soit à peu près normalement distribuée. En remplaçant p_1 par $\hat{p}_1$ et p_2 par $\hat{p}_2$ dans la formule 11.17 pour la variance de $(\hat{p}_1 - \hat{p}_2)$, on obtient un *intervalle de confiance approché* de niveau $(1 - \alpha)$ pour $(p_1 - p_2)$:

$$\text{Intervalle de confiance de niveau } (1 - \alpha) \text{ pour } (p_1 - p_2) \quad (\hat{p}_1 - \hat{p}_2) \pm z_{\alpha/2} \sqrt{\frac{\hat{p}_1(1 - \hat{p}_1)}{n_1} + \frac{\hat{p}_2(1 - \hat{p}_2)}{n_2}} \quad \textbf{11.21}$$

Exemple 11.6　Considérons à nouveau l'exemple sur le nouveau parfum Céleste de la parfumerie Manelli. Dans un échantillon de 100 jeunes femmes, 20 aimaient Céleste et, dans un échantillon indépendant de 200 femmes plus âgées, 100 l'aimaient. Déterminez un intervalle de confiance à 90 % pour la différence entre les proportions des jeunes femmes et des femmes plus âgées qui aiment le parfum.

Solution　À partir des données,

$$\hat{p}_1 = \frac{y_1}{n_1} = \frac{20}{100} = 0,2 \;;\quad \hat{p}_2 = \frac{y_2}{n_2} = \frac{100}{200} = 0,5$$

Comme on l'a constaté dans l'exemple précédent, les valeurs de n_1 et de n_2 sont assez élevées pour que l'approximation par une loi normale soit justifiée.

À l'aide de la formule 11.21, on obtient l'intervalle de confiance à 90 % pour $p_1 - p_2$:

$$(\hat{p}_1 - \hat{p}_2) \pm z_{\alpha/2} \sqrt{\frac{\hat{p}_1(1 - \hat{p}_1)}{n_1} + \frac{\hat{p}_2(1 - \hat{p}_2)}{n_2}}$$

$$= (0,2 - 0,5) \pm 1,645 \sqrt{\frac{0,2(0,8)}{100} + \frac{0,5(0,5)}{200}} = (-0,3878 \,;\, -0,2122)$$

■ RÉVISION 11.6

Référez-vous au problème de révision 11.5. Trouvez un intervalle de confiance à 95 % pour la différence entre les proportions d'adultes et d'enfants qui jugent excellente la nouvelle saveur de la pastille à la menthe poivrée.

EXERCICES 11.17 À 11.21

11.17 Dans un échantillon aléatoire de taille 100, le nombre de « 1 » ($= y_1$) est 70. Dans un deuxième échantillon indépendant de taille 150, le nombre de « 1 » ($= y_2$) est 90. Au seuil de signification de 0,05, peut-on conclure que la proportion p_1 de « 1 » dans la première population est plus élevée que la proportion p_2 dans la deuxième population ? Construisez un intervalle de confiance à 98 % pour $(p_1 - p_2)$.

11.18 Dans un échantillon aléatoire de taille 200, le nombre de « 1 » ($= y_1$) est 170. Dans un deuxième échantillon indépendant de taille 150, le nombre de « 1 » ($= y_2$) est 110. Au seuil de signification de 0,05, peut-on conclure que les valeurs de p_1 et de p_2, les proportions de « 1 » dans les populations, ne sont pas égales ? Construisez un intervalle de confiance à 92 % pour $(p_1 - p_2)$.

11.19 La famille Damon possède un important vignoble dans le sud-ouest de l'Ontario. La famille doit traiter les plants de vigne au début de la saison pour les protéger contre les insectes et les maladies. Deux nouveaux insecticides viennent d'être commercialisés : Pernod 5 et Action. Pour tester leur efficacité, on a sélectionné et traité trois rangées de plants au Pernod 5 et trois autres avec Action. Lorsque les raisins ont été mûrs, on a vérifié 400 plants choisis au hasard parmi ceux traités au Pernod 5 : 24 étaient infestés. De même, on a vérifié un échantillon indépendant de 400 plants sur lesquels on avait pulvérisé l'insecticide Action : 40 étaient infestés. Au seuil de signification de 0,05, peut-on conclure que l'écart entre les proportions des plants infestés traités par les deux insecticides est supérieur à 0,02 ?

11.20 L'organisation Roper a mené des études en 1990 et en 2000. Les deux échantillons étaient indépendants. L'une des questions posées aux femmes était : « Dans l'ensemble, la plupart des hommes sont-ils gentils, doux et sérieux ? » L'étude menée en 1990 a révélé que sur les 3000 femmes interrogées, 2010 ont dit qu'ils l'étaient. En 2000, 1530 des 3000 femmes interrogées pensaient que les hommes étaient gentils, doux et sérieux. Au seuil de signification de 0,05, peut-on conclure que la proportion des femmes pensant que les hommes sont gentils, doux et sérieux était plus petite en 2000 qu'en 1990 ?

11.21 Le service de recherche de la société d'assurances Cambridge effectue une étude continue sur les causes des accidents d'automobile, les caractéristiques des conducteurs, etc. Dans un échantillon aléatoire de 400 polices souscrites par des célibataires, les souscripteurs de 120 polices avaient été impliqués dans au moins un accident sur une période de trois ans. De même, dans un échantillon de 600 polices souscrites par des personnes mariées, 150 des souscripteurs avaient été impliqués dans au moins un accident. Au seuil de signification de 0,05, y a-t-il un écart significatif entre les proportions de personnes célibataires et mariées assurées par Cambridge qui ont eu un accident en trois ans ? À l'aide des mêmes données, déterminez un intervalle de confiance à 95 % pour la différence entre les deux proportions.

RÉSUMÉ DU CHAPITRE

I. Dans ce chapitre, on indique comment construire des intervalles de confiance et comment effectuer des tests d'hypothèses sur la différence, d, entre deux moyennes ou entre deux proportions.

II. Dans le cas des moyennes, l'hypothèse nulle prend l'une des formes suivantes : $H_0 : \mu_1 - \mu_2 = d_0$ ou $H_0 : \mu_1 - \mu_2 \leq d_0$ ou $H_0 : \mu_1 - \mu_2 \geq d_0$.

III. Les données peuvent se présenter sous la forme de deux *échantillons indépendants* ou sous la forme d'un *échantillon de données appariées*.

IV. Dans le cas d'échantillons indépendants :

A. Cas : $\sigma_1^2 = \sigma_2^2 = \sigma^2$ et la valeur de σ^2 est inconnue.

Dans ce cas, on utilise la statistique $\dfrac{(\bar{X}_1 - \bar{X}_2) - d_0}{\sqrt{S_p^2 \left(\dfrac{1}{n_1} + \dfrac{1}{n_2} \right)}}$ **11.10**

Si les distributions dans les deux populations sont normales, il s'agit d'une statistique t avec les degrés de liberté $(n_1 + n_2 - 2)$. Ici S_p^2, l'**estimateur groupé de σ^2**, est égal à :

$$S_p^2 = \frac{(n_1 - 1)S_1^2 + (n_2 - 1)S_2^2}{(n_1 + n_2 - 2)}$$ **11.8**

L'intervalle de confiance de niveau $(1 - \alpha)$ pour $(\mu_1 - \mu_2)$ est :

$$(\bar{X}_1 - \bar{X}_2) \pm t_{\alpha/2} \sqrt{S_p^2 \left(\frac{1}{n_1} + \frac{1}{n_2} \right)}$$

B. Cas : $\sigma_1^2 \neq \sigma_2^2$ et ces valeurs sont inconnues.

Dans ce cas, la statistique est $\dfrac{(\bar{X}_1 - \bar{X}_2) - d_0}{\sqrt{\dfrac{S_1^2}{n_1} + \dfrac{S_2^2}{n_2}}}$

Si les distributions dans les deux populations sont normales, cette statistique obéit approximativement à une loi t avec les degrés de liberté :

$$dl = \frac{(S_1^2/n_1 + S_2^2/n_2)^2}{\dfrac{(S_1^2/n_1)^2}{n_1 - 1} + \dfrac{(S_2^2/n_2)^2}{n_2 - 1}}$$ **11.6**

Un intervalle de confiance approché de niveau $(1 - \alpha)$ pour $(\mu_1 - \mu_2)$ est :

$$(\bar{X}_1 - \bar{X}_2) \pm t_{\alpha/2} \sqrt{\frac{S_1^2}{n_1} + \frac{S_2^2}{n_2}}$$

V. Dans le cas d'un échantillon de données appariées :

A. Les données sont appariées et se présentent sous la forme suivante : $(X_{11}, X_{21}), (X_{12}, X_{22}), \ldots, (X_{1n}, X_{2n})$. Notons D la différence entre les variables X_1 et X_2.

B. Dans ce cas, la statistique est $\dfrac{\bar{D} - d_0}{S_D / \sqrt{n}}$

Si les écarts D sont normalement distribués, cette statistique obéit à une loi t avec les degrés de liberté $dl = n - 1$.

C. L'intervalle de confiance de niveau $(1 - \alpha)$ pour $(\mu_1 - \mu_2)$ est :

$$\bar{D} \pm t_{\alpha/2}\ S_D / \sqrt{n} \qquad \textbf{11.15}$$

D. Les échantillons de données appariées donnent un test plus puissant lorsque les données appariées ont une corrélation positive élevée.

VI. Dans le cas des proportions, on considère des hypothèses nulles de forme

$$H_0 : p_1 - p_2 = p_d \ \text{ou} \ H_0 : p_1 - p_2 \leq p_d \ \text{ou} \ H_0 : p_1 - p_2 \geq p_d$$

A. Cas i) : $p_d \neq 0$. Dans ce cas, la statistique est :

$$\frac{(\hat{p}_1 - \hat{p}_2) - p_d}{\sqrt{\dfrac{\hat{p}_1(1 - \hat{p}_1)}{n_1} + \dfrac{\hat{p}_2(1 - \hat{p}_2)}{n_2}}}$$

B. Cas ii) : $p_d = 0$. Dans ce cas, on utilise la statistique :

$$\frac{(\hat{p}_1 - \hat{p}_2)}{\sqrt{\hat{p}(1 - \hat{p}) \left(\dfrac{1}{n_1} + \dfrac{1}{n_2} \right)}}$$

Ici $\hat{p}_1 = \dfrac{Y_1}{n_1}$ et $\hat{p}_2 = \dfrac{Y_2}{n_2}$, $\hat{p}$ est l'**estimateur groupé** et est égal à :

$$\hat{p} = \frac{Y_1 + Y_2}{n_1 + n_2} \qquad \textbf{11.19}$$

C. On suppose que les tailles d'échantillons soient suffisamment grandes pour que les statistiques obéissent approximativement à des lois Z.

D. Un intervalle de confiance approché de niveau $(1 - \alpha)$ pour $(p_1 - p_2)$ est donné par :

$$(\hat{p}_1 - \hat{p}_2) \pm z_{\alpha/2} \sqrt{\frac{\hat{p}_1(1 - \hat{p}_1)}{n_1} + \frac{\hat{p}_2(1 - \hat{p}_2)}{n_2}} \qquad \textbf{11.21}$$

EXERCICES 11.22 À 11.42

Pour chacun des exercices 11.22 à 11.42, supposez que les distributions soient à peu près normales.

11.22 Marc Éthier est ingénieur industriel aux Produits Lyon. Il aimerait déterminer si l'usine produit plus d'unités durant le quart de soir que durant celui de jour. Un échantillon de 54 travailleurs de jour a montré que le nombre moyen d'unités produites par travailleur s'élevait à 345 avec un écart type de 21. Un échantillon de 60 travailleurs de soir a montré que le nombre moyen d'unités produites s'élevait à 351 avec un écart type de 28 unités. Au seuil de signification de 0,05, peut-on conclure que le nombre moyen d'unités produites le soir est plus élevé ? Déterminez un intervalle de confiance à 99 % pour la différence entre le nombre moyen d'unités produites durant les deux quarts.

11.23 Une employée du ministère des Transports veut comparer la durée de vie, en mois, de deux marques de peinture pour les lignes de sécurité. Elle a examiné 35 lignes peintes avec de la peinture Cooper : en moyenne, la peinture a duré 36,2 mois avec un écart type de 1,14 mois. L'employée a ensuite considéré 40 lignes peintes avec de la peinture King : la durée moyenne fut de 37,0 mois avec un écart type de 1,3 mois. Au seuil de signification de 0,01, peut-on conclure à un écart entre la durée de vie des deux marques de peinture ? Calculez un intervalle de confiance à 95 % pour la différence entre la durée de vie moyenne des deux marques de peinture.

11.24 *L'indicateur de difficulté de lecture* sert à mesurer la difficulté de lecture de textes. C'est une mesure approximative du nombre d'années de scolarité exigé pour comprendre un texte. Dans un échantillon de 36 articles tirés d'une revue scientifique, l'indicateur de difficulté de lecture fut en moyenne de 11,0 avec un écart type de 2,65. Dans un échantillon de 40 articles tirés de publications spécialisées, ce même indicateur fut en moyenne de 8,9 avec un écart type de 1,64. Au seuil de signification de 0,01, peut-on conclure que l'indicateur de difficulté de lecture est plus élevé pour les textes dans la revue scientifique ? Construisez un intervalle de confiance à 90 % pour la différence entre l'indicateur moyen de difficulté de lecture des textes provenant de la revue scientifique et celui des textes des publications spécialisées.

11.25 Une étude sur l'ensemble des avantages en matière de santé des employés de grandes et petites entreprises est menée par Les Associés Primeau, une société de conseil en gestion. Dans l'échantillon aléatoire des 15 grandes entreprises étudiées, le coût moyen de l'ensemble de ces avantages était de 17,6 % du salaire avec un écart type de 2,6 %. Dans l'échantillon des 12 petites entreprises étudiées, le coût moyen de l'ensemble de ces avantages était de 16,2 % du salaire, avec un écart type de 3,3 %. Au seuil de signification de 0,05, y a-t-il une différence entre les coûts moyens (en pourcentage des salaires des employés) encourus par les grandes et les petites entreprises pour les avantages en matière de santé ?

11.26 Le responsable d'un service de messagerie croit que les colis expédiés à la fin du mois sont plus lourds que ceux expédiés plus tôt dans le mois. À titre d'expérience, il a pesé un échantillon aléatoire de 20 colis au début du mois et a découvert que le poids moyen était de 9,1 kg avec un écart type de 2,6 kg. Dix colis sélectionnés au hasard à la fin du mois avaient un poids moyen de 10,7 kg avec un écart type de 2,5 kg. Au seuil de signification de 0,05, peut-on conclure que les colis expédiés à la fin du mois pesaient plus en moyenne ? Construisez un intervalle de confiance à 95 % pour la différence entre les poids moyens des colis au début et à la fin du mois.

11.27 Le propriétaire des restaurants Hambourgeois Nord et Hambourgeois Sud souhaite comparer les ventes par jour aux deux endroits. Le nombre moyen de hamburgers vendus au cours des 10 jours sélectionnés au hasard côté Nord était de 83,55, avec un écart type de 10,50. Pour un échantillon aléatoire de 12 jours côté Sud, les ventes moyennes étaient de 78,80, avec un écart type de 14,25. Au seuil de signification de 0,05, peut-on conclure à une différence entre le nombre moyen de hamburgers vendus par jour aux deux endroits ?

11.28 Le service d'ingénierie de la société Logiciels Simon a récemment mis au point deux solutions chimiques destinées à augmenter la durée de vie des disques d'ordinateur. Dans un échantillon de 10 disques traités avec la première solution, les durées furent de 86, 78, 66, 83, 84, 81, 84, 109, 65 et 102 heures. Dans un échantillon indépendant de 14 disques traités avec la seconde solution, les durées furent de 91, 71, 75, 76, 87, 79, 73, 76, 79, 78, 87, 90, 76 et 72 heures. Au seuil de signification de 0,10, peut-on conclure à un écart entre les durées de vie moyennes des disques lorsqu'ils sont soumis à l'un ou l'autre des deux types de traitement ?

11.29 Les magasins Bazar ont deux points de vente. L'un est situé rue Pêche et l'autre, rue Prune. Les deux magasins sont disposés différemment, mais chaque directeur affirme que la disposition des articles maximise le nombre de clients faisant des achats impulsifs. Un échantillon aléatoire de 10 clients du magasin de la rue Pêche a révélé qu'ils ont dépensé les montants supplémentaires suivants : 17,58 $, 19,73 $, 12,61 $, 17,79 $, 16,22 $, 15,82 $, 15,40 $, 15,86 $, 11,82 $, 15,85 $. Un échantillon aléatoire de 14 clients du magasin de la rue Prune a révélé qu'ils ont dépensé les montants supplémentaires suivants : 18,19 $, 20,22 $, 17,38 $, 17,96 $, 23,92 $, 15,87 $, 16,47 $, 15,96 $, 16,79 $, 16,74 $, 21,40 $, 20,57 $, 19,79 $, 14,83 $. Au seuil de signification de 0,01, peut-on conclure à une différence entre les montants moyens dépensés impulsivement aux deux magasins ? Supposez que les variances soient égales.

11.30 Deux bateaux, le *Faucon-des-mers* et la *Reine-des-mers,* se font concurrence pour une place dans la Course des Amériques. Pour déterminer celui qui représentera le Canada, ils effectuent plusieurs fois une même partie du parcours. Les temps obtenus (en minutes) sont donnés ci-dessous. Au seuil de signification de 0,05, peut-on conclure à une différence entre leurs temps moyens ? Supposez que les variances soient égales.

Bateau	Temps (en minutes)
Faucon-des-mers	12,9 12,5 11,0 13,3 11,2 11,4 11,6 12,3 14,2 11,3
Reine-des-mers	14,1 14,1 14,2 17,4 15,8 16,7 16,1 13,3 13,4 13,6 10,8 19,0

11.31 Un fabricant de lecteurs de disques compacts voulait savoir si une réduction de 10 % du prix serait suffisante pour augmenter les ventes de son produit. À cette fin, il a sélectionné au hasard huit points de vente dans lesquels le lecteur de CD est offert à prix réduit. Aux autres points de vente sélectionnés au hasard dans une ville différente de même taille, le lecteur se vendait au prix courant. Le nombre d'unités vendues le mois dernier aux points de vente choisis est donné ci-dessous. Au seuil de signification de 0,01, le fabricant peut-il conclure que la réduction de prix s'est traduite par une augmentation des ventes ? Supposez que les variances soient égales.

Prix réduit	128	134	152	135	114	106	112	120
Prix courant	138	121	88	115	141	125	96	

11.32 Luc Jeté, de Logiciels Jeté, a récemment acheté une micropuce destinée à réduire considérablement le temps de traitement. Pour tester la micropuce, il a sélectionné un échantillon de 12 programmes : deux ordinateurs identiques exécutaient les programmes retenus, l'un muni de la fameuse micropuce et l'autre non. Les temps de traitement (en secondes) sont donnés ci-dessous. Au seuil de signification de 0,05, Luc Jeté peut-il conclure que la nouvelle micropuce permet de réduire le temps de traitement ?

Programme	Sans	Avec	Programme	Sans	Avec
1	1,23	0,60	7	1,30	0,60
2	0,69	0,93	8	1,37	1,35
3	1,28	0,95	9	1,29	0,67
4	1,19	1,37	10	1,17	0,89
5	0,78	0,62	11	1,14	1,29
6	1,02	0,99	12	1,09	1,00

11.33 Une université est passée récemment du système trimestriel au système semestriel. (Avec le système trimestriel, l'année universitaire est divisée en trois sessions de 10 semaines, alors qu'avec le système semestriel, l'année est divisée en deux sessions de 15 semaines.) Le doyen de l'École de commerce de cette université, le professeur Lemire, veut analyser les effets de ce changement sur les moyennes pondérées cumulatives (MPC) des étudiants. Il a donc sélectionné un échantillon de 10 étudiants inscrits à la session d'automne trimestrielle l'année dernière et à la session d'automne semestrielle de cette année. Les notes sont données ci-dessous. Au seuil de signification de 0,05, peut-on conclure que les notes moyennes des étudiants ont décliné après le passage au nouveau système ?

Élève	Automne dernier	Cet automne	Élève	Automne dernier	Cet automne
Asad	2,98	3,17	Lavoisier	2,09	2,08
Boisvert	2,34	2,04	Anderson	2,45	2,88
Sirois	3,68	3,62	Nguyen	2,96	3,15
Legendre	3,13	3,19	Palmer	2,80	2,49
Davis	3,34	2,90	Wallon	4,00	3,98

11.34 L'Institut d'assurance du Canada veut comparer les coûts annuels de l'assurance automobile offerte par deux sociétés qui dominent le marché. L'Institut sélectionne un échantillon de 15 familles, certaines avec un seul conducteur adulte et d'autres avec plusieurs conducteurs adolescents. Chaque famille reçoit une allocation pour contacter les deux sociétés et leur demander une estimation de la prime annuelle qu'elle devrait verser. Pour que les données puissent être comparées, certaines caractéristiques telles que le montant déductible et les plafonds de responsabilité sont standardisées. Les données obtenues sont reproduites à la page suivante. Au seuil de signification de 0,10, peut-on conclure à une différence entre les montants moyens observés ?

Famille	Assurances Maritimes	Assurances Riendeau	Famille	Assurances Maritimes	Assurances Riendeau
Berger	2090 $	1610 $	King	1018 $	1956 $
Boileau	1683	1247	Marleau	1881	1772
Marois	1402	2327	Jérôme	1571	1375
Delisle	1830	1367	Obeid	874	1527
Dubuc	930	1461	Parent	1579	1767
Éli	697	1789	Cloutier	1577	1636
Germain	1741	1621	Tessier	860	1188
Hu	1129	1914			

11.35 La société Fairfield bâtit des maisons sur deux sites près de Winnipeg. Pour tester différentes approches publicitaires, Fairfield utilise différents médias pour atteindre les acheteurs potentiels pour ces deux sites. Le revenu familial annuel moyen d'un échantillon aléatoire de 75 acheteurs potentiels pour le premier site est de 150 000 $, avec un écart type de 40 000 $. Dans un échantillon indépendant de 120 acheteurs potentiels pour le deuxième site, le revenu moyen est de 180 000 $, avec un écart type de 30 000 $. Au seuil de signification de 0,05, la société Fairfield peut-elle conclure à une différence entre les deux moyennes ?

11.36 Les données ci-dessous sur les taux de rendement annuels ont pour source cinq actions du New York Stock Exchange (Big Board) et cinq actions du NASDAQ. Au seuil de signification de 0,10, peut-on conclure que les taux moyens de rendement annuels sont plus élevés au Big Board ?

NYSE	17,16	17,08	15,51	8,43	25,15
NASDAQ	15,80	16,28	16,21	17,97	7,77

11.37 Une étude sur l'efficacité d'un savon antibactérien qui réduit la contamination dans les salles d'opération a donné les résultats reproduits dans le tableau ci-dessous. Le nouveau savon a été testé sur un échantillon de huit salles d'opération d'Ontario au cours de l'année dernière.

Salle d'opération	A	B	C	D	E	F	G	H
Avant	6,6	6,5	9,0	10,3	11,2	8,1	6,3	11,6
Après	6,8	2,4	7,4	8,5	8,1	6,1	3,4	2,0

Au seuil de signification de 0,05, peut-on conclure que la mesure moyenne de contamination est moins élevée après l'utilisation du nouveau savon ?

11.38 Chaque mois, l'Association nationale des directeurs d'achats publie un rapport appelé le NAPM. L'une des questions posées aux acheteurs dans l'étude mensuelle est : « Pensez-vous que l'économie est en expansion ? » Le mois dernier, on retrouvait 160 « oui » parmi les 300 réponses à cette question. Ce mois-ci, 170 des 290 répondants indiquaient que, selon eux, l'économie était en expansion. Au seuil de signification de 0,05, peut-on conclure qu'une plus grande proportion d'acheteurs croient que l'économie est en expansion ce mois-ci ? Quel est le seuil expérimental ? Déterminez un intervalle de confiance à 95 % pour la variation dans la proportion d'acheteurs qui croient que l'économie est en expansion.

11.39 Une société de produits pharmaceutiques, qui fabrique notamment un médicament pour les maux de tête, a récemment mis au point une nouvelle formule dite plus efficace. Pour l'évaluer, on a demandé à un échantillon aléatoire de 200 utilisateurs du médicament courant de l'essayer. Après un mois d'essai, 180 trouvaient le nouveau médicament plus efficace. En même temps, on a utilisé un groupe « placébo » : on a donné l'ancienne formule à un échantillon aléatoire indépendant de 300 utilisateurs du médicament, mais en leur disant qu'il s'agissait de la nouvelle. De ce groupe, 261 ont ressenti une amélioration. Au seuil de signification de 0,05, peut-on conclure que le nouveau médicament est réellement plus efficace ?

11.40 Dans une étude récente menée auprès des couples qui gagnent deux revenus, un psychologue du travail a découvert que 990 des 1500 hommes ayant participé à l'étude pensaient que le partage des tâches ménagères était équitable, et que 970 des 1600 femmes ayant participé à l'étude le pensaient aussi. Au seuil de signification de 0,01, peut-on conclure qu'une plus grande proportion d'hommes pensent que le partage des tâches ménagères est équitable ? Quel est le seuil expérimental ? Construisez un intervalle de confiance à 90 % pour la différence entre les proportions d'hommes et de femmes qui pensent que le partage des tâches ménagères est équitable.

11.41 Y a-t-il un écart entre les proportions d'hommes et de femmes qui fument au moins un paquet de cigarettes par jour ? Un échantillon aléatoire de 400 femmes a révélé que 72 fumaient au moins un paquet de cigarettes par jour. Dans un échantillon indépendant de 500 hommes, 70 fumaient au moins un paquet par jour. Au seuil de signification de 0,05, existe-t-il un écart entre les proportions d'hommes et de femmes qui fument au moins un paquet de cigarettes par jour ou peut-on attribuer l'écart observé aux fluctuations aléatoires dues à l'échantillonnage ?

11.42 Deux fournisseurs importants, HTC et XYZ, offrent des services pour Internet, dans une ville. On veut savoir s'il y a un écart entre les proportions de fois où un client est en mesure de se connecter à Internet. Durant une semaine, on appelle 500 fois le serveur HTC à des moments aléatoires au cours de la journée et de la nuit. On établit une connexion à Internet à 450 occasions. Une étude durant une semaine similaire menée auprès du fournisseur XYZ a montré qu'on pouvait se connecter à Internet 352 fois sur 400. Au seuil de signification de 0,01, peut-on conclure à un écart entre les proportions de fois où la connexion à Internet peut être établie ? Quel est le seuil expérimental ? Construisez un intervalle de confiance à 95 % pour la différence entre la proportion de fois où l'on peut se connecter à Internet avec succès en passant par l'un ou l'autre des deux fournisseurs de service.

www.exercices.ca 11.43 À 11.44

11.43 On veut savoir si la valeur moyenne du prix des actions des 1000 entreprises les plus importantes au Canada en 2000 a varié depuis novembre 2001. Le tableau de la page suivante contient la liste de 10 entreprises tirées au hasard à partir de la liste des 1000 entreprises les plus importantes établie par Globe Investor (voir www.globeinvestor.com). Le tableau donne, pour chaque entreprise retenue, le symbole et le prix de l'action le 8 novembre 2001. Allez sur le site www.tsx.com. Cliquez sur *Enter symbol*, entrez le symbole de chaque entreprise, puis cliquez sur *Go* pour trouver le prix actuel de l'action de l'entreprise. À l'aide de ces données, testez si l'on peut conclure, au seuil de signification de 0,05, que le prix moyen des actions de la liste des 1000 entreprises les plus importantes en 2000 a varié depuis le 8 novembre 2001.

Entreprise	Symbole	Prix le 8 nov. 2001
Bank of Nova Scotia	BNS	47,53
Thomson Corporation	TOC	46,00
Quebecor Inc.	QBR.A	15,25
EnCana Corporation	ECA	101,15
Magna International	MG.A	89,72
Power Corporation of Canada	POW	34,98
National Bank of Canada	NA	25,15
Hollinger Inc.	HLG.C	12,00
Onex Corporation	OCX	21,95
Pengrowth Energy Trust	PGF.UN	15,05

11.44 Allez sur le site www.homestore.ca. Sélectionnez au hasard les prix de 10 maisons unifamiliales à vendre à Calgary, en Alberta. (Pour ce faire, dans le menu *Select a state/province,* cliquez sur *Alberta* puis sur *Go.* Dans la boîte de dialogue *City,* tapez *Calgary* puis cliquez sur *Go.*) De même, sélectionnez au hasard les prix de 10 maisons unifamiliales à vendre à Durham (Ont.) (Utilisez la table de nombres aléatoires pour choisir des nombres aléatoires.) Au seuil de signification de 0,05, peut-on conclure que le prix moyen des maisons à vendre à Durham est plus élevé que celui des maisons à Calgary ? Quel est le seuil expérimental ? Interprétez-le. De plus, à l'aide des mêmes données, construisez un intervalle de confiance à 95 % pour la différence entre les prix moyens des maisons à vendre à Calgary et à Durham.

EXERCICES 11.45 À 11.47
DONNÉES INFORMATIQUES

11.45 Reportez-vous aux données du fichier Real Estate Data.xls dans lequel figurent les données sur les maisons vendues l'année dernière. Pour les deux tests ci-dessous, on supposera que les distributions sont normales et que les variances sont égales.

a) Au seuil de signification de 0,05, peut-on conclure à une différence entre les prix de vente moyens des maisons avec et sans piscine ?

b) Au seuil de signification de 0,05, peut-on conclure à une différence entre les prix de vente moyens des maisons avec et sans garage attenant ?

11.46 Reportez-vous aux données du fichier BASEBALL-2000.xls dans lequel figurent des données de la saison 2000 sur les 30 équipes des ligues majeures de base-ball.

a) Au seuil de signification de 0,05, peut-on conclure à une différence entre les assistances locales moyennes des équipes de la Ligue américaine et celles de la Ligue nationale ?

b) Au seuil de signification de 0,05, peut-on conclure à une différence entre le nombre moyen de coups de circuit des équipes qui ont des terrains en gazon artificiel (noté 1) et celui des équipes qui ont des terrains en gazon naturel (note 0) ?

11.47 À partir du fichier 100 of 1000 Top Companies.xls, étudiez les données sur le bénéfice par action réalisé en 2000 et celui réalisé en 1999 par ces entreprises. À partir de ces données, au seuil de signification de 0,05, peut-on conclure que le bénéfice moyen par action des 1000 plus importantes entreprises était plus élevé en 2000 qu'en 1999 ?

11.1 $H_0: \mu_1 - \mu_2 \le 0$
$H_1: \mu_1 - \mu_2 > 0$
Il s'agit d'un test t unilatéral à droite.
$dl = n_1 + n_2 - 2 = 5 + 6 - 2 = 9$;
pour $dl = 9$, $t_\alpha = t_{0,1} = 1,383$
Règle de décision : on rejette H_0 si la valeur t expérimentale est supérieure à 1,383.
$\bar{x}_1 = 6,0$; $\bar{x}_2 = 5,17$; $s_1 = 2,0$; $s_2 = 1,94$;

$$s_p^2 = \frac{4(2,0)^2 + 5(1,94)^2}{9} = 3,869$$

La valeur t expérimentale =

$$\frac{(6,0 - 5,17) - 0}{\sqrt{(3,869)(1/5 + 1/6)}} = 0,70.$$

Puisque la valeur t expérimentale est inférieure à 1,383, on ne rejette *pas* l'hypothèse nulle et l'on accepte l'affirmation de Jérôme.

11.2 L'intervalle de confiance à 90 % est

$$(6,0 - 5,17) \pm 1,833\sqrt{(3,869)(1/5 + 1/6)}$$
$$= (-1,35 \,; 3,01)$$

11.3 $H_0: \mu_D \ge 0$
$H_1: \mu_D < 0$
Il s'agit d'un test t unilatéral à gauche.
$dl = n - 1 = 7$
Valeur critique $= -t_\alpha = -t_{0,05} = -1,895$
$\bar{d} = -5,64$; $s_D = 4,96$

La valeur t expérimentale $= \dfrac{(-5,64 - 0)}{4,96/\sqrt{8}} = -3,22$

Puisque la valeur t expérimentale est inférieure à la valeur critique ($-1,895$), on rejette l'hypothèse nulle. Au seuil de signification 0,05, on peut conclure que, durant l'an 2000, l'augmentation hebdomadaire moyenne en pourcentage des actions de BCE était supérieure à celle de l'indice TSE 300.

11.4 L'intervalle de confiance à 95 % pour la différence entre les variations hebdomadaires moyennes en pourcentage de l'indice TSE 300 et du cours des actions de BCE durant l'année 2000 est

$$-5,64 \pm 2,365\,(4,96)/\sqrt{8} = (-9,78 \,; -1,49)$$

11.5 $H_0: p_1 - p_2 = 0$
$H_1: p_1 - p_2 \ne 0$
Il s'agit d'un test Z bilatéral.
Règle de décision : on rejette H_0 si la valeur expérimentale z est inférieure à $-z_{0,05} = -1,645$ ou si elle est supérieure à 1,645.
$\hat{p}_1 = 87/150 = 0,58$; $\hat{p}_2 = 123/200 = 0,615$
L'estimateur groupé
$\hat{p} = (87 + 123)/(150 + 200) = 0,6$
La valeur z expérimentale

$$= \frac{(0,58 - 0,615)}{\sqrt{(0,6)(0,4)(1/150 + 1/200)}} = -0,66$$

Puisque la valeur expérimentale z est comprise entre $-1,645$ et $+1,645$, on *ne* peut conclure à une différence entre les proportions d'adultes et d'enfants qui trouvent la nouvelle saveur excellente.

11.6 L'intervalle de confiance à 95 % pour la différence entre les deux proportions est :

$$(0,58 - 0,615) \pm 1,96\sqrt{\frac{(0,58)(0,42)}{150} + \frac{(0,615)(0,385)}{200}}$$
$$= (-0,139 \,; 0,069)$$

L'analyse de variance

Après avoir lu ce chapitre, vous serez en mesure :

- d'expliquer le concept général de l'analyse de variance ;

- de dresser la liste des caractéristiques des lois F ;

- d'organiser les données dans un tableau d'analyse de variance à un facteur et à deux facteurs ;

- de définir les termes *traitement* et *bloc* ;

- d'effectuer un test d'hypothèse pour déterminer s'il y a égalité entre plusieurs moyennes de traitement ;

- d'élaborer plusieurs tests pour différencier chaque paire de moyennes de traitement ;

 - d'effectuer un test d'hypothèse pour déterminer si les variances de deux populations sont égales.

SIR RONALD A. FISHER (1890-1962)

La théorie des plans expérimentaux et la méthode d'analyse de variance des données expérimentales ont été mises au point presque exclusivement par Sir Ronald A. Fisher. Ronald Fisher, cadet d'une famille de sept enfants, naquit le 17 février 1890 à East Finchley, une banlieue au nord de Londres. Encore enfant, Fisher laissait déjà entrevoir une profonde intelligence et montrait une étonnante précocité en mathématiques.

Dès son jeune âge, Fisher souffrit de myopie chronique. Il devait porter des lentilles si épaisses qu'elles ressemblaient à des cailloux, et sans elles, il était presque aveugle. Sa vie durant, ce handicap a nui à ses lectures. Il a acquis la plupart de ses connaissances en écoutant les autres lire à haute voix, et il résolvait des problèmes mathématiques mentalement. Ainsi, il a développé un puissant sens de la conceptualisation et de l'intuition ; il parvenait à visualiser géométriquement des relations mathématiques complexes. Ce sens géométrique constitue d'ailleurs la marque de ses grandes découvertes.

En 1912, Fisher obtint son diplôme en mathématiques et en physique théorique de l'Université de Cambridge. Au cours de sa dernière année d'études de premier cycle, il publia son premier rapport de recherche, dans lequel il introduisit la notion de base de la *méthode de vraisemblance maximale,* une de ses plus grandes contributions à la statistique.

Après l'obtention de son diplôme, Fisher occupa en six ans plusieurs postes, notamment dans une société de placement, dans une ferme au Canada et dans des écoles secondaires comme enseignant. Cependant, au cours de cette période, il poursuivit ses recherches sur la statistique. Il transforma plusieurs problèmes sur la distribution des variables statistiques en problèmes de géométrie à *n* dimensions, ce qui l'amena à élaborer le concept de *degrés de liberté.* Il parvint aussi à une caractérisation théorique de la distribution *t* de Student ainsi qu'à une distribution d'échantillonnage du coefficient de corrélation.

En 1919, grâce à sa réputation grandissante de mathématicien, le Galton Laboratory du London's University College et la Rothamsted Experimental Station lui offrirent tous deux un poste. Fisher considérait que Karl Pearson, le directeur du laboratoire Galton, était peu compréhensif et tyrannique ; il rejeta donc la première offre et se joignit à la Rothamsted Experimental Station. Dans le cadre de son travail, Fisher élabora sa fameuse théorie des plans expérimentaux, le procédé d'analyse de variance pour analyser des données expérimentales, ainsi que la caractérisation d'une importante classe de distributions, nommées « lois *F* » en son honneur. L'ouvrage qu'il publia en 1925, *Statistical Methods for Research Workers,* est considéré comme un texte clé dans ce domaine. Il est relativement difficile à lire. C'est d'ailleurs ce que confirmait M. G. Kendall, statisticien réputé et ami de Fisher : « On a déjà dit qu'aucun étudiant ne devait tenter de lire cet ouvrage à moins de l'avoir déjà lu. »

En plus de la statistique, Fisher s'intéressait aussi à la génétique. En 1933, ses importants travaux dans ce domaine lui valurent la Galton Chair of Eugenics du University College, poste qu'il occupa jusqu'en 1943. Cette même année, Fisher élabora une théorie basée sur les nouveaux groupes sanguins Rh et prédit la découverte de deux nouveaux anticorps et d'un huitième allèle, qui furent découverts très peu de temps après. Toujours en 1943, il fut nommé à la chaire de génétique Balfour de l'Université de Cambridge.

Parmi ses autres contributions importantes à la statistique, mentionnons : i) l'introduction du concept d'hypothèse nulle et du seuil de signification ; ii) les distributions de plusieurs statistiques, comme les coefficients de corrélation partielle et multiple ainsi que les coefficients de régression dans l'analyse de covariance et iii) l'analyse discriminante linéaire.

Sir Fisher, lauréat de plusieurs prestigieux prix et distinctions, fut nommé chevalier par la reine Élizabeth en 1952.

1498
1548
1598
1648
1698
1748
1898
1948
2000

INTRODUCTION

Dans ce chapitre, nous poursuivons notre exposé sur les tests d'hypothèses. Au chapitre 10, nous avons examiné le cadre de base de la théorie statistique des tests d'hypothèses. Ensuite, nous avons élaboré une procédure en cinq étapes pour tester une hypothèse sur la valeur de la moyenne d'une population donnée. Lorsque la distribution de la population est normale et que la valeur de la variance de la population est connue, la statistique utilisée obéit à une loi normale centrée réduite. Nous appelons le test correspondant « test Z ». Lorsque la distribution de la population est normale, mais que la valeur de la variance de la population est inconnue, la statistique utilisée obéit à une loi t de Student. Nous appelons le test correspondant « test t ». Au chapitre 11, nous avons appliqué les méthodes élaborées au chapitre précédent dans le cas de deux populations. Plus particulièrement, nous avons créé des tests sur la différence entre les moyennes et les proportions dans deux populations données.

Dans ce chapitre, nous élargissons les notions de test d'hypothèse élaborées aux chapitres 10 et 11. Nous décrivons une méthode appelée **analyse de variance** qui permet de vérifier simultanément si plusieurs populations ont la même valeur moyenne. Dans ce cas, nous supposons que toutes les distributions sont normales et qu'elles ont une variance égale. Puisque la méthode exige que toutes les populations aient la même variance, nous devons disposer d'une procédure permettant de tester l'hypothèse selon laquelle deux populations données ont une variance égale. Nous discutons de cette procédure pour deux populations normalement distribuées dans l'annexe A du chapitre 12, que vous trouverez sur le cédérom accompagnant ce manuel. Toutes les statistiques que nous étudions dans ce chapitre obéissent à des lois regroupées sous le nom de « distributions F » ou « lois F ». Ainsi, nous commençons le chapitre en examinant les lois F.

12.1 LES LOIS *F*

Comme on l'a dit précédemment, ces lois ont été nommées ainsi en l'honneur de Sir Ronald Fisher, l'un des fondateurs de la statistique des Temps modernes. Voici les caractéristiques[1] des lois F.

- Les lois F sont basées sur la notion de rapport de variances.

- **Il existe une « famille » de lois F.** On détermine un membre particulier de la famille à l'aide des deux paramètres (v_1, v_2), où v_1 est le nombre de degrés de liberté au numérateur et v_2, le nombre de degrés de liberté au dénominateur. Le graphique suivant illustre la fonction de densité de quelques lois F. L'une d'entre elles représente la loi F pour $dl = (29, 28)$, autrement dit 29 degrés de liberté au numérateur et 28 degrés de liberté au dénominateur. Une autre représente la loi F pour $dl = (19, 6)$. Il faut noter que la forme des courbes change lorsque les degrés de liberté varient.

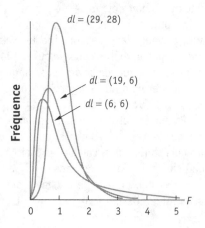

- **Les lois F sont continues.** Elles peuvent prendre n'importe quelle valeur entre 0 et l'infini.

- **Les lois F ne peuvent être négatives.** La plus petite valeur que F peut prendre est 0.

- **Les lois F sont asymétriques à droite.** La queue la plus longue de la fonction de densité se situe du côté droit. Lorsque le nombre de degrés de liberté augmente, la fonction de densité se rapproche de celle d'une loi normale.

- **Les lois F sont asymptotiques à l'axe horizontal.** Autrement dit, la courbe de la fonction de densité s'approche de l'axe horizontal lorsque la valeur de F augmente, mais ne le touche jamais. On observe un phénomème semblable dans le cas des queues d'une loi normale (voir le chapitre 7).

L'annexe D présente les valeurs de $F_{0,01}$ [une valeur f telle que $P(F \geq f) = 0,01$] et $F_{0,05}$ [une valeur f telle que $P(F \geq f) = 0,05$] pour différentes valeurs des degrés de liberté, $dl = (v_1, v_2)$. Par exemple, pour $dl = (6, 7)$, on obtient la valeur de $F_{0,05}$ dans la table de l'annexe D correspondant au seuil de signification de 5 % dans la colonne intitulée « 6 » et sur la ligne « 7 » (voir aussi le tableau 12.1). Cette valeur est 3,87.

TABLEAU 12.1 Quelques valeurs critiques de la distribution F, $\alpha = 0,05$

Degrés de liberté au dénominateur	Degrés de liberté au numérateur			
	5	6	7	8
1	230	234	237	239
2	19,30	19,30	19,40	19,40
3	9,01	8,94	8,89	8,85
4	6,26	6,16	6,09	6,04
5	5,05	4,95	4,88	4,82
6	4,39	4,28	4,21	4,15
7	3,97	3,87	3,79	3,73
8	3,69	3,58	3,50	3,44
9	3,48	3,37	3,29	3,23
10	3,33	3,22	3,14	3,07

- La valeur $F_{0,95}$ pour $dl = (v_1, v_2)$ est égale[2] à la valeur $(1/F_{0,05})$ pour $dl = (v_2, v_1)$. (Remarquez l'inversion des degrés de liberté au numérateur et au dénominateur.) Par exemple, pour trouver la valeur de $F_{0,95}$ pour $dl = (8, 6)$, on cherche la valeur de $F_{0,05}$ pour $dl = (6, 8)$. Elle est égale à 3,58. Ainsi, pour $dl = (8, 6)$, la valeur $F_{0,95}$ est égale à $(1/3,58)$. En général, pour des degrés de liberté (v_1, v_2) et toute valeur α comprise entre 0 et 1, on a :

$$F_{(1-\alpha)}[dl = (v_1, v_2)] = \frac{1}{F_\alpha}[dl = (v_2, v_1)] \qquad \textbf{12.1}$$

12.2 LES DONNÉES EXPÉRIMENTALES, PLANIFIÉES OU OBSERVÉES

Aux chapitres 9 et 10, nous avons présenté les notions fondamentales des théories statistiques de l'estimation et des tests d'hypothèses. Nous avons appliqué ces notions aux problèmes relativement simples portant sur la valeur d'une moyenne ou d'une proportion dans une seule population.

Cependant, dans la plupart des problèmes pratiques, on souhaite tirer des conclusions sur la relation qui existe entre deux variables ou plus. Nous avons commencé une étude de ces problèmes au chapitre 11. Dans le reste du présent chapitre ainsi qu'aux chapitres 13 et 14, nous les aborderons plus en détail. Dans un tel contexte, une des principales problématiques consiste à déterminer la méthode de collecte des données.

À titre d'exemple, considérons Bruno Kuhlman, le propriétaire des fermes Kuhlman, qui souhaite étudier les effets de trois marques d'engrais, soit Wolfe, White et Korosa, sur le rendement du blé. Supposons qu'il effectue l'expérience suivante. Il choisit trois parcelles de terrain de taille égale et attribue la marque d'engrais Wolfe à l'une des parcelles, la marque White à la deuxième et la marque Korosa à la troisième. Ensuite, il sème le blé en même temps et de la même manière dans les trois cas. À la fin de la saison, il note le nombre de boisseaux de blé produits par chaque parcelle. La différence entre les rendements des trois parcelles reflétera-t-elle les effets des trois engrais sur le rendement? La réponse est non, car cette expérience comporte de nombreux défauts.

Le rendement de la culture ne dépend pas uniquement du type d'engrais. Il dépend d'un très grand nombre de facteurs, dont la quantité d'ensoleillement, l'approvisionnement en eau, le type de sol, etc. La différence de rendement peut alors, partiellement du moins, provenir de ces autres facteurs qui influent sur le rendement. Il existe deux manières d'éliminer les effets des autres facteurs.

- **Effectuer une expérience contrôlée.** On s'assure que les modalités de tous les autres facteurs sont égales pour les trois parcelles. Par exemple, on veille à ce qu'elles aient le même type de sol et obtiennent la même quantité d'ensoleillement et d'eau.

- **Utiliser une randomisation complète.** Si l'on ne peut contrôler tous les autres facteurs, alors on doit utiliser une randomisation pour attribuer les trois engrais aux parcelles. Autrement dit, on choisit aléatoirement l'une des trois parcelles et on lui attribue la marque d'engrais Wolfe. Ensuite, on affecte la marque White à l'une des deux parcelles restantes. Enfin, on utilise Korosa sur la dernière. La randomisation permet de s'assurer que les effets des autres facteurs deviendront aléatoires et surviendront comme des erreurs aléatoires. Les rendements X_1, X_2 et X_3 des trois parcelles attribuées aux engrais Wolfe, White et Korosa peuvent s'exprimer ainsi :

$$X_1 = \alpha + \tau_1 + \epsilon_1$$
$$X_2 = \alpha + \tau_2 + \epsilon_2$$
$$X_3 = \alpha + \tau_3 + \epsilon_3$$

Ici, τ_1, τ_2 et τ_3 sont les rendements moyens attribuables aux effets des trois types d'engrais, α représente l'effet moyen de tous les autres facteurs et ϵ_1, ϵ_2 et ϵ_3 sont les effets aléatoires des autres facteurs. Les erreurs aléatoires ϵ_1, ϵ_2 et ϵ_3 auront une moyenne de 0 et auront la même distribution. À cause de la présence des erreurs aléatoires ϵ_1, ϵ_2 et ϵ_3, les valeurs des rendements X_1, X_2 et X_3 seront différentes des valeurs moyennes ($\mu_j = \alpha + \tau_j$). Par conséquent, pour estimer les valeurs de μ_1, μ_2 et μ_3, on utilisera des échantillons de taille plus élevée. Par exemple, on peut choisir un plus grand nombre de parcelles, disons 12, puis on attribue aléatoirement 4 parcelles à chacun des 3 engrais.

La plupart des expériences effectuées en pratique soit ne sont pas entièrement contrôlées (il est impossible de contrôler tous les facteurs), soit ne sont pas entièrement aléatoires. Ce sont des expériences partiellement contrôlées. Par exemple, dans le problème des fermes Kuhlman, il faut tenter de contrôler les facteurs les plus importants (autrement dit les facteurs ayant un effet important sur le rendement). Sinon, la randomisation des effets de ces facteurs clés produira des erreurs aléatoires dont la variance est importante et, dans ce cas, la précision et la fiabilité des estimateurs des μ_j obtenus seront faibles. Si l'on ne peut contrôler les valeurs des facteurs importants, on conçoit des expériences pour réduire les effets variables de ces facteurs. Le domaine remarquable de la statistique, appelé *plan expérimental,* a attiré l'attention de plusieurs érudits. Il existe d'ailleurs une importante documentation sur ce sujet. Par exemple, dans un de ces plans, on divise les parcelles choisies en groupes de trois, de sorte que les trois parcelles d'un groupe ont sensiblement les mêmes valeurs pour les facteurs importants. Ce groupe de parcelles s'appelle un **bloc.** On attribue ensuite aléatoirement les trois parcelles de chaque bloc aux trois formes de traitement. Ce plan s'appelle un **plan en blocs randomisés.**

Bien que les expériences contrôlées soient couramment utilisées dans diverses disciplines des sciences exactes comme la physique et la chimie, il est rarement possible de concevoir de telles expériences en sciences sociales. En sciences sociales, même si les modèles employés reflètent un plan expérimental, la source primaire des données provient de l'observation des résultats tirés du monde réel. Par exemple, si l'on veut étudier l'effet des taux d'intérêt sur les investissements, on ne peut demander à la Banque du Canada de fixer les taux d'intérêt de telle sorte qu'ils conviennent à notre expérience. On observe donc les taux d'intérêt et la valeur des investissements durant plusieurs années. Pour les interpréter, on suppose que la nature exécute l'expérience et qu'elle contrôle correctement les valeurs des facteurs ou qu'elle effectue une randomisation. Les chercheurs disposent maintenant d'importants volumes de données observées. Nous avons déjà fait mention d'importantes sources de données au chapitre 1.

12.3 L'ANALYSE DE VARIANCE À UN FACTEUR

Dans cette section, nous indiquons comment l'analyse de variance (ANOVA) permet de tester l'effet d'un seul facteur admettant plusieurs modalités sur la valeur de la moyenne, quand les données sont choisies en utilisant une randomisation complète. L'analyse de variance a été élaborée pour des applications en agriculture, et bon nombre de termes liés à ce contexte sont utilisés dans la présentation abstraite de l'ANOVA. En particulier, le terme *traitement* représente les différentes modalités du facteur. Par exemple, dans le problème des fermes Kuhlman, le facteur est l'engrais et les traitements sont les trois types d'engrais. À chaque traitement correspond un *groupe,* c'est-à-dire une population munie d'une variable. (Dans notre exemple, la population est l'ensemble des parcelles et la variable associée à un engrais, le rendement lorsque la parcelle est traitée avec cet engrais ; en pratique, on se sert parfois du terme traitement pour désigner le groupe correspondant à un traitement.) On élaborera une procédure, adaptée aux contextes dans lesquels les données sont obtenues en utilisant une randomisation complète, qui permet de tester si les valeurs moyennes des groupes correspondant aux différents traitements sont différentes.

LES HYPOTHÈSES DE L'ANALYSE DE VARIANCE

Pour utiliser l'analyse de variance, on suppose ce qui suit :

- Dans chaque groupe, la variable est normalement distribuée.
- Les variables de différents groupes ont la même variance (σ^2).
- Les échantillons sont choisis indépendamment.

Poursuivons avec le problème des fermes Kuhlman. Supposons que M. Kuhlman divise son champ en 12 parcelles de taille égale et qu'il attribue aléatoirement chaque marque d'engrais à 4 parcelles différentes. Il sème ensuite le blé en même temps et de la même manière. À la fin de la saison, il note le nombre de boisseaux de blé produits par chaque parcelle. Dans cet exemple, il y a trois traitements. Autrement dit, les trois marques d'engrais différentes sont les trois traitements. Supposons que les résultats obtenus soient les suivants :

Wolfe	White	Korosa
55	60	50
54	70	54
59	61	49
56	65	51

FIGURE 12.1 Le cas où les moyennes des traitements sont différentes

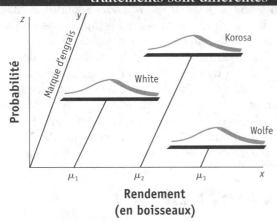

FIGURE 12.2 Le cas où les moyennes des traitements sont les mêmes

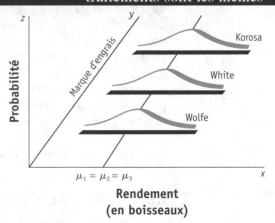

Y a-t-il une différence entre les nombres moyens de boisseaux de blé produits selon les différents traitements?

La figure 12.1 illustre la situation quand le rendement moyen diffère selon le traitement. On suppose ici que les distributions sont normales et qu'elles ont une variance égale. Le cas où les rendements moyens sont identiques est représenté à la figure 12.2.

LE TEST D'ANALYSE DE VARIANCE

Comment fonctionne le test d'analyse de variance? N'oubliez pas que l'on cherche à déterminer si les divers échantillons proviennent de groupes ayant ou non la même moyenne. Si les moyennes (μ_1, μ_2, ..., μ_k) sont égales, alors toute différence entre les valeurs moyennes des échantillons découlerait du hasard et serait exprimée par les termes (ϵ_1, ϵ_2, ..., ϵ_n). Si les moyennes μ_j ne sont pas toutes égales, alors la différence entre les moyennes des échantillons serait causée par la différence entre les moyennes μ_j, en plus du facteur dû au hasard.

L'analyse de variance est basée sur deux concepts. Le premier est la décomposition de la variation totale des données échantillonnales en deux termes: la variation provenant de l'effet du traitement et la variation aléatoire (découlant de l'échantillonnage). Le second concept est la comparaison de ces deux variations. Quand les moyennes dans les groupes ne sont pas égales, on s'attend à ce que la variation causée par l'effet du traitement soit plus grande. Une règle de décision détermine ensuite quand cette variation due au traitement est suffisamment grande pour conclure que les moyennes μ_j ne sont pas égales. Pour élaborer cette règle de décision, *on a besoin de l'hypothèse supplémentaire selon laquelle tous les groupes ont la même variance σ^2.* Selon cette hypothèse, quand les moyennes μ_j sont toutes identiques, on s'attend à ce que les deux variations (la variation due au traitement et la variation aléatoire) soient plus ou moins égales.

Lorsque le rapport entre la variation due au traitement et la variation aléatoire est élevé, il est raisonnable de croire que les moyennes μ_j ne sont pas toutes les mêmes. Quelle doit être la valeur de ce rapport pour conclure de rejeter H_0? On montrera que, lorsque les distributions sont normales et les échantillons indépendants, une version standardisée de ce rapport (utilisée comme statistique) obéit à une loi F. On obtiendra ensuite une valeur critique en utilisant la distribution F et la valeur correspondant au seuil de signification α.

Reportez-vous à l'exemple des fermes Kuhlman dans la section précédente. Le fermier souhaite déterminer s'il existe une différence entre les rendements moyens de la culture de blé avec les divers engrais (qu'on notera ici 1, 2 et 3 pour Wolfe, White et Korosa). Il dispose de 12 parcelles de terrain, et 4 seront attribuées aléatoirement à chacun des 3 engrais. De façon générale, on note $n_1, n_2, ..., n_k$ les tailles d'échantillons correspondant aux k traitements. Dans notre exemple, $k = 3$ et $n_1 = n_2 = n_3 = 4$. On note $X_{11}, ..., X_{n_1}$ les observations correspondant au traitement 1 ; $X_{12}, ..., X_{n_2}$ celles correspondant au traitement 2 ; etc. Dans notre exemple, $x_{11} = 55$, $x_{21} = 54$, ..., $x_{43} = 51$. (Reportez-vous aux données figurant à la page 483.)

Pour commencer, on calcule la valeur de $\overline{\overline{X}}$, la moyenne globale de toutes les observations. Dans l'exemple des engrais, la valeur moyenne globale du rendement des 12 parcelles de terrain est égale à 57 boisseaux et s'obtient ainsi : $\dfrac{(55 + 54 + ... + 51)}{12}$.

Ensuite, pour chacune des observations, on calcule la différence entre l'observation et la moyenne globale. Puis, chacune de ces différences est élevée au carré, et ces carrés sont additionnés. La somme ainsi obtenue est appelée **variation totale** ou **somme des carrés totale (SCT)**.

> **𝑑**　**Somme des carrés totale (SCT)**　Somme des carrés des différences entre chaque observation et la moyenne globale.

$$\text{SCT} = \sum_{i,j} (X_{ij} - \overline{\overline{X}})^2 \qquad \textbf{12.2}$$

Le symbole $\Sigma_{i,j}$ signifie que la quantité $(X_{ij} - \overline{\overline{X}})^2$ est calculée pour toutes les valeurs de (i, j) et que tous ces termes sont additionnés. Dans notre exemple, $\text{SCT} = (55 - 57)^2 + (54 - 57)^2 + ... + (51 - 57)^2 = 434$.

Notons $\overline{X}_{\bullet 1}, \overline{X}_{\bullet 2}, ..., \overline{X}_{\bullet k}$ respectivement les moyennes des échantillons correspondant aux traitements 1, 2, ..., k.

Dans notre exemple, $\overline{x}_{\bullet 1} = \dfrac{55 + 54 + 59 + 56}{4} = 56$, $\overline{x}_{\bullet 2} = \dfrac{60 + 70 + 61 + 65}{4} = 64$ et

$\overline{x}_{\bullet 3} = \dfrac{50 + 54 + 49 + 51}{4} = 51$.

Une simple manipulation algébrique montre que l'on peut décomposer la variation totale en deux composantes :

$$\text{SCT} = \sum_{i,j} (X_{ij} - \overline{\overline{X}})^2 = \sum_{i,j} (X_{ij} - \overline{X}_{\bullet j} + \overline{X}_{\bullet j} - \overline{\overline{X}})^2 = \text{SCF} + \text{SCE} \qquad \textbf{12.3}$$

Ici,

> **𝑑**　**La somme des carrés due au facteur (SCF)** est la somme pondérée des carrés des différences entre les moyennes des échantillons et la moyenne globale.

$$\text{SCF} = n_1(\overline{X}_{\bullet 1} - \overline{\overline{X}})^2 + n_2(\overline{X}_{\bullet 2} - \overline{\overline{X}})^2 + ... + n_k(\overline{X}_{\bullet k} - \overline{\overline{X}})^2 \qquad \textbf{12.4}$$

d **La somme des carrés due à l'erreur (SCE)** est la somme des carrés des différences entre chaque observation et la moyenne de l'échantillon correspondant.

$$SCE = \sum_i (X_{i1} - \bar{X}_{\bullet 1})^2 + \sum_i (X_{i2} - \bar{X}_{\bullet 2})^2 + \ldots + \sum_i (X_{ik} - \bar{X}_{\bullet k})^2 \qquad \textbf{12.5}$$

Le symbole $\sum_i$ signifie que la quantité est calculée pour chaque valeur de i et que les termes obtenus sont additionnés. Dans l'exemple des engrais,

$$\sum_i (X_{i1} - \bar{X}_{\bullet 1})^2 = (X_{11} - \bar{X}_{\bullet 1})^2 + (X_{21} - \bar{X}_{\bullet 1})^2 + (X_{31} - \bar{X}_{\bullet 1})^2 + (X_{41} - \bar{X}_{\bullet 1})^2$$

*Ainsi, il est possible de scinder la variation totale des données échantillonnales (SCT) en deux composantes: i) une variation due au facteur (appelée **SCF**) et ii) une variation due à l'erreur (appelée **SCE**). La variation SCE provient de la variation aléatoire à l'intérieur de chacun des groupes (traitements). La SCF provient des variations aléatoires des moyennes des différents groupes.*

La décomposition de la variation totale dans les données échantillonnales i) en une variation **entre** les traitements (SCF) et ii) en une variation **au sein** des traitements (SCE) est la notion fondamentale qui sous-tend tous les tests d'analyse de variance.

Dans l'exemple des engrais, la variation due au facteur est :

$$SCF = 4\,(56 - 57)^2 + 4\,(64 - 57)^2 + 4\,(51 - 57)^2 = 344$$

Et la variation due à l'erreur est :

$$SCE = (55 - 56)^2 + (54 - 56)^2 + \ldots + (49 - 51)^2 + (51 - 51)^2 = 90$$

Il est possible d'écrire SCE ainsi :

$$SCE = (n_1 - 1)S_1^2 + (n_2 - 1)S_2^2 + \ldots + (n_k - 1)S_k^2 \qquad \textbf{12.6}$$

Ici, S_1^2, S_2^2, ..., S_k^2 désignent les variances des échantillons correspondant aux différents traitements.

On normalise la SCE pour obtenir une statistique appelée **variance résiduelle** ou **carré moyen dû à l'erreur (CME)**, laquelle est un estimateur sans biais de σ^2 (la variance commune de toutes les populations). On normalise aussi la SCF pour obtenir une statistique appelée **carré moyen dû au facteur (CMF)**. Quand toutes les moyennes μ_j sont égales, la statistique CMF est aussi un estimateur sans biais de σ^2. Ainsi, dans ce cas, le rapport de CMF et de CME est près de 1. Par ailleurs, si les moyennes μ_j ne sont pas toutes égales, alors les différences entre ces moyennes font augmenter la valeur de SCF et donc celle de CMF. Une valeur très élevée pour le rapport CMF/CME suggère donc que les moyennes μ_j ne sont pas toutes égales.

Ainsi, on définit :

| **Carré moyen dû à l'erreur** | $CME = SCE/(n - k)$ | **12.7** |

| **Carré moyen dû au facteur** | $CMF = SCF/(k - 1)$ | **12.8** |

Ici, $n = n_1 + \ldots + n_k$ est le nombre total d'observations et k, le nombre de traitements. On peut montrer[3] que :

- *CME est un estimateur sans biais de σ^2*. En fait, CME est une généralisation de l'estimateur groupé S_p^2 de σ^2 étudié au chapitre 11 (voir la formule 11.8). Quand $k = 2$ (autrement dit dans le cas de deux groupes), $CME = S_p^2$.

- *Quand H_0 est vraie, (autrement dit toutes les moyennes μ_j sont les mêmes), CMF est aussi un estimateur sans biais de σ^2*. Cependant, si les moyennes μ_j ne sont pas toutes identiques, pour au moins un échantillon, la différence entre sa moyenne et la moyenne globale contiendra une composante systématique. En conséquence, la valeur espérée de CMF sera supérieure à σ^2.

Cela laisse entendre que la valeur suivante constitue un bon choix de statistique :

| **Statistique** | $F = CMF/CME$ | **12.9** |

Quand H_0 est vraie, le numérateur et le dénominateur sont des estimateurs sans biais de σ^2. Ainsi, dans ce cas, on s'attend à ce que la valeur de F se situe près de 1. Si H_0 est fausse, alors le dénominateur demeure tout de même un estimateur sans biais de σ^2, mais la valeur de CMF tend à être supérieure à σ^2, ce qui rend la valeur de F plus grande que 1. Notre règle de décision consistera alors à choisir une valeur critique α_U et à rejeter H_0 si la valeur expérimentale de F est plus grande que la valeur critique. Par conséquent, il s'agit d'un test unilatéral à droite.

Quand H_0 est vraie, la statistique F obéit à une loi F avec les degrés de liberté $(k - 1, n - k)$. On choisira donc une valeur critique $\alpha_U = F_{0,05}$ [degrés de liberté, $dl = (k - 1, n - k)$].

Dans notre exemple,

$$CMF = SCF/(k - 1) = 344/2 = 172$$
$$CME = SCE/(n - k) = 90/(12 - 3) = 10$$

Ainsi,

$$F = \frac{172}{10} = 17,2$$

Cette valeur est plus grande que 1. Cependant, est-elle suffisamment grande pour qu'on rejette H_0 ? Cela dépendra du choix de la valeur critique.

Supposons que l'on utilise $\alpha = 0,05$. Alors, la valeur critique est $F_{0,05}$ avec $dl = (3 - 1, 12 - 3) = (2, 9)$. En se référant à l'annexe D, on obtient $F_{0,05} = 4,26$. (Il s'agit du nombre situé à l'intersection de la colonne intitulée « 2 » et de la ligne intitulée « 9 ».)

Puisque la valeur expérimentale $F = 17,2$ est plus grande que la valeur critique 4,26, on peut, à un seuil $\alpha = 0,05$, rejeter H_0 et conclure que les moyennes μ_j ne sont pas toutes égales. Il est donc raisonnable de croire qu'il existe une différence entre les rendements moyens obtenus grâce aux trois engrais.

Considérons maintenant un autre exemple.

Exemple 12.1

Le professeur Ram Anja a demandé aux étudiants de son cours de marketing d'évaluer sa performance : excellente, bonne, moyenne ou faible. Un diplômé a recueilli les évaluations, et il a assuré les étudiants que le professeur n'aurait pas accès aux évaluations avant que les notes de cours aient été transmises au bureau du registraire. Les évaluations (le traitement) ont ensuite été jumelées aux notes des étudiants, lesquelles pouvaient se situer entre 0 et 100. Les données sont présentées ci-dessous. En supposant que les distributions soient normales et que les variances des notes soient les mêmes dans les quatre catégories d'évaluation, peut-on conclure, à un seuil de signification de 0,01, qu'il y a une différence entre les notes moyennes des étudiants dans chacune des quatre catégories d'évaluation ?

Notes du cours			
Excellente	Bonne	Moyenne	Faible
94	75	70	68
90	68	73	70
85	77	76	72
80	83	78	65
	88	80	74
		68	65
		65	

Solution

On suit la même procédure de test d'hypothèse en cinq étapes.

Étape 1

On énonce l'hypothèse nulle et la contre-hypothèse. Selon l'hypothèse nulle, les notes moyennes sont les mêmes pour les quatre évaluations. Ainsi :

H_0 : $\mu_1 = \mu_2 = \mu_3 = \mu_4$
H_1 : Les notes moyennes ne sont pas toutes égales.

Si l'hypothèse nulle est rejetée, on conclura qu'il existe une différence dans au moins une paire de notes moyennes, mais à cette étape, on ne sait pas de quelle(s) paire(s) il s'agit.

Étape 2

On choisit le seuil de signification. On opte pour le seuil de signification de 0,01.

Étape 3

On détermine la statistique. On utilisera la statistique $F = $ CMF/CME (voir la formule 12.9).

Étape 4

On détermine la règle de décision. Il s'agit d'un test F unilatéral à droite. La valeur critique supérieure est $F_{0,01}$ $[dl = (k - 1, n - k)]$.

Ici, $k = $ nombre de traitements $= 4$; $n = $ nombre total d'observations $= 22$. Ainsi, $dl = (3, 18)$.

On trouve la valeur critique dans l'annexe D (avec 0,01 comme seuil de signification) à l'intersection de la colonne intitulée « 3 » et de la ligne intitulée « 18 ». La valeur lue est 5,09. Donc, la règle de décision consiste à rejeter H_0 si la valeur expérimentale de F excède 5,09.

Étape 5

On tire l'échantillon, on effectue les calculs et l'on prend une décision. Il est pratique de résumer les calculs de la statistique F dans un tableau d'analyse de variance. Le format d'un tel tableau d'analyse est le suivant :

Tableau d'analyse de variance				
Source de variation	Somme des carrés	Degrés de liberté	Carré moyen	F
Facteur	SCF	$k - 1$	$SCF/(k-1) = CMF$	CMF/CME
Erreur	SCE	$n - k$	$SCE/(n-k) = CME$	
Total	SCT	$n - 1$		

La moyenne globale $= \bar{\bar{x}} = \dfrac{94 + 90 + ... + 74 + 65}{22} = 75{,}64$.

Les moyennes des échantillons sont :

$$\bar{x}_{\bullet 1} = \frac{94 + 90 + 85 + 80}{4} = 87{,}25 \qquad \bar{x}_{\bullet 2} = \frac{75 + 68 + 77 + 83 + 88}{5} = 78{,}20$$

$$\bar{x}_{\bullet 3} = \frac{70 + 73 + ... + 65}{7} = 72{,}86 \qquad \bar{x}_{\bullet 4} = \frac{68 + 70 + ... + 65}{6} = 69{,}0$$

$SCT = (94 - 75{,}64)^2 + (90 - 75{,}64)^2 + ... + (74 - 75{,}64)^2 + (65 - 75{,}64)^2 = 1485{,}09$

$SCF = 4(87{,}25 - 75{,}64)^2 + 5(78{,}20 - 75{,}64)^2 + 7(72{,}86 - 75{,}64)^2 + 6(69{,}0 - 75{,}64)^2$
$\quad = 890{,}68$

$SCE = SCT - SCF = 1485{,}09 - 890{,}68 = 594{,}41$

En inscrivant ces valeurs dans le tableau d'analyse de variance et en calculant la valeur de F, on obtient :

Tableau d'analyse de variance				
Source de variation	Somme des carrés	Degrés de liberté	Carré moyen	F
Facteur	890,68	3	296,89	8,99
Erreur	594,41	18	33,02	
Total	1485,09	21		

La valeur expérimentale de la statistique F est 8,99 ; ce résultat est supérieur à la valeur critique de 5,09. Ainsi, l'hypothèse nulle est rejetée. On conclut que les moyennes ne sont pas toutes égales. Les notes moyennes ne sont pas les mêmes dans les quatre groupes d'évaluation. À cette étape, on peut seulement conclure qu'il existe une différence entre les moyennes de traitement. Pour l'instant, on ne peut ni déterminer quels groupes diffèrent ni combien de groupes ont des moyennes différentes.

La feuille de calcul Excel 12.3, à la page suivante, donne les instructions et la sortie pour le problème précédent. Excel utilise le terme « groupe » au lieu de « traitement » et emploie respectivement les termes « Entre groupes » et « À l'intérieur des groupes » pour les sommes de carrés.

Selon Excel, le seuil expérimental est égal à 0,0007428. Puisque cette valeur est inférieure à la valeur fixée du seuil de signification ($= 0{,}01$), notre décision, qui cette fois est basée sur le seuil expérimental, reste la même (autrement dit rejeter H_0 en faveur de H_1). Excel produit aussi la valeur critique 5,09192. Il s'agit de la même valeur que celle (arrondie) obtenue en utilisant l'annexe D.

FEUILLE DE CALCUL EXCEL 12.3

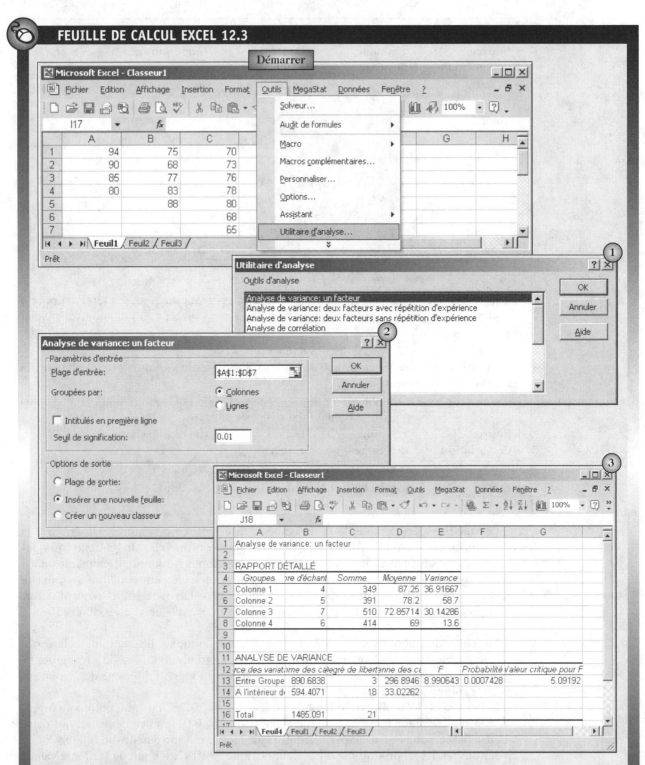

Instructions pour Microsoft Excel

A. Entrez les données de l'échantillon dans les colonnes A, B, C et ainsi de suite.

B. Dans la barre de menus, cliquez sur Outils et Utilitaire d'analyse. Dans la boîte de dialogue, choisissez Analyse de variance : un facteur. Cliquez sur OK.

C. Dans la zone Plage d'entrée, entrez les coordonnées de la plage des données de l'échantillon, puis, dans la zone Groupées par, cochez la case d'option Colonnes. Entrez ensuite la valeur du seuil de signification (= 0,01 dans le cas présent) dans la zone prévue à cet effet. Cliquez sur OK.

■ RÉVISION 12.1

On veut tester avant commercialisation le nettoyant Nettoie-Tout. Pour ce faire, on installe des présentoirs à trois emplacements différents dans des supermarchés. Voici le nombre de bouteilles de 350 ml vendues dans chaque supermarché.

Près du pain	20	15	24	18
Près de la bière	12	18	10	15
Avec d'autres nettoyants	25	28	30	32

Vérifiez si l'on peut conclure, au seuil de signification de 0,05, que les nombres moyens de bouteilles vendues dans les trois emplacements ne sont pas les mêmes. Supposez que les distributions soient approximativement normales et qu'elles aient une variance égale.

EXERCICES 12.1 À 12.4

Dans chacun des cas suivants, supposez que les distributions soient approximativement normales et qu'elles aient une variance égale.

12.1 Voici des données. Vérifiez l'hypothèse selon laquelle les moyennes correspondant aux traitements sont égales. Utilisez un seuil de signification de 0,05.

Traitement 1	Traitement 2	Traitement 3
8	3	3
6	2	4
10	4	5
9	3	4

12.2 Voici des données. Vérifiez, au seuil de signification de 0,05, l'hypothèse selon laquelle les moyennes correspondant aux traitements sont égales.

Traitement 1	Traitement 2	Traitement 3
9	13	10
7	20	9
11	14	15
9	13	14
12	15	
10		

12.3 Un promoteur immobilier envisage d'investir dans un centre commercial en banlieue d'Edmonton, en Alberta. Il évalue trois emplacements. Les revenus dans la région autour du centre proposé sont particulièrement importants. Le promoteur choisit un échantillon aléatoire de quatre familles près de chaque emplacement proposé. Vous trouverez ci-après les résultats obtenus (en milliers de dollars). Au seuil de signification de 0,05, le promoteur peut-il conclure à une différence entre les revenus moyens dans les trois endroits ?

Site 1 (000 $)	Site 2 (000 $)	Site 3 (000 $)
64	74	75
68	71	80
70	69	76
60	70	78

12.4 Le directeur d'une société de production de logiciels étudie le nombre d'heures que les cadres supérieurs passent à travailler sur leur terminal d'ordinateur, par secteur d'activité. On obtient un échantillon aléatoire de cinq cadres tiré de chacun des trois secteurs d'activité. Au seuil de signification de 0,05, le directeur peut-il conclure qu'il existe une différence entre les temps hebdomadaires moyens consacrés à travailler sur un terminal par les cadres des trois secteurs ?

Service bancaire	Vente au détail	Assurance
12	8	10
10	8	8
10	6	6
12	8	8
10	10	10

L'ANALYSE DE VARIANCE À UN FACTEUR ET LE TEST t

Pourquoi a-t-on besoin du test d'analyse de variance élaboré dans la sous-section précédente ? Pourquoi ne peut-on pas simplement utiliser le test t, exposé au chapitre 11, pour comparer les moyennes, deux à la fois ?

Considérons le cas de deux groupes. La formule 11.10 de la statistique t (voir le chapitre 11) lorsque les variances de population sont égales mais inconnues est la suivante :

$$t = \frac{(\bar{X}_1 - \bar{X}_2) - d_0}{\sqrt{S_p^2 \left(\frac{1}{n_1} + \frac{1}{n_2} \right)}}$$

Quand $d_0 = 0$ (autrement dit quand on teste l'égalité des deux moyennes), t^2 est précisément la statistique F de la formule 12.9 utilisée dans le test d'analyse de variance. *Ainsi, dans ce cas, le test* t *bilatéral pour vérifier l'égalité de deux moyennes (si l'on suppose des variances égales mais inconnues), présenté au chapitre 11, est identique au test d'analyse de variance abordé dans cette section.* Cependant, le test t peut servir à tester une valeur non nulle d_0 quelconque pour la différence entre deux moyennes, ou encore à vérifier si une moyenne est plus grande qu'une autre (test unilatéral). Dans ces cas, on ne peut utiliser le test d'analyse de variance.

Lorsqu'on a plus de deux populations, un des principaux problèmes que présente l'emploi de plusieurs tests t *est l'accumulation non désirée des erreurs de première espèce.*

Pour expliquer davantage ce problème, reportons-nous à l'exemple des fermes Kuhlman de la section précédente. Le fermier souhaite déterminer s'il existe une différence entre les rendements moyens de la culture du blé obtenus en utilisant trois types d'engrais : les marques Wolfe, White et Korosa, respectivement notées ici A, B et C.

Supposons que l'on utilise un test t pour comparer les trois moyennes, deux à la fois. On doit exécuter trois tests t différents. Autrement dit, on doit comparer les rendements moyens des paires d'engrais comme suit : A et B, A et C, B et C. Supposons que toutes les moyennes soient égales. Si le seuil de signification de chacun de ces trois tests est fixé à 0,05, la probabilité de ne pas rejeter H_0 pour chaque test est 0,95 (= 1 − 0,05). Supposons que l'on effectue trois tests indépendants. Autrement dit, pour chacune des trois paires, on exécute une expérience distincte et l'on recueille des données.

Ainsi, la probabilité de prendre une bonne décision dans chaque cas, soit de ne rejeter H_0 dans aucun des trois tests, est :

$$P \text{ (toutes les décisions sont bonnes)} = (0,95)(0,95)(0,95) = 0,857$$

Pour trouver la probabilité qu'au moins une erreur se produise (une mauvaise décision), on soustrait ce résultat de 1. Ainsi, la probabilité qu'au moins une décision inexacte soit prise, à cause des échantillons, est $1 - 0,857 = 0,143$. En bref, *si toutes les moyennes sont égales et que l'on effectue trois tests t indépendants, la probabilité qu'au moins une mauvaise décision soit prise, à cause de l'erreur d'échantillonnage, dépasse 0,05 et se situe à un niveau indésirable de 0,143.*

Supposons que l'on effectue une seule expérience, comme dans la sous-section précédente, et que l'on obtienne trois échantillons pour A, B et C. À présent, supposons que l'on utilise les mêmes ensembles de données expérimentales pour effectuer les trois tests, A comparé à B, A comparé à C et B comparé à C. Les tests ne seront pas indépendants. Cependant, dans ce cas aussi, la probabilité qu'au moins une mauvaise décision soit prise, à cause de l'erreur d'échantillonnage, sera nettement supérieure à 0,05 (toutefois, elle ne sera pas aussi élevée que 0,143). L'analyse de variance permet de comparer les moyennes des groupes simultanément et d'éviter ainsi l'accumulation d'erreurs de première espèce.

LES INFÉRENCES CONCERNANT LES MOYENNES DES GROUPES : LES COMPARAISONS MULTIPLES

Supposons que l'on effectue la procédure d'analyse de variance et que l'on conclue qu'il faut rejeter l'hypothèse nulle (autrement dit les moyennes des groupes ne sont pas toutes identiques). Dans certains cas, on veut connaître quelles moyennes diffèrent et de combien. Ainsi, on pourrait vouloir obtenir des intervalles de confiance pour la différence entre les moyennes de chacune des $_kC_2 = \dfrac{k(k-1)}{2}$ paires de groupes. On donne plus bas deux méthodes qui permettent d'obtenir cette information.

On peut obtenir un intervalle de confiance de niveau $(1-\alpha)$ séparément pour chaque paire (i,j) de groupes en utilisant l'estimateur suivant donné dans le cas ii) du tableau à la page 451 et en remplaçant $\bar{X}_1$ et $\bar{X}_2$ par $\bar{X}_{\bullet i}$ et $\bar{X}_{\bullet j}$ ainsi que n_1 et n_2 par n_i et n_j.

$$(\bar{X}_{\bullet i} - \bar{X}_{\bullet j}) \pm t_{\alpha/2}\sqrt{S_p^2\left(\frac{1}{n_i} + \frac{1}{n_j}\right)} \qquad \textbf{12.10}$$

(Ici, S_p est une estimation groupée de l'écart type, que l'on calcule en utilisant les échantillons i et j.)

Si l'intervalle de confiance ne contient pas la valeur 0, alors on peut conclure, au seuil de signification de α, que les deux moyennes correspondantes sont inégales. (Pour obtenir plus de renseignements sur la relation entre les tests d'hypothèses et les intervalles de confiance, vous pouvez consulter la section facultative 10.6.)

Comme nous l'avons vu plus haut, cette méthode produit une accumulation indésirable d'erreurs. Nous traiterons ci-dessous des modifications qui permettent d'améliorer le rendement de cette approche.

L'INTERVALLE LSD DE FISHER

Si le nombre de traitements est k, alors le nombre total de paires est $_kC_2 = \dfrac{k(k-1)}{2}$. Pour alléger, notons ce nombre par c. (Par exemple, si $k = 4$, alors $c = 6$). Si le niveau de confiance utilisé pour chaque paire est $(1 - \alpha)$, alors le niveau de confiance global (la probabilité que chacun des c intervalles de confiance contienne la valeur de la différence entre les deux moyennes correspondantes) se situera entre $(1 - \alpha)$ et $(1 - \alpha)^c$. (Il s'agit d'une probabilité non conditionnelle ne tenant pas compte du fait que le test de comparaison est effectué *après* que le test F global a permis de rejeter l'hypothèse nulle selon laquelle toutes les moyennes sont égales.) La valeur de $(1 - \alpha)^c$ est supérieure ou égale à $(1 - c\alpha)$. Fisher a proposé une méthode qui permet de conserver le niveau de confiance global à une valeur supérieure à $(1 - \alpha)$. Cette méthode consiste à utiliser $(1 - \alpha/c)$ comme niveau de confiance pour les c intervalles. Le facteur $(1/c)$ s'appelle *facteur de correction de Bonferroni*. Cependant, cette approche mène à des intervalles de confiance très grands. (En termes des tests d'hypothèses, on fait augmenter la probabilité globale qu'une erreur de deuxième espèce se produise, ce qui fait diminuer la puissance du test.)

Dans une sous-section précédente, on a vu que le **carré moyen dû à l'erreur (CME)** est un estimateur sans biais de σ^2. On a vu également que, dans le cas où $k = 2$, CME coïncide avec l'estimateur groupé S_p^2 de σ^2. Quand $k > 2$, la statistique CME qui utilise les données de tous les traitements constitue un estimateur plus efficace de σ^2 que l'estimateur groupé S_p^2, basé uniquement sur les données des deux échantillons des traitements comparés. Par conséquent, si l'on remplace S_p^2 par CME dans la formule 12.10, on obtient des intervalles de confiance plus précis et les tests correspondants sont plus puissants. Dans ce cas, la loi t de Student correspondante a $(n - k)$ degrés de liberté.

Ainsi, pour chaque paire (i, j), on utilise l'intervalle de confiance suivant:

Intervalle de confiance de niveau $(1 - \alpha)$ pour $(\mu_i - \mu_j)$	$(\bar{X}_{\bullet i} - \bar{X}_{\bullet j}) \pm t_{\alpha/2c}\sqrt{\text{CME}\left(\dfrac{1}{n_i} + \dfrac{1}{n_j}\right)}$ **12.11**

Reprenons l'exemple 12.1 concernant l'opinion des étudiants. Et supposons qu'on veuille obtenir un seuil de signification global de $\alpha = 0,05$. Le nombre total de tests t est $_4C_2 = \dfrac{(4)(3)}{2} = 6$. Appliquant la correction de Bonferroni, on construit pour chaque paire un intervalle de confiance de niveau $(1 - 0,05/6) = 0,9917$. Les valeurs de $-t_{\alpha/2c} = -t_{0,0042}$ et $t_{0,0042}$ $[dl = (n - k) = (22 - 4) = 18]$ sont $-2,9646$ et $2,9646$. (Comme la table t à l'annexe G ne donne pas la valeur souhaitée, on utilise Excel.) L'intervalle de confiance recherché est donc:

$$(\bar{X}_{\bullet i} - \bar{X}_{\bullet j}) \pm 2,9646\sqrt{\text{CME}\left(\frac{1}{n_i} + \frac{1}{n_j}\right)}$$

Pour les catégories « excellente » et « faible », on obtient l'intervalle:

$$(87,25 - 69,0) \pm 2,9646\sqrt{33,02\left(\frac{1}{4} + \frac{1}{6}\right)} = (7,25\,;\,29,25)$$

Puisque l'intervalle ne contient pas 0, on conclut que les moyennes correspondantes sont inégales.

LE TEST DE TUKEY

Le test LSD de Fisher est trop conservateur. Il utilise une trop grande valeur $(= 1 - \alpha/c)$ comme niveau de confiance pour chacun des intervalles. Il garantit que le niveau de confiance global sera d'au moins $(1 - \alpha)$. Cependant, dans certains cas, le niveau de confiance qui en découle s'avère beaucoup plus grand que $(1 - \alpha)$, et les intervalles de confiance sont inutilement grands. De nombreux statisticiens ont élaboré des méthodes pour construire des intervalles de confiance plus précis. Parmi les plus courantes, mentionnons celles de Tukey, Dunnett et Scheffé.

Nous décrivons l'approche de Tukey dans cette section. Elle est basée sur le fait suivant. Supposons que les tailles de tous les échantillons soient égales. Si $\bar{X}_{\min}$ et $\bar{X}_{\max}$ désignent la plus petite et la plus grande des moyennes échantillonnales, alors il suffit de vérifier si les données expérimentales permettent de conclure que les moyennes des groupes correspondant à $\bar{X}_{\min}$ et $\bar{X}_{\max}$ sont inégales. L'intervalle de confiance de Tukey est déterminé à partir de la distribution de l'étendue $(\bar{X}_{\max} - \bar{X}_{\min})$ lorsque toutes les moyennes μ_j sont égales.

Pour toute paire i et j, l'intervalle de confiance de Tukey pour $(\mu_i - \mu_j)$ est :

| Intervalle de confiance de Tukey pour $(\mu_i - \mu_j)$ | $(\bar{X}_{\bullet i} - \bar{X}_{\bullet j}) \pm \dfrac{q_\alpha}{\sqrt{2}} \sqrt{\text{CME}\left(\dfrac{1}{n_i} + \dfrac{1}{n_j}\right)}$ | 12.12 |

Ici, la valeur de q_α s'obtient à partir de la distribution q, appelée « étendue studentisée », lorsque toutes les moyennes μ_j sont égales. Les paramètres de cette distribution sont (k, v), où k est le nombre de traitements et v, le nombre de degrés de liberté de CME $(= n - k)$. Comme d'habitude, q_α se définit de telle sorte que $P(q > q_\alpha) = \alpha$. Les valeurs de $q_{0,05}$ pour différentes valeurs des paramètres k et v sont données à l'annexe C. Si, pour une paire (i, j) donnée, l'intervalle de confiance correspondant ne contient pas 0, alors on peut conclure, au seuil de signification α, que les moyennes correspondantes sont inégales.

Lorsque toutes les tailles d'échantillons sont égales, l'approche de Tukey donne un niveau de confiance global égal à $(1 - \alpha)$.

Par exemple, considérons le problème sur les opinions des étudiants. Pour les catégories « excellente » et « faible », $q_{0,05} = 4,00$ [pour les paramètres $(k, n - k) = (4, 18)$]. Ainsi, on obtient un intervalle de Tukey de :

$$(87,25 - 69,0) \pm \frac{4,0}{\sqrt{2}} \sqrt{33,02\left(\frac{1}{4} + \frac{1}{6}\right)} = (7,75873 \,; 28,74127)$$

On notera que cet intervalle est plus étroit que celui obtenu en utilisant la méthode LSD de Fisher.

■ RÉVISION 12.2

Reprenez le problème de révision 12.1. En utilisant la méthode de Tukey, vérifiez si vous pouvez conclure, au seuil de signification de 0,05, que les moyennes correspondant aux traitements 1 et 3 sont inégales.

EXERCICES 12.5 À 12.8

Dans chacun des exercices suivants, supposez que les distributions soient normales avec une même variance.

12.5   Compte tenu des données échantillonnales suivantes, testez l'hypothèse selon laquelle les moyennes correspondant aux trois traitements sont égales. Utilisez un seuil de signification de 0,05.

Traitement 1	Traitement 2	Traitement 3
8	3	3
11	2	4
10	1	5
	3	4
	2	

Si l'on rejette H_0, peut-on conclure que les moyennes correspondant aux traitements 1 et 2 diffèrent ? Utilisez la méthode LSD de Fisher ainsi qu'un niveau de confiance global de 0,95.

12.6   Compte tenu des données échantillonnales suivantes, testez l'hypothèse selon laquelle les moyennes des trois traitements sont égales. Utilisez un seuil de signification de 0,05.

Traitement 1	Traitement 2	Traitement 3
3	9	6
2	6	3
5	5	5
1	6	5
3	8	5
1	5	4
	3	1
	7	5
	6	
	4	

Si l'on rejette H_0, peut-on conclure que les moyennes correspondant aux traitements 2 et 3 diffèrent ? Utilisez la méthode LSD de Fisher ainsi qu'un niveau de confiance global de 0,95.

12.7   Une diplômée en comptabilité de l'Université du Nouveau-Brunswick se voit offrir plusieurs postes par des cabinets d'experts-comptables. Pour se faire une meilleure idée des salaires, elle demande à un échantillon aléatoire de stagiaires récents combien de mois chacun a travaillé pour le cabinet avant d'obtenir une augmentation. Les données qu'elle a obtenues sont les suivantes :

CPA	AB	ACCT	PFI
12	14	18	12
10	12	12	14
14	10	16	16
12	10		

a)   Au seuil de signification de 0,05, y a-t-il une différence entre les nombres moyens de mois avant qu'une augmentation soit accordée par les quatre cabinets ?

b) Si l'on rejette H_0, peut-on conclure à une différence entre les nombres moyens de mois avant l'augmentation chez CPA et ACCT ? Utilisez le test de Tukey et un niveau de confiance global de 0,95.

12.8   Un courtier en valeurs immobilières veut déterminer s'il existe une différence entre les taux de rendement moyens de trois types d'actions dans les secteurs des services publics, de la vente au détail et des services bancaires. Il a recueilli les données suivantes.

Taux de rendement		
Services publics	Vente au détail	Services bancaires
14,3	11,5	15,5
18,1	12,0	12,7
17,8	11,1	18,2
17,3	11,9	14,7
19,5	11,6	18,1
		13,2

a) Au seuil de signification de 0,05, y a-t-il une différence entre les taux de rendement moyens obtenus par les trois types d'actions ?

b) Si l'analyste rejette H_0, peut-il conclure à une différence entre les taux moyens de rendement des actions dans le secteur des services publics et dans celui de la vente au détail ? Utilisez le test de Tukey ainsi qu'un niveau de confiance global de 0,95.

12.4 L'ANALYSE DE VARIANCE À DEUX FACTEURS

Dans la section 12.3, nous avons élaboré un test, basé sur l'analyse de variance à un seul facteur, pour tester l'égalité des moyennes de deux ou plusieurs groupes. Les différents groupes correspondaient aux différents niveaux (traitements) d'un seul facteur. Nous élargissons maintenant cette notion au cas de deux facteurs. Autrement dit, les groupes correspondent maintenant aux niveaux (traitements) de deux facteurs différents.

LE PLAN EN BLOCS RANDOMISÉS

Dans la section 12.3, nous avons élaboré un test, basé sur l'analyse de variance, pour vérifier l'égalité des moyennes de deux ou plusieurs groupes, de variance égale, quand les échantillons sont tirés indépendamment. Cela nous a permis d'élargir l'application du test t élaboré au chapitre 11 dans le cas d'une comparaison entre deux moyennes. Dans ce même chapitre, nous avons vu que, en appariant de façon judicieuse les données de deux groupes et en choisissant aléatoirement un échantillon de données appariées, on peut créer un test plus puissant pour vérifier la différence de deux moyennes. Dans le cas de plus de deux groupes, on peut élargir cette notion d'appariement aux **plans en blocs randomisés.**

Par exemple, reportons-nous au problème des fermes Kuhlman de la section précédente. Le propriétaire souhaite déterminer s'il existe une différence entre les rendements moyens de la culture de blé avec trois engrais. Dans ce cas, le *facteur* à l'étude est l'*engrais* et les *trois différents types d'engrais* sont les *trois niveaux du facteur* ou les *trois traitements*. On dispose d'un groupe par traitement et l'on veut vérifier si les moyennes sont égales. On a effectué un test d'analyse de variance pour ce problème, dans le cadre duquel 4 parcelles de terrain sur 12 ont été attribuées aléatoirement à chacun des 3 engrais.

On sait que des facteurs autres que les engrais influent sur le rendement de la culture. Pour élaborer un test plus puissant qui mesure uniquement l'effet des engrais, il faut idéalement maintenir tous les autres facteurs constants. L'autre possibilité, que l'on a adoptée plus haut, consiste à utiliser la randomisation. Grâce à cette dernière, les autres effets systématiques sont inclus dans le terme de variation aléatoire. Toutefois, la randomisation fait augmenter la valeur de la variance de l'erreur, σ^2, et notre procédure de test vérifie en fait si l'effet de l'engrais est plus important que l'effet de tous ces autres facteurs devenus aléatoires. Par exemple, la quantité d'ensoleillement constitue un autre facteur important qui influe sur le rendement. Supposons que les 12 parcelles considérées ne bénéficient pas du même niveau d'ensoleillement. Dans ce cas, la variation découlant de la différence entre la quantité d'ensoleillement, rendue aléatoire dans la procédure utilisée, est ajoutée au terme de variation aléatoire SCE. En conséquence, la valeur de la statistique F calculée sera plus petite, ce qui diminuera la puissance du test. Dans ce cas, il est préférable d'éliminer les effets d'autres facteurs importants pour accroître la puissance du test. Pour ce faire, on peut mettre en œuvre un plan en blocs randomisés, que nous expliquons maintenant.

Supposons que l'on puisse regrouper les 12 parcelles en 4 triplets, de sorte que les 3 parcelles d'un triplet bénéficient de la même quantité d'ensoleillement. On appellera **bloc** chacun de ces triplets. On allouera ensuite aléatoirement les trois parcelles de chacun des blocs aux trois engrais. On obtiendra ainsi trois observations (rendements) correspondant à chaque bloc (une quantité donnée d'ensoleillement) et quatre observations correspondant à chacun des traitements (engrais). On suppose que la valeur X_{ij} (rendement de la parcelle correspondant au bloc i et au traitement j) s'exprime comme suit :

$$X_{ij} = a + b_i + \mu_j + \epsilon_{ij}$$

où b_i est l'effet moyen du $i^{\text{ème}}$ bloc sur le rendement ; μ_j, l'effet moyen du $j^{\text{ème}}$ engrais ; et ϵ_{ij}, l'effet aléatoire. (Autrement dit, on suppose que l'effet conjoint de l'engrais et de l'ensoleillement soit égal à la somme de l'effet de l'engrais et de l'effet de l'ensoleillement.)

Dans ce cas, on peut décomposer la variation totale en trois termes : i) la variation entre les traitements, ii) la variation entre les blocs et iii) la variation aléatoire.

Dans l'exemple suivant, on clarifie davantage la notion et la procédure du test.

Exemple 12.2

Au chapitre 11, nous avons examiné un exemple dans le cadre duquel un professeur de l'Université Saint-Thomas souhaite effectuer un test d'hypothèse pour comparer les notes moyennes (sur 100) aux cours *Introduction à la statistique* et *Introduction à l'économie*, obtenues par les diplômés en économie. Maintenant, supposons qu'il souhaite comparer les notes moyennes de ces diplômés dans trois cours : *Introduction à la statistique, Introduction à l'économie* et *Mathématiques 201*. La note d'un étudiant choisi au hasard dans un cours dépendra sans doute non seulement du cours, mais aussi de ses aptitudes. Puisque la nature des trois cours est semblable, un étudiant qui obtient une bonne note à l'un des cours aura probablement une bonne note aux deux autres. Ainsi, le professeur a choisi aléatoirement quatre diplômés et a enregistré les notes de chacun pour les trois cours. Les données obtenues sont les suivantes :

Cours / Étudiant	*Introduction à l'économie* (1)	*Introduction à la statistique* (2)	*Mathématiques 201* (3)
1	76	76	79
2	91	85	88
3	88	83	84
4	85	80	81

Peut-on conclure, au seuil de signification de 0,05, que les notes moyennes dans les trois cours ne sont pas toutes égales ?

Solution

Ici, chaque étudiant sert de bloc. Il s'agit d'une disposition aléatoire par blocs. On utilisera la procédure en cinq étapes.

Étape 1

On numérote les étudiants 1, 2, 3, 4 et les cours 1, 2, 3. On suppose que :
- la note d'un étudiant i au cours j s'exprime ainsi :
$$X_{ij} = a + b_i + \mu_j + \epsilon_{ij}$$

Ici, b_i est l'effet moyen de l'aptitude de l'étudiant i sur sa note ; μ_j, l'effet moyen du cours j ; et ϵ_{ij}, l'effet aléatoire. On qualifiera d'*additif* ce type de modèle. (Les effets des deux facteurs sont cumulatifs.)

- les termes aléatoires $\epsilon_{11}, \epsilon_{21}, ..., \epsilon_{43}$ sont normalement distribués et de variance égale.

L'hypothèse nulle et la contre-hypothèse sont :
H_0: $\mu_1 = \mu_2 = \mu_3$
H_1: Au moins un des μ_j est différent.

Étape 2

On fixe le seuil de signification à 0,05.

Étape 3

Comme précédemment, notons $\overline{\overline{X}}$ la moyenne globale de toutes les observations. Supposons que le nombre de traitements soit k et que le nombre de blocs soit r. Alors, le nombre total d'observations est $n = (r)(k)$. [Dans notre exemple, les traitements sont les cours et, par conséquent, $k = 3$. De plus, les blocs sont les étudiants ; donc, $r = 4$. Le nombre total d'observations est $n = (4)(3) = 12$.] On note les moyennes échantillonnales correspondant aux traitements 1, 2, ..., k ainsi : $\overline{X}_{\bullet 1}, \overline{X}_{\bullet 2}, ..., \overline{X}_{\bullet k}$; et les moyennes correspondant aux blocs 1, 2, ..., r ainsi : $\overline{X}_{1\bullet}, \overline{X}_{2\bullet}, ..., \overline{X}_{r\bullet}$.

Ici, la variation totale SCT se décompose en trois termes :

Variation totale
$$\text{SCT} = \sum_{i,j}(X_{ij} - \overline{\overline{X}})^2 = \text{SCF} + \text{SCB} + \text{SCE} \qquad \textbf{12.13}$$

où SCF, la somme des carrés due au facteur, se définit comme précédemment :

Somme des carrés due au facteur
$$\text{SCF} = r[(\overline{X}_{\bullet 1} - \overline{\overline{X}})^2 + (\overline{X}_{\bullet 2} - \overline{\overline{X}})^2 + ... + (\overline{X}_{\bullet k} - \overline{\overline{X}})^2] \qquad \textbf{12.14}$$

Le nouveau terme, SCB, est la somme des carrés due aux blocs. Il se définit ainsi :

 Somme des carrés due aux blocs (SCB) Somme pondérée des carrés des différences entre les moyennes des blocs et la moyenne globale.
$$\text{SCB} = k[(\overline{X}_{1\bullet} - \overline{\overline{X}})^2 + (\overline{X}_{2\bullet} - \overline{\overline{X}})^2 + ... + (\overline{X}_{r\bullet} - \overline{\overline{X}})^2] \qquad \textbf{12.15}$$

Et SCE, la somme des carrés due à l'erreur, est donnée par :

Somme des carrés due à l'erreur
$$\text{SCE} = \text{SCT} - \text{SCF} - \text{SCB} \qquad \textbf{12.16}$$

Le nombre de degrés de liberté de SCT, qui est égal à $(n - 1)$, est décomposé en trois termes : $(k - 1)$, le nombre de degrés de liberté de SCF ; $(r - 1)$, le nombre de degrés de liberté de SCB ; et le nombre de degrés de liberté de SCE, lequel est donc égal à $(n - k - r + 1)$. On définit donc ici le carré moyen dû à l'erreur (CME) ainsi :

Carré moyen dû à l'erreur
$$\text{CME} = \frac{\text{SCE}}{(n - k - r + 1)} \qquad \textbf{12.17}$$

La statistique utilisée est :

$$F = \frac{\text{CMF}}{\text{CME}}$$

Étape 4

On a supposé que les termes d'erreur ϵ_{ij} étaient normalement distribués avec une variance égale. Comme dans le cas de l'analyse de variance à un facteur, la statistique CME est un estimateur sans biais de σ^2. Quand H_0 est vraie, toutes les moyennes de traitement sont égales et CMF est aussi un estimateur sans biais de σ^2. Dans ce cas, la statistique obéit à une loi F avec $dl = (k - 1, n - k - r + 1)$ [dans notre exemple, $dl = (2, 6)$]. Quand H_0 n'est pas vraie, la différence entre les moyennes de traitement tendra à rendre la valeur de la CMF plus élevée, ce qui fera augmenter la probabilité que la valeur expérimentale de la statistique F soit grande. Ainsi, il s'agit d'un test unilatéral à droite. Notre règle de décision est la suivante : rejeter H_0 si la valeur expérimentale F est plus grande que $F_\alpha = F_{0,05}$ [avec $dl = (k - 1, n - k - r + 1)$]. Dans notre exemple, on obtient $dl = (2, 6)$ et $F_{0,05} = 5,14$ (voir l'annexe D).

Étape 5

Pour nos données,

$$\bar{\bar{x}} = \frac{76 + 91 + \dots + 84 + 81}{12} = 83 ;$$

$$\bar{x}_{1\bullet} = \frac{76 + 76 + 79}{3} = 77 ; \text{ de même, } \bar{x}_{2\bullet} = 88, \bar{x}_{3\bullet} = 85, \bar{x}_{4\bullet} = 82 ;$$

$$\bar{x}_{\bullet 1} = \frac{76 + 91 + 88 + 85}{4} = 85 ; \text{ de même, } \bar{x}_{\bullet 2} = 81, \bar{x}_{\bullet 3} = 83.$$

SCT $= (76 - 83)^2 + (91 - 83)^2 + \dots + (84 - 83)^2 + (81 - 83)^2 = 250$
SCF $= 4[(85 - 83)^2 + (81 - 83)^2 + (83 - 83)^2] = 32$
SCB $= 3[(77 - 83)^2 + (88 - 83)^2 + (85 - 83)^2 + (82 - 83)^2] = 198$
SCE $=$ SCT $-$ SCF $-$ SCB $= 250 - 32 - 198 = 20$

On obtient donc :
CME $=$ SCE$/(n - k - r + 1) = 20/6 = 3,333$
CMF $=$ SCF$/(k - 1) = 32/2 = 16$

Ainsi,

$$F = \frac{16}{3,333} = 4,80$$

Puisque la valeur expérimentale de F ($= 4,80$) est plus petite que la valeur critique ($= 5,14$), on conclut que les données expérimentales ne permettent pas, au seuil $\alpha = 0,05$, de rejeter H_0. On ne peut conclure, au seuil de signification de 0,05, que les notes moyennes obtenues par les diplômés en économie à l'Université Saint-Thomas dans les trois cours sont différentes.

On notera que la valeur critique F du test d'analyse de variance à un facteur est F_α [avec $dl = (k - 1, n - k)$], tandis que celle du test avec les blocs est F_α [avec $dl = (k - 1, n - k - r + 1)$]. Ainsi, il y a une perte de degrés de liberté au dénominateur, ce qui rend la valeur critique plus grande et tend à faire diminuer la puissance du test. Pour que le plan en blocs randomisés résulte en un test plus puissant, l'effet de bloc doit être suffisamment important pour réduire le carré moyen dû à l'erreur (CME) de façon significative et donc neutraliser l'effet de la perte des degrés de liberté. Il est donc utile de vérifier si l'effet de bloc est important. Pour ce faire, l'hypothèse nulle et la contre-hypothèse sont :

$H_0 : b_1 = b_2 = \dots = b_r$ (autrement dit, il n'y a pas d'effet de bloc)
$H_1 : b_1, b_2, \dots, b_r$ ne sont pas tous égaux.

On utilise la statistique suivante : $F_B = \dfrac{\text{CMB}}{\text{CME}}$

où le carré moyen CMB se définit de la façon suivante :

Carré moyen dû aux blocs	$\text{CMB} = \dfrac{\text{SCB}}{(r-1)}$	12.18

La règle de décision est la suivante : rejeter H_0 si la valeur expérimentale de F_B est supérieure à F_α [avec $dl = (r-1, n-k-r+1)$].

Dans notre exemple, CMB = 198/3 = 66 ; la valeur expérimentale de F_B est 66/3,333 = 19,80. Si l'on fixe le seuil de signification à 0,05, alors $F_{0,05}$ [avec $dl = (3, 6)$] = 4,76. Étant donné que la valeur expérimentale de F_B (= 19,82) est plus grande que la valeur critique (= 4,76), on conclut, au seuil de signification de 0,05, que l'effet de bloc est significatif.

LA SOLUTION AVEC EXCEL

Dans la feuille de calcul Excel 12.4, on présente les instructions permettant de résoudre ce problème avec Excel.

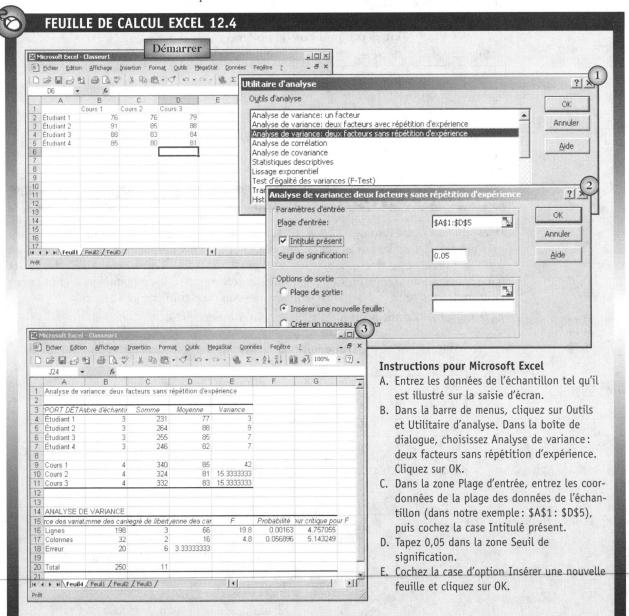

FEUILLE DE CALCUL EXCEL 12.4

Instructions pour Microsoft Excel

A. Entrez les données de l'échantillon tel qu'il est illustré sur la saisie d'écran.

B. Dans la barre de menus, cliquez sur Outils et Utilitaire d'analyse. Dans la boîte de dialogue, choisissez Analyse de variance : deux facteurs sans répétition d'expérience. Cliquez sur OK.

C. Dans la zone Plage d'entrée, entrez les coordonnées de la plage des données de l'échantillon (dans notre exemple : A1 : D5), puis cochez la case Intitulé présent.

D. Tapez 0,05 dans la zone Seuil de signification.

E. Cochez la case d'option Insérer une nouvelle feuille et cliquez sur OK.

Dans notre exemple, les étudiants correspondent aux blocs et sont associés aux lignes, tandis que les cours correspondent au facteur et sont associés aux colonnes. Ainsi, dans la sortie Excel, les valeurs *Moyennes des carrés* correspondant aux lignes et aux colonnes sont respectivement CMB et CMF. Le seuil expérimental qui correspond aux traitements (cours ou colonnes) est 0,057. Puisque cette valeur est supérieure à 0,05, on peut rejeter l'hypothèse nulle (que les notes moyennes dans les trois cours sont les mêmes).

■ RÉVISION 12.3

La société Shampoing Rudolf vend trois catégories de shampoings : pour cheveux secs, normaux et gras. Le tableau suivant présente les ventes, en millions de dollars, pour les trois catégories de shampoings durant cinq mois choisis au hasard. En utilisant un seuil de signification de 0,05, vérifiez si les ventes moyennes diffèrent pour les trois catégories de shampoings ou pour le mois. Supposez que les distributions soient normales, qu'elles aient une variance égale et qu'il n'y ait pas d'interaction entre les mois et les catégories de shampoings.

Ventes (en millions de dollars)			
Mois	Secs	Normaux	Gras
Juin	7	9	12
Juillet	11	12	14
Août	13	11	8
Septembre	8	9	7
Octobre	9	10	13

EXERCICES 12.9 À 12.12

Dans chacun des exercices 12.9 à 12.12, supposez que les distributions soient à peu près normales, que les variances soient égales et qu'il n'y ait pas d'interaction entre les traitements et les blocs. Pour les exercices 12.9 et 12.10, effectuez des tests d'hypothèses pour déterminer s'il y a une différence entre les moyennes de traitement et entre les moyennes des blocs. Utilisez un seuil de signification de 0,05.

12.9 Voici les données pour un plan en blocs randomisés :

Bloc	Traitement	
	1	2
A	46	31
B	37	26
C	44	35

12.10 Voici les données pour un plan en blocs randomisés :

Bloc	Traitement		
	1	2	3
A	12	14	8
B	9	11	9
C	7	8	8

12.11 La société de construction Pavés fonctionne 24 heures par jour, 5 jours par semaine. Les employés changent de quart chaque semaine. La direction veut savoir s'il y a une différence entre le nombre d'unités produites durant les différents quarts. Elle a tiré un échantillon de cinq travailleurs et noté leur productivité durant chaque quart. Au seuil de signification de 0,05, peut-on conclure à une différence dans le taux de production moyen par quart ou par employé ?

Employé	Jour	Soir	Nuit
Mehta	31	25	35
Lum	33	26	33
Clark	28	24	30
Kurz	30	29	28
Morgan	28	26	27

12.12 Les données suivantes montrent le nombre de chirurgies sans hospitalisation effectuées la semaine dernière dans trois hôpitaux de Toronto. Au seuil de signification de 0,05, peut-on conclure à une différence dans les nombres moyens de chirurgies effectuées dans les trois hôpitaux et durant les différentes journées de la semaine ?

Jour	Saint-Michel	West Park	Riverdale
Lundi	14	18	24
Mardi	20	24	14
Mercredi	16	22	14
Jeudi	18	20	22
Vendredi	20	28	24

L'ANALYSE DE VARIANCE À DEUX FACTEURS

Dans la section 12.3 et la présente section, nous avons présenté des tests d'analyse de variance pour l'égalité des moyennes correspondant aux différents niveaux (traitements) d'un seul facteur. Dans certaines situations, on doit étudier les effets de deux ou plusieurs facteurs. Par exemple, on peut vouloir étudier simultanément les effets des engrais et de l'eau sur le rendement des cultures. Un tel effet peut ne pas être additif, c'est-à-dire que l'effet conjoint de l'engrais et de l'eau peut ne pas être égal à la somme de l'effet de l'engrais et de celui de l'eau. Il peut y avoir une interaction entre les deux facteurs. Dans ce cas, si l'on fixe les facteurs A et B aux traitements i et j, et que les autres facteurs sont aléatoires, alors la donnée X_{ij} correspondante sera :

$$X_{ij} = a + \mu_i + \lambda_j + \theta_{ij} + \epsilon_{ij}$$

Ici, μ_i est l'effet moyen du facteur A lorsqu'il est fixé au traitement i ; λ_j, l'effet moyen du facteur B lorsqu'il est fixé au traitement j ; θ_{ij}, l'interaction des facteurs A et B (pour les traitements i et j) ; a, l'effet moyen de l'ensemble des autres facteurs ; et ϵ_{ij}, le terme d'erreur.

À présent, on veut effectuer un test pour savoir si les données expérimentales permettent de conclure :

    i) que les valeurs de μ_i ne sont pas toutes les mêmes pour les différents traitements du facteur A ;

    ii) que les valeurs de λ_j ne sont pas toutes les mêmes pour les différents traitements du facteur B ;

    iii) qu'une interaction non nulle θ_{ij} existe pour certaines paires (i, j).

S'il n'y a pas d'interaction, alors on peut utiliser exactement la même approche que celle employée dans le cas de la disposition aléatoire par blocs, le deuxième facteur remplaçant les blocs.

S'il y a une interaction, alors on peut étendre directement l'approche de l'analyse de variance en observant que, dans le cas présent, on peut décomposer la somme des carrés totale, SCT, comme suit :

$$SCT = SCA + SCB + SCAB + SCE$$

Ici, SCA, SCB et SCAB correspondent aux sommes des carrés dues au facteur A, au facteur B et à l'interaction entre A et B respectivement. Pour de plus amples détails, le lecteur se reportera à un manuel avancé sur les statistiques.

RÉSUMÉ DU CHAPITRE

I. Les caractéristiques des lois F sont les suivantes :
   A. Les lois F sont continues.

   B. Les valeurs des lois F ne peuvent être négatives.

   C. Elles sont asymétriques à droite.

   D. Il existe une famille de lois F. Chaque fois que change le nombre de degrés de liberté au numérateur ou au dénominateur, on obtient une nouvelle distribution.

II. Les lois F servent à tester l'hypothèse de l'égalité de deux variances (voir l'annexe A du chapitre 12 sur le cédérom accompagnant ce manuel).
   A. Les distributions doivent être normales.

   B. La valeur de F se calcule à l'aide de la formule suivante :

$$F = \frac{S_1^2}{S_2^2}$$ **12A.1**

   C. Le quotient F des deux variances échantillonnales est comparé à la valeur critique d'une loi F.

III. L'analyse de variance à un facteur sert à tester si les valeurs moyennes correspondant à plusieurs traitements sont égales.
   A. Les hypothèses sous-jacentes de l'analyse de variance à un facteur sont les suivantes :

      1. Les échantillons proviennent de distributions normales.
      2. Les distributions ont des variances égales.
      3. Les échantillons sont tirés indépendamment.

   B. L'idée essentielle de la méthode d'analyse de variance est de décomposer la variation totale SCT ainsi :

      1. SCT = SCF + SCE
      2. La variation totale SCT se calcule ainsi :

$$SCT = \sum_{i,j} (X_{ij} - \bar{\bar{X}})^2$$ **12.2**

      3. La somme des carrés due au facteur SCF se calcule ainsi :

$$SCF = n_1(\bar{X}_{\bullet 1} - \bar{\bar{X}})^2 + n_2(\bar{X}_{\bullet 2} - \bar{\bar{X}})^2 + \ldots + n_k(\bar{X}_{\bullet k} - \bar{\bar{X}})^2$$ **12.4**

4. La somme des carrés due à l'erreur SCE se calcule ainsi :

$$\text{SCE} = \sum_i (X_{i1} - \bar{X}_{\bullet 1})^2 + \sum_i (X_{i2} - \bar{X}_{\bullet 2})^2 + \ldots + \sum_i (X_{ik} - \bar{X}_{\bullet k})^2 \qquad \textbf{12.5}$$

5. Les calculs pertinents au test F sont résumés dans le tableau suivant.

Source de variation	Somme des carrés	Degrés de liberté	Carré moyen	F
Facteur	SCF	$k-1$	$\text{SCF}/(k-1) = \text{CMF}$	CMF/CME
Erreur	SCE	$n-k$	$\text{SCE}/(n-k) = \text{CME}$	
Total	SCT	$n-1$		

IV. Si l'on rejette l'hypothèse nulle de l'égalité des moyennes pour les différents traitements, on peut obtenir les intervalles de confiance pour la différence entre les moyennes de chaque paire de traitements de façon à obtenir un niveau global de confiance d'au moins $(1 - \alpha)$. Deux approches ont été présentées :

A. Les bornes de l'intervalle LSD de Fisher se calculent de la façon suivante :

$$(\bar{X}_{\bullet i} - \bar{X}_{\bullet j}) \pm t_{\alpha/2c} \sqrt{\text{CME}\left(\frac{1}{n_i} + \frac{1}{n_j}\right)} \qquad \textbf{12.11}$$

B. Les bornes de l'intervalle découlant de la méthode de Tukey se calculent de la façon suivante :

$$(\bar{X}_{\bullet i} - \bar{X}_{\bullet j}) \pm \frac{q_\alpha}{\sqrt{2}} \sqrt{\text{CME}\left(\frac{1}{n_i} + \frac{1}{n_j}\right)} \qquad \textbf{12.12}$$

V. Dans un plan en blocs randomisés, on prend en considération un deuxième facteur appelé **bloc.**

A. Dans ce cas, on peut décomposer la variation totale des données, SCT, comme suit :

$$\text{SCT} = \sum_{i,j} (X_{ij} - \bar{\bar{X}})^2 = \text{SCF} + \text{SCB} + \text{SCE} \qquad \textbf{12.13}$$

B. Les formules pour calculer SCT et SCF sont les mêmes que dans l'analyse de variance à un facteur.

C. La formule pour calculer SCB, la somme des carrés des blocs, est

$$\text{SCB} = k\left[(\bar{X}_{1\bullet} - \bar{\bar{X}})^2 + (\bar{X}_{2\bullet} - \bar{\bar{X}})^2 + \ldots + (\bar{X}_{r\bullet} - \bar{\bar{X}})^2\right] \qquad \textbf{12.15}$$

D. La somme des carrés due à l'erreur SCE se calcule à partir de la formule suivante :

$$\text{SCE} = \text{SCT} - \text{SCF} - \text{SCB} \qquad \textbf{12.16}$$

E. Les statistiques F associées aux traitements et aux blocs sont déterminées dans le tableau suivant :

Source de variation	Somme des carrés	Degrés de liberté	Carré moyen	F
Facteur	SCF	$k-1$	$\text{SCF}/(k-1) = \text{CMF}$	CMF/CME
Bloc	SCB	$r-1$	$\text{SCB}/(r-1) = \text{CMB}$	CMB/CME
Erreur	SCE	$(n-k-r+1)$	$\text{SCE}/(n-k-r+1) = \text{CME}$	
Total	SCT	$n-1$		

EXERCICES 12.13 À 12.26

Dans chacun des exercices suivants, supposez que les distributions soient à peu près normales et de variance égale.

12.13 On a tiré indépendamment quatre échantillons aléatoires de taille 6. La somme des carrés totale SCT était égale à 250 et le carré moyen dû à l'erreur CME, à 10. Complétez le tableau d'analyse de variance et testez si l'on peut conclure, à un seuil $\alpha = 0{,}05$, que les moyennes ne sont pas toutes égales.

12.14 Le tableau ci-dessous est un tableau partiel d'analyse de variance à un facteur.

Source	Somme des carrés	*dl*	Carré moyen	*F*
Traitement		2		
Erreur			20	
Total	500	11		

Complétez le tableau et testez si l'on peut conclure, à un seuil $\alpha = 0{,}05$, que les moyennes correspondant aux traitements ne sont pas toutes égales.

12.15 Un organisme de défense des consommateurs veut savoir si le prix d'un jouet donné varie dans trois types de magasins. L'organisme a vérifié le prix du jouet à partir d'un échantillon de cinq magasins à prix réduits, de cinq magasins populaires et de cinq grands magasins. Les résultats figurent ci-dessous. Utilisez un seuil de signification de 0,05.

Magasins à prix réduits	12$	13$	14$	12$	15$
Magasins populaires	15$	17$	14$	18$	17$
Grands magasins	19$	17$	16$	20$	19$

12.16 Une médecin spécialisée dans le contrôle du poids recommande trois sortes de régimes amaigrissants. À titre d'expérience, elle a sélectionné 15 patients qu'elle a répartis aléatoirement en 3 groupes : les 5 patients d'un groupe donné devaient suivre l'un des régimes. Après trois semaines, elle a noté les pertes de poids (en kilogrammes) suivantes. Au seuil de signification de 0,05, peut-elle conclure que les pertes moyennes de poids ne sont pas les mêmes pour les trois régimes ?

Régime A	2	3	2	3	2
Régime B	3	4	3	2	3
Régime C	3	4	5	4	5

12.17 La ville de Maumee se compose de quatre districts. Le chef de police Andy North veut déterminer si le nombre moyen de crimes commis varie d'un district à l'autre. Il a enregistré le nombre de crimes relevés dans chaque district durant des échantillons de six jours sélectionnés de façon indépendante et aléatoire. Au seuil de signification de 0,05, le chef de police peut-il conclure que les nombres moyens de crimes par jour dans les quatre districts ne sont pas tous égaux ?

Centre Ree	Rue de la Clé	Monclova	Maison-blanche
13	21	12	16
15	13	14	17
14	18	15	18
15	19	13	15
14	18	12	20
15	19	15	18

12.18 Le directeur du personnel des Produits Cander veut étudier l'application au travail de ses employés. Il a fait passer à un échantillon aléatoire de 18 employés un test conçu pour mesurer le degré d'application. Les résultats s'échelonnaient de 20 à 40 environ. L'un des volets de l'étude portait sur le milieu d'origine des employés. (Ils provenaient soit d'un milieu rural, soit d'un milieu peu urbanisé, soit enfin d'un milieu fortement urbanisé.)

Voici les résultats obtenus :

Milieu rural	35	30	36	38	29	34	31
Milieu peu urbanisé	28	24	25	30	32	28	
Milieu fortement urbanisé	24	28	26	30	34		

a) Au seuil de signification de 0,05, peut-on conclure que les résultats moyens des employés correspondant aux trois milieux ne sont pas égaux ?

b) Si vous rejetez l'hypothèse nulle, pouvez-vous affirmer qu'il y a une différence entre le résultat moyen des employés qui proviennent d'un milieu rural et celui des employés qui proviennent d'un milieu fortement urbanisé ? (Utilisez le test de Tukey.)

12.19 Dans la section 12.3, nous avons souligné que lorsqu'il y a seulement deux traitements, l'analyse de variance et le test t de Student (voir le chapitre 11) se traduisent par les mêmes conclusions ; de plus, dans ce cas, $t^2 = F$. À titre d'exemple, supposez qu'on ait divisé en deux groupes 14 étudiants sélectionnés au hasard, l'un se composant de 6 étudiants et l'autre, de 8. On enseigne à un groupe en utilisant un mélange d'exposés magistraux et de cours programmés et à l'autre en utilisant un mélange d'exposés magistraux et de séances de télévision. À la fin du cours, chaque groupe doit répondre à 50 questions. Le nombre de réponses justes que chaque étudiant a obtenu figure ci-dessous.

Exposés magistraux et cours programmés	19	17	23	22	17	16	
Exposés magistraux et séances de télévision	32	28	31	26	23	24	27	25

a) À l'aide des méthodes d'analyse de variance, testez, à un seuil $\alpha = 0,05$, l'hypothèse H_0 selon laquelle les résultats moyens sont les mêmes dans les deux groupes.

b) À l'aide du test t vu au chapitre 11, calculez t.

c) Interprétez les résultats.

12.20 Une revue vous apprend qu'un diplômé de premier cycle de l'École de commerce gagne plus qu'un diplômé de l'enseignement secondaire, et qu'une personne ayant une maîtrise ou un doctorat gagne encore plus. Pour tester ces affirmations, vous avez tiré un échantillon aléatoire de 25 cadres provenant d'entreprises avec des actifs de plus de 1 million de dollars. Les revenus de ces cadres ont été classés selon le niveau le plus élevé d'éducation et figurent ci-dessous.

Revenus (en milliers de dollars)		
École secondaire ou moins	Diplôme de premier cycle	Maîtrise ou plus
65	69	71
67	77	93
73	105	102
72	93	79
59	101	114
63	104	109
74	109	109
	112	115
	62	93

Au seuil de signification de 0,05, testez si les données expérimentales permettent de conclure que les revenus moyens des trois groupes ne sont pas tous égaux. Si vous rejetez l'hypothèse nulle, effectuez davantage de tests pour déterminer quels groupes diffèrent. Utilisez la méthode de Tukey.

12.21 Shank inc., une agence nationale de publicité, veut savoir si la taille et la couleur utilisées dans une annonce publicitaire modifient la réaction des lecteurs d'un magazine. On montre des annonces de quatre couleurs et de trois tailles différentes à un échantillon aléatoire de lecteurs. On demande à chacun de noter entre 1 et 10 la combinaison de taille et de couleur qu'on lui présente. Les notes obtenues figurent dans le tableau suivant.

Taille de	Couleur de la publicité			
la publicité	Rouge	Bleue	Orange	Verte
Petite	2	3	3	8
Moyenne	3	5	6	7
Grande	6	7	8	8

La couleur et la taille d'une publicité influent-elles sur son efficacité ? Utilisez un seuil de signification de 0,05. Partez du principe qu'il n'y a pas d'interaction entre la couleur et la taille.

12.22 Il y a quatre restaurants McBurger dans la région de Winnipeg. Le nombre de hamburgers vendus dans chacun des quatre restaurants au cours d'un échantillon de six semaines figure ci-dessous. Au seuil de signification de 0,05, peut-on conclure que les nombres moyens de hamburgers vendus dans les quatre restaurants ne sont pas tous identiques ? Partez du principe qu'il n'y a pas d'interaction entre les restaurants et les semaines.

Semaine	Restaurant			
	Metro	Market Plaza	University	River
1	124	160	320	190
2	234	220	340	230
3	430	290	290	240
4	105	245	310	170
5	240	205	280	180
6	310	260	270	205

12.23 La ville de Saskatoon emploie des estimateurs pour évaluer les maisons afin d'établir l'impôt foncier. Le responsable de la ville envoie régulièrement chaque estimateur à un même groupe de cinq maisons sélectionnées au hasard et compare ensuite les résultats obtenus. Les données, exprimées en milliers de dollars, figurent ci-dessous. Pouvez-vous conclure, à $\alpha = 0,05$, qu'il y a une différence entre les estimateurs ? Partez du principe qu'il n'y a pas d'interaction entre les estimateurs et les maisons.

Maison	Estimateur			
	Zawodny	Norman	Cingle	Holiday
A	153	155	149	145
B	150	151	152	153
C	148	152	147	153
D	170	168	165	164
E	184	189	192	186

12.24 Trois chaînes de supermarchés de la région de Toronto (notées A, B et C) prétendent chacune offrir les plus bas prix. Le *Toronto Sun* s'est intéressé à cette publicité des supermarchés et a mené une enquête pour en vérifier la validité. D'abord, on a sélectionné un échantillon de neuf articles d'épicerie.

Ensuite, on a vérifié le prix de ces neuf articles dans chacune des trois chaînes le même jour. Au seuil de signification de 0,05, y a-t-il une différence entre les prix moyens dans les trois chaînes ? Au même seuil de 0,05, y a-t-il une différence entre les prix moyens des articles ? Partez du principe qu'il n'y a pas d'interaction entre les articles et les supermarchés.

Article	Supermarché		
	A	B	C
1	1,12 $	1,02 $	1,07 $
2	1,14 $	1,10 $	1,21 $
3	1,72 $	1,97 $	2,08 $
4	2,22 $	2,09 $	2,32 $
5	2,40 $	2,10 $	2,30 $
6	4,04 $	4,32 $	4,15 $
7	5,05 $	4,95 $	5,05 $
8	4,68 $	4,13 $	4,67 $
9	5,52 $	5,46 $	5,86 $

12.25 Un cabinet spécialisé en recherche veut comparer l'effet des catégories d'essence sans plomb normale, intermédiaire et super sur le rendement du carburant. À cause des différences de performance entre les automobiles, on en a sélectionné sept et on les a traitées comme des blocs. On a donc testé (sur l'autoroute) chaque catégorie d'essence avec chaque type d'automobile. Les résultats des essais, en litres au 100 km, figurent dans le tableau ci-dessous. Au seuil de signification de 0,05, le rendement moyen est-il le même pour les trois catégories de carburant, pour les sept types d'automobiles ? Partez du principe qu'il n'y a pas d'interaction entre les catégories de carburant et les types d'automobiles.

Automobile	Normale	Intermédiaire	Super
1	7,8	8,0	8,3
2	8,0	7,9	8,2
3	8,1	8,2	8,5
4	8,1	8,1	8,3
5	8,3	8,4	8,7
6	8,4	8,2	8,4
7	8,3	8,5	9,0

 12.26 Les poids (en grammes) d'un échantillon de bonbons M&M classés selon la couleur figurent dans le fichier Exercice 12-26.xls du cédérom accompagnant ce manuel. Utilisez un logiciel de statistique pour déterminer s'il y a une différence entre les poids moyens des bonbons de différentes couleurs. Utilisez un seuil de signification de 0,05.

www.exercices.ca 12.27 À 12.28

12.27 Le site Web www.globefund.com constitue une source d'information importante sur les fonds de placement canadiens. Allez sur ce site, cliquez sur *Fund Filter* (sous *RESEARCH TOOLS*), sélectionnez une catégorie d'actif (sous *Asset class*) et cliquez sur *Go*, puis sur *Five Star Ratings* au haut du tableau. Choisissez au hasard des données sur les rendements annuels d'une entreprise pour chaque paire de traitements des facteurs « classement de une à cinq étoiles » et « fonds de placement équilibré canadien ou fonds de la santé ». À l'aide de ces données, effectuez une analyse de variance à deux facteurs pour tester si l'on peut conclure, au seuil de signification de 0,05, à l'existence d'une différence entre les rendements annuels moyens en pourcentage des fonds de placement équilibrés canadiens et des fonds de la santé. Partez du principe qu'il n'y a pas d'interaction entre le type de fonds et les classes de fonds. De plus, supposez que les distributions soient normales et de variance égale.

12.28 Vous pouvez obtenir le pourcentage de variation trimestrielle du produit intérieur brut de 20 pays en allant sur le site www.oecd.org et en cliquant sur *Statistics* (sous *Find*) puis sur *Quarterly Growth Rates on GDP...* Copiez les données concernant le Canada, le Japon et les États-Unis dans trois colonnes d'Excel. Effectuez un test d'analyse de variance pour déterminer si les trois moyennes sont égales. Utilisez un seuil de signification de 0,05. Supposez que les distributions soient à peu près normales et de variance égale.

EXERCICES 12.29 À 12.31 DONNÉES INFORMATIQUES

12.29 Reportez-vous aux données du fichier BASEBALL-2000.xls dans lequel figurent diverses statistiques de la saison 2000 concernant les 30 équipes des ligues majeures. Partez du principe que pour chacune des questions ci-dessous (a, b et c), les distributions sont à peu près normales.

a) Au seuil de signification de 0,10, si l'on compare les équipes qui jouent leurs parties locales sur du gazon naturel (noté 0) et celles qui jouent sur du gazon artificiel (noté 1), y a-t-il une différence entre les variances du nombre de buts volés ?

b) Construisez une variable qui permet de classer l'assistance totale d'une équipe en trois groupes : moins de deux (millions de personnes), de deux à trois, et trois ou plus. Au seuil de signification de 0,05, pouvez-vous conclure que les nombres moyens de parties gagnées pour les trois groupes ne sont pas tous égaux ? Supposez que les variances soient égales.

c) À l'aide de la variable d'assistance créée en b), pouvez-vous conclure que les valeurs moyennes des moyennes au bâton ne sont pas égales dans les trois groupes ? Utilisez $\alpha = 0,1$. (Supposez que les variances soient égales.)

12.30 Reportez-vous aux données du fichier OECD.xls dans lequel figurent les données sur le recensement, l'économie et le commerce de 29 pays. Partez du principe que pour chaque question ci-dessous (a et b), les distributions sont à peu près normales et de variance égale.

a) Classez par catégorie les 29 pays en indiquant s'ils se trouvent en Europe, en Amérique du Nord ou en Asie. Au seuil de signification de 0,05, pouvez-vous conclure à une différence entre les pourcentages moyens de la population âgée de plus de 65 ans ?

b) Divisez le produit intérieur brut (PIB) par la population pour créer une nouvelle variable qui représente le PIB par habitant. Au seuil de signification de 0,05, pouvez-vous conclure à une différence entre les moyennes de cette variable pour les trois régions considérées en a) ?

12.31 Reportez-vous aux données du fichier Real Estate Data.xls dans lequel figurent les données sur les maisons vendues à Victoria, en Colombie-Britannique, l'année dernière. Vérifiez si, au seuil de signification de 0,02, vous pouvez en arriver aux conclusions ci-dessous. Supposez, dans chaque cas, que les distributions soient à peu près normales.

a) Il y a une différence dans les variances des prix de vente des maisons ayant une piscine versus celles n'en ayant pas.

b) Il y a une différence dans les variances des prix de vente des maisons ayant un garage versus celles n'en ayant pas.

12.1 $H_0: \mu_1 = \mu_2 = \mu_3$

H_1: Au moins une moyenne de traitement est différente.

La règle de décision est la suivante : rejeter H_0 si $F > 4,26$.

$SCT = (20 - 20,58)^2 + (15 - 20,58)^2 + \ldots +$
$(30 - 20,58)^2 + (32 - 20,58)^2 = 566,92$

$SCF = 4(19,25 - 20,58)^2 + 4(13,75 - 20,58)^2$
$+ 4(28,75 - 20,58)^2 = 460,67$

$SCE = 566,92 - 460,67 = 106,25$

Source	Somme des carrés	Degrés de liberté	Carré moyen	F
Traitement	460,67	2	230,335	19,510
Erreur	106,25	9	11,806	
Total	566,92	11		

Puisque la valeur expérimentale F est supérieure à 4,26, on peut conclure, à $\alpha = 0,05$, que les moyennes ne sont pas toutes identiques.

12.2 La valeur $q_{0,05}$ [avec $dl = (3, 9)$] est 3,95. C'est pourquoi l'intervalle de confiance à 95 % de Tukey pour la différence entre les moyennes correspondant aux traitements 1 et 3 est

$$(19,25 - 28,75) \pm \frac{3,95}{\sqrt{2}} \sqrt{11,806 \left(\frac{1}{4} + \frac{1}{4} \right)}$$

$$= (-16,286; -2,714)$$

Puisque l'intervalle ne contient pas 0, on peut conclure, au seuil de signification de 0,05, que les moyennes correspondantes sont inégales.

12.3 Notons μ_1, μ_2 et μ_3 les ventes moyennes pour les trois catégories de shampoings :

$H_0: \mu_1 = \mu_2 = \mu_3$

H_1: Les ventes moyennes pour les trois catégories ne sont pas toutes égales.

$F_{0,05}$ [avec $dl = (2, 8)$] = 4,46.

Donc, on rejette H_0 si $F > 4,46$.

Pour les cinq mois, les ventes moyennes sont notées b_1, b_2, b_3, b_4 et b_5.

$H_0: b_1 = b_2 = b_3 = b_4 = b_5$

H_1: Les ventes moyennes pour les différents mois ne sont pas toutes égales.

$F_{0,05}$ [avec $dl = (4, 8)$] = 3,84.

Donc, on rejette H_0 si $F > 3,84$.

Le tableau d'analyse de variance se lit comme suit :

Source	dl	SC	CM	F
Catégorie	2	3,60	1,80	0,39
Mois	4	31,73	7,93	1,71
Erreur	8	37,07	4,63	
Total	14	72,40		

On *ne* peut rejeter l'hypothèse nulle ni pour les catégories de shampoings, ni pour les mois. Les données expérimentales ne permettent *pas*, au seuil de signification de 0,05, de conclure à une différence dans les ventes moyennes des catégories de shampoings ou dans celles des mois.

Cette section est une révision des principaux concepts et termes abordés aux chapitres 10, 11 et 12.

Le chapitre 10 commence par l'étude des tests d'hypothèses. Dans un test d'hypothèse statistique, on cherche à prouver une certaine hypothèse sur une distribution. L'hypothèse complémentaire, qu'on appelle **hypothèse nulle** et qu'on note H_0, est prise comme hypothèse par défaut. L'hypothèse qu'on cherche à prouver est appelée **contre-hypothèse** et notée H_1. Une fois le test terminé, deux conclusions sont possibles : i) *les données expérimentales permettent de rejeter H_0 et d'accepter H_1* ; ii) *les données expérimentales ne permettent pas de rejeter H_0 en faveur de la contre-hypothèse*. Le test est conçu de telle sorte qu'on fixe la probabilité de rejeter H_0 à tort à une valeur prédéterminée α.

Au chapitre 10, nous n'avons considéré que des hypothèses sur une seule moyenne ou sur une seule proportion. Dans le cas d'une moyenne, on a supposé que la distribution était normale ou que la taille d'échantillon était suffisamment élevée : lorsqu'on connaît la variance σ^2, le test sur une moyenne est un test Z ; lorsqu'on ne connaît pas la variance et que la distribution est normale, il s'agit d'un test t. Pour des échantillons de grande taille, la distribution t est presque la même que la distribution Z et les deux tests sont presque identiques. Dans le cas d'une proportion, la valeur de la variance dépend de la proportion et l'on a supposé que la taille d'échantillon était élevée ; le test effectué est donc un test Z.

Au chapitre 11, nous avons étendu les notions du chapitre 10 aux tests sur l'égalité de deux moyennes. Nous avons étudié deux types de tests.

i) Les tests impliquant deux échantillons tirés de façon indépendante. Dans ce cas, on a supposé que les distributions étaient normales. On a élaboré un test t lorsque les variances étaient égales et un test t approximatif lorsque les variances n'étaient pas égales.

ii) Les tests impliquant un échantillon de données appariées. Dans ce cas, on a introduit une variable D définie comme la différence entre les paires de valeurs de l'échantillon et réduit le test à un test sur une moyenne.

On a également traité le cas de l'égalité de deux proportions et effectué un test Z lorsqu'il s'agissait d'échantillons indépendants.

Le chapitre 11 traitait des tests de comparaison de deux moyennes. Au chapitre 12, nous avons présenté une méthode appelée *analyse de variance,* qui sert à tester simultanément l'égalité de plusieurs moyennes. À titre d'exemple, on a effectué un test pour savoir s'il y a une différence entre l'efficacité de trois engrais sur le rendement en blé. Ce type d'analyse s'appelle *analyse de variance à un facteur* parce qu'elle donne la possibilité de tirer des conclusions sur la différence entre les effets des différents groupes (traitements) d'un seul facteur (tel un engrais) sur la valeur moyenne d'une variable (tel le rendement).

Ce test suppose que les distributions sont normales et que les variances sont égales. On doit d'abord tirer des échantillons aléatoires indépendants pour chacun des groupes, puis décomposer la variation totale des données obtenues en deux termes : l'un représente la variation à l'intérieur des échantillons (appelée *variation résiduelle* ou *somme des carrés due à l'erreur* – SCE), l'autre représente la variation entre les échantillons (appelée *variation due au facteur* ou *somme des carrés due au facteur* – SCF). La statistique utilisée est le quotient des valeurs standardisées de SCF et de SCE. Lorsque toutes les moyennes μ_j sont égales, la statistique obéit à une loi de probabilité appelée *distribution* F. C'est pourquoi cette statistique est notée F, et l'on parle du *test* F. On a défini un tableau d'analyse de variance pour organiser le calcul de la statistique F sous une forme pratique.

Si l'on veut tirer des conclusions sur les effets simultanés de deux facteurs, il faut appliquer la méthode de l'*analyse de variance à deux facteurs*. Dans ce cas aussi, la statistique utilisée obéit à une loi F sous l'hypothèse nulle et est notée F. On utilise aussi les lois F pour tester l'égalité de deux variances.

GLOSSAIRE

Chapitre 10

Contre-hypothèse   Hypothèse sur une distribution, qui est la négation de l'hypothèse nulle. On la note H_1. Il s'agit souvent d'une hypothèse de recherche, d'une hypothèse qu'on veut prouver.

Erreur de deuxième espèce   Erreur commise lorsqu'on ne rejette pas une hypothèse nulle qui est fausse. On désigne la probabilité de commettre une erreur de deuxième espèce par la lettre grecque β (prononcée *bêta*).

Erreur de première espèce   Erreur commise lorsqu'on rejette une hypothèse nulle qui est vraie.

Fonction de puissance d'un test   Pour des valeurs données de α et de n, fonction qui, à chaque valeur possible du paramètre lorsque H_1 est vraie, attribue une probabilité égale à la puissance du test correspondant à cette valeur.

Hypothèse nulle   Complément de la contre-hypothèse. On la note H_0. On prend l'hypothèse nulle comme l'hypothèse par défaut.

Puissance d'un test   Probabilité de rejeter H_0 lorsque H_0 est fausse. Autrement dit, c'est la probabilité d'accepter la contre-hypothèse lorsque celle-ci est vraie.

Seuil de signification d'un test   Probabilité qu'une erreur de première espèce soit commise, c'est-à-dire probabilité de rejeter l'hypothèse nulle H_0 lorsque celle-ci est vraie. On la désigne par la lettre grecque α (prononcée *alpha*).

Seuil expérimental d'une instance du test d'hypothèse   Valeur du seuil de signification, α^*, pour laquelle une valeur limite de rejet (valeur critique) est égale à la valeur expérimentale de la statistique.

Statistique   Variable aléatoire dépendant de l'échantillon tiré. On prend la décision de rejeter ou non H_0 en se fondant sur la valeur de la statistique calculée à partir des données échantillonnales.

Test bilatéral   Test dans lequel il y a une zone de rejet dans chacune des deux queues de la distribution de la statistique.

Test d'hypothèse   Étant donné une paire d'hypothèses complémentaires sur une distribution, appelées « hypothèse nulle » et « contre-hypothèse », un test d'hypothèse est une méthode statistique qui consiste à analyser des données sélectionnées au hasard et à prendre l'une des deux décisions suivantes : i) les données expérimentales permettent de rejeter l'hypothèse nulle en faveur de la contre-hypothèse ou ii) les données expérimentales ne permettent *pas* de rejeter l'hypothèse nulle. Le test est conçu de sorte que la probabilité de commettre une erreur de première espèce soit inférieure à une valeur fixée α et que soit minimisée la probabilité de commettre une erreur de deuxième espèce.

Test unilatéral   Test dans lequel la zone de rejet n'est située que dans une queue de la distribution de la statistique.

Valeurs critiques   Points frontière entre la zone de rejet et la zone où l'on ne rejette pas H_0.

Zone de rejet   Ensemble de valeurs possibles de la statistique pour laquelle, selon la règle de décision, l'hypothèse nulle H_0 sera rejetée.

Chapitre 11

Échantillon de données appariées   Échantillon obtenu en appariant ou en mettant deux par deux des éléments provenant de deux populations et en choisissant un échantillon aléatoire de telles paires.

Échantillons indépendants   Échantillons aléatoires choisis de façon indépendante et en aucune façon liés les uns aux autres.

Estimateur groupé de la variance de la population   Moyenne pondérée de S_1^2 et S_2^2 utilisée comme estimateur de la variance commune σ^2 de deux populations.

Chapitre 12

Analyse de variance (ANOVA)   Méthode utilisée pour tester simultanément l'égalité des moyennes de plusieurs populations. La statistique utilisée obéit à une loi F.

Bloc   Deuxième source de variation, en plus du facteur à l'étude.

Facteur   Cause ou source précise de variation des données.

Traitement   Niveau particulier (ou modalité particulière) du facteur à l'étude.

EXERCICES

PARTIE I – CHOIX MULTIPLE

1. Dans un test Z unilatéral et au seuil de signification de 0,01, la valeur limite de rejet (valeur critique) est :
   a) $-1,96$ ou $+1,96$.
   b) $-1,65$ ou $+1,65$.
   c) $-2,58$ ou $+2,58$.
   d) 0 ou 1.
   e) Aucune de ces réponses.

2. On commet une erreur de deuxième espèce lorsqu'on :
   a) rejette une hypothèse nulle qui est vraie.
   b) accepte une contre-hypothèse qui est vraie.
   c) n'accepte pas une contre-hypothèse qui est vraie.
   d) accepte en même temps l'hypothèse nulle et la contre-hypothèse.
   e) Aucune de ces réponses n'est juste.

3. Les hypothèses sont H_0 : $\mu = 78$ kg et H_1 : $\mu \neq 78$ kg.
   a) On applique un test unilatéral.
   b) On applique un test bilatéral.
   c) On applique un test trilatéral.
   d) On applique le mauvais test.
   e) Aucune de ces réponses n'est juste.

4. On applique un test Z unilatéral à gauche dont le seuil de signification est 0,01. La valeur z expérimentale est $-1,8$. Cela signifie :
   a) qu'on ne devrait pas rejeter H_0.
   b) qu'on devrait rejeter H_0 et accepter H_1.
   c) qu'on devrait prendre un échantillon de taille plus élevée.
   d) qu'on aurait dû utiliser un seuil de signification de 0,05.
   e) Aucune de ces réponses n'est juste.

5. La statistique pour tester une hypothèse sur une moyenne lorsque la distribution est normale et que l'on ne connaît pas l'écart type σ est :
   a) Z.   b) t.   c) F.   d) χ^2.

6. On veut tester une hypothèse sur la différence entre deux moyennes. On pose l'hypothèse nulle et la contre-hypothèse comme suit :
   H_0 : $\mu_1 = \mu_2$
   H_1 : $\mu_1 \neq \mu_2$
   a) On devrait appliquer un test unilatéral à gauche.
   b) On devrait appliquer un test bilatéral.
   c) On devrait appliquer un test unilatéral à droite.
   d) On ne peut déterminer s'il faut appliquer un test unilatéral à gauche, à droite ou un test bilatéral en fonction des renseignements dont on dispose.
   e) Aucune de ces réponses n'est juste.

7. Une loi F :
   a) est définie seulement pour les valeurs non négatives de F.
   b) est définie seulement pour les valeurs négatives de F.
   c) est identique à la distribution t.
   d) est identique à la distribution Z.
   e) Aucune de ces réponses n'est juste.

8. Lorsque la distribution est normale, à mesure que la taille de l'échantillon augmente, la distribution de $\left(\dfrac{\bar{X} - \mu}{s/\sqrt{n}} \right)$ se rapproche :

   a) de l'analyse de variance.
   b) de la variable normale centrée réduite (loi Z).
   c) de la distribution de Poisson.
   d) de 0.
   e) Aucune de ces réponses n'est juste.

9. Un test d'analyse de variance a été effectué pour comparer des moyennes. L'hypothèse nulle a été rejetée. Cette décision signifie :
   a) qu'il y avait trop de degrés de liberté.
   b) qu'il n'y a pas de différence entre les moyennes.
   c) qu'il y a une différence entre au moins deux moyennes de la population.
   d) qu'on devrait tirer un échantillon de taille plus élevée.
   e) Aucune de ces réponses n'est juste.

PARTIE II – PROBLÈMES

10. Une recherche effectuée par la Banque de Montréal a révélé que seulement 8 % de ses clients attendent plus de cinq minutes pour effectuer leurs opérations bancaires. La direction considère que ce temps d'attente est raisonnable, et elle n'ajoutera pas d'autres caissiers à moins que cette proportion ne dépasse 8 %. À une succursale de Toronto, la directrice croit que le temps d'attente est plus long que la norme établie et réclame d'autres caissiers à temps partiel. Pour appuyer sa demande, elle indique que, sur un échantillon de 100 clients, 10 ont attendu plus de 5 minutes. Au seuil de signification de 0,01, est-il raisonnable de conclure que plus de 8 % des clients attendent plus de cinq minutes à cette succursale ?

Pour chacun des problèmes 11 à 15, supposez que les distributions soient à peu près normales.

11. Une machine est programmée pour produire des balles de tennis de façon que le rebond moyen soit de 90 cm lorsqu'on lance la balle depuis une certaine hauteur. Le responsable soupçonne que le rebond moyen des balles produites est inférieur à 90 cm. À titre d'expérience, on en lance 42, et l'on obtient une hauteur moyenne du rebond de 88,75 cm, avec un écart type de 2,25 cm. Au seuil de signification de 0,05, le responsable peut-il conclure que la hauteur moyenne du rebond est inférieure à 90 cm ?

12. On a émis l'hypothèse que les employés de bureau n'étaient pas productifs 20 minutes en moyenne durant chacune des heures travaillées. Certains ont affirmé que le temps perdu était supérieur à 20 minutes. Une étude a été menée dans une université d'Ontario à l'aide d'un chronomètre et d'autres instruments de vérification sur les habitudes de travail des employés de bureau. Une vérification aléatoire a révélé les temps non productifs suivants, en minutes, durant une période d'une heure (à l'exclusion des pauses normales prévues à l'horaire) :

| 10 | 25 | 17 | 20 | 28 | 30 | 18 | 23 | 18 |

Au seuil de signification de 0,05, est-il raisonnable de conclure que le temps moyen non productif est supérieur à 20 minutes par heure ?

13. On a effectué un test sur la force d'adhérence moyenne de deux colles conçues pour le plastique. D'abord, on a enduit une extrémité d'un petit crochet en plastique avec de la colle époxy, et on l'a fixé à une feuille de plastique. Une fois la colle sèche, on a ajouté du poids au crochet jusqu'à ce que celui-ci se sépare de la feuille, et l'on a enregistré le poids maximal. On a répété cette opération sur 12 crochets. On a suivi le même procédé avec la colle Holdtite, mais on n'a utilisé que 10 crochets. Les résultats obtenus, en kilogrammes, étaient les suivants :

	Époxy	Holdtite
Moyenne	114	115
Écart type	2,3	3,6

Au seuil de signification de 0,01, y a-t-il une différence entre la force d'adhérence moyenne de la colle époxy et celle de la colle Holdtite ?

14. On a testé un additif conçu pour augmenter la durée de vie de la peinture. On a peint la moitié supérieure d'un morceau de bois à l'aide de la peinture normale, et la partie inférieure avec la peinture contenant l'additif. On a appliqué la même procédure à 10 morceaux de bois. Ensuite, on a soumis chaque morceau à un jet d'eau à haute pression et à la lumière vive. Les données, soit le nombre d'heures avant que chaque morceau se décolore au-delà d'un point donné, sont les suivantes :

	A	B	C	D	E	F	G	H	I	J
				Nombre d'heures par échantillon						
Sans additif	325	313	320	340	318	312	319	330	333	319
Avec additif	323	313	326	343	310	320	313	340	330	315

Au seuil de signification de 0,05, déterminez si l'additif parvient efficacement à prolonger la durée de vie de la peinture.

15. Un distributeur de cola de Montréal offre une promotion sur les emballages de 12 cannettes. Il se demande où placer ses produits dans l'épicerie pour attirer le plus possible l'attention sur sa promotion. Doit-il les disposer près de l'entrée de l'épicerie, dans la section des boissons gazeuses, près de la sortie où se trouvent les caisses enregistreuses ou près du lait et des autres produits laitiers ? On a choisi aléatoirement quatre épiceries enregistrant des ventes totales similaires pour mener une expérience. Dans l'une des épiceries, on a empilé les emballages de 12 cannettes près de l'entrée, dans une autre, on les a placés près des caisses enregistreuses et ainsi de suite. À des moments précis, on a vérifié dans chaque épicerie le total des ventes durant une période de quatre minutes exactement. Les résultats sont les suivants :

Près de l'entrée	Section des boissons gazeuses	Près des caisses	Section des produits laitiers
6	5	7	10
8	10	10	9
3	12	9	6
7	4	4	11
	9	5	
		7	

Le distributeur veut savoir si les données expérimentales permettent de conclure, au seuil de signification de 0,05, que les ventes moyennes de cola dans les quatre épiceries ne sont pas les mêmes. Quelle devrait être sa conclusion ? Supposez que les variances soient égales.

ÉTUDE DE CAS A

ÉTUDE DE CAS B

Le ministère du Travail souhaite étudier les tendances du taux de chômage chez les jeunes au Canada. Considérez les données d'échantillon dans le fichier Youth Unemployment in Canada.xls sur le cédérom accompagnant ce manuel, qui donne les taux de chômage chez les jeunes au Canada.

Divisez la période comprise entre 1976 et 2000 en trois groupes : de 1976 à 1984, de 1985 à 1992 et de 1993 à 2000. Vérifiez si l'on peut conclure que les taux de chômage moyens chez les jeunes au cours de ces trois périodes ne sont pas tous les mêmes. Si l'hypothèse nulle est rejetée, faites un test pour savoir quelles moyennes sont différentes.

À l'aide de l'ensemble des données, vérifiez si les données montrent que les taux de chômage moyens au cours des quatre trimestres ne sont pas tous les mêmes. Si l'hypothèse nulle est rejetée, faites un test pour savoir quelles moyennes sont différentes.

Jeanne Dupuis gère l'urgence du centre médical Bell. Elle a notamment la responsabilité de prévoir un nombre suffisant d'infirmières pour que les nouveaux patients soient traités rapidement. Pour les patients, l'attente peut devenir angoissante, même s'ils ne sont pas dans une situation critique. Jeanne Dupuis a recueilli des renseignements concernant le nombre de patients venus consulter un médecin à l'urgence au cours des dernières semaines. Ces données figurent dans le fichier Case Study B.xls sur le cédérom accompagnant ce manuel. Semble-t-il y avoir des différences entre le nombre de patients venus en consultation selon le jour de la semaine ? Le cas échéant, quels sont les jours de plus forte affluence ?

CHAPITRE 13

Les analyses de corrélation et de régression simple

OBJECTIFS D'APPRENTISSAGE

Après avoir lu ce chapitre, vous serez en mesure :

- de déterminer une relation qui existe entre des variables sur un *diagramme de dispersion* ;

- de mesurer et d'interpréter un degré de relation à l'aide d'un *coefficient de corrélation* ;

- d'effectuer un *test d'hypothèse* sur le coefficient de corrélation d'une population ;

- de définir les rôles des variables *dépendantes* et *indépendantes*, le concept de régression ainsi que sa distinction avec le concept de corrélation ;

- de mesurer et d'interpréter la force de la relation qui existe entre deux variables à l'aide d'une *droite de régression* et de la *méthode des moindres carrés* ;

- d'effectuer une *analyse de variance* et de calculer le *coefficient de détermination* ;

- d'exécuter un *test d'hypothèse* pour un modèle de régression et chaque coefficient de régression ;

 - d'estimer des *intervalles de confiance* et de *prévision*.

SIR FRANCIS GALTON (1822-1911)

Avec Francis Ysidro Edgeworth et Karl Pearson, Sir Francis Galton fut à l'origine d'une révolution de la statistique. Les concepts de corrélation et de régression simple furent ses principales contributions au domaine de la statistique. Galton consacra la plus grande partie de ses efforts et de ses principaux travaux à l'étude de l'hérédité et de la science de l'eugénique, qu'il fonda. Cependant, ce furent les études effectuées sur les semences des première et deuxième générations de pois de senteur qui l'amenèrent à découvrir officiellement l'analyse de régression. Les travaux de Galton sur la relation existant entre la taille des parents et de leur progéniture étayèrent les fondements des futurs développements de l'analyse de corrélation et de l'analyse de régression.

Le père de Francis Galton était médecin et voulait que Francis fasse de même. Ce dernier étudia donc la médecine à l'Université Cambridge, en dépit de son manque d'intérêt pour ce domaine. Après la mort de son père, il hérita d'une importante somme d'argent et abandonna sa carrière en médecine pour se concentrer sur ce qui l'intéressait davantage. À l'occasion de son premier projet, il se rendit en Afrique du Sud-Ouest où il explora et traça la carte de la région. Il fut d'ailleurs un des premiers à le faire. En 1853, il mérita la médaille d'or de la Royal Geographical Society en reconnaissance de ses réalisations. L'ouvrage de son cousin Darwin, *De l'origine des espèces au moyen de la sélection naturelle* (1859), eut une grande influence sur les futurs travaux de Galton. Celui-ci écrivit à Darwin pour lui dire : « Votre ouvrage a bouleversé ma vie ; il a éloigné les limites de mon ancienne superstition, comme si elle avait été un cauchemar, et il a été le premier à m'apporter la liberté de pensée[1]. »

Galton semble toujours s'être intéressé aux nombres. D'ailleurs, on pouvait souvent le voir en train de compter le nombre d'événements connexes qu'il constatait dans une journée. Il fit peindre son portrait deux fois et, après avoir compté le nombre de coups de pinceau, il devina que la peinture de chaque portrait exigeait environ 20 000 coups de pinceau. Étrangement, Galton avait très peu confiance en ses propres aptitudes de mathématicien et avait souvent recours à des experts. Après avoir expliqué à Hamilton Dickson, un mathématicien de Cambridge, la relation qu'il avait découverte entre la taille moyenne de huit fils et de huit parents, Dickson lui fournit une preuve mathématique qui constitua les fondements de ce qu'on appelle aujourd'hui le coefficient de corrélation. Galton observa dans ses expériences que la taille des fils (Y), en moyenne, *régressait* vers la taille moyenne de tous les parents (X) ; il utilisa alors le mot *régression* pour qualifier cette relation. En conséquence, si la taille d'un parent est supérieure à X de 10 cm, alors la taille du fils, en moyenne, serait supérieure à Y de moins de 10 cm. Cet *effet de régression* se produit dans des situations où il y a une distribution normale composée de variables avec des variances presque égales. C'est pourquoi les statisticiens l'appellent l'*erreur de régression*. En statistique, on utilise couramment le mot *régression* dans l'analyse de régression en ne faisant plus référence à l'effet de régression.

Grâce aux nombreuses réalisations de Galton, on lui accorda le titre de chevalier en 1909. En annonçant la nouvelle à son ami Pearson, il écrivit : « Quel mauvais mais précieux chevalier je ferai, compte tenu de toutes mes infirmités. Il y a sept ans déjà, on dut avoir recours à certaines manœuvres complexes pour m'aider à monter sur un âne égyptien et, depuis ce temps, mon état n'a fait qu'empirer[2]. »

INTRODUCTION

Aux chapitres 2 à 4, nous avons discuté de la *statistique descriptive*. Nous avons organisé des données brutes en distribution d'effectifs et calculé plusieurs mesures de tendance centrale et de dispersion pour décrire les principales caractéristiques des données. Aux chapitres 5 à 7, nous avons présenté les concepts théoriques liés aux probabilités et aux distributions de probabilités. Au chapitre 8, nous avons introduit plusieurs méthodes d'échantillonnage ainsi que la notion de distribution d'échantillonnage d'une statistique. Nous avons eu recours à ces concepts aux chapitres 9 à 12 pour faire de l'inférence concernant le paramètre d'une population, comme la moyenne de population, en fonction des renseignements contenus dans un échantillon. Nous avons construit des intervalles de confiance et vérifié des hypothèses sur la moyenne ou la proportion d'une population ainsi que sur la différence entre les moyennes de deux populations ou plus. Tous ces tests ne comportaient qu'*une seule* variable mesurée selon une échelle d'intervalles ou de rapports, comme la qualité de vie en Ontario, le prix des actions de Bell Canada ou la popularité des libéraux (une proportion) à Terre-Neuve.

Dans le présent chapitre, nous nous concentrerons sur un tout autre concept. Nous étudierons la relation qui existe entre *deux* variables, comme l'investissement et le bénéfice, ou l'inflation et le chômage. Nous examinerons d'abord l'orientation et le degré de relation qui existe entre deux variables à l'aide de la méthode de l'analyse de corrélation. Nous élaborerons ensuite une méthode plus perfectionnée appelée analyse de régression. Quelle est la relation entre la productivité et les salaires des travailleurs canadiens ? Existe-t-il une relation entre les sommes qu'IBM consacre à la publicité et ses ventes ? Pouvons-nous estimer les frais de chauffage d'une maison à Winnipeg durant les mois d'hiver en fonction du nombre de mètres carrés de la maison ?

Nous commençons le présent chapitre en examinant la signification et l'utilité de l'analyse de corrélation. Nous observerons ensuite un diagramme conçu pour illustrer la relation entre deux variables, appelé diagramme de dispersion. Nous poursuivrons l'étude des corrélations à l'aide d'une formule qui permet d'estimer le degré de relation par une seule valeur (selon une échelle d'intervalles) et d'effectuer un test d'hypothèse sur la corrélation dans la population.

Nous analyserons ensuite la relation qui existe entre deux variables au moyen de l'équation d'une droite avec l'analyse de régression simple. Cette analyse permet de mesurer la force d'une relation entre deux variables à l'aide de la pente d'une droite (dans une échelle de rapports). À l'occasion de la discussion sur l'analyse de régression, nous aborderons : 1) l'origine, la nature des données et la nature des relations ; 2) le modèle de régression ; 3) la dérivation des estimateurs ponctuels de la droite de régression en fonction de la méthode des moindres carrés ; 4) l'analyse de variance, la dérivation de l'erreur type de l'estimation et du coefficient de détermination ; 5) les tests d'hypothèses pour les paramètres et le modèle de régression ; 6) les intervalles de confiance ainsi que les intervalles de prévision (voir l'annexe A du chapitre 13 sur le cédérom qui accompagne ce manuel). Nous discuterons aussi en détail des diagnostics du modèle, au chapitre 14.

13.1 LA CORRÉLATION

LA NATURE DE L'ANALYSE DE CORRÉLATION

La corrélation désigne la possibilité de mouvement conjoint dans la variation de deux variables. On peut observer des mouvements dans deux variables qualitatives, comme les pensées ou les impressions de deux personnes. Par exemple, on constate normalement que les mouvements de la pensée de deux amis vont dans la même direction ; les mouvements de la pensée de deux adversaires vont dans des directions opposées et ceux de deux étrangers vont très peu ou pas du tout dans la même direction. Cependant, il ne faut pas oublier que la notion de corrélation ne fait pas intervenir de relation de cause à effet entre deux variables.

En statistique, l'analyse de corrélation est l'étude de la *relation linéaire qui existe entre deux variables aléatoires ou plus, qu'on mesure dans une échelle d'intervalles ou une échelle de rapports.* Dans le présent chapitre, la discussion se limitera à des distributions bivariées, c'est-à-dire des observations simultanées (appariées) de deux variables. Par exemple, on observe un mouvement dans des paires de variables aléatoires comme la taille et le poids de plusieurs personnes, les taux d'inflation et de chômage pendant plusieurs années ou dans plusieurs pays, le prix de clôture de deux actions les 50 derniers vendredis, l'actif et le bénéfice net de plusieurs sociétés ou les notes de 30 étudiants inscrits aux cours de statistique et de comptabilité. Dans l'analyse de corrélation, on s'intéresse à la direction de la relation ainsi qu'au degré ou à la force de la relation.

Par exemple, on pourrait étudier la relation qui existe entre le revenu par habitant et la qualité de vie. Les données montrent l'indice du revenu par habitant (sous la forme d'un indice, la valeur en 1971 = 100 représente le produit intérieur brut ou PIB par habitant en 1971 aux prix de 1992 = 17 053 \$) et la qualité de vie ou l'indice de bien-être (en fonction de plusieurs facteurs tels que la consommation de biens et de services, la richesse, la pauvreté et l'inégalité ainsi que la sécurité économique, notamment la protection des personnes contre le crime et la maladie mentale, le chômage, l'éclatement de la famille, la pauvreté chez les personnes âgées, etc.). Une représentation des données sous forme de tableau (voir le tableau 13.1 à la page suivante) donne une idée de la relation. À partir de ces données, on voit que l'indice du revenu par habitant ainsi que l'indice de bien-être ont augmenté durant la période d'échantillon, soit de 1971 à 1997. Cependant, en examinant de plus près le tableau, on constate que l'indice du revenu en 1977 (120,24) est de 20 % de plus que l'indice du revenu en 1971, alors que l'indice de bien-être est demeuré presque inchangé (passant de 100 à 100,67). On peut formuler un argument similaire pour les années 1973 et 1996. On pourrait effectuer des analyses semblables sur les échantillons d'autres années. Cependant, on a un aperçu plus clair des événements derrière ces chiffres si l'on place toutes les observations dans un diagramme appelé **diagramme de dispersion.**

LE DIAGRAMME DE DISPERSION

 Un **diagramme de dispersion** (ou nuage de points) illustre dans le plan (*x*, *y*) les couples d'observations sur deux variables.

Un diagramme de dispersion présente chaque couple d'observations sous forme de point dans un diagramme, les observations sur une variable se trouvant sur l'axe des *x* (axe horizontal) et les observations sur une autre variable se trouvant sur l'axe des *y* (axe vertical). On trace maintenant le diagramme de dispersion (voir la figure 13.1 à la page suivante) correspondant aux données qui figurent au tableau 13.1. Pour construire le diagramme, on dénomme chaque axe à partir des nombres situés près des valeurs minimales jusqu'aux nombres près des valeurs maximales de chaque variable. Il n'existe pas de règle quant à l'axe qu'il faut utiliser pour une variable donnée. Ensuite, on prend un couple d'observations à la fois, on trouve les points qui correspondent aux valeurs des deux variables sur les axes des *x* et des *y* et l'on trace une droite perpendiculaire à partir de chaque point correspondant aux valeurs sur chaque axe. Le point d'intersection des deux droites donne un point sur le diagramme pour un couple d'observations.

 Il faut noter que, dans ce chapitre et dans les chapitres suivants, on utilise des majuscules (*X* et *Y*) pour désigner les variables aléatoires et non aléatoires, et des minuscules (*x*, *y*) pour nommer les valeurs implicites correspondantes de ces variables.

Par exemple, le premier couple d'observations sur le revenu (100) et sur le bien-être (100) se trouve exactement au point d'origine « 0 », soit l'intersection des deux axes. Le point « A » désigne le couple d'observations (*x* = 103,11 ; *y* = 106,28) pour l'année 1972. De même, le point « B » correspond au couple d'observations pour

TABLEAU 13.1   Le revenu par habitant (indice) et le bien-être (indice) des Canadiens (1971 à 1997)

Année	Revenu	Bien-être	Année	Revenu	Bien-être	Année	Revenu	Bien-être
1971	100,00	100,00	1980	127,99	105,56	1989	151,25	116,53
1972	103,11	106,28	1981	130,21	106,46	1990	149,39	114,36
1973	109,21	109,99	1982	124,87	109,24	1991	144,75	112,68
1974	112,15	108,85	1983	127,00	107,97	1992	144,04	112,49
1975	113,00	105,15	1984	132,92	107,69	1993	145,73	112,62
1976	117,62	102,15	1985	138,80	110,33	1994	149,58	111,81
1977	120,24	100,67	1986	141,05	109,23	1995	150,98	110,63
1978	123,87	102,18	1987	145,00	108,04	1996	151,09	110,70
1979	127,82	102,60	1988	150,05	113,69	1997	155,00	112,53

Source : Centre d'étude des niveaux de vie, *An Index of Economic Well-Being for the Canadian Provinces*, Annexe : tableau P10-9, novembre 2000.

FIGURE 13.1   Le diagramme de dispersion

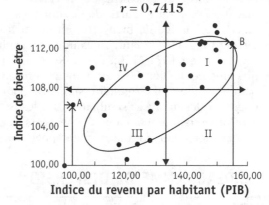

Relation qui existe entre le revenu
et le bien-être des Canadiens (1971 à 1997)
r = 0,7415

Source : Centre d'étude des niveaux de vie, *An Index of Economic Well-Being for the Canadian Provinces*, Annexe : tableau P10-9, novembre 2000.

l'année 1997 ($x = 155,00$; $y = 112,53$). En répétant cet exercice avec tous les couples d'observations, on obtient le diagramme de dispersion pour l'ensemble des données.

Comme nous le verrons plus loin, on peut facilement tracer des diagrammes de dispersion à l'aide d'un logiciel. La direction des mouvements dans les deux variables est à présent plus visible. La plupart des observations sur le revenu et le bien-être se déplacent du sud-ouest au nord-est sous la forme d'une « bande » croissante appelée **ellipse**.

On peut déterminer les observations qui contribuent à l'association linéaire positive et négative en divisant le diagramme de dispersion en quatre quadrants à partir des moyennes des deux variables. On a dessiné deux droites (les droites fléchées) sur le diagramme de dispersion à partir des moyennes des deux variables (132,84 et 108,53). Les observations du quadrant I (nord-est) sont supérieures à leur valeur moyenne, et les observations du quadrant III (sud-ouest) sont inférieures à leur valeur moyenne.

Ainsi, les valeurs des deux variables dans les quadrants I et III se déplacent de pair dans la même direction (association positive). Par ailleurs, dans le quadrant II (sud-est), les valeurs de la variable X sont supérieures à la moyenne, tandis que les valeurs de la variable Y sont inférieures à la moyenne. L'inverse s'applique dans le quadrant IV (nord-ouest). Par conséquent, les variables se déplacent en sens opposé dans les quadrants II et IV, ce qui laisse supposer que l'association est négative. Cependant, en général, les forces de l'association positive sont beaucoup plus grandes que celles de l'association négative, ce qui indique une association positive globale (même des amis ne s'entendent pas sur certaines questions !). Par ailleurs, il faut noter que ce n'est pas seulement le nombre de points dans les quadrants I et III comparé au nombre de points dans les quadrants II et IV qui est important, mais aussi la distance qui les sépare de leur valeur moyenne.

LA CONSTRUCTION D'UN DIAGRAMME DE DISPERSION À L'AIDE D'EXCEL

Consultez la feuille de calcul Excel 13.2 afin de voir comment utiliser Excel pour tracer des observations de couples de valeurs de deux variables dans un diagramme de dispersion. On trace le PIB sur l'axe horizontal (moyenne = 212,05) et le chômage (moyenne = 8,28) sur l'axe vertical. On remarque qu'il y a une association négative. Si l'on divise le diagramme de dispersion en quatre quadrants à l'aide des valeurs moyennes, on note que la plupart des points se trouvent dans les quadrants II et IV. Très peu de points se situent dans les quadrants I et III. En général, les forces de l'association négative sont plus importantes que celles de l'association positive, ce qui indique une association négative globale (même les ennemis s'entendent sur certaines choses !).

FEUILLE DE CALCUL EXCEL 13.2

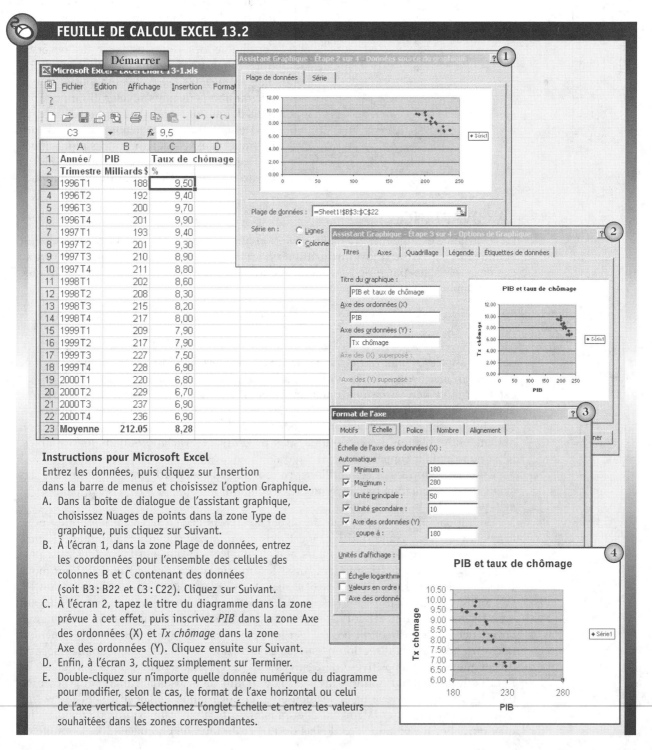

Instructions pour Microsoft Excel

Entrez les données, puis cliquez sur Insertion
dans la barre de menus et choisissez l'option Graphique.

A. Dans la boîte de dialogue de l'assistant graphique, choisissez Nuages de points dans la zone Type de graphique, puis cliquez sur Suivant.

B. À l'écran 1, dans la zone Plage de données, entrez les coordonnées pour l'ensemble des cellules des colonnes B et C contenant des données (soit B3 : B22 et C3 : C22). Cliquez sur Suivant.

C. À l'écran 2, tapez le titre du diagramme dans la zone prévue à cet effet, puis inscrivez *PIB* dans la zone Axe des ordonnées (X) et *Tx chômage* dans la zone Axe des ordonnées (Y). Cliquez ensuite sur Suivant.

D. Enfin, à l'écran 3, cliquez simplement sur Terminer.

E. Double-cliquez sur n'importe quelle donnée numérique du diagramme pour modifier, selon le cas, le format de l'axe horizontal ou celui de l'axe vertical. Sélectionnez l'onglet Échelle et entrez les valeurs souhaitées dans les zones correspondantes.

Le diagramme de dispersion suivant nous aidera à examiner la relation qui existe entre le taux d'inflation et le taux d'intérêt (1996 à 2000, trimestriel) au Canada. Théoriquement, on s'attend à ce qu'il y ait une forte association positive entre ces variables. En général, plus le taux d'inflation est élevé, plus la quantité d'argent demandée ainsi que le taux d'intérêt (prix de l'argent) le sont aussi. Lorsque le taux d'intérêt est élevé, les frais d'exploitation des entreprises augmentent, lesquels sont aussi soumis à des prix plus élevés. Le diagramme de dispersion ne présente pas un schème positif, ce qui laisse entendre qu'il existe une très faible relation entre ces deux variables. Le problème provient en partie du fait que le schème semble non linéaire et qu'il y a des valeurs extrêmes dans l'ensemble des données (voir les observations inhabituelles dans la partie gauche du diagramme). Cependant, c'est tout ce que le diagramme peut nous révéler. Il ne peut pas nous donner une idée du degré ou de la force de l'association sous forme de valeur numérique. Il existe deux mesures numériques de l'association linéaire qu'on appelle la **covariance** et le **coefficient de corrélation.**

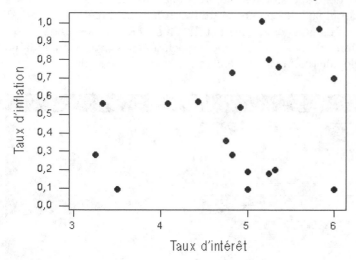

LA COVARIANCE

La covariance est une mesure de l'association linéaire entre des variables. On la définit comme une moyenne (moyenne arithmétique) des produits des variations de chacune des deux variables par rapport à leurs valeurs moyennes. La formule de la covariance d'une population est :

$$\sigma_{xy} = \frac{\sum (x - \mu_x)(y - \mu_y)}{N}$$

13.1

où σ_{xy} (appelé *sigma indice xy*) est une lettre grecque utilisée comme symbole de la covariance entre X et Y pour la population. Le terme du numérateur $(x - \mu_x)(y - \mu_y)$ est le produit des variations dans les valeurs x et y par rapport à leur moyenne. Σ permet de calculer la somme de tous ces produits. Ensuite, en divisant la somme de tous les produits par N (nombre de couples d'observations dans la population), on obtient une moyenne (arithmétique) des produits des variations dans les variables. C'est pourquoi on l'appelle la *covariance*.

Pour les données d'échantillons (n couples d'observations), on remplace les symboles de population par les symboles d'échantillon : σ_{xy} par S_{xy} ; μ_x et μ_y par $\bar{x}$ et $\bar{y}$; et N par $n - 1$.

Par rapport à un diagramme de dispersion (voir la figure 13.1), les points pour lesquels x est plus grand que $\bar{x}$ et y est plus grand que $\bar{y}$ (quadrant I) rendent le produit $(x - \bar{x})(y - \bar{y})$ positif. Les points pour lesquels x est plus petit que $\bar{x}$ et y est plus petit que $\bar{y}$ (quadrant III) rendent aussi le produit $(x - \bar{x})(y - \bar{y})$ positif. Pourquoi ? Dans le quadrant II, $(x - \bar{x})$ est positif, mais $(y - \bar{y})$ est négatif et dans le quadrant IV, $(x - \bar{x})$ est négatif, mais $(y - \bar{y})$ est positif, ce qui rend le produit $(x - \bar{x})(y - \bar{y})$ négatif dans les deux quadrants II et IV. Ainsi, les points dans les quadrants I et III entraînent la covariance dans la direction positive, et les points dans les quadrants II et IV amènent la covariance dans la direction négative. La direction globale de la covariance dépend du fait que les forces positives ou négatives sont plus grandes. Si les points des quadrants I et III ont un effet plus marqué au regard des points dans les quadrants II et IV, comme c'est le cas pour le revenu et le bien-être, la covariance est positive. Si les points dans les quadrants II et IV ont un effet plus important par rapport aux points dans les quadrants I et III, comme c'est le cas du PIB et du taux de chômage (voir la feuille de calcul Excel 13.2), la covariance sera négative. Si les forces positives et négatives sont égales, la valeur de la covariance sera nulle. Il faut noter que la valeur de la covariance sera différente pour d'autres ensembles de données.

Exemple 13.1

On cherche la valeur de la covariance d'échantillon pour le revenu et le bien-être. Les trois premières colonnes du tableau 13.2 présentent les données du tableau 13.1 pour la période comprise entre 1987 et 1997 (on utilise un échantillon d'observations plus petit afin que les calculs et la présentation soient plus simples). Il faut noter que $\Sigma(x - \bar{x})$ et $\Sigma(y - \bar{y})$ devraient égaler zéro, si l'on ne tient pas compte de l'erreur d'arrondissement.

TABLEAU 13.2　Le calcul de la covariance du revenu et du bien-être

Année (1)	Revenu (X) (2)	Bien-être (Y) (3)	$(x - \bar{x})$ (4)	$(y - \bar{y})$ (5)	$(x - \bar{x})(y - \bar{y})$ (6)
1987	145,00	108,04	−3,81	−4,33	16,4973
1988	150,05	113,69	1,24	1,32	1,6368
1989	151,25	116,53	2,44	4,16	10,1504
1990	149,39	114,36	0,58	1,99	1,1542
1991	144,75	112,68	−4,06	0,31	−1,2586
1992	144,04	112,49	−4,77	0,12	−0,5724
1993	145,73	112,62	−3,08	0,25	−0,77
1994	149,58	111,81	0,77	−0,56	−0,4312
1995	150,98	110,63	2,17	−1,74	−3,7758
1996	151,09	110,70	2,28	−1,67	−3,8076
1997	155,00	112,53	6,19	0,16	0,9904
Total	1636,86	1236,08	−0,05	0,01	19,8135
					$= \Sigma(x - \bar{x})(y - \bar{y})$
Moyenne	148,81	112,37			

Premièrement, on calcule la moyenne des valeurs x et y, comme le montre la dernière ligne des colonnes 2 et 3. Deuxièmement, on trouve $(x - \bar{x})$ et $(y - \bar{y})$, comme dans les colonnes 4 et 5. Troisièmement, on calcule le produit de $(x - \bar{x})$ par $(y - \bar{y})$, comme le montre la colonne 6. Finalement, on additionne tous ces produits, ce qui donne 19,8135. En divisant cette somme par 10 $(= n - 1)$, on obtient la valeur de la covariance de 19,8135/10 = 1,98135. La covariance a un signe positif, ce qui indique que le revenu et le bien-être, de 1987 à 1997, sont positivement associés. On peut comparer les valeurs de la covariance pour différents échantillons de population pourvu que les variables soient exprimées dans les mêmes unités et dans la même échelle.

Pourquoi la covariance est-elle positive, négative ou nulle?

Si vous examinez attentivement les nombres des colonnes 4 et 5 pour les années 1988 à 1990 et 1997, vous découvrirez que x et y sont supérieures à leur valeur moyenne [$(x - \bar{x})$ et $(y - \bar{y})$ sont positives], ce qui donne des produits croisés positifs dans la colonne 6. On trouve aussi un produit croisé positif dans la colonne 6 pour l'année 1987 puisque x et y sont inférieures à leur valeur moyenne [$(x - \bar{x})$ et $(y - \bar{y})$ sont négatives, ce qui donne un nombre positif pour leur produit croisé]. Pour toutes ces années, les deux variables se déplacent dans la même direction, ce qui entraîne une association positive entre X et Y. Cependant, pour les années 1991 à 1993, x est inférieure à la moyenne [$(x - \bar{x})$ est négative] et y est supérieure à la moyenne [$(y - \bar{y})$ est positive], ce qui donne un produit croisé négatif dans la colonne 6. De même, pour les années 1994 à 1996, x est supérieure à la moyenne et y est inférieure à la moyenne, ce qui donne un produit croisé négatif dans la colonne 6. Pour toutes ces années (1991 à 1996), le revenu et le bien-être sont négativement liés. Cependant, la somme des produits croisés négatifs (−10,6156) est plus petite que celle des produits croisés positifs (+30,4291). En conséquence, la somme de tous les produits croisés est positive (19,8135). Autrement dit, en général, la covariance a une valeur positive puisque les forces positives dans la relation entre le revenu et le bien-être sont plus grandes que les forces négatives.

Dans le cas du PIB et du chômage (voir la feuille de calcul Excel 13.2), les forces négatives sont plus grandes que les forces positives, ce qui entraîne une relation négative. Si les forces positives et négatives étaient égales en grandeur, la valeur de la covariance serait nulle.

Toutefois, la covariance ne constitue pas une mesure populaire de l'association parce qu'elle dépend largement des unités dans lesquelles chacune des variables est exprimée. Si l'on mesure les indices du revenu par habitant et du bien-être alors que 1971 est égal à 1000 plutôt qu'à 100, $(x - \bar{x})$ et $(y - \bar{y})$ seraient multipliées par 10, ce qui entraînerait une multiplication de la valeur de la covariance par 100, soit une augmentation de 100 fois dans la force de la relation ! De même, si un chercheur mesurait la covariance entre la taille et le poids de tous les étudiants dans une classe, mais qu'il utilisait des centimètres et des kilogrammes plutôt que des pouces et des livres, la covariance augmenterait d'un multiple de 2,54 et diminuerait d'un multiple de 2,2 simultanément. Pourquoi ? La covariance augmenterait-elle ou diminuerait-elle ? De combien ?

LE COEFFICIENT DE CORRÉLATION

De toute évidence, on ne peut pas se fier à la valeur numérique de la covariance, car il s'agit d'une mesure capricieuse de la force d'une relation qui varie de pair avec un changement dans les unités ou l'échelle. Les statisticiens ont résolu ce problème en normalisant les variables X et Y. Comme nous l'avons vu au chapitre 7, on normalise une variable en trouvant la différence qui existe entre les valeurs véritables et la valeur moyenne de la variable et en divisant chacune de ces différences par l'écart type de la variable. Ainsi, on normalise la variable X à l'aide de $(x - \mu_x)/\sigma_x$ et la variable Y au moyen de $(y - \mu_y)/\sigma_y$. La covariance entre les (ou une moyenne du produit des) valeurs des deux variables normalisées $(x - \mu_x)/\sigma_x$ et $(y - \mu_y)/\sigma_y$ s'appelle alors *coefficient de corrélation*. Bien entendu, comme c'est le cas pour bien d'autres choses dans la vie, elle a son prix. On mesure le coefficient de corrélation, contrairement à la covariance des variables originales X et Y, seulement dans une échelle d'intervalles. On peut donc comparer deux valeurs du coefficient de corrélation pour savoir si elles sont plus grandes ou plus petites (comme la température), mais on ne peut pas attribuer de signification à leurs différences.

 Le **coefficient de corrélation** est une mesure de la force de la relation linéaire qui existe entre deux variables aléatoires. On le définit comme la covariance entre (ou comme une moyenne du produit de) deux variables aléatoires normalisées.

Bien que les travaux de Francis Galton sur l'hérédité fassent intervenir le concept de corrélation, Karl Pearson (voir le chapitre 15), un des grands admirateurs de Galton, a formalisé le concept. Officiellement, on définit le coefficient de corrélation ρ_{xy} (ρ, lettre grecque prononcée *rho*) pour la population et r_{xy} pour l'échantillon de *trois manières équivalentes* :

$$\text{Population} \quad \rho_{xy} = \frac{\sigma_{xy}}{\sigma_x \sigma_y} = Cov\left(\frac{(x - \mu_x)}{\sigma_x}\right)\left(\frac{(y - \mu_y)}{\sigma_y}\right) = \sum \frac{(x - \mu_x)(y - \mu_y)}{N \sigma_x \sigma_y} \quad \textbf{13.2}$$

$$\text{Échantillon} \quad r_{xy} = \frac{S_{xy}}{S_x S_y} = Cov\left(\frac{(x - \bar{x})}{S_x}\right)\left(\frac{(y - \bar{y})}{S_y}\right) = \sum \frac{(x - \bar{x})(y - \bar{y})}{(n - 1) S_x S_y} \quad \textbf{13.3 a)}$$

Généralement, pour simplifier, on omet les indices x et y de ρ, r et σ, à moins que cela ne présente une certaine ambiguïté dans un contexte donné. En insérant les formules pour S_x et S_y (comme nous l'avons vu au chapitre 4), on obtient la formulation suivante du coefficient de corrélation pour des données d'échantillon. [Qu'est-il arrivé à $(n-1)$?]

$$r = \frac{\sum(x-\bar{x})(y-\bar{y})}{\sqrt{\sum(x-\bar{x})^2}\sqrt{\sum(y-\bar{y})^2}} \qquad \textbf{13.3 b)}$$

Pour calculer le coefficient de corrélation à l'aide de la formule ci-dessus, il faut calculer $(x-\bar{x})$ et $(y-\bar{y})$ pour chaque couple d'observations, ce qui peut être long et généralement entraîner une valeur imprécise de r à cause de l'arrondissement. On a utilisé cette méthode pour la covariance dans l'exemple 13.1 pour illustrer ce concept. On peut résoudre ces problèmes en réécrivant la formule de r ainsi :

Formule de calcul $\qquad r = \dfrac{n\sum xy - (\sum x)(\sum y)}{\sqrt{n\sum x^2 - (\sum x)^2}\sqrt{n\sum y^2 - (\sum y)^2}} \qquad \textbf{13.3 c)}$

Pour trouver le coefficient de corrélation des données, il suffit de trouver les valeurs de $\sum x$ et $\sum y$, de $\sum xy$, puis de $\sum x^2$ et $\sum y^2$. Tentons d'effectuer ce calcul dans l'exemple suivant.

Exemple 13.2

Un enseignant de l'Université Saint-Thomas, à Fredericton, souhaite trouver le coefficient de corrélation entre les notes (sur 100) obtenues par des étudiants inscrits aux cours de statistique (X) et d'économie (Y).

Solution

Pour commencer, l'enseignant choisit un échantillon aléatoire de 11 étudiants parmi ceux qui ont suivi les deux cours et consigne leurs notes dans le tableau 13.3.

TABLEAU 13.3   La corrélation entre les notes en statistique et en économie

Nom	Statistique x	Économie y	xy	x^2	y^2
Meena Ahsan	80	75	6 000	6 400	5 625
Chun Cheng	75	70	5 250	5 625	4 900
Jan Harvey	75	80	6 000	5 625	6 400
Jim Lim	85	90	7 650	7 225	8 100
Sarita Sen	70	75	5 250	4 900	5 625
Meera Patel	87	90	7 830	7 569	8 100
Rob Penney	70	65	4 550	4 900	4 225
Melody Sexton	83	85	7 055	6 889	7 225
Mary Tan	83	87	7 221	6 889	7 569
Cathy Williams	90	95	8 550	8 100	9 025
Darren Young	80	85	6 800	6 400	7 225
Total (Σ)	878	897	72 156	70 522	74 019

Comme le suggère l'équation, l'enseignant calcule les sommes de x et de y ($\sum x$ et $\sum y$), les sommes des produits de x et de y ($\sum xy$) et les sommes des carrés de x et de y ($\sum x^2$ et $\sum y^2$). La dernière ligne du tableau 13.3 donne toutes les sommes nécessaires pour formuler l'équation. Ainsi,

$$\sum x = 878 \qquad \sum y = 897 \qquad \sum xy = 72\,156 \qquad \sum x^2 = 70\,522 \qquad \sum y^2 = 74\,019$$

L'enseignant insère alors ces nombres dans la formule comme suit :

$$r = \frac{(11)(72\,156) - (878)(897)}{\sqrt{(11)(70\,522) - (878)^2}\sqrt{(11)(74\,019) - (897)^2}}$$

Il obtient la valeur du coefficient de corrélation : $r = 0{,}901$.

Qu'indique la valeur de r?

Comme nous l'avons mentionné plus haut, le coefficient de corrélation est un indice. En manipulant algébriquement la formule du coefficient de corrélation, on démontre que la valeur de r peut atteindre un maximum de +1 et un minimum de −1. Le signe de r dépend du terme dans le numérateur, la covariance entre X et Y (pourquoi?). Les valeurs de r égales à ±1 indiquent une corrélation parfaite. Autrement dit, chacune des valeurs de la variable X est linéairement associée à une seule valeur de la variable Y et inversement. En d'autres mots, tous les couples d'observations (x, y) se trouvent sur une droite. Si $r = 1$, la droite a une pente positive et quand $r = −1$, la droite a une pente négative. Il s'agit d'exemples de corrélation parfaite entre deux variables aléatoires (voir la figure 13.4). De même, les données d'échantillon peuvent produire la valeur de $r = 0$. La valeur de $r = 0$ signifie qu'il n'y a pas d'association linéaire entre les variables. On peut obtenir la valeur de $r = 0$ parce que : 1) la relation sous-jacente est non linéaire [voir la figure 13.5 a)], ou 2) les variables sont statistiquement indépendantes, ou 3) par hasard, notre échantillon ne constituait pas une bonne représentation de la population [voir la figure 13.5 b)].

Il faut noter que, théoriquement, si deux variables sont indépendantes statistiquement, le coefficient de corrélation doit être nul. Cependant, en pratique, on peut trouver une forte corrélation entre le prix du café et le prix du sucre, même si l'on s'attend à ce que les deux prix soient relativement indépendants. De telles corrélations s'appellent corrélations illusoires, factices ou fausses. *Cependant, le fait que le coefficient de corrélation ait une valeur nulle ou très petite ne signifie pas que les deux variables sont indépendantes.* Par exemple, on peut découvrir qu'il n'existe aucune corrélation ou une corrélation très faible entre le taux de change et l'inflation quoique, théoriquement, on s'attende à ce qu'il y ait une forte corrélation entre ces deux variables.

En général, les valeurs de r se situent entre 0 et ±1. Une valeur plus près de ±1 indique une forte association et une valeur plus près de zéro, une faible association. La figure 13.3 montre la force de l'association de diverses valeurs de r. Cependant, il faut noter que les valeurs associées aux mots « forte » et « faible » ne sont que suggestives. Certaines personnes aiment associer ces mots à des valeurs très différentes. Il faut aussi noter que *la force de l'association ne dépend pas du signe du coefficient de corrélation* [voir les figures 13.4 et 13.5 c) et d)]. Le signe indique uniquement la direction de l'association. De plus, n'oubliez pas qu'une valeur de r qui est deux fois plus grande (disons 0,8 comparativement à 0,4) ne signifie pas que la relation est deux fois plus forte.

FIGURE 13.3   La force de l'association

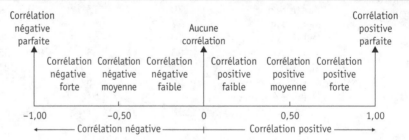

FIGURE 13.4 Les diagrammes de dispersion montrant une corrélation négative et une corrélation positive parfaites

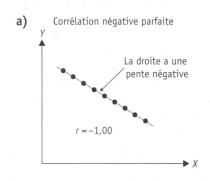

a) Corrélation négative parfaite

La droite a une pente négative

$r = -1,00$

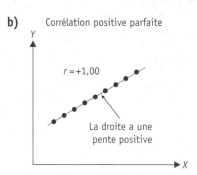

b) Corrélation positive parfaite

$r = +1,00$

La droite a une pente positive

Exemples de degrés de corrélation

FIGURE 13.5 Une association imparfaite

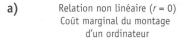

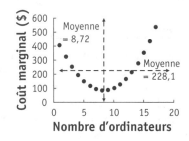

a) Relation non linéaire ($r = 0$)
Coût marginal du montage d'un ordinateur

Moyenne = 8,72

Moyenne = 228,1

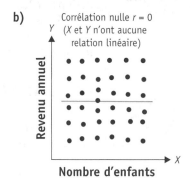

b) Corrélation nulle $r = 0$
(X et Y n'ont aucune relation linéaire)

Revenu annuel

Nombre d'enfants

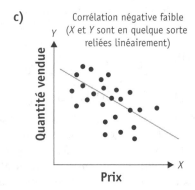

c) Corrélation négative faible
(X et Y sont en quelque sorte reliées linéairement)

Quantité vendue

Prix

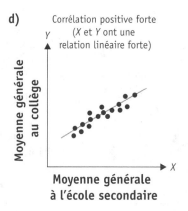

d) Corrélation positive forte
(X et Y ont une relation linéaire forte)

Moyenne générale au collège

Moyenne générale à l'école secondaire

CERTAINES MISES EN GARDE

Quelle est l'exactitude de la valeur de r?

Bien que la valeur du coefficient de corrélation soit très utile pour analyser la relation sous-jacente entre des variables, il faut cependant être très prudent lorsqu'on tire des conclusions à partir d'une valeur du coefficient de corrélation obtenue dans un échantillon particulier. Comme nous l'avons noté plus haut, un échantillon différent peut produire une autre valeur pour le coefficient de corrélation. Si l'échantillon n'est pas complètement représentatif de la population sous-jacente, nos conclusions peuvent être erronées. Dans la prochaine section, nous apprendrons à tester le coefficient de corrélation d'une population à partir d'un échantillon. Cependant, même si l'échantillon est représentatif de la population, la valeur du coefficient de corrélation peut nous amener à formuler des conclusions erronées dans les circonstances suivantes.

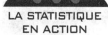

LES VALEURS ABERRANTES ET LA MOYENNE

Le coefficient de corrélation est la moyenne arithmétique du produit de deux variables « normalisées ». Il faut noter qu'on ne suppose pas la normalité dans tous les cas lorsqu'on normalise une variable. Au chapitre 3, nous avons vu comment des conclusions basées sur les moyennes arithmétiques pouvaient être trompeuses en présence de certaines observations très grandes ou très petites dans un ensemble de données. La valeur du coefficient de corrélation est aussi modifiée par des observations anormalement grandes ou petites. On doit donc vérifier attentivement s'il existe de telles observations avant de tirer des conclusions à partir de la valeur de r.

Un deuxième problème, que les praticiens ignorent souvent, se pose quand on tire une conclusion sur la force de l'association entre des entités, et ce, en fonction du coefficient de corrélation entre les valeurs générales ou les moyennes de ces entités. Par exemple, une conclusion tirée sur la force de la relation qui existe entre les actions et les obligations en fonction de la corrélation entre l'indice global de l'obligation (une moyenne) et l'indice global d'une action (une moyenne) peut être très trompeuse. Les actions et les obligations tendent à connaître une variation beaucoup plus grande au regard des variations des valeurs globales ou moyennes. On ne doit pas utiliser une corrélation entre l'indice S&P/TSX et l'indice d'une obligation pour en déduire que tous les prix des actions et des obligations ont la même corrélation.

LES RELATIONS LINÉAIRES ET NON LINÉAIRES

La notion de coefficient de corrélation abordée dans ce chapitre s'applique uniquement aux relations linéaires ou approximativement linéaires. Bien qu'on puisse faire l'approximation de nombreuses relations en affaires et en économie à l'aide d'une relation linéaire, plusieurs de ces relations, comme celle qui existe entre les coûts et la production, sont intrinsèquement non linéaires. Pour les relations non linéaires, le concept de corrélation produit souvent des résultats trompeurs. Par exemple, vous avez peut-être déjà observé une courbe des coûts marginaux en forme de U, la relation qui existe entre les coûts liés à la production de chacune des unités supplémentaires de production (Y) et les unités de production fabriquées (X). Dans ce cas, bien que les variables soient fortement liées, la valeur du coefficient de corrélation serait pratiquement nulle [voir la figure 13.5 a)].

LES RELATIONS ILLUSOIRES (FACTICES OU FAUSSES)

La valeur du coefficient de corrélation est basée sur une formule mathématique. Ainsi, on peut recueillir des données et découvrir qu'il existe une forte corrélation entre l'apparition de taches solaires et les cycles économiques, le taux de naissance et le taux de criminalité dans un pays, la population de souris et la production de riz dans un pays, les salaires des professeurs et la consommation de spiritueux, etc. De telles relations sont dites *factices*, *illusoires* ou *fausses*.

LA CORRÉLATION ET LA CAUSALITÉ

Lorsqu'on constate un niveau de corrélation élevé entre des variables, on pourrait être tenté de conclure qu'une variable dépend d'une autre, autrement dit qu'il existe une relation de cause à effet entre les variables. La corrélation, comme on la définit en statistique, ne comporte pas de *causalité* entre les variables. *La causalité (une relation de cause à effet entre des variables) est à déterminer au moyen de la théorie sousjacente de la relation entre les variables.*

Par exemple, on peut découvrir qu'il existe une forte corrélation négative (par exemple $r = -0,85$) entre la moyenne pondérée cumulative d'un étudiant (Y) et la quantité de travail effectué à l'exclusion des études (X). On peut expliquer cette forte relation négative à l'aide de n'importe laquelle ou de toutes les raisons suivantes : a) un plus grand nombre d'heures consacrées au travail ne laisse pas assez de temps pour étudier

(X cause Y); b) un étudiant ayant une moyenne pondérée cumulative plus faible n'obtient pas de bourse et doit donc consacrer plus de temps à un emploi rémunéré (Y cause X); c) l'étudiant est plus intéressé par le travail pratique que par le travail intellectuel (X et Y subissent l'influence d'un troisième facteur comme l'*intérêt*) ou d) l'échantillon n'est pas représentatif de la population, la relation est simplement attribuable au hasard. Pareillement, un taux d'inflation plus élevé peut entraîner une baisse du chômage, et un taux de chômage plus faible peut provoquer une hausse de l'inflation; ou la relation négative entre le chômage et l'inflation pourrait être attribuable à un « troisième » facteur (c'est-à-dire une forte augmentation du prix de l'énergie) ou au hasard. Quand on réalise l'existence d'une forte corrélation à cause d'un ensemble de facteurs communs ou d'un troisième facteur, ceux-ci s'appellent *variables confusionnelles. Par conséquent, le coefficient de corrélation est neutre par rapport à la causalité.*

■ RÉVISION 13.1

On suppose qu'il existe une relation entre le chômage et la criminalité. Pour déterminer la nature exacte de la relation entre ces variables au Canada, on a recueilli les données suivantes sur le taux de chômage (TC, en pourcentage) et le nombre total de crimes (crimes, en milliers) commis au Canada entre 1986 et 1999.

a) Tracez un diagramme de dispersion pour les données et commentez la nature de la relation qui existe entre le taux de chômage et le nombre total de crimes commis.

b) Trouvez le coefficient de corrélation entre le TC et les crimes, et interprétez-le.

Année	TC (X)	Crimes (Y)	Année	TC (X)	Crimes (Y)
1986	9,7	2374	1993	11,4	2841
1987	8,8	2471	1994	10,4	2747
1988	7,8	2486	1995	9,4	2737
1989	7,6	2533	1996	9,7	2745
1990	8,1	2720	1997	9,1	2637
1991	10,3	2993	1998	8,3	2568
1992	11,2	2952	1999	7,6	2476

Source: Statistique Canada, numéros de série: D980404 et D9500.

EXERCICES 13.1 À 13.6

13.1 Les couples d'observations suivants représentent les pourboires (en dollars) reçus par Marie et William au Petit Resto (à l'heure du dîner) à Montréal, tirés d'un échantillon de cinq jours choisis au hasard:

Marie (X)   4   5   3   6   10
William (Y) 4   6   5   7   9

Déterminez la covariance entre X et Y. Comment peut-on interpréter ce résultat? Qu'est-ce qui pourrait modifier votre interprétation?

13.2 Les couples d'observations suivants représentent le prix (en milliers de dollars) d'un échantillon de huit maisons choisies au hasard ainsi que la surface de construction de chaque maison (en mètres carrés) dans la ville de Québec:

Prix (X)   120   130   150   130   140   170   160   150
Surface (Y)   100   120   140   130   140   160   150   130

Déterminez le coefficient de corrélation et interprétez les résultats obtenus.

13.3 Il semble plausible de supposer l'existence d'une corrélation positive entre le bénéfice et l'actif cumulé de la majorité des entreprises canadiennes. L'échantillon suivant d'observations a été choisi au hasard dans une liste des 1000 plus grandes sociétés canadiennes.

Raison sociale de la société	Bénéfice (en millions de dollars)	Actif (en millions de dollars)
Aliant Inc.	148,2	2875
Cominco Ltd.	159,0	2964
Domtar Inc.	163,0	4019
Empire Co.	135,0	4023
Nova Scotia Power	114,5	2812
Petro Canada	233,0	8661
Sears Canada	199,6	3456
Talisman Energy	176,8	7819

Source : *The Globe and Mail Interactive Services.*

a) Tracez un diagramme de dispersion.
b) Calculez le coefficient de corrélation.
c) Les résultats que vous avez obtenus en a) et en b) concordent-ils avec la direction attendue de cette relation ?
d) Pourquoi peut-on découvrir des écarts entre ce qui est observé et ce qui est attendu dans ce type d'exercice ?

13.4 Le débat sur la relation qui existe entre le taux de chômage (TC) et le taux d'inflation (TI) est très contesté au sein de la communauté économique depuis longtemps. Un représentant de la Banque du Canada vous demande d'estimer la mesure quantitative de cette relation. Le tableau suivant présente les observations trimestrielles (T) du taux de chômage et du taux d'inflation de 1996 à 2000.

Année/T	TC (%)	TI (%)	Année/T	TC (%)	TI (%)
1996T1	9,50	0,76	1998T3	8,20	0,18
1996T2	9,40	0,19	1998T4	8,00	0,20
1996T3	9,70	0,57	1999T1	7,90	1,01
1996T4	9,90	0,56	1999T2	7,90	0,73
1997T1	9,40	0,28	1999T3	7,50	0,36
1997T2	9,30	0,28	1999T4	6,90	0,54
1997T3	8,90	−0,09	2000T1	6,80	0,80
1997T4	8,80	0,56	2000T2	6,70	0,97
1998T1	8,60	0,28	2000T3	6,90	0,70
1998T2	8,30	0,09	2000T4	6,90	0,09
			Moyenne	8,28	0,453

Source : Adapté de Statistique Canada.

a) Trouvez la covariance entre le TC et le TI.
b) Déterminez le coefficient de corrélation et interprétez les résultats obtenus.
c) Que diriez-vous au représentant de la Banque du Canada ?

13.5 Le propriétaire de Wood autos à Edmonton souhaite étudier la relation qui existe entre l'âge d'une voiture et son prix de vente (en milliers de dollars). Voici la liste d'un échantillon aléatoire de 12 voitures d'occasion vendues chez Wood autos la semaine dernière.

Voiture	Âge (en années)	Prix de vente (en milliers de dollars)	Voiture	Âge (en années)	Prix de vente (en milliers de dollars)
1	9	8,0	7	8	7,0
2	7	6,0	8	11	8,0
3	11	3,6	9	10	8,0
4	12	4,0	10	12	6,0
5	8	5,0	11	6	8,0
6	7	10,0	12	6	8,0

a) Tracez un diagramme de dispersion. Trouvez la covariance.

b) Déterminez le coefficient de corrélation et interprétez les résultats obtenus.

c) Cette relation correspond-elle à vos prévisions ?

13.6 Reportez-vous au tableau 13.2 et calculez le coefficient de corrélation entre le revenu (X) et le bien-être (Y). Assurez-vous d'utiliser les 11 années de données fournies dans les colonnes 2 et 3.

13.2 LE TEST D'HYPOTHÈSE CONCERNANT LE COEFFICIENT DE CORRÉLATION

Dans l'exemple 13.2, l'enseignant a trouvé qu'il existait une très forte corrélation (0,9) entre les notes des étudiants en économie et en statistique. Cependant, il n'avait échantillonné que 11 étudiants. Serait-il possible que la corrélation dans la population soit inférieure ou égale à zéro ? Le cas échéant, la corrélation de 0,9 découlerait du hasard. Dans cet exemple, la population est constituée de tous les étudiants qui ont suivi les deux cours.

Pour résoudre ce problème, il faut créer un test qui permet de répondre à la question évidente que voici : pourrait-il exister une corrélation nulle dans la population où l'échantillon a été prélevé ? Autrement dit, le r calculé provenait-il d'une population de couples d'observations ayant une corrélation nulle ? L'hypothèse nulle et la contre-hypothèse sont les suivantes :

H_0 : $\rho \leq 0$ (La valeur du coefficient de corrélation de la population est inférieure ou égale à zéro.)

H_1 : $\rho > 0$ (Il y a une corrélation positive.)

À partir de la manière dont H_1 est énoncée, on sait que le test est unilatéral.

En supposant que les deux variables (les notes en statistique et en économie) aient une distribution normale bivariée conjointe, la formule pour vérifier l'hypothèse nulle est :

Statistique du test pour le coefficient de corrélation	$t = \dfrac{r\sqrt{n-2}}{\sqrt{1-r^2}}$ avec $(n-2)$ degrés de liberté	13.4

La valeur de la statistique t de l'exemple est :

$$t = \frac{0,9\sqrt{11-2}}{\sqrt{1-(0,9)^2}} = \frac{0,9(3)}{\sqrt{1-0,81}} = 6,19$$

En utilisant le seuil de signification de 0,01, la valeur critique de la statistique t pour neuf degrés de liberté (= 11 − 2) est de 2,821. Selon la règle de décision, si la valeur calculée (expérimentale) de t est inférieure à la valeur critique de t, l'hypothèse nulle n'est *pas* rejetée. De toute évidence, la valeur 6,19 est nettement supérieure à la valeur critique de 2,821. On conclut donc qu'il faut rejeter l'hypothèse nulle en faveur de la contre-hypothèse.

Pour trouver la valeur critique de 2,821, reportez-vous à la table t à l'annexe G du manuel pour $dl = n - 2 = 11 - 2 = 9$. De plus, consultez la figure 13.6.

FIGURE 13.6 La règle de décision pour le test d'hypothèse de ρ à un seuil de signification de 1 % et à neuf degrés de liberté

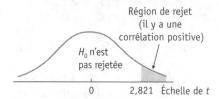

La valeur calculée de t se situe dans la région de rejet. Ainsi, H_0 est rejetée au seuil de signification de 0,01 (ou 1 %). Autrement dit, la corrélation de la population est supérieure à zéro. Du point de vue pratique, elle indique à l'enseignant qu'il existe une corrélation positive dans la population des notes des étudiants en économie et en statistique.

On peut aussi interpréter le test d'hypothèse en fonction des seuils expérimentaux. Un seuil expérimental représente la probabilité de trouver une valeur de la statistique du test plus grande que celle qui est calculée quand H_0 est vraie. Pour déterminer le seuil expérimental, consultez la distribution t dans la table t (voir l'annexe G) et trouvez la ligne de neuf degrés de liberté. Puisque la valeur calculée de la statistique du test est de 6,19, trouvez la valeur la plus près de 6,19 dans cette ligne. Pour un test unilatéral au seuil de signification de 0,0005, la valeur critique de t est de 4,781. Puisque 6,19 demeure plus grand que la valeur critique la plus élevée dans le tableau de neuf degrés de liberté, on conclut que le seuil expérimental pour rejeter l'hypothèse nulle est inférieur à 0,0005.

Cependant, comme nous l'avons mentionné plus haut, le test d'hypothèse est basé sur une supposition très rigoureuse de distribution normale bivariée. Quand on ne respecte pas cette hypothèse ou qu'on ne connaît pas la distribution de probabilité qui sous-tend la population, on peut utiliser une autre méthode : une méthode non paramétrique élaborée par C. Spearman en 1904. Par ailleurs, le **coefficient de corrélation de rang de Spearman** est utile pour trouver la corrélation qui existe entre des variables qui ne sont mesurables que dans une échelle ordinale. Nous discuterons de la corrélation de rang de Spearman au chapitre 16 (voir le cédérom) ainsi que d'autres statistiques de test non paramétriques.

Excel permet d'obtenir la valeur du coefficient de corrélation entre deux variables (voir la feuille de calcul Excel 13.7). Le résultat est le même que celui qu'on a calculé plus haut. La sortie d'Excel donne des valeurs critiques bilatérales de r à des seuils de signification de 0,05 et de 0,01. Quand la valeur calculée de r est plus grande que la valeur critique, on rejette l'hypothèse nulle bilatérale de $\rho = 0$. On peut obtenir la sortie d'Excel en choisissant MegaStat $\rightarrow$ *Correlation* $\rightarrow$ *Correlation Matrix* $\rightarrow$ *Input Range* $\rightarrow$ OK.

FEUILLE DE CALCUL EXCEL 13.7

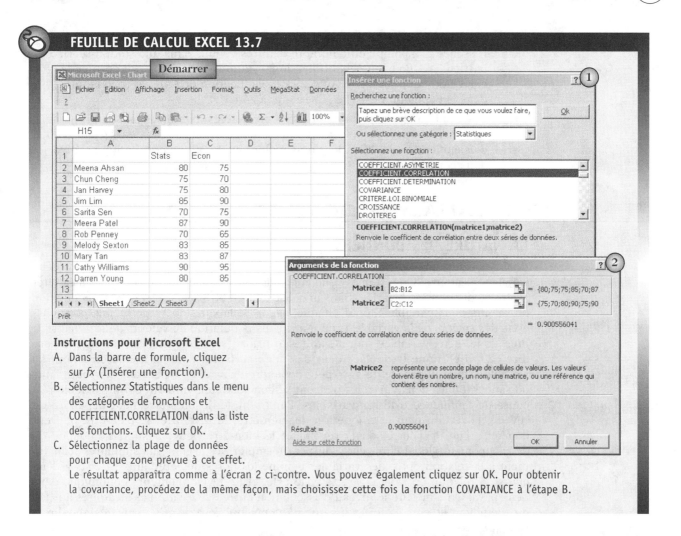

Instructions pour Microsoft Excel

A. Dans la barre de formule, cliquez
   sur *fx* (Insérer une fonction).
B. Sélectionnez Statistiques dans le menu
   des catégories de fonctions et
   COEFFICIENT.CORRELATION dans la liste
   des fonctions. Cliquez sur OK.
C. Sélectionnez la plage de données
   pour chaque zone prévue à cet effet.
   Le résultat apparaîtra comme à l'écran 2 ci-contre. Vous pouvez également cliquez sur OK. Pour obtenir
   la covariance, procédez de la même façon, mais choisissez cette fois la fonction COVARIANCE à l'étape B.

■ RÉVISION 13.2

Reportez-vous à la révision 13.1 Testez l'hypothèse nulle selon laquelle le coefficient
de corrélation entre le taux de chômage et le nombre de crimes est inférieur ou égal à
zéro ($H_0: \rho \leq 0$) par rapport à la contre-hypothèse selon laquelle il est positif ($H_1: \rho > 0$).

EXERCICES 13.7 À 13.10

13.7   Soit les hypothèses suivantes :

   $H_0: \rho \leq 0$
   $H_1: \rho > 0$

   Un échantillon aléatoire de 12 couples d'observations pour les frais de recherche
   et de développement de 12 sociétés révélait une corrélation de 0,32. Peut-on
   conclure que la corrélation de la population est supérieure à zéro ? Utilisez un
   seuil de signification de 0,05.

13.8   Soit les hypothèses suivantes :

   $H_0: \rho \geq 0$
   $H_1: \rho < 0$

   Un échantillon aléatoire de 15 couples d'observations sur l'investissement et
   le taux d'intérêt a une corrélation de −0,46. Peut-on conclure que la corrélation de la population est inférieure à zéro ? Utilisez un seuil de signification
   de 0,05.

13.9   La société Raffinerie d'Alberta étudie la relation qui existe entre le prix de l'essence à la pompe et le nombre de litres vendus dans une station-service particulière. Pour un échantillon de 20 stations-services mardi dernier, la corrélation était de 0,78. Au seuil de signification de 0,01, la corrélation dans la population est-elle supérieure à zéro ?

13.10   Une étude menée sur 20 institutions financières mondiales présentait une corrélation entre leur actif et le bénéfice avant impôts de 0,86. Au seuil de signification de 0,05, peut-on conclure qu'il y a une corrélation positive dans la population ?

13.3 L'ANALYSE DE RÉGRESSION

LA NATURE DES DONNÉES

Dans la section précédente, nous avons élaboré des mesures d'association entre deux variables aléatoires. On a supposé que la population sous-jacente des variables aléatoires avait une distribution bivariée. Dans une distribution bivariée, on a une sous-population de valeurs de la variable Y pour chaque valeur de la variable X. De même, pour chacune des valeurs de la variable Y, on a une sous-population de valeurs de la variable X. Puisque les deux variables sont aléatoires, *a priori* (sans une théorie), on ne peut pas dire ce qui entraîne le déplacement des deux variables dans la même direction. La variable X peut dépendre de Y ; Y peut dépendre de X ; X et Y peuvent dépendre l'une de l'autre ; ou les deux variables peuvent se déplacer dans une direction particulière à cause de l'influence d'autres variables. Par exemple, le bien-être peut dépendre du revenu, le revenu peut être fonction du bien-être, le revenu et le bien-être peuvent dépendre l'un de l'autre, ou le revenu et le bien-être peuvent subir l'influence du développement global d'un pays. On peut formuler des arguments similaires relativement à la relation entre des variables comme les notes des étudiants inscrits à deux cours, la relation entre la cigarette et le café, et le développement économique dans deux pays. On a mesuré le niveau d'association entre deux variables aléatoires à l'aide du coefficient de corrélation, *sans que n'intervienne la causalité* dans quelque direction que ce soit.

Cependant, la causalité est un fait. En général, le comportement humain est motivé par des facteurs de causalité plutôt que par l'altruisme. Qu'on soit enseignant, étudiant, médecin ou politicien, on est motivé par des attentes dans nos poursuites quotidiennes. Même dans les phénomènes naturels, comme l'a expliqué Einstein, « Dieu ne joue pas aux dés avec la nature ». La nature est, elle aussi, liée à un schème quelconque de relation de cause à effet. Les théoriciens peuvent établir la causalité entre un ensemble de variables en supposant l'absence d'influence des variables extérieures à leur centre d'intérêt. Dans les études empiriques, la contrepartie exige qu'on effectue des expériences contrôlées (voir le chapitre 12). Dans une expérience contrôlée, on peut isoler l'effet d'autres variables soit en rendant aléatoire le choix des sujets, comme dans les expériences médicales, ou en empêchant l'influence physique d'autres variables de la relation à l'étude, comme dans les expériences menées sur les pois de senteur en génétique. En fait, l'analyse de régression classique, appelée *biométrie,* doit son développement aux expériences contrôlées.

Comme nous l'avons mentionné, les données en sciences sociales sont de nature observationnelle plutôt que de résulter d'expériences contrôlées. Le bénéfice et les taux d'intérêt varient simultanément pour influer sur l'investissement. Pourrait-on contrôler le bénéfice à un niveau particulier tout en étudiant l'influence des taux d'intérêt sur l'investissement ? C'est comme si l'on demandait à des Canadiens d'attendre que leur revenu augmente au cours des 10 prochaines années pour nous permettre de choisir 5 des 10 prochaines années où le gouverneur de la Banque du Canada augmentera les taux d'intérêt pour pouvoir mener notre expérience scientifique. Toute une commande ! Un chercheur pourrait-il sélectionner aléatoirement certaines personnes pour étudier à l'université pendant que d'autres attendent à la maison qu'il effectue une étude sur l'influence de l'éducation sur le revenu ? Il n'existe pas de substitut parfait pour une expérience contrôlée. Cependant, l'analyse de régression multiple, que nous aborderons au chapitre 14, permet d'isoler, dans une large mesure, l'influence d'autres variables dans des données d'observation, si les données satisfont à certaines hypothèses.

POURQUOI EFFECTUER UNE ANALYSE DE RÉGRESSION?

En analyse de régression classique, on suppose qu'une variable (disons X) est fixe à des niveaux prédéterminés par l'enquêteur (ainsi, il s'agit d'une variable non aléatoire) et qu'une autre variable (disons Y) est aléatoire. Par exemple, on peut recueillir des données sur le revenu des ménages en fonction de la dimension de la famille à Vancouver. Dans ce cas, la dimension de la famille (disons de 1 à 10) est une variable non aléatoire. Pour chaque dimension de famille, on a des milliers de valeurs de revenus (variable aléatoire).

Dans l'analyse de régression classique, la variable aléatoire s'appelle «variable dépendante» (réponse ou variable expliquée). De même, la variable non aléatoire s'appelle «variable indépendante» (variable prédéterminée ou explicative). La variable aléatoire a une sous-population de valeurs pour chaque valeur prédéterminée de la variable non aléatoire.

Dans l'analyse de régression simple, où les deux variables sont aléatoires, on choisit aléatoirement une sous-population d'observations sur une variable (disons Y) pour chaque valeur prédéterminée de l'autre variable (disons X). En général, une théorie (ou des théories) de la discipline en question peut permettre de déterminer la variable qu'il faut maintenir à un niveau prédéterminé. Par exemple, dans l'analyse de la demande d'un bien, on suppose normalement que le «prix» est la variable indépendante et la «quantité demandée», la variable dépendante. Quand il n'existe pas de théorie ou que la théorie ne peut pas nous orienter, on doit effectuer deux analyses de régression. Par exemple, dans le cas des notes des étudiants inscrits aux cours d'économie et de statistique, on peut effectuer une analyse de régression en supposant que les notes en économie sont la variable dépendante et les notes en statistique, la variable indépendante; et l'on peut faire une autre analyse en supposant que les notes en statistique sont la variable dépendante et les notes en économie, la variable indépendante.

L'analyse de régression est générale non seulement quand il s'agit d'analyser des populations plus versatiles, mais aussi quand elle tente d'expliquer la nature des relations. Alors que l'analyse de corrélation ne donne que la direction et la force de la relation dans une échelle d'intervalles, l'analyse de régression peut donner la direction de la relation ainsi que la force de la relation dans une échelle de rapports. Ainsi, l'analyse de régression permet aussi de mieux mesurer la quantité de changement dans la variable dépendante en réaction à un changement d'unité dans la variable indépendante. De plus, l'analyse de régression permet de faire des projections quant aux valeurs possibles (non observées) de la variable dépendante pour des valeurs données de la variable indépendante. C'est pourquoi on considère que l'analyse de régression est au cœur de l'analyse statistique multidimensionnelle. On utilise l'expression **analyse de régression simple** ou **de base** pour décrire la relation qui existe entre deux variables et l'expression **analyse de régression multiple** pour décrire les cas comportant plus de deux variables. Dans ce chapitre, nous étudierons l'analyse de régression simple. Nous aborderons l'analyse de régression multiple au chapitre 14.

> **Analyse de régression** Elle permet de trouver la direction et la force de la relation ainsi que de prédire les valeurs non encore observées de la variable dépendante.

LA NATURE DE LA RELATION

Pour estimer la force de la relation entre deux variables au moyen de l'analyse de régression, on doit d'abord connaître la nature de la relation fonctionnelle, c'est-à-dire comment un changement dans une variable influe sur une autre variable. Parfois, une théorie sous-tendant la relation entre les variables peut nous orienter. Par exemple, alors que le revenu augmente, la proportion du revenu consacré à la nourriture s'accroît d'abord et chute ensuite. Étant donné le stock en capital, selon certaines hypothèses, les coûts marginaux de la production diminuent d'abord puis augmentent. Ces relations sont **non linéaires.** Cependant, dans la plupart des cas, les théories ne donnent qu'une indication de la direction possible de la relation. La quantité demandée est négativement liée au prix ou la quantité offerte est positivement liée au prix. De plus, dans certains cas, aucune théorie ne peut donner d'indication quant à la direction de la relation. La croissance des revenus est-elle positivement ou négativement associée aux inégalités des revenus ? Dans le cas de l'analyse de corrélation, on a supposé une **relation linéaire,** soit la forme la plus simple de la relation qui existe entre deux variables. Dans une analyse de régression simple, on continue à supposer l'existence d'une relation linéaire. Une relation linéaire se manipule bien sur le plan mathématique. De plus, il est facile de traiter une variété de relations non linéaires (en les transformant en relations linéaires) à l'aide des méthodes de régression linéaire.

LES RELATIONS DÉTERMINISTES ET LES RELATIONS STATISTIQUES

En général, les théories nous aident à déterminer la forme d'une relation fonctionnelle (c'est-à-dire linéaire, quadratique, cubique, exponentielle, etc.). Dans une relation fonctionnelle, les valeurs de la variable dépendante sont uniquement déterminées par les valeurs données des paramètres et des variables indépendantes. De telles relations sont donc dites *déterministes*. Par exemple, on peut exprimer une relation linéaire entre la quantité d'oranges (en douzaines par semaine) demandée (Q) par une famille typique (deux adultes et deux enfants) et le prix des oranges (P) par $Q = \alpha + \beta P$. Dans ce cas, α représente les douzaines d'oranges demandées à un prix nul (nombre maximal d'oranges par semaine que pourrait consommer une famille) et β, la diminution de la quantité d'oranges demandée ($\beta < 0$) pour une augmentation unitaire dans le prix. Étant donné les valeurs de α et de β (paramètres), on obtient une valeur unitaire pour la quantité d'oranges demandée pour chaque valeur du prix. Par conséquent, si $\alpha = 5$, $\beta = -0{,}6$ et $P = 3\$$ la douzaine, on détermine que la quantité demandée est uniquement $Q = 5{,}0 - 0{,}6(3{,}0) = 3{,}2$ douzaines par semaine.

Cependant, si l'on recueillait des données sur 20 familles, on trouverait des écarts dans leur consommation pour plusieurs raisons, notamment le revenu familial, la dimension de la famille, les goûts, etc. Certaines familles consomment moins de 3,2 douzaines et d'autres, plus de 3,2 douzaines pour le même prix. On peut connaître ces différences sur le plan des observations de la consommation d'oranges de chaque famille (de la même dimension) à l'aide des écarts au regard de la consommation d'une famille typique. Ces écarts dans la population d'observations s'appellent « erreurs » en statistique. Les statisticiens utilisent une lettre grecque tel ϵ (qui se prononce *epsilon*), comme symbole de l'erreur dans la population. On peut donc écrire la relation statistique ainsi : $Q = \alpha + \beta P + \epsilon$. Puisque les statisticiens manipulent des observations, ils utilisent des relations statistiques pour estimer la relation mathématique.

 Une relation fonctionnelle (mathématique) comme $y = \alpha + \beta x$ est une relation déterministe comportant une valeur de Y pour chaque valeur de X. En statistique, on utilise une relation stochastique (statistique) comme $y = \alpha + \beta x + \epsilon$, où ϵ est une erreur aléatoire ayant une distribution de probabilité pour chacune des valeurs de la variable X. *Ainsi, on a une sous-population des valeurs de la variable Y avec une moyenne:* $m_{y|x} = \alpha + \beta x$ (la portion déterministe de la relation stochastique) pour chaque valeur de la variable X.

Exemple 13.3 | Par exemple, prenons le cas du concessionnaire Ford Nord qui exploite une concession avec 10 représentants. Les concessionnaires croient généralement que les appels de suivi effectués auprès des clients ayant visité les salles d'exposition permettent d'accroître les ventes. Avant de décider d'engager une secrétaire pour effectuer cette tâche, il demande à ses représentants de faire des appels de suivi pendant six semaines et de lui présenter un rapport des résultats. Les représentants déterminent le nombre d'appels qu'ils souhaitent effectuer par semaine.

Solution | Le tableau 13.4 présente les résultats de l'expérience. Il contient une population de 60 couples d'observations (6 observations tirées de chacune des 10 valeurs de X). Chaque ligne contient le nombre d'appels effectués par un représentant ainsi que les ventes hebdomadaires pendant six semaines. Ainsi, chaque représentant a une sous-population de ventes (six valeurs) qui correspond au nombre d'appels qu'il a effectués. Jean fait 40 appels (x = 40) avec une sous-population de ventes de 55, 75, 60, 80, 70, 50. Jean a donc six couples d'observations (40 appels et 55 ventes, 40 appels et 75 ventes, etc.). La dernière colonne présente les moyennes des sous-populations de ventes pour chaque représentant ($\mu_{y|x}$). Le symbole $\mu_{y|x}$ indique la moyenne de population des valeurs de y pour une valeur donnée de x. La moyenne des y valeurs pour Brian est de 45.

Y a-t-il une relation entre le nombre d'appels et les ventes ? La figure 13.8 présente un diagramme de dispersion des 60 observations (population complète) du tableau 13.4. Vous ne voyez probablement que 24 points (excluant les points reliant la droite) sur le diagramme de dispersion ! Pourquoi ? Alors que le nombre d'appels augmente, la dispersion des points de chaque sous-population, combinée à la moyenne de chaque sous-population, se déplace vers le haut. La droite reliant les valeurs moyennes de toutes les sous-populations (ventes moyennes) a une pente positive. On appelle cette pente la *droite de régression de la population*. Si la droite a une pente positive, c'est qu'il y a une relation positive entre le nombre d'appels de suivi et le nombre moyen de ventes. La valeur de la pente nous donne une mesure de la force de la relation.

TABLEAU 13.4	**Le nombre d'appels de suivi et les ventes**							
Représentant			**Ventes par semaine**					
	Appels	**Sem. 1** (Y1)	**Sem. 2** (Y2)	**Sem. 3** (Y3)	**Sem. 4** (Y4)	**Sem. 5** (Y5)	**Sem. 6** (Y6)	**Moyenne** ($\mu_{y|x}$)
Tom	20	30	40	55	35	60	50	45
Jean	40	55	75	60	80	70	50	65
Brian	20	30	40	35	55	60	50	45
Marie	30	40	50	65	45	70	60	55
Sara	10	20	30	45	50	25	40	35
Yoshimi	10	30	20	25	45	40	50	35
Santosh	20	40	30	35	55	50	60	45
Jim	20	60	35	55	50	30	40	45
Hansa	20	50	60	30	40	35	55	45
Joanne	30	40	50	65	45	70	60	55

FIGURE 13.8 La régression de la population

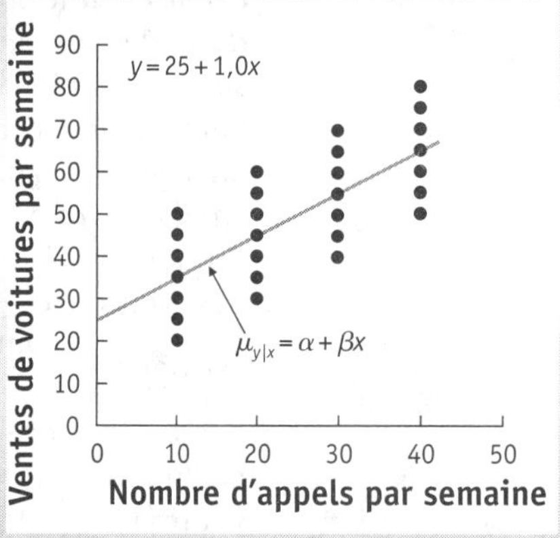

LE MODÈLE DE RÉGRESSION DE BASE DE LA POPULATION (MRP)

Un modèle est un ensemble de suppositions sur les forces et les relations qui sous-tendent une hypothèse. Dans notre cas, la relation entre les appels de suivi et les ventes est une hypothèse. Le modèle de régression de base d'une population est fonction des hypothèses suivantes. On a déjà expliqué la première hypothèse.

Hypothèse n° 1

La variable indépendante (X) est non aléatoire (non stochastique) ; ses valeurs sont fixes (prédéterminées) dans un échantillonnage répété ; et, pour toute taille d'échantillon « n », la variance des valeurs X est un nombre fini non nul. La nature non aléatoire de la variable indépendante permet de conserver l'indépendance statistique entre la variable indépendante et le terme d'erreur. Si l'on fixe les valeurs de la variable indépendante dans un échantillonnage répété, on peut déterminer la distribution de probabilité de Y pour chaque valeur de X. S'il n'y a pas de variation dans les valeurs de X, on ne peut pas estimer la droite de régression. Les progrès récemment accomplis en statistique permettent de traiter les cas où la variable indépendante est également aléatoire. Cependant, dans ces situations, il faut tout de même qu'il y ait une indépendance statistique entre la variable indépendante et le terme d'erreur (hypothèse plus faible).

Hypothèse n° 2
Les variables dépendante et indépendante ont une relation linéaire. On peut aussi utiliser le modèle pour plusieurs relations non linéaires facilement transformables en relations linéaires.

LA DROITE DE RÉGRESSION DE LA POPULATION (DRP)

La droite de régression de la population relie les valeurs moyennes de la variable *dépendante* pour chacune des valeurs prédéterminées de la variable *indépendante*. On peut écrire cette relation sous forme de symboles ainsi :

$$E(y\,|\,x) = \mu_{y|x} = \alpha + \beta x \qquad\qquad \textbf{13.5}$$

où α est l'ordonnée à l'origine de la droite, β est la pente de la droite et $E(y\,|\,x)$ est la valeur espérée de la variable Y (une moyenne des valeurs de Y) pour chaque valeur de la variable X.

L'ordonnée à l'origine de la droite est le point sur l'axe vertical où la droite croise l'axe. Ainsi, l'ordonnée à l'origine est la valeur de la variable Y quand la valeur de la variable X est égale à zéro. Dans l'exemple 13.3, la valeur de l'ordonnée à l'origine est $\alpha = 25$. Elle laisse entendre que les ventes moyennes sans appels de suivi ($x = 0$) sont égales à 25. *Cependant, il faut noter dès maintenant que l'ordonnée à l'origine d'une droite est une construction mathématique ; elle peut n'avoir aucune valeur significative dans des circonstances du monde réel,* surtout quand le point correspondant à $x = 0$ se trouve loin de l'étendue observable des données. On définit la pente de la droite comme une variation moyenne dans les valeurs de la variable dépendante pour un changement d'une unité dans les valeurs de la variable indépendante ou l'*augmentation sur la distance* entre deux points sur la DRP. Ainsi, dans l'exemple, une augmentation du nombre d'appels, passant de 20 à 30 (distance) fait augmenter la valeur moyenne des ventes de 45 à 55. La pente de la droite de régression de la population est donc $\beta = \dfrac{\text{augmentation}}{\text{distance}} = \dfrac{55 - 45}{30 - 20} = \dfrac{10}{10} = 1{,}0$. La valeur de la pente dans ce cas laisse entendre qu'*en moyenne,* chaque appel est un succès ! Autrement dit, une augmentation de un appel de suivi (x) entraîne un accroissement de la moyenne des ventes ($\mu_{y|x}$) de une unité. Il faut noter ceci : comme une droite a la même pente à tous les points de la droite, la valeur de β est la même à tous les points sur la droite.

Ainsi, dans l'exemple sur les appels de suivi et les ventes, la droite de régression de la population est de $\mu_{y|x} = 25 + 1{,}00x$.

L'ÉQUATION DE LA RÉGRESSION DE LA POPULATION

La droite de régression de la population donne une valeur moyenne de la variable Y (ventes) pour chaque valeur de la variable X (nombre d'appels). En conséquence, elle représente la partie déterministe de la relation statistique. Bien que certaines valeurs de Y puissent égaler la valeur moyenne (par coïncidence), la plupart des valeurs seraient en réalité différentes de la valeur moyenne. Par exemple, Marie effectue 30 appels par semaine avec des ventes moyennes hebdomadaires égales à 55. Cependant, les six valeurs de ces ventes sont différentes de la moyenne. Certaines valeurs sont supérieures à la moyenne et d'autres, inférieures (voir le tableau 13.5).

TABLEAU 13.5   Le nombre d'appels de suivi et les ventes de Marie

	Semaine 1	Semaine 2	Semaine 3	Semaine 4	Semaine 5	Semaine 6
Appels (X)	30	30	30	30	30	30
Ventes (Y)	40	50	65	45	70	60
Ventes moyennes ($\mu_{y|x}$)	55	55	55	55	55	55
Erreur (ϵ)	−15	−5	10	−10	15	5

La différence entre les valeurs réelles et les valeurs moyennes de chaque sous-population est appelée erreur. Ainsi, les valeurs réelles de Y pour chacune des valeurs de X sont égales à :

$$y = \mu_{y|x} + \epsilon \qquad \textbf{13.6 a)}$$

Si l'on remplace

$$\mu_{y|x} = \alpha + \beta x \qquad \textbf{13.6 b)}$$

dans la formule 13.6 a), on peut écrire la *formule de régression de la population* ainsi :

$$y = \alpha + \beta x + \epsilon \qquad \textbf{13.6 c)}$$

L'équation exprime les valeurs de la population de Y en tant que fonction des valeurs moyennes (DRP) et du terme d'erreur. Elle s'appelle donc *formule de régression de la population*.

 Formule de régression de la population Formule qui exprime les valeurs de la population de Y en tant que fonction linéaire des valeurs moyennes de Y pour chaque valeur de X (DRP) et du terme d'erreur :

$$y = \alpha + \beta x + \epsilon \qquad \textbf{13.6 c)}$$

Puisque les valeurs de Y dépendent du terme d'erreur, on l'appelle *modèle stochastique* ou *modèle statistique*.

En plus des deux hypothèses qu'on vient de formuler sur la relation de la population, on doit poser d'autres hypothèses, surtout en ce qui concerne le terme d'erreur, pour totalement définir le modèle de régression. Découvrons d'abord la nature du terme d'erreur.

D'OÙ VIENT L'ERREUR (ϵ) ?

L'erreur est la différence entre les valeurs réelles et moyennes de Y pour une valeur donnée de X. Comme le montre le tableau 13.5, certaines valeurs de l'erreur sont positives et certaines sont négatives. Parfois, la valeur du terme d'erreur peut aussi être nulle, auquel cas la valeur réelle est égale à la valeur moyenne. Plusieurs raisons peuvent expliquer pourquoi les valeurs réelles diffèrent des valeurs moyennes, les principales étant les suivantes :

1. *L'omission de certaines variables pertinentes.* Les valeurs de la variable Y peuvent subir l'influence de plusieurs facteurs. Par exemple, la réponse d'un client à un appel de suivi peut aussi dépendre de divers facteurs imprévisibles, par exemple la manière dont on l'a approché, la manière dont on l'a informé des qualités de la voiture, l'heure de l'appel, l'état d'esprit du client, son besoin d'une voiture, etc. Puisqu'on suppose que l'influence de chacun de ces facteurs est négligeable et imprévisible, on peut les reléguer dans le terme d'erreur.

2. *La forme du modèle.* On a supposé que la variable dépendante et la variable indépendante avaient une relation linéaire. Cette supposition peut ne pas être vraie. Cela entraînerait une erreur dans l'explication des variations en ce qui concerne la variable dépendante.

3. *La mesure des données.* Dans plusieurs cas, il est possible que les données ne soient pas bien mesurées. Par exemple, si l'on recueille des données sur le revenu, on peut ne pas obtenir des données précises de certains répondants s'ils craignent que celles-ci soient transmises à l'Agence du revenu du Canada !

4. *Les facteurs dus au hasard.* Le comportement humain est complexe. Parfois, il est difficile de cerner les facteurs influant sur une réponse particulière. Les facteurs dus au hasard influeront aussi sur les valeurs de l'erreur. Ils exercent une influence encore plus grande sur le terme d'erreur dans des données provenant d'un échantillonnage.

LES HYPOTHÈSES SUR LE TERME D'ERREUR

On formule les hypothèses suivantes sur le terme d'erreur :

Hypothèse n° 3

$E(\epsilon|x) = 0$ *La valeur moyenne du terme d'erreur est de zéro.* Puisque le terme d'erreur n'inclut pas d'influence prévisible, il est distribué aléatoirement. On suppose que la valeur moyenne du terme d'erreur pour chacune des sous-populations est de zéro. En particulier, on suppose que le terme d'erreur ne comporte pas d'influence prévisible ou déterminable. En conséquence, les erreurs découlant de l'exclusion d'une variable pertinente ou de la mauvaise spécification de la forme fonctionnelle ou d'erreurs déterminables dans la mesure ne sont *pas* incluses. En d'autres mots, le terme d'erreur contient uniquement des influences aléatoires (vérifiez-le dans le tableau 13.5). Plus loin dans ce chapitre, nous tirerons des conclusions à partir d'échantillons prélevés dans la population. Dans ce contexte, on suppose aussi que le terme d'erreur est normalement distribué.

Hypothèse n° 4

$Var(\epsilon|x) = \sigma^2$. *La variance du terme d'erreur est la même pour chaque sous-population.* Autrement dit, la valeur de la variance du terme d'erreur est la même pour toutes les valeurs de *x*. Vous pouvez le vérifier en examinant les étendues de chaque sous-population à la figure 13.8.

Hypothèse n° 5

La covariance des termes de l'erreur est nulle. En d'autres mots, la valeur d'une erreur n'est pas liée à (est indépendante de) la valeur des autres erreurs. Par exemple, dans le cas de Marie (voir le tableau 13.5), la valeur de l'erreur au cours de la deuxième semaine (−5) n'est pas liée à la valeur de l'erreur de la première semaine (−15) ou aux valeurs de l'erreur des autres semaines.

On peut résumer toutes ces hypothèses, combinées aux hypothèses 1 et 2 des pages 539 et 540, comme suit :

La variable dépendante Y a une relation linéaire avec la variable indépendante X et le terme d'erreur. On suppose que les erreurs ont une distribution de probabilité avec une moyenne nulle, une variance constante, une covariance nulle entre les erreurs et l'absence de dépendance statistique entre les erreurs et les valeurs de la variable indépendante. Combinées, ces hypothèses (1 à 5) constituent le modèle de régression de la population, appelé modèle de régression linéaire classique (MRLC).

La figure 13.9 illustre toutes ces hypothèses en fonction des variables *Y* et *X*. La figure 13.10 présente les distinctions entre la droite de régression de la population ($\mu_{y|x}$) et la droite de régression de l'échantillon ($\hat{y}$).

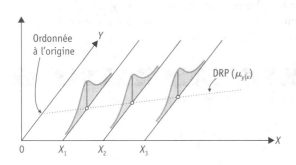

FIGURE 13.9 Les hypothèses de régression présentées graphiquement

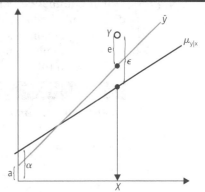

FIGURE 13.10 Les régressions de la population et de l'échantillon

Cependant, on connaît rarement les valeurs de la population. En outre, même si on les connaissait, il pourrait être trop coûteux d'évaluer la DRP des populations parce qu'elles sont trop importantes. En pratique, on se contente donc d'un échantillon aléatoire des valeurs de *y* pour chaque valeur de *x* donnée. On tente ensuite d'estimer la droite de régression de la population à partir de ces observations d'échantillon. La droite d'estimation (qui représente une valeur moyenne de *Y* pour chaque valeur de *X*) s'appelle droite de régression de l'échantillon, et la formule exprimant les valeurs réelles de l'échantillon s'appelle formule de régression de l'échantillon.

LA DROITE DE RÉGRESSION DE L'ÉCHANTILLON (DRE) ET LA FORMULE DE RÉGRESSION DE L'ÉCHANTILLON

La droite de régression de l'échantillon est une estimation de la droite de régression de la population basée sur un échantillon.

$$\hat{y} = a + bx \qquad \textbf{13.7}$$

où $\hat{y}$ est l'estimation de $(\mu_{y|x})$; *a*, l'estimation de α et *b*, l'estimation de β.

La formule de régression de l'échantillon exprime les valeurs réelles de la variable dépendante en tant que fonction linéaire de la droite de régression de l'échantillon et du terme d'erreur. Donc,

$$y = \hat{y} + e \qquad \textbf{13.8 a)}$$

où *e* est la différence entre les valeurs réelles de *y* et les valeurs estimées de *y* (= $\hat{y}$).

Il faut noter que, conceptuellement, ϵ et *e* sont différentes. Alors que ϵ est une erreur d'échantillonnage autour de la DRP, *e* est la variation résiduelle de *Y* qu'on ne pouvait pas expliquer à l'aide de la droite d'estimation. Nous aborderons cette notion dans la section suivante.

Par conséquent, la formule de régression de l'échantillon s'écrit ainsi :

$$y = a + bx + e \qquad \textbf{13.8 b)}$$

À présent, illustrons ces concepts à l'aide de l'exemple du tableau 13.4. On a besoin d'un échantillon aléatoire des valeurs de *Y* pour chaque valeurs de *X*. Étant donné que l'on connaît déjà toutes les valeurs de la population de la variable *Y*, on fait une expérience pour obtenir un échantillon aléatoire des valeurs de *Y* pour chaque valeur de *X*. On peut utiliser la table des nombres aléatoires ou un dé à six faces dans chaque sous-population correspondant à chaque représentant. On a lancé le dé une fois pour chaque représentant et l'on a obtenu les valeurs suivantes dans la colonne 2) du tableau 13.6 de la page suivante. Il faut noter qu'on a sélectionné une valeur de la variable *Y* pour chaque représentant plutôt que pour chaque valeur de *X* en guise d'illustration. Vous pouvez sélectionner plusieurs valeurs de *Y* pour chaque représentant ou une seule valeur de *Y* pour chaque valeur de *X* si vous le désirez. Nous vous invitons à faire vos propres expériences.

On commence par représenter graphiquement les valeurs de l'échantillon sur un diagramme de dispersion pour voir le schème qui ressort de la figure 13.11. Il semble que la dispersion des points suive plus ou moins un tracé linéaire. La question consiste à savoir comment obtenir la meilleure estimation de la droite de la population à partir de cet échantillon.

TABLEAU 13.6   Le nombre d'appels de suivi et les ventes

Représentant	Appels (1) x	Ventes (2) y	Représentant	Appels (1) x	Ventes (2) y
Tom	20	30	Yoshimi	10	40
Jean	40	60	Santosh	20	40
Brian	20	40	Jim	20	50
Marie	30	60	Hansa	20	30
Sara	10	30	Joanne	30	70

L'ESTIMATION DE LA RELATION

Selon nous, métaphoriquement parlant, établir la meilleure estimation (la plus précise) de la droite de la population à partir d'un échantillon est le cœur, alors que l'inférence concernant sa précision est l'âme de l'analyse de régression. La prédiction, c'est comme la vie ! On a parfois raison et parfois tort !

Étant donné l'échantillon du tableau 13.6, de quelle façon peut-on le mieux estimer la relation dans la population ? Certains enthousiastes pourraient placer les observations sur un diagramme de dispersion et tracer la droite en se fondant sur leur jugement. Cinq droites fléchées sont tracées dans la figure 13.12. Quelle est la meilleure ? Apparemment, toutes ces lignes semblent donner un bon résultat. Cependant, il se peut que chaque personne pense que sa ligne est la meilleure. Il serait extrêmement difficile, voire impossible, de résoudre cette controverse sans s'entendre de façon explicite sur certains critères mathématiques. La sixième ligne (non fléchée) est fondée sur le critère mathématique de Legendre, que nous aborderons ci-dessous.

FIGURE 13.11   Le tracé linéaire

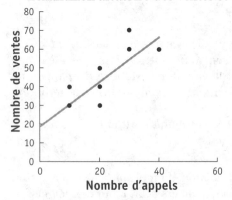

Échantillon aléatoire des ventes et des appels

FIGURE 13.12   Les lignes à main levée

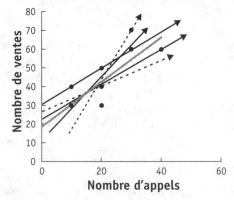

Échantillon aléatoire des ventes et des appels

QUEL CRITÈRE MATHÉMATIQUE ?

Si l'on se fie à notre bon sens et compte tenu de l'échantillon, on pourrait dire que pour obtenir la meilleure estimation, celle-ci doit être représentative de toutes les observations et contenir le moins d'erreurs possible. Autrement dit, la somme de toutes les erreurs entre la droite estimée et les observations doit être aussi peu élevée que possible. Cependant, certaines erreurs sont positives et d'autres, négatives. Par conséquent, il est possible d'obtenir une ou plusieurs lignes qui ne sont pas représentatives de toutes les observations, mais qui ont tout de même un nombre minimal (ou nul) d'erreurs. Une autre solution consiste à trouver une droite qui réduit la valeur absolue (si l'on ignore les signes positifs et négatifs) des erreurs au minimum. Toutefois, cette droite ne possède pas un ensemble désirable de propriétés mathématiques ou statistiques. Jusqu'à présent, la meilleure méthode que connaissent les statisticiens pour effectuer l'analyse de régression de la droite est la méthode des moindres carrés ordinaires, que Legendre a élaborée en 1805.

LA MÉTHODE DES MOINDRES CARRÉS ORDINAIRES (MCO)

La méthode des moindres carrés ordinaires, comme son nom l'indique, consiste à trouver la droite qui réduit la somme des carrés des erreurs (écarts) au minimum entre toutes les valeurs observées (y) et les valeurs estimées ($\hat{y}$) de la variable dépendante Y.

ADRIEN-MARIE LEGENDRE (1752-1833)

La méthode des moindres carrés fut d'abord appliquée en 1805. On l'attribue à Adrien-Marie Legendre, qui mit au point la méthode statistique pour déterminer les chemins des comètes sur orbite. On ne sait pas si cette méthode a été découverte par une ou plusieurs personnes.

On connaît très peu les premières années de la vie de Legendre. Il naquit à Paris d'une famille riche. Il termina ses études au collège Mazarin à Paris alors qu'il avait 18 ans. Il se concentra presque exclusivement sur l'étude des mathématiques et de la physique. Dans le domaine des mathématiques, il est reconnu pour ses travaux en intégrales elliptiques, en théorie des nombres et en géométrie. Ce sont ses contributions à la théorie de l'attraction gravitationnelle qui ont le plus influé sur sa découverte de la méthode des moindres carrés, laquelle consiste à trouver la courbe des données observées.

En 1809, quatre années après que Legendre eut publié les travaux effectués à l'aide de la méthode des moindres carrés, Carl Friedrich Gauss publia sa version de la méthode des moindres carrés. Par la suite, Gauss déclara qu'il utilisait la méthode depuis 1795 et tenta de s'approprier ainsi des crédits pour cette découverte. On ne régla jamais le conflit. Cependant, il est important de noter les avantages de cette méthode constatés par Legendre :

« De tous les principes qu'on peut proposer à cette fin, je pense qu'aucun n'est plus général, plus exact ou plus simple à appliquer que celui qu'on a utilisé pour réaliser ce travail ; il consiste à réduire au minimum la somme des carrés des erreurs. Grâce à cette méthode, il est possible d'établir un certain équilibre entre les erreurs qui, puisqu'il empêche les extrêmes de dominer, est approprié pour révéler l'état du système qui s'approche le plus de la vérité[3]. »

La méthode de Legendre, appelée communément **moindres carrés ordinaires,** consiste à trouver une droite qui réduit au minimum la somme des carrés des erreurs, ce qui permet d'éviter le problème d'annulation des erreurs positives et négatives. De plus, la méthode possède de bonnes propriétés mathématiques et statistiques, surtout en fonction des hypothèses formulées plus haut relativement à la régression de la population ; la droite estimée possède plusieurs des propriétés souhaitables d'un estimateur, que nous avons vues au chapitre 9.

N'oubliez pas que $y = a + bx + e$ et $\hat{y} = a + bx$; donc $e = (y - \hat{y})$.

En mettant toutes les erreurs au carré et en calculant leur somme, on obtient :

$$\sum (e)^2 = \sum (y - \hat{y})^2 \qquad \textbf{13.9}$$

Ainsi, les estimations des MCO sont basées sur le principe que

$$\text{Min} \sum (e)^2 = \text{Min} \sum (y - \hat{y})^2 = \text{Min} \sum [y - (a + bx)]^2 \qquad \textbf{13.10}$$

La minimisation de $\sum [y - (a + bx)]^2$ par rapport à a et à b au moyen des méthodes de calcul différentiel exige que

$$\sum e = \sum [y - (a + bx)] = 0 \qquad \textbf{13.11}$$

$$\sum xe = \sum x[y - (a + bx)] = 0 \qquad \textbf{13.12}$$

On appelle ces deux équations les *équations normales* des MCO. Par une simple manipulation, ces équations normales permettent d'obtenir les formules suivantes pour a et b :

Pente de la droite de régression
$$b = \frac{n(\sum xy) - (\sum x)(\sum y)}{n(\sum x^2) - (\sum x)^2} \qquad \textbf{13.13}$$

Ordonnée à l'origine
$$a = \frac{\sum y}{n} - b\frac{\sum x}{n} \qquad \textbf{13.14}$$

où

x est une valeur de la variable indépendante ;

y est une valeur de la variable dépendante ;

n est le nombre de couples d'observations dans un échantillon.

Il s'agit de la méthode la plus courante pour obtenir la droite d'estimation : $\hat{y} = a + bx$, qui est un estimateur de la droite de régression de la population : $\mu_{y|x} = \alpha + \beta x$

où

$\hat{y}$ est un estimateur de $\mu_{y|x}$;

a est un estimateur de α ; l'ordonnée à l'origine de la droite, la valeur de $\hat{y}$ quand $x = 0$;

b est un estimateur de β ; la pente de la droite, la variation en $\hat{y}$ pour un changement d'une unité de x.

LES PROPRIÉTÉS DES ESTIMATEURS DES MOINDRES CARRÉS ORDINAIRES (EMCO)

À quel point la droite de régression de l'échantillon est-elle précise comme estimateur de la droite de régression de la population ? N'oubliez pas que la droite de régression de l'échantillon se définit au moyen des estimateurs a et b et que la droite de régression de la population se définit à l'aide des paramètres α et β. On peut donc poser la même question : à quel point les estimateurs des moindres carrés ordinaires (EMCO) a et b sont-ils précis comme estimateurs de α et de β ?

Il faut noter la différence entre les notions d'estimateur et d'estimation. *Un estimateur est une formule tandis qu'une estimation est une valeur particulière qu'on obtient à partir d'un échantillon basé sur la formule de l'estimateur.* Ainsi, les formules pour estimer a et b sont les estimateurs. Une valeur particulière (comme $a = 200$, $b = 1,5$) obtenue en appliquant la formule à un échantillon est une estimation.

Nous avons discuté de certaines des propriétés souhaitables pour un estimateur au chapitre 9. On peut dire que, étant donné notre modèle de régression de la population, les estimateurs des moindres carrés ordinaires ont les propriétés suivantes (on ne présente pas les preuves, laborieuses dans ce cas) :

1. On peut les exprimer sous forme de fonction *linéaire* de la variable dépendante *Y*.

2. Ils sont *sans biais*. Autrement dit, étant donné les valeurs de *x*, si l'on répétait l'échantillon un grand nombre de fois et obtenait les valeurs de *a* et de *b* pour chaque échantillon, la valeur moyenne de ces estimations pour tous les échantillons se rapprocherait des valeurs réelles des paramètres α et β.

3. Dans la classe de tous les estimateurs linéaires sans biais, les EMCO sont les *meilleurs* dans le sens qu'ils ont la *variance la moins grande* comparativement à tous les autres estimateurs linéaires sans biais. Cet énoncé s'appelle **théorème de Gauss-Markov**.

Étant donné les hypothèses de notre modèle de régression,

 Les estimateurs des moindres carrés ordinaires (EMCO) *a* et *b* sont les meilleurs estimateurs linéaires sans biais (MELSB) de α et de β. En bref, les EMCO sont les MELSB.

Exemple 13.4

Prenons l'échantillon de 10 couples d'observations de l'expérience effectuée par le concessionnaire Ford Nord (voir le tableau 13.6 à la page 544). Pour décider s'il doit ou non engager une secrétaire pour effectuer les appels de suivi, le concessionnaire aimerait qu'on lui fournisse des renseignements précis sur la relation qui existe entre le nombre de ventes et les appels de suivi. Utilisez la méthode des moindres carrés pour déterminer la relation linéaire qui existe entre les deux variables. Quel est le nombre de ventes espéré par un représentant qui effectue 40 appels de suivi ?

TABLEAU 13.7 Le nombre d'appels de suivi et les ventes (*suite*)

Représentant (1)	*x* (2)	*y* (3)	x^2 (4)	y^2 (5)	*xy* (6)	*ŷ* (7)
Tom	20	30	400	900	600	42,63
Jean	40	60	1 600	3 600	2 400	66,32
Brian	20	40	400	1 600	800	42,63
Marie	30	60	900	3 600	1 800	54,47
Sara	10	30	100	900	300	30,79
Yoshimi	10	40	100	1 600	400	30,79
Santosh	20	40	400	1 600	800	42,63
Jim	20	50	400	2 500	1 000	42,63
Hansa	20	30	400	900	600	42,63
Joanne	30	70	900	4 900	2 100	54,47
Moyenne	22	45				45
Total	220	450	5 600	22 100	10 800	449,99

Solution

Le tableau 13.7 répète les données d'échantillon tirées du tableau 13.6. Il inclut aussi les sommes nécessaires pour calculer les estimations *a* et *b* ainsi que les ventes estimées. Les calculs qu'on doit effectuer pour déterminer la relation estimée sont les suivants :

$$b = \frac{n(\sum xy) - (\sum x)(\sum y)}{n(\sum x^2) - (\sum x)^2} = \frac{10(10\,800) - (220)(450)}{10(5600) - (220)^2} = 1,1842$$

$$a = \frac{\sum y}{n} - b\frac{\sum x}{n} = \frac{450}{10} - 1,1842\frac{220}{10} = 18,9476$$

Ainsi, l'équation de régression estimée est *ŷ* = 18,9476 + 1,1842*x*.

Par conséquent, si un représentant effectue 40 appels, il peut s'attendre à vendre 66,32 voitures (on peut arrondir ce nombre à 66!) par semaine. On trouve ce nombre en remplaçant x par sa valeur de 40 dans l'équation de régression. Les ventes prévues pour $x = 40$ sont égales à $\hat{y} = 18,9476 + 1,1842(40) = 66,32$. La valeur de $b = 1,1842$ signifie que, pour chaque appel de suivi supplémentaire, le représentant peut s'attendre à augmenter, *en moyenne,* le nombre de voitures vendues par semaine d'environ 1,1842. La valeur de $a = 18,9476$ signifie que si le représentant n'a fait aucun appel de suivi (c'est-à-dire que $x = 0$), il peut s'attendre à vendre, *en moyenne,* environ 19 voitures par semaine.

Bien que dans ce cas particulier la valeur de l'ordonnée à l'origine semble interprétable, elle ne l'est pas toujours à l'extérieur de l'étendue des données observées. En fait, on doit toujours être prudent lorsqu'on interprète les *estimations* de l'ordonnée à l'origine et de la pente à l'extérieur de l'étendue des données observées. Par exemple, une valeur de l'ordonnée à l'origine négative dans une estimation de la quantité demandée pourrait ne pas être logique, puisque les quantités ne peuvent être négatives. De même, il serait irréaliste de dire que si un représentant effectue 1000 appels de suivi par semaine à environ 100 clients qui ont visité la salle d'exposition, il augmentera ses ventes de 1184 voitures par semaine.

Graphiquement (voir la figure 13.13), la valeur de $b = 1,1842$ indique la pente de la droite estimée, et la valeur de l'ordonnée à l'origine, a, indique la valeur du point sur la droite où la droite croise l'axe vertical des ventes. Puisque l'étendue des appels n'inclut pas $x = 0$, vous devez prolonger la droite de régression vers l'arrière (la gauche) pour trouver le point où elle croise l'axe vertical.

LE TRACÉ DE LA DROITE DE RÉGRESSION

Pour tracer la droite de régression à la main, vous devez avoir deux couples de valeurs pour les deux variables, c'est-à-dire les valeurs de deux points sur la droite. Ainsi, $\hat{y} = 18,9476$ et $x = 0$ est un couple de valeurs et $\hat{y} = 66,32$ et $x = 40$ en est un autre. La colonne 7 du tableau 13.7 présente les valeurs de $\hat{y}$ correspondant à chaque valeur de x dans l'étendue des observations. Vous pouvez trouver toutes ces valeurs en utilisant une calculatrice tout comme on l'a fait pour trouver la valeur de $\hat{y}$ pour $x = 0$. Bien entendu, il est possible de trouver la valeur de $\hat{y}$ pour $x = 0$ à l'aide de l'équation de régression estimée.

FIGURE 13.13 La droite de régression des ventes et des appels

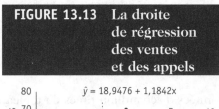
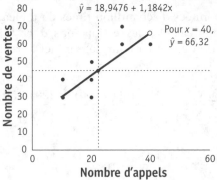

Stigler, un historien de statistique bien connu, a déclaré : «La méthode des moindres carrés de l'analyse statistique moderne se compare à une automobile : en dépit des limites, des accidents occasionnels et de la pollution, cette méthode et ses nombreuses variations, extensions et significations connexes transportent l'ensemble de l'analyse statistique en plus d'être connues et appréciées de tous[4].»

LES PROPRIÉTÉS DE L'ESTIMATION DES MCO DE LA DROITE DE RÉGRESSION

La droite de régression obtenue à l'aide des MCO possède des propriétés intéressantes qui sont énumérées ci-dessous.

La droite estimée passe par les moyennes des variables X et Y ($\bar{x}$ et $\bar{y}$). Puisque la droite de régression estimée est $\hat{y} = 18{,}9476 + 1{,}1842x$ et qu'on substitue x par $\bar{x} = 22$, on obtient $\hat{y} = 45$, qui est égale à la valeur de $\bar{y} = 45$. (Vérifiez cette équation !) Ainsi, $\bar{y} = a + b\bar{x}$. On a tracé les droites (lignes pointillées) de $\bar{x}$ et de $\bar{y}$ dans la figure 13.13. Vous pouvez voir comment la droite de régression passe par le point où les droites $\bar{x}$ et $\bar{y}$ se croisent.

1. Moyenne de $\hat{y}$ ($\bar{\hat{y}}$) $= \bar{y}$. (Indice : Remplacez $a = \bar{y} - b\bar{x}$ dans $\hat{y} = a + bx$, calculez la somme des deux membres et divisez les deux membres par n.)

2. La somme et donc la moyenne de l'erreur est de zéro. D'une autre façon, $\Sigma e = 0$. (Indice : Référez-vous à la première équation normale 13.11.)

3. $\Sigma xe = 0$. (Indice : Référez-vous à la deuxième équation normale 13.12.)

4. Les estimateurs a et b sont des fonctions linéaires de la variable dépendante Y. (Indice : Référez-vous aux formules 13.13 et 13.14 de a et de b.)

5. $\Sigma \hat{y}e = 0$. (Indice : Remplacez $\hat{y} = a + bx$ et faites l'expansion.)

■ RÉVISION 13.3

On veut estimer une équation de la demande pour la consommation de bière au Canada. La demande d'un bien dépend de plusieurs variables, notamment du prix réel (prix nominal du bien divisé par le niveau général du prix), du revenu réel disponible par habitant (revenu gagné additionné des paiements de transfert et déduit des taxes, en termes réels, par habitant), des prix des biens de remplacement, des goûts, etc. Dans le présent chapitre, on suppose que le prix réel de la bière est la seule variable qui influe sur la consommation et qu'il existe une relation linéaire entre la consommation de bière et le prix réel de la bière. Les données sur la consommation par habitant des Canadiens de plus de 15 ans (quantité, Y : variable dépendante) et le prix réel de la bière (prix, X : variable indépendante) figurent ci-dessous :

Année	Quantité (Y)	Prix (X)	Année	Quantité (Y)	Prix (X)
1979	108,1	1,779	1990	97,3	2,546
1980	110,7	1,706	1991	94,5	2,551
1981	105,6	1,762	1992	91,7	2,655
1982	107,8	1,847	1993	87,5	2,765
1983	104,5	1,994	1994	87,1	2,68
1984	104,3	2,16	1995	86,5	2,624
1985	102,8	2,201	1996	85,8	2,622
1986	101,2	2,329	1997	83,6	2,664
1987	100,1	2,448	1998	83,7	2,809
1988	101,3	2,447	1999	85,3	2,837
1989	99,5	2,5			

a) Estimez l'équation de la demande de bière.
b) Interprétez les valeurs de a et de b.
c) Estimez la consommation de bière au prix réel de 2,00 $.

EXERCICES 13.11 À 13.18

Remarque : Il est suggéré d'enregistrer vos valeurs pour Σx, Σx^2, Σxy, Σy, Σy^2, étant donné qu'on s'y référera plus loin dans le chapitre.

13.11 Reportez-vous à l'exercice 13.3. Utilisez l'actif comme variable indépendante.
   a) Déterminez l'équation de régression.
   b) Estimez le bénéfice possible d'une entreprise possédant un actif s'élevant à cinq milliards de dollars.
   c) Interprétez l'équation de régression.

13.12 Reportez-vous à l'exercice 13.4. Utilisez le taux d'inflation (TI) comme variable indépendante.
   a) Déterminez l'équation de régression.
   b) Estimez le taux de chômage (TC) pour un TI = 1 %.
   c) Interprétez l'équation de régression.

13.13 Reportez-vous à l'exercice 13.5.
   a) Déterminez l'équation de régression.
   b) Estimez le prix de vente d'une voiture de 10 ans.
   c) Interprétez l'équation de régression.

13.14 Comme on l'a vu dans la rubrique *La statistique en action* (voir la page 546), on veut calculer le risque bêta des actions de Bell Canada (BCE) à partir des données sur le cours de clôture des actions de BCE et du S&P/TSX le dernier vendredi de chaque mois pendant 20 mois (mai 2001 à novembre 1999). Les données figurent ci-dessous.

Date	S&P/TSX (X)	BCE (Y)	Date	S&P/TSX (X)	BCE (Y)
25 mai	8 292,84	39,75	29 juill.	10 342,98	34,60
27 avr.	7 967,34	39,38	30 juin	10 195,45	35,10
30 mars	7 608,00	35,44	26 mai	9 020,88	32,65
23 févr.	8 028,81	39,45	28 avr.	9 347,61	41,66
26 janv.	9 158,19	42,50	31 mars	9 462,39	43,97
29 déc.	8 933,68	43,30	25 févr.	9 141,17	39,17
24 nov.	9 024,43	42,25	28 janv.	8 390,40	34,56
27 oct.	9 321,89	39,90	31 déc.	8 413,75	31,86
29 sept.	10 377,92	35,05	26 nov.	7 889,94	26,48
25 août	11 246,04	33,30			

Vous devez d'abord convertir toutes les variables sous forme de variations en pourcentage pour trouver les taux de rendement des actions de Bell Canada et du S&P/TSX. N'oubliez pas d'utiliser les variations en pourcentage des actions de Bell Canada comme variable dépendante et les variations en pourcentage du S&P/TSX comme variable indépendante.
   a) Tracez un diagramme de dispersion.
   b) Déterminez l'équation de régression et interprétez-la. Quelle est la valeur du risque bêta ? Interprétez votre réponse.
   c) Trouvez le taux de rendement des actions de Bell Canada lorsque le taux de rendement du marché (S&P/TSX) est de 5 %.

13.15 Dans cet exercice, on veut estimer la relation qui existe entre le revenu d'une entreprise et le bénéfice réalisé à partir de ce revenu.

On a sélectionné un échantillon aléatoire de 10 entreprises canadiennes. Le revenu et le bénéfice, présentés en millions de dollars, figurent dans le tableau ci-dessous.

Entreprise	Bénéfice (Y) (en millions de dollars)	Revenu (X) (en millions de dollars)
Algoma Central	7,4	257,5
Algonquin Mercantile	5,9	139,3
Budd Canada	8,6	385,6
CFS Group	1,5	81,9
Dover Industries	3,0	135,1
Mark's Work Warehouse	6,4	321,2
Motion International	2,6	125,7
Qmedia Services	4,5	101,8
Sleeman Breweries	7,4	96,1
Sr Telecom	6,9	195,3

Source: *The Globe and Mail Interactive Services,* 15 mai 2001.

Le revenu est la variable indépendante et le bénéfice, la variable dépendante.
a) Tracez un diagramme de dispersion.
b) Déterminez l'équation de régression et interprétez-la.
c) Estimez le bénéfice d'une entreprise qui enregistre un revenu de 150 millions de dollars.

13.16 On étudie les fonds communs de placement dans le but d'investir dans plusieurs fonds. Dans le cas de cette étude particulière, on veut se concentrer sur l'actif d'un fonds et son rendement sur cinq ans. Dix fonds ont été sélectionnés au hasard. Leur actif et leur taux de rendement annuels au cours des cinq dernières années figurent ci-dessous.

Actif du fonds	Actif (X) (en millions de dollars)	Rendement (Y) (en pourcentage)
AGF World Balanced	89,9	8,9
AIM Canadian Premier	814,3	14,1
Altamira Income	369,1	6,6
Canada Life C'dn Equity S-9	596,2	8,9
Clarica MVP Equity	73,7	10,6
Dynamic Fund of Canada	170,2	10,8
Fidelity Canada Large Cap-A	236,2	8,7
Janus Global Equity	153,8	12,7
RBC Canadian Bond	7,38	5,4
Standard Life Ideal Bond	44,3	6,2

Source: www.globefund.com, 22 mai 2001.

a) Tracez un diagramme de dispersion.
b) Déterminez l'équation de régression. Utilisez l'actif comme variable indépendante.
c) Rédigez un bref rapport sur les résultats obtenus en b).
d) Pour un fonds ayant 400 millions de dollars d'actif (qui n'est pas montré), déterminez le taux de rendement (en pourcentage) sur cinq années.

13.17 L'entreprise Alberta Electric Illuminating étudie la relation qui existe entre les kilowattheures (en milliers) et le nombre de pièces de maisons unifamiliales. Un échantillon aléatoire de 10 maisons a révélé les données suivantes:

Nombre de pièces (X)	Kilowattheures (en milliers) (Y)	Nombre de pièces (X)	Kilowattheures (en milliers) (Y)
12	9	8	6
9	7	10	8
14	10	10	10
6	5	5	4
10	8	7	7

a) Déterminez l'équation de régression.

b) Déterminez le nombre de kilowattheures (en milliers) d'une maison de six pièces.

13.18 Reportez-vous aux données de la feuille de calcul Excel 13.2 de la page 523.

Utilisez les 20 observations du PIB et du taux de chômage. Prenez le PIB comme variable indépendante.

a) Déterminez la droite de régression.

b) Interprétez la droite de régression.

c) Répétez a) et b) en prenant le chômage comme variable indépendante.

d) Commentez les différences entre les résultats obtenus en a), en b) et en c).

13.4 JUSQU'À QUEL POINT LA DROITE DE RÉGRESSION ESTIMÉE EST-ELLE BONNE?

Dans la section précédente, nous avons remarqué que, étant donné le modèle de régression de la population, les estimateurs des moindres carrés ordinaires possèdent des propriétés statistiques très convaincantes. Ces propriétés se fondent sur la possibilité de produire des distributions de probabilité des estimateurs obtenus à partir d'échantillonnages répétés. Autrement dit, si l'on prélevait un nombre élevé d'échantillons aléatoires à partir de la même population et qu'on utilisait les MCO pour obtenir une estimation de la droite de régression pour chaque échantillon, les estimateurs (coefficients a et b) seraient les meilleurs estimateurs linéaires sans biais. Cependant, en pratique, on établit une droite de régression à partir d'un seul échantillon. Comment peut-on être sûr qu'on a obtenu le résultat désiré?

On peut évaluer la droite estimée en tentant de découvrir jusqu'à quel point elle représente ou permet d'expliquer les données contenues dans l'échantillon. Autrement dit, à quel point la droite de régression estimée capte-t-elle la variation de la variable dépendante, soit le principal objectif de l'analyse de régression? D'autres méthodes d'évaluation se fondent également sur cette notion.

L'ANALYSE DE LA VARIANCE

Comme on le sait déjà, on peut mesurer la variabilité totale d'une variable à l'aide de sa variance. La variance, comme nous l'avons vu au chapitre 4, est la moyenne des écarts au carré des valeurs réelles de la variable par rapport à sa moyenne. La variation totale des valeurs de la variable Y, dans l'esprit de la définition de la variance, peut s'écrire $\sum(y - \bar{y})^2$. On appelle cette somme totale des écarts au carré la SCT (somme des carrés totale).

Pour décomposer cette variation en une variation qui peut être expliquée par la droite de régression estimée (SCR) et l'erreur de variation (SCE – variation non expliquée par la droite de régression), on doit recourir à une astuce. On ajoute et l'on soustrait $\hat{y}$ à l'intérieur de l'expression de la SCT:

$$= \sum[(y - \hat{y}) + (\hat{y} - \bar{y})]^2$$

et l'on développe ensuite le terme au carré :

$$= \sum(y - \hat{y})^2 + \sum(\hat{y} - \bar{y})^2 + 2\sum(y - \hat{y})(\hat{y} - \bar{y})$$

En se basant sur les deux équations normales des MCO, on peut montrer que le dernier terme est égal à zéro. On a donc :

$$\sum(y - \bar{y})^2 = \sum(y - \hat{y})^2 + \sum(\hat{y} - \bar{y})^2 \qquad \textbf{13.15}$$

Ainsi, SCT = SCE + SCR.

FIGURE 13.14

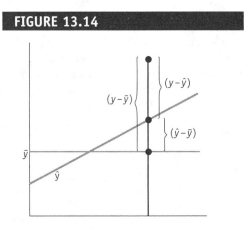

Par conséquent, la variation totale de Y peut se décomposer en deux parties : la variation SCR correspond à la partie qui est expliquée par la droite de régression de l'échantillon, et la SCE correspond à la partie de la variation de Y qui n'est pas expliquée par la droite de régression de l'échantillon. Cette notion est illustrée pour une seule observation à la figure 13.14. Vous trouverez également cette décomposition dans les nombres figurant dans les colonnes 5, 7 et 9 du tableau 13.8.

TABLEAU 13.8 Les calculs pour obtenir le tableau d'analyse de variance									
Représentant (1)	x (2)	y (3)	$\hat{y}$ (4)	$(y - \bar{y})$ (5)	$(y - \bar{y})^2$ (6)	$(\hat{y} - \bar{y})$ (7)	$(\hat{y} - \bar{y})^2$ (8)	$e = (y - \hat{y})$ (9)	e^2 (10)
Tom	20	30	42,63	−15	225	−2,37	5,62	−12,63	159,52
Jean	40	60	66,32	15	225	21,32	454,54	−6,32	39,94
Brian	20	40	42,63	−5	25	−2,37	5,62	−2,63	6,92
Marie	30	60	54,47	15	225	9,47	89,68	5,53	30,58
Sara	10	30	30,79	−15	225	−14,21	201,92	−0,79	0,62
Yoshimi	10	40	30,79	−5	25	−14,21	201,92	9,21	84,82
Santosh	20	40	42,63	−5	25	−2,37	5,62	−2,63	6,92
Jim	20	50	42,63	5	25	−2,37	5,62	7,37	54,32
Hansa	20	30	42,63	−15	225	−2,37	5,62	−12,63	159,52
Joanne	30	70	54,47	25	625	9,47	89,68	15,53	241,18
Total	220	450	449,99	0	1850	−0,01	1065,84	0,01	784,34
Moyenne	22	45	45	0		0		0	

En divisant chaque somme des carrés par les degrés de liberté appropriés, on peut obtenir les variances, souvent appelées carrés moyens dans le contexte de l'analyse de régression. Les degrés de liberté (*dl*) de SCT sont de $n - 1$, ceux de SCR sont de k et ceux de SCE sont de $n - k - 1$. Ici, n *est le nombre d'observations dans l'échantillon et* k, *le nombre de variables indépendantes dans l'équation de régression. Dans le cas qui nous occupe, on a une variable indépendante : les appels de suivi. Par conséquent,* k = 1. CMR (carré moyen dû à la régression) est la variation expliquée par la régression et CME (carré moyen dû à l'erreur) est la variation non expliquée. On peut articuler la discussion autour de ce qu'on appelle un tableau d'analyse de variance (ANOVA) comme celui de la page suivante.

Tableau d'analyse de variance

Source de variation	Somme des carrés	*dl*	Carré moyen
Régression	SCR	k	CMR = SCR/k
Erreur	SCE	$n - k - 1$	CME = SCE/$(n - k - 1)$
Total	SCT	$n - 1$	CMT = SCT/$(n - 1)$

Exemple 13.5

Pour illustrer les calculs, on utilise l'exemple sur les ventes et les appels de suivi. On a déjà trouvé les valeurs estimées ($\hat{y}$) dans la colonne 4 du tableau 13.8. Pour trouver SCT, SCR et SCE, on doit d'abord déterminer les écarts respectifs : $(y - \bar{y})$, $(\hat{y} - \bar{y})$ et $(y - \hat{y})$.

On calcule ces écarts dans les colonnes 5, 7 et 9 du tableau 13.8. On trouve ensuite les carrés de ces écarts dans les colonnes 6, 8 et 10, respectivement. Les totaux de toutes les colonnes et les moyennes de certaines colonnes figurent également dans les deux dernières lignes du tableau. À partir de ce dernier, on peut facilement écrire le tableau d'analyse de variance pour l'exemple. (Remarque : Il est possible que la somme des nombres ne soit pas juste, à cause des arrondissements.)

Tableau d'analyse de variance

Source de variation	Somme des carrés	*dl*	Carré moyen
Régression	SCR = 1065,84	1	CMR = 1065,84
Erreur	SCE = 784,34	8	CME = 98,04
Total	SCT = 1850,00	9	CMT = 205,56

LA QUALITÉ DE L'AJUSTEMENT ET LE COEFFICIENT DE DÉTERMINATION

À présent, on peut évaluer la régression obtenue avec l'échantillon. On cherche à savoir à quel point la droite de régression estimée permet d'expliquer les observations de l'échantillon. Cette évaluation peut s'effectuer en trouvant simplement quelle proportion de la variation totale de la variable dépendante est expliquée par la droite de régression estimée.

Puisque SCT = SCE + SCR, en divisant par SCT, on obtient :

$$\frac{\text{SCT}}{\text{SCT}} = 1 = \frac{\text{SCE}}{\text{SCT}} + \frac{\text{SCR}}{\text{SCT}} \Rightarrow \frac{\text{SCR}}{\text{SCT}} = 1 - \frac{\text{SCE}}{\text{SCT}}$$

Ainsi, la valeur $\dfrac{\text{SCR}}{\text{SCT}}$ donne la proportion de la variance expliquée par la droite de régression de l'échantillon. Cette proportion s'appelle **coefficient de détermination** ou R^2.

Coefficient de détermination $R^2 = \dfrac{\text{SCR}}{\text{SCT}} = 1 - \dfrac{\text{SCE}}{\text{SCT}}$ **13.16 a)**

Une valeur de $R^2 = 0,8$ signifie que la droite de régression de l'échantillon (ou la variable indépendante) permet d'expliquer 80 % de la variation de la variable dépendante. Comme le suggère le deuxième terme dans la définition de R^2, plus la SCE est élevée, moins la valeur de R^2 le sera et inversement. Étant donné qu'on estime normalement la droite de régression et les erreurs qui en résultent avant d'estimer R^2, il est plus facile de calculer R^2 en fonction de la définition de R^2 en termes de SCE.

Puisque l'*erreur* (e) = $(y - \hat{y})$ = $y - (a + bx)$, on peut écrire :

$$\text{SCE} = \sum e^2 = \sum (y - \hat{y})^2 = \sum [y - (a + bx)]^2 = \sum y^2 - a\sum y - b\sum xy$$

On peut utiliser soit le premier terme ou le dernier terme pour trouver la SCE. On peut donc calculer R^2 ainsi :

Formule de calcul

$$R^2 = 1 - \frac{\sum e^2}{\sum y^2 - \frac{1}{n}\left(\sum y\right)^2} \qquad \text{13.16 b)}$$

$$= 1 - \frac{\sum y^2 - a\sum y - b\sum xy}{\sum y^2 - \frac{1}{n}\left(\sum y\right)^2} \qquad \text{13.16 c)}$$

Soit dit en passant, *il ne faut pas interpréter R^2 comme le carré du coefficient de corrélation « r ».* Le concept de coefficient de corrélation se fonde sur la distribution conjointe de deux variables aléatoires, alors que le concept de coefficient de détermination est basé sur les hypothèses concernant le modèle de régression de la population. Par ailleurs, sur le plan algébrique, le carré du coefficient de corrélation dans un modèle à deux variables est égal à la valeur du coefficient de détermination. Cependant, le coefficient de corrélation calculé pour les variables qui comprennent une variable ou des variables non aléatoires peut également servir de mesure descriptive, mais non pas de mesure statistique pour faire de l'inférence sur la relation qui existe dans la population.

Dans l'exemple sur les ventes et les appels de suivi, on peut facilement calculer R^2 à partir du tableau d'analyse de variance :

$$R^2 = \frac{\text{SCR}}{\text{SCT}} = \frac{1065,84}{1850,00} = 0,576$$

On peut également utiliser la formule de calcul pour trouver R^2.

Par exemple, à partir des valeurs du tableau 13.7 et des valeurs de $a = 18,95$ et $b = 1,184$, on calcule :

$$R^2 = 1 - \frac{\sum y^2 - a\sum y - b\sum xy}{\sum y^2 - \frac{1}{n}\left(\sum y\right)^2} = 1 - \frac{22\,100 - 18,95(450) - 1,184(10\,800)}{22\,100 - \frac{1}{10}(450)^2} = 0,576$$

Avec cette formule, il n'est pas nécessaire d'effectuer l'analyse de la variance pour calculer R^2.

Ainsi, la droite de régression estimée permet d'expliquer 57,6 % de la variation des valeurs des ventes dans l'échantillon. Par ailleurs, on pourrait dire que 57,6 % de la variation des ventes est attribuable aux appels de suivi. Quant aux 42,4 % restants de la variation des valeurs de ventes, ils doivent être attribués à des facteurs autres que les appels de suivi. Il faut noter que tous les autres facteurs, selon notre hypothèse, comprennent tous les éléments mineurs qui ne valent pas la peine d'être inclus comme variables séparées. Si l'on sait, *a priori*, qu'une autre variable importante a contribué aux ventes, on devrait l'inclure dans la formule de régression (qui deviendra ainsi un modèle de régression multiple, notion dont il sera question au chapitre 14) plutôt que d'estimer les ventes en se fondant uniquement sur les appels de suivi.

L'ERREUR TYPE DE L'ESTIMATION

Alors que le coefficient de détermination permet de mesurer la proportion de la variation expliquée par la droite de régression de l'échantillon, la moyenne de la SCE nous donne une idée de l'étalement des observations (variation non expliquée dans la variable dépendante Y) autour de la droite d'estimation. Autrement dit, la SCE nous indique la précision de la droite d'estimation. Moins la variation est grande, plus l'estimation sera précise. Si la SCE est nulle, la qualité de l'ajustement sera parfaite. Les deux mesures sont comme les deux côtés d'une même médaille.

Comme pour la notion d'écart type, on définit l'erreur type de l'estimation (mesure de l'écart type autour de la droite d'estimation) comme la racine carrée de la moyenne de tous les écarts au carré entre les valeurs réelles (y) et les estimations ($\hat{y}$) de la variable dépendante Y. La SCE nous donne le total de ces écarts. Ainsi, on peut trouver l'erreur type de l'estimation S_e à l'aide de la racine carrée du carré moyen dû à l'erreur (CME) obtenu en divisant la SCE par ses degrés de liberté ($= n - k - 1 = n - 2$). Pour plus de détails, consultez le tableau d'analyse de variance en page 554. La formule de l'erreur type de l'estimation figure ci-dessous; elle est accompagnée d'une autre formule de calcul:

Erreur type de l'estimation

$$S_e = \sqrt{\text{CME}} = \sqrt{\frac{\text{SCE}}{n-2}} = \sqrt{\frac{\sum e^2}{n-2}} = \sqrt{\frac{\sum y^2 - a \sum y - b \sum xy}{n-2}} \qquad \textbf{13.17}$$

On peut calculer le coefficient de détermination et l'erreur type de l'estimation à l'aide de la SCE. Dans l'exemple sur les ventes et les appels de suivi, on peut facilement calculer S_e à partir du tableau d'analyse de variance ou du tableau 13.7.

À partir du tableau d'analyse de la variance,

$$S_e = \sqrt{\frac{\text{SCE}}{n-2}} = \sqrt{\frac{784,34}{8}} = \sqrt{98,04} = 9,90.$$

Par ailleurs, de la même façon que l'on a calculé R^2, on peut calculer S_e sans effectuer l'analyse de la variance à partir du tableau 13.8.

Qu'est-ce qu'indique la valeur de $S_e = 9,9$? Cette valeur désigne la moyenne de la dispersion de toutes les observations par rapport à la droite de régression estimée. À partir de la règle empirique pour des observations aléatoires (voir le chapitre 4), on s'attend à ce que 68 % des observations soient comprises entre $\hat{y} \pm 9,9$ et à ce que 95 % des observations soient comprises entre $\hat{y} \pm 2(9,9)$. Si l'on vérifie les écarts des observations de la droite de régression dans la colonne 9 du tableau 13.8, on a 7 sur 10 (70 %) des observations qui se situent à l'intérieur des limites de $\hat{y} \pm 9,9$, et 100 % des observations qui se situent à l'intérieur des limites de $\hat{y} \pm 2(9,9)$! Considérant la petite taille de l'échantillon, c'est beaucoup mieux que prévu.

■ RÉVISION 13.4

Reportez-vous à la révision 13.3 où l'on a étudié la relation de la demande de bière des Canadiens. Construisez un tableau d'analyse de variance. Déterminez l'erreur type de l'estimation. Calculez le coefficient de détermination. Interprétez les résultats obtenus.

EXERCICES 13.19 À 13.24

13.19 Reportez-vous à l'exercice 13.11.
 a) Construisez un tableau d'analyse de variance.
 b) Calculez le coefficient de détermination et interprétez-le.
 c) Trouvez l'erreur type de l'estimation et interprétez-la.

13.20 Reportez-vous à l'exercice 13.12.
 a) Construisez un tableau d'analyse de variance.
 b) Calculez le coefficient de détermination et interprétez-le.
 c) Trouvez l'erreur type de l'estimation et interprétez-la.

13.21 Reportez-vous à l'exercice 13.13.
 a) Construisez un tableau d'analyse de variance.
 b) Calculez le coefficient de détermination et interprétez-le.
 c) Trouvez l'erreur type de l'estimation et interprétez-la.

13.22   Reportez-vous à l'exercice 13.14.
    a)   Construisez un tableau d'analyse de variance.
    b)   Calculez le coefficient de détermination et interprétez-le.
    c)   Pouvez-vous déterminer les raisons pour lesquelles la variation des actions de Bell Canada ne peut s'expliquer par le taux de rendement du marché ?
    d)   Trouvez l'erreur type de l'estimation et interprétez-la.

13.23   Reportez-vous à l'exercice 13.15.
    a)   Construisez un tableau d'analyse de variance.
    b)   Calculez le coefficient de détermination et interprétez-le.
    c)   Trouvez l'erreur type de l'estimation et interprétez-la.

13.24   Reportez-vous à l'exercice 13.16.
    a)   Construisez un tableau d'analyse de variance.
    b)   Calculez le coefficient de détermination et interprétez-le.
    c)   Trouvez l'erreur type de l'estimation et interprétez-la.

13.5 L'INFÉRENCE

LE DEGRÉ DE PROXIMITÉ DE LA DROITE DE RÉGRESSION ESTIMÉE PAR RAPPORT À LA DROITE DE RÉGRESSION DE LA POPULATION

Dans les sections précédentes, nous avons estimé la droite de régression en nous fondant sur un échantillon. Nous avons discuté de la qualité de l'ajustement de la droite de régression aux *observations de l'échantillon* ainsi que de certaines des propriétés mathématiques de la droite d'estimation. À présent, nous abordons la question du degré de fiabilité de l'estimation et du degré de confiance qu'on peut placer dans la droite d'estimation pour représenter la *droite de régression de la population*. Autrement dit, quelles conclusions peut-on tirer concernant la relation qui existe entre les ventes et les appels de suivi dans la population en se fondant sur la relation estimée à l'aide d'un échantillon ?

Dans la présente section, nous étudions les propriétés statistiques de la droite d'estimation. Comme dans notre étude des propriétés statistiques des moyennes, des proportions et des variances des chapitres précédents, on peut étudier les propriétés statistiques de la droite d'estimation à l'aide de méthodes d'intervalle de confiance et de tests d'hypothèses. Cependant, comme vous l'avez déjà appris, ces méthodes dépendent d'une certaine forme de distribution de probabilité.

Rappelez-vous les hypothèses (1 à 5) de la section 13.3 précisant le modèle de régression de la population. On avait supposé que la variable indépendante X était non aléatoire (et que ses valeurs étaient fixées dans un échantillonnage répété) et associée de façon linéaire à la variable aléatoire Y. On avait aussi supposé que le terme d'erreur (ϵ) associé dans la formule de régression de la population avait une moyenne nulle, une variance constante, une covariance nulle (et donc une corrélation nulle) avec les autres termes d'erreur. Ces hypothèses étaient suffisantes pour que la méthode des moindres carrés ordinaires produise les meilleurs estimateurs linéaires sans biais. On n'avait pas besoin d'autres hypothèses sur la distribution de probabilité de (ϵ) pour que les moindres carrés ordinaires produisent les meilleurs estimateurs linéaires sans biais. En utilisant uniquement le modèle de régression de base de la population, sans hypothèses supplémentaires sur la distribution du terme d'erreur, il est très difficile de tirer des conclusions utiles sur la droite de régression de la population à partir d'un échantillon.

Comme nous l'avons vu aux chapitres 8, 9 et 10, le théorème limite central et la loi normale jouent un rôle prépondérant dans les conclusions qu'on tire sur une variété de populations. On peut carrément supposer que le terme d'erreur de la population a une distribution normale (sans faire appel au théorème limite central). Sinon, étant donné la nature du terme d'erreur de la population, qui se compose d'un nombre élevé d'éléments individuels négligeables, on peut appliquer le théorème limite central dans le but d'obtenir la distribution normale du terme d'erreur. Dans un cas comme dans l'autre, on obtiendrait la loi normale du terme d'erreur. Par conséquent, on ajoute l'hypothèse suivante au modèle de régression de la population.

Hypothèse nº 6

Le terme d'erreur (ϵ) est de loi normale avec une moyenne nulle, une covariance nulle avec d'autres termes d'erreur et une variance constante = σ_ϵ^2. Puisque la loi normale est entièrement précisée par sa moyenne et sa variance, en bref, on écrit l'hypothèse $\epsilon \sim N(0, \sigma_\epsilon)$.

Si on les combine, ces six hypothèses sur le modèle de régression constituent ce qu'on appelle conventionnellement le *modèle de régression linéaire normal classique (MRLNC)*.

LES TESTS D'HYPOTHÈSES SUR LES COEFFICIENTS DE RÉGRESSION

Comme on l'a vu précédemment, la variable dépendante Y est une fonction linéaire du terme d'erreur et les estimateurs a et b sont des fonctions linéaires de la variable dépendante. On sait également que si l'on répète l'estimation de la droite de régression pour un nombre d'échantillons aléatoires de taille n (avec certaines valeurs prédéterminées de la variable indépendante X), les estimateurs a et b auront une distribution de probabilité. Puisque le terme d'erreur est maintenant censé avoir une loi normale, les estimateurs a et b auront également des lois normales. Étant donné que les lois normales sont entièrement précisées par deux paramètres, la moyenne et la variance, on doit trouver la moyenne et la variance de a et de b. On peut démontrer que :

$$\text{Moyenne } (a) = \alpha \qquad \text{Var } (a) = \sigma_a^2 = \sigma_\epsilon^2 \left[\frac{\sum x^2}{n \sum (x - \overline{x})^2} \right] \qquad \textbf{13.18}$$

$$\text{Moyenne } (b) = \beta \qquad \text{Var } (b) = \sigma_b^2 = \sigma_\epsilon^2 \left[\frac{1}{\sum (x - \overline{x})^2} \right] \qquad \textbf{13.19}$$

De même, pour chaque valeur donnée de X, la moyenne de Y ($= \mu_{y|x}$) est $\alpha + \beta x$ et sa variance, σ_ϵ^2. Il faut noter que pour chaque valeur donnée de X, la variance de Y est la même que la variance de ϵ.

Comme on l'a déjà mentionné, la précision ou la fiabilité d'un estimateur dépend de la taille de sa variance. Il apparaît clairement, dans la formule des variances de a et de b, que plus la variance du terme d'erreur σ_ϵ^2 est élevée, plus les variances de a et de b le seront aussi. Par contre, plus la variance de la variable X est élevée, moins la variance des estimateurs a et b le sera. C'est pourquoi il est conseillé d'avoir autant de variations que possible dans la variable indépendante. Pour terminer, un échantillon de plus grande taille, en rendant le dénominateur plus élevé, tend à réduire la variation des deux estimateurs. Pour cette raison, on conseille de prélever un échantillon de taille aussi grande que possible.

Étant donné les moyennes et les variances, on peut normaliser les estimateurs pour obtenir une loi normale centrée réduite et effectuer un test d'hypothèse. Ainsi,

la distribution Z pour l'estimateur a est de $\dfrac{a - \alpha}{\sigma_a}$ avec une moyenne = 0 et une variance = 1 ;

la distribution Z pour l'estimateur b est de $\dfrac{b - \beta}{\sigma_b}$ avec une moyenne = 0 et une variance = 1.

Il manque toutefois une étape avant de pouvoir effectuer le test d'hypothèse. À la fois σ_a et σ_b dépendent de l'écart type inconnu du terme d'erreur (σ_ϵ) de la population. Par conséquent, on utilise S_e au lieu de σ_ϵ et l'on remplace σ_a et σ_b par S_a et S_b.

Les statistiques de test pour a et b sont donc $\dfrac{a - \alpha}{S_a}$ et $\dfrac{b - \beta}{S_b}$, respectivement. Comme nous l'avons expliqué au chapitre 9, les statistiques de test pour a et b auront maintenant une distribution plus aplatie, connue sous le nom de distribution t avec $n-2$ degrés de liberté (degrés de liberté de S_e). Ainsi,

$$\frac{a-\alpha}{S_a} \sim t_{(n-2)} \qquad \textbf{13.20}$$

et

$$\frac{b-\beta}{S_b} \sim t_{(n-2)} \qquad \textbf{13.21}$$

où

$$S_a = \sqrt{S_e^2 \left[\frac{\sum x^2}{n \sum (x-\bar{x})^2} \right]} \qquad \textbf{13.22}$$

$$S_b = \sqrt{S_e^2 \left[\frac{1}{\sum (x-\bar{x})^2} \right]} \qquad \textbf{13.23}$$

Exemple 13.6

Rappelez-vous l'équation de régression sur les ventes et les appels de suivi :
$\hat{y} = 18{,}9476 + 1{,}1842x$, où $a = 18{,}9476$, $b = 1{,}1842$ et $n = 10$.

Soit H_0 : $\beta \leq 0 \Rightarrow$ les appels de suivi ne font pas augmenter les ventes. Autrement dit, l'écart entre b et la valeur hypothétique de β ($\beta = 0$ dans ce cas-ci) est purement une question de hasard.

H_1 : $\beta > 0 \Rightarrow$ les appels de suivi sont un outil de vente efficace pour faire augmenter les ventes.

Maintenant, supposons qu'on sélectionne un seuil de signification de 5 %, c'est-à-dire qu'on serait prêt à rejeter H_0 au plus 5 % du temps, lorsque H_0 est vrai. La valeur limite de rejet (valeur critique) de t pour 8 ($= 10 - 2$) degrés de liberté est de $t_{0{,}05(8)} = 1{,}86$. On ne rejetterait H_0 que si la statistique du test était supérieure à 1,86.

Solution

Pour calculer la valeur de la statistique du test, on doit encore faire appel à la valeur de S_b. Rappelez-vous qu'on peut écrire $\sum (x - \bar{x})^2 = \sum x^2 - \frac{1}{n}(\sum x)^2$. On connaît déjà les valeurs de $\sum x^2 = 5600$, de $\sum x = 220$ et de $n = 10$ (voir le tableau 13.7).

Ainsi, on obtient $\sum x^2 - \frac{1}{n}(\sum x)^2 = 5600 - \frac{(220)^2}{10} = 760$ et, puisque $S_e = 9{,}90$,

$S_b = \sqrt{(9{,}90)^2 \left(\frac{1}{760}\right)} = 0{,}3591$. Ainsi, la valeur de $t = \frac{1{,}1842 - 0}{0{,}3591} = 3{,}2977$.

Étant donné que la valeur de t est beaucoup plus élevée que la valeur critique de la distribution t de huit degrés de liberté (1,86), l'écart compris entre b et la valeur hypothétique de β ($\beta = 0$, dans ce cas-ci) ne peut être purement attribué au hasard. Par conséquent, on rejette donc H_0 en faveur de H_1. Si vous vérifiez le seuil expérimental dans la table t (voir l'annexe G) pour huit degrés de liberté, il se situerait autour de 0,005. Rejetteriez-vous H_0 si le vrai H_0 était de $\beta \leq 1$ contre H_1 : $\beta > 1$ à un seuil de signification de 5 % ? Tentez de relever le défi !

Essayez également d'effectuer un test d'hypothèse pour H_0 : $\alpha = 0$ contre H_1 : $\alpha \neq 0$ au seuil de signification que vous avez choisi. À présent, les calculs devraient être plus faciles.

(Indice : $S_a = S_b \sqrt{\frac{1}{n} \sum x^2}$) Cependant, comme nous le verrons plus loin, on peut notamment effectuer ces calculs en cliquant sur certaines commandes dans Excel (voir la feuille de calcul Excel 13.15, à la page 561).

LE TEST D'HYPOTHÈSE SUR LA VARIABLE INDÉPENDANTE OU SUR LE MODÈLE

Une autre façon de faire le test d'hypothèse en analyse de régression repose sur l'analyse de la variance. Il s'agit ici de tester si les variations (de la variable dépendante) expliquées par la variable indépendante sont significatives. Autrement dit, jusqu'à quel point la variable explicative ou le modèle supposé sont-ils significatifs dans l'explication de la variation de la variable dépendante? Dans le cas d'une variable indépendante, cependant, le test se réduit à un test d'hypothèse sur la pente du paramètre β, qu'on a déjà effectué. Toutefois, le test prend beaucoup d'importance lorsqu'on est en présence de plusieurs variables indépendantes. Nous traiterons de cette notion au chapitre 14. Ici, pour terminer, nous illustrons la méthode ci-après.

H_0: La variable indépendante X est statistiquement non significative pour expliquer la variation de la variable dépendante Y, à savoir

H_0: $\beta = 0$ et

H_1: $\beta \neq 0$.

La statistique de test est donnée par le ratio	$F = \dfrac{\text{CMR}}{\text{CME}} = \dfrac{\text{SCR}/k}{\text{SCE}/(n-k-1)}$	13.24 a)

Par ailleurs, elle peut s'écrire en fonction de R^2:

$$F = \frac{R^2/k}{(1-R^2)/(n-k-1)} \qquad \text{13.24 b)}$$

En partant des mêmes hypothèses qu'on a émises pour tester les hypothèses de β, cette statistique de test F a une distribution de probabilité connue comme étant F avec k degrés de liberté (utilisés pour le calcul du CMR) pour le numérateur et $n - k - 1$ degrés de liberté (utilisés pour le calcul du CME) pour le dénominateur. Par conséquent, n correspond à la taille de l'échantillon et k, au nombre de variables indépendantes dans la formule de régression. Pour en savoir davantage, consultez la discussion sur le tableau d'analyse de variance.

En supposant qu'on souhaite continuer à appliquer la règle de décision qui comporte un risque d'au plus 5 % de faussement rejeter l'hypothèse nulle, la valeur critique de $F_{0,05(1,8)} = 5,32$.

La valeur calculée de $F = \dfrac{\text{CMR}}{\text{CME}} = \dfrac{1065,84}{98,04} = 10,87$. Elle est beaucoup plus grande que la valeur critique de 5,32. Ainsi, on peut conclure que la variable indépendante (appels de suivi) permet d'expliquer efficacement les variations dans les ventes. Ainsi, le ratio F représente une autre méthode pour tester les hypothèses sur β dans une analyse de régression à deux variables. Cela n'a rien de surprenant puisqu'on peut prouver que, dans une analyse de régression à deux variables, quand H_0: $\beta = 0$ et H_1: $\beta \neq 0$, $F_\alpha = (t_{\alpha/2})^2$. Il faut noter que cette relation ne s'applique pas lorsqu'il y a plus d'une variable indépendante ou lorsque la contre-hypothèse est unilatérale.

■ RÉVISION 13.5

Reportez-vous à la révision 13.4.

a) Effectuez le test d'hypothèse suivant: hypothèse nulle (H_0), l'effet du prix est supérieur ou égal à zéro (c'est-à-dire que $\beta \geq 0$); contre-hypothèse (H_1), le prix a un effet important sur la demande de bière ($\beta < 0$). Utilisez un seuil de signification de 0,05.

b) Faites un test F pour savoir si le modèle est statistiquement significatif. Utilisez un seuil de signification de 0,05.

EXERCICES 13.25 À 13.28

13.25 Reportez-vous à l'exercice 13.14.
   a) Testez l'hypothèse nulle selon laquelle le risque bêta des actions de Bell Canada est inférieur ou égal à 1 par rapport à la contre-hypothèse selon laquelle il est supérieur à 1. Utilisez un seuil de signification de 0,05.
   b) Déterminez si le modèle est globalement significatif à l'aide d'un test F. Utilisez un seuil de signification de 0,05.

13.26 Reportez-vous à l'exercice 13.15.
   a) Testez l'hypothèse nulle selon laquelle le revenu n'a aucun effet sur le bénéfice. Utilisez un seuil de signification de 0,01.
   b) Déterminez si le modèle est globalement significatif à l'aide d'un test F. Utilisez un seuil de signification de 0,01.
   c) Y a-t-il une différence entre les résultats obtenus en a) et en b)?

13.27 Reportez-vous à l'exercice 13.16.
   a) Utilisez un test t pour déterminer si le coefficient de la variable de l'actif est significatif. Utilisez un seuil de signification de 0,05.
   b) À présent, utilisez un test F pour vérifier si le coefficient de la variable du rendement du modèle est significatif avec un seuil de signification de 0,05.
   c) Y a-t-il une différence entre les résultats en a) et en b)? Montrez que $F = t^2$.

13.28 L'estimation du modèle de régression entre une variable dépendante Y et une variable indépendante X a fourni une valeur de $R^2 = 0,23$ pour le coefficient de détermination. Sachant que cette estimation a été obtenue avec un échantillon de taille 20, est-ce que le modèle est globalement significatif? Utilisez un seuil de signification de 0,05.

FEUILLE DE CALCUL EXCEL 13.15

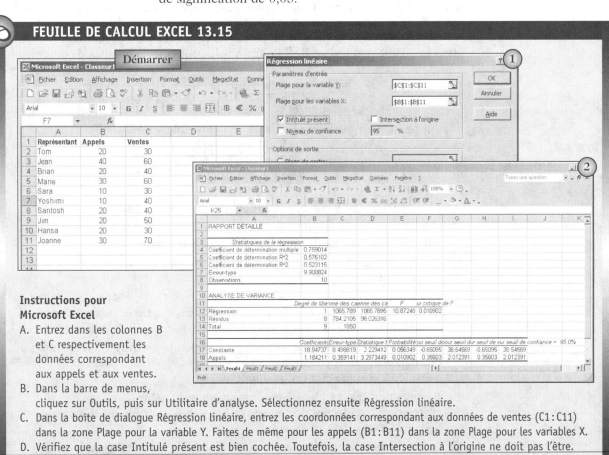

Instructions pour Microsoft Excel

A. Entrez dans les colonnes B et C respectivement les données correspondant aux appels et aux ventes.

B. Dans la barre de menus, cliquez sur Outils, puis sur Utilitaire d'analyse. Sélectionnez ensuite Régression linéaire.

C. Dans la boîte de dialogue Régression linéaire, entrez les coordonnées correspondant aux données de ventes (C1:C11) dans la zone Plage pour la variable Y. Faites de même pour les appels (B1:B11) dans la zone Plage pour les variables X.

D. Vérifiez que la case Intitulé présent est bien cochée. Toutefois, la case Intersection à l'origine ne doit pas l'être.

E. Cliquez sur OK pour produire le Rapport détaillé.

RÉSUMÉ DU CHAPITRE

I. Un **diagramme de dispersion** est un outil graphique qui représente la relation existant entre deux variables. Le diagramme affiche chaque couple d'observations sous forme d'un point dans le diagramme, les observations d'une variable sur l'axe des x (axe horizontal) et celles d'une autre variable sur l'axe des y (axe vertical).

II. La **covariance** est une mesure de l'association linéaire. Elle se définit comme une moyenne (arithmétique) des produits des variations de chacune des deux variables par rapport à leurs valeurs moyennes. Pour la population, on la définit comme suit :

$$\sigma_{xy} = \frac{\sum (x - \mu_x)(y - \mu_y)}{N} \qquad \textbf{13.1}$$

et pour un échantillon de n observations,

$$S_{xy} = \frac{\sum (x - \bar{x})(y - \bar{y})}{n - 1}$$

A. Une valeur positive de covariance montre une relation positive (ou directe) entre deux variables aléatoires. Une valeur négative de covariance montre une relation négative (ou inverse) entre deux variables aléatoires.

B. Puisque cette mesure d'association dépend fortement des unités dans lesquelles chaque variable est mesurée, elle n'est pas très populaire.

III. Le **coefficient de corrélation** est une mesure de la force de la relation *linéaire* entre deux variables *aléatoires*. Il se définit comme la covariance entre deux variables aléatoires *normalisées*. Les deux variables doivent au moins se situer dans une échelle d'intervalles. Pour un échantillon de n couples d'observations,

$$r = Cov \left(\frac{(x - \bar{x})}{S_x} \right) \left(\frac{(y - \bar{y})}{S_y} \right) \qquad \textbf{13.3 a)}$$

Il peut se calculer facilement à l'aide de la formule suivante :

$$r = \frac{n \sum xy - \left(\sum x \right) \left(\sum y \right)}{\sqrt{n \sum x^2 - \left(\sum x \right)^2} \sqrt{n \sum y^2 - \left(\sum y \right)^2}} \qquad \textbf{13.3 c)}$$

A. Le coefficient de corrélation peut varier de −1,00 à +1,00.

B. Comme la covariance, un signe positif signifie qu'il y a une relation directe entre les variables et un signe négatif, qu'il y a une relation inverse.

C. Une valeur de +1,00 indique une corrélation positive parfaite et une valeur de −1,00, une corrélation négative parfaite.

D. Une valeur de zéro pour le coefficient de corrélation dans un échantillon indique qu'il n'y a pas de relation linéaire entre les deux variables dans cet échantillon, mais pas pour la population ou les autres échantillons.

E. Si deux variables sont statistiquement indépendantes, toute valeur non nulle du coefficient de corrélation dans les données observées devra alors être considérée comme étant sans importance.

F. Il convient d'être prudent lorsqu'on utilise une valeur du coefficient de corrélation calculée en présence d'observations aberrantes, de relations non linéaires et de relations illusoires.

G. Le coefficient de corrélation tel qu'il a été défini en statistique est *neutre* quant au rapport de causalité entre deux variables.

IV. On peut vérifier si la corrélation dans la population est significative à l'aide de la statistique de test :

$$t = \frac{r\sqrt{n-2}}{\sqrt{1-r^2}} \text{ avec } (n-2) \text{ degrés de liberté}$$ **13.4**

V. L'**analyse de régression** a d'abord été mise au point dans le cadre d'expériences contrôlées, mais elle s'applique aux données d'observation dans certaines conditions. L'analyse de régression permet de trouver la direction de la relation, la force de la relation de même que la prévision de valeurs encore non observées de la variable dépendante.

A. En analyse de régression classique, on appelle la variable aléatoire (Y) la *variable dépendante* (la réponse ou la variable expliquée). Pareillement, on appelle la variable non aléatoire (X) la *variable indépendante* (prédéterminée ou explicative). La variable aléatoire a une sous-population de valeurs pour chaque valeur prédéterminée de la variable non aléatoire.

B. Une *relation mathématique* $y = \alpha + \beta x$ est déterministe. Elle donne une valeur unique de la variable dépendante pour chaque valeur de la variable indépendante.

C. Une *relation statistique* $y = \alpha + \beta x + \epsilon$ est stochastique ou aléatoire. Elle donne plusieurs valeurs observées (une sous-population de valeurs) de la variable dépendante pour une valeur donnée de la variable indépendante.

D. Le *modèle de régression linéaire classique* suppose que la variable dépendante Y est liée de façon linéaire à la variable indépendante X et au terme d'erreur. Les erreurs sont censées avoir une distribution de probabilité ayant une moyenne de zéro, une variance constante, une covariance nulle entre les erreurs et une covariance nulle entre les erreurs et les valeurs de la variable indépendante.

E. La *formule de régression pour l'échantillon* s'écrit $y = a + bx + e$.

F. $\hat{y} = a + bx$ est un estimateur de la valeur moyenne de y dans la population ($\mu_{y|x} = \alpha + \beta x$).

a et b sont des estimateurs de α et de β respectivement.

VI. La **méthode des moindres carrés ordinaires (MCO)** sert à calculer les valeurs de α et de b à partir d'un échantillon avec les formules suivantes :

Pente de la droite de régression $b = \dfrac{n(\sum xy) - (\sum x)(\sum y)}{n(\sum x^2) - (\sum x)^2}$ **13.13**

Ordonnée à l'origine $a = \dfrac{\sum y}{n} - b\dfrac{\sum x}{n}$ **13.14**

A. Considérant les hypothèses du modèle de régression, les estimateurs des moindres carrés ordinaires (EMCO) a et b sont les meilleurs estimateurs linéaires sans biais (MELSB) de α et de β. En bref, *les EMCO sont les MELSB*.

VII. *La variation totale dans la variable dépendante* Y *(SCT)* peut se diviser en deux parties : la variation SCR correspond à la partie qui est expliquée par la droite de régression de l'échantillon, et SCE est la variation dans Y qui n'est pas expliquée par la droite de régression de l'échantillon. Par conséquent, on a :

SCT = SCE + SCR. On la traduit par la formule suivante :

$$\sum (y - \bar{y})^2 = \sum (y - \hat{y})^2 + \sum (\hat{y} - \bar{y})^2$$ **13.15**

VIII. La proportion de la variation totale dans la variable dépendante expliquée par la droite de régression de l'échantillon s'appelle **coefficient de détermination**, aussi appelé R^2. On peut l'estimer ainsi:

$$R^2 = \frac{\text{SCR}}{\text{SCT}} = 1 - \frac{\text{SCE}}{\text{SCT}} = 1 - \frac{\sum y^2 - a\sum y - b\sum xy}{\sum y^2 - \frac{1}{n}\left(\sum y\right)^2} \qquad \textbf{13.16}$$

IX. Comme pour la notion d'écart type, on définit l'**erreur type de l'estimation** (S_e) comme la racine carrée de la moyenne de tous les écarts au carré entre les observations de l'échantillon et les valeurs estimées. Elle se calcule ainsi:

$$S_e = \sqrt{\frac{\text{SCE}}{n-2}} = \sqrt{\frac{\sum e^2}{n-2}} = \sqrt{\frac{\sum y^2 - a\sum y - b\sum xy}{n-2}} \qquad \textbf{13.17}$$

A. SCE donne une idée de la précision de la droite d'estimation. Moins il y a de variation, plus l'estimation sera précise. Si la SCE était de zéro, on aurait un ajustement parfait. R^2 et S_e se comparent aux deux côtés d'une même médaille.

X. On peut tirer des *conclusions sur la relation entre les variables* (dans une population) en effectuant un test d'hypothèse. On peut exécuter un test d'hypothèse pour des paramètres individuels de même que pour tester l'importance de la variable ou des variables indépendantes.

A. On effectue un *test d'hypothèse pour les paramètres individuels* α et β ainsi:

$$\frac{a - \alpha}{S_a} \sim t_{(n-2)} \qquad \textbf{13.20}$$

et

$$\frac{b - \beta}{S_b} \sim t_{(n-2)} \qquad \textbf{13.21}$$

B. Le *test d'hypothèse du modèle* ou le *pouvoir explicatif* (importance) d'une variable indépendante dépend de l'analyse de la variance. Ici on teste si la variation de la variable dépendante expliquée par la variable indépendante est significative.

La statistique de test est donnée par le ratio:

$$F = \frac{\text{CMR}}{\text{CME}} = \frac{\text{SCR}/k}{\text{SCE}/(n-k-1)} \qquad \textbf{13.24 a)}$$

ou, en fonction de R^2, on obtient:

$$F = \frac{R^2/k}{(1-R^2)/(n-k-1)} \qquad \textbf{13.24 b)}$$

C. Puisque, dans le présent chapitre, on n'a qu'une variable indépendante ($k = 1$), les conclusions fondées sur le test F sont équivalentes aux conclusions fondées sur le test t (basées sur $H_0: \beta = 0$ et $H_1: \beta \neq 0$). Le test F prend une plus grande importance dans l'analyse de régression multiple que nous aborderons au chapitre 14.

EXERCICES 13.29 À 13.45

13.29 Une importante ligne aérienne a sélectionné un échantillon aléatoire de 25 vols et a découvert que la corrélation entre le nombre de passagers et le poids total (en kilogrammes) des bagages entreposés dans la soute à bagages est de 0,94. En utilisant un seuil de signification de 0,05, peut-on conclure qu'il y a une corrélation positive entre les deux variables ?

13.30 Un sociologue déclare que la réussite des étudiants d'un collège (mesurée à partir de leur moyenne générale) est liée au revenu de leur famille. Pour un échantillon de 20 étudiants, le coefficient de corrélation est de 0,40. En utilisant un seuil de signification de 0,01, peut-on conclure qu'il y a une corrélation positive entre les variables ?

13.31 Une étude sur 12 automobiles effectuée par une agence de protection environnementale a révélé une corrélation de 0,47 entre la puissance du moteur et la performance. Au seuil de signification de 0,01, peut-on conclure qu'il y a une corrélation positive entre ces variables ? Quel est le seuil expérimental ? Interprétez votre réponse.

13.32 Une étude sur les parties de soccer universitaires a révélé une corrélation entre le nombre de tirs tentés et le nombre de buts comptés de 0,21 pour un échantillon de 20 parties. Est-il raisonnable de conclure qu'il y a une corrélation positive entre les deux variables ? Utilisez un seuil de signification de 0,05. Déterminez le seuil expérimental.

13.33 Un échantillon de 30 voitures d'occasion vendues par Northcut Motors en 2000 a révélé que la corrélation entre le prix de vente et le nombre de kilomètres parcourus était de –0,45. Au seuil de signification de 0,05, peut-on conclure qu'il y a une corrélation négative dans la population entre les deux variables ?

13.34 Pour un échantillon de 32 cantons canadiens, la corrélation entre le nombre moyen de mètres carrés par employé de bureau et la moyenne mensuelle du taux de location dans le quartier central des affaires est de 0,363. Au seuil de signification de 0,05, peut-on conclure qu'il y a une corrélation positive dans la population entre les deux variables ?

13.35 Quelle est la relation entre le montant consacré par semaine à la nourriture et la dimension de la famille ? Les familles plus nombreuses consacrent-elles plus d'argent à la nourriture ? Un échantillon de 10 familles de Toronto a révélé les chiffres suivants sur la dimension de la famille et le montant par semaine dépensé en nourriture.

Dimension de la famille	Montant dépensé en nourriture (en dollars)	Dimension de la famille	Montant dépensé en nourriture (en dollars)
3	99	3	111
6	104	4	74
5	151	4	91
6	129	5	119
6	142	3	91

a) Calculez le coefficient de corrélation.
b) Calculez le coefficient de détermination.
c) Peut-on conclure qu'il y a une association positive entre le montant consacré à la nourriture et la dimension de la famille ? Utilisez un seuil de signification de 0,05.

13.36 Un échantillon de 12 maisons vendues la semaine dernière à Charlottetown (Î.-P.-É.) est choisi. Peut-on conclure que, à mesure que la dimension d'une maison (en milliers de mètres carrés) augmente, le prix de vente (en milliers de dollars) augmente aussi ?

Dimension de la maison (en milliers de mètres carrés)	Prix de vente (en milliers de dollars)	Dimension de la maison (en milliers de mètres carrés)	Prix de vente (en milliers de dollars)
1,4	100	1,3	110
1,3	110	0,8	85
1,2	105	1,2	105
1,1	120	0,9	75
1,4	80	1,1	70
1,0	105	1,1	95

a) Calculez le coefficient de corrélation.
b) Estimez l'équation de régression.
c) Peut-on conclure qu'il y a une association positive entre la dimension d'une maison et le prix de vente ? Utilisez un seuil de signification de 0,05.

13.37 Le fabricant d'appareils d'exercice Cardio Glide veut étudier la relation entre le nombre de mois qui se sont écoulés depuis l'achat de l'appareil et le nombre d'heures d'utilisation des appareils la semaine dernière.

Personne	Durée de propriété (en mois)	Heures d'exercice	Personne	Durée de propriété (en mois)	Heures d'exercice
Rupple	12	4	Massa	2	8
Hall	2	10	Sass	8	3
Bennett	6	8	Karl	4	8
Longnecker	9	5	Malrooney	10	2
Phillips	7	5	Veights	5	5

a) Représentez graphiquement les données à l'aide d'un diagramme de dispersion. Les heures d'exercice sont la variable dépendante. Commentez le graphique.
b) Estimez l'équation de régression.
c) Au seuil de signification de 0,01, peut-on conclure qu'il y a une association négative entre les variables ?

13.38 L'équation de régression ci-dessous a été écrite à partir d'un échantillon de 20 observations :

$$\hat{y} = 15 - 5x$$

SCE égale 100 et SCT, 400.
a) Déterminez l'erreur type de l'estimation.
b) Calculez le coefficient de détermination.

13.39 Voici un tableau d'analyse de variance :

Source	dl	SC	CM	F
Régression	1	50		
Erreur				
Total	24	500		

a) Remplissez le tableau d'analyse de variance.
b) Quelle est la taille de l'échantillon ?
c) Déterminez l'erreur type de l'estimation.
d) Calculez le coefficient de détermination.

13.40 L'équation ci-dessous est une équation de régression :

$$\hat{y} = 17{,}08 + 0{,}16x$$

On a aussi $S_e = 4{,}05$, $\Sigma x = 210$, $\Sigma x^2 = 9850$ et $n = 5$.
a) Calculez la valeur de $\hat{y}$ si $x = 50$.
b) La variable X est-elle significative pour expliquer la variation de Y ?
Utilisez un seuil de signification de 5 %.

13.41 L'Association routière nationale étudie la relation entre le nombre de soumissionnaires dans le cadre d'un projet d'autoroute et la soumission gagnante (la moins élevée) du projet. Il serait particulièrement intéressant de savoir si le nombre de soumissionnaires fait augmenter ou diminuer le montant de la soumission gagnante.

Projet	Nombre de soumission-naires X	Soumission gagnante (en millions de dollars) Y	Projet	Nombre de soumission-naires X	Soumission gagnante (en millions de dollars) Y
1	9	5,1	9	6	10,3
2	9	8,0	10	6	8,0
3	3	9,7	11	4	8,8
4	10	7,8	12	7	9,4
5	5	7,7	13	7	8,6
6	10	5,5	14	7	8,1
7	7	8,3	15	6	7,8
8	11	5,5			

a) Déterminez l'équation de régression. Interprétez l'équation. Le nombre de soumissionnaires fait-il augmenter ou diminuer le montant de la soumission gagnante ?
b) Estimez le montant de la soumission gagnante s'il y avait sept soumissionnaires.
c) Calculez le coefficient de détermination et interprétez-le.

13.42 M. William Profit étudie les entreprises faisant un premier appel public à l'épargne. Il s'intéresse particulièrement à la relation entre le montant de l'offre et le prix par action. Un échantillon de 15 entreprises qui se sont récemment transformées en sociétés ouvertes a révélé l'information suivante :

Entreprise	Montant (en millions de dollars) X	Prix par action Y	Entreprise	Montant (en millions de dollars) X	Prix par action Y
1	9,0	10,8	9	160,7	11,3
2	94,4	11,3	10	96,5	10,6
3	27,3	11,2	11	83,0	10,5
4	179,2	11,1	12	23,5	10,3
5	71,9	11,1	13	58,7	10,7
6	97,9	11,2	14	93,8	11,0
7	93,5	11,0	15	34,4	10,8
8	70,0	10,7			

a) Déterminez l'équation de régression.
b) Calculez le coefficient de détermination. Pensez-vous que M. Profit sera satisfait s'il utilise le montant de l'offre comme variable indépendante ?
À l'aide de la formule R^2, effectuez un test F pour le modèle.

13.43   L'entreprise Camionnage Bardi, située à Winnipeg (Man.), effectue des livraisons dans la région des Grands Lacs, au sud et au nord du Manitoba. M. Jim Bardi, le président, étudie la relation qui existe entre la distance de livraison (en kilomètres) et le délai de livraison (en jours). Pour mener son étude, M. Bardi a choisi un échantillon aléatoire de 20 livraisons effectuées le mois dernier. La distance de livraison est la variable indépendante et le délai de livraison, la variable dépendante. Les résultats sont les suivants :

Livraison	Distance de livraison (en kilomètres)	Délai de livraison (en jours)	Livraison	Distance de livraison (en kilomètres)	Délai de livraison (en jours)
1	656	5	11	862	7
2	853	14	12	679	5
3	646	6	13	835	13
4	783	11	14	607	3
5	610	8	15	665	8
6	841	10	16	647	7
7	785	9	17	685	10
8	639	9	18	720	8
9	762	10	19	652	6
10	762	9	20	828	10

   a) Tracez un diagramme de dispersion. À partir de ces données, pouvez-vous établir une relation entre la distance de livraison et le délai de livraison ?

   b) Déterminez le coefficient de corrélation. Pouvez-vous conclure qu'il y a une corrélation positive entre la distance et le délai ? Utilisez un seuil de signification de 0,05.

   c) Calculez et interprétez le coefficient de détermination.

   d) Déterminez l'erreur type de l'estimation.

13.44   Supermarchés Amical envisage de prendre de l'expansion dans la région de Saskatoon. Mme Luan Miller, la directrice de la planification, doit présenter une analyse de l'expansion proposée au comité d'exploitation du conseil d'administration. Dans sa proposition, elle doit inclure des données sur le montant que les gens de la région dépensent par mois en épicerie. Elle aimerait également inclure des données sur la relation qui existe entre le montant consacré à l'épicerie et le revenu. Sur un échantillon de 40 ménages, elle a recueilli les données présentées au tableau de la page suivante.

   a) Le montant dépensé est la variable dépendante et le revenu mensuel, la variable indépendante. Construisez un diagramme de dispersion en utilisant Excel.

   b) Déterminez l'équation de régression. Interprétez la valeur de la pente.

   c) Calculez le coefficient de détermination. Commentez l'estimation de la relation pour prendre une décision sur l'expansion dans la région de Saskatoon.

Ménage	Montant mensuel dépensé (en dollars)	Revenu mensuel (en dollars)	Ménage	Montant mensuel dépensé (en dollars)	Revenu mensuel (en dollars)
1	555	4388	21	913	6688
2	489	4558	22	918	6752
3	458	4793	23	710	6837
4	613	4856	24	1083	7242
5	647	4856	25	937	7263
6	661	4899	26	839	7540
7	662	4899	27	1030	8009
8	675	5091	28	1065	8094
9	549	5133	29	1069	8264
10	606	5304	30	1064	8392
11	668	5304	31	1015	8414
12	740	5304	32	1148	8882
13	592	5346	33	1125	8925
14	720	5495	34	1090	8989
15	680	5581	35	1208	9053
16	540	5730	36	1217	9138
17	693	5943	37	1140	9329
18	541	5943	38	1265	9649
19	673	6156	39	1206	9862
20	676	6603	40	1145	9883

13.45 Ci-dessous figurent des données sur le prix par action et sur le dividende d'un échantillon de 30 entreprises.

Entreprise	Prix par action (en dollars)	Dividende (en dollars)	Entreprise	Prix par action (en dollars)	Dividende (en dollars)
1	20,00	3,14	16	57,06	9,53
2	22,01	3,36	17	57,40	12,60
3	31,39	0,46	18	58,30	10,43
4	33,57	7,99	19	59,51	7,97
5	35,86	0,77	20	60,60	9,19
6	36,12	8,46	21	64,01	16,50
7	36,16	7,62	22	64,66	16,10
8	37,99	8,03	23	64,74	13,76
9	38,85	6,33	24	64,95	10,54
10	39,65	7,96	25	66,43	21,15
11	43,44	8,95	26	68,18	14,30
12	49,08	9,61	27	69,56	24,42
13	53,73	11,11	28	74,90	11,54
14	54,41	13,28	29	77,91	17,65
15	55,10	10,22	30	80,00	17,36

a) Déterminez l'équation de régression en utilisant le prix par action comme variable dépendante. Interprétez la valeur de la pente.

b) Calculez le coefficient de détermination. Interprétez sa valeur.

c) Construisez un tableau d'analyse de variance pour ce problème.

www.exercices.ca 13.46 À 13.47

Remarque : Pour répondre aux deux prochaines questions, vous devez télécharger certaines données précises et utiliser un tableur (Excel). Les données sont disponibles à l'adresse suivante : www.statcan.ca. Cliquez sur Ressources éducatives, E-STAT, CANSIM I et II. Téléchargez les données requises pour effectuer l'analyse de régression. CANSIM II vous offre la possibilité de télécharger des données dans plusieurs formats. Nous avons constaté que l'enregistrement des données sur votre disque rigide sous la forme d'une feuille de calcul WK1 (le temps correspondant aux lignes) fonctionne mieux avec Excel. Vous pouvez chercher des données sur une variable précise en utilisant la procédure de recherche ou en accédant à une série précise par son numéro. Les deux possibilités sont offertes pour faciliter votre travail. Si les numéros de série sur le site Web changent pour une quelconque raison, vous devrez chercher les données requises.

13.46 Dans ce problème, on vous demande d'étudier la relation qui existe entre l'investissement et le PIB. On utilisera la formation brute de capital fixe des entreprises aux prix courants (série n° V498927) comme investissement et le produit intérieur brut aux prix courants (série n° V498918) comme variable du PIB. Ces numéros de série font partie du tableau n° 380-0002. Utilisez les données annuelles de 1961 à ce jour (les montants annuels les plus récents). En téléchargeant les données requises, vous devrez préciser ces dates, la fréquence sous Annuel, la méthode de conversion sous Somme annuelle et le format des données de sortie sous WK1 avec temps correspondant aux lignes. Les données sont affichées en millions de dollars.

a) Déterminez l'équation de régression à l'aide de l'investissement comme variable dépendante. Interprétez l'équation de régression.

b) Pouvez-vous déterminer si le coefficient de la variable PIB est statistiquement différent de zéro ? Utilisez un seuil de signification de 0,05.

c) Estimez le niveau d'investissement si le PIB se chiffrait à 800 milliards de dollars. De plus, construisez un intervalle de confiance à 95 % pour cette estimation.

d) Calculez le coefficient de détermination et interprétez-le.

13.47 Dans cette question, on vous demande d'étudier la relation qui existe entre la demande monétaire et les taux d'intérêt. Pour le montant demandé, vous utiliserez les données de M2 (série n° V122530, tableau n° 176-0043), qui est une mesure du montant qui se trouve à l'intérieur et à l'extérieur des établissements financiers. Pour le taux d'intérêt, vous devez utiliser le taux d'escompte (série n° V37128, tableau n° 176-0025), qui est le taux d'intérêt demandé par la Banque du Canada aux établissements financiers. Téléchargez les données *trimestrielles* de 1981 à ce jour (les dernières données trimestrielles accessibles), en suivant les instructions précisées à l'exercice 13.46. La fréquence utilisée pour les deux variables est *trimestrielle*. Puisque la série initiale est mensuelle, la méthode de conversion de M2 sera la *somme trimestrielle,* et la méthode de conversion pour le taux d'intérêt sera la *moyenne trimestrielle.* N'oubliez pas de préciser le format de sortie du tableur : WK1 avec temps correspondant aux lignes. M2 est présenté en millions de dollars, et le taux d'intérêt est exprimé sous forme de pourcentage.

a) Déterminez l'équation de régression en utilisant le montant demandé (M2) comme variable dépendante. Interprétez l'équation de régression.

b) Testez l'hypothèse selon laquelle le taux d'intérêt n'a aucun effet sur le montant demandé.

c) Calculez et interprétez le coefficient de détermination.

d) Estimez le montant demandé quand le taux d'intérêt s'élève à 8 %.

EXERCICES 13.48 À 13.51
DONNÉES INFORMATIQUES

13.48   Reportez-vous au fichier 100 of 1000 Top Companies.xls, qui présente les données tirées d'un échantillon aléatoire des 100 plus grandes sociétés canadiennes.
   a) Le bénéfice est la variable dépendante et le revenu, la variable indépen-
      dante. Déterminez l'équation de régression. Estimez le bénéfice pour une
      société qui enregistre 150 millions de dollars de revenu.
   b) Comparez les réponses obtenues en a) à celles que vous avez obtenues
      à l'exercice 13.15 b) et c). Pouvez-vous justifier les différences ? Pourquoi
      l'équation de régression serait-elle différente ?
   c) Testez l'hypothèse selon laquelle le coefficient pour le bénéfice est
      statistiquement différent de zéro.

13.49   Reportez-vous aux données du fichier BASEBALL-2000.xls, qui présente
des données sur la saison 2000 du baseball des ligues majeures.
   a) Les parties gagnées sont la variable dépendante et le salaire total de l'équipe
      (en millions de dollars), la variable indépendante. Pouvez-vous conclure qu'il
      existe une association positive entre les deux variables ? Déterminez l'équa-
      tion de régression. Interprétez la pente, c'est-à-dire la valeur de b. Combien
      de parties supplémentaires l'équipe remportera-t-elle si l'on augmente de
      cinq millions de dollars la masse salariale de l'équipe ?
   b) Déterminez les corrélations entre les parties gagnées et la moyenne de
      points mérités (ERA) ainsi qu'entre les parties gagnées et la moyenne au
      bâton de l'équipe. Quelle corrélation est la plus forte ? Peut-on conclure
      qu'il existe une corrélation positive entre les parties gagnées et la moyenne
      au bâton de l'équipe, et une corrélation négative entre les parties gagnées
      et la moyenne de points mérités ? Utilisez un seuil de signification de 0,05.
   c) Supposez que le nombre de parties gagnées est la variable dépendante et
      l'assistance, la variable indépendante. Peut-on conclure que la corrélation
      entre ces deux variables est supérieure à zéro ? Utilisez un seuil de signi-
      fication de 0,05.

13.50   Reportez-vous aux données du fichier OECD.xls sur le cédérom où figurent
des données concernant 29 pays.
   a) Supposez que vous voulez utiliser la population comme variable indépen-
      dante pour prédire le nombre de personnes employées (variable dépendante).
      Élaborez l'équation de régression linéaire appropriée. Utilisez l'équation
      pour prédire le taux d'emploi au Mexique, où la population est de
      96 582 millions.
   b) Trouvez le coefficient de corrélation entre la superficie du territoire et
      la production intérieure. Utilisez un seuil de signification de 0,05 pour
      déterminer s'il y a une corrélation positive entre ces deux variables.
   c) Semble-t-il y avoir une relation entre le volume de fabrication et la consom-
      mation d'énergie ? Expliquez votre réponse à l'aide de preuves statistiques.

13.51   Reportez-vous à l'ensemble de données sur le revenu et le bien-être
(tableau 13-1.xls sur le cédérom), qui présente les données sur le revenu
par habitant (indice) et sur le bien-être (indice) des Canadiens pour la période
de 1971 à 1996.
   a) Le revenu est la variable indépendante et le bien-être, la variable dépendante.
      Déterminez l'équation de régression et interprétez-la. Le revenu est-il un
      bon facteur déterminant du bien-être ? Quels sont les autres facteurs qui
      peuvent être importants pour déterminer le bien-être ?
   b) Testez l'hypothèse que le coefficient du revenu est égal à 1. Cela signifierait que
      si l'indice du revenu augmentait de 1, le bien-être s'accroîtrait également de 1.
      Utilisez un seuil de signification de 0,05.
   c) Estimez le niveau de bien-être si le niveau de revenu est égal à 130 (indice).
      Pourquoi cette estimation est-elle différente de l'époque où le revenu était
      réellement égal à 130 en 1981 ?

CHAPITRE 13   RÉPONSES AUX QUESTIONS DE RÉVISION

13.1 a) Le diagramme de dispersion :

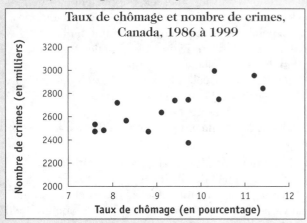

À partir du diagramme de dispersion, on constate qu'il existe une relation positive entre le taux de chômage (TC) et le nombre de crimes commis au Canada entre 1986 et 1999.

b) Pour calculer le coefficient de corrélation, on a besoin de la feuille de calcul suivante :

Année	TC (x)	Nombre de crimes (y)	xy	x²	y²
1986	9,7	2 374	23 028	94,09	5 635 876
1987	8,8	2 471	21 745	77,44	6 105 841
1988	7,8	2 486	19 391	60,84	6 180 196
1989	7,6	2 533	19 251	57,76	6 416 089
1990	8,1	2 720	22 032	65,61	7 398 400
1991	10,3	2 993	30 828	106,09	8 958 049
1992	11,2	2 952	33 062	125,44	8 714 304
1993	11,4	2 841	32 387	129,96	8 071 281
1994	10,4	2 747	28 569	108,16	7 546 009
1995	9,4	2 737	25 728	88,36	7 491 169
1996	9,7	2 745	26 627	94,09	7 535 025
1997	9,1	2 637	23 997	82,81	6 953 769
1998	8,3	2 568	21 314	68,89	6 594 624
1999	7,6	2 476	18 818	57,76	6 130 576
Total	129,4	37 280	346 776	1 217,30	99 731 208

$$r = \frac{(14)(346\,776) - (129,4)(37\,280)}{\sqrt{(14)(1217,30) - (129,4)^2}\sqrt{(14)(99\,731\,208) - (37\,280)^2}}$$

$$r = 0,704$$

Puisque le coefficient de corrélation est près de 1, on peut conclure qu'il existe une forte corrélation linéaire entre le taux de chômage et le nombre de crimes commis au Canada entre 1986 et 1999.

13.2 $$r = \frac{n\sum xy - (\sum x)(\sum y)}{\sqrt{n\sum x^2 - (\sum x)^2}\sqrt{n\sum y^2 - (\sum y)^2}}$$

$H_0: \rho \le 0\,;\, H_1: \rho > 0$

Supposez que $\alpha = 0,05$.
Pour $n = 14$, la valeur critique de t est de
$t_{\alpha(n-2)} = t_{0,05(12)}$
$= 1,782$

La valeur de la statistique de test est de :

$$t = \frac{r\sqrt{(n-2)}}{\sqrt{1-r^2}} = \frac{0,704\sqrt{(14-2)}}{\sqrt{1-(0,704)^2}} = 3,43$$

Puisque la valeur de la statistique de test est plus grande que 1,782, on rejette H_0.
Le nombre de crimes commis au Canada (selon les données de l'échantillon) est lié (positivement) au taux de chômage d'une manière significative.

13.3 Premièrement, on crée la feuille de calcul ci-dessous. La colonne x contient la variable du prix (prix de la bière réduit par l'indice des prix à la consommation global), et la colonne y indique la consommation de bière par habitant (en litres).

a)

Année	x	y	xy	x²	y²
1979	1,779	108,1	192,310	3,165	11 685,61
1980	1,706	110,7	188,854	2,910	12 254,49
1981	1,762	105,6	186,067	3,105	11 151,36
1982	1,847	107,8	199,107	3,411	11 620,84
1983	1,994	104,5	208,373	3,976	10 920,25
1984	2,160	104,3	225,288	4,666	10 878,49
1985	2,201	102,8	226,263	4,844	10 567,84
1986	2,329	101,2	235,695	5,424	10 241,44
1987	2,448	100,1	245,045	5,993	10 020,01
1988	2,447	101,3	247,881	5,988	10 261,69
1989	2,500	99,5	248,750	6,250	9 900,25
1990	2,546	97,3	247,726	6,482	9 467,29
1991	2,551	94,5	241,070	6,508	8 930,25
1992	2,655	91,7	243,464	7,049	8 408,89
1993	2,765	87,5	241,938	7,645	7 656,25
1994	2,680	87,1	233,428	7,182	7 586,41
1995	2,624	86,5	226,976	6,885	7 482,25
1996	2,622	85,8	224,968	6,875	7 361,64
1997	2,664	83,6	222,710	7,097	6 988,96
1998	2,809	83,7	235,113	7,890	7 005,69
1999	2,837	85,3	241,996	8,049	7 276,09
Total	49,926	2 028,9	4 763,020	121,395	197 666,00

Pente de la droite de régression :

$$b = \frac{n(\sum xy) - (\sum x)(\sum y)}{n(\sum x^2) - (\sum x)^2}$$

$$= \frac{21(4763,02) - 49,926(2028,9)}{21(121,395) - (49,926)^2}$$

$$= \frac{100\,023,42 - 101\,294,8614}{2549,295 - 2492,6055}$$

$$b = -22,43$$

Ordonnée à l'origine : $a = \dfrac{\sum y}{n} - b\dfrac{\sum x}{n}$

$a = \dfrac{2028,9}{21} + 22,43\left(\dfrac{49,926}{21}\right)$

$= 96,614 + 53,326 = 149,94$

Donc, l'équation de régression estimée est :
$\hat{y} = 149,94 - 22,43x$

b) La valeur estimée de l'ordonnée à l'origine (a) indique que les Canadiens de plus de 15 ans boiraient, en moyenne, près de 150 litres de bière par année si la bière était gratuite (prix zéro). Cependant, puisque nos données n'incluent pas le prix zéro, on devrait considérer cette interprétation avec prudence. Qui sait ? Ils pourraient boire beaucoup plus que 150 litres de bière si elle était gratuite !

La valeur estimée de la pente ($b = -22,43$) indique que les Canadiens boiraient, en moyenne, 22,43 litres de moins pour chaque augmentation de prix de 1 $. Il est certain que le prix joue un rôle prépondérant dans la détermination de la quantité consommée.

c) Pour $x = 2,00$ $, on peut trouver l'estimation de la quantité consommée en remplaçant $x = 2$ dans l'équation de régression estimée. Ainsi, $\hat{y} = 149,94 - 22,43(2,00) = 105,08$ L.

13.4 Tableau d'analyse de variance

Source de variation	dl	SC	CM	F	Seuil expérimental F
Régression	1	1358,058	1358,05	89,841	1,23837E–08
Résiduel	19	287,2074	15,1161		
Total	20	1645,265			

Erreur type de l'estimation :

$S_e = \sqrt{\dfrac{\text{SCE}}{n-2}} = \sqrt{\dfrac{287,2074}{19}} = 3,888$ ou

$S_e = \sqrt{\dfrac{\sum y^2 - a\sum y - b\sum xy}{n-2}}$

$= \sqrt{\dfrac{197\,666 - 149,94(2028,9) + 22,43(4763,02)}{21-2}}$

$= \sqrt{\dfrac{287,2726}{19}} = 3,888$

La valeur de l'erreur type de l'estimation indique la moyenne de la dispersion de toutes les observations par rapport à la droite de régression estimée.

Coefficient de détermination :

$R^2 = \dfrac{\text{SCR}}{\text{SCT}} = \dfrac{1358,058}{1645,265} = 0,825$ ou

$R^2 = 1 - \dfrac{\sum y^2 - a\sum y - b\sum xy}{\sum y^2 - \dfrac{1}{n}\left(\sum y\right)^2}$

$= 1 - \dfrac{197\,666 - 149,94(2028,9) + 22,43(4763,02)}{197\,666 - \dfrac{1}{21}(2028,9)^2}$

$R^2 = 1 - \dfrac{287,2726}{1645,276} = 0,825$

La valeur de R^2 indique que la formule de régression explique 82,5 % de la variation dans la consommation de bière.

13.5 a) $H_0 : \beta \geq 0,\ H_1 : \beta < 0$. H_0 est rejetée si $t < -t_{0,05(19)}$. $t_{0,05(19)} = -1,729$, la statistique de test est trouvée ainsi : $t = \dfrac{b - \beta}{S_b}$,

où

$S_b = \sqrt{S_e^2\left[\dfrac{1}{\sum (x - \bar{x})^2}\right]}$

$\sum (x - \bar{x})^2 = \sum x^2 - \dfrac{1}{n}\left(\sum x\right)^2$

$= 121,395 - \dfrac{(49,926)^2}{21}$

$= 121,395 - 118,695 = 2,7$

Puisque $S_e = 3,888$,

$S_b = \sqrt{(3,888)^2\left[\dfrac{1}{2,7}\right]} = \sqrt{\dfrac{15,1165}{2,7}} = 2,3662$

Donc, $t = \dfrac{-22,43 - 0}{2,3662} = -9,48$.

Par conséquent, on rejette H_0 et l'on conclut qu'il existe une relation négative entre la consommation de bière et le prix.

b) Puisque le modèle se compose d'une seule variable indépendante, le test du modèle est identique au test du coefficient de la variable indépendante : $H_0 : \beta = 0,\ H_1 : \beta \neq 0$. Cependant, la statistique de test, dans ce cas-ci, est F. On rejette H_0 si la statistique de test $F > F_{0,05(1,19)}$. $F_{0,05(1,19)} = 4,38$. La statistique de test est trouvée ainsi :

$F = \dfrac{\text{CMR}}{\text{CME}} = \dfrac{1358,05}{15,1161} = 89,84$

Par conséquent, on rejette H_0 et l'on conclut que le prix joue un rôle significatif dans l'explication des variations de la variable dépendante (quantité de bière).

L'analyse de régression multiple et les diagnostics de régression

OBJECTIFS D'APPRENTISSAGE

Après avoir lu ce chapitre, vous serez en mesure :

- de comprendre l'importance d'une *spécification de modèle* appropriée et de l'analyse de régression multiple ;
- de comprendre la *nature* des modèles de régression multiple et les *méthodes* qui s'y rapportent, de même que le concept de *coefficient de régression partiel* ;
- d'utiliser les *méthodes d'estimation* dans les modèles de régression multiple ;
- de faire une *analyse de variance* d'un modèle estimé ;
- d'expliquer ce qu'est la *qualité d'ajustement* d'un modèle estimé ;
- de tirer des conclusions sur un modèle donné (réel) en effectuant un *test d'hypothèse* (*test* F) sur les coefficients de toutes les variables ;
- de tirer des conclusions sur l'importance de chaque variable indépendante en effectuant des *tests d'hypothèses* (*tests* t) ;
- de soulever les problèmes qui surviennent à cause de la présence de multicolinéarité dans les ensembles de données et de déterminer les correctifs à apporter ;
- de soulever les problèmes qui surviennent à cause de la présence d'observations influentes ou aberrantes dans les ensembles de données et de déterminer les correctifs à apporter ;
- de reconnaître la violation des hypothèses du modèle, y compris la linéarité, l'homoscédasticité, l'autocorrélation et la normalité au moyen de *procédures de diagnostic simples* ;
- d'utiliser des *mesures correctives simples* en cas de violation des hypothèses du modèle ;
- de rédiger un rapport sur une recherche comportant une analyse de régression multiple ;
- de comprendre le concept de *coefficient de corrélation partiel* et son importance dans l'analyse de régression multiple ;
- de tirer des conclusions sur l'importance d'un *sous-ensemble* de variables indépendantes en effectuant un test d'hypothèse ;
- d'utiliser des variables qualitatives et leurs interactions avec d'autres variables indépendantes dans l'analyse de régression multiple ;
- d'appliquer certains *diagnostics et correctifs avancés* dans l'analyse de régression multiple.

CARL FRIEDRICH GAUSS (1777-1855)

1498
1548
1598
1648
1698
1748
1898
1948
2000

Dans le chapitre précédent, nous avons vu que Galton, qui ignorait vraisemblablement plusieurs aspects des mathématiques statistiques, avait tout bonnement créé ses propres méthodes rudimentaires, soit les concepts de corrélation et de régression dans un contexte de distribution normale bivariée. De plus, comme nous l'avons noté dans le même chapitre, Legendre et Gauss, qui travaillaient chacun de leur côté sur des données astronomiques, semblent avoir découvert la méthode des moindres carrés presque 100 ans auparavant ! La démonstration ultérieure de Gauss (en 1823), nommée depuis le « théorème de Gauss-Markov », est certainement la présentation la plus éloquente de la puissance de la méthode des moindres carrés. Cette démonstration de Gauss reposait sur des bases théoriques solides en probabilités, et elle s'appliquait à des échantillons de tailles finies et à tout nombre de variables explicatives. Andrei Andreevich Markov (1856-1922), un statisticien russe, ignorait la démonstration de Gauss. Pourtant, il arriva aux mêmes conclusions. C'est pourquoi les statisticiens ont nommé cette démonstration le théorème de Gauss-Markov. Toutefois, cette méthode ne put être appliquée aux sciences sociales qu'à partir du moment où Udny Yule fit la synthèse (en 1897) de la méthode des moindres carrés et des méthodes de corrélation mises au point par Galton et Pearson. Udny Yule interpréta les coefficients de régression multiple en tant que coefficients de régression *partiels*.

Gauss est né à Brunswick, en Allemagne. Il était le fils unique d'un maçon, Gebhard Dietrich Gauss, et de sa seconde épouse, Dorothea. Il est considéré comme l'un des deux ou trois plus grands mathématiciens de tous les temps. À l'école primaire, il étonna son professeur en additionnant presque instantanément des nombres entre 1 et 100 ; il réalisa que la somme consistait en 50 paires de nombres, chaque paire totalisant 101. Le duc de Brunswick, impressionné par le talent de Gauss, lui attribua une bourse d'études en 1791, ce qui permit à Gauss de poursuivre ses études pendant presque 10 ans. Gauss étudia à l'Université de Gottingen, puis il obtint une chaire de professeur d'astronomie et la direction de l'observatoire de Gottingen.

Gauss apporta plusieurs contributions aux mathématiques et à d'autres disciplines comme l'astronomie, la physique et les statistiques. En statistique, Gauss est reconnu pour ses contributions à la théorie de la distribution normale (parfois nommée *distribution de Gauss*) et à la méthode des moindres carrés. En janvier 1801, un astronome italien, Piazzi, découvrit Cérès, une nouvelle « petite planète », mais il ne put observer que neuf degrés de son orbite avant qu'elle ne disparaisse. Gauss calcula l'orbite en utilisant la méthode des moindres carrés. Lorsque Cérès apparut de nouveau à la fin de l'année, on se rendit compte que les prédictions de Gauss étaient très précises. Il semble que Gauss n'ait confié à personne, à l'époque, qu'il avait utilisé sa nouvelle méthode des moindres carrés pour arriver à ces résultats.

Durant les guerres napoléoniennes, Laplace, un mathématicien renommé, aurait demandé à Napoléon d'épargner Gottingen parce qu'un des meilleurs mathématiciens de son époque y résidait !

INTRODUCTION

Au chapitre 13, nous avons discuté du modèle de régression classique dans une relation linéaire entre deux variables, et nous avons étudié la méthode qui permet d'estimer l'influence d'une variable (indépendante) sur une autre variable (dépendante). La relation estimée a permis de comprendre la force de la relation entre les variables et de prédire (ou d'estimer) une valeur moyenne de la variable dépendante pour chaque valeur de la variable indépendante. En nous basant sur les hypothèses d'un modèle, nous avons appris à tirer des conclusions au sujet de la relation entre les variables d'une population, et ce, à partir d'un échantillon. Enfin, en nous fondant sur la relation estimée, nous avons obtenu une estimation par intervalle, avec un certain niveau de confiance, pour une valeur moyenne ou individuelle de la variable dépendante, conditionnellement à une valeur donnée de la variable indépendante. Au chapitre 13, l'analyse était entièrement basée sur l'hypothèse d'une seule variable indépendante (explicative) qui possède une influence systématique sur la variable dépendante.

Dans ce chapitre, nous étendrons notre analyse à deux ou à plusieurs variables indépendantes. *Premièrement,* nous explorerons le rôle des variables indépendantes multiples dans l'analyse de régression, et nous discuterons en détail des biais de spécification et de notre capacité accrue de distinguer les effets de variations simultanées de variables indépendantes. *Deuxièmement,* nous tracerons les grandes lignes du modèle de régression général et, dans ce contexte, nous expliquerons la signification des coefficients de régression partiels et des coefficients de corrélation partiels. *Troisièmement,* nous ferons une analyse de variance de la régression estimée, puis nous expliquerons le rôle du coefficient de détermination multiple et l'erreur type de l'estimation dans la régression. *Quatrièmement,* nous ferons des tests d'hypothèses pour chaque coefficient de régression, de même que pour l'ensemble du modèle de régression. *Cinquièmement,* nous étudierons le rôle des variables qualitatives dans une analyse de régression. *Finalement,* nous analyserons les conséquences du non-respect de chacune des hypothèses du modèle en ce qui a trait aux estimations et aux conclusions. Nous procéderons à des vérifications de diagnostics simples pour déterminer à quel point un modèle estimé se rapproche des hypothèses du modèle, et nous suggérerons des correctifs simples. Des tests de diagnostic et des correctifs avancés sont présentés dans l'annexe A du chapitre 14 (voir le cédérom accompagnant ce manuel).

14.1 QUELLE EST L'UTILITÉ DE L'ANALYSE DE RÉGRESSION MULTIPLE ?

On peut citer au moins trois raisons, toutes liées entre elles, pour lesquelles les analyses de régression à deux variables présentées au chapitre précédent ne suffiraient pas pour bien comprendre la réalité du monde des affaires et de l'économie.

1. Supposons, en se basant sur la théorie économique, qu'on estime que la demande pour la bière subit l'influence du prix de la bière et du revenu. Supposons également qu'on ne veut prendre en compte que l'influence du prix sur la demande de bière. On utilise alors le modèle à deux variables, la consommation de bière (variable dépendante) et le prix (variable indépendante), comme nous l'avons fait au chapitre précédent (voir la révision 13.3), et l'on fait une estimation de l'effet du prix sur la consommation. A-t-on commis une erreur ? La réponse est oui. En général, les estimations des paramètres de régression, si elles sont basées sur un modèle à deux variables, seront à la fois imprécises et inexactes à cause de la spécification incorrecte de notre modèle. Nous discuterons plus en détail de ce cas tout au long du présent chapitre.

2. Comme dans les sciences naturelles, la plupart des modèles théoriques en gestion et en économie posent des hypothèses de relations entre deux variables quelconques qui dépendent de la valeur de toutes les autres variables.

Cette situation est connue sous l'expression *ceteris paribus* ou « toutes choses étant égales par ailleurs », fréquemment citée dans les théories économiques. Ainsi, les économistes posent l'hypothèse que les quantités demandées varient de façon inversement proportionnelle avec les prix, pour toute valeur fixe ou donnée relative au revenu, au prix des substituts, etc. En gestion, le budget de publicité est positivement lié au volume des ventes lorsque les valeurs de toutes les autres variables ayant une influence sur le volume des ventes comme le prix, la qualité du produit, etc., sont fixes. Si l'on veut faire une étude empirique de ces relations, on doit donc contrôler les valeurs des variables qui sont supposées être fixes.

Par ailleurs, la plupart des données collectées en gestion et en économie résultent d'études observationnelles plutôt que d'expériences contrôlées. Dans les études observationnelles, les valeurs de toutes les variables varient simultanément. C'est pourquoi il est très difficile de distinguer l'effet d'une variable indépendante des effets des autres variables indépendantes sur la variable dépendante. Par exemple, pour étudier l'effet du prix sur la consommation de bière, lorsque le prix et le revenu varient tous les deux et influent donc simultanément sur la consommation de bière, on doit isoler l'effet du revenu de l'effet du prix sur la consommation de bière.

Comme nous l'indiquions au chapitre 13, l'analyse de régression multiple permet d'isoler, dans une bonne mesure, l'influence simultanée de plusieurs variables indépendantes, sans devoir effectuer une expérience contrôlée. L'analyse de régression multiple permet donc d'analyser l'influence du prix sur la consommation de bière (sans devoir mener une expérience contrôlée pour garder le niveau de revenu constant), lorsque le prix et le revenu varient tous les deux. On peut donc dire que *l'analyse de régression multiple est une planche de salut, ou une condition* sine qua non *pour une meilleure compréhension du monde réel de la gestion et de l'économie, lorsqu'on ne veut pas s'inquiéter outre mesure de notre incapacité à mener des expériences contrôlées.*

3. En général, on cherche surtout à comprendre l'influence de toutes les principales variables indépendantes sur une variable dépendante donnée. Par exemple, on peut vouloir connaître l'influence non seulement du prix, mais aussi des autres variables théoriquement significatives, comme le prix des substituts, le revenu et les goûts personnels, sur la demande de bière.

LES CONSÉQUENCES DE L'EXCLUSION D'UNE VARIABLE PERTINENTE

Supposons, comme le suggère la théorie économique, que le prix réel (X_1) et le revenu réel disponible par personne (X_2) influent tous les deux (de façon linéaire) sur la consommation de bière par personne (Y).

En langage symbolique, on peut décrire cette situation sous la forme d'un *modèle de régression statistique* : consommation de bière = $\alpha + \beta_1$ (prix réel de la bière) + β_2 (revenu réel disponible) + ϵ ou

Modèle réel (population)	$y = \alpha + \beta_1 x_1 + \beta_2 x_2 + \epsilon$	**14.1**

La formule correspondante pour l'échantillon utilisé dans l'estimation des paramètres d'une population peut s'écrire dans la forme suivante :

Modèle réel (échantillon)	$y = a + b_1 x_1 + b_2 x_2 + e$	**14.1 a)**

On suppose que le modèle réel remplit toutes les conditions d'un modèle de régression statistique tel que nous l'avons étudié dans le chapitre précédent. On doit également supposer que les variables indépendantes X_1 et X_2 ne sont pas en corrélation parfaite. Si elles l'étaient, une seule variable suffirait au lieu de deux ! On donnera plus tard une liste révisée des hypothèses du modèle général comprenant un nombre k de variables indépendantes.

Supposons maintenant qu'on cherche surtout à comprendre la réponse quantitative de la consommation de bière par rapport aux variations de prix. On fait alors l'estimation suivante du modèle « *erroné* » de régression à deux variables :

Modèle erroné (population)	$y = \alpha^* + \beta_1^* x_1 + \epsilon^*$	**14.2**
Modèle erroné (échantillon)	$y = a^* + b_1^* x_1 + e^*$	**14.2 a)**

On a utilisé l'astérisque (*) pour les coefficients et les termes d'erreur dans les formules 14.2 et 14.2 a) afin de les distinguer du modèle correctement écrit dans les formules 14.1 et 14.1 a).

Quelles sont les conséquences, dans l'estimation et les conclusions, de l'omission de la variable « revenu » dans la formule 14.2, et donc dans la formule 14.2 a)? Les estimateurs des moindres carrés a^* et b_1^* sont-ils des estimateurs sans biais de α et β_1? Les conclusions concernant les valeurs réelles de α et de β_1 basées sur a^* et b_1^* sont-elles valables ? Les réponses à ces questions dépendent de la relation entre les variables indépendantes incluses et les variables indépendantes exclues.

Examinons de plus près les différences dans les modèles donnés par les formules 14.1 et 14.2 ci-dessus. Pour qu'un estimateur soit sans biais, on doit avoir $E(a^*) = \alpha$ et $E(b_1^*) = \beta_1$. Puisque la formule 14.1 détermine correctement le modèle, le terme d'erreur dans la formule 14.2 peut être écrit sous la forme $\epsilon^* = \beta_2 x_2 + \epsilon$. Donc, ϵ^* inclut une composante systématique $\beta_2 x_2$. En conséquence, ϵ^* n'est plus aléatoire avec une moyenne de zéro (ce qui contredit l'hypothèse n° 3 du chapitre 13). De plus, lorsque X_1 et X_2 sont corrélées, X_1 n'est plus indépendante du terme d'erreur (ϵ^*), ce qui contredit l'hypothèse n° 1 du chapitre 13. Puisque les propriétés de meilleurs estimateurs linéaires sans biais de la méthode des moindres carrés dépendent fortement de ces hypothèses, l'omission d'une variable théoriquement pertinente dans la régression a des conséquences sérieuses pour ce qui est de l'estimation, des conclusions et des prévisions. Ces conséquences sont résumées au tableau 14.1.

TABLEAU 14.1   Les conséquences de l'omission d'une variable pertinente

Conséquences	X_1 et X_2 ne sont pas liées	X_1 et X_2 sont liées
Estimation	a^* est un estimateur biaisé de α b_1^* est un estimateur sans biais de β_1	a^* et b_1^* sont des estimateurs biaisés et non convergents de α et de β_1
Conclusions	Les estimateurs des erreurs types de a^* et de b_1^* sont biaisés. Il s'ensuit que les tests d'hypothèses de α et de β_1 ne sont pas valables.	Les estimateurs des erreurs types de a^* et de b_1^* sont biaisés. Il s'ensuit que les tests d'hypothèses de α et de β_1 ne sont pas valables.
Prévisions et estimations par intervalle	Biaisées	Biaisées et non convergentes

On peut faire des suppositions sur le sens et l'importance du biais dans une situation où il n'y a que deux variables indépendantes (par exemple le prix et le revenu) dans le modèle *réel*.

L'IMPORTANCE DU BIAIS

Supposons que les variables indépendantes X_1 et X_2 sont en relation linéaire selon la formule :

$$x_2 = a_{21} + b_{21}x_1 + \text{erreur} \qquad \textbf{14.3}$$

Il s'agit d'une *formule de régression descriptive* (aussi nommée *régression auxiliaire*) entre X_2 et X_1, puisque les deux variables sont non aléatoires. De plus, le coefficient b_{21} est une constante connue puisqu'il se fonde sur les valeurs prédéterminées de X_1 et de X_2, qui demeurent les mêmes pour des échantillonnages répétés. Le coefficient b_{21} de la formule 14.3 donne la mesure de la relation linéaire entre X_1 et X_2. L'importance du biais est alors donnée par :

$$\text{Biais} = E(b_1^*) - \beta_1 = \beta_2 b_{21} \qquad \textbf{14.4}$$

 La dérivation de ce biais est expliquée à l'annexe A du chapitre 14 (voir le cédérom).

LE SENS DU BIAIS

Les signes de β_2 et de b_{21} dans la formule 14.4 permettent de déterminer le sens du biais. En général, lorsque b_1^* est l'estimateur de β_1 dans le modèle réel, le sens du biais peut être déterminé comme on peut le voir au tableau 14.2.

TABLEAU 14.2 Le sens du biais

	$b_{21} > 0$	$b_{21} < 0$
$\beta_2 > 0$	Biais positif	Biais négatif
$\beta_2 < 0$	Biais négatif	Biais positif

Ces conséquences influent également sur l'estimation des coefficients dans un modèle comprenant n'importe quel nombre de variables. En fait, si une variable exclue est liée à une des variables incluses dans la régression, les coefficients de toutes les variables incluses seront biaisés, quelle que soit leur relation avec la variable exclue !

Ce qui se produit, c'est qu'un changement de prix, en l'absence d'une variable « revenu » dans le modèle erroné, influe à la fois sur l'effet direct (β_1) du prix sur la consommation et sur l'effet indirect (ou induit) ($\beta_2 b_{21}$) de la variation du prix sur la consommation. L'effet induit s'explique par la relation non nulle entre le prix et le revenu dans l'échantillon. Évidemment, si $b_{21} = 0$, l'effet indirect disparaît et b_1^* devient un estimateur sans biais de β_1. De plus, b_1^* est également sans biais lorsque $\beta_2 = 0$, même si le prix et le revenu sont liés. Cela est évident, puisque $\beta_2 = 0$ implique que dans la formule 14.1, X_2 n'est pas une variable pertinente à inclure dans le modèle. Autrement dit, la formule 14.1 n'exprime plus un modèle erroné. On peut visualiser ces idées en les représentant dans un diagramme (voir la figure 14.1).

FIGURE 14.1 L'exclusion d'une variable pertinente

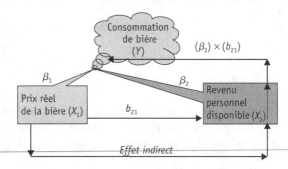

LES CONSÉQUENCES DE L'INCLUSION D'UNE VARIABLE NON PERTINENTE

Toutefois, les conséquences sont beaucoup moins sérieuses si le modèle réel est donné par la formule 14.2 et que, par erreur, on considère plutôt la formule 14.1. Dans ce cas, comme mentionné précédemment, on a inclus une *variable non pertinente* (X_2) dans la formule du modèle réel 14.2. Les estimateurs des moindres carrés a et b_1 obtenus dans le modèle d'échantillon 14.1 a) sont sans biais et constituent des estimateurs convergents des coefficients α^* et β_1^* dans la formule 14.2. Les erreurs types des coefficients sont cependant plus grandes et, conséquemment, les statistiques t sont plus petites, ce qui nous amène parfois à *ne pas rejeter* une hypothèse nulle alors qu'en fait, elle devrait l'être.

Il est donc clair que l'omission d'une variable pertinente peut causer des problèmes sérieux en ce qui a trait à la fois à la justesse et à la précision des estimations. On ne doit donc ménager aucun effort pour inclure toutes les variables qui sont théoriquement pertinentes. D'autre part, si l'on n'est pas certain de pouvoir justifier théoriquement l'inclusion d'une variable, *la conséquence de l'inclusion d'une variable non pertinente est beaucoup moins grave si on la compare aux conséquences de l'exclusion d'une variable pertinente.*

Exemple 14.1

Examinons le biais qu'on aurait obtenu dans la demande de bière basée seulement sur la variable « prix », lorsque *le modèle réel inclut à la fois le prix et le revenu comme variables indépendantes*. La consommation de bière est mesurée en litres par personne (de 15 ans et plus) par année. Le prix (réel) est le prix de 1 L de bière ajusté au taux d'inflation général. Le revenu (réel) est le revenu personnel par personne (de 15 ans et plus) après impôts, également ajusté au taux d'inflation. L'échantillon consiste en observations de ces variables au Canada durant la période 1979-1999. Les valeurs de b_1^*, de b_1, de b_2 et de b_{21} sont obtenues à l'aide des régressions décrites ci-après.

Les valeurs entre parenthèses indiquées sous les coefficients sont les valeurs de la statistique t des coefficients.

L'équation de régression de la consommation de bière basée seulement sur le prix (modèle erroné) est :

$$\text{Consommation de bière} = 149,94 - 22,43 \text{ prix (réel)}$$
$$\qquad\qquad (26,4) \quad (-9,5)$$
$$R^2 = 82,5\% \qquad\qquad\qquad\qquad\qquad \textbf{14.5}$$

L'équation de régression de la consommation de bière basée sur le prix et le revenu (modèle réel) est :

$$\text{Consommation de bière} = 98,1 - 26,467 \text{ prix (réel)} + 0,00281 \text{ revenu (réel)}$$
$$\qquad\qquad (3,5) \quad (-8,6) \qquad\qquad (1,9)$$
$$R^2 = 85,4\% \qquad\qquad\qquad\qquad\qquad\qquad \textbf{14.6}$$

L'équation de régression du revenu sur le prix est :

$$\text{Revenu (réel)} = 18\,456 + 1436,6 \text{ prix (réel)}$$
$$\qquad\qquad (22,5) \quad (4,2)$$
$$R^2 = 45,5\% \qquad\qquad\qquad\qquad\qquad \textbf{14.7}$$

On a donc $b_1^* = -22,43$; $b_1 = -26,467$; $b_2 = 0,00281$ et $b_{21} = 1436,6$.

Puisque b_{21} est positif et qu'on s'attend à ce que β_2 soit également positif, on s'attend aussi à un biais positif dans b_1^*. D'après la formule 14.4, une *estimation* (puisqu'on ne peut jamais connaître la valeur réelle de β_2) de l'importance du biais dans cet échantillon $= b_2 b_{21} = (0,00281)(1436,6) = 4,0368$, ce qui est positif.

Ce résultat peut être vérifié en fonction des différences entre les valeurs estimées de b_1^* et de b_1 dans cet échantillon :

$$(b_1^* - b_1) = -22,43 - (-26,467) = 4,037$$

Comme l'indique la formule 14.4, *la gravité du problème entraîné par la sous-spécification* (omission d'une variable pertinente) *dans un modèle réside dans le fait que, en moyenne, les valeurs du biais ne disparaissent pas pour des échantillonnages répétés*. Il faut noter qu'une valeur de zéro dans l'estimation d'un biais, obtenue dans un ensemble particulier de données, n'implique pas que l'estimateur b_1^* est sans biais.

14.2 LE RÔLE DE L'ANALYSE DE RÉGRESSION MULTIPLE DANS LES ÉTUDES OBSERVATIONNELLES

Comme mentionné précédemment, dans la réalité quotidienne, les variations de la variable dépendante résultent souvent de variations simultanées de plusieurs variables indépendantes, autant par elles-mêmes que par leurs interactions. Les scientifiques sont souvent capables de mener des expériences contrôlées pour étudier l'effet d'une variable indépendante à un moment donné, en gardant constantes les valeurs des autres variables indépendantes. Les étudiants en gestion, en économie et en d'autres sciences sociales ne peuvent se permettre ce luxe. La plupart des données disponibles proviennent d'études observationnelles dans un contexte réel, où toutes les variables indépendantes exercent pleinement leur influence sur la variable dépendante par leurs effets et leurs interactions avec les autres variables. Comme nous l'avons déjà précisé, l'analyse de régression multiple permet d'isoler l'effet de chaque variable indépendante sur la variable dépendante, à partir d'un *mélange* hétéroclite de l'effet des changements simultanés de plusieurs variables indépendantes sur la variable dépendante. La façon d'y parvenir sans expérience contrôlée constitue un exploit, et elle est une découverte très utile pour la recherche empirique (voir la rubrique *La statistique en action* à la page 577). Une démonstration mathématique déborderait le cadre de cet ouvrage, mais nous ferons néanmoins une démonstration intuitive au moyen d'un exemple.

Exemple 14.2

Écrivons de nouveau la formule 14.1 au sujet de la demande de bière :

$$\text{Consommation de bière} = \alpha + \beta_1 \text{ (prix réel de la bière)} + \beta_2 \text{ (revenu réel disponible)} + \epsilon$$

Supposons qu'on cherche à déterminer l'influence du prix sur la consommation de bière. Pour les économistes, le modèle de la demande indique que le prix et le revenu influent tous les deux sur la consommation de bière. Toutefois, l'effet du prix (β_1) suppose que le revenu demeure constant. De la même façon, l'effet du revenu suppose que le prix demeure constant. On ne peut mener une expérience contrôlée où le revenu serait constant dans l'étude de l'effet du prix et inversement. Les données disponibles sont des données observationnelles où le revenu et le prix varient tous les deux et de façon simultanée. En se basant sur les observations, l'équation d'estimation 14.6 est reprise ici :

$$\text{Consommation de bière} = 98,1 - 26,467 \text{ prix (réel)} + 0,00281 \text{ revenu (réel)}$$

$$(3,5) \quad (-8,6) \quad \quad (1,9)$$

$$R^2 = 85,4\% \quad\quad\quad\quad\quad\quad\quad\quad \textbf{14.6}$$

Comment peut-on savoir que l'estimation de $\beta_1 = b_1 = -26{,}467$ ne résulte que de la seule variation de prix, alors que le revenu demeure constant ? On peut le démontrer en enlevant l'effet de la variable « revenu » sur les variables « consommation de bière » et « prix », et en refaisant l'équation entre les variables « consommation de bière » et « prix », qui ne subissent pas l'influence des variations de revenu.

Pour y arriver, on procédera en trois étapes.

Étape 1   On effectue une régression de la consommation de bière sur le revenu pour trouver l'effet du revenu sur la consommation. Cette information est donnée par les valeurs estimées de la consommation de bière, basées seulement sur le revenu (voir l'équation 14.8). On purifie ensuite les valeurs réelles de la consommation de bière en soustrayant les valeurs estimées de la consommation de bière des valeurs réelles de cette consommation, et l'on nomme cette valeur purifiée (résiduelle) de la consommation de bière « résidu 1 ».

$$\text{Consommation de bière} = 229 - 0{,}00607 \ \text{revenu (réel)}$$
$$(4{,}5) \qquad (-2{,}6)$$
$$R^2 = 25{,}9\,\% \tag{14.8}$$

Étape 2   On effectue une régression du prix sur le revenu pour trouver l'effet du revenu sur le prix. Cette information est donnée par les valeurs estimées du prix, basées seulement sur le revenu (voir l'équation 14.9). On purifie ensuite les valeurs réelles du prix en soustrayant les valeurs estimées du prix des valeurs réelles du prix, et l'on nomme cette valeur purifiée (résiduelle) du prix « résidu 2 ».

$$\text{Prix (réel)} = -4{,}96 + 0{,}000336 \ \text{revenu (réel)}$$
$$(4{,}5) \qquad (-2{,}6)$$
$$R^2 = 48{,}2\,\% \tag{14.9}$$

Étape 3   Dans cette dernière étape, on conduit une régression des valeurs purifiées de la consommation de bière (résidu 1) sur les valeurs purifiées du prix (résidu 2) afin de trouver l'effet net du prix sur la consommation (voir l'équation 14.10). Le coefficient de résidu 2 doit maintenant indiquer l'effet net du prix sur la consommation de bière.

$$\text{Résidu 1} = -0{,}001 - 26{,}467 \ \text{résidu 2}$$
$$(0{,}0) \qquad (-8{,}8)$$
$$R^2 = 80{,}3\,\% \tag{14.10}$$

Comparons maintenant le coefficient du prix dans l'équation 14.6 et le coefficient de résidu 2 (variable du prix net) dans l'équation 14.10. La valeur des deux coefficients est égale à $-26{,}467$, avec approximativement les mêmes valeurs de la statistique t, indiquées sous les valeurs estimées des coefficients de régression. On a donc démontré, avec cet exemple, que le coefficient de régression du prix dans la régression multiple (voir l'équation 14.6) donne l'effet *pur* ou *net* du prix sur la consommation de bière, sans avoir mené une expérience contrôlée (c'est-à-dire en gardant le revenu constant). L'effet pur ou net du prix se nomme aussi effet *partiel*, puisqu'il exclut l'effet du revenu de l'effet *total* ou *général* du prix, donné à l'aide du modèle de régression à deux variables (voir la formule 14.2 ou l'équation 14.5). De même, on peut démontrer que le coefficient du revenu dans le modèle de régression multiple (voir l'équation 14.6) donne l'effet net du revenu, en gardant la variable de prix constante. Donc,

> **d** Dans la formule de régression multiple : $y = \alpha + \beta_1 x_1 + \beta_2 x_2 + \epsilon$, **14.1**
> la valeur espérée de la variable Y (moyenne lors d'échantillonnages répétés) étant :
> $E(y) = \alpha + \beta_1 x_1 + \beta_2 x_2$,
>
> on peut interpréter ainsi les paramètres α, β_1 et β_2 :
>
> α est l'ordonnée à l'origine, la valeur de $E(y)$ lorsque $x_1 = x_2 = 0$;
>
> β_1 mesure l'effet *direct* ou *net* ou *partiel*, en moyenne, d'une variation unitaire de x_1 sur y, en gardant x_2 constante ; est donc nommé *coefficient de régression partiel* de x_1 sur y ;
>
> β_2 mesure l'effet *direct* ou *net* ou *partiel*, en moyenne, d'une variation unitaire de x_2 sur y, en gardant x_1 constante ; est donc nommé *coefficient de régression partiel* de x_2 sur y.

Il faut noter que l'ordonnée à l'origine représente généralement un effet moyen de toutes les variables exclues du modèle, si l'on suppose, comme on doit le faire, que ces effets sont distribués aléatoirement. Pourquoi ? Mécaniquement, bien sûr, on peut interpréter α comme une moyenne des valeurs de y pour $x_1 = 0$ et $x_2 = 0$. Toutefois, *on doit faire attention lorsqu'on interprète de cette façon une valeur estimée de α.*

À partir de maintenant, quand il sera question de l'interprétation de tous les β, nous utiliserons le terme *effet partiel,* ce qui implique que toutes les autres variables indépendantes sont gardées constantes.

Donc, l'équation de régression estimée de la consommation de bière sur le prix et le revenu peut être interprétée comme suit :

> Consommation de bière = 98,1 − 26,467 prix (réel) + 0,00281 revenu (réel)
>
>   (3,5)   (−8,6)   (1,9)
>
> $R^2 = 85,4\,\%$ **14.6**

Une augmentation de une unité du prix (dans ce cas, de 1 \$), en moyenne, a un effet partiel de réduction de consommation de bière de 26,5 L par personne (de 15 ans et plus) par année. On pourrait aussi dire qu'une réduction de une unité du prix de la bière (dans ce cas, de 1 \$), en moyenne, a un effet partiel d'augmentation de la consommation de bière de 26,5 L par personne par année. De même, une augmentation de l'ordre de une unité dans le revenu (de 1 \$) par année, en moyenne, a un effet partiel d'augmentation de la consommation de bière de 0,00281 L par personne par année. On pourrait également dire qu'une augmentation de revenu de 1000 \$ par personne par année aurait, en moyenne, un effet partiel d'augmentation de la consommation de bière de 2,81 L par personne par année. La valeur de l'ordonnée à l'origine, 98,1 L par personne, indique la valeur moyenne de la consommation attribuable à toutes les variables exclues dans le modèle. Toutefois, une interprétation mécanique voulant que la consommation soit de 98,1 L par personne, lorsque le prix et le revenu sont tous les deux égaux à zéro, n'a pas vraiment de sens. Comme mentionné précédemment, *la valeur de l'ordonnée à l'origine est souvent trompeuse en dehors de l'intervalle échantillonné des variables explicatives.* Évidemment, une valeur de zéro pour le prix et le revenu est en dehors de l'intervalle échantillonné des valeurs de ces variables.

Le concept de **coefficient de corrélation partiel** est comparable à celui de coefficient de régression partiel. Il en est question à la section 14A.3, dans l'annexe A du chapitre 14 (voir le cédérom).

14.3 LE MODÈLE GÉNÉRAL DE RÉGRESSION LINÉAIRE

LA SPÉCIFICATION DU MODÈLE DE RÉGRESSION D'UNE POPULATION

Le modèle à deux variables indépendantes peut être généralisé pour comprendre tout nombre k de variables, et peut s'écrire ainsi :

$$y = \alpha + \beta_1 x_1 + \beta_2 x_2 + \beta_3 x_3 + \beta_4 x_4 + \ldots + \beta_k x_k + \epsilon \qquad \textbf{14.11}$$

où Y est la variable dépendante, liée *linéairement* avec k variables indépendantes, α est l'ordonnée à l'origine, les termes β sont les coefficients de régression partiels mentionnés précédemment et ϵ est le terme d'erreur aléatoire. À proprement parler, il y a $(k + 1)$ variables, si l'on inclut la variable *invisible* liée à l'ordonnée à l'origine. Elle est invisible parce que toutes les valeurs de la variable sont égales à un. Les manuels ignorent souvent cette difficulté dans le but de simplifier la notation. Les hypothèses du modèle de régression sont indiquées ci-dessous. Leur formulation est quelque peu différente ici, afin de permettre une référence facile à chacun des éléments du modèle lorsqu'on discutera de manière plus approfondie des diagnostics de modèle dans ce chapitre.

1. **Les hypothèses sur la relation**

   a) *La spécification de la forme fonctionnelle* : Les variables indépendantes X sont linéairement liées à la variable dépendante Y.

   Cette hypothèse peut être assouplie pour inclure certaines relations non linéaires sans influer sur les propriétés des estimateurs. Toutefois, la relation doit être linéaire dans tous les paramètres. Par exemple, on peut appliquer la méthode des moindres carrés à une équation comme $y = \alpha + \beta_1 x_1 + \beta_2 x_2 + \beta_3 x_2^2 + \epsilon$ en redéfinissant simplement x_2^2 comme une autre variable x_3. Toutefois, une relation comme $y = \alpha + \beta_1 x_1 + x_2^{\beta_2} + \epsilon$ est non linéaire dans le paramètre β_2 et n'est donc pas permise.

   b) *La spécification des variables* : La relation a été correctement spécifiée afin d'éviter toute possibilité de biais de spécification, c'est-à-dire que toutes les variables explicatives pertinentes ont été incluses.

2. **Les hypothèses sur les variables indépendantes**

   a) *Les variables explicatives non aléatoires* : Les variables explicatives sont *non aléatoires* ou distribuées indépendamment du terme d'erreur.

   b) *L'absence de multicolinéarité parfaite* : Aucune des variables indépendantes n'est parfaitement corrélée (liée linéairement) avec une ou toutes les variables indépendantes. Une relation linéaire entre les variables indépendantes se nomme **multicolinéarité.** Cette supposition exclut la multicolinéarité parfaite entre deux ou plusieurs variables indépendantes. Par exemple, une multicolinéarité parfaite entre deux variables indépendantes X_1 et X_2 implique qu'on peut écrire $x_1 = c_1 + c_2 x_2$, où c_1 et c_2 sont des constantes connues (des nombres tels que 2, 3, 7, 50, etc.).

   Dans le cas général de k variables, on définit la multicolinéarité parfaite ainsi :

$$c_0 + c_1 x_1 + c_2 x_2 + \ldots + c_k x_k = 0 \qquad \textbf{14.12}$$

où $c_0, c_1, c_2, c_3, \ldots, c_k$ sont des constantes connues qui ne sont pas toutes égales à 0.

Lorsqu'il y a multicolinéarité parfaite, la variable colinéaire ne contient aucune information additionnelle qui n'est pas déjà contenue dans les autres variables. Comme nous le démontrerons plus loin, on *ne peut* estimer les paramètres en présence de multicolinéarité parfaite.

3. **Les hypothèses sur le terme d'erreur (ϵ)**

   a) *La moyenne zéro* : La moyenne du terme d'erreur est de zéro. $E(\epsilon) = 0$.

   b) *La variance constante* : La variance du terme d'erreur est constante pour tous les ensembles de valeurs des variables explicatives. $\text{Var}(\epsilon) = \sigma^2$. Cette propriété se nomme **homoscédasticité**.

   c) *La covariance zéro* : La covariance entre les différentes valeurs du terme d'erreur est de zéro. $E(\epsilon_i\ \epsilon_j) = 0$, où i et j sont deux valeurs différentes du terme d'erreur. Cette propriété se nomme *absence d'*autocorrélation**.

LE THÉORÈME DE GAUSS-MARKOV

Comme nous l'avons vu au chapitre 13, si un modèle satisfait aux hypothèses décrites plus haut, la méthode des moindres carrés permettra d'obtenir les meilleurs estimateurs linéaires sans biais du paramètre α et de tous les β. Il faut noter deux points importants dans le théorème. Ce dernier ne suppose aucune forme particulière de distribution de probabilité pour le terme d'erreur, et il ne précise aucune taille particulière pour les échantillons. Cette propriété des estimateurs doit être comprise dans ce sens que la méthode des moindres carrés permet une variance minimale dans l'ensemble de tous les estimateurs linéaires et sans biais.

L'ESTIMATION

On illustrera la méthode d'estimation des moindres carrés dans le cas de deux variables indépendantes. Pour un plus grand nombre de variables indépendantes, l'utilisation de notions d'algèbre plus complexes peut porter à confusion, et on n'abordera pas cette question pour l'instant. Toutefois, l'utilisation de l'algèbre matricielle, qui déborde le cadre de cet ouvrage, peut donner une représentation très nette de la plupart des aspects de l'estimation et des conclusions, et ce, pour tout nombre de variables. Dans la plupart des cas, toutefois, vous utiliserez un tableur comme Excel ou un logiciel statistique pour résoudre les valeurs des estimateurs des moindres carrés. On illustrera le cas de deux variables explicatives pour vous familiariser avec la méthode des moindres carrés dans un modèle de régression multiple. En fait, comme vous le verrez bientôt, ce n'est pas très différent de ce que vous avez appris au chapitre 13 concernant la régression à deux variables, sauf que le nombre d'équations est plus important, une équation étant utilisée pour l'estimation de chacun des paramètres en question. On écrit donc de nouveau la formule 14.1 :

$$y = \alpha + \beta_1 x_1 + \beta_2 x_2 + \epsilon \qquad \textbf{14.1}$$

Pour estimer les paramètres α, β_1 et β_2 avec un échantillon de n observations, on reformule d'abord la formule ci-dessus comme la formule de régression d'échantillon 14.13 qui est la même que la formule 14.1 a) :

$$y = a + b_1 x_1 + b_2 x_2 + e \qquad \textbf{14.13}$$

Dans cette formule, a, b_1 et b_2 sont des estimateurs et e est le terme d'erreur aléatoire dans un échantillon. La méthode des moindres carrés consiste à trouver a, b_1 et b_2 de sorte que la somme des carrés des erreurs (différences entre les valeurs réelles [y] de la variable Y et les valeurs estimées [$\hat{y}$] de la variable Y) soit minimale. Cette méthode s'applique ainsi :

soit

$$e = (y - \hat{y}) \qquad \text{14.14}$$

et

$$\hat{y} = a + b_1 x_1 + b_2 x_2 \qquad \text{14.15}$$

Minimisons

$$\sum e^2 = \sum (y - \hat{y})^2 = \sum [y - (a + b_1 x_1 + b_2 x_2)]^2 \qquad \text{14.16}$$

par rapport à a, à b_1 et à b_2.

À l'aide de calculs, on obtient les trois formules suivantes :

$$\sum e = 0 \qquad \text{14.17}$$
$$\sum x_1 e = 0 \qquad \text{14.18}$$
$$\sum x_2 e = 0 \qquad \text{14.19}$$

En remplaçant e par $(y - \hat{y}) = (y - a - b_1 x_1 - b_2 x_2)$ et en faisant quelques opérations algébriques, on obtient ces trois équations *normales* (*à ne pas confondre avec la distribution normale*) :

$$\sum y = na + b_1 \sum x_1 + b_2 \sum x_2 \qquad \text{14.20}$$
$$\sum x_1 y = a \sum x_1 + b_1 \sum x_1^2 + b_2 \sum x_1 x_2 \qquad \text{14.21}$$
$$\sum x_2 y = a \sum x_1 + b_1 \sum x_1 x_2 + b_2 \sum x_2^2 \qquad \text{14.22}$$

En résolvant les équations 14.20, 14.21 et 14.22 simultanément et en écrivant :

$$y' = (y - \bar{y}), \ x_1' = (x_1 - \bar{x}_1), \ x_2' = (x_2 - \bar{x}_2) \qquad \text{14.23}$$

on obtient les estimateurs a, b_1 et b_2 de la façon suivante :

$$a = \bar{y} - b_1 \bar{x}_1 - b_2 \bar{x}_2 \qquad \text{14.24}$$

$$b_1 = \frac{\left(\sum x_1' y'\right)\left(\sum x_2'^2\right) - \left(\sum x_2' y'\right)\left(\sum x_1' x_2'\right)}{\left(\sum x_1'^2\right)\left(\sum x_2'^2\right) - \left(\sum x_1' x_2'\right)^2} \qquad \text{14.25}$$

$$b_2 = \frac{\left(\sum x_2' y'\right)\left(\sum x_1'^2\right) - \left(\sum x_1' y'\right)\left(\sum x_1' x_2'\right)}{\left(\sum x_1'^2\right)\left(\sum x_2'^2\right) - \left(\sum x_1' x_2'\right)^2} \qquad \text{14.26}$$

Il faut remarquer que les dénominateurs sont les mêmes dans les formules 14.25 et 14.26. En notant attentivement l'ordre des indices, vous pourrez facilement vous rappeler les formules. Toutefois, des ordinateurs performants et des logiciels comme Excel étant facilement accessibles, vous n'aurez pas à vous en souvenir, du moins pour les formules comprenant plus de deux variables indépendantes.

Exemple 14.3   Supposons que la Chambre immobilière de Vancouver cherche à comprendre l'influence de diverses caractéristiques sur le prix des maisons dans l'est de la ville, et qu'elle sollicite vos services en tant que statisticien expert. Il faut noter que les prix basés sur les caractéristiques d'un bien plutôt que sur les facteurs de coûts tels que les salaires, taux d'intérêt, etc., sont nommés *prix hédoniques.* Vous avez déjà appris comment procéder pour *estimer* une relation de régression comprenant une variable indépendante. On analysera maintenant l'estimation dans un contexte comportant plusieurs variables indépendantes.

Premièrement, vous précisez la forme du modèle, comme la formule 14.1, et la fonction d'échantillon associée dans la formule 14.13. *Deuxièmement,* vous décidez de collecter les données, par exemple sur un échantillon de 20 maisons en vente à Vancouver-Est, sur le prix (la variable dépendante nommée « prix »), le nombre de chambres à coucher (une variable indépendante nommée « chambres à coucher »), le nombre de salles de bain (une variable indépendante nommée « salles de bain ») et la surface habitable de la bâtisse (une variable indépendante nommée « surface habitable »). Vous avez déterminé cette liste de variables indépendantes après en avoir discuté avec la Chambre immobilière avant de procéder à votre collecte de données. La Chambre croit également que toutes ces variables indépendantes sont positivement liées au prix. *Troisièmement,* vous entrez les données avec un tableur comme Excel. En suivant les étapes de l'analyse de régression pour le logiciel utilisé, vous obtenez les résultats de votre analyse (voir la feuille de calcul Excel 14.2).

FEUILLE DE CALCUL EXCEL 14.2

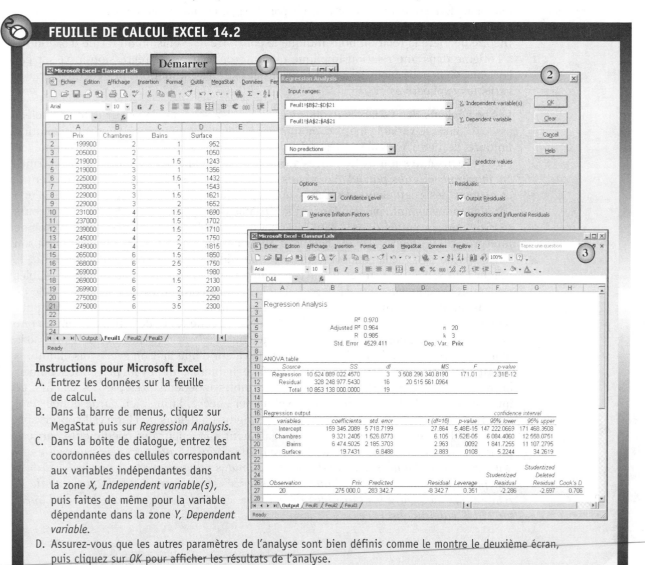

Instructions pour Microsoft Excel

A. Entrez les données sur la feuille de calcul.

B. Dans la barre de menus, cliquez sur MegaStat puis sur *Regression Analysis.*

C. Dans la boîte de dialogue, entrez les coordonnées des cellules correspondant aux variables indépendantes dans la zone *X, Independent variable(s),* puis faites de même pour la variable dépendante dans la zone *Y, Dependent variable.*

D. Assurez-vous que les autres paramètres de l'analyse sont bien définis comme le montre le deuxième écran, puis cliquez sur *OK* pour afficher les résultats de l'analyse.

Toutefois, vous devez d'abord expliquer à la Chambre l'influence de chaque variable indépendante sur la variable dépendante (prix), c'est-à-dire interpréter votre équation de régression estimée.

L'équation de régression estimée est la suivante :

$$\text{Prix} = 159\,345 + 9321 \text{ chambres à coucher}$$
$$+ 6475 \text{ salles de bain} + 19{,}7 \text{ surface habitable} \qquad \textbf{14.27}$$

L'INTERPRÉTATION

L'ordonnée à l'origine. Mécaniquement, la valeur de l'ordonnée à l'origine donne la mesure de la valeur moyenne de la variable dépendante, si l'on suppose une valeur de zéro pour toutes les variables explicatives. C'est la moyenne des effets aléatoires de toutes les variables sans importance (théoriquement non pertinentes) exclues du modèle. Certains statisticiens utilisent donc le terme **ramasse-miettes** pour désigner l'ordonnée à l'origine. Puisqu'en général, les valeurs de zéro des variables explicatives sont exclues de l'intervalle observable, *la valeur de l'ordonnée à l'origine est souvent non interprétable.* Dans l'exemple, la valeur du terme de l'ordonnée à l'origine est de 159 345 $ pour une maison sans chambre à coucher, sans salle de bain et n'offrant aucune surface habitable. Évidemment, cette valeur n'a pas de signification. Néanmoins, on doit toujours inclure le terme de l'ordonnée à l'origine dans l'équation de l'estimation, sauf si la théorie derrière la relation nous indique le contraire. L'exclusion du terme d'ordonnée à l'origine dans une relation implique qu'on force la ligne de régression à passer par l'origine. Cela peut avoir des effets indésirables sur les estimations des coefficients des variables explicatives.

Les coefficients des variables explicatives. Rappelez-vous que la valeur d'un coefficient associé à chaque variable mesure, en moyenne, l'effet *net* ou *partiel* d'une augmentation unitaire de cette variable indépendante particulière sur la variable dépendante en gardant constantes toutes les autres variables indépendantes. Il faut noter les termes *en moyenne* et *effet partiel.* La régression estimée n'est qu'une relation moyenne, et chacun des coefficients de régression multiple ne donne que l'effet partiel d'une variable indépendante particulière sur la variable dépendante. De plus, on doit toujours se rappeler les unités dans lesquelles chaque variable est exprimée pour avoir une interprétation précise. Donc, l'ajout d'une chambre à coucher dans une maison augmente le prix de la maison, *en moyenne,* de 9321 $, si l'on garde constants le nombre de salles de bain et la surface habitable. Lorsque les valeurs des variables « chambres à coucher » et « surface habitable » sont constantes, l'ajout d'une salle de bain augmente, *en moyenne,* la valeur de la maison de 6475 $. De la même façon, pour une maison ayant le même nombre de chambres à coucher et de salles de bain qu'une autre maison, une augmentation de la surface habitable de 1 pi^2 augmente le prix de la maison, *en moyenne,* de 19,70 $. Quelle est la valeur d'une maison avec trois chambres à coucher, une salle de bain et une surface habitable de 1400 pi^2? Vous pouvez la trouver en remplaçant simplement les variables indépendantes par ces valeurs, ce qui donnerait 221 363 $. Vérifiez le résultat. Ici encore, la mise en garde concernant l'interprétation de la valeur de l'ordonnée à l'origine en dehors de l'intervalle observable des variables indépendantes s'applique également à la valeur des coefficients partiels. *La précision de la valeur prévue d'une variable dépendante hors de l'intervalle des valeurs échantillonnées dépend de la précision des valeurs prédites par les variables indépendantes en dehors de l'intervalle observé aussi bien que de la stabilité de la relation estimée entre les variables dépendantes et indépendantes au-delà de l'intervalle des valeurs observées.*

■ RÉVISION 14.1

Le tableau 14.3 ci-dessous et le tableau 14-3.xls (voir le cédérom) présentent des données trimestrielles sur l'investissement (en millions de dollars), le taux d'intérêt (en pourcentage), le produit intérieur brut (PIB, en millions de dollars), le taux d'utilisation de la capacité de production (en pourcentage) au Canada et trois variables nominales ou indicatrices (dont il sera question plus loin). Toutes les variables sont en termes réels et ne subissent pas l'influence des variations du niveau général des prix.

Faites l'estimation d'une équation de régression linéaire en prenant l'investissement comme variable dépendante, et en prenant le taux d'intérêt, le PIB et le taux d'utilisation de la capacité comme variables indépendantes. Interprétez les valeurs des coefficients de régression de l'équation estimée. Estimez la valeur de l'investissement pour un taux d'intérêt de 4 %, un PIB de 200 000 millions de dollars et un taux d'utilisation de la capacité de 82 %.

TABLEAU 14.3 Les données trimestrielles

Année et trimestre	Investissement	Taux d'intérêt	PIB	Taux d'utilisation de la capacité	N1	N2	N3
1993Q1	22 985	5,967	171 836	79,8	0	0	0
1993Q2	27 341	4,906	176 730	80,0	1	0	0
1993Q3	27 743	4,380	182 222	80,2	0	1	0
1993Q4	27 128	4,105	183 795	80,8	0	0	1
1994Q1	24 787	3,872	177 359	81,0	0	0	0
1994Q2	29 920	6,063	184 497	82,6	1	0	0
1994Q3	29 548	5,549	192 826	83,2	0	1	0
1994Q4	28 703	5,763	193 668	83,6	0	0	1
1995Q1	25 552	7,617	185 087	83,8	0	0	0
1995Q2	29 492	7,147	190 692	81,7	1	0	0
1995Q3	28 359	6,258	196 729	80,8	0	1	0
1995Q4	27 655	5,786	196 574	80,4	0	0	1
1996Q1	26 282	4,967	187 859	80,8	0	0	0
1996Q2	29 898	4,515	191 990	81,4	1	0	0
1996Q3	30 878	3,977	200 003	82,3	0	1	0
1996Q4	32 211	2,841	201 064	81,9	0	0	1
1997Q1	30 365	2,722	193 359	82,0	0	0	0
1997Q2	36 482	2,827	200 795	82,7	1	0	0
1997Q3	37 016	2,909	209 766	83,8	0	1	0
1997Q4	37 065	3,465	211 093	83,5	0	0	1
1998Q1	33 098	4,099	201 701	83,1	0	0	0
1998Q2	38 036	4,363	207 527	82,7	1	0	0
1998Q3	37 164	4,624	215 288	81,9	0	1	0
1998Q4	37 838	4,359	217 486	82,5	0	0	1
1999Q1	34 743	4,364	208 594	82,6	0	0	0
1999Q2	41 418	4,072	216 623	82,7	1	0	0
1999Q3	40 820	4,244	226 572	84,1	0	1	0
1999Q4	42 847	4,326	228 465	84,7	0	0	1
2000Q1	40 055	4,571	219 609	85,6	0	0	0
2000Q2	46 158	4,922	228 581	85,8	1	0	0
2000Q3	45 317	4,911	237 465	85,7	0	1	0
2000Q4	45 200	4,896	235 830	85,1	0	0	1

Source : Adapté de Statistique Canada.

EXERCICES 14.1 À 14.4

14.1 L'entreprise de machines-outils Thomas a acheté de nouvelles machines hautement sophistiquées. Le service de la production a besoin de conseils afin de déterminer si un employé est qualifié pour devenir opérateur d'une de ces nouvelles machines.

L'âge est-il un facteur déterminant ? L'expérience (en années de service) comme opérateur de machine est-elle importante ? Afin d'examiner les facteurs requis pour évaluer la qualification professionnelle d'un futur opérateur, on a retenu quatre variables :

X_1 l'expérience d'un employé comme machiniste (en années) ;
X_2 le résultat à un test d'aptitudes en mécanique ;
X_3 la cote de rendement au travail ;
X_4 l'âge (en années).

La qualification professionnelle pour manœuvrer la nouvelle machine est désignée par Y.

Trente machinistes ont été sélectionnés au hasard. Les données relatives à chaque machiniste ont été collectées, et leurs qualifications professionnelles pour manœuvrer la nouvelle machine ont été enregistrées. Voici quelques résultats :

Nom	Qualifications professionnelles pour manœuvrer la nouvelle machine	Durée d'emploi comme machiniste	Résultat au test d'aptitudes	Rendement au travail	Âge
	Y	X_1	X_2	X_3	X_4
André Cantin	112	12	312	121	52
Suzanne Hébert	113	2	380	123	27

L'équation est la suivante : $\hat{y} = 11{,}6 + 0{,}4x_1 + 0{,}286x_2 + 0{,}112x_3 + 0{,}002x_4$.

a) Quelle est la désignation complète (le nom) de l'équation ?

b) Combien y a-t-il de variables dépendantes et de variables indépendantes ?

c) Comment appelle-t-on le nombre 0,286 ?

d) Quelle est l'augmentation des qualifications professionnelles pour manœuvrer la nouvelle machine estimée dans le cas d'une augmentation d'âge de une année ?

e) Carl Héroux a postulé un emploi pour manœuvrer la nouvelle machine. Il est machiniste depuis six ans et a obtenu un résultat de 280 au test d'aptitudes. Son rendement au travail est estimé à 97, et il a 35 ans. Faites l'estimation des qualifications professionnelles de Carl pour manœuvrer la nouvelle machine.

14.2 On a étudié un échantillon de personnes âgées ayant perdu leur conjoint afin de déterminer leur degré de satisfaction dans leur vie actuelle. Un indice spécial, nommé indice de satisfaction, a été utilisé pour mesurer le degré de satisfaction. Six facteurs ont été étudiés, notamment l'âge au moment du premier mariage (X_1), le revenu annuel (X_2), le nombre d'enfants vivants (X_3), la valeur de tous les avoirs (X_4), l'état de santé sous forme d'indice (X_5) et le nombre moyen d'activités sociales par semaine (X_6) – les quilles ou la danse, par exemple. Supposez que l'équation de régression multiple est la suivante :

$$\hat{y} = 16{,}24 + 0{,}017x_1 + 0{,}0028x_2 + 42x_3 + 0{,}0012x_4 + 0{,}19x_5 + 26{,}8x_6$$

a) Quel est l'indice de satisfaction estimé d'une personne qui s'est mariée à 18 ans, a un revenu annuel de 26 500 $, trois enfants vivants, des avoirs de 156 000 $, un indice d'état de santé de 141 et en moyenne 2,5 activités sociales par semaine ?

b) Qu'est-ce qui augmenterait le plus le degré de satisfaction ? Un revenu supplémentaire de 10 000 $ par année ou deux activités sociales de plus par semaine ?

14.3　Diane Rondeau pense acquérir une franchise de la chaîne Pizza Délice à Ottawa. Elle recherche le site le plus approprié. Afin de prendre une décision éclairée sur le site, elle a décidé d'estimer les revenus de ventes mensuelles (Y) d'autres restaurants Pizza Délice en se basant sur le nombre de compétiteurs (X_1), la population vivant dans le quartier (X_2) et le revenu annuel moyen par ménage dans le quartier (X_3). L'équation de régression estimée est : $\hat{y} = 120\,000 - 21\,000x_1 + 1{,}00x_2 + 1{,}5x_3$.

a) Faites l'estimation des revenus de ventes dans le cas d'une franchise pour laquelle on a trois compétiteurs dans le quartier, une population de 10 000 résidants et un revenu familial moyen de 50 000 $.

b) Interprétez les coefficients.

c) Supposez que Diane se fait offrir un emploi dont la rémunération est de 10 000 $ par mois. Les coûts d'opération d'un restaurant Pizza Délice représentent environ 65 % des revenus de ventes. Son ami Paul lui suggère d'ouvrir un restaurant dans un quartier où il y a cinq compétiteurs, une population résidante de 20 000 personnes et un revenu familial moyen de 40 000 $. Devrait-elle suivre ce conseil ?

14.4　Une étudiante a estimé la demande des États-Unis pour le bois d'œuvre canadien (variable « bois »). Elle a choisi comme variables les mises en chantier de maisons aux États-Unis (« maisons »), un rapport entre le prix du bois d'œuvre canadien comparé à celui du bois d'œuvre américain (« prix relatif ») et le taux de change (cents américains par dollar canadien, nommé « taux de change »). Toutes les variables sont exprimées en variations de pourcentage. Les résultats sont présentés ci-dessous (les valeurs de la statistique t sont indiquées entre parenthèses sous les coefficients).

Bois = 20,3395 + 1,5219 maisons – 0,9902 prix relatif – 1,5338 taux de change

　　　(5,91)　　(6,25)　　　　　(–3,16)　　　　　(–2,04)

R^2 ajusté = 0,7716　　　　　　F = 14,648　　　　n = 17

a) Les signes des coefficients de régression concordent-ils avec vos prévisions ?

b) Interprétez chaque coefficient de régression. (Indice : Lorsque les variables dépendantes et indépendantes sont exprimées en variations de pourcentage ou logarithmes, les valeurs des coefficients de régression sont les mêmes que les *élasticités,* soit la variation de pourcentage de la variable dépendante pour une variation de 1 % de la variable indépendante.)

c) Estimez une variation de pourcentage dans les exportations canadiennes de bois d'œuvre vers les États-Unis dans chacun des cas suivants : une baisse de 3 % des mises en chantier aux États-Unis, une surtaxe de 20 % imposée par les États-Unis sur l'importation de bois d'œuvre canadien (supposez une augmentation équivalente dans la variable « prix relatif ») et une diminution de 2 % dans le taux de change au cours de l'année 2001.

14.4　L'ANALYSE DE VARIANCE : JUSQU'À QUEL POINT LE MODÈLE ESTIMÉ EST-IL BON ?

Comme nous l'avons vu au chapitre 13, l'*analyse de variance* du modèle estimé permet d'analyser à quel point la relation estimée représente dans son entier les données échantillonnées *et* à quel point elle constitue une bonne estimation de la relation supposée dans la population. Comme au chapitre 13, on répond à la première question avec l'analyse de variance et les statistiques associées comme le R^2 et l'erreur type de l'estimation. On répond à la deuxième question en faisant un test d'hypothèse sur le modèle global.

Le raisonnement qui sous-tend l'analyse de variance et sa structure dans une analyse de régression multiple ressemble à l'analyse de variance dans l'analyse de régression à deux variables, étudiée au chapitre précédent. On ne révisera donc ici que ses principaux aspects.

Avec l'analyse de variance, on divise la variation totale dans la variable dépendante (somme des carrés totale [SCT], obtenue en faisant la somme des carrés des différences entre les valeurs observées de la variable dépendante et sa valeur moyenne) en deux parties. Une partie consiste en la variation de la variable dépendante *expliquée* par la droite de régression estimée (somme des carrés due à la régression [SCR], qu'on obtient en faisant la somme des carrés des différences entre les valeurs estimées de la variable dépendante et la moyenne des valeurs estimées). L'autre partie consiste en la variation de la variable dépendante non expliquée par la droite de régression estimée (somme des carrés due à l'erreur ou résiduelle [SCE], qu'on obtient en faisant la somme des carrés des différences entre les valeurs observées de la variable dépendante et les valeurs estimées de la variable dépendante).

On a donc :

$$\sum (y - \bar{y})^2 = \sum (y - \hat{y})^2 + \sum (\hat{y} - \bar{y})^2$$

$$\text{SCT} \quad = \quad \text{SCE} \quad + \quad \text{SCR}$$

14.28

Ces sommes des différences au carré sont indiquées dans la deuxième colonne du tableau d'analyse de variance 1 ci-dessous. Les degrés de liberté dans le calcul de chaque somme des carrés (n est la taille de l'échantillon et k, le nombre de variables explicatives dans le modèle) sont indiqués dans la troisième colonne. La dernière colonne indique simplement la moyenne de la somme des carrés, ou carré moyen, obtenue en divisant la somme des carrés par ses degrés de liberté *dl*.

Tableau d'analyse de variance 1

Source de variation	Somme des carrés	*dl*	Carré moyen
Régression	SCR	k	CMR = SCR/k
Erreur	SCE	$n - k - 1$	CME = SCE/($n - k - 1$)
Total	SCT	$n - 1$	CMT = SCT/($n - 1$)

Exemple 14.4

On poursuit avec l'exemple sur le prix des maisons à Vancouver-Est, et l'on écrit le résultat de l'analyse de variance dans un tableau d'analyse de variance. Dans l'affichage d'Excel, les degrés de liberté se trouvent dans la troisième colonne, et les sommes des carrés dans la deuxième colonne. Le carré moyen est donné dans la quatrième colonne. L'affichage comprend aussi deux autres colonnes. Dans la cinquième, on a la valeur de la statistique F calculée d'après l'échantillon. Dans la sixième colonne, on indique le seuil expérimental du test de l'hypothèse H_0 « il n'y a aucune relation entre la variable dépendante et *toutes* les variables explicatives (indépendantes) ». Dans le bas du tableau d'analyse de variance 2 ci-dessous, Excel donne aussi les valeurs de l'erreur type de régression S, du coefficient de détermination R^2 et du coefficient de détermination ajusté aux degrés de liberté (R^2 ajusté).

Tableau d'analyse de variance 2 (d'après la feuille de calcul Excel 14.2, page 587)

Prix des maisons à Vancouver-Est					
Source	*dl*	SC	CM	*F*	*P*
Régression	3	10 524 889 022	3 508 296 341	171,01	0,000
Erreur résiduelle	16	328 248 978	20 515 561		
Total	19	10 853 138 000			
	$S = 4529$	$R^2 = 97,0\%$	R^2 (ajusté) = 96,4 %		

Comme nous l'avons expliqué au chapitre précédent, le **coefficient de détermination** se définit ainsi :

Coefficient de détermination	$R^2 = \dfrac{\text{SCR}}{\text{SCT}} = 1 - \dfrac{\text{SCE}}{\text{SCT}}$	**14.29**

D'après le tableau d'analyse de variance 2, on peut trouver R^2 en divisant la somme des carrés due à la régression par la somme des carrés totale :

$$R^2 = \frac{\text{SCR}}{\text{SCT}} = \frac{10\,524\,889\,022}{10\,853\,138\,000} = 0,96976 \qquad \textbf{14.30}$$

Ce résultat est donné (arrondi à deux décimales et exprimé en poucentage) par l'indication 97 % dans l'affichage d'Excel. Vous pouvez maintenant expliquer le succès de votre estimation à la Chambre immobilière en vous basant sur la valeur de R^2 : votre régression estimée (basée sur les variables indépendantes « chambres à coucher », « salles de bain » et « surface habitable ») permet d'expliquer 97 % de la variation dans le prix des maisons (la variable dépendante) à Vancouver-Est. La Chambre est heureuse de l'apprendre. C'est un grand succès. Toutefois, un membre de la Chambre aimerait comprendre votre résultat en ce qui a trait au coefficient de détermination ajusté $\bar{R}^2$ et la variation inexpliquée dans les prix, qui correspond à l'erreur type de l'estimation S_e.

Le coefficient de détermination ajusté $\bar{R}^2$

R^2 possède un désavantage : il ne prend pas en compte les degrés de liberté (voir la formule 14.29). Si l'on ajoute une variable indépendante à la régression multiple, la valeur de R^2 augmentera généralement (au pire, elle restera la même), malgré la perte d'un degré supplémentaire de liberté dans le calcul des sommes des carrés. Cela peut être trompeur.

Par conséquent, on ajuste R^2 afin de tenir compte des degrés de liberté, et on le nomme R^2 ajusté (qui s'écrit $\bar{R}^2$), afin d'avoir une meilleure idée de la qualité de l'ajustement de l'équation estimée. On définit donc :

$$R^2 \text{ ajusté} = \bar{R}^2 = 1 - \frac{\text{SCE}/(n-k-1)}{\text{SCT}/(n-1)} \qquad \textbf{14.31}$$

Comme on le voit dans le tableau d'analyse de variance 2, $\bar{R}^2$ est de 96,4 % dans l'exemple, ce qui ne diffère pas beaucoup d'un R^2 de 97 %. Puisque $\bar{R}^2$ correspond à R^2 ajusté pour tenir compte des degrés de liberté, il y a une relation définie entre les deux, donnée par :

$$\bar{R}^2 = 1 - (1 - R^2)\left(\frac{n-1}{n-k-1}\right) \qquad \textbf{14.32}$$

Donc, $\bar{R}^2$ sera égal à R^2 seulement lorsque $k = 0$ (il n'y a pas de variable explicative) ou $R^2 = 1$. Puisque l'analyse de régression comporte toujours une ou des variables indépendantes, $\bar{R}^2$ sera en général plus petit que R^2. De plus, si un chercheur « va à la pêche » pour obtenir une valeur maximale possible de R^2 en ajoutant des variables non pertinentes au modèle, il en résultera une valeur plus petite de $\bar{R}^2$. En fait, on peut démontrer que l'ajout d'une variable augmentera seulement $\bar{R}^2$ si la statistique t du coefficient estimé de cette variable est plus grande que 1. Il s'agit d'un critère qui est utilisé par certains chercheurs pour ajouter une variable. Il faut noter que si R^2 est toujours positif, la valeur de $\bar{R}^2$ peut être négative en présence d'une petite valeur de R^2 ou de degrés de liberté, ou des deux. Par exemple, si $R^2 = 10\,\%$, $n = 20$, $k = 5$, alors $\bar{R}^2 = -22\,\%$. *Essayez de trouver la valeur de $\bar{R}^2$ si $R^2 = 80\,\%$, $n = 10$ et $k = 8$.*

LES PRÉCAUTIONS À PRENDRE EN UTILISANT LE COEFFICIENT DE DÉTERMINATION

Lorsqu'on compare R^2 ou $\bar{R}^2$ dans deux ou plusieurs modèles, on doit se rappeler ce qui suit :

1. La taille de l'échantillon et la variable dépendante doivent être les mêmes dans tous les modèles. Puisque le coefficient R^2 ou $\bar{R}^2$ donne la mesure de la variation proportionnelle dans la variable dépendante expliquée par la ou les variables indépendantes, une variable dépendante mesurée en unités différentes (par exemple $\log y$, $\sqrt{y}$ ou $1/y$) donnerait un résultat différent.

2. On ne peut comparer un modèle sans ordonnée à l'origine à un modèle avec ordonnée à l'origine en utilisant R^2 ou $\bar{R}^2$.

3. R^2 ou $\bar{R}^2$, en tant que mesure de la qualité de l'ajustement, ne se base pas sur les exigences du modèle, de l'estimation ou de l'inférence. Il constitue simplement un sous-produit de la méthode d'estimation et une mesure mécanique de la proportion de la variation de l'échantillon dans la variable dépendante expliquée par la ou les variables indépendantes. En insistant trop sur la valeur de R^2 ou de $\bar{R}^2$, les chercheurs peuvent explorer les données dans un effort ultime pour trouver des variables qui auraient pour effet de produire un coefficient R^2 ou $\bar{R}^2$ élevé, ce qui peut engendrer un biais de spécification dans leurs estimateurs. Les chercheurs seraient donc bien avisés de se préoccuper davantage de la pertinence théorique des variables, des renseignements appropriés sur l'échantillon, d'une concordance entre le signe réel et le signe prévu des coefficients, et de la signification statistique des coefficients, plutôt que de s'adonner à cet exercice visant à maximiser R^2 ou $\bar{R}^2$.

L'ERREUR TYPE DE L'ESTIMATION (S_e)

L'erreur type de l'estimation et le coefficient de détermination (surtout le coefficient $\bar{R}^2$) sont comme les deux faces d'une même pièce de monnaie. Alors que $\bar{R}^2$ nous donne une idée sur la qualité de l'ajustement (en pourcentage), la valeur de S_e nous renseigne sur le *manque* de qualité d'ajustement (en unités originales de la variable dépendante) de la relation estimée. Certains chercheurs préfèrent en fait S_e à $\bar{R}^2$, étant donné que S_e nous renseigne sur l'écart entre les valeurs estimées et les valeurs réelles de la variable dépendante. En fait, S_e est simplement la racine carrée positive du carré moyen dû à l'erreur indiqué dans un tableau d'analyse de variance.

Pour l'exemple 14.4, d'après le tableau d'analyse de variance 2, on voit que :

$$S_e = \sqrt{\frac{\text{SCE}}{(n-k-1)}} = \sqrt{\frac{328\,248\,978}{16}} = 4529{,}41 \qquad \textbf{14.33}$$

Vous pouvez maintenant dire à la Chambre immobilière que, *en moyenne*, les prix réels (observés) diffèrent des prix estimés de seulement 4529 $. En se basant sur la règle empirique sur les observations aléatoires (voir le chapitre 4), on s'attend à ce que 68 % de toutes les observations se situent entre $\hat{y} \pm 4529$ et 95 % des observations, entre $\hat{y} \pm 2(4529)$. En fait, la plupart des écarts sont beaucoup moins importants. Par exemple, la valeur réelle de l'observation 12 a été sous-estimée de seulement 871 $, et celle de l'observation 4 a été surévaluée de 1555 $. Faites la vérification. Bien qu'on puisse l'utiliser pour évaluer le *manque* de qualité d'ajustement, l'erreur type de l'estimation sert surtout à tester les hypothèses.

14.5　LES TESTS D'HYPOTHÈSES

À QUEL POINT LA RELATION ESTIMÉE REPRÉSENTE-T-ELLE LA VRAIE RELATION DANS LA POPULATION ?

En supposant vraies les hypothèses sous-jacentes au modèle, le théorème de Gauss-Markov nous indique que la méthode des moindres carrés donne les meilleurs estimateurs linéaires sans biais des coefficients des variables indépendantes. Donc, si l'on pouvait obtenir des données sur la variable dépendante en prenant des échantillons (de même taille et avec des variables indépendantes de même valeur) plusieurs fois à partir de la même population, les valeurs estimées des paramètres seraient alors, *en moyenne*, proches des valeurs réelles des paramètres (*énoncé sur l'exactitude*). De plus, les estimateurs ont une variance minimale parmi tous les estimateurs linéaires sans biais possibles (*énoncé de précision*).

En pratique, toutefois, on prend un seul échantillon pour estimer les valeurs des paramètres. Peut-on croire que nos estimations seront proches des valeurs inconnues des paramètres ? Le théorème de Gauss-Markov ne présume pas de la nature exacte de la distribution des probabilités des estimateurs au-delà de deux paramètres, la moyenne et la variance. Il faut donc ajouter une supposition dans nos relations de population contenues dans les formules 14.1 ou 14.11. Les chercheurs supposent habituellement que le terme d'erreur de la population est de loi normale. Puisque la variable dépendante est une fonction linéaire du terme d'erreur, la variable dépendante est également de loi normale. De plus, les estimateurs des moindres carrés sont également de loi normale. Maintenant, on y voit plus clair. Il est possible, pourvu qu'un échantillonnage répété soit possible, de produire des énoncés probabilistes concernant la qualité des estimations de paramètres basées sur un échantillonnage.

3. d)* **L'hypothèse sur la distribution de probabilité du terme d'erreur (ϵ) ; celui-ci est de loi normale : $\epsilon \sim N(0, \sigma_\epsilon)$**

* Cette hypothèse s'ajoute à celles de la page 585.

Avec cette hypothèse, comme nous l'avons noté au chapitre 13, on peut maintenant effectuer des tests d'hypothèses se rapportant soit au modèle entier, soit à chacun des paramètres de régression du modèle. Dans le modèle à deux variables étudié au chapitre 13, les deux tests s'équivalaient. Toutefois, ce n'est plus le cas avec le modèle de régression multiple étudié dans ce chapitre. Au passage, il faut noter que la supposition de normalité engendre une classe plus générale d'estimateurs nommés *meilleurs estimateurs sans biais* (MESB). Autrement dit, il n'est pas nécessaire de se limiter à la seule classe des estimateurs linéaires.

LE TEST D'HYPOTHÈSE POUR LE MODÈLE DE POPULATION

On effectue maintenant le test d'hypothèse pour la droite de régression de la population.

$$E(y \mid x_1, x_2, x_3, ..., x_k) = \alpha + \beta_1 x_1 + \beta_2 x_2 + \beta_3 x_3 + ... + \beta_k x_k \qquad \textbf{14.34}$$

où le membre gauche de la formule constitue une prévision de toutes les valeurs possibles de la variable Y pour tout ensemble donné de valeurs des variables X dans le modèle de régression de la population.

Ce test vaut pour tous les paramètres associés aux variables indépendantes dans le modèle. L'hypothèse nulle spécifie qu'il n'y a *pas de relation linéaire* entre la variable dépendante et toutes les variables indépendantes. La contre-hypothèse spécifie qu'au moins une variable indépendante est liée linéairement à Y (au moins un des β est non nul) et pourrait donc expliquer la variation de la variable dépendante. En termes symboliques, on a :

$H_0: \beta_1 = \beta_2 = \beta_3 = ... = \beta_k = 0$ et
$H_1:$ Au moins un parmi les $\beta_1, \beta_2, \beta_3, ..., \beta_k \neq 0$.

La statistique de test est exprimée sous la forme du ratio suivant :

$$F = \frac{\text{CMR}}{\text{CME}} = \frac{\text{SCR}/k}{\text{SCE}/(n-k-1)} \qquad \textbf{14.35 a)}$$

On peut aussi l'écrire en termes de R^2 :

$$F = \frac{R^2/k}{(1-R^2)/(n-k-1)} \qquad \textbf{14.35 b)}$$

Premièrement, on choisit le seuil de signification que l'on veut tolérer pour rejeter l'hypothèse nulle alors qu'en fait, elle est *vraie*. *Deuxièmement*, on trouve la valeur critique de la statistique F dans la table F, qui correspond au seuil choisi de α et aux degrés de liberté, k étant le numérateur et $n - k - 1$, le dénominateur du ratio F. Il faut noter que la valeur critique de F obtenue ainsi suppose que l'hypothèse nulle soit vraie. *Troisièmement*, en utilisant l'information de l'échantillon sur les carrés moyens pour la variation expliquée et inexpliquée (donnée dans le tableau d'analyse de variance), ou les valeurs de R^2, on calcule la valeur de la statistique F. *Quatrièmement*, on compare la valeur de la statistique F de l'échantillon à la valeur F obtenue avec la loi de probabilité de F (voir la table F de l'annexe D). *Cinquièmement*, on rejette l'hypothèse nulle si la valeur de la statistique F de l'échantillon est plus grande que la valeur critique de F. *Enfin*, on détermine si l'échantillon nous permet de conclure ou non en faveur de la contre-hypothèse. On note au passage que la statistique de test F peut également être utilisée pour effectuer un test d'hypothèse sur un sous-ensemble de paramètres du modèle. Dans ce contexte, il se nomme le **test F partiel**. L'explication est donnée à la section 14A.4 de l'annexe A du chapitre 14 (voir le cédérom).

Exemple 14.5

Dans l'exemple précédent sur le prix des maisons à Vancouver-Est, on a trois variables indépendantes et donc trois β. Les hypothèses (nulle et contre-hypothèse) pour le modèle entier sont donc les suivantes :

H_0 : $\beta_1 = \beta_2 = \beta_3 = 0$
H_1 : Au moins un de β_1, β_2, $\beta_3 \neq 0$.

Soit $\alpha = 0,05$.

La valeur critique de F (pour $\alpha = 0,05$, $k = 3$ au numérateur et $n - k - 1 = 20 - 3 - 1 = 16$ au dénominateur) dans la table F de l'annexe D, est égale à 3,24. Donc,

$$F_{0,05\,(3,16)} = 3,24$$

La valeur de F pour l'échantillon peut être calculée soit en utilisant le tableau d'analyse de variance, soit en utilisant le R^2.

D'après le tableau d'analyse de variance, la valeur pour l'échantillon de $F = \frac{\text{CMR}}{\text{CME}} = \frac{3\,508\,296\,341}{20\,515\,561} = 171,01$ (voir le résultat avec Excel, page 592). Cette valeur peut être calculée aussi d'après les valeurs de R^2 :

$F = \frac{0,97/3}{(1-0,97)/16} = 172,44$. Elle diffère quelque peu parce que la valeur de R^2 a été arrondie.

En comparant la valeur critique de F à la valeur de F pour l'échantillon, on note que la valeur pour l'échantillon est beaucoup plus grande que la valeur critique, ce qui nous conduit à rejeter l'hypothèse nulle. On conclut donc *qu'au moins un des $\beta \neq 0$*. On peut également dire qu'au moins une des variables indépendantes est significative pour expliquer la variable « prix des maisons » à Vancouver-Est. En fait, on peut dire que la probabilité de faussement rejeter l'hypothèse nulle est *pratiquement* nulle ici. Ce résultat devrait satisfaire la Chambre immobilière. Toutefois, un des commissaires est très curieux au sujet de la signification de chaque variable indépendante du modèle. On peut lui répondre en effectuant un test d'hypothèse sur chaque variable indépendante (c'est-à-dire chaque β) dans le modèle.

LE TEST D'HYPOTHÈSE POUR CHAQUE COEFFICIENT DE RÉGRESSION DANS LE MODÈLE DE POPULATION

Afin d'effectuer un test d'hypothèse pour chaque coefficient de régression dans le modèle de population, on doit connaître la distribution de probabilité des estimateurs des coefficients de régression de la population. Sous la supposition 3 d) de la page 595, chaque estimateur aurait une distribution de probabilité normale avec une moyenne β et un écart type σ_b. Toutefois, σ_b implique un paramètre inconnu σ_ϵ, estimé par S_e d'après l'échantillon. Si l'on se fie à la méthode des moindres carrés, S_e^2 est un estimateur sans biais de σ_ϵ^2. Donc, pour un estimateur b_j d'un coefficient de régression d'une population β_j, on a la statistique $\dfrac{b_j - \beta_j}{\sigma_{b_j}}$ qui possède la même loi que Z (loi normale) avec une moyenne de zéro et une variance de 1. De plus, on peut démontrer que :

$$\sigma_{b_j}^2 = \frac{\sigma_\epsilon^2}{\sum(x_j - \bar{x}_j)^2} \frac{1}{(1 - R_j^2)} \qquad \textbf{14.36}$$

où R_j^2 est le coefficient de détermination obtenu par la régression de la variable indépendante X_j sur les autres variables indépendantes du modèle.

Puisque σ_ϵ est inconnu, on le remplace par son estimateur S_e et l'on remplace $\sigma_{b_j}^2$ par $S_{b_j}^2$. On obtient $\dfrac{b_j - \beta_j}{S_{b_j}}$, qui est distribué selon la loi t avec $(n - k - 1)$ degrés de liberté.

On a montré la formule 14.36 afin d'expliquer les implications d'un test d'hypothèse pour chaque paramètre individuel du modèle. Ainsi, on réalise l'importance d'avoir un estimateur sans biais S_e^2 de σ_ϵ^2 pour effectuer le test d'hypothèse et l'importance des relations entre les variables indépendantes (R_j^2).

Puisque les calculs de chaque estimateur S_{b_j} peuvent vous distraire de l'étude des concepts importants en statistique (en plus d'être ennuyeux), on utilise les résultats obtenus avec un tableur comme Excel. Il faut noter que les statistiques t de chaque coefficient de régression dans Excel sont basées sur la supposition que l'hypothèse nulle considérée spécifie que la valeur correspondante du paramètre est égale à zéro et que la contre-hypothèse spécifie une valeur non nulle du paramètre, ce qui constitue une hypothèse bilatérale. Si vous voulez tester une hypothèse nulle avec une valeur non nulle du paramètre ($\beta_j = 1$, par exemple), vous devez utiliser l'erreur type S_{b_j} pour trouver la valeur de t de cette hypothèse nulle particulière. Comme on a la formule de t, cette opération ne prend que quelques secondes à l'aide d'une calculatrice.

Reprenons l'exemple sur le prix des maisons. On choisit d'abord l'hypothèse nulle pour chacun des coefficients de régression. Supposons que les hypothèses nulles et les contre-hypothèses (telles qu'elles sont prévues par la Chambre), pour chaque coefficient de régression, soient les suivantes :

$H_0: \beta_1 \leq 0, \ \beta_2 \leq 0, \ \beta_3 \leq 0$
$H_1: \beta_1 > 0, \ \beta_2 > 0, \ \beta_3 > 0$

On a écrit les trois paires d'hypothèses en même temps, plutôt que de les écrire trois fois. Elles sont pourtant très différentes des hypothèses pour l'ensemble du modèle. On détermine ensuite la règle de décision, qui est le seuil de signification α. Soit $\alpha = 0,01$. La nature de la contre-hypothèse détermine si l'on doit effectuer un test unilatéral ou bilatéral. Dans l'exemple de test unilatéral, on obtient la valeur critique de t pour $\alpha = 0,01$ et les degrés de liberté $(n - k - 1) = (20 - 3 - 1) = 16$; d'après la table t de l'annexe G, la valeur critique de $t = 2,583$ (ou $t_{0,01(16)} = 2,583$). Puisque les degrés de liberté et le seuil de signification sont les mêmes pour toutes les hypothèses nulles, on utilise la même valeur comme valeur critique pour toutes les hypothèses nulles.

Les valeurs des coefficients avec les erreurs types, la statistique t (T) et les seuils expérimentaux pour chaque coefficient, tels qu'on les trouve dans la feuille de calcul Excel 14.2, sont indiquées ci-dessous:

TABLEAU 14.4   Les statistiques de test des coefficients individuels

Variable explicative	Coefficient	Erreur type	T	Seuil expérimental
Ordonnée à l'origine	159 345	5 719	27,86	0,000
Chambres à coucher	9 321	1 527	6,10	0,000
Salles de bain	6 475	2 185	2,96	0,009
Surface habitable	19,7	6,8	2,88	0,011

Comme on le voit au tableau 14.4, les valeurs t des coefficients de régression estimés pour les chambres à coucher, les salles de bain et la surface habitable sont plus grandes que la valeur critique de $t = 2,583$. On rejette donc les hypothèses nulles pour ces coefficients de régression. Les résultats avec Excel nous donnent aussi les seuils expérimentaux en se basant sur une contre-hypothèse bilatérale. *Pour un test d'hypothèse unilatéral, on doit utiliser la moitié du seuil expérimental déterminé si le coefficient estimé se situe dans la région définie par la contre-hypothèse. Dans le cas contraire, on ne rejette tout simplement pas l'hypothèse nulle.* La Chambre immobilière devrait maintenant être heureuse des résultats de votre recherche.

Toutefois, une personne siégeant à la Chambre a remarqué que vous n'avez pas inclus de variable « sous-sol » dans votre modèle. Elle croit qu'il s'agit d'une lacune importante dans votre analyse. Vous cherchez alors les données relatives aux sous-sols pour chaque maison. Cette donnée se rapporte simplement à la présence ou à l'absence de sous-sol: c'est une variable qualitative. Comment pouvez-vous satisfaire cette personne qui pense qu'un sous-sol est une considération importante dans le prix qu'un acheteur est prêt à payer pour une maison? Évidemment, on doit élargir le modèle afin d'y inclure une variable qualitative, le sous-sol. Toutefois, il faut d'abord prendre certaines précautions lorsqu'on effectue des tests d'hypothèses.

LES PRÉCAUTIONS À PRENDRE DANS LES TESTS D'HYPOTHÈSES

Dans l'analyse de régression simple, on a démontré qu'un test individuel t sur le coefficient de la variable explicative était équivalent au test F du modèle. Cela s'expliquait par le fait qu'il y avait une seule variable explicative dans le modèle. Dans l'analyse de régression multiple, en présence de plus d'une variable explicative, les deux tests ne sont plus équivalents. Il est possible que les tests individuels t indiquent que chacune des valeurs des paramètres de régression est nulle, et que le test F signifie qu'au moins un des paramètres de régression (sauf l'ordonnée à l'origine) est non nul. La raison en est que *le test d'hypothèse basé sur le test F du modèle est conceptuellement différent du test d'hypothèse de chaque coefficient de régression dans un modèle de régression multiple.* Le test t concernant, par exemple, β_2, dans le modèle à deux variables indépendantes, est effectué sans aucune supposition concernant β_1, alors que le test F est basé sur une supposition commune concernant β_1 et β_2. Rappelez-vous que cette différence entre le test multiple t et le test F a aussi été expliquée au chapitre 12, dans le contexte de l'analyse de variance.

En pratique, on effectue tous les tests t en se basant sur le même ensemble de données, et ils sont donc souvent dépendants à cause d'une covariance non nulle parmi les coefficients de régression estimés. Le test F du modèle est un test commun à tous les paramètres de régression (sauf l'ordonnée à l'origine), et il inclut donc la relation de dépendance qui peut exister entre les différentes estimations des coefficients. D'un autre côté, les tests t concernant les coefficients individuels ne prennent pas en compte la covariance parmi les coefficients de régression estimés. De plus, un degré élevé de multicolinéarité dans les variables explicatives donne également des valeurs très petites de statistiques t, même si la valeur de la statistique F est habituellement assez grande. La démonstration de ces propositions déborde toutefois le cadre de cet ouvrage. Les problèmes associés à la colinéarité seront abordés plus loin dans ce chapitre.

14.6 LES VARIABLES QUALITATIVES

Comme nous l'avons vu au chapitre 1, les variables peuvent être qualitatives ou quantitatives. Jusqu'à maintenant, dans le modèle de régression, on a inclus des variables dépendantes et indépendantes quantitatives. Le modèle de régression peut être élargi pour inclure des variables qualitatives qui sont soit dépendantes, soit indépendantes, ou les deux. Dans ce manuel, on veut élargir le modèle de régression pour inclure une ou des variables qualitatives comme variables indépendantes. Les **variables qualitatives,** par nature, comprennent des attributs appartenant à plusieurs catégories. Voici des exemples de variables qualitatives : le sexe (masculin ou féminin), les saisons ou trimestres de l'année (automne, hiver, printemps, été), une maison avec ou sans sous-sol ou garage, l'appartenance ethnique, les types d'emplois, le niveau d'études complétées (secondaire, collégial, universitaire), etc. On discute de l'utilisation des interactions entre les variables qualitatives ou quantitatives à la section 14A.5, dans l'annexe A du chapitre 14 (voir le cédérom).

DEUX CATÉGORIES

Pour illustrer le concept, supposons que les salaires des enseignants du niveau collégial soient déterminés en fonction de leurs années d'expérience et du niveau d'études complétées. On peut alors écrire la formule de régression de population ainsi :

$$\text{Salaire} = \alpha + \beta_1 \text{ expérience} + \beta_2 \text{ études} + \epsilon \qquad \textbf{14.37}$$

Supposons aussi que le niveau des études complétées se divise en deux catégories : le baccalauréat et la maîtrise. Certains enseignants ont obtenu un baccalauréat et d'autres, une maîtrise. On peut écrire 0 pour le degré de baccalauréat et 1 pour celui de maîtrise. Donc,

$$\text{Salaire (moyen)} = \alpha + \beta_1 \text{ expérience} + \beta_2 \text{ études}$$

Ainsi, on sait que le salaire moyen d'un titulaire de baccalauréat $= \alpha + \beta_1$ expérience. Le salaire moyen d'un titulaire de maîtrise $= \alpha + \beta_1$ expérience $+ \beta_2$ (voir la figure 14.3).

FIGURE 14.3   La régression lorsqu'il y a une variable indépendante nominale

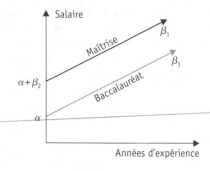

LA STATISTIQUE EN ACTION

(*suite*)
Dans sa défense, l'entreprise *X* prétend que son échelle salariale est basée sur l'expérience, l'entraînement et l'habileté, et que les femmes à son emploi, en moyenne, sont plus jeunes et moins expérimentées que les hommes. En fait, l'entreprise pourrait même ajouter que la situation actuelle est causée par ses efforts récents pour embaucher un plus grand nombre de femmes.

L'ordonnée à l'origine du salaire pour les titulaires d'un baccalauréat est α.

L'ordonnée à l'origine du salaire pour les titulaires d'une maîtrise est $\alpha + \beta_2$.

Le coefficient de la pente β_1 (une augmentation du salaire pour chaque année d'expérience, peu importe le niveau d'études complétées) est le même pour les titulaires de baccalauréat et de maîtrise.

Si une variable qualitative comporte deux catégories, on en choisit une comme catégorie de base en lui assignant une valeur égale à zéro, et l'on assigne à l'autre une valeur égale à 1. De telles variables sont nommées **variables nominales** ou **indicatrices**.

LES CATÉGORIES MULTIPLES

Comment doit-on traiter les variables qualitatives comme les saisons, lorsqu'on a des catégories multiples ? La règle consiste à choisir une des catégories comme catégorie de base (groupe témoin) et à assigner une variable indicatrice à chacune des autres catégories. Aucune règle ne stipule quelle catégorie doit être choisie comme base. En général, on choisit la catégorie se prêtant le mieux aux comparaisons avec les autres catégories ou une catégorie dont l'influence sur la variable dépendante ne fait pas l'objet de notre recherche. Puisqu'il y a quatre saisons, on choisit une des saisons comme catégorie de base, et l'on utilise une variable indicatrice pour chacune des trois autres saisons. Ainsi, par exemple, on choisit l'automne comme catégorie de base, et l'on utilise une variable indicatrice NOM1 pour l'hiver, une variable indicatrice NOM2 pour le printemps, et une variable indicatrice NOM3 pour l'été. La variable NOM1 aura une valeur de 1 en hiver, mais de 0 en tout autre temps. La variable NOM2 aura une valeur de 1 au printemps et de 0 en tout autre temps. La variable NOM3 aura une valeur de 1 en été et de 0 en tout autre temps. Nous donnerons des exemples de ces catégories multiples à la révision 14.2.

 Si une variable qualitative comporte m catégories, on choisit une catégorie comme base et l'on utilise $m - 1$ variables indicatrices pour les $m - 1$ catégories restantes.

Exemple 14.6

Dans l'exemple sur le prix des maisons, les données indiquent que certaines maisons ont un sous-sol et que d'autres n'en ont pas. On a donc deux catégories de maisons. Les renseignements sont donnés ci-dessous selon les numéros d'observation (voir la feuille de calcul Excel 14.2 à la page 587). On écrit 1 pour une maison avec sous-sol et 0 pour une maison sans sous-sol.

Observation n°	1	2	3	4	5	6	7	8	9	10
Sous-sol	0	0	0	0	1	1	0	0	0	1
Observation n°	11	12	13	14	15	16	17	18	19	20
Sous-sol	1	1	1	1	1	1	1	1	1	1

On note les valeurs de la variable « sous-sol » (0 ou 1) pour chaque observation dans une colonne du tableau Excel, de la même façon que les valeurs de toute autre variable indépendante.

Donc, dans l'analyse de régression, « sous-sol » devient une variable indépendante. Dans les analyses de régression, chaque catégorie (autre que le groupe témoin) d'une variable qualitative est communément appelée **variable indicatrice**. Dans le cas de la variable « sous-sol », on a deux catégories : « avec sous-sol » ou « sans sous-sol » ; donc, on a une variable indicatrice, qui est « sous-sol ». Le prix d'une maison sans sous-sol devient un *groupe de base* ou *groupe témoin* avec zéro comme valeur. Par défaut, il s'ensuit que les maisons avec sous-sol deviennent le groupe pour lequel on compare les valeurs à celles du groupe témoin. On a donc une variable indicatrice. On la nomme « sous-sol » dans l'équation de régression. Les résultats d'une analyse de régression sur le prix des maisons avec ajout d'un sous-sol sont résumés dans la feuille de calcul Excel 14.4.

FEUILLE DE CALCUL EXCEL 14.4

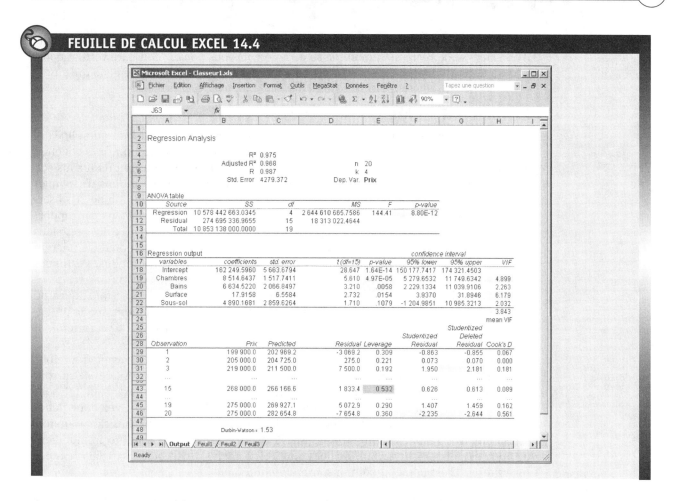

L'équation de régression estimée est la suivante :

Prix = 162 250 + 8515 chambres à coucher + 6635 salles de bain
+ 17,9 surface habitable + 4890 sous-sol **14.38**

Les résultats montrent qu'en moyenne, un sous-sol ajoute une valeur de 4890 \$ au prix d'une maison, si l'on tient compte des valeurs de toutes les autres caractéristiques de la maison. Il faut noter que l'ajout de la variable « sous-sol » a pour effet de réduire de 1 les degrés de liberté. On a donc maintenant seulement 15 degrés de liberté pour la statistique t. La valeur critique t pour 15 degrés de liberté et un seuil de signification de 1 % est de 2,602. En se basant sur cette valeur critique, la variable « sous-sol » est statistiquement non significative. Toutefois, en se basant sur le seuil expérimental dans un test unilatéral, on a une probabilité de 5,4 % (la moitié de 10,8 %) de commettre une erreur (de première espèce) de rejeter une vraie hypothèse nulle de valeur zéro du coefficient pour le sous-sol. Certains considèrent élevée cette probabilité de commettre une erreur, alors que d'autres la considèrent comme tolérable. Néanmoins, une probabilité de 5,4 % semble près de la norme acceptable de 5 % dans les études statistiques.

Quoi qu'il en soit, la règle générale pour inclure une variable lorsque sa valeur de $|t|$ excède 1 veut que l'on garde la variable « sous-sol » dans l'équation de régression. De plus, il faut noter que lorsqu'on sait que cette variable est pertinente, on ne doit pas l'exclure de l'équation de régression. Comme nous l'avons vu au début de ce chapitre, l'exclusion d'une variable pertinente de l'équation de régression produit des estimations biaisées et non convergentes pour tous les coefficients de l'équation de régression. Vous pourriez comparer les valeurs des autres coefficients dans cette équation à celles des coefficients de l'équation de régression sans la variable « sous-sol » (voir le tableau 14.4).

On a étudié ce même exemple afin de démontrer comment les différents éléments d'une analyse de régression multiple se complètent. Vous pouvez conclure votre rapport à la Chambre immobilière en utilisant une formulation simple comme celle qui suit.

LE RAPPORT FINAL I

Le prix des maisons à Vancouver-Est semble être bien représenté par la relation linéaire estimée entre le prix et les variables indépendantes, le nombre de chambres à coucher, le nombre de salles de bain, la surface habitable et la présence ou non d'un sous-sol. La valeur de R^2 (97,5%) indique que les variables indépendantes ont permis d'expliquer plus de 97% de la variation dans le prix des maisons, avec un échantillon de 20 observations choisies au hasard. Les réponses estimées (β) du prix des maisons par rapport aux variations de chaque variable indépendante semblent être en accord avec nos prévisions préliminaires. La méthode des moindres carrés utilisée dans l'estimation de la relation linéaire (avec les hypothèses qui lui sont associées) garantit que les réponses estimées seront, en moyenne, pour des échantillonnages répétés, proches des vraies réponses dans la population de toutes les maisons de Vancouver-Est. Les tests statistiques du modèle, de même que chaque paramètre de réponse individuel, indiquent que la probabilité de commettre une erreur de première espèce est de moins de 1% en général, et de moins de 6% en ce qui concerne la variable « sous-sol ».

Évidemment, la Chambre est (ou devrait être) satisfaite de votre travail. Toutefois, une personne est demeurée songeuse à la lecture de votre rapport. Elle était surtout préoccupée par une phrase entre parenthèses, « avec les hypothèses qui lui sont associées », et tenait à savoir quelles étaient ces hypothèses. Vous lui avez donc défini les hypothèses du modèle de régression dans la population. Elle hésitait toutefois à accepter vos résultats comme tels. Elle a donc persuadé la Chambre immobilière de vous demander de vérifier à quel point votre analyse statistique satisfaisait à ces hypothèses. C'est la tâche qui nous attend maintenant.

■ RÉVISION 14.2

À partir de l'information contenue dans la révision 14.1, étendez le modèle de régression multiple en ajoutant des variables indicatrices pour les trimestres (ou saisons). Faites l'estimation du nouveau modèle. Faites les exercices suivants.

   a) Construisez un tableau d'analyse de variance correspondant aux données de ce problème.
   b) Interprétez l'erreur type de l'estimation.
   c) Interprétez les valeurs du coefficient de détermination et du coefficient de détermination ajusté. Expliquez pourquoi ils sont différents.
   d) Effectuez un test d'hypothèse pour le modèle global ($\alpha = 0,01$).
   e) Effectuez un test d'hypothèse pour chaque coefficient de régression ($\alpha = 0,01$).
   f) Rédigez un bref rapport sur les résultats obtenus avec ce modèle.

EXERCICES 14.5 À 14.8

14.5   Travaillez à partir de l'information suivante :

Variable explicative	Coefficient	Erreur type
Ordonnée à l'origine	20,00	10,00
X_1	−1,00	0,25
X_2	12,00	8,00
X_3	−15,00	5,00

Source	*dl*	SC	CM	*F*
Régression	3	7 500,00		
Erreur	18			
Total	21	10 000,00		

a) Remplissez le tableau d'analyse de variance.

b) Effectuez un test global d'hypothèse en utilisant un seuil de signification de 0,05. Pouvez-vous conclure que tous les coefficients de régression ne sont pas égaux à zéro ?

c) Effectuez un test d'hypothèse pour chacun des coefficients de régression. Pouvez-vous éliminer une des variables ? ($\alpha = 0,05$)

14.6   Considérez l'information suivante :

Variable explicative	Coefficient	Erreur type
Ordonnée à l'origine	−150	90
X_1	2000	500
X_2	−25	30
X_3	5	5
X_4	−300	100
X_5	0,60	0,15

Source	*dl*	SC	CM	*F*
Régression	5	1500,00		
Erreur	15			
Total	20	2000,00		

a) Remplissez le tableau d'analyse de variance.

b) Effectuez un test global d'hypothèse en utilisant un seuil de signification de 0,05. Pouvez-vous conclure que tous les coefficients de régression ne sont pas égaux à zéro ?

c) Effectuez un test d'hypothèse pour chacun des coefficients de régression. Pouvez-vous éliminer une des variables ? ($\alpha = 0,05$)

14.7   Référez-vous à l'exercice 14.4.

a) Interprétez le coefficient de détermination ajusté.

b) Effectuez un test d'hypothèse pour l'équation globale, avec un seuil de signification de 5 %.

c) Effectuez un test d'hypothèse unilatéral pour chacun des coefficients de régression.

d) Vérifiez l'hypothèse nulle : l'élasticité de la demande par rapport au prix égale −1 (avec un seuil de signification de 5 %).

14.8   Linda a effectué une recherche sur la demande relativement aux études postsecondaires dans toutes les disciplines au Canada, et pour chaque discipline durant la période 1970-2001 (32 observations). Elle a utilisé les inscriptions (nombre d'étudiants inscrits) comme variable dépendante. Les variables indépendantes étaient :

i)   les « prêts étudiants » (variable calculée d'après les montants des bourses d'études et des prêts disponibles pour les étudiants, en valeur réelle) ;

ii) les « frais de scolarité » (variable calculée d'après la moyenne canadienne des coûts de logement et de scolarité, en dollars) ;

iii) les « revenus personnels » (estimation en valeur réelle des revenus gagnés durant les études) ;

iv) le « différentiel des revenus » (différentiel des revenus d'un diplômé de collège et d'un diplômé d'université, en dollars) ;

v)   une variable « tendance » qui représente l'augmentation générale dans la demande pour les études non prise en compte par aucune des autres variables indépendantes incluses dans le modèle.

Discipline	Ordonnée à l'origine	Prêts étudiants	Frais de scolarité	Revenus personnels	Différentiel des revenus	Tendance
Éducation physique	4,42342 (4,01262)	0,518560 (3,86297)	–0,483319 (–2,56728)	–0,522008 (–1,90047)	1,60179 (4,54647)	–0,421400 (–0,150400)
		R^2 ajusté = 0,924128		$F = 13,2695$	$d = 1,48353$	
Santé	6,52070 (8,67041)	0,451630 (4,80857)	–0,833195 (–8,10532)	–0,743969 (–3,95468)	1,49225 (5,99423)	–0,027087 (–1,31397)
		R^2 ajusté = 0,955862		$F = 34,0573$	$d = 1,58896$	
Génie et Sciences appliquées	8,60237 (9,40107)	0,726706 (6,20861)	–1,01144 (–7,34410)	–0,888151 (–3,59822)	1,15114 (3,38391)	–0,022352 (–0,818177)
		R^2 ajusté = 0,934097		$F = 28,3341$	$d = 1,63214$	
Musique et Beaux-arts	–10,5437 (–4,45074)	1,41755 (4,93442)	–3,25322 (–8,07627)	–2,26399 (–3,86251)	6,74203 (8,98713)	–0,057620 (–0,96671)
		R^2 ajusté = 0,968625		$F = 39,8210$	$d = 1,44429$	
Arts	8,20078 (5,65624)	0,910117 (5,14654)	–1,01367 (–4,08696)	–1,55328 (–4,28771)	2,01038 (4,32250)	–0,054192 (–1,46464)
		R^2 ajusté = 0,917722		$F = 13,2309$	$d = 1,49376$	
Sciences	4,40083 (6,36905)	0,450021 (5,19377)	–0,479177 (–3,93911)	–0,711076 (–3,89845)	1,86043 (7,4733)	–0,566839 (–0,029606)
		R^2 ajusté = 0,964512		$F = 37,6066$	$d = 1,75660$	
Inscriptions totales	8,33147 (7,82897)	0,734975 (5,56232)	–0,853702 (–5,29659)	–1,15781 (–4,31680)	1,81807 (5,16864)	–0,030460 (–1,06543)
		R^2 ajusté = 0,942143		$F = 22,8045$	$d = 1,56323$	

Les valeurs de toutes les variables ont été exprimées en termes de variations de pourcentage (en logarithmes naturels) avant l'estimation. Cette conversion permet d'interpréter les valeurs des coefficients de régression en variations de pourcentage dans la variable dépendante (en moyenne), en réponse à une variation de 1 % dans chacune des variables indépendantes. Les résultats sont présentés ci-dessus, et les valeurs t sont indiquées entre parenthèses au-dessous des coefficients. Répondez aux questions suivantes. (Effectuez tous les tests d'hypothèses avec un seuil de signification de 5 %.)

a) Comparez les valeurs du coefficient de détermination ajusté dans toutes les équations. Quelle équation offre la meilleure qualité d'ajustement ?

b) Comparez les signes prévus de chaque coefficient aux signes réels dans les équations. Y a-t-il des coefficients dont les signes sont erronés dans les équations ?

c) Quelle discipline (y compris les inscriptions totales) est la plus touchée par le prêt étudiant ? les frais de scolarité ? les revenus personnels ? le différentiel des revenus ?

d) Quelles disciplines affichent la plus forte augmentation et la plus forte baisse de la demande au fil du temps ? (Indice : La variable « tendance » représente la valeur du coefficient interprétée comme variation moyenne de la variable dépendante par période.)

e) Effectuez un test d'hypothèse du modèle global pour chaque discipline.

f) Effectuez un test d'hypothèse pour chaque coefficient de régression dans deux disciplines de votre choix.

g) Rédigez un bref rapport précisant vos conclusions sur la demande relativement aux études postsecondaires.

14.7 LES DIAGNOSTICS DE RÉGRESSION

LES CONSÉQUENCES DU NON-RESPECT DES HYPOTHÈSES DU MODÈLE

Les conséquences du non-respect des hypothèses du modèle sont indiquées ci-dessous. Les démonstrations débordent le cadre de cet ouvrage.

1. Il y a une relation *linéaire* entre la variable dépendante et toutes les variables indépendantes. En général, le non-respect de cette hypothèse donnera des estimateurs biaisés et non convergents, et des conclusions non valides.

2. Le modèle inclut toutes les *variables pertinentes,* c'est-à-dire que le modèle est bien spécifié. En général, le non-respect de cette hypothèse donnera des estimateurs biaisés et non convergents, et des conclusions non valides.

3. Toutes les *variables indépendantes sont non aléatoires* ou, du moins, elles sont indépendantes du terme d'erreur. Le non-respect de cette hypothèse empêchera de décomposer adéquatement la variation totale en variations expliquée et inexpliquée. En général, le non-respect de cette hypothèse donnera des estimateurs biaisés et non convergents, et des conclusions non valides. Il arrive souvent que cette hypothèse ne soit pas respectée à cause d'une mauvaise spécification des variables et/ou de la forme de la fonction.

4. Aucune des variables indépendantes n'est une fonction linéaire exacte d'autres variables indépendantes. On nomme cette propriété *absence de multicolinéarité parfaite.* Le non-respect de cette hypothèse donnerait des valeurs indéterminées des coefficients et des valeurs infiniment grandes des variances des coefficients.

5. La *moyenne du terme d'erreur* dans la population est de zéro. Le non-respect de cette hypothèse donnera généralement des estimateurs biaisés et non convergents, et des conclusions non valides ou imprécises. Il arrive souvent que cette hypothèse ne soit pas respectée à cause d'une mauvaise spécification des variables et/ou de la forme de la fonction.

6. La variance du terme d'erreur est constante. Cette hypothèse se nomme *homoscédasticité* du terme d'erreur. Le non-respect de cette hypothèse donnera généralement des estimateurs biaisés des variances des coefficients de régression, des estimateurs inefficaces des coefficients de régression et des tests d'hypothèses non valides.

7. Les valeurs de l'erreur sont indépendantes entre elles. Cette hypothèse se nomme *absence d'autocorrélation.* Le non-respect de cette hypothèse donnera des estimateurs biaisés des variances des coefficients de régression, des estimateurs inefficaces des coefficients de régression et des tests d'hypothèses non valides.

8. Le terme d'erreur est *de loi normale.* Cette hypothèse est nécessaire pour effectuer des tests d'hypothèses. Le non-respect de cette hypothèse donnera des conclusions non valides pour les petits échantillons. Les estimateurs des moindres carrés sont toujours les meilleurs estimateurs linéaires sans biais.

En général, on utilisera des méthodes graphiques pour vérifier le non-respect de ces hypothèses et pour les corriger, si c'est possible, au moyen de mesures quantitatives simples. On discutera brièvement des correctifs simples qui conviennent dans le cas du non-respect d'une hypothèse. Toutefois, il faut d'abord noter que la plupart des vérifications de diagnostic et des correctifs ne sont qu'approximatifs. Dans la plupart des cas, il n'y a pas de vérifications ou de correctifs à toute épreuve. Des vérifications de diagnostic et des correctifs supplémentaires sont indiqués à la section 14A.1 de l'annexe A du chapitre 14 (voir le cédérom).

LA LINÉARITÉ: LA RELATION FONCTIONNELLE

On a supposé la linéarité de la relation entre la variable dépendante (Y) et toutes les variables indépendantes (X). Toutefois, la méthode des moindres carrés peut s'appliquer à une grande variété de modèles non linéaires pouvant être transformés en relations linéaires. Par exemple, si une variable indépendante prend une forme de réciprocité ($1/X$) ou de puissance comme X^2, on peut facilement convertir les données dans ces formes et effectuer la régression comme d'habitude.

Il y a certaines relations comme $y = \alpha x_1^{\beta_1} x_2^{\beta_2} e^{\epsilon}$ ou encore $y = e^{\alpha + \beta_1 x_1 + \epsilon}$. Il faut noter qu'ici, « e » est un nombre irrationnel approximativement égal à 2,71828. On utilise ce nombre comme base dans les logarithmes naturels (ln). Ne confondez pas ce « e » avec le terme d'erreur. Ces relations non linéaires peuvent facilement être transformées en relations linéaires en prenant les logarithmes dans chaque membre de la formule. Par exemple, la première relation peut s'écrire sous la forme $ln(y) = ln(\alpha) + \beta_1 ln(x_1) + \beta_2 ln(x_2) + \epsilon$. La relation linéaire est exprimée en valeurs de logarithmes naturels des variables dépendantes et indépendantes. Tout ce qu'on doit faire est de changer les valeurs des observations en logarithmes naturels, et d'estimer l'équation. Ce type d'équation est très fréquent en statistiques, car les valeurs des coefficients estimés peuvent maintenant être interprétées comme ayant une élasticité partielle (variation de pourcentage de la variable dépendante Y correspondant à une variation de 1 % de la variable X associée, si l'on garde constantes toutes les autres variables X). De la même façon, on peut transformer l'autre formule et lui donner la forme $ln(y) = \alpha + \beta_1 x_1 + \epsilon$. Dans ce cas, une estimation de β_1 donne la variation du pourcentage de la variable dépendante pour une variation unitaire de la variable indépendante, ce qui est très utile pour estimer les taux de croissance instantanée ($= \beta_1$) de la variable dépendante en réponse à une variation de une unité de la variable indépendante « temps ».

LES MÉTHODES GRAPHIQUES

On peut analyser la précision d'un modèle linéaire à l'aide de graphiques qui représentent la relation entre les valeurs observées (y) de la variable dépendante et les valeurs estimées ($\hat{y}$) de cette variable, ou les valeurs estimées (e) du terme d'erreur par rapport à $\hat{y}$. Pour examiner la linéarité de la relation entre le prix des maisons à Vancouver-Est et les variables « chambres à coucher », « salles de bain », « surface habitable » et « sous-sol », on représente graphiquement les observations de la variable dépendante « prix » par rapport aux valeurs estimées $\hat{y}$ (voir la feuille de calcul Excel 14.5). Ce type de graphique permet également de choisir entre les intervalles de confiance et les intervalles de prévision. Le graphique n'affiche aucun écart significatif dans la relation linéaire. La droite linéairement ajustée est très proche des observations réelles concernant le prix.

FEUILLE DE CALCUL EXCEL 14.5

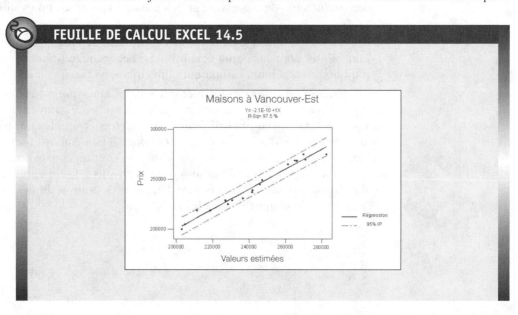

LA PERTINENCE ET LA NON-PERTINENCE DES VARIABLES

Il faut ici se poser deux questions. Les variables incluses dans le modèle sont-elles pertinentes ? Certaines variables pertinentes ont-elles été exclues ?

LA PRÉSENCE DE VARIABLES NON PERTINENTES

La présence d'une variable non pertinente dans une équation peut s'expliquer à cause : 1) de considérations théoriques ou expérimentales (si la théorie n'est pas fondée) ; 2) de la capacité d'explication de chaque variable par rapport à leurs coefficients de corrélation partiels avec la variable dépendante ; 3) des seuils expérimentaux pour le coefficient de chacune des variables indépendantes. Dans l'exemple sur le prix des maisons, toutes les variables incluses dans l'équation semblent pertinentes, malgré un certain doute en ce qui a trait au sous-sol. De plus, les signes des coefficients de chaque variable indépendante sont ceux que l'on avait prévus.

L'OMISSION DE VARIABLES PERTINENTES

Il est plus difficile de répondre à la deuxième question. *Théoriquement,* d'après les critères du secteur immobilier, on considère avoir inclus toutes les variables importantes qui influent sur le prix des maisons. Toutefois, il peut y avoir d'autres variables telles que la superficie du terrain, la proximité des services publics, le quartier, etc., qui peuvent également avoir leur importance. On suppose que ces variables sont en corrélation étroite avec les variables incluses ou que leur influence est aléatoire et donc prise en compte par le terme d'erreur. Toutefois, si une variable importante était mise de côté, cette omission apparaîtrait dans le terme d'erreur selon une composante systématique. En général, une telle composante systématique dans le terme d'erreur a pour effet de sous-estimer ou de surestimer les valeurs de la variable dépendante. Pour visualiser *graphiquement* cette possibilité, on peut examiner un graphique (ou un diagramme de dispersion) du terme d'erreur estimé (e) ou des valeurs réelles (y) de la variable dépendante par rapport aux valeurs prédites ($\hat{y}$) de la variable dépendante. Dans l'exemple, on peut utiliser la feuille de calcul Excel 14.5, qui présente les valeurs réelles du prix par rapport aux valeurs estimées du prix. Il ne semble pas y avoir de sous-estimation ni de surestimation.

D'un point de vue *statistique* (voir la feuille de calcul Excel 14.4), la valeur 97,5 % de R^2 indique que toutes ces variables prises ensemble peuvent expliquer 97,5 % de la variation du prix. Cette explication semble suffisante. Puisque l'autocorrélation est souvent attribuable à une mauvaise spécification du modèle, une valeur significative de la statistique d de Durbin et Watson (voir la section 14.8) peut indiquer la possibilité qu'il manque une variable. Nous expliquons plus loin l'utilisation de la statistique d dans un contexte d'autocorrélation. La valeur calculée de la statistique d (= 1,53) n'est pas significative ; en fait, elle se situe dans un intervalle non concluant. En se basant sur cette démonstration supplémentaire, on peut conclure qu'on n'a pas de preuve suffisante qui permette d'affirmer qu'une variable pertinente a été omise dans l'équation.

LES OBSERVATIONS INFLUENTES ET ABERRANTES : UNE DIGRESSION

En général, une observation aberrante est une observation inhabituelle par rapport à la tendance présentée par le reste des observations dans un ensemble de données. Autrement dit, des valeurs anormalement petites ou grandes, qui sont deux ou trois fois plus éloignées de la valeur moyenne de cette variable que son écart type, sont dites aberrantes. Puisque la droite de régression estimée est basée sur la méthode des moindres carrés, elle donne une réponse moyenne de la variable dépendante à une variation unitaire de la variable indépendante. Donc, comme la moyenne simple (moyenne arithmétique), elle subit trop l'influence d'observations anormalement petites ou grandes dans l'ensemble de données. Certaines observations aberrantes peuvent être assez influentes pour infléchir dans leur direction la droite de régression estimée. En conséquence, on peut arriver à des estimations imprécises de la droite de régression et/ou de l'erreur type de l'estimation, ce qui peut nous induire en erreur relativement aux valeurs des paramètres de régression et nous donner de fausses indications dans les tests d'hypothèses sur ces paramètres.

À la figure 14.6, deux observations influentes (losanges) ont eu pour effet d'infléchir la droite de régression (flèche à double sens) dans leur direction. La pente de la droite de régression (flèche à sens unique) est beaucoup plus prononcée lorsqu'on ne tient pas compte des observations influentes.

Excel permet de détecter des observations inhabituelles qui causent des valeurs anormalement grandes des **résidus standardisés.** Les résidus standardisés sont les valeurs des résidus divisées par leurs erreurs types respectives. Ces résidus standardisés ont une moyenne de zéro et une variance égale à 1. Il devrait y avoir environ 5 % des résidus standardisés dont la valeur absolue excède 2. MegaStat affiche plutôt les résidus studentisés ainsi que les résidus jacknife studentisés. Ces derniers sont un type spécial de résidus standardisés qui ont une distribution de Student t avec $dl = (n - k - 2)$. Ces résidus permettent de vérifier la signification statistique d'une valeur aberrante. Quand la valeur de ces résidus est plus grande que la valeur critique de la loi t avec $dl = (n - k - 2)$ pour un seuil de signification de 0,05, cela signifie que la valeur aberrante est statistiquement significative[1]. MegaStat indique également les observations influentes que représente l'effet combiné d'observations inhabituelles de variables dépendantes et indépendantes, ce qui est mesuré par la statistique *Distance de Cook* (D). Une valeur de D plus grande que 1 est généralement considérée comme influente. Toutefois, en ce qui a trait aux conclusions, une observation est considérée comme influente si la valeur de D est plus grande que $F_{0,5}$ avec $dl = (k +1)/(n - k -1)$. D'autre part, un seuil expérimental inférieur à 0,5 pour la valeur F associée, mentionnée plus haut, indique que l'observation est influente.

Excel donne toutes les valeurs des résidus standardisés. Pour inspecter visuellement les valeurs aberrantes, vous pouvez représenter graphiquement les résidus standardisés par rapport au numéro des observations (voir la feuille de calcul Excel 14.7) ou aux valeurs prédites de la variable dépendante.

On devrait vérifier si les observations aberrantes sont dues à des erreurs de saisie de données ou si leur présence est due à une incohérence dans l'hypothèse du modèle de régression. Les valeurs aberrantes doivent être retirées de l'ensemble de données seulement si elles résultent d'une erreur de saisie ou d'une incohérence dans l'hypothèse du modèle de régression. Comme les valeurs aberrantes peuvent contenir des renseignements importants sur une relation dans la population, il ne faut pas les supprimer d'emblée de l'ensemble de données. Ainsi, si le prix de certaines maisons semble très élevé à cause de l'architecture spéciale, d'une piscine ou d'une autre caractéristique exclusive,

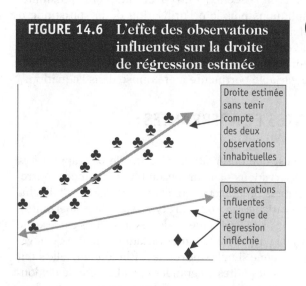

FIGURE 14.6 L'effet des observations influentes sur la droite de régression estimée

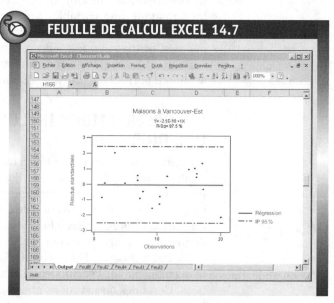

FEUILLE DE CALCUL EXCEL 14.7

un aspect qui *n'est pas* modélisé, on peut retirer ces observations de l'ensemble des données et refaire l'estimation de l'équation de régression. Toutefois, si certaines valeurs aberrantes se retrouvent dans le cas de maisons aux prix particulièrement élevés et qu'elles peuvent être justifiées par des valeurs particulièrement grandes des variables indépendantes (incluses dans le modèle), elles ne doivent pas être ignorées. On ne note aucun problème attribuable à des valeurs aberrantes dans la feuille de calcul Excel 14.5. La plupart des observations sont proches de la droite de régression, et aucune d'entre elles n'excède l'intervalle de prévision de 95 %. La feuille de calcul Excel 14.7 présente graphiquement les résidus standardisés en fonction du numéro des observations et, tout comme la feuille de calcul Excel 14.5, ne présente aucun problème attribuable à des valeurs aberrantes. Par ailleurs, notons qu'il peut y avoir des valeurs aberrantes dans les données d'un échantillon et non dans un autre échantillon. En elles-mêmes, les valeurs aberrantes n'invalident pas les hypothèses d'un modèle de régression.

LA MULTICOLINÉARITÉ

Comme mentionné précédemment, la présence de multicolinéarité parfaite (MCo) entre des variables indépendantes donnera des estimations indéterminées. Vous pouvez le constater en remplaçant, par exemple, $x_1' = 5x_2'$ dans une formule pour b_1 (voir la formule 14.25) ou pour b_2 (voir la formule 14.26), et voir ce que vous obtenez. Le résultat devrait être de zéro divisé par zéro, soit une quantité indéfinie ! De la même façon, vous pouvez vérifier les variances de b_1 ou de b_2 en substituant $R_j^2 = 1$ dans la formule de la variance (voir la formule 14.36). Dans ce cas, vous finirez par diviser une quantité par zéro. Quelle est la valeur résultante ? Souvenez-vous que R_j^2 est le coefficient de détermination dans la régression (auxiliaire ou secondaire) de la variable indépendante X_j sur les autres variables indépendantes du modèle. Il faut noter que la variable dépendante Y n'est pas concernée par cette régression. On écrit de nouveau la formule 14.36 ci-dessous :

$$\sigma_{b_j}^2 = \frac{\sigma_\epsilon^2}{\sum (x_j - \bar{x}_j)^2} \frac{1}{(1 - R_j^2)} \qquad \textbf{14.36}$$

La multicolinéarité parfaite est plutôt rare avec des données observées. En général, cela se produit dans les situations où un chercheur a précisé des variables erronées qui, par hasard, sont parfaitement corrélées dans l'échantillon. Par exemple, un chercheur veut estimer la consommation de vin (Y) au Canada en se basant sur les variables indépendantes du PIB nominal, soit X_1, et de l'inflation X_2, à partir de 20 observations trimestrielles faites depuis les 5 dernières années. Supposez maintenant que le PIB en termes *réels* (le PIB ajusté à l'inflation) soit demeuré constant durant toute la période d'échantillonnage, ce qui implique que toutes les variations du PIB nominal sont entièrement attribuables aux variations de l'inflation. Évidemment, le PIB et le taux d'inflation sont parfaitement corrélés. Il n'y a pas moyen de préciser les effets isolés du PIB nominal ou de l'inflation sur la consommation. La situation est représentée à la figure 14.8 d), où le PIB nominal et l'inflation n'influent sur la consommation que de façon simultanée (les chevauchements de X_1 avec Y et de X_2 avec Y sont les mêmes) dans cet échantillon. Il faut noter que le chevauchement des cercles X_1 et X_2 est simplement indicatif, et qu'il ne reflète pas nécessairement des ensembles de valeurs égales pour les deux variables. Une multicolinéarité nulle est représentée à la figure 14.8 a) où, dans *un autre échantillon,* le PIB et l'inflation influent sur la consommation de façon strictement individuelle (les cercles X_1 et X_2 n'ont pas de chevauchement commun avec Y).

LA MULTICOLINÉARITÉ IMPARFAITE

La multicolinéarité nulle et la multicolinéarité parfaite sont rares. Les données observées affichent généralement une multicolinéarité allant de faible à élevée. La multicolinéarité est donc une question de degré. La partie commune hachurée dans les diagrammes b) et c) de la figure 14.8 (provenant de deux ensembles de données

FIGURE 14.8
Les types de multi-colinéarité

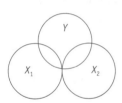

a) Nulle

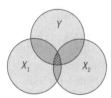

b) Faible

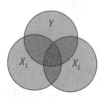

c) Élevée

d) Parfaite

différents) illustre des cas de multicolinéarité faible et élevée. La multicolinéarité imparfaite pose-t-elle un problème dans l'utilisation de la méthode des moindres carrés ? *Puisque la multicolinéarité est due à une corrélation entre les variables non aléatoires, elle n'influe pas sur les propriétés de meilleurs estimateurs linéaires sans biais de cette méthode.* En fait, on peut trouver une faible multicolinéarité dans un échantillon et une multicolinéarité élevée dans un autre échantillon, ce qui rend toutefois instables les estimations des paramètres (dépendant de l'échantillon).

Par ailleurs, plus la multicolinéarité est grande parmi les variables indépendantes, plus grandes seront les variances des estimateurs. Vous pouvez le vérifier en supposant différentes valeurs de R_j^2 dans la formule de variance des estimateurs (voir la formule 14.36). Une plus grande variance donnera une statistique t très petite pour les estimateurs, même si l'équation entière peut avoir un coefficient de détermination très élevé. Parfois, un degré élevé de multicolinéarité peut entraîner des signes erronés dans les estimations des coefficients de régression. De faibles valeurs pour les statistiques t nous induiraient en erreur et nous inciteraient par la suite à ne pas rejeter l'hypothèse nulle sur les coefficients de régression individuels.

> *d*   **Une multicolinéarité imparfaite** ne contredit aucune hypothèse de la méthode des moindres carrés, et les estimateurs sont les meilleurs estimateurs linéaires sans biais, peu importe le degré (plus petit que 1) de multicolinéarité observé. La multicolinéarité est essentiellement un problème concernant l'échantillon utilisé dans une recherche.

En présence d'un degré élevé de multicolinéarité, l'équation estimée affichera généralement un R^2 élevé (coefficient de détermination entre Y et toutes les variables indépendantes), de faibles valeurs des statistiques t et, parfois, des signes erronés dans les valeurs estimées des coefficients de régression.

Puisque la multicolinéarité se trouve généralement dans toutes les données observées, les statisticiens ont mis au point certaines règles approximatives pour déterminer le degré tolérable de multicolinéarité. Ces règles dépendent du degré de corrélation entre les variables indépendantes. Un degré élevé de corrélation dans l'échantillon (plus grand que 0,8) entre deux variables indépendantes indique une multicolinéarité élevée. Toutefois, lorsqu'il y a plus de deux variables indépendantes, la multicolinéarité peut être élevée même si les corrélations sont faibles dans l'échantillon. *Une forte corrélation dans l'échantillon est donc une condition suffisante mais non nécessaire pour avoir une multicolinéarité élevée.* Une mesure plus populaire est basée sur ce qu'on appelle le *facteur d'inflation de la variance* (FIV). Le FIV d'une variable indépendante j s'écrit sous la forme $FIV_j = \dfrac{1}{1 - R_j^2}$. On considère généralement qu'une valeur de FIV plus grande que 10 (correspondant à une valeur de $R_j^2 = 0,9$) est intolérable. Certains statisticiens comparent le R^2 général de la régression au R_j^2 de chaque variable afin d'obtenir une indication.

Des valeurs de FIV plus grandes que 10 ou des valeurs du coefficient de corrélation (r) plus grandes que 0,9 sont considérées comme des indicateurs suffisants de la présence de multicolinéarité. L. R. Klein, économiste et prix Nobel, a suggéré une autre règle : une valeur de R_j^2 plus grande que le R^2 général (coefficient de détermination dans la régression de Y par rapport à tous les X) peut indiquer un problème dû à la présence de multicolinéarité.

Exemple 14.7   Dans l'exemple sur le prix des maisons, les coefficients de corrélation entre les variables indépendantes et les valeurs du FIV (voir le tableau 14.5) indiquent que la variable « surface habitable » est la plus problématique en ce qui a trait à la multicolinéarité dans le modèle. Une valeur de FIV de 6,2 pour cette variable implique que la variance du coefficient de régression serait trop amplifiée (6,2 fois plus grande) à cause de la multicolinéarité de la surface habitable avec les autres variables indépendantes (chambres à coucher, salles de bain et sous-sol). Cela entraîne une plus petite valeur de t ou un plus grand seuil expérimental dans le coefficient de régression. Autrement dit, sans multicolinéarité, on aurait une probabilité d'erreur de première espèce moins importante que celle qui est indiquée par le seuil expérimental de 0,015 dans la variable « surface habitable » et celle de 0,108 dans la variable « sous-sol ». Toutefois, si l'on utilise la règle de Klein, aucun R_j^2 n'est plus élevé que la valeur générale de R^2 dans la régression (= 0,975), ce qui indique que la multicolinéarité reste dans des limites tolérables.

TABLEAU 14.5 Les corrélations simples R_j^2 et FIV

	Prix	Chambres à coucher	Salles de bain	Surface habitable	R_j^2	FIV
Chambres à coucher	0,950				0,796	4,9
Salles de bain	0,773	0,628			0,558	2,3
Surface habitable	0,942	0,879	0,774		0,838	6,2
Sous-sol	0,739	0,702	0,467	0,673	0,508	2,0

14.8 LES DIAGNOSTICS DU TERME D'ERREUR

On a posé plusieurs hypothèses concernant le terme d'erreur de la population, y compris une moyenne de zéro, une variance constante, une covariance nulle, son indépendance par rapport aux variables explicatives et une loi normale (pour un test d'hypothèse). Le terme d'erreur d'une population est toutefois une variable inconnue. On ne peut vérifier ces hypothèses qu'en se basant sur le terme d'erreur obtenu d'après la droite de régression de l'échantillon qui, en principe, ne donnera que des résultats approximatifs. On se concentrera maintenant sur les méthodes de diagnostic permettant de vérifier le non-respect des hypothèses d'homoscédasticité, d'autocorrélation et de normalité du terme d'erreur. (Nous traitons de diagnostics du modèle du terme d'erreur [résiduel] dans cette section à cause de son caractère unique dans le modèle de régression d'une population.)

L'HOMOSCÉDASTICITÉ

L'homoscédasticité du terme d'erreur implique que les valeurs de la variance du terme d'erreur seront égales pour toutes les valeurs des variables indépendantes. En général, cette hypothèse est souvent contredite par les données transversales (toutes les observations notées à un moment donné), comme les salaires des employés d'une entreprise, le taux de rendement de l'investissement des entreprises ou la moyenne cumulative d'un certain nombre d'étudiants dans un cours, pour une année particulière. Si la variance du terme d'erreur est positivement associée aux valeurs au carré d'une variable indépendante, les estimateurs de la méthode des moindres carrés de la variance du terme d'erreur seront biaisés vers le bas (statistiques t plus élevées qu'elles ne devraient l'être), ce qui nous portera parfois à rejeter une hypothèse nulle qui ne devrait pas l'être. Le contraire est vrai pour une association négative entre la variance du terme d'erreur et les valeurs de la variable indépendante.

D'un point de vue graphique, les statisticiens examinent le non-respect de l'homoscédasticité en représentant les valeurs du terme d'erreur par rapport aux valeurs de la variable indépendante. Lorsqu'il y a plus d'une variable indépendante, on représente les valeurs du terme d'erreur par rapport aux valeurs estimées de la variable dépendante. Dans l'analyse de régression multiple, par contre, il est plus juste de représenter les valeurs *au carré* du terme d'erreur par rapport aux valeurs estimées de la variable dépendante. Le tableur Excel utilise le terme d'erreur simple au lieu du terme d'erreur au carré [voir la figure 14.9 c) à la page suivante], ce qui donne également une indication approximative du non-respect de l'hypothèse d'homoscédasticité.

Si le terme d'erreur ou le terme d'erreur au carré est homoscédastique, la dispersion sera la même pour chaque valeur de la variable dépendante estimée [voir la figure 14.9 a)]. Si le terme d'erreur est hétéroscédastique, le terme d'erreur au carré présentera une dispersion différente pour différentes valeurs de la variable dépendante estimée [voir la figure 14.9 b)] ou du moins pour certaines variables indépendantes.

FIGURE 14.9 **La dispersion dans les cas d'homoscédasticité et d'hétéroscédasticité**

a) L'homoscédasticité

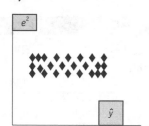

b) L'hétéroscédasticité

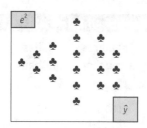

c) Excel

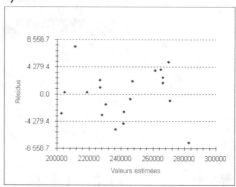

Exemple 14.8

Dans l'exemple sur le prix des maisons à Vancouver-Est, on a représenté le terme d'erreur par rapport aux valeurs estimées de *y* [voir la figure 14.9 c)]. Comme on peut le voir dans la figure, il semble y avoir hétéroscédasticité pour quelques observations, particulièrement celle d'une maison dont le prix est peu élevé et une autre pour la maison avec le prix le plus élevé. Toutefois, il ne semble pas y avoir de tendance observable indiquant un type particulier de relation algébrique. La plupart des méthodes statistiques et des mesures correctives se basent sur une tendance observable du terme d'erreur selon les variables indépendantes. Pour examiner le problème de plus près et trouver quelle variable indépendante peut être à l'origine du problème, on doit représenter le terme d'erreur au carré par rapport à chacune des variables indépendantes. En général, si les variances augmentent ou diminuent avec les valeurs d'une variable indépendante, on apporte le *correctif* habituel qui consiste à transformer cette variable en accordant une moins grande influence aux valeurs de la variable indépendante associée aux plus grandes variances. Toutefois, si des variances inégales sont attribuables à la non-linéarité ou à une variable omise dans l'équation de régression, le correctif consiste à spécifier le modèle de façon appropriée.

L'AUTOCORRÉLATION

La méthode des moindres carrés suppose une covariance nulle entre le terme d'erreur d'une observation et celui d'une autre observation. Autrement dit, le terme d'erreur ou la variable dépendante dans l'équation de régression, par exemple les investissements durant l'année 1995, ne dépend pas des investissements durant toute autre année. Dans les données chronologiques (observations de toutes les variables enregistrées sur une période de temps), cette hypothèse est souvent contredite. Jan Kmenta, un statisticien reconnu, compare l'idée de corrélation à l'écho sonore d'un instrument dont une corde vient d'être pincée. Dans les données concernant l'économie et la gestion, l'effet d'une variation dans la variable dépendante, que ce soit l'investissement, la productivité ou les coûts, se prolonge dans les valeurs de la variable sur d'autres périodes. En général, plus courte sera la période (mensuelle ou trimestrielle, et non annuelle), plus forte sera la possibilité d'autocorrélation. Toutefois, l'autocorrélation n'a pas un effet aussi prononcé dans les données transversales. Le taux de rendement de l'investissement dans une entreprise ne dépend pas, habituellement, du taux de rendement d'autres entreprises pour la même période.

Bien que l'autocorrélation n'annule pas le fait que les estimateurs de la méthode des moindres carrés sont sans biais, ces estimateurs ne sont plus les meilleurs estimateurs linéaires sans biais. La variance du terme d'erreur ne constitue plus un minimum dans la classe de tous les estimateurs linéaires sans biais. Une autocorrélation positive dans des termes d'erreur successifs et une association positive dans les valeurs successives des variables indépendantes (trait caractéristique des données chronologiques) biaiseraient vers le bas l'estimateur des moindres carrés de la variance des coefficients de régression (statistiques *t* plus élevées). Il peut donc arriver qu'on rejette par erreur une hypothèse nulle alors qu'elle ne devrait pas l'être. Le contraire est vrai lorsqu'il y a association négative entre la variance du terme d'erreur et les valeurs de la variable indépendante.

L'hypothèse d'autocorrélation est très générale dans ce sens qu'elle tient compte de toutes les périodes. Toutefois, les statisticiens se concentrent souvent sur un problème en considérant la corrélation du terme d'erreur dans des périodes successives (covariance entre les valeurs de 1999 et de 2000) plutôt qu'entre des périodes éloignées. Les implications sont les mêmes pour l'estimation et l'inférence. Lorsqu'un terme d'erreur, dans une période t (ϵ_t), est corrélé avec le terme d'erreur de la période (ϵ_{t-1}), on dit qu'il y a **autocorrélation de premier ordre.** Une relation positive entre ϵ_t et ϵ_{t-1} se nomme **autocorrélation positive** et une relation négative entre ϵ_t et ϵ_{t-1}, une **autocorrélation négative.**

D'un point de vue graphique, l'autocorrélation négative implique que le signe de chaque terme d'erreur successif est différent (par exemple, un mouvement des termes d'erreur successifs dans des directions opposées : positif suivi de négatif et inversement). La figure 14.10 b) illustre cette tendance.

L'autocorrélation positive est représentée par le mouvement dans la même direction des termes d'erreur successifs (alternance entre les phases vers le haut et vers le bas comprenant au moins deux observations) [voir la figure 14.10 c)].

FIGURE 14.10   Les autocorrélations

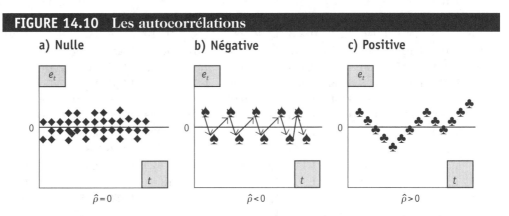

a) Nulle   b) Négative   c) Positive

Statistiquement, une statistique de test d, conçue par Durbin et Watson, peut être utilisée dans la plupart des circonstances pour vérifier la présence ou l'absence d'autocorrélation (ρ). Dans un contexte d'autocorrélation de premier ordre, la statistique d se définit ainsi :

$$d = \sum_{t=2}^{t=n}(e_t - e_{t-1})^2 \Big/ \sum_{t=1}^{t=n} e_t^2 \qquad \textbf{14.39}$$

$$d \approx 2(1 - \hat{\rho}) \text{ ou } \hat{\rho} \approx 1 - (\tfrac{1}{2}d) \qquad \textbf{14.40}$$

Lorsque $\rho = 0$, la valeur de d est approximativement égale à 2. Puisque $d \approx 2(1 - \hat{\rho})$, on peut vérifier l'hypothèse nulle ($\rho = 0$) par rapport à une contre-hypothèse unilatérale ($\rho > 0$) ou à une contre-hypothèse bilatérale ($\rho \neq 0$). Durbin et Watson ont calculé les limites inférieure et supérieure de la statistique d correspondant à différentes valeurs du nombre d'observations dans un échantillon (n) et pour différentes valeurs du nombre de variables indépendantes (k) pour un ensemble de seuils de signification. Les valeurs pour un seuil de signification de 5 % sont données dans le tableau 14.6 à la page suivante. Le tableur Excel (MegaStat) donne les valeurs calculées de d (dans l'affichage de régression, si vous choisissez l'option Durbin-Watson dans le menu à l'écran). Avec la valeur calculée de d obtenue de l'échantillon et les valeurs critiques de d_S et de d_I du tableau de Durbin et Watson, la décision se prend de la manière indiquée à la figure 14.11 (page 615).

Par exemple, si vous voulez vérifier

$H_0 : \rho = 0$ et $H_1 : \rho > 0$; avec $n = 25$, $k = 3$ et la valeur calculée de $d = 0,95$.

TABLEAU 14.6 La statistique d de Durbin et Watson : les valeurs critiques d_I et d_S au seuil de signification de 0,05

	$k=1$		$k=2$		$k=3$		$k=4$		$k=5$		$k=6$		$k=7$		$k=8$	
n	d_I	d_S	d_I	d_S	d_I	d_S	d_I	d_S	d_I	d_S	d_I	d_S	d_I	d_S	d_I	d_S
6	0,610	1,400	–	–	–	–	–	–	–	–	–	–	–	–	–	–
7	0,700	1,356	0,467	1,896	–	–	–	–	–	–	–	–	–	–	–	–
8	0,763	1,332	0,559	1,777	0,368	2,287	–	–	–	–	–	–	–	–	–	–
9	0,824	1,320	0,629	1,699	0,455	2,128	0,296	2,588	–	–	–	–	–	–	–	–
10	0,879	1,320	0,697	1,641	0,525	2,016	0,376	2,414	0,243	2,822	–	–	–	–	–	–
11	0,927	1,324	0,658	1,604	0,595	1,928	0,444	2,283	0,316	2,645	0,203	3,005	–	–	–	–
12	0,971	1,331	0,812	1,579	0,658	1,864	0,512	2,177	0,379	2,506	0,268	2,832	0,171	3,149	–	–
13	1,010	1,340	0,861	1,562	0,715	1,816	0,574	2,094	0,445	2,390	0,328	2,692	0,230	2,985	0,147	3,266
14	1,045	1,350	0,905	1,551	0,767	1,779	0,632	2,030	0,505	2,296	0,389	2,572	0,286	2,848	0,200	3,111
15	1,077	1,361	0,946	1,543	0,814	1,750	0,685	1,977	0,562	2,220	0,447	2,472	0,343	2,727	0,251	2,979
16	1,106	1,371	0,982	1,539	0,857	1,728	0,734	1,935	0,615	2,157	0,502	2,388	0,398	2,624	0,304	2,860
17	1,133	1,381	1,015	1,536	0,897	1,710	0,779	1,900	0,664	2,104	0,554	2,318	0,451	2,537	0,356	2,757
18	1,158	1,391	1,046	1,535	0,933	1,696	0,820	1,872	0,710	2,060	0,603	2,257	0,502	2,461	0,407	2,667
19	1,180	1,401	1,074	1,536	0,967	1,685	0,859	1,848	0,752	2,023	0,649	2,206	0,549	2,396	0,456	2,589
20	1,201	1,411	1,100	1,537	0,998	1,676	0,894	1,828	0,792	1,991	0,692	2,162	0,595	2,339	0,502	2,521
21	1,221	1,420	1,125	1,538	1,026	1,669	0,927	1,812	0,829	1,964	0,732	2,124	0,637	2,290	0,547	2,460
22	1,239	1,429	1,147	1,541	1,053	1,664	0,958	1,797	0,863	1,940	0,769	2,090	0,677	2,246	0,588	2,407
23	1,257	1,437	1,168	1,543	1,078	1,660	0,986	1,785	0,895	1,920	0,804	2,061	0,715	2,208	0,628	2,360
24	1,273	1,446	1,188	1,546	1,101	1,656	1,013	1,775	0,925	1,902	0,837	2,035	0,751	2,174	0,666	2,318
25	1,288	1,454	1,206	1,550	1,123	1,654	1,038	1,767	0,953	1,886	0,868	2,012	0,784	2,144	0,702	2,280
26	1,302	1,461	1,224	1,553	1,143	1,652	1,062	1,759	0,979	1,873	0,897	1,992	0,816	2,117	0,735	2,246
27	1,316	1,469	1,240	1,556	1,162	1,651	1,084	1,753	1,004	1,861	0,925	1,974	0,845	2,093	0,767	2,216
28	1,328	1,476	1,255	1,560	1,181	1,650	1,104	1,747	1,028	1,850	0,951	1,958	0,874	2,071	0,798	2,188
29	1,341	1,483	1,270	1,563	1,198	1,650	1,124	1,743	1,050	1,841	0,975	1,944	0,900	2,052	0,826	2,164
30	1,352	1,489	1,284	1,567	1,214	1,650	1,143	1,739	1,071	1,833	0,998	1,931	0,926	2,034	0,854	2,141
31	1,363	1,496	1,297	1,570	1,229	1,650	1,160	1,735	1,090	1,825	1,020	1,920	0,950	2,018	0,879	2,120
32	1,373	1,502	1,309	1,574	1,244	1,650	1,177	1,732	1,109	1,819	1,041	1,909	0,972	2,004	0,904	2,102
33	1,383	1,508	1,321	1,577	1,258	1,651	1,193	1,730	1,127	1,813	1,061	1,900	0,994	1,991	0,927	2,085
34	1,393	1,514	1,333	1,580	1,271	1,652	1,208	1,728	1,144	1,808	1,080	1,891	1,015	1,979	0,950	2,069
35	1,402	1,519	1,343	1,584	1,283	1,653	1,222	1,726	1,160	1,803	1,097	1,884	1,034	1,967	0,971	2,054
36	1,411	1,525	1,354	1,587	1,295	1,654	1,236	1,724	1,175	1,799	1,114	1,877	1,053	1,957	0,991	2,041
37	1,419	1,530	1,364	1,590	1,307	1,655	1,249	1,723	1,190	1,795	1,131	1,870	1,071	1,948	1,011	2,029
38	1,427	1,535	1,373	1,594	1,318	1,656	1,261	1,722	1,204	1,792	1,146	1,864	1,088	1,939	1,029	2,017
39	1,435	1,540	1,382	1,597	1,328	1,658	1,273	1,722	1,218	1,789	1,161	1,859	1,104	1,932	1,047	2,007
40	1,442	1,544	1,391	1,600	1,338	1,659	1,285	1,721	1,230	1,786	1,175	1,854	1,120	1,924	1,064	1,997
45	1,475	1,566	1,430	1,615	1,383	1,666	1,336	1,720	1,287	1,776	1,238	1,835	1,189	1,895	1,139	1,958
50	1,503	1,585	1,462	1,628	1,421	1,674	1,378	1,721	1,335	1,771	1,291	1,822	1,246	1,875	1,201	1,930
55	1,528	1,601	1,490	1,641	1,452	1,681	1,414	1,724	1,374	1,768	1,334	1,814	1,294	1,861	1,253	1,909
60	1,549	1,616	1,514	1,652	1,480	1,689	1,444	1,727	1,408	1,767	1,372	1,808	1,335	1,850	1,298	1,894
65	1,567	1,629	1,536	1,662	1,503	1,696	1,471	1,731	1,438	1,767	1,404	1,805	1,370	1,843	1,336	1,882
70	1,583	1,641	1,554	1,672	1,525	1,703	1,494	1,735	1,464	1,768	1,433	1,802	1,401	1,837	1,369	1,873
75	1,598	1,652	1,571	1,680	1,543	1,709	1,515	1,739	1,487	1,770	1,458	1,801	1,428	1,834	1,399	1,867
80	1,611	1,662	1,586	1,688	1,560	1,715	1,534	1,743	1,507	1,772	1,480	1,801	1,453	1,831	1,425	1,861
85	1,624	1,671	1,600	1,696	1,575	1,721	1,550	1,747	1,525	1,774	1,500	1,801	1,474	1,829	1,448	1,857
90	1,635	1,679	1,612	1,703	1,589	1,726	1,566	1,751	1,542	1,776	1,518	1,801	1,494	1,827	1,469	1,854
95	1,645	1,687	1,623	1,709	1,602	1,732	1,579	1,755	1,557	1,778	1,535	1,802	1,512	1,827	1,489	1,852
100	1,654	1,694	1,634	1,715	1,613	1,736	1,592	1,758	1,571	1,780	1,550	1,803	1,528	1,826	1,506	1,850
150	1,720	1,746	1,706	1,760	1,693	1,774	1,679	1,788	1,665	1,802	1,651	1,817	1,637	1,832	1,622	1,847
200	1,758	1,778	1,748	1,789	1,738	1,799	1,728	1,810	1,718	1,820	1,707	1,831	1,697	1,841	1,686	1,852

D'après le tableau, on trouve les valeurs de $d_S = 1,654$ et de $d_I = 1,123$. Les décisions se prennent comme suit :

On rejette H_0 si $d < d_I$. On ne rejette pas H_0 si $d > d_S$. Le test n'est pas concluant si $d_I \leq d \leq d_S$. Puisque la valeur calculée de $d = 0,95$, on a $d < d_I$. On rejette donc H_0. Cela indique une autocorrélation positive au seuil de signification de 5 %.

FIGURE 14.11   Le test d'autocorrélation de Durbin et Watson

Auto-corrélation positive $\rho > 0$	Test non concluant	On ne rejette pas H_0 $\rho = 0$	Test non concluant	Auto-corrélation négative $\rho < 0$
0	d_I	d_S 2	$4 - d_S$	$4 - d_I$ 4

On peut effectuer un test pour une contre-hypothèse d'autocorrélation négative ainsi :

on rejette H_0 si $d > 4 - d_I$. On ne rejette pas H_0 si $d < 4 - d_S$.

Le test n'est pas concluant si $4 - d_S \leq d \leq 4 - d_I$.

Un des inconvénients du test est de ne pas être concluant dans certaines circonstances. Son avantage est de permettre d'utiliser la statistique d pour des erreurs de spécification comme la non-linéarité et l'omission d'une variable, l'hétéroscédasticité (attribuable à l'omission de certaines variables), etc. Les *correctifs* pour l'autocorrélation consistent généralement à transformer des variables en enlevant l'autocorrélation, à introduire une tendance temporelle dans l'équation comme un terme fourre-tout pour les variables manquantes dont la valeur peut augmenter ou diminuer systématiquement avec le temps, ou à effectuer une régression sur les premières différences plutôt que sur les valeurs brutes des variables. Pour plus de détails, consultez la section 14A.1 de l'annexe A du chapitre 14 (voir le cédérom).

Exemple 14.9

Dans l'exemple sur le prix des maisons, le tableau de diagnostics de résidus [voir la feuille de calcul Excel 14.12 b)] indique une autocorrélation positive. En faisant l'estimation de l'équation de régression, cliquez sur Durbin-Watson dans MegaStat.

Supposons que $H_0: \rho = 0$ et $H_1: \rho > 0$ avec un seuil de signification de 5 %. Pour $n = 20$ et $k = 4$, les valeurs de d d'après le tableau 14.6 sont $d_S = 1,828$ et $d_I = 0,894$.

Puisque la valeur calculée de $d = 1,53$ se situe entre d_S et d_I, le test d'hypothèse n'est pas concluant. On discute d'un test concluant à la section 14A.1 de l'annexe A du chapitre 14 (voir le cédérom).

FEUILLE DE CALCUL EXCEL 14.12

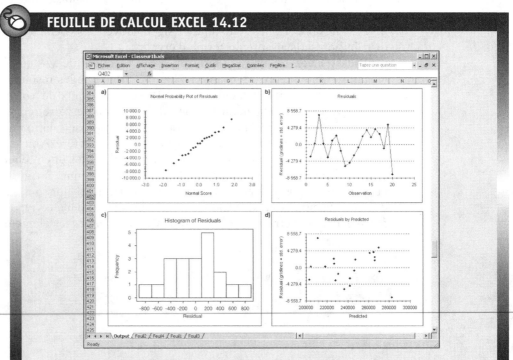

LA NORMALITÉ DU TERME D'ERREUR

Tel qu'indiqué précédemment, les estimateurs des moindres carrés des coefficients de régression d'une population constituent les meilleurs estimateurs linéaires sans biais, peu importe la forme de distribution du terme d'erreur. De plus, l'absence de biais de S_e^2, l'estimateur de σ_ϵ^2, ne dépend pas de la normalité. On suppose une loi normale du terme d'erreur pour effectuer un test d'hypothèse, particulièrement lorsque l'échantillon est de petite taille. Pour des échantillons de grande taille, on peut effectuer des tests d'hypothèses sans poser l'hypothèse de loi normale du terme d'erreur.

D'un point de vue graphique, on peut visualiser la *non-normalité* du terme d'erreur en représentant les résidus par rapport aux scores normaux ou en traçant l'histogramme des résidus. Si le terme d'erreur satisfait à l'hypothèse de normalité, alors, dans le premier cas, les erreurs se trouveront le long d'une ligne droite, et dans le second cas, la forme de l'histogramme du terme d'erreur sera semblable à celle d'une loi normale. Il existe plusieurs types de tests en statistique : test d'asymétrie (= 0) et d'aplatissement (= 3) de la distribution du terme d'erreur, test d'ajustement du khi-deux et tests de statistique plus complexes d'un point de vue mathématique. Au chapitre 15, nous discuterons du test du khi-deux de qualité de l'ajustement. Il est question d'un test sur l'asymétrie et l'aplatissement dans la section 14A.1 de l'annexe A du chapitre 14 (voir le cédérom), et il en sera également traité en détail au prochain chapitre. Il faut noter que MegaStat (dans le menu *Descriptive Statistics*) intègre des procédures pour tester l'hypothèse de normalité. MegaStat utilise le test du khi-deux. En général, un seuil expérimental inférieur à 0,05 est utilisé pour indiquer le non-respect de l'hypothèse de normalité.

Exemple 14.10 | La feuille de calcul Excel 14.12 a) montre un graphique à échelle fonctionnelle normale des résidus et la figure 14.12 c) montre un histogramme des résidus pour l'exemple des maisons. La distribution des résidus est près d'une droite dans la figure 14.12 a), ce qui indique un accord avec la loi normale. La distribution des résidus semble légèrement asymétrique selon l'histogramme 14.12 c). Mais cela ne semble pas trop sérieux et l'on peut avoir confiance en la validité de nos tests d'hypothèses.

LE RAPPORT FINAL II

En général, si l'on pose une relation théorique entre les variables ou une relation basée sur une expérience pratique sans grand fondement théorique, les statisticiens évaluent l'adéquation d'un modèle en se basant sur une valeur suffisamment élevée du coefficient de détermination, une correspondance entre les signes des coefficients de régression estimés et les signes prévus, des statistiques *t* significatives des coefficients de régression et une distribution satisfaisante du terme d'erreur.

Vous pouvez maintenant présenter les résultats de vos tests de diagnostic à la Chambre immobilière. Même si la Chambre note que les résultats de votre recherche ne sont pas parfaits, 9 membres sur 10 sont satisfaits de votre travail. Le résultat du vote reflète probablement le degré de précision de votre recherche. Le lendemain, vous recevez une offre dans laquelle on vous propose un salaire inespéré pour travailler comme expert statisticien pour la Chambre ! Accepterez-vous cette offre ? Dans ce chapitre, vous avez appris, étape par étape, à effectuer une recherche satisfaisante en utilisant l'analyse de régression multiple. Si vous continuez à travailler de cette manière et présentez à vos superviseurs un rapport écrit décrivant tous les éléments expliqués dans ce chapitre, vous deviendrez bientôt un expert dans ce type de recherche. D'une façon générale, votre rapport final devrait comprendre les éléments suivants :

LA RÉDACTION D'UN RAPPORT DE RECHERCHE

a) Le *programme de recherche,* y compris une description du problème concret qui fait l'objet de votre recherche.

b) Les *hypothèses du modèle* : c'est la base théorique que vous utiliserez ou les prévisions préliminaires sur toutes les variables incluses dans le modèle, y compris le signe de chaque paramètre – le comportement de la variable dépendante en réponse aux variations de chacune des variables indépendantes et une justification de vos hypothèses sur la forme fonctionnelle.

c) Une *description des données* pour chaque variable.

d) Une discussion portant sur les *résultats de l'estimation.*

e) Des *tests d'hypothèses* pour chacun des coefficients de régression et pour la régression globale.

f) Une *vérification de diagnostic.*

g) Des *notes de conclusion* expliquant les limites du travail, le cas échéant.

QUELQUES PRÉCAUTIONS À PRENDRE

- **Les différents types de corrélations.** On a utilisé plusieurs types de coefficients de corrélation dans ce chapitre et dans le chapitre précédent. Il est extrêmement important de se rappeler leurs différences. Celles-ci sont indiquées dans le résumé du chapitre ci-après.

- **L'interprétation des valeurs des estimations des coefficients de régression.** Dans l'équation de régression, l'ordonnée à l'origine ne permet généralement aucune interprétation significative. C'est plutôt un terme fourre-tout exprimant une réponse moyenne de la variable dépendante à toutes les variables mineures mises de côté par la régression. Les unités de mesure des variables sont extrêmement importantes dans l'interprétation des valeurs des coefficients de régression. Vous ne devez pas comparer les valeurs des coefficients de régression de variables exprimées en unités différentes.

- **La causalité et la régression.** Les valeurs estimées d'après une équation de régression ne peuvent être utilisées pour établir une relation de cause à effet entre les variables. Une relation de cause à effet entre variables repose sur des bases théoriques. En l'absence de solides bases théoriques, vous pouvez définir une causalité entre des variables en vous basant sur des hypothèses pertinentes ou des prévisions *a priori.* De plus, on présume l'existence de ces relations causales dans la population échantillonnée. Les valeurs des paramètres estimés d'après un échantillon sont seulement *un* élément de preuve en faveur ou non des relations supposées. Elles ne permettent pas de tirer une conclusion finale. Un autre échantillon peut donner des renseignements très différents sur la relation. En général, on confirme ou l'on réfute une théorie ou des prévisions préliminaires seulement lorsqu'on peut le faire de manière cohérente et avec un nombre élevé d'échantillons ou si l'échantillon est très représentatif de la population. Si une théorie ou une prévision particulière est réfutée de cette manière, on doit la réviser ; la recherche empirique doit se poursuivre en se basant sur cette révision.

- **L'exploration de données.** On doit éviter la tentation d'essayer d'obtenir une valeur élevée du coefficient de détermination et des statistiques *t* significatives en incluant ou en excluant certaines variables, ou encore en manipulant les variables afin d'obtenir les résultats souhaités. Les variables et les données associées doivent être cohérentes avec la théorie ou les prévisions préliminaires. Les conclusions ne sont valables que pour les relations supposées dans la population et non pour les variations de relations basées sur les découvertes statistiques.

- **Les autres références.** Au cours de votre travail, vous devrez peut-être clarifier ou approfondir certaines questions traitées dans ce chapitre. En fait, ce chapitre aborde sommairement plusieurs sujets de disciplines en plein essor nommées statistique et « économétrie ». Les ouvrages suivants traitent de ces questions avec une approche moins mathématique et pourront vous être utiles :

Gujarati, Damodar N. *Basic Econometrics*, McGraw-Hill, 4e éd., 2003.

Levin, Jack et James Alan Fox. *Elementary Statistics in Social Research*, Allyn and Bacon, 9e éd., 2003.

Wooldridge, Jeffrey. *Introductory Econometrics : A Modern Approach,* South-Western Pub., 2000.

■ RÉVISION 14.3

Poursuivons maintenant la révision 14.2 portant sur la demande en investissement au Canada.

- a) Existe-t-il un problème quelconque dans la spécification du modèle de régression ?
- b) Le modèle estimé affiche-t-il une multicolinéarité ?
- c) Le terme d'erreur est-il autocorrélé ? Est-il hétéroscédastique ?
- d) Vérifiez l'hypothèse de normalité du terme d'erreur.
- e) Quelles sont les conséquences de ces violations, le cas échéant, en ce qui a trait aux estimations des coefficients de régression et aux conclusions ?
- f) Rédigez un bref compte rendu de cette recherche en mentionnant ce que vous avez appris dans les trois révisions.

■ RÉSUMÉ DU CHAPITRE

I. L'analyse de régression multiple joue trois rôles majeurs dans la compréhension du comportement d'une variable. *Premièrement,* en présence de forces multiples influant sur une variable dépendante, cette analyse permet de mieux comprendre l'effet d'une variable indépendante donnée sur la variable dépendante qui nous intéresse. *Deuxièmement,* elle permet d'isoler, dans une bonne mesure, l'influence simultanée de plusieurs variables indépendantes sans devoir effectuer une expérience contrôlée. *Troisièmement,* elle permet d'étudier l'influence de forces multiples (variables indépendantes) sur la variable qui nous intéresse (variable dépendante).

II. L'omission d'une variable pertinente peut entraîner de graves problèmes en ce qui a trait à la justesse et à la précision des estimations. On ne doit donc ménager aucun effort pour inclure toutes les variables qui sont théoriquement fondées. D'autre part, si l'on n'est pas certain que l'inclusion d'une variable est théoriquement justifiée, la conséquence d'inclure une variable non pertinente est beaucoup moins importante que la conséquence liée à l'exclusion d'une variable pertinente.

III. Le modèle général de régression linéaire classique s'écrit sous la forme :

$$y = \alpha + \beta_1 x_1 + \beta_2 x_2 + \beta_3 x_3 + \beta_4 x_4 + \ldots + \beta_k x_k + \epsilon \qquad \textbf{14.11}$$

où la variable dépendante Y est liée linéairement à un nombre k de variables indépendantes X ; α est l'ordonnée à l'origine ; les termes β sont les coefficients de régression partiels (l'effet d'une variable indépendante sur la variable dépendante lorsque toutes les autres variables indépendantes demeurent constantes) ; et ϵ est le terme d'erreur aléatoire.

Le modèle de régression linéaire classique se base sur un ensemble d'hypothèses indiquées à la fin de ce résumé. Si un modèle de régression satisfait aux hypothèses, le théorème de Gauss-Markov stipule que les estimateurs des moindres carrés sont les meilleurs estimateurs linéaires sans biais.

IV. Dans un modèle à deux variables indépendantes,

$$y = \alpha + \beta_1 x_1 + \beta_2 x_2 + \epsilon \qquad \textbf{14.1}$$

α, β_1 et β_2 peuvent être estimés par a, b_1 et b_2 en utilisant la méthode des moindres carrés.

$$\text{On écrit } y' = (y - \bar{y}), \ x_1' = (x_1 - \bar{x}_1), \ x_2' = (x_2 - \bar{x}_2) \qquad \textbf{14.23}$$

$$a = \bar{y} - b_1 \bar{x}_1 - b_2 \bar{x}_2 \qquad \textbf{14.24}$$

$$b_1 = \frac{\left(\sum x_1' y'\right)\left(\sum x_2'^2\right) - \left(\sum x_2' y'\right)\left(\sum x_1' x_2'\right)}{\left(\sum x_1'^2\right)\left(\sum x_2'^2\right) - \left(\sum x_1' x_2'\right)^2} \qquad \textbf{14.25}$$

$$b_2 = \frac{\left(\sum x_2' y'\right)\left(\sum x_1'^2\right) - \left(\sum x_1' y'\right)\left(\sum x_1' x_2'\right)}{\left(\sum x_1'^2\right)\left(\sum x_2'^2\right) - \left(\sum x_1' x_2'\right)^2} \qquad \textbf{14.26}$$

V. Les corrélations

Le mot *corrélation* revient souvent dans les chapitres 13 et 14. Il peut toutefois être employé dans des sens différents.

Le *coefficient de corrélation* entre deux variables aléatoires qui ont une distribution de probabilité bivariée dans la population (tel qu'il est défini au chapitre 13, section 13.1) est un concept différent du concept de coefficient de corrélation entre deux ou plusieurs variables où *au moins* une des variables est non aléatoire. Une estimation du premier concept permet de faire des *conclusions* sur une relation linéaire dans la population, alors qu'une valeur calculée selon le deuxième concept *décrit* simplement le degré de relation linéaire dans un *échantillon*.

Le *coefficient de corrélation partiel* est une mesure descriptive de la relation linéaire entre la variable dépendante et une variable indépendante, si l'on garde constantes les autres variables indépendantes du modèle. On discute en détail de ce concept à la section 14A.3 de l'annexe A du chapitre 14 (voir le cédérom).

Dans l'analyse de régression multiple (voir la formule 14.31), le *coefficient de détermination* (R^2) se définit comme le rapport entre la variation expliquée et la variation inexpliquée. La racine carrée de R^2 se nomme coefficient de corrélation multiple.

Le *coefficient de détermination ajusté* $\bar{R}^2$ est le coefficient de détermination (R^2) ajusté pour tenir compte de la perte de degrés de liberté.

Le *coefficient de détermination* R_j^2 est le coefficient de détermination dans la régression (nommée régression *auxiliaire* ou *secondaire*) d'une des variables indépendantes (la $j^{\text{ième}}$ variable, par exemple) sur toutes les autres variables indépendantes dans un modèle de régression multiple. Bien que R_j^2 soit interprété de façon analogue à R^2, ils sont conceptuellement différents.

VI. Dans les analyses de régression multiple, la structure de l'analyse de variance et le raisonnement qui la sous-tend sont semblables à ceux de l'analyse de régression à deux variables, dont nous avons discuté au chapitre 13.

On a donc :

$$\sum (y - \bar{y})^2 = \sum (y - \hat{y})^2 + \sum (\hat{y} - \bar{y})^2 \qquad \textbf{14.28}$$

$$\text{SCT} \quad = \quad \text{SCE} \quad + \quad \text{SCR} \qquad \textbf{14.28}$$

$$\text{Coefficient de détermination} : R^2 = \frac{\text{SCR}}{\text{SCT}} = 1 - \frac{\text{SCE}}{\text{SCT}} \qquad \textbf{14.29}$$

$$R^2 \text{ ajusté} = \bar{R}^2 = 1 - \frac{\text{SCE}/(n - k - 1)}{\text{SCT}/(n - 1)} \qquad \textbf{14.31}$$

$$\text{Erreur type de l'estimation} : S_e = \sqrt{\frac{\text{SCE}}{(n - k - 1)}} \qquad \textbf{14.33}$$

VII. Le test d'hypothèse du modèle de régression s'effectue ainsi :

H_0 : $\beta_1 = \beta_2 = \beta_3 = \ldots = \beta_k = 0$

H_1 : Au moins un parmi les β_1, β_2, β_3, …, $\beta_k \neq 0$.

La statistique de test est donnée par : $F = \dfrac{\text{CMR}}{\text{CME}} = \dfrac{\text{SCR}/k}{\text{SCE}/(n - k - 1)}$ \qquad **14.35 a)**

On peut aussi l'écrire en termes de R^2 sous la forme :

$$F = \frac{R^2/k}{(1 - R^2)/(n - k - 1)} \qquad \textbf{14.35 b)}$$

VIII. Le test d'hypothèse pour chaque coefficient de régression β_j s'effectue avec $\dfrac{b_j - \beta_j}{S_{b_j}}$, qui est distribué selon la loi t avec $(n - k - 1)$ degrés de liberté.

IX. Les variables qualitatives, par nature, comprennent plusieurs catégories d'attributs. Si une variable qualitative comporte m catégories, on choisit alors une catégorie comme catégorie de base et l'on utilise $m - 1$ variables indicatrices pour représenter les autres catégories.

X. Les diagnostics de régression : vérification des hypothèses du modèle

A. Il y a une relation linéaire entre la variable dépendante et toutes les variables indépendantes. En général, le non-respect de cette hypothèse donnera des estimateurs biaisés et non convergents, et il invalidera les conclusions.

B. Les valeurs anormalement grandes ou petites (deux ou trois fois plus éloignées de leurs valeurs moyennes que leur écart type) des variables dépendantes ou indépendantes sont, en général, dites *aberrantes*. Certaines valeurs aberrantes peuvent influer sur la ligne de régression et l'infléchir dans leur direction. Les estimateurs sont toujours les meilleurs estimateurs linéaires sans biais.

C. Le modèle inclut toutes les variables pertinentes, et il est donc bien spécifié. En général, le non-respect de cette hypothèse entraînera des estimateurs biaisés et non convergents, et il invalidera les conclusions.

D. Toutes les variables indépendantes sont non aléatoires ou distribuées indépendamment du terme d'erreur. En général, le non-respect de cette hypothèse entraînera des estimateurs biaisés et non convergents, et il invalidera les conclusions. Il est fréquent que cette hypothèse ne soit pas respectée à cause d'une mauvaise spécification des variables et/ou de la forme fonctionnelle.

E. Aucune variable indépendante n'est une fonction linéaire exacte d'autres variables indépendantes. Cette hypothèse se nomme absence de multi-colinéarité parfaite. Le non-respect de cette hypothèse donnerait des valeurs indéterminées des coefficients de régression et des valeurs infiniment grandes des variances des coefficients.

F. La moyenne du terme d'erreur dans la population est de zéro. En général, le non-respect de cette hypothèse entraînera des estimateurs biaisés et non convergents. Il est fréquent que cette hypothèse ne soit pas respectée à cause d'une mauvaise spécification des variables et/ou de la forme fonctionnelle.

G. La variance du terme d'erreur est la même dans chaque ensemble de valeurs des variables indépendantes. Cette hypothèse se nomme homoscédasticité du terme d'erreur. Le non-respect de cette hypothèse entraînera des estimateurs biaisés des variances des coefficients de régression, des estimateurs inefficaces des coefficients de régression et des tests d'hypothèses non valides.

H. Les valeurs de l'erreur sont indépendantes pour des observations différentes. Cette hypothèse se nomme absence d'autocorrélation. Le non-respect de cette hypothèse entraînera des estimateurs biaisés des variances des coefficients de régression, des estimateurs inefficaces des coefficients de régression et des tests d'hypothèses non valides.

I. Le terme d'erreur est normalement distribué. Cette hypothèse est essentielle pour effectuer des tests d'hypothèses lorsque la taille de l'échantillon est petite. Le non-respect de cette hypothèse invalidera les conclusions dans les échantillons de petite taille. Les estimateurs des moindres carrés sont toujours les meilleurs estimateurs linéaires sans biais.

On a également discuté de tests de diagnostic simples et de correctifs à apporter lorsqu'une hypothèse n'est pas respectée. Des tests de diagnostic et des correctifs plus avancés sont expliqués dans l'annexe A de ce chapitre (voir le cédérom).

EXERCICES 14.9 À 14.15

14.9 Marc Leblanc a estimé le rendement sur l'investissement comme variable dépendante pour plusieurs entreprises canadiennes. L'équation de régression multiple donne les résultats partiels suivants :

Source	Somme des carrés	dl
Régression	750	4
Erreur	500	35

a) Quelle est la taille totale de l'échantillon ?
b) Combien de variables indépendantes ont été considérées ?
c) Calculez le coefficient de détermination.
d) Calculez l'erreur type de l'estimation.
e) Vérifiez l'hypothèse selon laquelle aucun coefficient de régression n'est égal à zéro en prenant $\alpha = 0,05$.

14.10 Nadine Martin, étudiante à l'Université Memorial, a estimé l'équation de régression entre la consommation d'oranges (variable dépendante Y) et les variables indépendantes « revenu » (X_1) et « prix » (X_2), en se basant sur un échantillon de 25 résidants de Saint-Jean (T.-N.-L.) Les coefficients de régression et l'erreur type sont les suivants :

$$b_1 = 2,676 \qquad s_{b_1} = 0,56$$
$$b_2 = -0,880 \qquad s_{b_2} = 0,71$$

Effectuez un test d'hypothèse pour déterminer si une des variables indépendantes a un coefficient égal à zéro. Devriez-vous supprimer une des variables dans l'équation de régression ? Utilisez un seuil de signification de 0,05.

14.11 Willy Veld, étudiant à l'Université de Calgary, a estimé, pour quelques restaurants locaux, l'équation de régression entre la variable dépendante « profits » et les variables indépendantes « nombre d'espaces de stationnement » (X_1), « nombre d'heures d'ouverture du restaurant » (X_2), « nombre d'employés » (X_3), « distance du centre-ville » (X_4) et « service de buffet » ($X_5 = 1$ pour oui). Voici les résultats qu'il a obtenus :

Variable explicative	Coefficient	Erreur type	Statistique t
Ordonnée à l'origine	3,00	1,5	2,00
X_1	4,00	3,00	1,33
X_2	3,00	0,20	15,00
X_3	0,20	0,05	4,00
X_4	−2,50	1,00	−2,50
X_5	3,00	4,00	0,75

Analyse de variance

Source	dl	SC	CM
Régression	5	100	20
Erreur	20	40	2
Total	25	140	

a) Quelle est la taille de l'échantillon ?

b) Calculez la valeur de R^2.

c) Calculez l'erreur type multiple de l'estimation.

d) Effectuez un test global d'hypothèse pour déterminer si un des coefficients de régression est significatif, avec un seuil de signification de 0,05.

e) Testez individuellement les coefficients de régression. Devriez-vous omettre une ou des variables ? Si oui, laquelle ou lesquelles ? Utilisez un seuil de signification de 0,05.

14.12 Suzanne Cartier, directrice régionale d'une chaîne de pizzerias dans l'est du Canada, se demande pourquoi certains restaurants de sa région sont plus performants que d'autres. Elle pense que les ventes totales sont liées à trois facteurs : le nombre de compétiteurs dans la région, la population et les dépenses consacrées à la publicité. Elle sélectionne au hasard un échantillon de 30 restaurants dans son district, qui en comprend plusieurs centaines. Elle a collecté les données suivantes pour chacun des restaurants :

Y = ventes totales l'année dernière (en milliers de dollars) ;
X_1 = nombre de compétiteurs dans la région ;
X_2 = population de la région (en millions) ;
X_3 = dépenses publicitaires (en milliers de dollars).

Les données ont été traitées en utilisant le tableur Excel et les résultats suivants ont été obtenus :

Variable explicative	Coefficient	Erreur type	Statistique t
Ordonnée à l'origine	14,00	7,00	2,00
X_1	−1,00	0,70	−1,43
X_2	30,00	5,20	5,77
X_3	0,20	0,08	2,50

Analyse de variance

Source	*dl*	SC	CM
Régression	3	3050,00	762,50
Erreur	26	2200,00	84,62
Total	29	5250,00	

a) Quelles sont les ventes estimées pour un restaurant qui a quatre compétiteurs, une population régionale de 0,4 (400 000 personnes) et un budget publicitaire de 30 (30 000 $) ?

b) Calculez la valeur de R^2.

c) Calculez l'erreur type de l'estimation.

d) Effectuez un test global d'hypothèse pour déterminer si un des coefficients de régression n'est pas égal à zéro. Utilisez un seuil de signification de 0,05.

e) Effectuez des tests d'hypothèses pour déterminer les variables indépendantes qui ont des coefficients de régression significatifs. Quelles variables devriez-vous supprimer ? Utilisez un seuil de signification de 0,05.

14.13　Tina Kabir est étudiante ; elle occupe un emploi d'été pour l'Association automobile de l'Île-du-Prince-Édouard (Î.-P.-É.). Elle a collecté les données suivantes sur le prix des camions d'occasion (camionnettes d'une demi-tonne) : prix (en dollars), âge (en années), kilométrage et option de cabine allongée (sièges supplémentaires, oui = 1). Elle a posé l'hypothèse que les prix des camions sont normalement distribués et liés linéairement à l'âge et/ou au kilométrage (sans en être certaine !) et à l'option de cabine allongée, et elle a prévu que le signe du coefficient de régression serait négatif pour l'âge et le kilométrage et positif pour l'option de cabine allongée. Elle a effectué 3 régressions en se basant sur un échantillon de 26 observations. L'affichage de ces régressions avec Excel et les diagrammes de la régression n° 2 se trouvent aux pages 624 et 625. L'ensemble des données se trouve dans le fichier Exercice 14-13.xls (voir le cédérom).

Répondez aux questions suivantes :

a) Comparez toutes les régressions et répondez aux questions suivantes :

  i) Quelles sont les principales différences entre ces régressions ? Dans votre réponse, vous devez comparer le rôle joué par chaque variable indépendante afin d'expliquer la variation de la variable dépendante et comparer les R^2 ajustés.

  ii) Examinez la régression n° 1. Les signes des coefficients de régression sont-ils les mêmes que ceux qui ont été prévus ? Pouvez-vous supposer un degré élevé de multicolinéarité ? (Indice : Vérifiez R^2, les statistiques *t,* les FIV et les coefficients de corrélation simple.) Quelles variables semblent être multicolinéaires et pourquoi ? Si certaines variables sont multicolinéaires, lesquelles devraient être supprimées et pourquoi ?

  iii) Tina a choisi la régression n° 2 pour faire l'estimation finale du modèle de régression de la population. Est-ce un bon choix ? Expliquez votre réponse.

b) Examinez la régression n° 2 et répondez aux questions suivantes :

  i) Interprétez le R^2 ajusté et les valeurs de chaque coefficient de régression.

  ii) Effectuez un test d'hypothèse pour le modèle global et pour chaque coefficient de régression avec un seuil de signification de 1 %. Rappelez-vous que vous devez utiliser l'hypothèse unilatérale ou bilatérale appropriée.

c) Examinez les diagrammes de la page suivante (il faut noter qu'ils concernent la régression n° 2) et la statistique *d*, et répondez aux questions suivantes :

   i) Examinez le diagramme 5. La régression linéaire semble-t-elle appropriée ? Y a-t-il des valeurs aberrantes ?

   ii) Examinez le diagramme 4. Y a-t-il évidence d'hétéroscédasticité ?

   iii) Examinez le diagramme 2 et la statistique *d*. Y a-t-il évidence d'autocorrélation ?

   iv) Examinez les diagrammes 1 et 3. Y a-t-il évidence de non-normalité du terme d'erreur ?

   v) D'après les diagrammes 1 à 5, que pouvez-vous dire sur le biais de spécification attribuable à l'omission d'une variable pertinente dans le modèle ?

d) Rédigez un bref compte rendu sur cette analyse de régression ; précisez ce que vous avez appris en faisant cet exercice.

Analyse de régression n° 1 : les camions à l'Î.-P.-É.

L'équation de régression est :

$$\text{Prix} = 19\,116 - 1651\,\text{âge} + 0{,}00173\,\text{km} + 3784\,\text{cabine allongée}$$

Variable explicative	Coefficient	Erreur type	T	Seuil expérimental	FIV
Ordonnée à l'origine	19 116	1 017	18,80	0,000	
Âge	−1 651,0	305,7	−5,40	0,000	3,2
Kilomètres	0,001727	0,009244	0,19	0,853	2,8
Cabine allongée	3 783,6	698,2	5,42	0,000	1,2

$S = 1533 \qquad R^2 = 88{,}5\,\% \qquad R^2\text{ ajusté} = 86{,}9\,\%$

Analyse de variance

Source	dl	SC	MC	F	Seuil expérimental
Régression	3	397 347 255	132 449 085	56,33	0,000
Erreur résiduelle	22	51 731 070	2 351 412		
Total	25	449 078 325			

Statistique *d* de Durbin et Watson = 2,59

Corrélations (Pearson) : les camions à l'Î.-P.-É.

	Prix	Âge	Kilomètres
Âge	−0,852		
Kilomètres	−0,640	0,799	
Cabine allongée	0,709	−0,405	−0,248

Analyse de régression n° 2 : les camions à l'Î.-P.-É.

L'équation de régression est :

$$\text{Prix} = 19\,107 - 1606\,\text{âge} + 3802\,\text{cabine allongée}$$

Variable explicative	Coefficient	Erreur type	T	Seuil expérimental	FIV
Ordonnée à l'origine	19 107,4	994,2	19,22	0,000	
Âge	−1 606,0	184,1	−8,72	0,000	1,2
Cabine allongée	3 801,6	676,8	5,62	0,000	1,2

$S = 1501 \qquad R^2 = 88{,}5\,\% \qquad R^2\text{ ajusté} = 87{,}5\,\%$

Analyse de variance

Source	*dl*	SC	CM	*F*	Seuil expérimental
Régression	2	397 265 148	198 632 574	88,17	0,000
Erreur résiduelle	23	51 813 176	2 252 747		
Total	25	449 078 325			

Statistique *d* de Durbin et Watson = 2,55

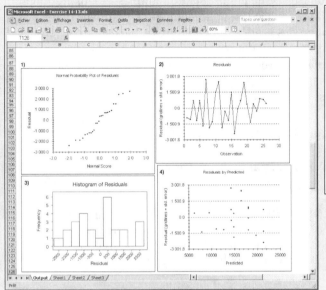

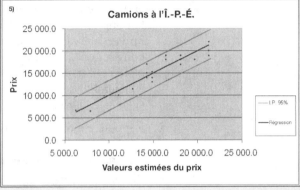

Analyse de régression n° 3 : les camions à l'Î.-P.-É.

L'équation de régression est :

$$\text{Prix} = 15\,999 - 0{,}0376\ \text{km} + 5125\ \text{cabine allongée}$$

Variable explicative	Coefficient	Erreur type	*T*	Seuil expérimental	FIV
Ordonnée à l'origine	15 999	1 249	12,81	0,000	
Kilomètres	−0,037630	0,008484	−4,44	0,000	1,1
Cabine allongée	5 125,1	973,2	5,27	0,000	1,1

$S = 2287 \qquad R^2 = 73{,}2\,\% \qquad R^2 \text{ ajusté} = 70{,}9\,\%$

Analyse de variance

Source	*dl*	SC	CM	*F*	Seuil expérimental
Régression	2	328 749 571	164 374 786	31,42	0,000
Erreur résiduelle	23	120 328 754	5 231 685		
Total	25	449 078 325			

Statistique *d* de Durbin et Watson = 2,02

14.14 Annie Bellavance vient de terminer ses études à l'Université McGill. Elle a obtenu son premier emploi au Centre d'étude des niveaux de vie à Ottawa. Le Centre lui demande de faire une recherche sur les causes de la pauvreté dans certaines communautés ontariennes. Elle a collecté des données sur 60 communautés d'après des sondages effectués par Statistique Canada (Profils de communautés, Statistique Canada). Elle a sélectionné comme variable dépendante le pourcentage de personnes pauvres vivant sous le seuil de pauvreté (pauvres, en pourcentage), déterminé par le faible revenu, cette mesure de pauvreté dans une communauté ayant été établie par Statistique Canada. Les variables indépendantes sélectionnées sont le pourcentage de familles monoparentales dans chaque communauté (familles monoparentales, en pourcentage), le taux de chômage (en pourcentage), le pourcentage de la population ayant complété des études universitaires – baccalauréat (études universitaires, en pourcentage) et le pourcentage de la population ayant complété des études collégiales (études collégiales, en pourcentage). Elle a effectué deux régressions et a opté pour la deuxième dans son choix final. L'ensemble de données est disponible dans le fichier Exercice 14-14.xls (voir le cédérom).

Répondez à toutes les questions de l'exercice 14.13.

Analyse de régression n° 1 : la pauvreté en Ontario

L'équation de régression est :

Pauvres (en pourcentage) = −3,81 + 0,798 familles monoparentales (en pourcentage)
+ 0,624 taux de chômage (en pourcentage)
− 0,170 études universitaires (en pourcentage)
− 0,003 études collégiales (en pourcentage)

Variable explicative	Coefficient	Erreur type	T	Seuil expérimental	FIV
Ordonnée à l'origine	−3,807	3,044	−1,25	0,216	
Familles monoparentales	0,79755	0,09503	8,39	0,000	1,5
Taux de chômage	0,6241	0,1237	5,05	0,000	1,6
Études universitaires	−0,17020	0,08463	−2,01	0,049	1,2
Études collégiales	−0,0034	0,1195	−0,03	0,977	1,1

$S = 2,167$ $R^2 = 79,6\%$ R^2 ajusté = 78,1 %

Analyse de variance

Source	dl	SC	CM	F	Seuil expérimental
Régression	4	1009,84	252,46	53,75	0,000
Erreur résiduelle	55	258,31	4,70		
Total	59	1268,15			

Statistique d de Durbin et Watson = 2,06

Corrélations (Pearson) : la pauvreté en Ontario

	Pauvres (en pourcentage)	Familles monoparentales	Taux de chômage	Études universitaires
Familles monoparentales	0,797			
Taux de chômage	0,730	0,503		
Études universitaires	−0,136	0,147	−0,236	
Études collégiales	−0,118	−0,164	−0,116	−0,225

Analyse de régression n° 2 : la pauvreté en Ontario

L'équation de régression est :

Pauvres (en pourcentage) = −3,88 + 0,798 familles monoparentales (en pourcentage)
+ 0,625 taux de chômage (en pourcentage)
− 0,170 études universitaires (en pourcentage)

Variable explicative	Coefficient	Erreur type	T	Seuil expérimental	FIV
Ordonnée à l'origine	−3,883	1,502	−2,59	0,012	
Familles monoparentales	0,79767	0,09409	8,48	0,000	1,5
Taux de chômage	0,6245	0,1216	5,14	0,000	1,5
Études universitaires	−0,16963	0,08149	−2,08	0,042	1,2
$S = 2,148$ $R^2 = 79,6\%$	R^2 ajusté $= 78,5\%$				

Analyse de variance

Source	dl	SC	CM	F	Seuil expérimental
Régression	3	1009,84	336,61	72,97	0,000
Erreur résiduelle	56	258,31	4,61		
Total	59	1268,15			
Statistique d de Durbin et Watson = 2,06					

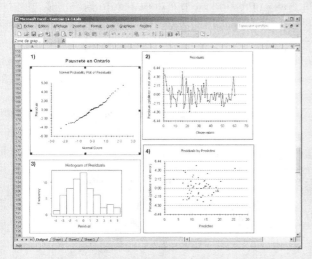

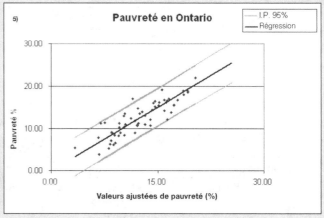

14.15   Paul Rémillard, étudiant à l'Université du Manitoba, a collecté des données
sur le site Internet de Statistique Canada, dans le cadre du cours *Statistiques II*,
pour son projet de recherche concernant la consommation de bière (volume,
en nombre de litres par personne adulte par année), le prix de la bière (prix,
en dollars), le revenu personnel disponible (RPD, revenu par personne après
impôts et taxes). Il a également tenu compte de l'effet de la récession sur
la consommation. Il a utilisé une variable indicatrice (récession = 1 pour les
années 1981-1983 et 1991-1993). Il a posé l'hypothèse que la consommation
de bière au Manitoba est normalement distribuée et liée linéairement au prix,
au revenu personnel disponible et, le cas échéant, à la récession, puis il a prévu
un coefficient de régression négatif pour le prix et positif pour le revenu
personnel disponible et la récession. Il a effectué deux régressions en se basant
sur un échantillon de 19 observations. L'affichage Excel de ces régressions
se trouve à la page suivante. Les données sont disponibles dans le fichier
Exercice 14-15.xls (voir le cédérom). Répondez aux questions a) et b)
de l'exercice 14.13.

Analyse de régression n° 1 : la consommation de bière au Manitoba

L'équation de régression est :

$$\text{Volume} = -19,8 + 0,00944\ \text{RPD} - 42,6\ \text{prix} + 0,55\ \text{récession}$$

Variable explicative	Coefficient	Erreur type	T	Seuil expérimental	FIV
Ordonnée à l'origine	−19,75	67,20	−0,29	0,773	
RPD	0,009442	0,003338	2,83	0,013	1,5
Prix	−42,560	8,595	−4,95	0,000	1,4
Récession	0,551	4,079	0,14	0,894	1,4

$S = 7,095$ $R^2 = 63,8\%$ R^2 ajusté $= 56,5\%$

Analyse de variance

Source	dl	SC	CM	F	Seuil expérimental
Régression	3	1328,42	442,81	8,80	0,001
Erreur résiduelle	15	755,18	50,35		
Total	18	2083,61			

Statistique d de Durbin et Watson = 0,98

Corrélations (Pearson) : la consommation de bière au Manitoba

	Volume	RPD	Prix
RPD	0,082		
Prix	−0,652	0,491	
Récession	0,134	−0,474	−0,402

Analyse de régression n° 2 : la consommation de bière au Manitoba

L'équation de régression est :

$$\text{Volume} = -15,7 + 0,00929\ \text{RPD} - 42,8\ \text{prix}$$

Variable explicative	Coefficient	Erreur type	T	Seuil expérimental	FIV
Ordonnée à l'origine	−15,67	58,15	−0,27	0,791	
RPD	0,009285	0,003032	3,06	0,007	1,3
Prix	−42,816	8,122	−5,27	0,000	1,3

$S = 6,874$ $R^2 = 63,7\%$ R^2 ajusté $= 59,2\%$

Analyse de variance

Source	dl	SC	CM	F	Seuil expérimental
Régression	2	1327,51	663,75	14,05	0,000
Erreur résiduelle	16	756,10	47,26		
Total	18	2083,61			

Statistique d de Durbin et Watson = 0,97

EXERCICES 14.16 À 14.27
DONNÉES INFORMATIQUES

Il faut noter que ces exercices requièrent généralement l'utilisation du logiciel Excel (MegaStat) pour les calculs. Les données de ces exercices sont disponibles sur le cédérom. **Pour tous les exercices ci-après, répondez aux questions suivantes (exercices 14.16 à 14.30):**

1. Estimez l'équation de régression linéaire multiple. Interprétez les valeurs des coefficients de régression de l'équation estimée.
2. Construisez un tableau d'analyse de variance pour ce problème.
3. Interprétez l'erreur type de l'estimation.
4. Interprétez les valeurs du coefficient de détermination et du coefficient de détermination ajusté. Expliquez pourquoi ils sont différents.
5. Effectuez un test d'hypothèse pour le modèle global (avec un seuil de signification de 5 %).
6. Effectuez un test d'hypothèse pour chaque coefficient de régression (avec un seuil de signification de 5 %).
7. Des problèmes se posent-ils avec la spécification du modèle de régression?
8. Examinez les données pour vérifier s'il y a des valeurs aberrantes.
9. Le modèle estimé présente-t-il une multicolinéarité?
10. Le terme d'erreur est-il autocorrélé?
11. Le terme d'erreur est-il hétéroscédastique?
12. Vérifiez l'hypothèse de normalité du terme d'erreur.
13. Le modèle contredit-il une des hypothèses? Si oui, quelles sont les conséquences en ce qui a trait à l'estimation et aux conclusions?
14. Utilisez les correctifs appropriés pour chaque contradiction relevée à la question 13. Refaites l'estimation du modèle approprié et rédigez un bref compte rendu de vos découvertes. *Cette question est optionnelle. Consultez votre enseignant au besoin.*

14.16 L'administrateur d'un nouveau programme d'études juridiques dans un collège professionnel veut estimer la moyenne pondérée cumulative du nouveau programme. Il pense que la moyenne pondérée cumulative à l'école secondaire (MPC-C), le résultat au test oral d'aptitudes (R-TOA) et le résultat en mathématiques (R-TM) constitueraient de bonnes variables explicatives de la moyenne pondérée cumulative dans le programme d'études juridiques (MPC-EJ). Les données collectées auprès de 18 étudiants se trouvent dans le fichier Exercice 14-16.xls (voir le cédérom).

14.17 La Chambre immobilière de Regina aimerait comprendre ce qui détermine le prix des maisons à Regina. La Chambre vous engage pour l'été afin de participer à cette recherche. Vous avez collecté des données pour un échantillon de 20 maisons sélectionnées au hasard (parmi les maisons en vente) à Regina afin d'étudier les facteurs déterminant les prix. Vous avez donc recueilli les données relatives aux prix de vente de chaque maison (prix: variable dépendante, en dollars) et à certaines caractéristiques de ces maisons. Ces caractéristiques (variables indépendantes) sont la superficie du terrain (terrain, en pieds carrés), le nombre de chambres à coucher (chambres), l'âge de la maison (âge, en années), la surface habitable de la bâtisse (surface habitable, en pieds carrés), le garage (= 1 s'il y a un garage) et le site de la maison (trois sites A1, A2 et A3). L'ensemble des données se trouve dans le fichier Exercice 14-17.xls (voir le cédérom). Indice: Utilisez un des sites comme groupe de base.

Faites une analyse de régression multiple et répondez aux questions indiquées au début de cette section.

14.18   Le directeur général de la société Toyota Limited veut connaître les détermi-
        nants dans la demande canadienne pour les voitures japonaises. Le service
        de recherche de la société vous donne le mandat d'effectuer la recherche.
        Les données se trouvent dans le fichier Exercice 14-18.xls (voir le cédérom).
        Ces données couvrent les années 1980-1999 sur le nombre de voitures importées
        du Japon (voitures, nombre), le revenu personnel disponible *per capita* au
        Canada (RPD, avec la composante d'inflation), le prix des voitures japonaises
        (PR-JP, en dollars canadiens), le prix des voitures des compétiteurs américains
        (PR-AM, en dollars canadiens), le prix de l'essence (essence, en cents canadiens
        par litre) et la population canadienne (popul., en milliers).

        Faites une analyse de régression multiple et répondez aux questions
        indiquées au début de cette section.

14.19   Simon Denault a été engagé comme stagiaire en gestion dans une grande
        firme de courtage. Pour son premier mandat, on lui demande d'étudier
        le profit brut des entreprises de l'industrie chimique. Quels sont les facteurs
        qui influent sur la profitabilité dans ce secteur ? Simon sélectionne au hasard
        un échantillon de 16 entreprises et collecte les données sur le nombre
        d'employés, le nombre de dividendes consécutifs payés sur les actions
        ordinaires, la valeur totale du stock au début de l'année en cours et le
        profit brut de chaque entreprise. Ses résultats se trouvent dans le fichier
        Exercice 14-19.xls (voir le cédérom).

        Faites une analyse de régression multiple et répondez aux questions
        indiquées au début de cette section.

14.20   L'Association canadienne du bois d'œuvre aimerait connaître les déterminants
        dans les exportations canadiennes de bois d'œuvre vers les États-Unis afin de
        préciser des stratégies d'augmentation du volume de ventes vers les États-Unis.
        On vous donne le mandat d'assister l'association dans cette tâche. D'après vos
        connaissances et votre expérience, vous croyez que la demande américaine
        pour le bois d'œuvre canadien dépend généralement de l'activité dans la
        construction domiciliaire aux États-Unis, des taux d'intérêt hypothécaire
        (un taux peu élevé fait augmenter le nombre de constructions et la demande
        en bois d'œuvre) et du revenu des Américains (des revenus plus élevés font
        augmenter le nombre de constructions et la demande en bois d'œuvre).
        Puisqu'on doit tenir compte de la valeur réelle des variables, ajustez toutes
        les variables en tenant compte de la composante d'inflation. Vous avez
        collecté vos données sur les sites Internet de Statistique Canada et du
        gouvernement américain pour la période 1970-1999. Vous trouverez
        les données dans le fichier Exercice 14-20.xls (voir le cédérom).

        « Bois d'œuvre » : exportations canadiennes de bois d'œuvre vers les États-
        Unis (en dollars américains, avec la composante d'inflation) ; « construction » :
        mises en chantier de nouvelles maisons aux États-Unis (en milliers) ; « intérêt » :
        taux d'escompte américain, avec la composante d'inflation aux États-Unis ;
        « PIB réel » : PIB américain (en milliards de dollars, avec la composante
        d'inflation aux États-Unis).

        Faites une analyse de régression multiple et répondez aux questions
        indiquées au début de cette section.

14.21   Le service des prêts hypothécaires d'une banque importante examine
        les prêts consentis récemment par la banque. Les facteurs liés au revenu
        familial qui ont retenu l'attention sont la valeur de la maison (en milliers
        de dollars), le niveau de scolarité du soutien de famille, son âge, le montant
        du paiement hypothécaire mensuel (en dollars) et le sexe de la personne
        qui est soutien de famille (masculin = 1, féminin = 0).

        Ces variables constituent-elles de bonnes variables explicatives du revenu
        familial ? On a obtenu un échantillon aléatoire de taille 25. Vous trouverez
        les données dans le fichier Exercice 14-21.xls (voir le cédérom).

        Faites une analyse de régression multiple et répondez aux questions
        indiquées au début de cette section.

14.22   L'Association des gens d'affaires de l'Alberta aimerait savoir quels sont les facteurs déterminants dans le profit des entreprises canadiennes. Vous avez le mandat d'effectuer cette recherche. Vous avez collecté des données sur 22 des 1000 plus grandes entreprises au Canada. Vous trouverez ces données dans le fichier Exercice 14-22.xls (voir le cédérom). Les variables sont les profits (en milliers de dollars), les revenus (en milliers de dollars), la capitalisation boursière (mesure de la taille de l'entreprise, en millions de dollars), le rendement sur le capital (rendement, en pourcentage) et le nombre d'employés (employés, en nombre) pour chaque entreprise.

Faites une analyse de régression multiple et répondez aux questions indiquées au début de cette section.

14.23   François Gauthier est directeur des ressources humaines au centre médical Saint-Luc. Dans le rapport annuel qu'il présente au directeur du centre, il doit produire une analyse sur les employés salariés. Comme il y a plus de 1000 employés, il n'a pas les ressources lui permettant de collecter des données sur chacun d'eux ; il sélectionne donc au hasard un échantillon de 30 employés. Pour chaque employé, il note le salaire mensuel, l'ancienneté au centre médical Saint-Luc (en mois), l'âge, le sexe (1 = masculin, 0 = féminin) et si l'employé effectue un travail technique ou administratif. Les techniciens sont représentés par 1 et les administrateurs, par 0. Vous trouverez les données dans le fichier Exercice 14-23.xls (voir le cédérom).

Faites une analyse de régression multiple et répondez aux questions indiquées au début de cette section.

14.24   Plusieurs régions du sud de l'Ontario ont connu une croissance rapide de leur population depuis les 10 dernières années. On prévoit que cette croissance se poursuivra au cours des 10 prochaines années. Cette situation a entraîné la construction de plusieurs marchés d'alimentation à grande surface dans ces régions. Le directeur de la planification d'une chaîne de marchés d'alimentation envisage la construction d'autres magasins dans ces régions. Selon lui, plusieurs facteurs déterminent le montant dépensé par les ménages pour leur alimentation. Le premier facteur est le revenu familial, et un autre est le nombre de personnes composant la famille. Le directeur a collecté des données sur 25 familles. Vous trouverez les données dans le fichier Exercice 14-24.xls (voir le cédérom). Le montant consacré à l'alimentation et le revenu familial sont en milliers de dollars, et la variable « taille de la famille » indique le nombre de personnes composant la famille.

Faites une analyse de régression multiple et répondez aux questions indiquées au début de cette section.

14.25   Vous trouverez les données sur le taux de chômage chez les jeunes dans le fichier Youth Unemployment in Canada.xls (voir le cédérom). Ces données comprennent 100 observations trimestrielles sur le taux de chômage (en pourcentage) chez les jeunes Canadiens (groupe d'âge 15-24), une moyenne des taux du salaire minimum de chaque province canadienne (avec la composante d'inflation) et le taux de chômage global.

Effectuez une recherche approfondie sur les déterminants du taux de chômage trimestriel au Canada. (Indice : Utilisez le premier trimestre comme groupe de base et une variable indicatrice pour les autres trimestres.) [Source : Statistique Canada.]

14.26   Consultez le fichier Real Estate Data.xls. L'ensemble de données comprend des renseignements sur le nombre de maisons vendues à Victoria l'année dernière. Les données incluent le prix des maisons, le nombre de chambres à coucher, le nombre de salles de bain, la dimension des maisons, la présence ou non d'une piscine et la présence ou non d'un garage.

Faites une recherche détaillée sur les déterminants dans le prix de vente des maisons à Victoria.

14.27   Consultez le fichier BASEBALL-2000.xls sur le cédérom, qui contient des
renseignements sur 30 équipes des ligues majeures de base-ball. Les données
incluent le nombre de victoires, la moyenne au bâton de chaque équipe, le
nombre de buts volés, le nombre d'erreurs commises, la moyenne de points
mérités (ERA) et l'utilisation de gazon naturel (noté 0) ou artificiel (noté 1)
dans les stades.

Faites une recherche détaillée sur les déterminants relativement au nombre
de victoires.

www.**exercices**.ca 14.28 À 14.30

14.28   Homestore (www.homestore.ca) est un site Web de service immobilier en
ligne qui annonce des maisons à vendre dans certaines villes du Canada.
Consultez ce site et choisissez une province, puis une ville de cette province
et enfin une ou plusieurs parties de la ville. Vous aurez quelques options
vous permettant de préciser votre recherche; sélectionnez ensuite Recherche
(*Search*). Notez les valeurs de la variable dépendante : prix de vente, puis des
variables indépendantes : chambres à coucher, salles de bain, surface habitable
de la bâtisse, superficie du terrain, âge de la maison, sous-sol et toute autre
caractéristique importante dans la région que vous voulez étudier. Votre
échantillon doit comprendre environ 30 observations. Analysez l'équation
de régression estimée et effectuez des tests de diagnostic sur les valeurs
aberrantes, la multicolinéarité, l'autocorrélation, l'hétéroscédasticité et
la normalité. Rédigez un bref compte rendu de vos résultats.

14.29   Rendez-vous sur le site Web E-STAT, comme vous l'avez fait pour les
exercices 13.46 et 13.47. Dans cet exercice, on vous demande d'effectuer
une régression multiple sur la demande monétaire au Canada (argent) en
vous basant sur les observations trimestrielles enregistrées depuis 1981
(les plus récentes données trimestrielles disponibles pour toutes les variables).
Rappelez-vous l'exercice 13.47 du chapitre 13. Dans cet exercice, vous avez
estimé la demande monétaire en vous basant sur une seule variable indépendante, le taux d'intérêt (intérêt) – ce qu'il en coûte pour emprunter de l'argent.
Par ailleurs, les familles et les entreprises ont également besoin d'argent pour
régler leurs transactions quotidiennes et disposer d'une marge de sécurité.
Utilisez le produit intérieur brut (PIB) aux prix courants pour mesurer
la demande monétaire aux fins de transactions et de sécurité. D'autre part, le
besoin d'argent se fait plus grand lorsque les prix des produits et des services
augmentent. Il existe de nombreux indices de prix. Utilisez l'indice de prix
à la consommation (IPC). Les numéros de série associés aux variables sont
les suivants : argent (M2) : V122530 ; taux d'intérêt (taux d'escompte) :
V37128 ; PIB aux prix courants : V498918 ; IPC : P100000. Téléchargez
les données disponibles depuis 1981 (les plus récentes données trimestrielles
disponibles pour toutes les variables). Prenez les moyennes trimestrielles
du taux d'intérêt et de l'IPC, la somme trimestrielle de l'argent et les données
trimestrielles du PIB (il faut noter que les données du PIB sont trimestrielles).

Effectuez votre analyse de régression en utilisant l'argent comme variable dépendante et le taux d'intérêt, le PIB et l'IPC comme variables indépendantes. Interprétez les coefficients. Ont-ils les bons signes ? Quelque chose a dû se produire. Vérifiez la matrice de corrélation ou les FIV. Vous observerez une très forte corrélation entre l'IPC et les autres variables indépendantes. Il y a un degré élevé de multicolinéarité. Pourquoi ? Naturellement, si vous réfléchissez davantage, vous réaliserez que notre spécification de modèle comporte un défaut. (Indice : Toutes les variables sont en termes nominaux, ce qui implique que l'effet de l'IPC est implicitement inclus dans les variables, faisant de l'IPC une variable non pertinente !). Il s'agit là d'un type d'erreur fréquent dans la spécification de modèles. Refaites l'estimation de l'équation de régression en omettant l'IPC et voyez les résultats. Discutez de vos estimations, effectuez tous les tests d'hypothèses et de diagnostic. Rédigez un bref compte rendu de ce que vous avez appris en faisant cet exercice.

14.30 Rendez-vous sur le site Web E-STAT, comme vous l'avez fait pour l'exercice précédent. Dans le présent exercice, on vous demande d'élaborer une équation de régression multiple en utilisant la consommation de tous les produits non périssables (série nᵒ V498920) comme variable indépendante, le produit intérieur brut (V498918), le taux sur les prêts à la consommation (V122523), la marge de crédit familiale (V36408) et les variables indicatrices trimestrielles analogues à celles qui sont présentées dans les problèmes de révision portant sur l'investissement. Sélectionnez un échantillon d'observations trimestrielles couvrant la période entre le premier trimestre de 1981 et les plus récentes données trimestrielles disponibles pour toutes les variables. Téléchargez les données, comme vous l'avez fait dans l'exercice 14.29. Discutez de votre équation de régression estimée et des diagnostics du modèle.

CHAPITRE 14   RÉPONSES AUX QUESTIONS DE RÉVISION

L'utilisation d'Excel et de MegaStat pour l'analyse de la régression multiple : explication

Dans la présente section, nous verrons comment utiliser Excel et MegaStat pour les analyses de régression. En plus de fournir certains des mêmes éléments d'information que l'utilitaire d'analyse d'Excel, MegaStat procure une assez bonne analyse du terme d'erreur, plus particulièrement un graphique des résidus, la valeur de la statistique de Durbin et Watson, les facteurs d'inflation de la variance, etc., des données qu'on ne peut pas obtenir avec Excel. Nous utilisons donc l'utilitaire d'analyse d'Excel pour les problèmes de révision 14.1 et 14.2, et une combinaison d'Excel et de MegaStat pour le problème de révision 14.3. Si vous le souhaitez, vous pouvez aussi utiliser MegaStat pour ces trois problèmes de révision. Vous trouverez ci-dessous une description des commandes à utiliser et une explication des rapports produits par Excel et MegaStat.

Excel

Matrice de corrélation : Outils → Utilitaire d'analyse → Analyse de corrélation. Précisez la plage d'entrée pour les variables choisies et, dans les options de sortie, demandez les résultats sur une nouvelle feuille. Vous pouvez également faire cette analyse avec MegaStat.

Analyse de régression : Outils → Utilitaire d'analyse → Régression linéaire. Dans la boîte de dialogue, précisez les paramètres d'entrée pour les valeurs de la variable dépendante (Plage pour la variable Y) et de toutes les variables indépendantes (Plage pour les variables X). Cochez les cases Intitulé présent (si la ligne comportant le nom des variables est incluse dans la plage des valeurs) et Insérer une nouvelle feuille. Faites de même avec les cases Résidus, Résidus normalisés, Courbes des résidus, Courbes de régression et Diagramme de répartition des probabilités.

Les **résidus** sont utiles pour analyser manuellement le terme d'erreur ou pour réaliser une seconde analyse de régression. Les **résidus standardisés,** quant à eux, servent à étudier les observations aberrantes, c'est-à-dire des valeurs plus grandes que (plus ou moins) deux fois l'écart type. Les *graphes des résidus* (représentations graphiques des résidus par rapport à chaque variable indépendante) peuvent servir à repérer la source de l'hétéroscédasticité attribuable à une variable indépendante.

Les **courbes de régression** (représentations graphiques des valeurs prédites et des valeurs observées de la variable dépendante par rapport aux valeurs de chaque variable indépendante) peuvent être employées pour cibler la présence de non-linéarité, mais cette technique serait peu recommandable en théorie.

Les **graphiques à échelle fonctionnelle normale** peuvent être utilisés pour évaluer la supposition de normalité d'un terme d'erreur en examinant la proximité de la dispersion par rapport à une droite. Les rapports de résultats apparaîtront sur une feuille de calcul différente. Pour les raisons que nous avons évoquées dans le texte, il arrive souvent qu'on utilise d'autres diagrammes obtenus par l'application de diverses méthodes graphiques dans Excel pour procéder à une vérification diagnostique plus précise.

MegaStat

Correlation/Regression → Regression Analysis : Dans la boîte de dialogue, précisez la plage des valeurs de la variable dépendante (Y) et de toutes les variables indépendantes (X) dans la zone *Input Range.* Cochez ensuite les cases suivantes :

Variance Inflation Factors : Les facteurs d'inflation de la variance servent à vérifier la multicolinéarité.

Test Intercept : Si vous souhaitez activer cette fonction.

Force Zero Intercept : Utilisez cette fonction seulement si, selon la théorie sous-tendant votre modèle, la valeur de l'ordonnée à l'origine doit être égale à zéro.

Output Residuals : Ces données fournissent les valeurs prédites de la variable dépendante et des résidus. Elles sont utiles pour comparer, sous forme graphique, les résidus aux valeurs prédites afin de repérer des erreurs de spécifications ou encore pour comparer les carrés des résidus aux valeurs prédites en vue de dégager les écarts par rapport à l'homoscédasticité.

Durbin-Watson : Cette fonction procure la valeur de la statistique *d,* qui permet de relever la présence d'autocorrélation.

Plot Residuals : Cette fonction permet d'obtenir : (1) un diagramme *comparant les résidus aux numéros des observations,* une donnée utile pour vérifier l'autocorrélation et les observations aberrantes à l'aide des résidus qui sont supérieurs à deux fois la valeur des erreurs types servant de référence ; (2) un diagramme *comparant les résidus aux valeurs prédites,* une donnée utile pour reconnaître les erreurs de spécification ; (3) des diagrammes *comparant les résidus à chacune des variables indépendantes,* une donnée utile, quoique non concluante, pour cerner les problèmes attribuables aux erreurs de spécification, à l'hétéroscédasticité, etc.

Diagnostics and Influential Residuals : (1) *Leverage values.* Dans l'ensemble de données, ces valeurs servent à reconnaître une observation influente. Dans MegaStat, les observations influentes sont ombrées de bleu. (2) *Studentized Residuals.* On obtient ces résidus en divisant chaque résidu par son erreur type. (3) *Studentized Deleted Residuals.* Il s'agit d'un type particulier de résidus qui sont distribués selon la loi *t* de Student avec $dl = (n - k - 2)$. Ils sont, par conséquent, utiles pour vérifier la signification statistique d'une observation aberrante. Dans MegaStat, ces résidus sont ombrés de bleu clair lorsque le seuil expérimental est $\leq 0,05$ et de bleu foncé lorsque le seuil expérimental est $\leq 0,01$. (4) *Cook's Distance.* Les valeurs de cette statistique (*D*) servent à faire ressortir l'effet combiné d'une observation aberrante et d'une observation influente. Dans MegaStat, cette statistique est ombrée de bleu clair lorsque le seuil expérimental est $\leq 0,8$ et de bleu foncé lorsque le seuil expérimental est $\leq 0,5$.

Normal Probability Plot of Residuals : Cette fonction permet d'obtenir une comparaison graphique des résidus en fonction des scores normaux. Elle peut servir à évaluer la supposition de normalité d'un terme d'erreur en examinant la proximité de la dispersion par rapport à une droite.

Dans MegaStat, tous les **résultats** sont stockés dans une feuille de calcul appelée *Output.*

14.1 D'après les résultats obtenus avec Excel, tels qu'ils sont indiqués ci-dessous, on peut écrire l'équation de régression ainsi :

$$\text{Investissement} = -68\,271{,}6 - 590{,}29 \text{ intérêt} + 0{,}308 \text{ PIB} + 512{,}09 \text{ capacité}$$

L'interprétation

L'ordonnée à l'origine : Cela n'a aucun sens d'interpréter machinalement la valeur de l'ordonnée à l'origine comme étant un investissement moyen négatif de 68 271 (en millions de dollars) lorsque toutes les variables indépendantes sont égales à zéro. La valeur de l'ordonnée à l'origine est basée sur les valeurs de zéro de toutes les variables indépendantes qui, dans ce cas, sont naturellement très éloignées de l'intervalle de valeurs observées dans toutes les variables indépendantes du modèle. Il est pratiquement inconcevable d'avoir des valeurs de zéro pour des variables telles que le PIB, le taux d'utilisation de la capacité de production ou le taux d'intérêt.

Le coefficient du taux d'intérêt : Une augmentation d'une unité de la variable « intérêt » (qui passerait de 5 à 6 %, par exemple) entraînerait une baisse d'investissement de 590,29 millions de dollars, si l'on suppose que les valeurs des autres variables indépendantes (PIB et taux d'utilisation de la capacité) ne varient pas. Comme le coût de l'emprunt (taux d'intérêt) augmente, on peut théoriquement s'attendre à une diminution de l'investissement. Le signe du taux d'intérêt est donc en accord avec la théorie.

Le coefficient du taux d'utilisation de la capacité de production : Lorsque le taux d'utilisation de la capacité augmente, le monde des affaires devrait avoir besoin de plus d'investissement. Dans l'équation estimée, si l'on suppose qu'il n'y a aucune variation des autres variables indépendantes (PIB et taux d'intérêt), une augmentation du taux d'utilisation de la capacité de l'ordre de 1 % (de 80 à 81 %, par exemple) ferait augmenter le besoin en investissement de 512,09 millions de dollars. Le signe positif du coefficient est conforme avec la prévision.

Le coefficient du PIB (réel) : Une augmentation du PIB réel indiquerait une plus grande demande pour les produits et donc un plus grand besoin d'investissement. Dans l'équation estimée, on observe qu'une augmentation de 1 million de dollars du PIB réel entraînerait une augmentation de l'investissement de 0,308 million de dollars, si l'on suppose que les valeurs des autres variables indépendantes (taux d'intérêt et taux d'utilisation de la capacité) ne varient pas. C'est donc dire que chaque augmentation de 1 $ du PIB entraîne une augmentation de 30,8 ¢ de l'investissement. Le signe du coefficient est conforme avec la prévision.

La valeur estimée de l'investissement pour des valeurs données des variables indépendantes – taux d'intérêt = 4 %, PIB = 200 000 (en millions de dollars) et taux d'utilisation de la capacité = 82 % – peut être trouvée en substituant ces valeurs de façon appropriée dans l'équation :

$$\text{Investissement} = -68\,271{,}6 - 590{,}29(4) + 0{,}308 (200\,000) + 512{,}09(82)$$

On obtient une valeur estimée de l'investissement de 32 958,62 millions de dollars.

14.2 On indique à la page suivante le résultat de la régression obtenu avec Excel, y compris trois variables indicatrices pour les quatre trimestres. Le trimestre 1 est utilisé comme groupe de base.

a) Le tableau d'analyse de variance de la page suivante a été produit avec Excel. Il indique les sommes des carrés (SC) et les degrés de liberté (*dl*) pour chaque somme de carrés (SC), les carrés moyens (SC divisées par *dl*), la valeur de la statistique *F* et son seuil expérimental. Comme nous l'avons expliqué dans ce chapitre, le tableau affiche la variation de la variable dépendante en deux parties distinctes.

Résultats sommaires, révision 14.1

Statistiques de la régression	
Corrélation multiple R	0,96773576
R^2	0,9365125
R^2 ajusté	0,92971026
Erreur type	1746,15446
Observations	32

Tableau d'analyse de variance, révision 14.1

	dl	SC	CM	*F*	Seuil expérimental *F*
Régression	3	1 259 356 469	419 785 490	137,677226	7,2653E–17
Résidus	28	85 373 551,47	3 049 055,41		
Total	31	1 344 730 020			

Coefficients de régression, révision 14.1

Variables	Coefficient	Erreur type	Statistique *t*	Seuil expérimental	Borne inférieure (95 %)	Borne supérieure (95 %)
Ordonnée à l'origine	−68 271,598	21 368,22632	−3,1950054	0,00344843	−112 042,47	−24 500,721
Intérêt	−590,28848	284,7267825	−2,0731751	0,0474724	−1 173,5255	−7,0514521
PIB (réel)	0,30774581	0,031352404	9,81570058	1,4489E–10	0,24352325	0,37196838
Capacité	512,086644	319,621095	1,60216785	0,12034158	−142,62823	1 166,80151

La somme des carrés (SC) due à la régression est la partie de la variation qui a été expliquée par le modèle de régression. La somme des carrés due aux résidus est la partie qui n'a pas été expliquée par le modèle. La somme totale des carrés des écarts dans la variable dépendante (par rapport à sa moyenne) est de 1,34E+09 = 1 340 000 000 (en déplaçant le point décimal de neuf chiffres vers la droite). 1,32E+09 (= 1 320 000 000) a été expliqué par le modèle de régression, et le reste (27 685 909) demeure inexpliqué. Il faut noter que ces valeurs sont en millions de dollars !

b) *L'erreur type de l'estimation*, telle qu'elle a été rapportée dans le tableau **Résultats sommaires, révision 14.2** ci-dessous, est de 1052,337 (en millions de dollars). Cela signifie qu'en moyenne, les valeurs réelles (observées) de l'investissement diffèrent des valeurs estimées de 1052,337 millions de dollars. Si l'on procède de façon empirique, on peut prévoir que 68 % de toutes les valeurs observées de l'investissement sont comprises dans l'intervalle $\hat{y} \pm 1052,337$, qu'environ 95 % de toutes les valeurs observées de l'investissement sont comprises dans l'intervalle $\hat{y} \pm 2(1052,337)$, et qu'environ 99 % de toutes les valeurs observées de l'investissement sont comprises dans l'intervalle $\hat{y} \pm 3(1052,337)$.

c) *Les valeurs de R^2 et de R^2 ajusté* affichées sont respectivement de 0,979 et de 0,974. Si l'on se base sur la valeur de R^2, on observe que 97,9 % de la variation de la variable dépendante a été expliquée par le modèle de régression estimé. Si l'on se base sur la valeur de R^2 ajusté, on observe que 97,4 % de la variation de la variable dépendante a été expliquée par le modèle de régression estimé. Ces deux valeurs

sont différentes à cause de la perte de degrés de liberté (nombre de variables indépendantes) dans l'estimation du modèle de régression. Cette perte de degrés de liberté est prise en compte par le R^2 ajusté, mais non par le R^2. Le R^2 ajusté offre donc une meilleure représentation du pouvoir explicatif du modèle.

d) *Le test d'hypothèse pour le modèle global* est basé sur la statistique F. Dans le modèle, on a six variables et donc six β. L'hypothèse nulle et la contre-hypothèse sont donc :

H_0 : $\beta_1 = \beta_2 = \beta_3 = \beta_4 = \beta_5 = \beta_6 = 0$
H_1 : Au moins un des six β n'est pas égal à zéro.

Le seuil de signification : Supposons un seuil de signification de 1 %.

La valeur critique de F pour 6 et 25 degrés de liberté, avec un seuil de signification de 1 %, est égale à 3,63, d'après la table F de l'annexe D. La valeur calculée de la statistique F, telle qu'elle est donnée dans le tableau d'analyse de variance de la révision 14.2 ci-dessous, est égale à 198,22. Cette valeur est beaucoup plus grande que la valeur critique. On rejette donc H_0 et l'on conclut que le modèle de régression linéaire avec six variables indépendantes permet d'expliquer la variation de la variable dépendante. Cette conclusion comporte un risque d'erreur maximal de 1 % de faussement rejeter une hypothèse nulle. En fait, la probabilité exacte d'erreur de première espèce, telle qu'elle est donnée par le seuil expérimental du tableau d'analyse de variance, est de 7,84E–20 (= 0,00000000000000000000784 ! si l'on déplace le point décimal de 20 chiffres vers la gauche).

Résultats sommaires, révision 14.2

Statistiques de la régression	
Corrélation multiple R	0,989652
R^2	0,979412
R^2 ajusté	0,974471
Erreur type	1052,337
Observations	32

Tableau d'analyse de variance, révision 14.2

Source	dl	SC	CM	F	Seuil expérimental F
Régression	6	1,32E+09	2,2E+08	198,2166	7,84E–20
Résidus	25	27 685 909	1 107 412		
Total	31	1,34E+09			

Coefficients de régression, révision 14.2

Variables	Coefficient	Erreur type	Statistique t	Seuil expérimental
Ordonnée à l'origine	−67 337,4	13 384,37	−5,03105	3,44E–05
Intérêt	−674,153	172,6339	−3,9051	0,000632
PIB (réel)	0,316606	0,021059	15,03434	4,98E–14
Capacité	475,2099	202,8301	2,342896	0,027394
Trimestre 2	3050,719	540,5505	5,643726	7,12E–06
Trimestre 3	−5,2902	574,7603	−0,0092	0,992729
Trimestre 4	−201,364	576,7215	−0,34915	0,729899

e) *Les tests d'hypothèses pour chaque coefficient de régression*: Pour chaque coefficient, l'hypothèse nulle est:

$$H_0: \alpha = 0, \beta_1 \geq 0, \beta_2 \leq 0, \beta_3 \leq 0,$$
$$\beta_4 = 0, \beta_5 = 0, \beta_6 = 0$$

Pour chacun des coefficients, les contre-hypothèses devraient dépendre des signes prévus des coefficients, s'ils sont disponibles. On n'a aucune indication quant aux signes du terme d'ordonnée à l'origine et des variables indicatrices trimestrielles. (Pour être plus précis, on devrait effectuer un test F partiel sur les variables saisonnières. Consultez l'annexe A de ce chapitre sur le cédérom et essayez de nouveau.) On prévoit toutefois que le taux d'intérêt aura un effet négatif sur l'investissement et que les variables PIB et taux d'utilisation de la capacité auront un effet positif sur l'investissement. Pour chacun des coefficients de régression, la contre-hypothèse est donc la suivante:

$$H_1: \alpha \neq 0, \beta_1 < 0, \beta_2 > 0, \beta_3 > 0,$$
$$\beta_4 \neq 0, \beta_5 \neq 0, \beta_6 \neq 0$$

L'ordonnée à l'origine et les variables indicatrices trimestrielles requièrent donc des tests bilatéraux, et les coefficients du taux d'intérêt, du PIB et du taux d'utilisation de la capacité ne requièrent qu'un test unilatéral.

Le seuil de signification: On suppose qu'il est de 1%.

La statistique de test est de loi t, et sa valeur critique à un seuil de signification de 1% avec 25 degrés de liberté est:

pour une hypothèse unilatérale, $t = \pm 2,485$.
pour une hypothèse bilatérale, $t = \pm 2,787$.

Les valeurs calculées de t basées sur l'échantillon sont présentées dans le tableau des coefficients de régression de la révision 14.2 de la page précédente.

Les valeurs observées de $|t|$ des coefficients de l'ordonnée à l'origine, du taux d'intérêt, du PIB et des variables du trimestre 2 sont plus grandes que les valeurs critiques, ce qui nous fait rejeter l'hypothèse nulle dans chacun de ces cas. Toutefois, les coefficients du taux d'utilisation de la capacité et des variables des trimestres 3 et 4 ne sont pas significatifs à un seuil de 1%. Puisque le taux d'utilisation de la capacité est une variable théoriquement importante, on se préoccupe de son coefficient. Si l'on examine le seuil expérimental de ce coefficient, on voit qu'il n'est pas si élevé, soit d'environ 1,4% (la moitié du seuil expérimental de l'hypothèse bilatérale obtenu avec Excel).

f) Le modèle de régression linéaire qui comprend le taux d'intérêt, le PIB, le taux d'utilisation de la capacité et les données trimestrielles semble avoir un excellent pouvoir explicatif, car il permet d'expliquer presque 98% de la variation de l'investissement. Le coefficient de la variable «taux d'utilisation de la capacité», qui comporte le seuil expérimental le plus élevé, est également compris dans la marge généralement admise de 5%. Toutefois, les variables indicatrices non significatives des trimestres 3 et 4 n'ont aucune justification théorique et peuvent donc être supprimées du modèle.

14.3 a) Tel qu'indiqué dans la révision 14.2, on a supprimé les variables indicatrices des trimestres 3 et 4 et l'on a estimé de nouveau le modèle. Il faut noter qu'on a maintenant une seule variable indicatrice à *deux* catégories: «trimestre 1» et «reste de l'année». Les résultats obtenus avec Excel sont illustrés dans les tableaux et les figures de la page suivante. En se basant sur ces résultats, on ne voit aucun problème avec la spécification du modèle. Les coefficients du PIB et du taux d'intérêt sont presque les mêmes et sont statistiquement significatifs. Toutefois, le coefficient du taux d'utilisation de la capacité affiche une nette amélioration à la fois dans la valeur du coefficient et de la statistique t. La variable «taux d'utilisation de la capacité» a maintenant un coefficient significatif à moins de 1% (seuil expérimental = 0,0071). De plus, comme les résultats le montrent, le diagramme de dispersion représentant l'investissement réel par rapport à l'investissement prévu (voir la figure 14.1 de la révision 14.3, à la page suivante) semble démontrer approximativement une relation linéaire. La figure ne montre aucune tendance systématique (sous-estimation ou surestimation dans les prévisions). Cela signifie qu'on n'a omis aucune variable significative dans le modèle. De plus, le résultat affiché par Excel dans le diagramme des résidus par rapport aux valeurs prévues de l'investissement (voir la figure 14.2 de la révision 14.3) ne semble afficher aucune tendance anormale dans les résidus. Cela confirme la conclusion précédente selon laquelle le modèle est correctement spécifié en ce qui a trait aux relations linéaires et à l'inclusion de toutes les variables pertinentes. Il est toutefois préférable de réserver notre jugement final tant qu'on n'aura pas terminé la vérification diagnostique des résidus.

Résultats sommaires, révision 14.3

Analyse de la régression	
0,979	R^2 R^2 ajusté 0,976
0,990	R
1016,222	Erreur type de l'estimation
32	Observations
4	Variables explicatives
Investissement	Variable dépendante

Tableau d'analyse de variance, révision 14.3

Source	SC	dl	CM	F	Seuil expérimental
Régression	1 316 846 929,698	4	329 211 732,474	318,79	0,000
Résidus	27 883 090,102	27	1 032 707,041		
Total	1 344 730 020,000	31			

Statistique d de Durbin et Watson = 0,63

Coefficients de régression, révision 14.3

Variables	Coefficient	Erreur type	t ($dl = 27$)	Seuil expérimental	Borne inférieure (95 %)	Borne supérieure (95 %)	Bêta
Ordonnée à l'origine	$b_0 = -68\,040,265$	12 435,857	−5,471	0,000	−93 556,519	−42 524,010	
Intérêt	$b_1 = -673,576$	166,080	−4,056	0,000	−1 014,344	−322,809	−0,120
PIB (réel)	$b_2 = 0,315$	0,018	17,228	0,000	0,277	0,352	0,848
Capacité	$b_3 = 487,367$	186,042	2,620	0,014	105,642	869,093	0,125
Trimestre 2	$b_4 = 3\,115,416$	417,548	7,461	0,000	2 258,678	3 972,153	0,208

Au centre des colonnes « Intervalle de confiance » figure l'en-tête : Intervalle de confiance.

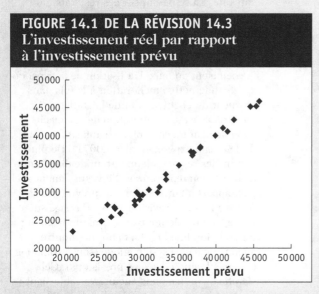

FIGURE 14.1 DE LA RÉVISION 14.3
L'investissement réel par rapport à l'investissement prévu

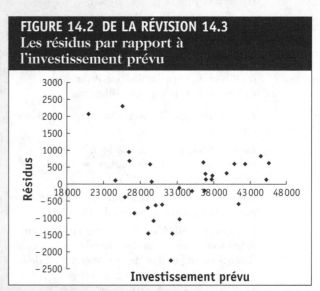

FIGURE 14.2 DE LA RÉVISION 14.3
Les résidus par rapport à l'investissement prévu

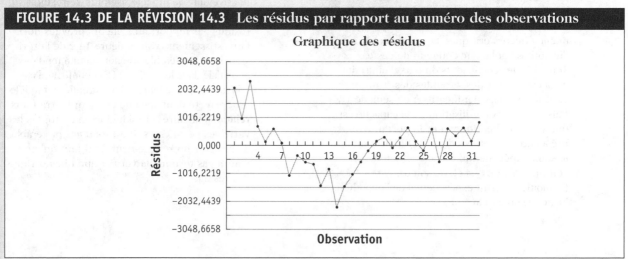

FIGURE 14.3 DE LA RÉVISION 14.3 Les résidus par rapport au numéro des observations

Graphique des résidus

Statistique d de Durbin et Watson = 0,63

Le graphique représentant les résidus par rapport au numéro des observations dans l'affichage d'Excel (MegaStat) (voir la figure 14.3 de la révision 14.3) comprend aussi des lignes de graduation, chaque ligne étant égale à une erreur type. Les points situés au-dessus ou au-dessous de trois lignes de graduation peuvent donc être considérés comme des valeurs aberrantes. La figure montre qu'il y a quelques valeurs aberrantes pour les premières données (observations 1 et 3) et une autre dans la partie centrale (observation 14). Devrait-on enlever ces valeurs aberrantes de l'ensemble de données ? Trouvez vous-même la réponse. Un indice est donné à la fin de cette révision.

b) Comme nous l'avons vu au cours de ce chapitre, la *multicolinéarité* peut causer de sérieux problèmes en ce qui a trait à la signification des coefficients de régression. En utilisant la méthode de corrélation fournie par Excel, on a obtenu les valeurs de corrélations entre toutes les variables du modèle. Les résultats obtenus avec Excel sont donnés dans le tableau de corrélations de la révision 14.3. D'après les résultats, il est évident que les variables « taux d'utilisation de la capacité » et « PIB » sont fortement corrélées ($r = 0,802$).

On peut avoir une meilleure idée de la multicolinéarité en effectuant des régressions auxiliaires (régression d'une variable indépendante sur les autres variables indépendantes) pour chaque variable indépendante. En se basant sur le R_j^2 pour chaque variable indépendante, comme nous l'avons vu dans ce chapitre, on

peut trouver le facteur d'inflation de la variance pour chaque coefficient de régression. Les FIV des variables « PIB », « taux d'utilisation de la capacité » et « taux d'intérêt » sont respectivement de 3,15, de 2,96 et de 1,13 (voir le tableau ci-dessous). Toutefois, malgré les variances amplifiées, les statistiques t de chacun des coefficients sont assez grandes pour qu'on rejette l'hypothèse nulle dans leurs cas. La multicolinéarité n'a donc pas causé de problèmes sérieux en ce qui a trait aux conclusions.

c) *L'autocorrélation* peut être vérifiée soit graphiquement, avec le graphique des résidus par rapport au numéro des observations, soit par un test quantitatif avec la statistique d de Durbin et Watson. Excel (MegaStat) (voir la figure 14.1 de la révision 14.3) facilite ces deux approches. Le diagramme concernant les résidus révèle une autocorrélation positive. Ce résultat est confirmé par la valeur de la statistique de Durbin et Watson, qui est de 0,63 dans le tableau d'analyse de variance. Pour savoir si l'autocorrélation positive est statistiquement significative, on vérifie l'hypothèse nulle d'une autocorrélation nulle par rapport à une contre-hypothèse d'autocorrélation positive. Les limites inférieure et supérieure de la statistique d sont de $d_I = 1,177$ et de $d_S = 1,732$, d'après le tableau 14.6, pour $n = 32$ et $k = 4$ (avec un seuil de signification de 5 %). La valeur de $d = 0,63$ pour l'échantillon se situe évidemment sous d_I. On rejette donc l'hypothèse nulle d'une autocorrélation nulle, et l'on conclut à une autocorrélation positive.

Tableau de corrélations, révision 14.3

	Investissement	Corrélations Taux d'intérêt	PIB (réel)	Capacité	Trimestre 2
Investissement	1				
Taux d'intérêt	−0,3266	1			
PIB (réel)	0,961091	−0,25569	1		
Capacité	0,804115	−0,07467	0,80225	1	
Trimestre 2	0,119333	0,092045	−0,08466	−0,0478	1

Trouver R_j^2 et le FIV pour chaque variable indépendante

Analyse de régression : le PIB (réel) par rapport au taux d'intérêt, au taux d'utilisation de la capacité et à N1
L'équation de régression est la suivante :
PIB (réel) = −466 613 − 2947 taux d'intérêt + 8269 capacité − 1177 N1 $R^2 = 63,8 \%$, FIV = 1/(1 − 0,683) = 3,15

Analyse de régression : le taux d'utilisation de la capacité par rapport au taux d'intérêt, au PIB (réel) et à N1
L'équation de régression est la suivante :
Capacité = 65,5 + 0,200 taux d'intérêt + 0,000080 PIB (réel) + 0,040 N1 $R^2 = 66,2 \%$, FIV = 1/(1 − 0,662) = 2,96

Analyse de régression : le taux d'intérêt par rapport au taux d'utilisation de la capacité, au PIB (réel) et à N1
L'équation de régression est la suivante :
Taux d'intérêt = −8,9 + 0,251 capacité − 0,000036 PIB (réel) + 0,169 N1 $R^2 = 11,7 \%$, FIV = 1/(1 − 0,117) = 1,13

Note : Excel (MegaStat) calculera les valeurs du FIV si vous choisissez cette option.

L'hétéroscédasticité : On peut vérifier la présence d'hétéroscédasticité (variances d'erreur inégales) en représentant les carrés des résidus par rapport aux valeurs prévues de la variable dépendante « investissement » (voir la figure 14.4 de la révision 14.3). On y voit que le diagramme de dispersion des résidus est plus étendu (a une plus grande variance) pour les petites valeurs d'investissement que pour les plus grandes valeurs.

Afin de voir quelle variable indépendante est à l'origine de ce problème, on doit représenter graphiquement les carrés des résidus par rapport à chaque variable indépendante. Ces graphiques ayant été tracés sans qu'on obtienne de résultat concluant, ils ne sont donc pas illustrés ici. On vous demande de vérifier par vous-même. Vous trouverez des tests quantitatifs d'homoscédasticité dans l'annexe A de ce chapitre (voir le cédérom).

d) *La normalité du terme d'erreur* : On peut vérifier visuellement l'hypothèse de normalité des résidus avec un histogramme des résidus. En suivant la méthode d'Excel pour l'analyse des données, on a fait un histogramme des résidus (voir la figure 14.5 de la révision 14.3). La distribution des résidus estimés semble quelque peu biaisée, car elle favorise le côté droit du point zéro.

On effectue brièvement des tests quantitatifs de normalité dans l'annexe A de ce chapitre (voir le cédérom) et d'une façon plus détaillée au chapitre 15.

e) Les diagnostics des résidus indiquent à la fois une autocorrélation et une hétéroscédasticité.

En présence d'autocorrélation et d'hétéroscédasticité, nos estimateurs des coefficients de régression sont toujours sans biais. Cependant, ils ne sont pas efficaces. De plus, les variances des estimateurs des coefficients de régression sont biaisées. Puisque les tests d'hypothèses des coefficients de régression sont basés sur ces variances, les résultats des tests d'hypothèses sont suspects.

Le non-respect de l'hypothèse de normalité a également un effet similaire, car il invalide les tests d'hypothèses. Cela n'est pas sans importance. Toutefois, les statisticiens ont

mis au point des méthodes perfectionnées, qui débordent le cadre de cet ouvrage, qui peuvent être utilisées pour obtenir de meilleures estimations des variances et des tests d'hypothèses valides, du moins avec des échantillons de grande taille. Certains correctifs sont expliqués dans la section 14A.1 de l'annexe A du chapitre 14 sur le cédérom.

f) En ce qui a trait aux coefficients de détermination et aux tests d'hypothèses, le modèle de régression de l'investissement semble bien fonctionner. Les coefficients de régression concordent avec les prévisions théoriques. La multicolinéarité ne semble avoir posé aucun problème sérieux. La multicolinéarité entre les variables « taux d'utilisation de la capacité » et « PIB » peut avoir causé de plus grandes variances dans les coefficients de régression et donc des statistiques t plus petites. Toutefois, l'autocorrélation et l'hétéroscédasticité peuvent compromettre la fiabilité de ces résultats.

Comme l'hétéroscédasticité est plus fréquente dans les données transversales que dans les données chronologiques ou longitudinales, sa présence dans le modèle de régression ne s'explique pas facilement. Il est possible qu'on ait omis une variable importante dans le modèle. La variable dépendante peut aussi avoir subi l'influence de certains facteurs externes, ce qui a pu causer une rupture de la relation linéaire. Un examen plus attentif des données indique que l'investissement a fortement subi l'influence d'une reprise suivant la grande récession des années 1990-1991, particulièrement durant les premiers trimestres de 1993. Cette observation est également confirmée par la présence de quelques valeurs aberrantes dans les premiers trimestres. Les valeurs aberrantes semblent donc contenir de l'information importante. On n'en a pas vraiment tenu compte dans le modèle de régression. Si l'on utilise une variable indicatrice pour cette période exceptionnelle (1 pour les trimestres de 1993 et 0 pour toutes les autres valeurs), les problèmes d'autocorrélation, d'hétéroscédasticité, de valeurs aberrantes et, dans une bonne mesure, de non-respect de la normalité, disparaissent. Faites l'exercice afin de vérifier par vous-même.

FIGURE 14.4 DE LA RÉVISION 14.3
Les carrés des résidus par rapport à l'investissement prévu

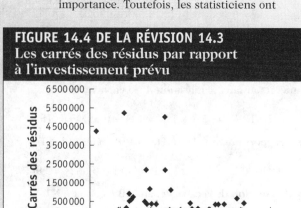

FIGURE 14.5 DE LA RÉVISION 14.3
L'histogramme des résidus

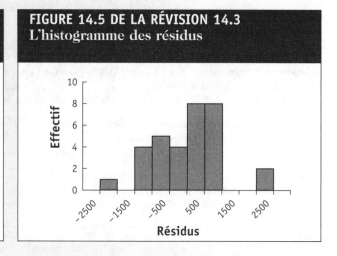

RÉVISION DES CHAPITRES 13 ET 14

Cette section est une révision des concepts et des termes importants qui ont été présentés aux chapitres 13 et 14. Dans le chapitre 13, nous avons mis l'accent sur la formulation et l'estimation d'une relation *linéaire* entre deux variables en nous basant sur l'information contenue dans un échantillon et sur le test d'hypothèse de leurs valeurs dans une population.

La force de la relation *linéaire* entre deux variables *aléatoires* peut être mesurée par le coefficient de corrélation. Le coefficient de corrélation (r) peut prendre toute valeur entre $-1,00$ et $+1,00$ inclusivement. Une valeur négative de r indique qu'en moyenne, les deux variables sont inversement liées, c'est-à-dire qu'une augmentation d'une variable est associée à une diminution de l'autre variable. Les valeurs positives de r indiquent que les deux variables sont, en moyenne, directement liées. Les valeurs de r égales à $+1$ ou à -1 indiquent une relation linéaire parfaite, et une valeur de zéro indique l'absence de relation linéaire. Une valeur proche de zéro, comme $-0,15$ ou $0,15$, indique une faible relation. Une valeur proche de -1 ou de $+1$, comme $-0,90$ ou $0,90$, indique une forte relation. La corrélation n'implique pas nécessairement la présence d'une relation de cause à effet entre les variables.

La force d'une relation linéaire entre deux variables, où une variable est aléatoire (dépendante) et une autre variable est non aléatoire (indépendante), peut être analysée avec la méthode d'analyse de régression. L'analyse à deux variables peut être étendue afin d'étudier la relation entre une variable dépendante (aléatoire) et plusieurs variables indépendantes (non aléatoires). Une relation linéaire estimée dans le cas d'une variable dépendante (Y) et d'une variable indépendante (X) peut être exprimée par l'équation $\hat{y} = a + bx$. Pour un nombre k de variables indépendantes, $X_1, X_2, ..., X_k$, l'équation de régression multiple estimée est $\hat{y} = a + b_1 x_1 + b_2 x_2 + ... + b_k x_k$. Les constantes a, b_1, b_2, ..., b_k sont les valeurs estimées des paramètres correspondants dans la population.

Dans l'analyse de régression simple, le coefficient de régression (b) associé à la variable indépendante donne la mesure, en moyenne, de la réponse de la variable dépendante à une variation d'une unité de la variable indépendante, indépendamment de toute variation d'une ou d'autres variables indépendantes absentes du modèle de régression. Dans l'analyse de régression multiple, les coefficients (b_1, b_2, ..., b_k) associés aux variables indépendantes donnent la mesure, en moyenne, de la réponse de la variable dépendante à une variation d'une unité d'une variable indépendante particulière, si l'on garde constantes les autres variables indépendantes. Dans ce sens, l'analyse de régression multiple est un outil efficace qui nous permet d'isoler les effets individuels de plusieurs variables, sans avoir besoin d'effectuer des expériences contrôlées. La méthode de régression est largement utilisée dans l'analyse des politiques et des prévisions, autant dans le secteur public que privé. Toutefois, les chercheurs prennent soin d'effectuer des vérifications diagnostiques pour s'assurer qu'une recherche particulière satisfait aux critères des méthodes d'estimation et de l'inférence.

Des mesures variées (telles que le coefficient de détermination, l'erreur type multiple de l'estimation, les résultats du test global d'hypothèse le test d'hypothèse pour chaque coefficient de régression et certains diagnostics de modèle) sont affichées dans les résultats obtenus avec la plupart des logiciels.

GLOSSAIRE

Chapitre 13

Analyse de variance   Méthode permettant de décomposer la variation totale (SCT) de la variable dépendante en variation expliquée par le modèle de régression (SCR) et en variation inexpliquée par le modèle de régression (SCE).

Coefficient de corrélation   Mesure du degré d'association linéaire entre deux variables aléatoires. Il se définit comme le rapport de covariance entre les variables et les écarts types de ces variables. Sa valeur se situe entre +1 et −1. Une valeur proche de zéro indique une absence d'association linéaire entre deux variables.

Coefficient de détermination   Proportion de la variation totale dans une variable dépendante qui est expliquée par la ou les variables indépendantes. Il peut avoir toute valeur entre 0 et +1,00 inclusivement. Une valeur de 0,82 indique que 82% de la variation de la variable dépendante est prise en compte par la relation linéaire entre la variable dépendante et la ou les variables indépendantes.

Coefficient de régression   Constante qui mesure la réponse de la variable dépendante à une variation de une unité dans la variable indépendante d'une population. Il faut noter que la valeur estimée du coefficient de régression varie d'un échantillon à l'autre, et qu'il constitue donc une variable aléatoire.

Covariance   Mesure d'association linéaire qui est une moyenne des produits des variations de chacune des deux variables aléatoires par rapport à leurs valeurs moyennes.

Diagramme de dispersion   Diagramme qui représente visuellement la relation entre deux variables.

Équation de régression linéaire   Relation statistique entre deux ou plusieurs variables. Pour un échantillon sur les variables X et Y, elle prend la forme $y = a + bx + e$, et sa contrepartie estimée est $\hat{y} = a + bx$ pour une variable indépendante X, et $\hat{y} = a + b_1x_1 + b_2x_2 + ... + b_kx_k$ pour des variables indépendantes multiples $X_1, X_2, X_3, ..., X_k$. Les valeurs estimées ($\hat{y}$) sont utilisées pour prédire les valeurs de y basées sur un ensemble de valeurs sélectionnées x. La variable Y est dépendante, et la variable X est indépendante.

Erreur type de l'estimation   Mesure de la dispersion des valeurs réelles Y par rapport à la droite de régression. Elle est notée dans les mêmes unités que la variable dépendante.

Estimateur par intervalle de confiance   Équation permettant d'estimer l'intervalle de valeurs où se situe la valeur moyenne de la variable dépendante dans une population, avec un niveau de confiance donné (probabilité) et pour un ensemble donné de valeurs de la ou des variables indépendantes. Plus la valeur de la variable indépendante est éloignée de sa moyenne, plus l'intervalle est grand. Une estimation particulière basée sur un échantillon se nomme *estimation par intervalle de confiance.*

Estimateur par intervalle de prévision   Équation permettant d'estimer un intervalle de valeurs qui comprend une observation individuelle de la variable dépendante dans une population, avec un niveau de confiance donné (probabilité) et pour une ou des valeurs données de la ou des variables indépendantes. Plus la valeur de la variable indépendante est éloignée de sa moyenne, plus l'intervalle est grand. Une estimation d'un intervalle basée sur un échantillon se nomme *estimation par intervalle de prévision.*

Meilleurs estimateurs linéaires sans biais (MELSB)   Estimateurs qui ont une variance minimale dans la classe des estimateurs linéaires et sans biais.

Méthode des moindres carrés   Méthode utilisée pour estimer la réponse de la variable dépendante aux variations de la ou des variables indépendantes dans une équation de régression. La méthode consiste à minimiser la somme des carrés des erreurs entre les valeurs observées et les valeurs estimées de la variable dépendante.

Qualité de l'ajustement   Mesure d'adéquation entre les données observées et la droite de régression. Le coefficient de détermination permet de l'obtenir.

Test d'hypothèse   Méthode qui permet de vérifier des hypothèses nulles dans le cas de coefficients de régression, de modèles de régression, d'une ou des variables indépendantes et du coefficient de corrélation.

Théorème de Gauss-Markov   Sous certaines conditions, les estimateurs des moindres carrés constituent les meilleurs estimateurs linéaires sans biais.

Chapitre 14

Autocorrélation   Mesure de corrélation entre les résidus successifs d'une population. L'autocorrélation s'observe fréquemment lorsqu'on mesure des variables sur une période (données chronologiques).

Coefficient de corrélation partiel   Coefficient de corrélation entre deux variables si l'on suppose que toutes les autres variables restent constantes.

Coefficient de régression partiel　Coefficient de régression qui mesure la réponse de la variable dépendante à une variation de une unité de la variable indépendante, si l'on suppose que toutes les autres variables demeurent constantes.

Diagnostic de régression　Analyse qui permet de vérifier si les hypothèses d'un modèle de régression sont respectées dans un échantillon.

Équation de régression multiple　Relation estimée prenant la forme d'une équation mathématique entre plusieurs variables indépendantes et une variable dépendante. La forme générale est $\hat{y} = a + b_1x_1 + b_2x_2 + \ldots + b_kx_k$. On l'utilise pour estimer les valeurs de Y en supposant des valeurs sélectionnées de X pour chacune des k variables indépendantes.

Erreur de spécification　Forme fonctionnelle incorrecte, inclusion d'une variable non pertinente ou omission d'une variable pertinente dans le modèle de régression. Une erreur de spécification d'un modèle entraîne un *biais de spécification des estimateurs*.

Homoscédasticité　Égalité de toutes les variances de la variable dépendante ou du terme d'erreur dans une population pour chaque valeur de la variable indépendante. Lorsque les variances sont inégales, il y a *hétéroscédasticité*. L'hétéroscédasticité s'observe fréquemment lorsque les variables sont mesurées à un moment donné (données transversales).

Matrice de corrélation　Liste de tous les coefficients de corrélation simples possibles dans un échantillon. La matrice de corrélation inclut les corrélations entre chaque variable indépendante et la variable dépendante, et celles entre toutes les variables indépendantes. Conceptuellement, ces corrélations ne sont pas les mêmes que le coefficient de corrélation entre deux variables aléatoires, défini précédemment.

Multicolinéarité　Condition qui survient dans un échantillon durant une analyse de régression multiple, lorsque les variables indépendantes sont corrélées entre elles.

Résidus　Différence entre la valeur réelle et la valeur prévue de la variable dépendante dans une population, basée sur un modèle de régression. Une *valeur estimée du résidu* est la différence entre la valeur observée y et la valeur estimée $\hat{y}$ de la variable dépendante.

Variable indicatrice　Variable se divisant en deux catégories. Il y a présence d'un attribut dans une catégorie et absence de ce même attribut dans l'autre catégorie. Si une variable qualitative a un nombre m de catégories (attributs), on choisit une catégorie comme catégorie de *base*, et l'on utilise $m - 1$ variables indicatrices pour les $m - 1$ catégories restantes.

Variable qualitative　Variable à échelle nominale qui enregistre les données sur une variable en deux ou plusieurs catégories.

EXERCICES

PARTIE I – REMPLISSEZ LES ESPACES LAISSÉS EN BLANC ET DISCUTEZ

1. La qualité de l'ajustement entre un ensemble de variables indépendantes X et une variable dépendante Y se mesure par _____.

2. On a établi qu'un coefficient de corrélation était de −0,90. Expliquez ce résultat.

3. Dans un problème comportant 60 paires de données, on a calculé que la statistique r de Pearson était de 0,40. Commentez cet énoncé. La corrélation est-elle de zéro dans la population ? Démontrez-le.

4. Dans un problème comportant une variable dépendante et une variable indépendante, on a calculé que le coefficient de corrélation était de 0,38. Qu'est-ce que cela signifie ?

5. Faites la distinction entre le coefficient de régression simple et le coefficient de régression partiel.

Pour faire les exercices 6 à 10, utilisez les données du tableau suivant. Le service de comptabilité d'une grande chaîne de magasins veut prévoir le bénéfice net de chacun des magasins en se basant sur le nombre d'employés, les frais généraux, etc. Voici quelques statistiques :

Magasin	Bénéfice net (en milliers de dollars)	Nombre d'employés	Frais généraux (en milliers de dollars)	Majoration de prix (moyenne, en pourcentage)	Perte subie pour cause de vol (en milliers de dollars)
1	846	143	79	69	52
2	513	110	64	50	45

6. La variable dépendante est _____.

7. Dans ce problème, la forme générale de l'équation estimée est _____.

8. L'équation de régression multiple a été estimée à
   $\hat{y} = 67 + 8x_1 - 10x_2 + 0,004x_3 - 3x_4$.
   Quelles sont les prévisions de vente pour un magasin employant 112 personnes, ayant des frais généraux de 65 000 $, une majoration de prix de 50 % et une perte subie pour cause de vol de 50 000 $?

9. La valeur de R^2 est de 0,86. Expliquez cette affirmation.

10. Supposez que l'erreur type multiple de l'estimation est de 3 (en milliers de dollars). Expliquez ce que cela signifie dans ce problème.

PARTIE II – PROBLÈMES

11. Des laboratoires de développement rapide de photographies consacrent la plus grande part de leurs dépenses publicitaires dans les affiches sur les banquettes d'autobus. Un projet de recherche consiste à prévoir les ventes mensuelles en se basant sur les dépenses annuelles de publicité dans les autobus. Un échantillon de ces entreprises comprend les données suivantes sur les ventes et les dépenses de publicité :

Entreprise	Dépenses annuelles en publicité (en milliers de dollars)	Ventes mensuelles (en milliers de dollars)
A	2	10
B	4	40
C	5	30
D	7	50
E	3	20

a) Tracez un diagramme de dispersion.

b) Déterminez le coefficient de corrélation.

c) Quel est le coefficient de détermination ?

d) Calculez l'équation de régression.

e) Estimez les ventes mensuelles d'une entreprise qui dépense 4500 $ en publicité dans les autobus.

f) Résumez vos résultats.

12. Voici l'affichage d'un tableau d'analyse de variance et des coefficients de régression.

a) Calculez le coefficient de détermination.

b) Calculez l'erreur type multiple de l'estimation.

c) Effectuez un test d'hypothèse pour déterminer s'il y a des coefficients de régression qui sont différents de zéro. Utilisez un seuil de signification de 5 %.

d) Effectuez un test d'hypothèse sur les coefficients de régression individuels. Utilisez un seuil de signification de 5 %.

Source	Somme des carrés	dl	CM
Régression	1050,8	4	262,70
Erreur	83,8	20	4,19
Total	1134,6	24	

Variable explicative	Coefficient	Erreur type	Statistique t
Ordonnée à l'origine	70,06	2,13	32,89
X_1	0,42	0,17	2,47
X_2	0,27	0,21	1,29
X_3	0,75	0,30	2,50
X_4	0,42	0,07	6,00

ÉTUDES DE CAS

A. LES PROFITS DES GRANDES ENTREPRISES CANADIENNES

Consultez le fichier 100 of 1000 Top Companies.xls (voir le cédérom). Cet ensemble de données contient de l'information sur un échantillon sélectionné au hasard de 100 des 1000 plus grandes entreprises au Canada. Les données comprennent de l'information sur le profit (en milliers de dollars), les revenus (en milliers de dollars), la capitalisation boursière (une mesure de la taille de l'entreprise, en millions de dollars), le rendement sur le capital (rendement, en pourcentage) et le nombre d'employés (employés, en nombre) de chaque entreprise. Faites une recherche détaillée des déterminants du profit pour les grandes entreprises canadiennes. *Essayez de répondre à toutes les questions indiquées au début de la section Exercices 14.16 à 14.27, données informatiques, à la page 629.*

B. THOMAS ET ASSOCIÉS – LE COÛT DE LIVRAISON DES TROUSSES MÉDICALES

Thomas et associés est la raison sociale d'un centre de tests médicaux spécialisés situé à Montréal. Une des principales sources de revenus du centre vient de la vente d'une trousse médicale utilisée pour vérifier le taux de concentration de plomb dans le sang. Les personnes qui travaillent dans les ateliers de débosselage ou dans l'industrie des fertilisants de même que les peintres en bâtiment, par exemple, sont exposés à de grandes quantités de plomb, et ils doivent faire l'objet de tests aléatoires. Le test est dispendieux, et les trousses sont livrées sur demande à certains endroits de la région montréalaise et dans d'autres villes environnantes.

Catherine Thomas, la propriétaire du centre, se préoccupe du coût réel de chaque livraison. Pour faire sa recherche, elle a collecté des renseignements sur un échantillon aléatoire de 50 livraisons récentes. Les données sont disponibles dans le fichier Case Study B.xls (voir le cédérom). Les facteurs liés au coût de livraison d'une trousse sont les suivants :

Préparation	Le temps écoulé entre la commande téléphonique du client et le moment où la trousse est prête à livrer.
Livraison	Le temps réel du trajet entre les locaux du centre et l'adresse du client.
Kilométrage	La distance (en kilomètres) entre les locaux du centre et l'adresse du client.

Effectuez une analyse de régression détaillée des déterminants du coût de livraison. *Essayez de répondre à toutes les questions indiquées au début de la section Exercices 14.16 à 14.27, données informatiques, à la page 629.*

CHAPITRE 15

La loi du khi-deux : les tests d'ajustement et d'indépendance

OBJECTIFS D'APPRENTISSAGE

Après avoir lu ce chapitre, vous serez en mesure :

- de comprendre la nature et le rôle de la loi du khi-deux ;

- de reconnaître plusieurs applications de la loi du khi-deux ;

- d'effectuer un test d'hypothèse en comparant une distribution d'effectifs observés à une distribution d'effectifs espérés ;

- d'effectuer un test d'hypothèse de normalité en utilisant la loi du khi-deux ;

- d'effectuer un test d'hypothèse afin de déterminer si deux variables sont indépendantes.

KARL PEARSON (1857-1936)

Karl Pearson, le disciple préféré de Francis Galton, naquit à Londres, en Angleterre. On l'appelle affectueusement le «fondateur des sciences statistiques». Il est bien connu pour ses contributions à l'élaboration de concepts tels que l'écart type, la corrélation, la régression et les courbes de fréquence, et pour son influence générale dans le développement et la reconnaissance de l'approche statistique.

Pearson disait qu'il se souvenait d'un incident lointain, qui remontait à sa petite enfance. Ce souvenir caractérise assez bien l'homme et le destin qu'il allait connaître. «J'étais assis dans une chaise haute et je suçais mon pouce. Quelqu'un m'a dit alors d'arrêter de sucer mon pouce si je ne voulais pas que celui-ci disparaisse. J'ai alors mis mes deux pouces ensemble et je les ai examinés longuement. "Ils sont pareils, me suis-je dit, le pouce que je suce n'est pas plus petit que l'autre. Peut-être qu'on ne me dit pas la vérité." Walker écrivit par la suite: «Dans cette simple anecdote, on observe le rejet de l'autorité établie, l'inclination pour la vérification expérimentale, la confiance en sa propre interprétation des données observées et la remise en question de la rectitude morale d'une personne dont le jugement diffère du sien. Ces caractéristiques furent prédominantes tout au long de sa carrière[1].»

Avant l'apport de Pearson, la loi normale était considérée comme une loi universelle. La plupart des scientifiques, dont Laplace, analysaient leurs ensembles de données en présupposant qu'ils suivaient une loi normale. Pearson étudia des ajustements de courbes de nombreux ensembles de données, y compris les ensembles de données utilisés par ses prédécesseurs, et il constata que la plupart des ensembles ne semblaient pas suivre une loi normale. Il n'y avait alors aucune méthode permettant d'indiquer la qualité de l'ajustement. Cela amena Pearson à mettre au point la statistique χ^2 (khi-deux), que certains statisticiens considèrent comme sa plus importante contribution à la théorie statistique. Il appliqua ensuite sa statistique χ^2 à de nombreux ensembles de données. La plupart de ces expériences ne furent pas probantes! Même l'expérience portant sur les tours de roulette au casino de Monte Carlo en juillet 1892, qu'il supposait aléatoire, ne fut pas concluante. Peut-être le jeu était-il truqué! La beauté de la statistique χ^2 est qu'on peut l'utiliser avec tout ensemble de données, peu importe la forme de la distribution ou l'échelle de mesure. Cette statistique χ^2 est maintenant utilisée dans un grand nombre d'applications en statistiques. Nous étudierons plusieurs de ces applications dans ce chapitre.

Tout comme Francis Galton, Pearson avait une personnalité versatile. Il étudia les mathématiques à Cambridge. Dans sa jeunesse, Pearson s'intéressa à la poésie, à la philosophie et à la théologie. Pendant ses voyages en Allemagne où il étudia la physique et la métaphysique, il fut grandement influencé par le marxisme et, de retour en Angleterre, il donna des conférences sur le socialisme et participa à la création d'un album de chansons socialistes. Sa première publication, à l'âge de 23 ans, fut un recueil de lettres d'un homme nommé Arthur à sa fiancée. Il écrivait: «Je navigue entre la science et la philosophie, et cette dernière me pousse vers nos vieux amis les poètes; puis, lassé par tant d'idéalisme, j'imagine que mon esprit redevient pratique et retourne vers les sciences. Avez-vous déjà essayé de concevoir tout ce qui vaut la peine d'être connu dans l'univers – qu'il n'y a aucun sujet au monde qui ne mérite d'être étudié[2]?» Par la suite, sous l'influence de Galton, Pearson consacra la plus grande partie de sa vie à approfondir la théorie de Galton sur l'héritage des caractéristiques naturelles au moyen des méthodes statistiques. Pour le journal qu'il avait fondé, *Biometrika*, il choisit comme devise une phrase inscrite sur le socle d'une statue de Charles Darwin: *Ignoramus, in hoc signo laboremus*, qu'on peut traduire par: «Travaillons donc, nous qui sommes ignorants.»

-- 1498
-- 1548
-- 1598
-- 1648
-- 1698
-- 1748
-- 1898
-- 1948
-- 2000

INTRODUCTION

Nous avons déjà abordé la loi du khi-deux au chapitre 9 (voir l'annexe A du chapitre 9, sur le cédérom accompagnant ce manuel). Nous avons appris comment dériver la loi du khi-deux en nous basant sur certaines variables aléatoires normalement distribuées, et nous avons décrit ses propriétés essentielles. Deux raisons nous ont incités à présenter si tôt ce concept. Premièrement, comme vous avez pu le remarquer, la loi du khi-deux joue un rôle important dans la dérivation de la loi t de Student (étudiée à partir du chapitre 9) et dans la loi F de Fisher (étudiée à partir du chapitre 12). Deuxièmement, comme nous l'avons vu au chapitre 9, nous pouvons utiliser la loi du khi-deux pour tester une hypothèse sur la variance d'une population à partir d'un échantillon.

Dans ce chapitre, nous examinerons particulièrement l'utilisation de la loi du khi-deux : 1) pour comparer une distribution d'effectifs observés à une distribution provenant d'une population – que l'on suppose conforme à certaines théories ou assertions, et 2) pour examiner la relation de dépendance entre des variables. Comme ces tests concernent l'ensemble des distributions d'effectifs et non seulement quelques paramètres, certains statisticiens qualifient ces utilisations du khi-deux de tests non paramétriques[3]. Pour l'usage que nous en ferons, toutefois, la beauté du concept du khi-deux est qu'il s'applique non seulement aux données quantitatives, mais également aux données qualitatives qu'on rencontre souvent dans plusieurs secteurs d'activité liés ou non au monde des affaires.

15.1 LES PROBLÈMES DE PEARSON

À l'époque de Pearson, la loi normale était considérée comme une loi universelle. Pearson a étudié de nombreuses distributions et, selon lui, plusieurs d'entre elles ne semblaient pas suivre une loi normale. Toutefois, il ne disposait d'aucune statistique de test qui lui aurait permis de déduire si une distribution particulière était approximativement normale ou si elle suivait approximativement un autre type de loi de probabilité. On illustrera les problèmes de Pearson en prenant deux exemples. Supposons qu'une population puisse être divisée en k groupes, ces derniers pouvant aussi être nommés « cellules » ou « catégories ». Posons maintenant que :

f_o est l'effectif observé dans un groupe ;

f_e est l'effectif espéré dans un groupe ;

n est le total des effectifs ou la taille de l'échantillon. Donc, $n = \Sigma f_o = \Sigma f_e$.

Exemple 15.1

Le dé est-il truqué ?

Mireille a acheté un dé à jouer qu'elle veut utiliser en fin de semaine. Avant de commencer à jouer, son ami Paul examine le dé. Paul trouve qu'il a l'aspect d'un dé truqué. Mireille n'est pas d'accord, et elle est même prête à gager 20 $ que ce dé est tout à fait normal. Qui a raison ?

Solution

Mireille et Paul conviennent tous les deux que si le dé n'est pas truqué, chacun des chiffres inscrits sur le dé aura une probabilité égale ($p = 1/6$) de se retrouver sur le dessus du dé, puisque le dé a six faces. Donc, s'ils lancent le dé 60 fois ($n = 60$), on peut espérer que chaque chiffre sortira 10 fois ($= n \times p = 60 \times 1/6$). C'est ce qu'on nomme *l'effectif espéré*.

En fait, lorsqu'ils lancent le dé 60 fois, ils obtiennent 10 fois le chiffre un, 11 fois le chiffre deux, 7 fois le chiffre trois, 9 fois le chiffre quatre, 10 fois le chiffre cinq et 13 fois le chiffre six ! Ces résultats correspondent aux effectifs observés pour chaque chiffre (ou face) du dé. Dans le tableau 15.1, les catégories ou faces du dé sont inscrites dans la première colonne, les effectifs observés dans la deuxième colonne et les effectifs espérés dans la troisième. La figure 15.1 donne une représentation visuelle des différences entre f_o et f_e.

Le dé est-il truqué ?

TABLEAU 15.1 Les effectifs observés et espérés des six faces du dé		
Face	f_o	f_e
1	10	10
2	11	10
3	7	10
4	9	10
5	10	10
6	13	10
Total	60	60

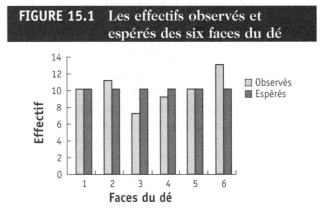

FIGURE 15.1 Les effectifs observés et espérés des six faces du dé

En observant les différences entre les effectifs observés et les effectifs espérés, Paul pense avoir raison ; le dé semble truqué. Mireille, pour sa part, pense que les différences entre les effectifs observés et les effectifs espérés sont assez minimes pour être attribuées au hasard, l'erreur d'échantillonnage. Comment peut-on régler ce différend ?

Exemple 15.2

Tous les joueurs de hockey ont-ils la même popularité ?

Julie Kilpatrick est gérante du marketing pour un fabricant de cartes sportives. Elle veut mettre en marché une collection de cartes présentant des photos et des statistiques concernant d'anciens joueurs de hockey professionnels. La sélection des anciens joueurs lui pose toutefois un problème. En fin de semaine dernière, à la foire des cartes de hockey qui avait lieu au centre commercial Les Galeries du Sud, elle occupait un kiosque où elle offrait les cartes des six joueurs suivants, tous membres du Temple de la renommée du hockey : Gordie Howe, Bobby Hull, Bobby Orr, Guy Lafleur, Mike Bossy et Maurice Richard. La première journée, elle a vendu un total de 120 cartes. Le tableau 15.2 indique le nombre de cartes vendues pour chaque joueur. Si les 6 joueurs étaient aussi populaires les uns que les autres auprès des collectionneurs de cartes, elle pourrait prévoir vendre 20 cartes ($n \times p = 120 \times 1/6$) de chacun des joueurs de hockey, ce qui donne un effectif espéré de 20 pour chacun des joueurs.

Si la popularité de ces joueurs était la même, on pourrait s'attendre à ce que les effectifs observés f_o soient égaux ou très proches des effectifs espérés f_e. On s'attendrait donc à vendre autant de cartes de Mike Bossy que de cartes de Bobby Orr. Toute disparité dans l'ensemble des effectifs observés et des effectifs espérés pourrait être attribuée à l'échantillonnage (au hasard). Lorsqu'on examine l'ensemble des effectifs observés (voir le tableau 15.2 et la figure 15.2), on remarque un moins grand nombre de ventes des cartes de Guy Lafleur et un plus grand nombre de ventes des cartes de Gordie Howe et de Bobby Orr. Cette différence dans les ventes est-elle attribuable au hasard ou peut-on conclure qu'il y a une préférence pour les cartes de certains joueurs ?

Tous les joueurs de hockey ont-ils la même popularité ?

TABLEAU 15.2 Les joueurs de hockey		
Joueur	f_o	f_e
Mike Bossy	17	20
Bobby Orr	30	20
Bobby Hull	13	20
Guy Lafleur	15	20
Gordie Howe	28	20
Maurice Richard	17	20
Total	120	120

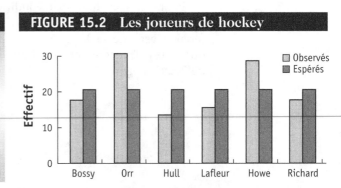

FIGURE 15.2 Les joueurs de hockey

On peut résumer comme suit les caractéristiques principales des exemples précédents :

- Il y a k catégories ou cellules. Les catégories s'excluent mutuellement et incluent tous les résultats (exhaustifs) d'une expérience aléatoire.

- Dans chaque catégorie, l'effectif observé résulte d'une expérience aléatoire. Ces résultats sont donc des variables aléatoires.

- Dans chaque catégorie, l'effectif espéré a une valeur supposée, qui correspond à une caractéristique supposée de la population. L'effectif espéré de chaque catégorie est égal au nombre total d'observations (la taille de l'échantillon, n) multiplié par la probabilité que chaque observation se retrouve dans cette catégorie particulière. Donc, $f_e = n \times p$. Dans les exemples donnés plus haut, la valeur de p (1/6) est la même pour chaque catégorie.

- Il faut noter que la valeur de p peut varier d'une catégorie à l'autre selon les assertions sur la population.

- Dans ce contexte, les joueurs de hockey ont une popularité égale suivant l'hypothèse nulle et une popularité *inégale* suivant la contre-hypothèse.

15.2 LES SOLUTIONS DE PEARSON

LA STATISTIQUE DE TEST

Pearson a défini une statistique de test pour les différences entre les effectifs observés et les effectifs espérés à partir de l'idée que plus la différence est petite, meilleur est l'ajustement.

Afin de déterminer la qualité de l'ajustement entre les effectifs de l'échantillon et les effectifs espérés selon la population, Pearson a élaboré une statistique de test en se basant sur les différences entre l'effectif observé et l'effectif espéré dans chaque catégorie. Au lieu de considérer simplement les différences, il a pris les différences au carré et les a normalisées en divisant les différences au carré par les effectifs espérés. Pearson a ainsi obtenu une statistique qui est la somme de ces différences au carré divisées par les effectifs espérés correspondants.

$$X^2 = \sum_{1}^{k} \left[\frac{(f_o - f_e)^2}{f_e} \right] \qquad \textbf{15.1}$$

où

f_o est l'effectif observé dans une catégorie ;
f_e est $n \times p$ = effectif espéré dans une catégorie ;
k est le nombre de catégories.

Pearson a démontré que, avec une taille d'échantillon n suffisamment grande, la statistique de test X^2 suit approximativement la loi du khi-deux χ^2. La règle générale est que la taille de l'échantillon doit être assez grande pour que $n \times p$ soit *au moins égal à 5* dans chaque catégorie. Cette condition est requise puisque la loi du khi-deux est une loi continue alors que les distributions d'effectifs observés sont des distributions discrètes.

Rappelez-vous que cette condition selon laquelle $n \times p$ *doit être au moins égal à 5* s'appliquait également à l'approximation normale de la loi binomiale. La seule différence est que la loi binomiale n'a que deux catégories (succès ou échec), alors qu'un test d'ajustement s'applique généralement à des distributions comprenant plus de deux catégories.

LA LOI MULTINOMIALE

On peut considérer la loi multinomiale comme une généralisation de la loi binomiale qu'on étend à plus de deux catégories. Les distributions discrètes qui satisfont aux exigences d'une expérience binomiale où chaque test comprend plus de deux résultats (catégories) se nomment généralement des «lois multinomiales». Prenons un exemple : à la fin de ce cours, si l'on regroupait tous les étudiants en deux catégories (réussite ou échec), on aurait une population binomiale. Par contre, si l'on regroupait tous les étudiants en catégories (notes A, B, C et D), on aurait alors une population multinomiale comprenant quatre catégories. De la même façon, dans une expérience où on lance un dé, si chaque résultat peut être placé dans une de ces deux catégories (obtenir 5 ou 6 *ou* obtenir 1, 2, 3 ou 4 dans un lancement de dé), on a une population binomiale. Par contre, si chaque résultat peut être placé dans trois catégories – première catégorie : obtenir 1 ou 2 ; deuxième catégorie : obtenir 3 ou 4 ; troisième catégorie : obtenir 5 ou 6 –, on a alors une population multinomiale.

UNE MISE EN GARDE

La fiabilité des inférences basées sur une statistique de test du khi-deux dépend grandement de la nature de l'approximation ; plus l'approximation est bonne, plus les inférences sont fiables.

QU'EST-CE QUE LA LOI DU KHI-DEUX (χ^2) ?

Il faut noter qu'en théorie, la statistique du test X^2 telle qu'on l'a définie précédemment n'est pas la même chose que la loi de probabilité du khi-deux. La statistique de test se base sur la loi multinomiale, qui est une variable discrète sans distribution particulière connue *a priori*, alors que la loi du khi-deux est une loi de probabilité continue qui se base sur les carrés de variables Z indépendantes. Lorsque la condition «$n \times p$ est au moins égal à 5» est satisfaite dans chaque catégorie de la loi multinomiale, la statistique de test X^2 suit approximativement la loi du khi-deux. Ainsi, on peut utiliser la loi du khi-deux pour faire l'inférence statistique, par exemple rejeter ou non l'hypothèse nulle à un seuil de signification attribué au préalable.

Nous avons expliqué au chapitre 9 comment dériver une **loi du khi-deux** d'une distribution normale. Pearson a dérivé la loi de probabilité du khi-deux afin de vérifier la qualité de l'ajustement entre les effectifs espérés dans la population et les effectifs réels basés sur une expérience aléatoire. On vous demande maintenant de réviser la dérivation de la loi du khi-deux étudiée au chapitre 9 (voir l'annexe A du chapitre 9, sur le cédérom acompagnant ce manuel). Voici un résumé des propriétés de la dérivation et de la loi.

- Si une variable aléatoire X est normalement distribuée avec une moyenne μ et un écart type σ, la variable centrée réduite $Z = \dfrac{(X - \mu)}{\sigma}$ suit la loi normale centrée réduite avec une moyenne de zéro et un écart type égal à 1.

- S'il y a un nombre k de variables aléatoires indépendantes normalement distribuées avec une moyenne de 0 et un écart type de 1, $Z_1, Z_2, Z_3, ..., Z_k$, la somme des carrés de toutes les variables aléatoires normales (les Z) a une distribution de probabilité définie avec k degrés de liberté. Pearson a nommé cette distribution de probabilité la loi du khi-deux.

$\chi^2 = Z_1^2 + Z_2^2 + Z_3^2 + ... + Z_k^2$ est distribuée avec «k» degrés de liberté **15.2**

- Puisque la variable khi-deux est basée sur les variables Z au carré, elle ne prend que les valeurs positives, de zéro à l'infini. La loi du khi-deux est généralement asymétrique à droite.

FIGURE 15.3 Les lois du khi-deux pour certains degrés de liberté

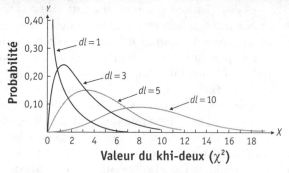

- Avec un nombre suffisamment élevé de degrés de liberté ou lorsque k tend vers l'infini, la loi de probabilité du khi-deux s'approche de la forme symétrique d'une loi normale (voir la figure 15.3). Toutefois, cette exigence diffère de celle voulant que $n \times p$ soit plus grand ou égal à 5 pour que la statistique de test soit distribuée approximativement comme une loi du khi-deux.

- Comme dans le cas d'une loi t, on a une loi du khi-deux différente pour chaque degré de liberté, le nombre de catégories indépendantes (voir la figure 15.3).

- La moyenne de la loi du khi-deux est égale au nombre de degrés de liberté (le nombre de variables Z indépendantes dans la distribution du khi-deux), et la variance est égale au double de la valeur de la moyenne.

- Pearson a compilé des probabilités pour de nombreuses valeurs du khi-deux et de degrés de liberté. On utilise une version modifiée de cette compilation (voir l'annexe E) pour faire de l'inférence statistique.

15.3 LE TEST D'AJUSTEMENT : EFFECTIFS ESPÉRÉS ÉGAUX

La forme de la loi χ^2 approche celle d'une loi normale lorsque le nombre de degrés de liberté dl augmente.

Le **test d'ajustement** est une des utilisations les plus communes de la loi du khi-deux. Ce test convient à tous les types de données. Dans les deux exemples cités plus haut, les effectifs espérés de chaque catégorie sont égaux, car il y a une probabilité égale qu'un résultat se retrouve dans chacune des catégories k. Puisque la probabilité qu'un résultat se retrouve dans chaque catégorie est la même ($p_1 = p_2 = p_3 = p_4 = p_5 = p_6 = 1/6$), le test d'ajustement dans un cas semblable se nomme aussi *test d'homogénéité*. On peut également lui donner le nom de «test de distribution de probabilité uniforme». On illustrera l'utilisation du test d'ajustement en reprenant l'exemple des joueurs de hockey, et vous devrez trancher le débat entre Mireille et Paul (voir l'exercice 15.5). On utilisera la même méthode systématique de test d'hypothèse en cinq étapes, telle que présentée au chapitre 10. Avant d'entreprendre ce test d'hypothèse, il convient d'abord de noter les deux points suivants :

1. **Les degrés de liberté.** On a mentionné plusieurs fois les degrés de liberté (notés *dl* à partir de maintenant). Comment détermine-t-on le *dl* dans le contexte de la statistique de test du khi-deux ? Comme dans d'autres cas, le *dl* d'un ensemble de données est déterminé par le nombre de données indépendantes ou d'observations effectuées dans le calcul d'une statistique. Si l'on considère le contexte d'une statistique de test d'ajustement du khi-deux, le nombre de catégories constitue le nombre de données indépendantes. Puisque le nombre total d'observations est divisé en k catégories, avec les valeurs données dans toutes les $k-1$ catégories, on peut trouver la valeur dans la $k^{ième}$ catégorie.

Dans l'exemple au sujet des cartes de hockey, supposons que la gérante connaisse le nombre total de cartes vendues et le nombre de cartes vendues pour tous les joueurs excepté Bobby Orr. Doit-elle compter les cartes de Bobby Orr qui ont été vendues ? Elle peut facilement déduire ce nombre en soustrayant le nombre de cartes de tous les autres joueurs du nombre total de cartes vendues. Le nombre de cartes de Bobby Orr ayant été vendues doit donc être égal à $120 - (17 + 13 + 15 + 28 + 17) = 30$ cartes. On a donc seulement cinq des six catégories qui sont interchangeables, et il s'ensuit qu'il y a $6 - 1 = 5$ degrés de liberté, dans ce cas. En d'autres mots, le nombre total de toutes les cartes vendues représente une contrainte pour les degrés de liberté dans l'ensemble de données regroupées en k catégories, ce qui nous laisse $k-1$ degrés de liberté.

Pour la statistique de test du khi-deux, le nombre de **degrés de liberté** est égal au nombre de catégories indépendantes, qui est égal à $k - 1$.

2. **La valeur de la statistique de test et l'ajustement.** Puisque la valeur de la statistique de test se définit selon la différence entre les effectifs observés et les effectifs espérés, *lorsque l'hypothèse nulle est vraie*, plus l'ajustement est bon, plus la statistique de test a une petite valeur. À quel point cette valeur doit-elle être petite ? Tout dépend du seuil de signification, qui est le niveau acceptable d'une erreur de première espèce.

d Plus la valeur de la statistique de test est petite, meilleur est l'ajustement.

LA MÉTHODE EN CINQ ÉTAPES APPLIQUÉE À L'EXEMPLE AU SUJET DES JOUEURS DE HOCKEY

Étape 1   **On formule l'hypothèse nulle H_0 et la contre-hypothèse H_1.** Dans l'hypothèse nulle H_0, l'échantillon aléatoire est issu d'une population qui suit une distribution donnée. Si H_0 est vraie, les différences entre les effectifs observés et les effectifs espérés peuvent être attribuées à l'échantillonnage (au hasard). Dans la contre-hypothèse H_1, l'échantillon aléatoire n'est pas issu d'une population qui suit la distribution donnée. Si l'on a des raisons suffisantes de rejeter H_0, c'est-à-dire s'il y a une grande différence entre les effectifs observés et les effectifs espérés, et qu'on *ne peut* attribuer cette différence seulement au hasard, on rejette H_0 en faveur de H_1. Dans notre exemple concernant les joueurs de hockey, notre hypothèse nulle veut que les vedettes de hockey aient une popularité égale, et notre contre-hypothèse, que leur popularité soit inégale.

Étape 2   **On choisit le seuil de signification.** On a choisi un seuil de 0,05, qui équivaut à la probabilité d'erreur de première espèce. Il y a donc une probabilité de 0,05 qu'on rejette l'hypothèse nulle alors qu'elle est vraie.

Étape 3   **On sélectionne la statistique de test.** Puisque tous les effectifs espérés sont plus grands que cinq, on peut utiliser la loi du khi-deux :

$$\text{Statistique de test du khi-deux}: X^2 = \sum \left[\frac{(f_o - f_e)^2}{f_e} \right] \text{ avec } k - 1 \text{ degrés de liberté,}$$

où
k est le nombre de catégories ;
f_o est un effectif observé dans une catégorie particulière ;
f_e est un effectif espéré dans une catégorie particulière.

Dans le cas des joueurs de hockey, $dl = k - 1 = 6 - 1 = 5$.

Étape 4   **On formule la règle de décision.** Rappelez-vous que dans la règle de décision d'un test d'hypothèse, il faut trouver un nombre qui délimite la région où l'on ne rejette pas H_0 de la région où on la rejette. Ce nombre se nomme la **valeur critique.** Comme on l'a vu plus haut, la loi du khi-deux est vraiment une famille de distributions. Chaque distribution a une forme différente qui dépend du nombre de degrés de liberté. Comme on l'expliquait précédemment, la statistique de test du khi-deux a dans ce cas $k - 1$ degrés de liberté, où k est le nombre de catégories. Puisqu'on a six catégories, il y a $k - 1 = 6 - 1 = 5$ degrés de liberté.

La valeur critique du khi-deux pour cinq degrés de liberté et un seuil de signification de 0,05 se trouve dans l'annexe E. Le tableau 15.3, à la page suivante, reproduit une partie de cette table. La valeur critique est de 11,070, que l'on trouve dans la ligne correspondant à cinq degrés de liberté et la colonne correspondant à 0,05.

La règle de décision consiste à rejeter H_0 si la valeur calculée du khi-deux est plus grande que 11,070. Si elle est moindre ou égale à 11,070, on ne rejette pas H_0. La figure 15.4, à la page suivante, illustre la règle de décision.

TABLEAU 15.3	Une partie de la table des valeurs critiques du du khi-deux (annexe E)			
Degrés de liberté		Aire à droite		
dl	0,10	0,05	0,02	0,01
1	2,706	3,841	5,412	6,635
2	4,605	5,991	7,824	9,210
3	6,251	7,815	9,837	11,345
4	7,779	9,488	11,668	13,277
5	9,236	11,070	13,388	15,086

FIGURE 15.4 La loi du khi-deux avec cinq degrés de liberté indiquant la région de rejet au seuil de signification de 0,05

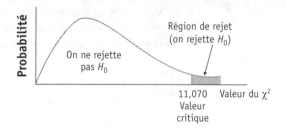

La règle de décision indique que s'il y a de grandes différences entre les effectifs observés et les effectifs espérés, qui résultent en une valeur calculée de X^2 supérieure à 11,070, l'hypothèse nulle doit alors être rejetée. Toutefois, si les différences entre f_o et f_e sont petites, la valeur calculée de X^2 sera égale ou inférieure à 11,070, et l'hypothèse nulle ne doit pas être rejetée. On considère alors que ces petites différences entre les effectifs observés et espérés sont probablement attribuables au hasard.

Étape 5   **On calcule la statistique de test et l'on prend une décision.** Parmi les 120 cartes vendues dans l'échantillon, on a compté le nombre de fois où des cartes de Mike Bossy, de Bobby Orr et de chacun des autres joueurs ont été vendues. Ce dénombrement est décrit au tableau 15.2. On indique ci-après les calculs pour déterminer le khi-deux. (De nouveau, il faut noter que les effectifs espérés sont les mêmes pour chaque catégorie-joueur.)

Colonne 1   On détermine les différences entre f_o et f_e. La somme de toutes ces différences pour toutes les catégories est de zéro.

Colonne 2   On met au carré la différence entre l'effectif observé et l'effectif espéré dans chaque catégorie : $(f_o - f_e)^2$.

Colonne 3   On divise le résultat obtenu dans la colonne 2 par l'effectif espéré dans cette catégorie : $\dfrac{(f_o - f_e)^2}{f_e}$.

Enfin, on calcule la somme des valeurs pour toutes les catégories dans la colonne 3. Le résultat sera la valeur de X^2, qui est ici de 12,8 (voir le tableau 15.4).

La valeur calculée de X^2 (= 12,8) se trouve dans la région de rejet, au-delà de la valeur critique de 11,070. *La décision doit donc être de rejeter* H_0 *au seuil de signification de 0,05 en faveur de* H_1. La différence entre les effectifs observés et les effectifs espérés n'est pas attribuable au hasard. Les différences entre f_o et f_e sont assez grandes pour être statistiquement significatives. Il y a très peu de chances que ces différences soient attribuables à l'échantillonnage. En conclusion, il est peu probable que les joueurs de hockey aient une popularité égale. Voici maintenant un autre *défi* qu'on vous invite à relever : pouvez-vous rejeter l'hypothèse nulle au seuil de signification de 1 % ?

On peut utiliser un logiciel pour calculer la valeur du khi-deux. Dans cet exemple, on montre l'utilisation avec Excel (MegaStat) – (voir la feuille de calcul Excel 15.5). Il faut noter que dans la fenêtre de MegaStat, O désigne f_o et E désigne f_e, alors que *% of chi-square* désigne le pourcentage de la valeur du khi-deux pour chaque catégorie. La différence entre f_o et f_e pour Bobby Orr donne 39 % (= 5/12,8) de la valeur du khi-deux.

TABLEAU 15.4   Le calcul de la valeur du khi-deux pour les joueurs de hockey

Joueur	f_o	f_e	(1) $(f_o - f_e)$	(2) $(f_o - f_e)^2$	(3) $(f_o - f_e)^2/f_e$
Bossy	17	20	–3	9	0,45
Orr	30	20	10	100	5,0
Hull	13	20	–7	49	2,45
Lafleur	15	20	–5	25	1,25
Howe	28	20	8	64	3,2
Richard	17	20	–3	9	0,45
Total	120	120	0	256	12,8

FEUILLE DE CALCUL EXCEL 15.5

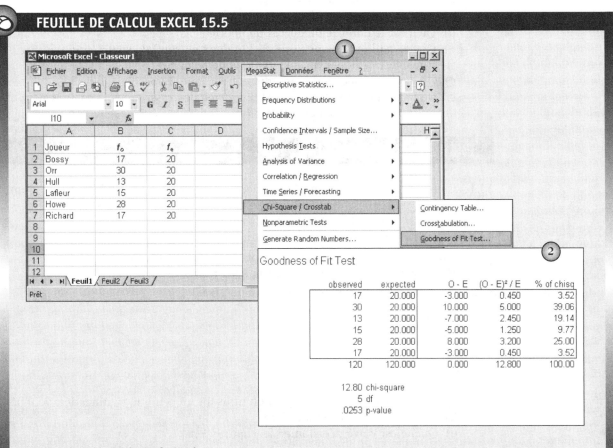

Instructions pour Microsoft Excel

A. Entrez les données correspondant aux effectifs observés (f_o) et aux effectifs espérés (f_e).

B. Dans la barre de menus, cliquez sur MegaStat, *Chi-Square/Crosstab*, puis *Goodness of Fit Test*.

C. Entrez la plage des données correspondant à f_o et à f_e dans la fenêtre d'entrée.

D. Cliquez sur *OK* pour obtenir les résultats.

■ RÉVISION 15.1

La directrice des ressources humaines de l'entreprise Produits forestiers Saint-Jean est préoccupée par l'absentéisme des employés qui reçoivent une rémunération horaire. Elle décide d'échantillonner les fiches de présence afin de déterminer si l'absentéisme est distribué également durant les cinq jours de travail de la semaine. L'hypothèse nulle à tester est celle-ci : l'absentéisme est distribué également durant la semaine. On utilise un seuil de signification de 0,01. Les résultats provenant de l'échantillon sont les suivants :

Jour	Lundi	Mardi	Mercredi	Jeudi	Vendredi
Nombre d'absences	8	9	10	11	12

a) Comment nomme-t-on les nombres 8, 9, 10, 11 et 12 ?
b) Combien y a-t-il de catégories ?
c) Quel est l'effectif *espéré* pour chaque jour ?
d) Quel est le nombre de degrés de liberté ?
e) Quelle est la valeur critique du khi-deux au seuil de signification de 1 % ?
f) Quelle est la valeur de la statistique de test X^2 ?
g) Quelle est la décision à prendre concernant l'hypothèse nulle ?
h) De façon précise, comment la directrice des ressources humaines peut-elle interpréter ces résultats ?

EXERCICES 15.1 À 15.8

15.1 Dans un test d'ajustement du khi-deux, on a 4 catégories et 200 observations. Utilisez un seuil de signification de 0,05.
a) Combien y a-t-il de degrés de liberté ?
b) Quelle est la valeur critique du khi-deux ?

15.2 L'hypothèse nulle et la contre-hypothèse sont les suivantes :
H_0 : Les effectifs espérés sont égaux dans toutes les catégories.
H_1 : Les effectifs espérés *ne sont pas* égaux dans toutes les catégories.

Catégorie	f_o
A	10
B	20
C	30

a) Formulez la règle de décision en utilisant un seuil de signification de 0,05.
b) Calculez la valeur du khi-deux.
c) Quelle est votre décision concernant H_0 ?

15.3 L'hypothèse nulle et la contre-hypothèse sont les suivantes :
H_0 : Les effectifs espérés sont égaux dans toutes les catégories.
H_1 : Les effectifs espérés *ne sont pas* égaux dans toutes les catégories.

Catégorie	f_o
A	10
B	20
C	30
D	20

a) Formulez la règle de décision en utilisant un seuil de signification de 0,05.
b) Calculez la valeur du khi-deux.
c) Quelle est votre décision concernant H_0 ?

15.4   Un dé à 6 faces est lancé 30 fois. Les résultats obtenus sont les chiffres 1 à 6 suivant la distribution d'effectifs suivante. Au seuil de signification de 0,10, pouvez-vous conclure que le dé n'est pas truqué ?

Résultat	Effectif	Résultat	Effectif
1	3	4	3
2	6	5	9
3	2	6	7

15.5   Déterminez si le dé de Mireille (dans l'exemple 15.1) est truqué, au seuil de signification de 0,05. Comment pourrez-vous rallier Paul à votre décision ?

15.6   Le directeur d'un club de golf examine le nombre de parcours joués par les membres du club durant les jours de semaine. Il a collecté les renseignements suivants pour 520 parcours.

Jour	Parcours
Lundi	124
Mardi	74
Mercredi	104
Jeudi	98
Vendredi	120

Au seuil de signification de 0,05, y a-t-il une différence dans le nombre de parcours joués selon le jour de la semaine ?

15.7   Des acheteurs d'une chaîne de magasins à rayons ont examiné une nouvelle collection de robes. Ils ont donné leur opinion sur la qualité de la collection. Voici les résultats obtenus :

Opinion	Nombre d'acheteurs	Opinion	Nombre d'acheteurs
Exceptionnelle	47	Bonne	39
Excellente	45	Passable	35
Très bonne	40	Mauvaise	34

Comme un plus grand nombre d'acheteurs (47) ont indiqué qu'ils trouvaient la qualité exceptionnelle, la designer en chef croit qu'elle a le mandat lui permettant de lancer une production de masse. Le balayeur en chef, qui a décidé de s'en mêler, croit, pour sa part, que le mandat n'est pas clair et prétend que les opinions sont également partagées entre les six catégories. Selon lui, les petites différences entre les catégories sont probablement attribuables au hasard. Vérifiez l'hypothèse nulle voulant qu'il n'y ait pas de différence significative entre les opinions des acheteurs, au seuil de signification de 0,01. Suivez une approche rigoureuse en observant la méthode en cinq étapes décrite plus haut.

15.8   Le responsable de la sécurité chez Honda Canada a sélectionné un échantillon aléatoire dans le dossier des accidents. Il a classé les accidents selon l'heure à laquelle chacun est survenu.

Heure	Nombre d'accidents	Heure	Nombre d'accidents
8 h à 9 h	6	13 h à 14 h	7
9 h à 10 h	6	14 h à 15 h	8
10 h à 11 h	20	15 h à 16 h	19
11 h à 12 h	8	16 h à 17 h	6

Faites un test d'ajustement au seuil de signification de 0,01, et déterminez si les accidents sont distribués également pendant la journée. Expliquez brièvement vos conclusions.

■ 15.4 LE TEST D'AJUSTEMENT : EFFECTIFS ESPÉRÉS INÉGAUX

Dans l'exemple précédent au sujet des cartes de hockey, les effectifs espérés f_e étaient tous égaux (20). En théorie, on prévoyait vendre 20 cartes de Mike Bossy, 20 cartes de Bobby Orr et ainsi de suite. Toutefois, on peut aussi utiliser le test du khi-deux lorsque les effectifs espérés ne sont pas égaux. Dans l'exemple suivant, on illustrera le cas d'effectifs espérés inégaux. De plus, on décrira une utilisation pratique du khi-deux lorsqu'on veut déterminer si une expérience locale diffère d'une expérience nationale.

Exemple 15.3   Une étude nationale portant sur les admissions dans les hôpitaux sur une période de deux années a révélé les statistiques suivantes sur les personnes âgées. Celles-ci résidaient dans des centres d'hébergement et ont été hospitalisées durant cette période. Pendant ces deux années, 40 % ont été admises une seule fois ; 20 %, deux fois ; 14 %, trois fois et ainsi de suite. La distribution complète des pourcentages est indiquée au tableau 15.5.

Une administratrice de l'hôpital local aimerait comparer les données de l'hôpital du comté de York aux données collectées à l'échelle nationale. Elle sélectionne 400 personnes âgées qui résident dans des centres d'hébergement et qui ont été hospitalisées. Elle détermine le nombre d'admissions à son hôpital pour chacune de ces personnes sur une période de deux années. Les effectifs observés sont indiqués au tableau 15.6.

La statistique du khi-deux est utilisée pour comparer cette étude locale à l'étude nationale. La question est la suivante : comment les effectifs observés localement (voir le tableau 15.6) se comparent-ils aux pourcentages nationaux du tableau 15.5 ? On utilisera un seuil de signification de 0,05.

TABLEAU 15.5	Une étude nationale : les admissions de personnes âgées dans un hôpital sur une période de deux années		TABLEAU 15.6	Les admissions à l'hôpital du comté de York sur une période de deux années	
Nombre d'admissions	**Pourcentage du total**		**Nombre d'admissions**	**Nombre de personnes âgées** f_o	
1	40		1	165	
2	20		2	79	
3	14		3	50	
4	10		4	44	
5	8		5	32	
6	6		6	20	
7	2		7	10	
Total	100		Total	400	

La détermination des effectifs espérés

Évidemment, les *nombres* observés dans l'étude locale ne peuvent être comparés directement aux *pourcentages* indiqués à l'échelle nationale. Toutefois, les pourcentages nationaux du tableau 15.5 peuvent être convertis en effectifs espérés f_e. Ce même tableau indique que 40 % des personnes âgées ont été hospitalisées une seule fois sur une période de deux années. Ainsi, s'il n'y a *aucune* différence entre l'étude menée à l'hôpital du comté de York et l'étude nationale, 40 % (une proportion de 0,4) des 400 cas échantillonnés par l'administratrice (soit 160 personnes âgées) devraient avoir nécessité une admission une seule fois durant la période de deux années. De même, 20 % des 400 cas échantillonnés (80 personnes) devraient avoir nécessité deux admissions et ainsi de suite. La formule permettant de calculer l'effectif espéré à partir des proportions ou probabilités p d'une catégorie (par exemple la $x^{\text{ième}}$ catégorie, où x peut désigner toute catégorie, de 1 à k) peut s'écrire comme suit : effectif espéré dans la $x^{\text{ième}}$ catégorie (f_e^x) = nombre d'observations totales (n) × proportion (ou probabilité) d'observations se retrouvant dans la $x^{\text{ième}}$ catégorie (p^x). Sous forme de formule, on peut écrire :

Effectif espéré $$f_e^x = n \times p^x$$ **15.3**

Les effectifs observés localement et les effectifs espérés au niveau local selon les pourcentages de l'étude nationale sont indiqués au tableau 15.7.

TABLEAU 15.7   Les effectifs observés et espérés dans le cas de l'hôpital du comté de York

Nombre d'admissions (catégorie)	Nombre d'admissions observé (f_o)	Nombre d'admissions espéré (f_e)
1	165	40 % × 400 = 160
2	79	20 % × 400 = 80
3	50	14 % × 400 = 56
4	44	10 % × 400 = 40
5	32	8 % × 400 = 32
6	20	6 % × 400 = 24
7	10	2 % × 400 = 8
Total	400	400

Doivent être égaux

L'hypothèse nulle et la contre-hypothèse sont les suivantes :

H_0 : Il n'y a pas de différence entre l'étude locale et l'étude nationale.

H_1 : Il y a une différence entre l'étude locale et l'étude nationale.

On consulte l'annexe E pour déterminer la règle de décision. On a *sept catégories*, chacune d'elles représentant le nombre de fois qu'une personne âgée a été admise à l'hôpital. Il y a donc $dl = k - 1 = 7 - 1 = 6$ degrés de liberté. La *valeur critique du khi-deux*, trouvée dans la table de l'annexe E pour six degrés de liberté et un seuil de signification de 0,05 est de 12,592.

La règle de décision est de rejeter H_0 si la valeur X^2 de l'échantillon > 12,592.

Données tirées de l'expérience de Weldon

Dé montrant le 5 ou le 6	0	1	2	3	4	5	6	7	8	9	10	11	12	Total
Nombre de fois	185	1149	3265	5475	6114	5194	3067	1331	403	105	14	4	0	26 306

TABLEAU 15.8	Le calcul de la valeur du khi-deux dans l'étude sur l'hôpital du comté de York				
Nombre d'admissions	f_o	f_e	$f_o - f_e$	$(f_o - f_e)^2$	$(f_o - f_e)^2/f_e$
1	165	160	5	25	0,156
2	79	80	−1	1	0,013
3	50	56	−6	36	0,643
4	44	40	4	16	0,4
5	32	32	0	0	0
6	20	24	−4	16	0,667
7	10	8	2	4	0,5
Total	400	400	0		$2,379 = X^2$

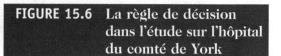

FIGURE 15.6   La règle de décision dans l'étude sur l'hôpital du comté de York

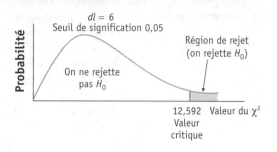

La règle de décision est représentée graphiquement à la figure 15.6. Les détails des calculs sont donnés au tableau 15.8.

La valeur calculée du khi-deux (2,379) se trouve à gauche de 12,592, et elle est donc dans la région où l'on ne doit pas rejeter H_0. L'hypothèse nulle selon laquelle il n'y a pas de différence entre l'étude locale concernant l'hôpital du comté de York et l'étude nationale n'est donc *pas rejetée*. L'administratrice de l'hôpital devrait conclure, sur la base de cette information, que la situation locale concernant l'hospitalisation de personnes âgées demeurant dans des centres d'hébergement est semblable à celle qui existe dans les autres régions du pays.

L'UTILISATION DU KHI-DEUX LORSQUE CERTAINS EFFECTIFS ESPÉRÉS SONT PLUS PETITS QUE CINQ

Comme on le mentionnait précédemment, si l'effectif espéré est peu élevé (moins de cinq) dans une catégorie, le khi-deux peut donner un résultat erroné à cause d'une mauvaise approximation de la statistique de test par la loi du khi-deux. La règle de 5 est donc une règle conservatrice qui nous assure une certaine sécurité. Récemment, des chercheurs ont révisé cette règle afin d'inclure les effectifs espérés allant de 1 à 5, à condition que le nombre de ces catégories n'excède pas 20 % de toutes les catégories. Ainsi, si l'on a 10 catégories, un maximum de 2 catégories (20 % de 10) peut contenir des effectifs espérés allant de 1 à 5. Des chercheurs ont proposé d'autres règles similaires. Toutefois, par mesure de prudence, il est recommandé d'utiliser la règle de 5, qui est plus conservatrice. Généralement, dans les situations où l'on a des effectifs plus petits que ceux espérés dans une des catégories, on combine cette catégorie d'effectif plus petit avec une autre catégorie **adjacente**. En combinant des catégories, on doit toutefois faire attention de ne pas créer ainsi une catégorie dépourvue de sens.

Exemple 15.4   Une université du Québec compare sa politique d'organisation du personnel à celles d'universités de même taille où l'on offre des programmes similaires. Les effectifs espérés indiquent la structure moyenne du personnel à différents niveaux dans les autres universités. Les effectifs observés représentent la structure du personnel à cette université (voir le tableau 15.9). La taille relative de l'administration et du corps professoral de l'université présentent-ils des différences avec celle des autres universités de la province ?

Dans ces données, on observe qu'il y a trois catégories dont les effectifs espérés sont inférieurs à cinq. Il y a même 43 % des catégories (trois sur sept) qui affichent des effectifs espérés inférieurs à cinq. Il ne semble donc pas approprié d'avoir recours à la loi du khi-deux avec ces données. Si l'on utilise tout de même la loi du khi-deux pour notre inférence, on obtiendra les résultats indiqués dans la partie A de la feuille de calcul Excel 15.7. La valeur calculée du khi-deux est de 10,9. La valeur critique du khi-deux pour six degrés de liberté et un seuil de signification de 5 % est de 12,592.

On ne rejette donc pas l'hypothèse nulle selon laquelle il n'y a pas de différence.

D'autre part, si l'on combine les trois premières catégories en une seule catégorie d'administrateurs, en suivant ainsi la règle de 5, on obtient la valeur calculée du khi-deux de 10,74 (voir la partie B de la feuille de calcul Excel 15.7). La valeur critique du khi-deux pour quatre degrés de liberté et un seuil de signification de 5 % est de 9,488. Il va de soi qu'on peut maintenant rejeter l'hypothèse nulle (aucune

TABLEAU 15.9	Une université du Québec	
Personnel de l'université	f_o	f_e
Recteur	1	1
Vice-recteurs	3	2
Adjoints aux vice-recteurs	4	3
Personnel de secrétariat	25	15
Professeurs (à temps plein)	92	95
Professeurs (à temps partiel)	85	100
Autre personnel	40	34
Total	250	250

différence) au seuil de signification de 5 %. En fait, le seuil expérimental est de 0,0297 ou 2,97 %, comparé à 9,14 % si l'on ne combine pas les trois premières catégories.

FEUILLE DE CALCUL EXCEL 15.7

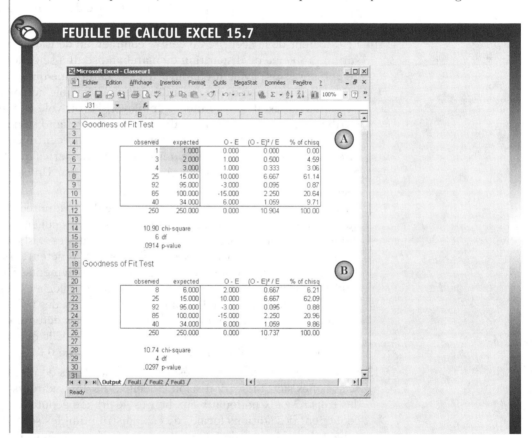

■ RÉVISION 15.2

La revue *Perspectives comptables canadiennes* divise les comptes clients en « comptes courants », « comptes en souffrance » et « créances irrécouvrables ». Les registres de l'industrie indiquent que 60 % des comptes clients sont courants, 30 % sont en souffrance et 10 % sont des créances irrécouvrables. Williams and Sheppard, un cabinet d'avocats situé à Mississauga (ON), a 500 comptes clients : 320 sont des comptes courants, 120 sont des comptes en souffrance et 60 sont des créances irrécouvrables. Ces chiffres sont-ils en accord avec la distribution observée dans l'industrie ? Utilisez un seuil de signification de 0,05.

EXERCICES 15.9 À 15.12

15.9 Les hypothèses suivantes concernent les menues dépenses hebdomadaires d'un étudiant regroupées en trois catégories: A (plus de 20$), B (entre 10$ et 20$) et C (moins de 10$).

H_0: 40% sont dans la catégorie A; 40%, dans la catégorie B et 20%, dans la catégorie C.

H_1: Les observations sont différentes de celles qui sont décrites en H_0.

À l'Université Concordia, on a obtenu les résultats suivants dans un échantillon de 60 étudiants:

Catégorie	f_o
A	30
B	20
C	10

a) Formulez la règle de décision en utilisant un seuil de signification de 0,01.
b) Calculez la valeur du khi-deux.
c) Quelle est votre décision concernant H_0?

15.10 Le directeur de la sécurité du centre commercial de Calgary doit se pencher sur un problème de disparition de marchandise. Il a sélectionné un échantillon de 100 boîtes qui avaient été ouvertes et a déterminé que pour 60 de ces boîtes, la disparition de marchandise était attribuable au vol à l'étalage. Pour 30 autres boîtes, il soupçonne les employés d'avoir volé la marchandise, et il attribue aux mauvais contrôles des stocks la marchandise manquante dans les 10 boîtes restantes. Dans son rapport au gérant du centre commercial, peut-il dire que le vol à l'étalage cause *deux fois plus* de pertes que les vols commis par les employés ou le mauvais contrôle des stocks? Utilisez un seuil de signification de 0,01.

15.11 Le service des cartes de crédit de la Banque de Commerce sait par expérience que 5% des détenteurs de cartes ont fait des études collégiales, 15% ont terminé leurs études collégiales, 25% ont fait des études postsecondaires et 55% ont terminé leurs études postsecondaires. Sur 500 détenteurs de cartes dont les comptes ont été fermés à cause de mauvais paiements, 50 ont fait des études collégiales, 100 ont terminé leurs études collégiales, 190 ont fait des études postsecondaires et 160 ont terminé leurs études postsecondaires. Peut-on conclure que la distribution de l'échantillon des détenteurs de cartes qui ont un mauvais dossier de crédit est différente de celle que la banque connaît par expérience? Utilisez un seuil de signification de 0,01.

15.12 Pendant de nombreuses années, les administrateurs de réseaux de télévision se sont fiés sur l'indication selon laquelle 30% des auditeurs écoutaient chacun des trois réseaux nationaux aux heures de grande écoute, et que 10% écoutaient des stations locales de câblodistribution les soirs de semaine. Un échantillon aléatoire de 500 auditeurs à Halifax, en Nouvelle-Écosse, a indiqué que lundi dernier, 165 foyers syntonisaient le réseau CBC; 140, le réseau CTV; 125, le réseau ABC et que le reste des auditeurs syntonisait une station locale. Au seuil de signification de 0,05, pouvez-vous conclure que cette indication est toujours pertinente?

15.5 L'UTILISATION DU TEST D'AJUSTEMENT POUR VÉRIFIER LA NORMALITÉ

Le test d'ajustement constitue l'un des nombreux moyens de déterminer si un ensemble d'effectifs observés correspond à un ensemble d'effectifs espérés selon la loi normale. En d'autres mots, les valeurs observées dans une distribution d'effectifs coïncident-elles avec les valeurs espérées, si l'on suppose une loi normale pour la population ? Rappelez-vous que dans les chapitres précédents, on a souvent supposé que les populations échantillonnées suivaient une loi normale. Ce test permet de vérifier cette assertion.

Exemple 15.5

Après avoir rédigé ce chapitre, l'un des auteurs, dans son cours de statistiques, a demandé à ses étudiants de se regrouper en équipes de quatre et d'effectuer une étude d'un des tests d'ajustement à partir de données de base. Angela, Martine, Tina et Sara ont formé une équipe afin de déterminer si les revenus familiaux des étudiants suivaient une distribution normale. Elles ont collecté des données sur les revenus familiaux de 160 étudiants, sélectionnés au hasard. Elles ont classé les étudiants en huit catégories selon leurs revenus familiaux (voir le tableau 15.10). Leur équipe a présenté les données suivantes :

TABLEAU 15.10   Les revenus familiaux de 160 étudiants

Revenu familial annuel (en milliers de dollars)	Nombre d'étudiants
Moins de 30	4
De 30 à moins de 40	20
De 40 à moins de 50	41
De 50 à moins de 60	44
De 60 à moins de 70	29
De 70 à moins de 80	16
De 80 à moins de 90	2
90 et plus	4
Total	160

La question est celle-ci : les effectifs observés coïncident-ils avec les effectifs espérés selon une loi de probabilité normale ?

Solution

Comme vous le savez, les effectifs espérés dans chaque catégorie sont basés sur les probabilités dans ces mêmes catégories. Les probabilités fondées sur une loi normale peuvent être trouvées dans les tables de probabilité pour une loi normale centrée réduite (variable Z). Afin de trouver les effectifs espérés selon une loi normale, on doit donc procéder en trois étapes.

Étape 1 : On convertit les valeurs de X des limites inférieure et supérieure de chaque catégorie en valeurs de Z.

Étape 2 : On détermine les probabilités correspondant à chaque intervalle de valeurs de Z pour chaque catégorie.

Étape 3 : On trouve les effectifs espérés en multipliant les probabilités (déterminées à l'étape 2) de chaque catégorie par le nombre total d'observations (160).

Étape 1

Au chapitre 7, nous avons vu que :

$$Z = \frac{(X - \mu)}{\sigma}$$

où X est une valeur de la variable dans l'échantillon (70 milliers de dollars, par exemple). Pour les données classées dans les intervalles, les valeurs de X sont les limites inférieure et supérieure de chaque catégorie, μ est la moyenne de la population et σ, l'écart type de la population. Toutefois, il arrive souvent, comme c'est le cas dans cet exemple, qu'on ne connaisse ni la moyenne ni l'écart type de la population. Dans ce cas, on utilise la moyenne estimée $\bar{x}$ et l'écart type estimé S. La moyenne estimée et l'écart type estimé de cet échantillon sont :

$$\bar{x} = 54,03 \text{ et } S = 13,76$$

On illustre maintenant les calculs des valeurs de z pour l'intervalle de la catégorie 70 à 80. Les valeurs de z des intervalles d'autres catégories se calculent de la même façon.

La valeur de z pour 70, la limite inférieure de la catégorie « De 70 à moins de 80 », est de 1,16, que l'on trouve ainsi :

$$Z_{inf} = \frac{x_{inf} - \bar{x}}{S} = \frac{70 - 54,03}{13,76} = 1,16$$

Cela signifie que 70 se situe à 1,16 écart type au-dessus de la moyenne de 54,03. Pour la limite supérieure de la catégorie « De 70 à moins de 80 », $z = 1,89$, qu'on trouve ainsi :

$$Z_{sup} = \frac{x_{sup} - \bar{x}}{S} = \frac{80 - 54,03}{13,76} = 1,89$$

Donc, 80 se situe à 1,89 écart type au-dessus de la moyenne de 54,03.

Il faut noter que puisque Z_{inf} et Z_{sup} sont les mêmes pour des catégories adjacentes, mais non pour la première et la dernière catégorie, il suffit de trouver Z_{inf} pour toutes les catégories. De plus, puisque les valeurs de Z sont données dans la table normale (jusqu'à 3,09 seulement), on n'a pas besoin de trouver les valeurs de Z_{inf} pour les catégories où $\frac{x_{inf} - \bar{x}}{S} < -3,09$.

Étape 2

Rappelez-vous que la probabilité $(1,16 < z < 1,89)$ = la probabilité $(0 < z < 1,89)$ − la probabilité $(0 < z < 1,16)$.

La probabilité entre 0 et la limite supérieure (1,89)
Pour déterminer l'aire (probabilité) entre les valeurs de Z qui sont de 0 à 1,89, référez-vous à la table de distribution normale centrée réduite de l'annexe F. Dans la colonne « z », trouvez la valeur 1,8, puis la valeur correspondante dans la colonne « 0,09 » : 0,4706. C'est également l'aire sous la courbe, entre la moyenne de 54,03 et 80,00.

La probabilité entre 0 et la limite inférieure (1,16)
De la même façon, on trouve la probabilité $(0 < z < 1,16) = 0,3770$. Donc, la probabilité $(1,16 < z < 1,89) = 0,4706 − 0,3770 = 0,0936$. C'est la probabilité que les revenus familiaux se situent dans la catégorie « De 70 à moins de 80 » (en milliers de dollars). On prévoit donc que 0,0936 (ou 9,36 %) des revenus familiaux se situeront entre 1,16 et 1,89 écart type de la moyenne. Ces renseignements sont résumés à la figure 15.8. Vous pouvez également utiliser Excel pour calculer les probabilités de chaque catégorie, comme nous l'avons expliqué au chapitre 7.

FIGURE 15.8 Le calcul de la probabilité pour une catégorie selon la loi normale

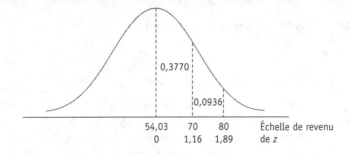

Étape 3

On trouve l'effectif espéré dans une catégorie, disons la $x^{ième}$ catégorie, en multipliant la probabilité p^x de cette catégorie par le nombre total d'observations n (voir la formule 15.3 à la page 659). Cette catégorie, « De 70 à moins de 80 », est la sixième à partir de la première catégorie du haut (« Moins de 30 »), donc $x = 6$. Dans cette sixième catégorie, $n = 160$ et $p^6 = 0,0936$. Il faut noter que n est le même pour toutes les catégories. C'est la probabilité qui varie d'une catégorie à l'autre. L'effectif espéré pour la $x^{\text{ième}} = 6^{e}$ catégorie est donc de $f_e^{\ x} = 14{,}976$. Il faut aussi noter que l'exposant x désigne la catégorie. Ne le confondez pas avec f et p à la puissance x.

Les effectifs espérés dans les autres catégories se trouvent de la même façon. Les effectifs espérés pour toutes les catégories sont indiqués au tableau 15.11. Remarquez que l'on a combiné les effectifs espérés dans les deux dernières catégories parce qu'ils étaient plus petits que cinq. (Les effectifs espérés pour toutes les catégories et les détails des calculs sont indiqués au tableau 15.11.)

Pour calculer la valeur du khi-deux, consultez le tableau 15.12 à la page suivante. La colonne 2 donne l'effectif observé et la colonne 3, l'effectif espéré pour chaque catégorie de revenu. Les colonnes 4, 5 et 6 indiquent les calculs relatifs à la valeur du khi-deux. La valeur calculée du khi-deux est de 2,590.

L'hypothèse nulle et la contre-hypothèse se formulent de la manière habituelle :

H_0: La population suit une distribution normale.

H_1: La population ne suit pas une distribution normale.

Pour déterminer la valeur critique du khi-deux, on doit connaître le nombre de degrés de liberté. Il y a sept catégories dans cet exemple (voir le tableau 15.11), donc $k - 1 = 7 - 1 = 6$. La valeur du revenu moyen (54,03) et celle de l'écart type des revenus familiaux (13,76) ont aussi été calculées à partir de ces données. Lorsqu'on estime les paramètres d'une population à partir d'un échantillon, on perd un degré de liberté à chaque estimation. On perd donc deux degrés de liberté en utilisant les valeurs estimées de la moyenne de la population et de l'écart type de la population dans le calcul du khi-deux. Le nombre de degrés de liberté dans ce problème est donc de 4, qu'on a obtenu ainsi : $(k - 1) - 2 = (7 - 1) - 2 = 4$. En général, quand on utilise des statistiques pour estimer les paramètres d'une population, le nombre de degrés de liberté est donné par $(k - 1) - p$, où p est le nombre de paramètres de la population qu'on estime à partir des données.

Dans l'annexe E, qui donne les valeurs critiques du khi-deux, la valeur critique de χ^2 est de 9,488 au seuil de signification de 0,05. On rejette H_0 si la valeur calculée du khi-deux est supérieure à 9,488. Dans cet exemple, la valeur de X^2 a été établie à 2,590, et l'hypothèse nulle **n'est donc pas** rejetée. On peut conclure que la distribution des revenus familiaux des étudiants suit la loi normale. Il faut noter que l'effectif espéré est de 4,704 dans la dernière catégorie, ce qui est inférieur à 5. Toutefois, comme c'est la seule catégorie où l'effectif est inférieur à cinq et que celui-ci est tout de même assez proche de cinq, il semble raisonnable de la garder plutôt que de la combiner avec une autre catégorie.

TABLEAU 15.11 Les calculs des effectifs espérés			
Revenu	**Valeur de Z**	**Aire (p^x)**	**Effectif espéré ($f_e^{\ x}$)**
Moins de 30	Moins de −1,75	0,0401	$0{,}0401 \times 160 = 6{,}416$
De 30 à moins de 40	De −1,75 à moins de −1,02	0,1138	$0{,}1138 \times 160 = 18{,}208$
De 40 à moins de 50	De −1,02 à moins de −0,29	0,2320	$0{,}2320 \times 160 = 37{,}120$
De 50 à moins de 60	De −0,29 à moins de 0,43	0,2805	$0{,}2805 \times 160 = 44{,}880$
De 60 à moins de 70	De 0,43 à moins de 1,16	0,2106	$0{,}2106 \times 160 = 33{,}696$
De 70 à moins de 80	De 1,16 à moins de 1,89	0,0936	$0{,}0936 \times 160 = 14{,}976$
80 et plus	1,89 et plus	0,0294	$0{,}0294 \times 160 = 4{,}704$
Total		**1**	**160,00**

TABLEAU 15.12   Les calculs relatifs au khi-deux

Revenu (en milliers de dollars)	(2) f_o	(3) f_e	(4) $f_o - f_e$	(5) $(f_o - f_e)^2$	(6) $(f_o - f_e)^2 / f_e$
Moins de 30	4	6,416	−2,416	5,837	0,910
De 30 à moins de 40	20	18,208	1,792	3,211	0,176
De 40 à moins de 50	41	37,120	3,88	15,054	0,406
De 50 à moins de 60	44	44,880	−0,88	0,774	0,017
De 60 à moins de 70	29	33,696	−4,696	22,052	0,654
De 70 à moins de 80	16	14,976	1,024	1,049	0,070
80 et plus	6	4,704	1,296	1,680	0,357
Total	160	160			$X^2 = 2,590$

L'UTILISATION D'EXCEL ET DE MEGASTAT POUR EFFECTUER UN TEST DE NORMALITÉ

On peut utiliser Excel pour trouver les effectifs espérés et MegaStat pour effectuer le test d'ajustement. Pour trouver les effectifs espérés dans Excel, entrez la limite supérieure de chaque catégorie dans une colonne (voir la colonne C de la feuille de calcul Excel 15.9), à l'exception de celle de la dernière catégorie, car dans une distribution normale, elle correspond à l'infini. Ensuite, dans la barre de formule, cliquez sur f_x (Insérer une fonction), sélectionnez Statistiques dans le menu des catégories de fonctions et LOI.NORMALE dans la liste des fonctions. Cliquez sur OK. Vous verrez alors apparaître une boîte de dialogue comportant quatre zones à remplir, soit:

FEUILLE DE CALCUL EXCEL 15.9

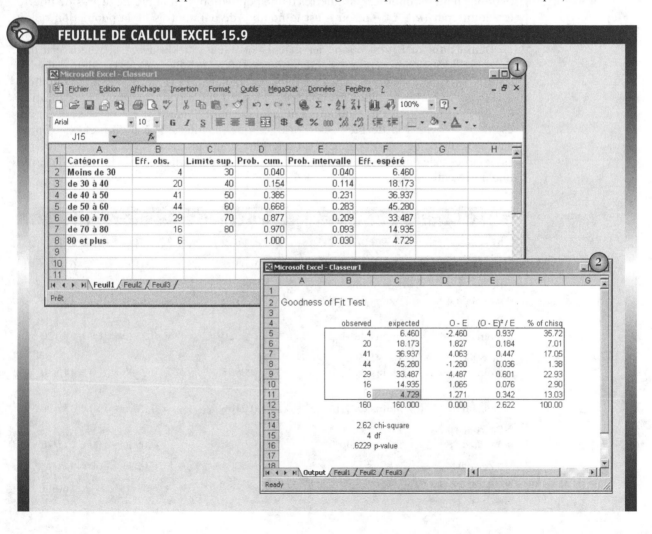

1. X : entrez la plage des valeurs de X, soit la limite supérieure de chaque catégorie, à l'exception de celle de la dernière catégorie ;
2. Espérance : entrez la valeur de la moyenne pour la population (si elle est connue) ou la valeur calculée à partir de l'échantillon d'observations ;
3. Écart-type : entrez la valeur de l'écart type pour la population (si elle est connue) ou la valeur calculée à partir de l'échantillon d'observations ;
4. Cumulative : tapez Vrai et cliquez sur OK.

Les résultats apparaîtront tels qu'ils sont illustrés à la colonne D de la feuille de calcul Excel 15.9, à l'exception de ceux de la dernière catégorie. Étant donné que la probabilité cumulative pour l'ensemble des catégories doit être égale à 1, tapez vous-même 1 vis-à-vis de la dernière catégorie. Vous pouvez maintenant inscrire la probabilité pour chaque intervalle (voir la colonne E) en soustrayant de la probabilité cumulative pour chaque catégorie la probabilité cumulative précédente. La probabilité du premier intervalle de classe demeure la même que la probabilité cumulative pour cette classe. Ensuite, en multipliant la probabilité de chaque intervalle (colonne E) par le nombre d'observations ($n = 160$), on obtient les effectifs espérés (colonne F).

Pour effectuer le test d'ajustement, utilisez MegaStat pour les données de la colonne B (effectifs observés) et celles de la colonne F (effectifs espérés) en suivant les instructions de la feuille de calcul Excel 15.5. Le résultat diffère légèrement en raison de l'arrondissement.

On peut également utiliser MegaStat pour vérifier la normalité grâce à une procédure prédéfinie du programme à laquelle on accède en choisissant l'option *Descriptive Statistics*. Il ne vous reste plus qu'à préciser la plage des données d'entrée (*Input range*) et à cocher la case *Normal curve goodness of fit* pour obtenir les résultats, soit la valeur calculée du khi-deux et le seuil expérimental pour le test. Toutefois, il se peut que vous n'obteniez pas les mêmes résultats étant donné les différents modes de calcul.

LE TEST DE NORMALITÉ DE JARQUE-BERA

Comme la distribution normale se caractérise par une symétrie et un coefficient d'aplatissement de 0, il est naturel qu'on fasse un test de normalité en vérifiant si une distribution présente ces caractéristiques. C. M. Jarque et Anil K. Bera ont proposé une statistique de test basée sur ces caractéristiques de la distribution normale[4]. La statistique de test est donnée par :

$$JB = n\left(\frac{S^2}{6} + \frac{K^2}{24}\right) \qquad \textbf{15.4}$$

où S est une estimation du coefficient d'asymétrie et K, une estimation du coefficient d'aplatissement. Sous l'hypothèse nulle, où H_0 : $S = 0$ et $K = 0$ dans la population, la statistique de test JB suit la loi du khi-deux avec deux degrés de liberté. La formule a donc été adaptée pour être cohérente avec les résultats obtenus avec Excel.

La statistique de test JB s'est avérée efficace même avec de petits échantillons. Les seules données requises sont les estimations de S et de K, obtenues facilement avec Excel. Rappelez-vous qu'au chapitre 14, on avait prévu tester la normalité des résidus dans le présent chapitre. On donnera donc un exemple du test de normalité pour les données sur les résidus obtenues dans l'analyse de régression de la révision 14.3. Les figures 14.3 et 14.5 (voir la section Réponses aux questions de révision du chapitre 14) sont basées sur les données des résidus ordinaires. C'est à l'aide de ces données qu'on a calculé la statistique de test JB, comme on le voit dans la feuille de calcul Excel 15.10 de la page suivante.

Dans le cas de l'hypothèse nulle, puisque la valeur critique du khi-deux est de 5,991 avec deux degrés de liberté et un seuil de signification de 5 %, et que la valeur de JB est égale à 1,003, on conclut que les résidus sont normalement distribués.

FEUILLE DE CALCUL EXCEL 15.10

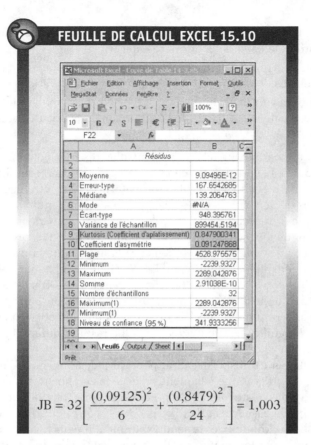

L'avantage évident du test de JB est sa grande simplicité d'application. Il convient aussi bien à des données brutes qu'à des données regroupées en intervalles. Contrairement au test d'ajustement pour la normalité, le test de JB n'est pas touché par des intervalles de catégories arbitraires. Le seul désavantage qu'il présente est qu'il se base sur la forme précise de la distribution (la symétrie et l'aplatissement), alors que le test d'ajustement se fonde sur la correspondance entre les effectifs observés et les effectifs espérés pour chaque intervalle de catégorie. Dans la révision qui suit, on applique le test d'ajustement pour la normalité en le comparant aux résultats du test de JB.

$$JB = 32 \left[\frac{(0,09125)^2}{6} + \frac{(0,8479)^2}{24} \right] = 1,003$$

■ RÉVISION 15.3

Référez-vous à l'analyse de régression des investissements au Canada dans la section Réponses aux questions de révision 14.3 du chapitre 14. Vérifiez la normalité des résidus en effectuant le test d'ajustement. Les données sur les résidus se trouvent dans le fichier Self-Review 15-3.xls sur le cédérom accompagnant ce manuel.

EXERCICES 15.13 À 15.14

15.13 Un fabricant d'appareils électroménagers de l'Ontario mentionne dans sa publicité que la durée de vie moyenne de ses lave-vaisselle, dans des conditions d'utilisation normale, est de 6 années avec un écart type de 1,4 année. Un échantillon de 90 appareils vendus il y a 10 années a indiqué la distribution suivante dans les durées de vie. Au seuil de signification de 0,05, le fabricant peut-il conclure que les durées de vie de ses appareils sont normalement distribuées ?

Durée de vie (en années)	Effectif
De 0 à moins de 4	7
De 4 à moins de 5	14
De 5 à moins de 6	25
De 6 à moins de 7	22
De 7 à moins de 8	16
Plus de 8	6

15.14 Les commissions sur les ventes d'automobiles neuves sont en moyenne de 1500 $ par mois avec un écart type de 300 $. Un échantillon de 500 vendeurs d'automobiles des provinces maritimes indique la distribution suivante dans les commissions. Au seuil de signification de 0,01, pouvez-vous conclure que la population est normalement distribuée, avec une moyenne de 1500 $ et un écart type de 300 $?

Commissions (en dollars)	Effectif
Moins de 900	9
De 900 à moins de 1200	63
De 1200 à moins de 1500	165
De 1500 à moins de 1800	180
De 1800 à moins de 2100	71
Plus de 2100	12
Total	500

15.6 L'ANALYSE DU TABLEAU DE CONTINGENCE

Les tests d'ajustement qu'on a utilisés dans les sections précédentes s'appliquaient à une seule variable et à une seule relation. Le test du khi-deux peut également servir dans un projet de recherche s'appliquant à *deux* variables.

Par exemple,

- Y a-t-il une relation entre la note moyenne obtenue par les étudiants alors qu'ils sont au collège et leur revenu 10 années après la fin de leurs études ? Les deux variables mesurées pour chaque individu sont la note moyenne et le revenu.

- Le responsable du contrôle de la qualité dans une entreprise qui fonctionne 24 heures par jour (trois quarts de travail) veut savoir s'il y a une différence de qualité entre les trois quarts. Il sélectionne donc un échantillon de 500 pièces dans la production de l'année en cours. Chaque pièce est classée selon deux critères : 1) la qualité est acceptable ou non et 2) le quart de travail pendant lequel la pièce a été produite.

- Un homme libéré d'un pénitencier fédéral s'intègre-t-il mieux à la vie sociale s'il retourne vivre dans sa ville d'origine ou s'il refait sa vie ailleurs ? Les deux variables sont l'intégration sociale et le lieu de résidence. Il faut noter que les deux variables sont mesurées selon une échelle nominale.

Exemple 15.6

Supposez que le Service correctionnel du Canada souhaite étudier la question mentionnée plus haut : un homme libéré d'un pénitencier fédéral s'intègre-t-il mieux à la vie sociale s'il retourne vivre dans sa ville d'origine ou s'il refait sa vie ailleurs ? En d'autres mots, y a-t-il une relation entre l'intégration sociale d'un ex-détenu et son lieu de résidence à sa sortie de prison ?

Solution

Comme on l'a vu, la première étape dans un test d'hypothèse consiste à formuler l'hypothèse nulle et la contre-hypothèse :

H_0: Il n'y a pas de relation entre l'*intégration sociale* et le *lieu de résidence d'un ex-détenu à sa sortie de prison*.

H_1: Il y a une relation entre l'intégration sociale et le lieu de résidence d'un ex-détenu à sa sortie de prison.

On utilisera un seuil de signification de 0,01 pour tester l'hypothèse. Comme vous le savez, il s'agit de la probabilité qu'une erreur de première espèce survienne (il y a une probabilité de 0,01 que l'hypothèse nulle soit rejetée alors qu'elle est vraie).

Les psychologues du Service correctionnel ont interrogé 200 ex-détenus choisis aléatoirement. À l'aide d'une série de questions, les psychologues ont classé l'intégration sociale de chaque individu comme exceptionnelle, bonne, acceptable ou insatisfaisante (voir le tableau 15.13). Dans ce cas, le Service correctionnel fédéral voulait savoir si l'intégration sociale des ex-détenus *était liée ou non* à leur lieu de résidence à leur sortie de prison.

TABLEAU 15.13   Les observations sur l'intégration sociale et le lieu de résidence

Lieu de résidence à la sortie de prison	Intégration sociale				
	Exceptionnelle	Bonne	Acceptable	Insatisfaisante	Total
Ville d'origine	27	35	33	25	120
Autre lieu	13	15	27	25	80
Total	40	50	60	50	200

Lorsqu'on connaît le nombre de lignes (2) et le nombre de colonnes (4) qu'il y a dans le tableau de contingence, on peut déterminer la valeur critique et la règle de décision comme suit : pour un test du khi-deux où deux variables sont classées dans un tableau de contingence, les degrés de liberté se trouvent ainsi :

Degrés de liberté (dl) pour un tableau de contingence
= (nombre de lignes − 1) (nombre de colonnes − 1) = $(r - 1)(c - 1)$

Dans ce problème, $dl = (r - 1)(c - 1) = (2 - 1)(4 - 1) = 3$.

Afin de trouver la valeur critique pour trois degrés de liberté et un seuil de signification de 0,01 (tel qu'il a été choisi précédemment), consultez la table des valeurs critiques du khi-deux (voir l'annexe E). Cette valeur est de 11,345. La règle de décision consiste à rejeter l'*hypothèse nulle d'indépendance* si la valeur calculée de X^2 est plus grande que 11,345. Cette règle est représentée graphiquement à la figure 15.11.

FIGURE 15.11   La loi du khi-deux pour trois degrés de liberté

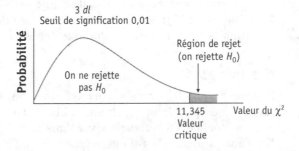

On trouve maintenant la valeur calculée de X^2. Les effectifs observés f_o sont indiqués au tableau 15.14. Comment détermine-t-on les effectifs espérés correspondants f_e ? Il faut noter que dans la colonne « Total » du tableau 15.13, 120 des 200 ex-détenus (60 %) sont retournés vivre dans leur ville d'origine. *S'il n'y avait aucune relation* entre l'intégration sociale et le lieu de résidence à la sortie de prison, on pourrait s'attendre à ce que 60 % des 40 ex-détenus qui ont eu une intégration sociale exceptionnelle résident dans leur ville d'origine. Donc, l'effectif espéré f_e dans la cellule supérieure gauche devrait être de 0,60 × 40 = 24. De la même façon, s'il n'y avait pas de relation entre l'intégration sociale et le lieu de résidence actuel, on devrait s'attendre à ce que 60 % des 50 ex-détenus (= 30) qui ont eu une bonne intégration sociale résident dans leur ville d'origine.

De plus, il faut noter que 80 des 200 ex-détenus (40 %) ne sont pas retournés vivre dans leur ville d'origine. Donc, parmi les 60 ex-détenus qui ont connu une intégration sociale acceptable, d'après les psychologues, $0,40 \times 60 = 24$ devraient ne pas être retournés vivre dans leur ville d'origine.

L'effectif espéré pour toute cellule peut être déterminé ainsi :

$$\text{Effectif espéré d'une cellule} = \frac{(\text{Total de la ligne})\,(\text{Total de la colonne})}{\text{Total général}} \qquad \textbf{15.5}$$

En utilisant cette formule, l'effectif espéré de la cellule supérieure gauche du tableau 15.13 est :

$$\text{Effectif espéré} = \frac{(\text{Total de la ligne})\,(\text{Total de la colonne})}{\text{Total général}} = \frac{(120)(40)}{200} = 24$$

Les effectifs observés f_o et les effectifs espérés f_e de toutes les cellules du tableau de contingence sont indiqués au tableau 15.14.

TABLEAU 15.14   Les effectifs observés et les effectifs espérés

Lieu de résidence à la sortie de prison	Exceptionnelle		Bonne		Acceptable		Insatisfaisante		Total (ligne)	
	f_o	f_e	f_o	f_e	f_o	f_e	f_o	f_e	f_o	f_e
Ville d'origine	27	24	35	30	33	36	25	30	120	120
Autre lieu	13	16	15	20	27	24	25	20	80	80
Total (colonne)	40	40	50	50	60	60	50	50	200	200

Doivent être égaux $\dfrac{(80)(50)}{200}$ *Doivent être égaux*

La statistique du test d'indépendance entre deux variables (lieu de résidence et intégration sociale, dans ce cas) est la même que celle du test d'ajustement, obtenue à l'aide de la formule 15.1. Pour des échantillons de grande taille, elle est distribuée approximativement comme la loi du khi-deux avec $(r-1)\,(c-1)$ degrés de liberté, sous l'hypothèse nulle d'indépendance entre les deux variables.

Statistique de test $$X^2 = \sum_{1}^{k} \left[\frac{(f_o - f_e)^2}{f_e} \right] \qquad \textbf{15.6}$$

En commençant par la cellule supérieure gauche, on a :

$$X^2 = \frac{(27-24)^2}{24} + \frac{(35-30)^2}{30} + \frac{(33-36)^2}{36} + \frac{(25-30)^2}{30}$$
$$+ \frac{(13-16)^2}{16} + \frac{(15-20)^2}{20} + \frac{(27-24)^2}{24} + \frac{(25-20)^2}{20}$$
$$= 0,375 + 0,833 + 0,250 + 0,833 + 0,563 + 1,250 + 0,375 + 1,250$$
$$= 5,729$$

Comme la valeur calculée du khi-deux (5,729) est dans la région à gauche de (moins de) 11,345, on ne rejette pas l'hypothèse nulle au seuil de signification de 0,01. On conclut qu'il n'y a *pas* de relation entre l'intégration sociale et le lieu de résidence d'un ex-détenu à sa sortie de prison. Pour le Service correctionnel du Canada, l'intégration sociale n'est donc pas liée au lieu de résidence d'un ex-détenu.

On peut obtenir les mêmes résultats en utilisant Excel (voir la feuille de calcul 15.12).

FEUILLE DE CALCUL EXCEL 15.12

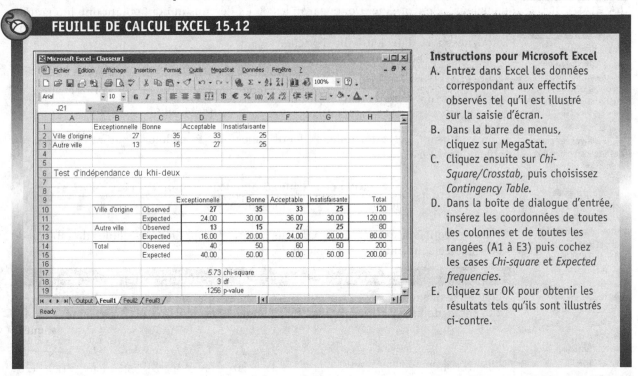

Instructions pour Microsoft Excel

A. Entrez dans Excel les données correspondant aux effectifs observés tel qu'il est illustré sur la saisie d'écran.

B. Dans la barre de menus, cliquez sur MegaStat.

C. Cliquez ensuite sur *Chi-Square/Crosstab,* puis choisissez *Contingency Table.*

D. Dans la boîte de dialogue d'entrée, insérez les coordonnées de toutes les colonnes et de toutes les rangées (A1 à E3) puis cochez les cases *Chi-square* et *Expected frequencies.*

E. Cliquez sur OK pour obtenir les résultats tels qu'ils sont illustrés ci-contre.

■ RÉVISION 15.4

L'effondrement des titres technologiques en 2001 et les attaques terroristes du 11 septembre 2001 contre les États-Unis ont eu des répercussions sérieuses sur les économies américaine et canadienne. Le gouvernement du Canada étudie différentes politiques visant à stimuler l'économie nationale. Dans une université de l'Ouest canadien, la Business and Economics Society a tenu un débat sur l'efficacité des politiques de soutien à l'économie. La question des politiques a fait l'objet de dissensions entre les différentes lignes de partis politiques. À la fin du débat, on a sondé l'opinion de 125 étudiants sélectionnés au hasard en leur demandant laquelle des trois politiques débattues et lequel des trois partis politiques obtenaient leur appui. Les trois politiques consistaient : 1) à réduire les taux d'intérêt de manière à accroître les investissements (taux d'intérêt), 2) à réduire les impôts afin de stimuler les dépenses de consommation (impôts) et 3) à augmenter les dépenses en services sociaux pour augmenter les dépenses de consommation (services sociaux). Les partis politiques mentionnés dans le sondage étaient le Nouveau Parti démocratique (NPD), le Parti libéral et l'Alliance canadienne et/ou le Parti progressiste-conservateur (Alliance-PC).

	NPD	Parti libéral	Alliance-PC	Total
Services sociaux	18	12	10	40
Taux d'intérêt	17	15	13	45
Impôts	9	9	22	40
Total	44	36	45	125

a) Comment nomme-t-on ce tableau ?

b) Formulez l'hypothèse nulle et la règle de décision. Choisissez un seuil de signification de 0,05.

c) Déterminez la valeur de la statistique de test du khi-deux. Quelle est votre décision concernant l'hypothèse nulle ?

d) Interprétez vos résultats.

EXERCICES 15.15 À 15.18

15.15 La directrice de la publicité du journal montréalais *The Gazette* étudie la relation entre le milieu de résidence des abonnés et la section du journal qu'ils lisent en premier. Dans un échantillon de 1024 abonnés, elle a collecté les renseignements suivants :

	Nouvelles nationales	Sports	Bandes dessinées
Milieu urbain	170	124	90
Banlieue	120	112	100
Milieu rural	130	90	88

Au seuil de signification de 0,05, pouvez-vous conclure qu'il y a une relation entre le milieu de résidence des abonnés et la section du journal qu'ils lisent en premier ?

15.16 Dans une importante usine de Terre-Neuve, on a le choix entre quatre marques d'ampoules électriques. Le directeur des achats a demandé à chaque fabricant d'ampoules de lui envoyer un échantillon de 100 ampoules. Les nombres d'ampoules acceptables et inacceptables de chaque marque sont indiqués ci-dessous. Au seuil de signification de 0,05, y a-t-il une différence dans la qualité des ampoules ?

	Fabricant			
	A	B	C	D
Inacceptables	12	8	5	11
Acceptables	88	92	95	89
Total	100	100	100	100

15.17 Le service du contrôle de la qualité des supermarchés Atlantic, une chaîne d'alimentation des provinces maritimes, effectue une vérification mensuelle en comparant les prix à la caisse aux prix affichés. Le tableau suivant indique les résultats obtenus le mois dernier dans un échantillon de 500 articles. La direction aimerait savoir s'il y a une relation entre les taux d'erreur pour les articles à prix courant et les taux d'erreur pour les articles à prix réduit annoncés dans la publicité. Utilisez un seuil de signification de 0,01.

	Prix courant	Prix réduit
Moins-perçu	20	10
Trop-perçu	15	30
Prix exact	200	225

15.18 L'utilisation du téléphone cellulaire en automobile a augmenté de façon spectaculaire ces dernières années. Autant les experts en sécurité routière que les fabricants de téléphones cellulaires sont préoccupés par l'incidence de cette utilisation sur le taux d'accidents. Une personne qui utilise un téléphone cellulaire a-t-elle plus de chances d'être impliquée dans un accident de la circulation ? D'après les données de l'échantillon suivant, quelle est votre conclusion ? Utilisez un seuil de signification de 0,05.

	A eu un accident depuis une année	N'a pas eu d'accident depuis une année
Sans utiliser un téléphone cellulaire	25	300
En utilisant un téléphone cellulaire	50	400

RÉSUMÉ DU CHAPITRE

I. Pearson a découvert la loi du khi-deux pour le test d'ajustement entre une distribution supposée dans la population et une distribution d'effectifs observés. On utilise maintenant la loi du khi-deux dans de nombreuses applications économiques et commerciales, ainsi que dans d'autres domaines. On peut l'utiliser aussi bien avec des données quantitatives que qualitatives. Les caractéristiques de la loi du khi-deux sont les suivantes:

A. La valeur du khi-deux n'est jamais négative.

B. La loi du khi-deux présente une asymétrie vers la droite.

C. La distribution dépend du nombre de degrés de liberté. Chaque fois que ce nombre change, on a une nouvelle distribution. Lorsque le nombre de degrés de liberté augmente, la distribution s'approche de la forme normale.

II. Un test d'ajustement indique si un ensemble d'effectifs observés peut provenir d'une distribution discrète hypothétique.

A. Le nombre de degrés de liberté est égal à $k - 1$, où k est le nombre de catégories.

B. On utilise la formule suivante pour calculer la valeur de la statistique de test du khi-deux:

$$X^2 = \sum \left[\frac{(f_o - f_e)^2}{f_e} \right]$$

III. On peut aussi utiliser le test d'ajustement pour déterminer si les observations de l'échantillon résultent d'une distribution continue telle une loi normale.

A. Dans le cas d'un test d'ajustement pour une loi normale, le nombre de degrés de liberté est égal à $(k - 1) - p$, où p est le nombre de paramètres estimé pour calculer la statistique du khi-deux.

B. Un test de normalité peut également être effectué en utilisant la statistique de Jarque-Bera.

$\text{JB} = n \left(\dfrac{S^2}{6} + \dfrac{K^2}{24} \right)$ suit la loi du khi-deux avec deux degrés de liberté.

IV. On peut aussi utiliser la statistique du khi-deux pour vérifier l'indépendance entre deux variables. Chaque variable est classée dans un nombre de catégories (les lignes et les colonnes) pour former un tableau de contingence. Le nombre total de lignes et de colonnes dans le tableau de contingence dépend du nombre de catégories de chaque variable.

A. Chaque observation se situe dans une des cellules du tableau de contingence.

B. Le nombre d'observations dans une cellule se nomme l'*effectif observé* f_o.

C. L'effectif espéré f_e dans chaque cellule du tableau de contingence est déterminé par le produit du nombre total d'observations dans la ligne et dans la colonne correspondant à la cellule, divisé par le nombre total d'observations (total général) du tableau.

$$f_e = \frac{(\text{Total de la ligne}) \, (\text{Total de la colonne})}{\text{Total général}}$$

D. Les degrés de liberté du khi-deux pour le test d'indépendance sont déterminés par $dl = (\text{lignes} - 1)(\text{colonnes} - 1) = (r - 1)(c - 1)$.

EXERCICES 15.19 À 15.32

15.19 Les véhicules qui se dirigent vers l'ouest sur King Street peuvent tourner à droite, tourner à gauche ou continuer tout droit sur Queen Street. L'ingénieur de la circulation de la ville pense que la moitié des véhicules continueront tout droit à l'intersection. Les autres véhicules tourneront à gauche et à droite en proportions égales. On a observé 200 véhicules, avec les résultats suivants. Utilisez un seuil de signification de 0,10. Pouvez-vous conclure que l'ingénieur a raison ?

	Continuent tout droit	Tournent à droite	Tournent à gauche
Effectif	112	48	40

15.20 L'éditeur d'un magazine sportif en Alberta pense offrir aux nouveaux abonnés un de ces trois cadeaux : un chandail orné du logo de leur équipe préférée, une tasse à café ornée du même logo ou une paire de boucles d'oreilles ornées du logo. Dans un échantillon de 500 nouveaux abonnés, les sélections de cadeaux sont indiquées ci-dessous. Au seuil de signification de 0,05, y a-t-il une préférence pour un des cadeaux ou pouvez-vous conclure qu'ils sont tous également appréciés ?

Cadeau	Effectif
Chandail	183
Tasse à café	175
Boucles d'oreilles	142

15.21 Reprenez les données de l'expérience de Weldon dans la rubrique *La statistique en action* de la section 15.4 (voir la page 659), et vérifiez la conclusion de Pearson selon laquelle les dés de Weldon étaient truqués. Refaites les calculs, cette fois avec une probabilité de fréquence relative de 0,3377. Concluriez-vous encore que les dés de Weldon étaient truqués ? Utilisez un seuil de signification de 0,05. (Il faut noter que votre valeur calculée du khi-deux sera différente de celle de Pearson à cause des différences causées par la combinaison de catégories dont les effectifs espérés sont inférieurs à cinq.)

15.22 Il y a quatre entrées au centre commercial Regent à Fredericton. Le superviseur de l'entretien aimerait savoir si les entrées sont utilisées de façon égale. Il a donc observé 400 personnes qui entraient dans le centre commercial. On indique ci-dessous le nombre de clients qui ont utilisé chacune des entrées. Au seuil de signification de 0,01, y a-t-il une différence dans la fréquence d'utilisation entre les quatre entrées ?

Entrée	Effectifs
Main Street	140
King Street	120
Queen Street	90
Walnut Street	50
Total	400

15.23 Le propriétaire d'un service de vente postale par catalogue de la Saskatchewan aimerait comparer la distribution de ses ventes à la distribution géographique de la population. Une analyse du pourcentage de la population (% Pop) et du nombre de commandes de chaque province (*Orders*) dans un échantillon aléatoire de 1000 commandes est donné dans le fichier Exercice 15-23.xls sur le cédérom accompagnant ce manuel.

Au seuil de signification de 0,01, la distribution des commandes reflète-t-elle celle de la population ?

15.24 L'entreprise Mattress & Furniture de Windsor (ON) souhaite étudier le nombre de demandes de crédit reçues chaque jour durant les 300 derniers jours. Les renseignements pertinents sont donnés ci-dessous.

Nombre de demandes de crédit	Effectif (nombre de jours)
0	50
1	77
2	81
3	48
4	31
5 ou plus	13

L'interprétation est celle-ci : il y a eu 50 jours où aucune demande de crédit n'a été reçue, 77 jours où une demande a été reçue et ainsi de suite. Pourrait-on raisonnablement conclure que la distribution est une loi de Poisson avec une moyenne de 2,0 ? Utilisez un seuil de signification de 0,05. (Indice : Pour trouver les effectifs espérés, utilisez la loi de Poisson avec une moyenne de 2,0. Trouvez la probabilité d'une seule demande avec une loi de Poisson et une moyenne de 2,0. Multipliez cette probabilité par 300 afin de trouver l'effectif espéré pour cette catégorie. Trouvez les effectifs espérés dans les autres catégories de la même manière.)

15.25 Dans les années 1990, une entreprise minière du Nouveau-Brunswick a adopté de nouvelles mesures de sécurité. Avant l'application de ces mesures, la direction prévoyait qu'il n'y aurait aucun accident dans 40 % des mois, un accident dans 30 % des mois, deux accidents dans 20 % des mois et trois accidents dans 10 % des mois. Depuis les 10 dernières années ou 120 mois, il y a eu 46 mois sans accident, 40 mois avec un accident, 22 mois avec deux accidents et 12 mois avec trois accidents. Au seuil de signification de 0,05, la direction de l'entreprise peut-elle conclure que le taux mensuel d'accidents a changé ?

15.26 L'Association canadienne des télédiffuseurs rapportait récemment que le nombre moyen de téléviseurs par famille était de 2,3 et que l'écart type était de 1,474. Dans un échantillon de 100 foyers à Winnipeg (MB), on a observé les nombres suivants de téléviseurs par famille :

Nombre de téléviseurs	Nombre de familles	Nombre de téléviseurs	Nombre de familles
0	7	3	18
1	27	4	10
2	28	5 ou plus	10

Au seuil de signification de 0,05, peut-on raisonnablement conclure que le nombre de téléviseurs par famille suit une distribution normale d'après :

a) le test d'ajustement ?

b) le test de Jarque-Bera ?

15.27 La direction de l'entreprise Eckel Manufacturing d'Edmonton (AB) croit que ses salaires horaires suivent une loi normale. Afin de le vérifier, on a sélectionné 300 employés, et les données obtenues présentent la distribution suivante. Au seuil de signification de 0,10, peut-on raisonnablement conclure que la distribution des salaires horaires suit approximativement une loi normale d'après :

a) le test d'ajustement ?

b) le test de Jarque-Bera ?

Salaire horaire (en dollars)	Effectif
De 5,50 à moins de 6,50	20
De 6,50 à moins de 7,50	54
De 7,50 à moins de 8,50	130
De 8,50 à moins de 9,50	68
De 9,50 à moins de 10,50	28
Total	300

15.28 Récemment, un important détaillant d'Ontario a mené une étude sur la relation entre l'importance accordée à la publicité et la taille d'un magasin. Les résultats obtenus sont les suivants :

	Importance	Sans importance
Petit	40	52
Moyen	106	47
Grand	67	32

Qu'en concluez-vous ? Utilisez un seuil de signification de 0,05.

15.29 Deux cents hommes occupant différents postes de direction au Québec ont été sélectionnés au hasard afin d'indiquer leur degré de préoccupation au sujet des questions environnementales. Leurs réponses sont classées en trois groupes : peu préoccupé, préoccupé, très préoccupé. Voici les résultats :

Poste	Peu préoccupé	Préoccupé	Très préoccupé
Haute direction	15	13	12
Direction	20	19	21
Supervision	7	7	6
Chef d'équipe	28	21	31

Au seuil de signification de 0,01, déterminez s'il y a une relation entre le poste occupé et le degré de préoccupation pour l'environnement.

15.30   À la suite d'une étude canadienne portant sur la relation entre l'âge et la pression ressentie au travail par les personnes qui travaillent dans le domaine de la vente, on a obtenu les renseignements suivants. Au seuil de signification de 0,01, y a-t-il une relation entre l'âge et la pression ressentie au travail ?

Âge (en années)	Degré de pression		
	Peu élevé	Moyen	Élevé
Moins de 25	20	18	22
De 25 à moins de 40	50	46	44
De 40 à moins de 60	58	63	59
60 et plus	34	43	43

15.31   Au service des réclamations d'une compagnie d'assurances de Vancouver (C.-B.), on croit que les jeunes conducteurs ont plus d'accidents et devraient donc payer des primes d'assurance plus élevées. Un échantillon de 1200 détenteurs de police indique le nombre de réclamations durant les trois dernières années pour différents groupes d'âge de détenteurs. Peut-on raisonnablement conclure qu'il existe une relation entre l'âge du détenteur et l'incidence des réclamations ? Utilisez un seuil de signification de 0,05.

Groupe d'âge	Aucune réclamation	Réclamation
De 16 à moins de 25 ans	170	74
De 25 à moins de 40 ans	240	58
De 40 à moins de 55 ans	400	44
55 ans ou plus	190	24
Total	1000	200

15.32   On a sondé l'opinion des employés d'une usine de produits chimiques. On leur a demandé quelle était leur préférence entre trois différents régimes de retraite. Les résultats sont indiqués ci-dessous. Semble-t-il y avoir une relation entre la préférence des employés et la catégorie d'emploi occupé ? Utilisez un seuil de signification de 0,01.

Catégorie d'emploi	Régime de retraite		
	Régime A	Régime B	Régime C
Superviseur	10	12	29
Employé de bureau	19	80	19
Ouvrier	81	57	22

www.**exercices**.ca 15.33 À 15.34

(Utilisez un seuil de signification de 5 % dans tous les exercices suivants.)

15.33 Collectez les données sur le profil de votre collectivité relativement aux variables « sexe » et « niveau de scolarité » (le plus haut niveau de scolarité atteint par les personnes de plus de 15 ans) sur le site www.statcan.ca.

a) Les variables « sexe » et « niveau de scolarité » sont-elles indépendantes ?

b) Utilisez les mêmes données relatives au niveau de scolarité dans votre collectivité, pour les hommes et pour les femmes. Sur le même site, collectez les données au sujet de ces mêmes variables pour l'ensemble du Canada. Vérifiez si les données relatives au niveau de scolarité dans votre collectivité correspondent à celles observées au niveau national.

15.34 Collectez les données concernant les fonds communs de placement cotés cinq étoiles sur le site www.globefund.com.

a) Utilisez le test de normalité de Jarque-Bera sur le taux annuel de rendement de tous les fonds communs de placement.

b) Classez tous les fonds en cinq à sept catégories selon le taux annuel de rendement. Vérifiez la normalité en faisant un test d'ajustement.

c) Classez tous les fonds communs de placement selon le taux annuel de rendement (variable 1) et les classes d'actif (variable 2). Vérifiez l'indépendance entre les deux variables.

EXERCICES 15.35 À 15.37
DONNÉES INFORMATIQUES

15.35   Utilisez les données du fichier 100 of 1000 Top Companies.xls. Prenez les bénéfices par action des entreprises. Les bénéfices par action sont-ils normalement distribués parmi les entreprises canadiennes ? Utilisez le test d'ajustement et le test de Jarque-Bera pour vérifier la normalité, au seuil de signification de 0,01.

15.36   Référez-vous au fichier BASEBALL-2000.xls, qui contient des renseignements sur les 30 équipes des ligues majeures de base-ball pour la saison 2000. Choisissez une variable qui regroupe les équipes en deux catégories, soit les équipes qui ont connu ou non une saison gagnante. Comme une saison comporte 162 rencontres, une saison gagnante se caractérise par 81 victoires ou plus. Regroupez ensuite les équipes en deux catégories salariales. Les 15 équipes qui ont la plus grande masse salariale forment une catégorie, et les 15 équipes qui ont la plus petite masse salariale forment l'autre catégorie. Au seuil de signification de 0,05, y a-t-il une relation entre la masse salariale et le nombre de victoires ?

CHAPITRE 15   RÉPONSES AUX QUESTIONS DE RÉVISION

15.1
a) Les effectifs observés
b) Cinq (les cinq jours de la semaine)
c) 10. Total des effectifs observés ÷ 5 = 50/5 = 10.
d) 4; $k - 1 = 5 - 1 = 4$
e) 13,277 (voir la table du khi-deux à l'annexe E).
f) 1,0.

$$X^2 = \sum \left[\frac{(f_o - f_e)^2}{f_e} \right] = \frac{(8 - 10)^2}{10}$$
$$+ \ldots + \frac{(12 - 10)^2}{10} = 1,00$$

g) On ne rejette pas H_0.
h) L'absentéisme est distribué également durant les cinq jours de la semaine. Les différences observées sont attribuables à l'échantillonnage.

15.2 $H_0: P_C = 0,60$, $P_S = 0,30$ et $P_I = 0,10$.
H_1: La distribution diffère de celle de H_0.
On rejette H_0 si $X^2 > 5,991$.

Catégorie	f_o	f_e	$(f_o - f_e)^2/f_e$
Courants	320	300	1,33
En souffrance	120	150	6,00
Irrécouvrables	60	50	2,00
Total	500	500	9,33

On rejette H_0. Les données sur les comptes clients ne reflètent pas la distribution observée dans l'industrie.

15.3   Test d'ajustement (résultat obtenu a\vec MegaStat)

Observés	Espérés	$O - E$	$(O - E)^2/E$	% de X^2
6	7,372	−1,372	0,255	8,16
5	5,957	−0,957	0,154	4,92
16	11,299	4,701	1,956	62,53
5	7,372	−2,372	0,763	24,39
32	32,000	0,000	3,129	100,00

3,13	khi-deux
2	*dl*
0,2092	seuil expérimental

Note: O désigne les effectifs observés f_o et P désigne les effectifs espérés f_e. Même si la valeur de X^2 (3,13) est plus grande si on la compare à celle qu'on a obtenue avec le test de JB (= 1), on ne rejette *pas* l'hypothèse nulle.

15.4
a) Un tableau de contingence
b) Il n'y a pas de relation entre l'affiliation à un parti politique et le choix entre les différentes politiques.
On rejette H_0 si la valeur de X^2 de l'échantillon est plus grande que 9,488.
c) La valeur du khi-deux est obtenue d'après le tableau suivant.
La valeur de X^2 de l'échantillon est de 9,89, et l'on rejette donc H_0 au seuil de signification de 5 %.
d) Il y a une relation entre l'affiliation à un parti politique et le choix entre les différentes politiques.
Pouvez-vous rejeter H_0 au seuil de signification de 0,01 ?

Le tableau de contingence permettant de vérifier l'indépendance (résultat obtenu avec MegaStat)

	NPD	Parti libéral	Alliance-PC	Total
Services sociaux				
Effectifs observés	18	12	10	40
Effectifs espérés	14,08	11,52	14,40	40,00
$(O - E)^2/E$	1,09	0,02	1,34	2,46
Taux d'intérêt				
Effectifs observés	17	15	13	45
Effectifs espérés	15,84	12,96	16,20	45,00
$(O - E)^2/E$	0,08	0,32	0,63	1,04
Impôts				
Effectifs observés	9	9	22	40
Effectifs espérés	14,08	11,52	14,40	40,00
$(O - E)^2/E$	1,83	0,55	4,01	6,40
Total				
Effectifs observés	44	36	45	125
Effectifs espérés	44,00	36,00	45,00	125,00
$(O - E)^2/E$	3,01	0,89	5,99	9,89

	9,89	khi-deux
	4	*dl*
	0,0423	seuil expérimental

ANNEXE A

Lois binomiales

n = 1
Probabilité

x	0,05	0,10	0,20	0,30	0,40	0,50	0,60	0,70	0,80	0,90	0,95
0	0,950	0,900	0,800	0,700	0,600	0,500	0,400	0,300	0,200	0,100	0,050
1	0,050	0,100	0,200	0,300	0,400	0,500	0,600	0,700	0,800	0,900	0,950

n = 2
Probabilité

x	0,05	0,10	0,20	0,30	0,40	0,50	0,60	0,70	0,80	0,90	0,95
0	0,903	0,810	0,640	0,490	0,360	0,250	0,160	0,090	0,040	0,010	0,003
1	0,095	0,180	0,320	0,420	0,480	0,500	0,480	0,420	0,320	0,180	0,095
2	0,003	0,010	0,040	0,090	0,160	0,250	0,360	0,490	0,640	0,810	0,903

n = 3
Probabilité

x	0,05	0,10	0,20	0,30	0,40	0,50	0,60	0,70	0,80	0,90	0,95
0	0,857	0,729	0,512	0,343	0,216	0,125	0,064	0,027	0,008	0,001	0,000
1	0,135	0,243	0,384	0,441	0,432	0,375	0,288	0,189	0,096	0,027	0,007
2	0,007	0,027	0,096	0,189	0,288	0,375	0,432	0,441	0,384	0,243	0,135
3	0,000	0,001	0,008	0,027	0,064	0,125	0,216	0,343	0,512	0,729	0,857

n = 4
Probabilité

x	0,05	0,10	0,20	0,30	0,40	0,50	0,60	0,70	0,80	0,90	0,95
0	0,815	0,656	0,410	0,240	0,130	0,063	0,026	0,008	0,002	0,000	0,000
1	0,171	0,292	0,410	0,412	0,346	0,250	0,154	0,076	0,026	0,004	0,000
2	0,014	0,049	0,154	0,265	0,346	0,375	0,346	0,265	0,154	0,049	0,014
3	0,000	0,004	0,026	0,076	0,154	0,250	0,346	0,412	0,410	0,292	0,171
4	0,000	0,000	0,002	0,008	0,026	0,063	0,130	0,240	0,410	0,656	0,815

n = 5
Probabilité

x	0,05	0,10	0,20	0,30	0,40	0,50	0,60	0,70	0,80	0,90	0,95
0	0,774	0,590	0,328	0,168	0,078	0,031	0,010	0,002	0,000	0,000	0,000
1	0,204	0,328	0,410	0,360	0,259	0,156	0,077	0,028	0,006	0,000	0,000
2	0,021	0,073	0,205	0,309	0,346	0,313	0,230	0,132	0,051	0,008	0,001
3	0,001	0,008	0,051	0,132	0,230	0,313	0,346	0,309	0,205	0,073	0,021
4	0,000	0,000	0,006	0,028	0,077	0,156	0,259	0,360	0,410	0,328	0,204
5	0,000	0,000	0,000	0,002	0,010	0,031	0,078	0,168	0,328	0,590	0,774

ANNEXE A

ANNEXE A

Lois binomiales (suite)

n = 6
Probabilité

x	0,05	0,10	0,20	0,30	0,40	0,50	0,60	0,70	0,80	0,90	0,95
0	0,735	0,531	0,262	0,118	0,047	0,016	0,004	0,001	0,000	0,000	0,000
1	0,232	0,354	0,393	0,303	0,187	0,094	0,037	0,010	0,002	0,000	0,000
2	0,031	0,098	0,246	0,324	0,311	0,234	0,138	0,060	0,015	0,001	0,000
3	0,002	0,015	0,082	0,185	0,276	0,313	0,276	0,185	0,082	0,015	0,002
4	0,000	0,001	0,015	0,060	0,138	0,234	0,311	0,324	0,246	0,098	0,031
5	0,000	0,000	0,002	0,010	0,037	0,094	0,187	0,303	0,393	0,354	0,232
6	0,000	0,000	0,000	0,001	0,004	0,016	0,047	0,118	0,262	0,531	0,735

n = 7
Probabilité

x	0,05	0,10	0,20	0,30	0,40	0,50	0,60	0,70	0,80	0,90	0,95
0	0,698	0,478	0,210	0,082	0,028	0,008	0,002	0,000	0,000	0,000	0,000
1	0,257	0,372	0,367	0,247	0,131	0,055	0,017	0,004	0,000	0,000	0,000
2	0,041	0,124	0,275	0,318	0,261	0,164	0,077	0,025	0,004	0,000	0,000
3	0,004	0,023	0,115	0,227	0,290	0,273	0,194	0,097	0,029	0,003	0,000
4	0,000	0,003	0,029	0,097	0,194	0,273	0,290	0,227	0,115	0,023	0,004
5	0,000	0,000	0,004	0,025	0,077	0,164	0,261	0,318	0,275	0,124	0,041
6	0,000	0,000	0,000	0,004	0,017	0,055	0,131	0,247	0,367	0,372	0,257
7	0,000	0,000	0,000	0,000	0,002	0,008	0,028	0,082	0,210	0,478	0,698

n = 8
Probabilité

x	0,05	0,10	0,20	0,30	0,40	0,50	0,60	0,70	0,80	0,90	0,95
0	0,663	0,430	0,168	0,058	0,017	0,004	0,001	0,000	0,000	0,000	0,000
1	0,279	0,383	0,336	0,198	0,090	0,031	0,008	0,001	0,000	0,000	0,000
2	0,051	0,149	0,294	0,296	0,209	0,109	0,041	0,010	0,001	0,000	0,000
3	0,005	0,033	0,147	0,254	0,279	0,219	0,124	0,047	0,009	0,000	0,000
4	0,000	0,005	0,046	0,136	0,232	0,273	0,232	0,136	0,046	0,005	0,000
5	0,000	0,000	0,009	0,047	0,124	0,219	0,279	0,254	0,147	0,033	0,005
6	0,000	0,000	0,001	0,010	0,041	0,109	0,209	0,296	0,294	0,149	0,051
7	0,000	0,000	0,000	0,001	0,008	0,031	0,090	0,198	0,336	0,383	0,279
8	0,000	0,000	0,000	0,000	0,001	0,004	0,017	0,058	0,168	0,430	0,663

n = 9
Probabilité

x	0,05	0,10	0,20	0,30	0,40	0,50	0,60	0,70	0,80	0,90	0,95
0	0,630	0,387	0,134	0,040	0,010	0,002	0,000	0,000	0,000	0,000	0,000
1	0,299	0,387	0,302	0,156	0,060	0,018	0,004	0,000	0,000	0,000	0,000
2	0,063	0,172	0,302	0,267	0,161	0,070	0,021	0,004	0,000	0,000	0,000
3	0,008	0,045	0,176	0,267	0,251	0,164	0,074	0,021	0,003	0,000	0,000
4	0,001	0,007	0,066	0,172	0,251	0,246	0,167	0,074	0,017	0,001	0,000
5	0,000	0,001	0,017	0,074	0,167	0,246	0,251	0,172	0,066	0,007	0,001
6	0,000	0,000	0,003	0,021	0,074	0,164	0,251	0,267	0,176	0,045	0,008
7	0,000	0,000	0,000	0,004	0,021	0,070	0,161	0,267	0,302	0,172	0,063
8	0,000	0,000	0,000	0,000	0,004	0,018	0,060	0,156	0,302	0,387	0,299
9	0,000	0,000	0,000	0,000	0,000	0,002	0,010	0,040	0,134	0,387	0,630

ANNEXE A

Lois binomiales (suite)

$n = 10$
Probabilité

x	0,05	0,10	0,20	0,30	0,40	0,50	0,60	0,70	0,80	0,90	0,95
0	0,599	0,349	0,107	0,028	0,006	0,001	0,000	0,000	0,000	0,000	0,000
1	0,315	0,387	0,268	0,121	0,040	0,010	0,002	0,000	0,000	0,000	0,000
2	0,075	0,194	0,302	0,233	0,121	0,044	0,011	0,001	0,000	0,000	0,000
3	0,010	0,057	0,201	0,267	0,215	0,117	0,042	0,009	0,001	0,000	0,000
4	0,001	0,011	0,088	0,200	0,251	0,205	0,111	0,037	0,006	0,000	0,000
5	0,000	0,001	0,026	0,103	0,201	0,246	0,201	0,103	0,026	0,001	0,000
6	0,000	0,000	0,006	0,037	0,111	0,205	0,251	0,200	0,088	0,011	0,001
7	0,000	0,000	0,001	0,009	0,042	0,117	0,215	0,267	0,201	0,057	0,010
8	0,000	0,000	0,000	0,001	0,011	0,044	0,121	0,233	0,302	0,194	0,075
9	0,000	0,000	0,000	0,000	0,002	0,010	0,040	0,121	0,268	0,387	0,315
10	0,000	0,000	0,000	0,000	0,000	0,001	0,006	0,028	0,107	0,349	0,599

$n = 11$
Probabilité

x	0,05	0,10	0,20	0,30	0,40	0,50	0,60	0,70	0,80	0,90	0,95
0	0,569	0,314	0,086	0,020	0,004	0,000	0,000	0,000	0,000	0,000	0,000
1	0,329	0,384	0,236	0,093	0,027	0,005	0,001	0,000	0,000	0,000	0,000
2	0,087	0,213	0,295	0,200	0,089	0,027	0,005	0,001	0,000	0,000	0,000
3	0,014	0,071	0,221	0,257	0,177	0,081	0,023	0,004	0,000	0,000	0,000
4	0,001	0,016	0,111	0,220	0,236	0,161	0,070	0,017	0,002	0,000	0,000
5	0,000	0,002	0,039	0,132	0,221	0,226	0,147	0,057	0,010	0,000	0,000
6	0,000	0,000	0,010	0,057	0,147	0,226	0,221	0,132	0,039	0,002	0,000
7	0,000	0,000	0,002	0,017	0,070	0,161	0,236	0,220	0,111	0,016	0,001
8	0,000	0,000	0,000	0,004	0,023	0,081	0,177	0,257	0,221	0,071	0,014
9	0,000	0,000	0,000	0,001	0,005	0,027	0,089	0,200	0,295	0,213	0,087
10	0,000	0,000	0,000	0,000	0,001	0,005	0,027	0,093	0,236	0,384	0,329
11	0,000	0,000	0,000	0,000	0,000	0,000	0,004	0,020	0,086	0,314	0,569

$n = 12$
Probabilité

x	0,05	0,10	0,20	0,30	0,40	0,50	0,60	0,70	0,80	0,90	0,95
0	0,540	0,282	0,069	0,014	0,002	0,000	0,000	0,000	0,000	0,000	0,000
1	0,341	0,377	0,206	0,071	0,017	0,003	0,000	0,000	0,000	0,000	0,000
2	0,099	0,230	0,283	0,168	0,064	0,016	0,002	0,000	0,000	0,000	0,000
3	0,017	0,085	0,236	0,240	0,142	0,054	0,012	0,001	0,000	0,000	0,000
4	0,002	0,021	0,133	0,231	0,213	0,121	0,042	0,008	0,001	0,000	0,000
5	0,000	0,004	0,053	0,158	0,227	0,193	0,101	0,029	0,003	0,000	0,000
6	0,000	0,000	0,016	0,079	0,177	0,226	0,177	0,079	0,016	0,000	0,000
7	0,000	0,000	0,003	0,029	0,101	0,193	0,227	0,158	0,053	0,004	0,000
8	0,000	0,000	0,001	0,008	0,042	0,121	0,213	0,231	0,133	0,021	0,002
9	0,000	0,000	0,000	0,001	0,012	0,054	0,142	0,240	0,236	0,085	0,017
10	0,000	0,000	0,000	0,000	0,002	0,016	0,064	0,168	0,283	0,230	0,099
11	0,000	0,000	0,000	0,000	0,000	0,003	0,017	0,071	0,206	0,377	0,341
12	0,000	0,000	0,000	0,000	0,000	0,000	0,002	0,014	0,069	0,282	0,540

ANNEXE A

Lois binomiales (suite)

n = 13
Probabilité

x	0,05	0,10	0,20	0,30	0,40	0,50	0,60	0,70	0,80	0,90	0,95
0	0,513	0,254	0,055	0,010	0,001	0,000	0,000	0,000	0,000	0,000	0,000
1	0,351	0,367	0,179	0,054	0,011	0,002	0,000	0,000	0,000	0,000	0,000
2	0,111	0,245	0,268	0,139	0,045	0,010	0,001	0,000	0,000	0,000	0,000
3	0,021	0,100	0,246	0,218	0,111	0,035	0,006	0,001	0,000	0,000	0,000
4	0,003	0,028	0,154	0,234	0,184	0,087	0,024	0,003	0,000	0,000	0,000
5	0,000	0,006	0,069	0,180	0,221	0,157	0,066	0,014	0,001	0,000	0,000
6	0,000	0,001	0,023	0,103	0,197	0,209	0,131	0,044	0,006	0,000	0,000
7	0,000	0,000	0,006	0,044	0,131	0,209	0,197	0,103	0,023	0,001	0,000
8	0,000	0,000	0,001	0,014	0,066	0,157	0,221	0,180	0,069	0,006	0,000
9	0,000	0,000	0,000	0,003	0,024	0,087	0,184	0,234	0,154	0,028	0,003
10	0,000	0,000	0,000	0,001	0,006	0,035	0,111	0,218	0,246	0,100	0,021
11	0,000	0,000	0,000	0,000	0,001	0,010	0,045	0,139	0,268	0,245	0,111
12	0,000	0,000	0,000	0,000	0,000	0,002	0,011	0,054	0,179	0,367	0,351
13	0,000	0,000	0,000	0,000	0,000	0,000	0,001	0,010	0,055	0,254	0,513

n = 14
Probabilité

x	0,05	0,10	0,20	0,30	0,40	0,50	0,60	0,70	0,80	0,90	0,95
0	0,488	0,229	0,044	0,007	0,001	0,000	0,000	0,000	0,000	0,000	0,000
1	0,359	0,356	0,154	0,041	0,007	0,001	0,000	0,000	0,000	0,000	0,000
2	0,123	0,257	0,250	0,113	0,032	0,006	0,001	0,000	0,000	0,000	0,000
3	0,026	0,114	0,250	0,194	0,085	0,022	0,003	0,000	0,000	0,000	0,000
4	0,004	0,035	0,172	0,229	0,155	0,061	0,014	0,001	0,000	0,000	0,000
5	0,000	0,008	0,086	0,196	0,207	0,122	0,041	0,007	0,000	0,000	0,000
6	0,000	0,001	0,032	0,126	0,207	0,183	0,092	0,023	0,002	0,000	0,000
7	0,000	0,000	0,009	0,062	0,157	0,209	0,157	0,062	0,009	0,000	0,000
8	0,000	0,000	0,002	0,023	0,092	0,183	0,207	0,126	0,032	0,001	0,000
9	0,000	0,000	0,000	0,007	0,041	0,122	0,207	0,196	0,086	0,008	0,000
10	0,000	0,000	0,000	0,001	0,014	0,061	0,155	0,229	0,172	0,035	0,004
11	0,000	0,000	0,000	0,000	0,003	0,022	0,085	0,194	0,250	0,114	0,026
12	0,000	0,000	0,000	0,000	0,001	0,006	0,032	0,113	0,250	0,257	0,123
13	0,000	0,000	0,000	0,000	0,000	0,001	0,007	0,041	0,154	0,356	0,359
14	0,000	0,000	0,000	0,000	0,000	0,000	0,001	0,007	0,044	0,229	0,488

ANNEXE A

Lois binomiales (suite)

n = 15
Probabilité

x	0,05	0,10	0,20	0,30	0,40	0,50	0,60	0,70	0,80	0,90	0,95
0	0,463	0,206	0,035	0,005	0,000	0,000	0,000	0,000	0,000	0,000	0,000
1	0,366	0,343	0,132	0,031	0,005	0,000	0,000	0,000	0,000	0,000	0,000
2	0,135	0,267	0,231	0,092	0,022	0,003	0,000	0,000	0,000	0,000	0,000
3	0,031	0,129	0,250	0,170	0,063	0,014	0,002	0,000	0,000	0,000	0,000
4	0,005	0,043	0,188	0,219	0,127	0,042	0,007	0,001	0,000	0,000	0,000
5	0,001	0,010	0,103	0,206	0,186	0,092	0,024	0,003	0,000	0,000	0,000
6	0,000	0,002	0,043	0,147	0,207	0,153	0,061	0,012	0,001	0,000	0,000
7	0,000	0,000	0,014	0,081	0,177	0,196	0,118	0,035	0,003	0,000	0,000
8	0,000	0,000	0,003	0,035	0,118	0,196	0,177	0,081	0,014	0,000	0,000
9	0,000	0,000	0,001	0,012	0,061	0,153	0,207	0,147	0,043	0,002	0,000
10	0,000	0,000	0,000	0,003	0,024	0,092	0,186	0,206	0,103	0,010	0,001
11	0,000	0,000	0,000	0,001	0,007	0,042	0,127	0,219	0,188	0,043	0,005
12	0,000	0,000	0,000	0,000	0,002	0,014	0,063	0,170	0,250	0,129	0,031
13	0,000	0,000	0,000	0,000	0,000	0,003	0,022	0,092	0,231	0,267	0,135
14	0,000	0,000	0,000	0,000	0,000	0,000	0,005	0,031	0,132	0,343	0,366
15	0,000	0,000	0,000	0,000	0,000	0,000	0,000	0,005	0,035	0,206	0,463

n = 20
Probabilité

x	0,05	0,10	0,20	0,30	0,40	0,50	0,60	0,70	0,80	0,90	0,95
0	0,358	0,122	0,012	0,001	0,000	0,000	0,000	0,000	0,000	0,000	0,000
1	0,377	0,270	0,058	0,007	0,000	0,000	0,000	0,000	0,000	0,000	0,000
2	0,189	0,285	0,137	0,028	0,003	0,000	0,000	0,000	0,000	0,000	0,000
3	0,060	0,190	0,205	0,072	0,012	0,001	0,000	0,000	0,000	0,000	0,000
4	0,013	0,090	0,218	0,130	0,035	0,005	0,000	0,000	0,000	0,000	0,000
5	0,002	0,032	0,175	0,179	0,075	0,015	0,001	0,000	0,000	0,000	0,000
6	0,000	0,009	0,109	0,192	0,124	0,037	0,005	0,000	0,000	0,000	0,000
7	0,000	0,002	0,055	0,164	0,166	0,074	0,015	0,001	0,000	0,000	0,000
8	0,000	0,000	0,022	0,114	0,180	0,120	0,035	0,004	0,000	0,000	0,000
9	0,000	0,000	0,007	0,065	0,160	0,160	0,071	0,012	0,000	0,000	0,000
10	0,000	0,000	0,002	0,031	0,117	0,176	0,117	0,031	0,002	0,000	0,000
11	0,000	0,000	0,000	0,012	0,071	0,160	0,160	0,065	0,007	0,000	0,000
12	0,000	0,000	0,000	0,004	0,035	0,120	0,180	0,114	0,022	0,000	0,000
13	0,000	0,000	0,000	0,001	0,015	0,074	0,166	0,164	0,055	0,002	0,000
14	0,000	0,000	0,000	0,000	0,005	0,037	0,124	0,192	0,109	0,009	0,000
15	0,000	0,000	0,000	0,000	0,001	0,015	0,075	0,179	0,175	0,032	0,002
16	0,000	0,000	0,000	0,000	0,000	0,005	0,035	0,130	0,218	0,090	0,013
17	0,000	0,000	0,000	0,000	0,000	0,001	0,012	0,072	0,205	0,190	0,060
18	0,000	0,000	0,000	0,000	0,000	0,000	0,003	0,028	0,137	0,285	0,189
19	0,000	0,000	0,000	0,000	0,000	0,000	0,000	0,007	0,058	0,270	0,377
20	0,000	0,000	0,000	0,000	0,000	0,000	0,000	0,001	0,012	0,122	0,358

ANNEXE B

Table de nombres aléatoires

02711	08182	75997	79866	58095	83319	80295	79741	74599	84379
94873	90935	31684	63952	09865	14491	99518	93394	34691	14985
54921	78680	06635	98689	17·306	25170	65928	87709	30533	89736
77640	97636	37397	93379	56454	59818	45827	74164	71666	46977
61545	00835	93251	87203	36759	49197	85967	01704	19634	21898
17147	19519	22497	16857	42426	84822	92598	49186	88247	39967
13748	04742	92460	85801	53444	65626	58710	55406	17173	69776
87455	14813	50373	28037	91182	32786	65261	11173	34376	36408
08999	57409	91185	10200	61411	23392	47797	56377	71635	08601
78804	81333	53809	32471	46034	36306	22498	19239	85428	55721
82173	26921	28472	98958	07960	66124	89731	95069	18625	92405
97594	25168	89178	68190	05043	17407	48201	83917	11413	72920
73881	67176	93504	42636	38233	16154	96451	57925	29667	30859
46071	22912	90326	42453	88108	72064	58601	32357	90610	32921
44492	19686	12495	93135	95185	77799	52441	88272	22024	80631
31864	72170	37722	55794	14636	05148	54505	50113	21119	25228
51574	90692	43339	65689	76539	27909	05467	21727	51141	72949
35350	76132	92925	92124	92634	35681	43690	89136	35599	84138
46943	36502	01172	46045	46991	33804	80006	35542	61056	75666
22665	87226	33304	57975	03985	21566	65796	72915	81466	89205

ANNEXE C

Valeurs de l'étendue studentisée $q_\alpha(K, v)$, $\alpha = 0,05$

									k										
v	2	3	4	5	6	7	8	9	10	11	12	13	14	15	16	17	18	19	20
1	18,0	27,0	32,8	37,1	40,4	43,1	45,4	47,4	49,1	50,6	52,0	53,2	54,3	55,4	56,3	57,2	58,0	58,8	59,6
2	6,08	8,33	9,80	10,9	11,7	12,4	13,0	13,5	14,0	14,4	14,7	15,1	15,4	15,7	15,9	16,1	16,4	16,6	16,8
3	4,50	5,91	6,82	7,50	8,04	8,48	8,85	9,18	9,46	9,72	9,95	10,2	10,3	10,5	10,7	10,8	11,0	11,1	11,2
4	3,93	5,04	5,76	6,29	6,71	7,05	7,35	7,60	7,83	8,03	8,21	8,37	8,52	8,66	8,79	8,91	9,03	9,13	9,23
5	3,64	4,60	5,22	5,67	6,03	6,33	6,58	6,80	6,99	7,17	7,32	7,47	7,60	7,72	7,83	7,93	8,03	8,12	8,21
6	3,46	4,34	4,90	5,30	5,63	5,90	6,12	6,32	6,49	6,65	6,79	6,92	7,03	7,14	7,24	7,34	7,43	7,51	7,59
7	3,34	4,16	4,68	5,06	5,36	5,61	5,82	6,00	6,16	6,30	6,43	6,55	6,66	6,76	6,85	6,94	7,02	7,10	7,17
8	3,26	4,04	4,53	4,89	5,17	5,40	5,60	5,77	5,92	6,05	6,18	6,29	6,39	6,48	6,57	6,65	6,73	6,80	6,87
9	3,20	3,95	4,41	4,79	5,02	5,24	5,43	5,59	5,74	5,87	5,98	6,09	6,19	6,28	6,36	6,44	6,51	6,58	6,64
10	3,15	3,88	4,33	4,65	4,91	5,12	5,30	5,46	5,60	5,72	5,83	5,93	6,03	6,11	6,19	6,27	6,34	6,40	6,47
11	3,11	3,82	4,26	4,57	4,82	5,03	5,20	5,35	5,49	5,61	5,71	5,81	5,90	5,98	6,06	6,13	6,20	6,27	6,33
12	3,08	3,77	4,20	4,51	4,75	4,95	5,12	5,27	5,39	5,51	5,61	5,71	5,80	5,88	5,95	6,02	6,09	6,15	6,21
13	3,06	3,73	4,15	4,45	4,69	4,88	5,05	5,19	5,32	5,43	5,53	5,63	5,71	5,79	5,86	5,93	5,99	6,05	6,11
14	3,03	3,70	4,11	4,41	4,64	4,83	4,99	5,13	5,25	5,36	5,46	5,55	5,64	5,71	5,79	5,85	5,91	5,97	6,03
15	3,01	3,67	4,08	4,37	4,59	4,78	4,94	5,08	5,20	5,31	5,40	5,49	5,57	5,65	5,72	5,78	5,85	5,90	5,96
16	3,00	3,65	4,05	4,33	4,56	4,74	4,90	5,03	5,15	5,26	5,35	5,44	5,52	5,59	5,66	5,73	5,79	5,84	5,90
17	2,98	3,63	4,02	4,30	4,52	4,70	4,86	4,99	5,11	5,21	5,31	5,39	5,47	5,54	5,61	5,67	5,73	5,79	5,84
18	2,97	3,61	4,00	4,28	4,49	4,67	4,82	4,96	5,07	5,17	5,27	5,35	5,43	5,50	5,57	5,63	5,69	5,74	5,79
19	2,96	3,59	3,98	4,25	4,47	4,65	4,79	4,92	5,04	5,14	5,23	5,31	5,39	5,46	5,53	5,59	5,65	5,70	5,75
20	2,95	3,58	3,96	4,23	4,45	4,62	4,77	4,90	5,01	5,11	5,20	5,28	5,36	5,43	5,49	5,55	5,61	5,66	5,71
24	2,92	3,53	3,90	4,17	4,37	4,54	4,68	4,81	4,92	5,01	5,10	5,18	5,25	5,32	5,38	5,44	5,49	5,55	5,59
30	2,89	3,49	3,85	4,10	4,30	4,46	4,60	4,72	4,82	4,92	5,00	5,08	5,15	5,21	5,27	5,33	5,38	5,43	5,47
40	2,86	3,44	3,79	4,04	4,23	4,39	4,52	4,63	4,73	4,82	4,90	4,98	5,04	5,11	5,16	5,22	5,27	5,31	5,36
60	2,83	3,40	3,74	3,98	4,16	4,31	4,44	4,55	4,65	4,73	4,81	4,88	4,94	5,00	5,06	5,11	5,15	5,20	5,24
120	2,80	3,36	3,68	3,92	4,10	4,24	4,36	4,47	4,56	4,64	4,71	4,78	4,84	4,90	4,95	5,00	5,04	5,09	5,13
∞	2,77	3,31	3,63	3,86	4,03	4,17	4,29	4,39	4,47	4,55	4,62	4,68	4,74	4,80	4,85	4,89	4,93	4,97	5,01

ANNEXE D

Valeurs critiques des lois F
au seuil de signification 1 %

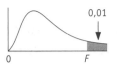

						Degrés de liberté au numérateur										
	1	**2**	**3**	**4**	**5**	**6**	**7**	**8**	**9**	**10**	**12**	**15**	**20**	**24**	**30**	**40**
1	4052	5000	5403	5625	5764	5859	5928	5981	6022	6056	6106	6157	6209	6235	6261	6287
2	98,5	99,0	99,2	99,2	99,3	99,3	99,4	99,4	99,4	99,4	99,4	99,4	99,4	99,5	99,5	99,5
3	34,1	30,8	29,5	28,7	28,2	27,9	27,7	27,5	27,3	27,2	27,1	26,9	26,7	26,6	26,5	26,4
4	21,2	18,0	16,7	16,0	15,5	15,2	15,0	14,8	14,7	14,5	14,4	14,2	14,0	13,9	13,8	13,7
5	16,3	13,3	12,1	11,4	11,0	10,7	10,5	10,3	10,2	10,1	9,89	9,72	9,55	9,47	9,38	9,29
6	13,7	10,9	9,78	9,15	8,75	8,47	8,26	8,10	7,98	7,87	7,72	7,56	7,40	7,31	7,23	7,14
7	12,2	9,55	8,45	7,85	7,46	7,19	6,99	6,84	6,72	6,62	6,47	6,31	6,16	6,07	5,99	5,91
8	11,3	8,65	7,59	7,01	6,63	6,37	6,18	6,03	5,91	5,81	5,67	5,52	5,36	5,28	5,20	5,12
9	10,6	8,02	6,99	6,42	6,06	5,80	5,61	5,47	5,35	5,26	5,11	4,96	4,81	4,73	4,65	4,57
10	10,0	7,56	6,55	5,99	5,64	5,39	5,20	5,06	4,94	4,85	4,71	4,56	4,41	4,33	4,25	4,17
11	9,65	7,21	6,22	5,67	5,32	5,07	4,89	4,74	4,63	4,54	4,40	4,25	4,10	4,02	3,94	3,86
12	9,33	6,93	5,95	5,41	5,06	4,82	4,64	4,50	4,39	4,30	4,16	4,01	3,86	3,78	3,70	3,62
13	9,07	6,70	5,74	5,21	4,86	4,62	4,44	4,30	4,19	4,10	3,96	3,82	3,66	3,59	3,51	3,43
14	8,86	6,51	5,56	5,04	4,69	4,46	4,28	4,14	4,03	3,94	3,80	3,66	3,51	3,43	3,35	3,27
15	8,68	6,36	5,42	4,89	4,56	4,32	4,14	4,00	3,89	3,80	3,67	3,52	3,37	3,29	3,21	3,13
16	8,53	6,23	5,29	4,77	4,44	4,20	4,03	3,89	3,78	3,69	3,55	3,41	3,26	3,18	3,10	3,02
17	8,40	6,11	5,18	4,67	4,34	4,10	3,93	3,79	3,68	3,59	3,46	3,31	3,16	3,08	3,00	2,92
18	8,29	6,01	5,09	4,58	4,25	4,01	3,84	3,71	3,60	3,51	3,37	3,23	3,08	3,00	2,92	2,84
19	8,18	5,93	5,01	4,50	4,17	3,94	3,77	3,63	3,52	3,43	3,30	3,15	3,00	2,92	2,84	2,76
20	8,10	5,85	4,94	4,43	4,10	3,87	3,70	3,56	3,46	3,37	3,23	3,09	2,94	2,86	2,78	2,69
21	8,02	5,78	4,87	4,37	4,04	3,81	3,64	3,51	3,40	3,31	3,17	3,03	2,88	2,80	2,72	2,64
22	7,95	5,72	4,82	4,31	3,99	3,76	3,59	3,45	3,35	3,26	3,12	2,98	2,83	2,75	2,67	2,58
23	7,88	5,66	4,76	4,26	3,94	3,71	3,54	3,41	3,30	3,21	3,07	2,93	2,78	2,70	2,62	2,54
24	7,82	5,61	4,72	4,22	3,90	3,67	3,50	3,36	3,26	3,17	3,03	2,89	2,74	2,66	2,58	2,49
25	7,77	5,57	4,68	4,18	3,85	3,63	3,46	3,32	3,22	3,13	2,99	2,85	2,70	2,62	2,54	2,45
30	7,56	5,39	4,51	4,02	3,70	3,47	3,30	3,17	3,07	2,98	2,84	2,70	2,55	2,47	2,39	2,30
40	7,31	5,18	4,31	3,83	3,51	3,29	3,12	2,99	2,89	2,80	2,66	2,52	2,37	2,29	2,20	2,11
60	7,08	4,98	4,13	3,65	3,34	3,12	2,95	2,82	2,72	2,63	2,50	2,35	2,20	2,12	2,03	1,94
120	6,85	4,79	3,95	3,48	3,17	2,96	2,79	2,66	2,56	2,47	2,34	2,19	2,03	1,95	1,86	1,76
∞	6,63	4,61	3,78	3,32	3,02	2,80	2,64	2,51	2,41	2,32	2,18	2,04	1,88	1,79	1,70	1,59

Degrés de liberté au dénominateur

ANNEXE D

Valeurs critiques des lois F Fisher au seuil de signification 5%

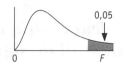

	Degrés de liberté au numérateur															
	1	2	3	4	5	6	7	8	9	10	12	15	20	24	30	40
1	161	200	216	225	230	234	237	239	241	242	244	246	248	249	250	251
2	18,5	19,0	19,2	19,2	19,3	19,3	19,4	19,4	19,4	19,4	19,4	19,4	19,4	19,5	19,5	19,5
3	10,1	9,55	9,28	9,12	9,01	8,94	8,89	8,85	8,81	8,79	8,74	8,70	8,66	8,64	8,62	8,59
4	7,71	6,94	6,59	6,39	6,26	6,16	6,09	6,04	6,00	5,96	5,91	5,86	5,80	5,77	5,75	5,72
5	6,61	5,79	5,41	5,19	5,05	4,95	4,88	4,82	4,77	4,74	4,68	4,62	4,56	4,53	4,50	4,46
6	5,99	5,14	4,76	4,53	4,39	4,28	4,21	4,15	4,10	4,06	4,00	3,94	3,87	3,84	3,81	3,77
7	5,59	4,74	4,35	4,12	3,97	3,87	3,79	3,73	3,68	3,64	3,57	3,51	3,44	3,41	3,38	3,34
8	5,32	4,46	4,07	3,84	3,69	3,58	3,50	3,44	3,39	3,35	3,28	3,22	3,15	3,12	3,08	3,04
9	5,12	4,26	3,86	3,63	3,48	3,37	3,29	3,23	3,18	3,14	3,07	3,01	2,94	2,90	2,86	2,83
10	4,96	4,10	3,71	3,48	3,33	3,22	3,14	3,07	3,02	2,98	2,91	2,85	2,77	2,74	2,70	2,66
11	4,84	3,98	3,59	3,36	3,20	3,09	3,01	2,95	2,90	2,85	2,79	2,72	2,65	2,61	2,57	2,53
12	4,75	3,89	3,49	3,26	3,11	3,00	2,91	2,85	2,80	2,75	2,69	2,62	2,54	2,51	2,47	2,43
13	4,67	3,81	3,41	3,18	3,03	2,92	2,83	2,77	2,71	2,67	2,60	2,53	2,46	2,42	2,38	2,34
14	4,60	3,74	3,34	3,11	2,96	2,85	2,76	2,70	2,65	2,60	2,53	2,46	2,39	2,35	2,31	2,27
15	4,54	3,68	3,29	3,06	2,90	2,79	2,71	2,64	2,59	2,54	2,48	2,40	2,33	2,29	2,25	2,20
16	4,49	3,63	3,24	3,01	2,85	2,74	2,66	2,59	2,54	2,49	2,42	2,35	2,28	2,24	2,19	2,15
17	4,45	3,59	3,20	2,96	2,81	2,70	2,61	2,55	2,49	2,45	2,38	2,31	2,23	2,19	2,15	2,10
18	4,41	3,55	3,16	2,93	2,77	2,66	2,58	2,51	2,46	2,41	2,34	2,27	2,19	2,15	2,11	2,06
19	4,38	3,52	3,13	2,90	2,74	2,63	2,54	2,48	2,42	2,38	2,31	2,23	2,16	2,11	2,07	2,03
20	4,35	3,49	3,10	2,87	2,71	2,60	2,51	2,45	2,39	2,35	2,28	2,20	2,12	2,08	2,04	1,99
21	4,32	3,47	3,07	2,84	2,68	2,57	2,49	2,42	2,37	2,32	2,25	2,18	2,10	2,05	2,01	1,96
22	4,30	3,44	3,05	2,82	2,66	2,55	2,46	2,40	2,34	2,30	2,23	2,15	2,07	2,03	1,98	1,94
23	4,28	3,42	3,03	2,80	2,64	2,53	2,44	2,37	2,32	2,27	2,20	2,13	2,05	2,01	1,96	1,91
24	4,26	3,40	3,01	2,78	2,62	2,51	2,42	2,36	2,30	2,25	2,18	2,11	2,03	1,98	1,94	1,89
25	4,24	3,39	2,99	2,76	2,60	2,49	2,40	2,34	2,28	2,24	2,16	2,09	2,01	1,96	1,92	1,87
30	4,17	3,32	2,92	2,69	2,53	2,42	2,33	2,27	2,21	2,16	2,09	2,01	1,93	1,89	1,84	1,79
40	4,08	3,23	2,84	2,61	2,45	2,34	2,25	2,18	2,12	2,08	2,00	1,92	1,84	1,79	1,74	1,69
60	4,00	3,15	2,76	2,53	2,37	2,25	2,17	2,10	2,04	1,99	1,92	1,84	1,75	1,70	1,65	1,59
120	3,92	3,07	2,68	2,45	2,29	2,18	2,09	2,02	1,96	1,91	1,83	1,75	1,66	1,61	1,55	1,50
∞	3,84	3,00	2,60	2,37	2,21	2,10	2,01	1,94	1,88	1,83	1,75	1,67	1,57	1,52	1,46	1,39

Degrés de liberté au dénominateur

ANNEXE E

Valeurs critiques des lois du khi-deux

Ce tableau contient les valeurs de χ^2 correspondant à certaines aires sous la courbe à droite et pour certains degrés de liberté.

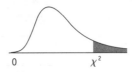

| Degrés de | Aire sous la courbe à droite | | | |
liberté *dl*	0,10	0,05	0,02	0,01
1	2,706	3,841	5,412	6,635
2	4,605	5,991	7,824	9,210
3	6,251	7,815	9,837	11,345
4	7,779	9,488	11,668	13,277
5	9,236	11,070	13,388	15,086
6	10,645	12,592	15,033	16,812
7	12,017	14,067	16,622	18,475
8	13,362	15,507	18,168	20,090
9	14,684	16,919	19,679	21,666
10	15,987	18,307	21,161	23,209
11	17,275	19,675	22,618	24,725
12	18,549	21,026	24,054	26,217
13	19,812	22,362	25,472	27,688
14	21,064	23,685	26,873	29,141
15	22,307	24,996	28,259	30,578
16	23,542	26,296	29,633	32,000
17	24,769	27,587	30,995	33,409
18	25,989	28,869	32,346	34,805
19	27,204	30,144	33,687	36,191
20	28,412	31,410	35,020	37,566
21	29,615	32,671	36,343	38,932
22	30,813	33,924	37,659	40,289
23	32,007	35,172	38,968	41,638
24	33,196	36,415	40,270	42,980
25	34,382	37,652	41,566	44,314
26	35,563	38,885	42,856	45,642
27	36,741	40,113	44,140	46,963
28	37,916	41,337	45,419	48,278
29	39,087	42,557	46,693	49,588
30	40,256	43,773	47,962	50,892

ANNEXE F

Aires sous la courbe normale centrée réduite

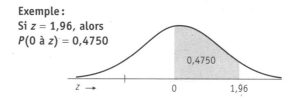

Exemple :
Si $z = 1,96$, alors
$P(0 \text{ à } z) = 0,4750$

z	0,00	0,01	0,02	0,03	0,04	0,05	0,06	0,07	0,08	0,09
0,0	0,0000	0,0040	0,0080	0,0120	0,0160	0,0199	0,0239	0,0279	0,0319	0,0359
0,1	0,0398	0,0438	0,0478	0,0517	0,0557	0,0596	0,0636	0,0675	0,0714	0,0753
0,2	0,0793	0,0832	0,0871	0,0910	0,0948	0,0987	0,1026	0,1064	0,1103	0,1141
0,3	0,1179	0,1217	0,1255	0,1293	0,1331	0,1368	0,1406	0,1443	0,1480	0,1517
0,4	0,1554	0,1591	0,1628	0,1664	0,1700	0,1736	0,1772	0,1808	0,1844	0.1879
0,5	0,1915	0,1950	0,1985	0,2019	0,2054	0,2088	0,2123	0,2157	0,2190	0,2224
0,6	0,2257	0,2291	0,2324	0,2357	0,2389	0,2422	0,2454	0,2486	0,2517	0,2549
0,7	0,2580	0,2611	0,2642	0,2673	0,2704	0,2734	0,2764	0,2794	0,2823	0,2852
0,8	0,2881	0,2910	0,2939	0,2967	0,2995	0,3023	0,3051	0,3078	0,3106	0,3133
0,9	0,3159	0,3186	0,3212	0,3238	0,3264	0,3289	0,3315	0,3340	0,3365	0,3389
1,0	0,3413	0,3438	0,3461	0,3485	0,3508	0,3531	0,3554	0,3577	0,3599	0,3621
1,1	0,3643	0,3665	0,3686	0,3708	0,3729	0,3749	0,3770	0,3790	0,3810	0,3830
1,2	0,3849	0,3869	0,3888	0,3907	0,3925	0,3944	0,3962	0,3980	0,3997	0,4015
1,3	0,4032	0,4049	0,4066	0,4082	0,4099	0,4115	0,4131	0,4147	0,4162	0,4177
1,4	0,4192	0,4207	0,4222	0,4236	0,4251	0,4265	0,4279	0,4292	0,4306	0,4319
1,5	0,4332	0,4345	0,4357	0,4370	0,4382	0,4394	0,4406	0,4418	0,4429	0,4441
1,6	0,4452	0,4463	0,4474	0,4484	0,4495	0,4505	0,4515	0,4525	0,4535	0,4545
1,7	0,4554	0,4564	0,4573	0,4582	0,4591	0,4599	0,4608	0,4616	0,4625	0,4633
1,8	0,4641	0,4649	0,4656	0,4664	0,4671	0,4678	0,4686	0,4693	0,4699	0,4706
1,9	0,4713	0,4719	0,4726	0,4732	0,4738	0,4744	0,4750	0,4756	0,4761	0,4767
2,0	0,4772	0,4778	0,4783	0,4788	0,4793	0,4798	0,4803	0,4808	0,4812	0,4817
2,1	0,4821	0,4826	0,4830	0,4834	0,4838	0,4842	0,4846	0,4850	0,4854	0,4857
2,2	0,4861	0,4864	0,4868	0,4871	0,4875	0,4878	0,4881	0,4884	0,4887	0,4890
2,3	0,4893	0,4896	0,4898	0,4901	0,4904	0,4906	0,4909	0,4911	0,4913	0,4916
2,4	0,4918	0,4920	0,4922	0,4925	0,4927	0,4929	0,4931	0,4932	0,4934	0,4936
2,5	0,4938	0,4940	0,4941	0,4943	0,4945	0,4946	0,4948	0,4949	0,4951	0,4952
2,6	0,4953	0,4955	0,4956	0,4957	0,4959	0,4960	0,4961	0,4962	0,4963	0,4964
2,7	0,4965	0,4966	0,4967	0,4968	0,4969	0,4970	0,4971	0,4972	0,4973	0,4974
2,8	0,4974	0,4975	0,4976	0,4977	0,4977	0,4978	0,4979	0,4979	0,4980	0,4981
2,9	0,4981	0,4982	0,4982	0,4983	0,4984	0,4984	0,4985	0,4985	0,4986	0,4986
3,0	0,4987	0,4987	0,4987	0,4988	0,4988	0,4989	0,4989	0,4989	0,4990	0,4990

ANNEXE G

Lois t de Student

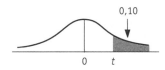

	Seuil de signification pour un test unilatéral					
	0,100	0,050	0,025	0,010	0,005	0,0005
	Seuil de signification pour un test bilatéral					
dl	0,20	0,10	0,05	0,02	0,01	0,001
1	3,078	6,314	12,706	31,821	63,657	636,619
2	1,886	2,920	4,303	6,965	9,925	31,599
3	1,638	2,353	3,182	4,541	5,841	12,924
4	1,533	2,132	2,776	3,747	4,604	8,610
5	1,476	2,015	2,571	3,365	4,032	6,869
6	1,440	1,943	2,447	3,143	3,707	5,959
7	1,415	1,895	2,365	2,998	3,499	5,408
8	1,397	1,860	2,306	2,896	3,355	5,041
9	1,383	1,833	2,262	2,821	3,250	4,781
10	1,372	1,812	2,228	2,764	3,169	4,587
11	1,363	1,796	2,201	2,718	3,106	4,437
12	1,356	1,782	2,179	2,681	3,055	4,318
13	1,350	1,771	2,160	2,650	3,012	4,221
14	1,345	1,761	2,145	2,624	2,977	4,140
15	1,341	1,753	2,131	2,602	2,947	4,073
16	1,337	1,746	2,120	2,583	2,921	4,015
17	1,333	1,740	2,110	2,567	2,898	3,965
18	1,330	1,734	2,101	2,552	2,878	3,922
19	1,328	1,729	2,093	2,539	2,861	3,883
20	1,325	1,725	2,086	2,528	2,845	3,850
21	1,323	1,721	2,080	2,518	2,831	3,819
22	1,321	1,717	2,074	2,508	2,819	3,792
23	1,319	1,714	2,069	2,500	2,807	3,768
24	1,318	1,711	2,064	2,492	2,797	3,745
25	1,316	1,708	2,060	2,485	2,787	3,725
26	1,315	1,706	2,056	2,479	2,779	3,707
27	1,314	1,703	2,052	2,473	2,771	3,690
28	1,313	1,701	2,048	2,467	2,763	3,674
29	1,311	1,699	2,045	2,462	2,756	3,659
30	1,310	1,697	2,042	2,457	2,750	3,646
40	1,303	1,684	2,021	2,423	2,704	3,551
60	1,296	1,671	2,000	2,390	2,660	3,460
120	1,289	1,658	1,980	2,358	2,617	3,373
∞	1,282	1,645	1,960	2,326	2,576	3,291

NOTES

Chapitre 1

1. F.N. David, *Games, Gods and Gambling* (New York: Hafner Publishing Company, 1962), p. 9.

2. *Ibid.*

3. Deborah J. Bennett, *Randomness* (Cambridge, Massachusetts: Harvard University Press, 1998), p. 18.

4. Statistique Canada, *Internet Shopping in Canada*, Catalogue n° 56F0004MIE, février 2001; les italiques ont été ajoutés par l'auteur.

5. Joel Best, "Telling the Truth about Damned Lies and Statistics," *The Chronicle Review: The Chronicle of Higher Education*, 4 mai 2001.

Chapitre 2

1. D.C. Hoaglin, F. Mosteller, and J.W. Tukey, eds., *Understanding Robust and Exploratory Data Analysis* (New York: Wiley, 1983).

2. William S. Cleveland, *The Elements of Graphic Data* (Murray Hill, New Jersey: AT&T Bell Laboratories, 1994), p. 92.

3. Edward R. Tufte, *The Visual Display of Quantitative Information* (Cheshire, Connecticut: Graphic Press, 1998), p. 190.

4. Pays excluant les États-Unis, le Japon et d'autres pays de l'U.E.

Chapitre 3

1. Commentary on *Nicomachean Ethics* by St. Thomas Aquinas, trans. Henry Regnery Company, Chicago, 1964. Other quotes are from *Book II, Lecture VI*, pp. 237-38.

2. Stigler, Stephen M., *The History of Statistics: the measurement of Uncertainty before 1900*, Cambridge, Mass., Belknap Press of Harvard University Press, 1996.

3. Johnson, Norman Lloyd and Samuel Kotz, *Breakthroughs in Statistics*, New York, Springer-Verlag, 1997.

4. Hald, Anders, *A history of Mathematical Statistics from 1750 to 1930* (New York: Wiley, 1998).

Chapitre 5

1. Blaise Pascal, *Pensées* (Paris, Hachette, 1950), n° 257, p. 103.

2. Source: Adapté de B.L. Bowerman, R.T. O'Connell, and M.L. Hand, *Business Statistics in Practice*, 2e édition (New York: McGraw-Hill Irwin, 2001), p. 131.

3. Source: Statistique Canada, 1996.

4. Thomas Bayes, *An essay towards solving a problem in the Doctrine of Chances*, Phil. Trans., vol. 53, 1763: 370 à 418.

Chapitre 6

1. L'écart entre 4,0 et 4,002 découle des valeurs arrondies des probabilités $P(x)$.

2. À nouveau, l'écart découle des valeurs arrondies des probabilités $P(x)$.

3. Warren Weaver, *Lady Luck* (London: Heinemann, 1964), p. 265.

Chapitre 7

1. Alexander Pope, *Essay on Man*, Epis. III, 140.

2. La fonction de probabilité $f(x)$ d'une variable aléatoire normale X de moyenne μ et d'écart type σ est définie par l'équation $f(x) = \dfrac{1}{\sigma\sqrt{2\pi}}e^{-[(x-\mu)/\sigma]^2/2}$, où x varie de $-\infty$ à $+\infty$. Rappelons que $\pi = 3{,}1415\ldots$ et $e = 2{,}71828\ldots$ Ainsi, les seuls paramètres inconnus dans cette formule sont μ et σ. Une fois connues les valeurs de μ et de σ, nous disposons de toutes les informations sur la courbe et pouvons la tracer.

3. Nous pouvons en faire la démonstration comme suit. Il suffit de remplacer le terme $\dfrac{(x-\mu)}{\sigma}$ par z dans l'équation de la courbe normale (voir la formule de la note 2) et de multiplier par σ les hauteurs dans la courbe qui en découle; nous obtenons ainsi la formule 7.1. Il s'agit simplement de l'équation de la courbe normale de moyenne 0 et d'écart type 1. (Dans la formule de la note 2, remplacez μ par 0, σ par 1 et x par z, puis vérifiez que vous obtenez la formule 7.1.)

4. William G. Cochran, *Sampling Techniques*, 2e édition (New York: John Wiley & Sons, Inc., 1963).

Chapitre 8

1. Voir la note 4 du chapitre 7.

Chapitre 9

1. On peut le démontrer en suivant les trois étapes décrites ci-après.

   On considère les inégalités $-z_{\alpha/2} \leq \dfrac{\bar{X} - \mu}{\sigma/\sqrt{n}} \leq z_{\alpha/2}$.

   i) En multipliant tous les termes par $\sigma/\sqrt{n}$, on obtient $-z_{\alpha/2}\,\sigma/\sqrt{n} \leq (\bar{X} - \mu) \leq z_{\alpha/2}\,\sigma/\sqrt{n}$.

   ii) On soustrayant ensuite $\bar{X}$ de tous les termes, on obtient $-\bar{X} - z_{\alpha/2}\,\sigma/\sqrt{n} \leq -\mu \leq -\bar{X} + z_{\alpha/2}\,\sigma/\sqrt{n}$.

   iii) Enfin, en multipliant tous les termes par (-1), on obtient $\bar{X} - z_{\alpha/2}\,\sigma/\sqrt{n} \leq \mu \leq \bar{X} + z_{\alpha/2}\,\sigma/\sqrt{n}$.

   (Il faut noter que lorsqu'on multiplie par un nombre négatif, le signe et l'ordre des termes sont inversés. Par exemple, $2 \leq 3 \leq 4$. Donc, $-4 \leq -3 \leq -2$.)

2. Un estimateur est dit convergent s'il satisfait à la condition suivante: pour toute valeur positive ϵ, aussi petite soit-elle, et tout nombre réel δ entre 0 et 1, il existe un nombre n_0 tel que, pour tout échantillon de taille supérieure à n_0, la probabilité que la distance maximale entre l'estimateur et la valeur du paramètre soit inférieure ou égale à ϵ est d'au moins δ.

3. De façon plus formelle, un estimateur non biaisé est convergent si, pour tout nombre positif ϵ, aussi petit soit-il, il existe un nombre entier n_0 tel que, pour toute taille d'échantillon plus grande que n_0, la variance de l'estimateur est plus petite que ϵ.

Chapitre 10

1. John Arbuthnot, « An argument for divine Providence, taken from the constant regularity observ'd in the births of both sexes », *Philosophical Transactions of the Royal Society*, Londres, 1710, p. 186 à 190.

2. http://www-groups.dcs.st-andrews.ac.uk/~history/ Mathematicians/Pearson_Egon.html

Chapitre 11

1. S.M. Stigler, *The History of Statistics: The Measurement of Uncertainty Before 1900* (Londres: Harvard University Press, 1986).

2. John Creedy, "F. Y., Edgeworth, 1845-1926," dans D.P. Obrien and J.R. Presley, éditeurs, *Pioneers of Modern Economics in Britain* (New Jersey: Barnes & Noble Books, 1981).

3. S.M. Stigler, *The History of Statistics: The Measurement of Uncertainty Before 1900* (Londres: Harvard University Press, 1986).

4. *Ibid.*

5. B. Barber et T. Odean, "Trading is Hazardous to Your Wealth: The Common Stock Investment Performance of Individual Investors," *The Journal of Finance*, vol. LV, n° 2 (2000), p. 773 à 805.

6. De la formule 6.3, il résulte que $E(\bar{X}_1 - \bar{X}_2) = E(\bar{X}_1) - E(\bar{X}_2) = \mu_1 - \mu_2$. De plus, puisque les deux échantillons sont tirés indépendamment, $\text{Var}(\bar{X}_1 - \bar{X}_2) = \text{Var}(\bar{X}_1) + \text{Var}(\bar{X}_2) = \dfrac{\sigma_1^2}{n_1} + \dfrac{\sigma_2^2}{n_2}$.

7. Ce résultat est démontré par F.E. Satterwaite dans "An Approximate Distribution of Estimates of Variance Components," *Biometrics Bulletin*, 2 (1946), p. 110 à 114.

8. B. Jacobsen et S. Bouman, "The Halloween Indicator, 'Sell in May and Go Away': Another Puzzle," Cahier de recherche, Université d'Amsterdam, 1998.

9. *R.O.B. Report on Business Magazine*, novembre 2001, p. 111.

10. Vous trouverez le détail de ce résultat sur le cédérom qui accompagne ce manuel, sous *Additional Content, Chapter 11 Appendix A*.

11. Comme nous l'avons vu au chapitre 8, $E(\hat{p}_1) = p_1$, $E(\hat{p}_2) = p_2$, $\text{Var}(\hat{p}_1) = \dfrac{p_1(1-p_1)}{n_1}$ et $\text{Var}(\hat{p}_2) = \dfrac{p_2(1-p_2)}{n_2}$. Les formules 11.16 et 11.17 découlent des formules 6.3 et 6.6 respectivement (voir la note 6 du présent chapitre).

Chapitre 12

1. Pour une définition plus précise des lois F, voir le cédérom qui accompagne ce manuel, sous *Additional Content, Chapter 12 Appendix B*.

2. Vous trouverez plus d'information sur ce sujet sur le cédérom qui accompagne ce manuel, sous *Additional Content, Chapter 12 Appendix B*.

3. *Ibid.*

Chapitre 13

1. Pearson, 1914: plate II.

2. (Pearson, 1930, p. 386.) Pour une biographie détaillée, voir James W. Tankard Jr., *The Statistical Pioneers*, Schenkman Publishing Co., 1984.

3. Legendre, 1805, pp. 72-73. Pour plus de détails, voir S.M. Stigler, *The History of Statistics* (London, England: Harvard University Press, 1986).

4. S.M. Stigler, "Gauss and the Invention of Least Squares," *The Annals of Statistics*, vol. 9, n° 3, pp. 465-74.

Chapitre 14

1. Pour chaque i-ième *observation*, le résidu jacknife studentisé est calculé comme la valeur prévue du résidu $e_i^* = (y_i - \hat{y}_i^*)$ divisée par l'erreur type de ce résidu, où $(\hat{y}_i^*)$ est la valeur prévue de la i-ième observation (y_i), qu'on obtient en effectuant la régression sur toutes les observations sauf la i-ième observation, c'est-à-dire en *supprimant* cette i-ième observation de l'ensemble de données. Si l'on ajoute une variable indicatrice (=1 pour la i-ième observation et = 0 pour toutes les autres observations) dans une régression sur toutes les observations, l'estimation du coefficient de la variable indicatrice est alors égale à la valeur prévue du résidu e_i^*, et la valeur de t pour ce coefficient est égale à la valeur du résidu jacknife studentisé pour la i-ième observation.

Chapitre 15

1. Helen M. Walker. « The Contributions of Karl Pearson », *Journal of American Statistical Association*, vol. 53, n° 281 (mars 1958), p. 11-22.

2. *Ibid.*

3. La plupart des statisticiens emploient le terme « tests non paramétriques » pour désigner les méthodes qui ne dépendent pas de la distribution, dans ce sens que les variables à tester ne requièrent pas d'assertions contraignantes comme une distribution normale des populations. Comme nous le verrons bientôt, la validité de la méthode du test du khi-deux, même pour les utilisations que nous en faisons dans ce chapitre, dépend d'une distribution normale dans la limite (rappelez-vous le théorème de la limite centrale). Nous avons donc préféré ne pas placer ce test dans le groupe des tests non paramétriques. Par ailleurs, cela explique pourquoi certains statisticiens ont donné le nom de « test semi non paramétrique » au test du khi-deux.

4. C. M. Jarque et A. K. Bera. « A Test for Normality of Observations and Residuals », *International Statistical Review*, vol. 55, 1987, p. 163-172. Voir également D. N. Gujarati. *Basic Econometrics*, New York, McGraw-Hill, 1995, p. 143.

5. Source: Statistique Canada, automne 2001, catalogue n° 11008.

RÉPONSES

aux exercices impairs des chapitres

Chapitre 1

1.1   a) Échelle ordinale   b) Échelle nominale
      c) Échelle ordinale

1.3   a) Échelle de rapports   b) Échelle de rapports
      c) Échelle de rapports   d) Échelle de rapports

1.5   a) Échantillon   b) Population
      c) Population   d) Échantillon

1.7   Échelles nominale, ordinale, d'intervalles et de rapports. Les exemples varieront.

1.9   a) Le facteur de distorsion est égal à la variation en pourcentage dans les éléments graphiques divisée par la variation en pourcentage dans les quantités réelles représentées par ces éléments graphiques. Le facteur de distorsion dans la figure 1.8 a) se calcule ainsi :

$$\left[\frac{(2\times 4)-(2\times 1)}{(2\times 1)} \times 100 \right] \div \left[\frac{(200-100)}{100} \times 100 \right]$$

$$= \frac{300}{100} = 3$$

      b) Reportez-vous au manuel à la section 1.7.

1.11   En fonction des résultats de l'échantillonnage, on peut conclure que 270/300 ou 90 % des cadres déménageraient s'ils pouvaient obtenir une promotion.

1.13   Le niveau de scolarité le plus élevé atteint est une variable ordinale. Le pourcentage d'emploi et le taux de croissance sont des variables de rapports. Ainsi, les axes verticaux sur les deux graphiques contiennent la même variable ordinale, et les axes horizontaux sur les deux graphiques comportent différentes variables de rapports. Les renseignements ajoutés au-dessous des graphiques présentent une brève description.

1.15   a) Les données au sujet de la piscine et du garage sont des variables qualitatives. Les autres sont quantitatives.
      b) Les données au sujet de la piscine et du garage sont des variables nominales. Les autres sont des variables de rapports.

1.17   a) Les raisons sociales des sociétés et les noms de groupes sont des variables qualitatives, tandis que les autres sont quantitatives.

      b) Les raisons sociales des sociétés et les noms de groupes sont des données nominales, les rangs sont des données ordinales, et les autres variables sont des données de rapports.

Chapitre 2

2.1   Six classes

2.3   Un intervalle de classe de 42

2.5   a) Cinq classes. À l'aide de la formule, $2^k = 16$, $k = 4$. Cependant, un minimum de cinq classes est habituellement préférable.
      b) 3
      c) 22

2.7   a)

Nombre de visites	Effectif	Fréquence
De 0 à moins de 3	9	0,176
De 3 à moins de 6	21	0,412
De 6 à moins de 9	13	0,255
De 9 à moins de 12	4	0,078
De 12 à moins de 15	3	0,059
De 15 à moins de 18	1	0,020
Total	51	1,000

      b) Les données tendent à se concentrer dans la classe de 3 à moins de 6 fois par période de deux semaines.
      c) Voir la dernière colonne du tableau ci-dessus.

2.9   a) 8 b) 5 c) 621, 623, 623, 627, 629

2.11   a) 25 b) 1 c) 38, 106
      d) 60, 61, 63, 63, 65, 65, 69
      e) Aucune valeur f) 9 g) 9 h) 16

2.13

0	5
1	2 8
2	
3	0 0 2 4 7 8 9
4	1 2 3 6 6
5	2

Au total, on a étudié 16 appels. Le nombre d'appels reçus allait de 5 à 52. Sept des 16 abonnés ont reçu de 30 à 39 appels. La valeur la plus élevée est 52 et la moins élevée, 5.

2.15   a) Histogramme b) 100 c) 5 d) 28
      e) 0,28 f) 12,5 g) 13

2.17 a)

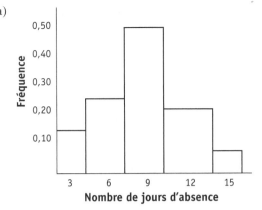

b) 4 % de l'aire totale se situe au-dessus de l'intervalle de 3 à moins de 12.

2.19 a) Voir ci-dessous.   b) Voir ci-dessous.

c) 5   d) 48 000 $

Salaire (en dollars)	Effectif	Effectif cumulé	Fréquence cumulée
De 28 000 à moins de 33 000	5	5	0,20
De 33 000 à moins de 38 000	6	11	0,44
De 38 000 à moins de 43 000	4	15	0,60
De 43 000 à moins de 48 000	3	18	0,72
De 48 000 à moins de 53 000	7	25	1,00

2.21 a) 5 ; 17

b)

Jours d'absence	Effectif	Effectif cumulé
De 0 à moins de 3	5	5
De 3 à moins de 6	12	17
De 6 à moins de 9	23	40
De 9 à moins de 12	8	48
De 12 à moins de 15	2	50

c)

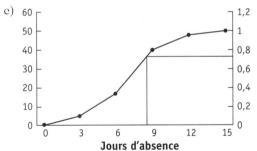

d) Environ 8,7 jours

2.23 Parmi toutes les sociétés comparées, Chauffage et climatisation Maxwell a enregistré les ventes les plus élevées pour le quatrième trimestre.

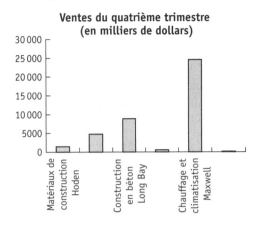

2.25

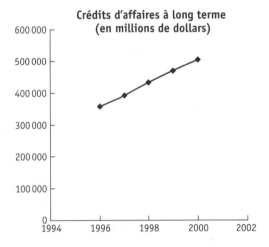

2.27

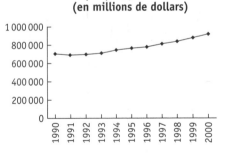

Le PIB le plus élevé au prix du marché est d'environ 920 000 $ et le plus bas, de 692 000 $.

2.29 Sept classes

2.31 a) 5 b) 7 c) 15

d)

Minutes	Effectif
De 15 à moins de 22	3
De 22 à moins de 29	8
De 29 à moins de 36	7
De 36 à moins de 43	5
De 43 à moins de 50	2
Total	25

e) La majorité des observations sont dans les classes de 22 à moins de 29 et de 29 à moins de 36.

2.33 a) 70 b) 1 c) 0; 145 d) 30, 30, 32, 39
e) 24 f) 21 g) 77,5 h) 25

2.35 a) 56 b) 10 c) 55 d) 18

2.37 a) 37 $ b) 40 $

c)

Dépenses (en dollars)	Effectif
De 80 à moins de 120	8
De 120 à moins de 160	19
De 160 à moins de 200	10
De 200 à moins de 240	6
De 240 à moins de 280	1
Total	44

d) La majorité des dépenses se situait dans la classe de 120 à moins de 160 $.

2.39 Voici le diagramme en bâtons, mais un diagramme à secteurs pourrait aussi convenir.

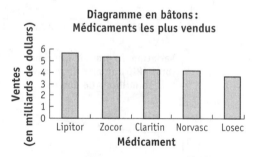

2.41 a) Diagramme arborescent : Notes
Diagramme arborescent des notes $N = 38$
Unité de la feuille = 1,0

```
 2   1 | 0 3
 4   2 | 1 8
 5   3 | 0
14   4 | 0 1 2 7 7 7 8 8 9
19   5 | 5 6 7 7 8
19   6 | 0 1 4 4
15   7 | 2 3 7
12   8 | 0 1 4 4 6 6 7 8 8
 3   9 | 5 5 9
```

b) Il y a deux sommets remarquables dans les 40 et 80.

2.43 a) Sept classes sont recommandées avec un intervalle de classe de 150.

b)

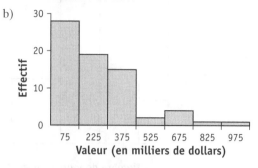

2.45

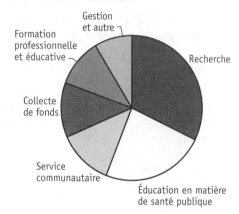

Plus de la moitié des sommes dépensées se concentre dans les catégories Recherche et Éducation en matière de santé publique.

2.47 a)

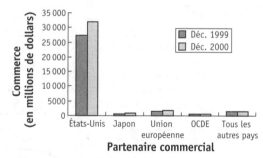

b) Les États-Unis ont été notre principal partenaire commercial en 2000.

2.49

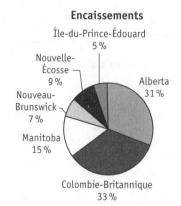

2.51

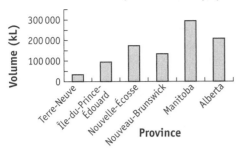

Volume de lait et de crème vendu par les fermes (kL)

2.53 La réponse dépend des dernières données figurant sur le site Web.

2.55 Diagramme arborescent : Montants hebdomadaires

Diagramme arborescent des montants hebdomadaires

$N = 45$

Unité de la feuille = 10

```
  1 | 0 4
  3 | 0 5 7
  6 | 1 0 1 2
 15 | 1 5 5 6 7 7 8 8 9 9
 21 | 2 0 2 3 3 4 4
(10) | 2 5 6 7 7 7 7 7 9 9 9
 14 | 3 0 0 1 2 2 2 3 3 4
  5 | 3 6
  4 | 4 2 3
  2 | 4 7
  1 | 5
  1 | 5 7
```

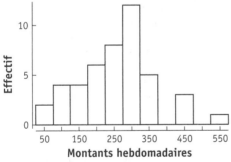

Le diagramme arborescent fournit plus d'information que l'histogramme pour le même ensemble de données. Dans celui-ci, on ne perd pas l'identité de chacune des valeurs. On connaît l'effectif de chaque nombre.

2.57 a)

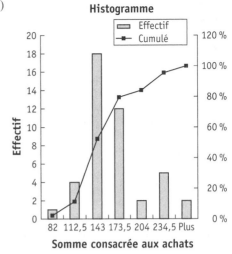

Histogramme

b) 52 % (approximativement)   c) 35

Chapitre 3

3.1 $\mu = 5,4$

3.3 a) Moyenne = 7,0

b) $(5 - 7) + (9 - 7) + (4 - 7) + (10 - 7) = 0$

3.5 14,58

3.7 a) 888,46 $ b) Statistique

3.9 a) Moyenne échantillonnale des dépenses en nourriture à Montréal : 5992 $; à Ottawa : 7226,60 $

b) Les moyennes sont des statistiques.

c) Montréal

3.11 22,91 $

3.13 23,58 $

3.15 a) Aucun mode

b) La valeur donnée serait le mode.

c) 3 et 4, bimodal

3.17 a) Médiane = 0,6   b) Les modes sont 0,2 et 0,6.

3.19 a) Médiane = 23   b) Mode = 22

3.21 11,18

3.23 12,16

3.25 Diminution annuelle moyenne en pourcentage = 8,8 %

3.27 a) Moyenne géométrique. Le bénéfice est en pourcentage.

b) MG = 15,13 %

3.29   Non. La moyenne calculée à partir de la distribution des données groupées en classes est approximative.

3.31   Moyenne de la distribution = 47,3

3.33   Moyenne d'âge des auditeurs = 44,8 ans

3.35   Médiane $= 10 + \dfrac{\frac{30}{2} - 9}{12}(5) = 12,5$; mode = 12,5

3.37   a) Médiane = 4888,89 $ b) Mode = 5000 $

3.39   Médiane = 52 500 $

3.41   a) Moyenne = 5 ; médiane = 5

        b) Moyenne d'une population   c) Oui

3.43   Moyenne = 34,06 ; médiane = 37,50

3.45   a) 4075,53 M$ b) 2786,5 M$

3.47   Moyenne = 8,28 $

3.49   Moyenne = 23,49 %

3.51   Médiane = 40 heures ; moyenne = 38 heures ; mode = 45 heures

3.53   a) Moyenne = 817,2 M$; médiane = 183 M$

        b) Dépenses les plus élevées = 8401 M$; dépenses les moins élevées = 91 M$.

3.55   a) MG = 12,57 %   b) $\bar{x}$ = 12,85 %   c) Oui

3.57   Pourcentage d'augmentation annuel moyen = 5,7 %

3.59   a) $\bar{x}$ = 1669,59 $

        b) Médiane des paiements = 1983,08 $

3.61   a) Moyenne = 4,2   b) Médiane = 3,69

3.63   a) Moyenne = 382,75 mm

        b) Médiane = 383,3 mm

        c) Mode = 387,5 mm

3.65   a) Moyenne = 125 306,45 ; médiane = 117 173,5 (moyenne des deux nombres du centre de l'ensemble de données ordonnées) ; aucune valeur modale.

        b) Pour la moitié des années observées, le nombre d'immigrants était supérieur à la médiane et pour l'autre moitié, il était inférieur.

        c) En 1995 (en supposant que vous deviez lire les données de gauche à droite et vers le bas).

3.67   Les réponses varieront.

3.69   a) Japon ; échelle nominale

        b) Moyenne = 93 881,6 M$; médiane = 8920,7 M$ (Excel)

        c) Médiane.
           À cause de certaines valeurs extrêmes, l'étendue des ventes est élevée (étendue = 101 243 M$).

        d) La distribution variera selon le regroupement en classes utilisé.

3.71   a) $\bar{x}$ = 78 ; médiane = 79,5 ; mode = 94 (Excel)

        b) Asymétrique à gauche

        c) Dans le test 1, la majorité des étudiants ont obtenu une note plus élevée que la moyenne. La limite supérieure de la note (100) n'est pas aussi éloignée de la moyenne que la note 0.

Chapitre 4

4.1   a) 7   b) 6   c) 2,4

        d) La différence entre la quantité vendue la plus élevée (10) et la quantité la moins élevée (3) est de 7. En moyenne, le nombre de lecteurs DVD vendus s'écarte de 2,4 de la moyenne de 6.

4.3   a) 51,32   b) 7,07   c) 11,20

        d) La différence entre 29,56 et −21,76 est de 51,32. En moyenne, les rendements sur une année des actions ordinaires s'écartent de 11,2 % de la moyenne de 7,1 %.

4.5   a) 6,7   b) 38,4   c) 1,51

        d) La différence entre 41,35 et 34,65 est de 6,7. En moyenne, le cours hebdomadaire des actions s'écarte de 1,51 $ du prix moyen des actions de 38,40 $.

4.7   a) 56 928 $ b) σ = 15 393,35 $

4.9   a) 2,77 $ b) 1,26

4.11   Étendue = 7,3 ; moyenne arithmétique = 6,94 ; variance = 6,59 ; écart type = 2,57

4.13   a) Variance = 5,5

        b) Variance = 5,5

        c) s = 2,35

4.15   a) Variance = 208,89

        b) Variance = 208,89

        c) s = 14,45

4.17   a) Variance = 4,67

        b) Variance = 4,67

        c) s = 2,16

4.19   a) 25   b) 5,33   c) 28,42

4.21 a) 821 millions de dollars

b) 209,42 millions de dollars

c) 43 858,25

4.23 69,1 %

4.25 a) 95 % b) 47,5 % c) 2,5 %

4.27 78,52 %

4.29 a) Nous sommes en présence de deux mesures différentes.

b) CV = 51,80 % ; 37,17 %

4.31 a) Moyenne = 11,58 ; médiane = 10,23 ; écart type = 5,45

b) 0,74 c) 0,65

d) Asymétrique à droite. La valeur de la moyenne est supérieure à la valeur de la médiane.

4.33 a) Moyenne = 21,93 ; médiane = 15,8 ; écart type = 21,18

b) 0,87

4.35 Médiane = 20 041 millions de dollars, Q_1 = 14 897,5 millions de dollars Q_3 = 29 653 millions de dollars

4.37 a) Q_1 = 33,25 ; Q_3 = 50,25

b) D_2 = 27,8 ; D_8 = 52,6

c) C_{67} = 47

4.39 a) Médiane = 300 ; Q_1 = 175 ; Q_3 = 875

b) $ÉIQ$ = 700

c) 1925 = 875 + (1,5)(700)

d) Asymétrique à droite

4.41

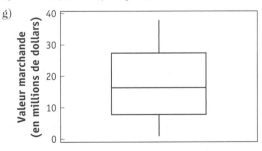

La distribution est asymétrique à droite.

4.43 Chaîne 1 et chaîne 3

4.45 Entre 103,2 et 104,8, que l'on obtient ainsi : 104 ± 2(0,4)

4.47 Q_1 = 103,9 ; Q_3 = 104,1

4.49 3,7 %

4.51 9

4.53 Asymétrique à gauche. La moyenne est inférieure à la médiane. La queue la plus longue est vers la gauche. Il y a très peu d'employés dans la partie inférieure de la distribution de l'âge, la plus forte concentration se trouvant entre la médiane et la partie supérieure.

4.55 a) 55 b) 43,2 c) 17,62

4.57 a) Population

b) Écart type de la population = 185,4. En moyenne, le nombre de livres que possèdent les bibliothèques s'écarte de la moyenne de 185 400.

c) CV = 60,95 %. Il permet de comparer deux groupes lorsqu'ils ont des moyennes ou des unités différentes.

4.59 a) 40 km. La différence entre la plus grande et la plus petite distance parcourue par les employés est de 40 km.

b) 10,01 km

4.61 a)

b) Asymétrique c) 4

d) $ÉIQ$ = 10,7 (15,77 – 5,07). L'écart interquartile mesure la variation de 50 % des observations centrales.

4.63 a) La médiane est d'environ ≈ 75 000 $, Q_1 ≈ 600 000 $ et Q_3 ≈ 950 000 $

b) Oui. Il existe des observations extrêmes à droite.

4.65 a) Entre 38,06 et 93,53 b) 28,10 %

c) Coefficient d'asymétrie de Pearson = –0,60 ; asymétrie négative ou asymétrie à gauche

4.67 a) Moyenne = 17,16 ; médiane = 16,35

b) Écart type = 10,58

c) Entre 0,44 et 33,88

d) Entre –4,0 et 38,3

e) CV = 61,66 % f) $\overline{SK}_1$ = 0,23

g)

h) La distribution est presque symétrique. La moyenne est de 17,16 ; la médiane, de 16,35 et l'écart type, de 10,58. Au plus, 75 % des entreprises ont une valeur marchande inférieure à 27,4 et, au plus, 25 % ont une valeur marchande inférieure à 7,825.

4.69   a) Moyenne = 72,12 $; médiane = 71,40 $
et écart type = 21,67

b) 45ᵉ centile = 64,76 $ 80ᵉ centile = 95,90 $

c)

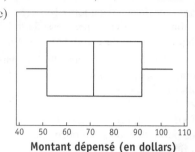

Montant dépensé (en dollars)

d) La distribution est presque symétrique. Au plus, 50 % des observations sont inférieures à 71,40 $ et, au plus, 50 % des observations lui sont supérieures.

4.71   a) Moyenne = 19 086 323 $
Médiane = 18 209 000 $
Q_1 = 15 267 000 $
Q_3 = 22 377 000 $

b) 0,41 ; oui

c) Aucune valeur extrême.

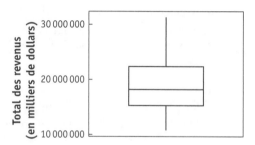

4.73   Les réponses dépendent des dernières données présentées sur le site Web.

4.75   Les réponses dépendent des dernières données présentées sur le site Web.

4.77   Les réponses dépendent des dernières données présentées sur le site Web.

Chapitre 5

5.1

Résultat	Résident 1	Résident 2
1	Oui	Oui
2	Oui	Non
3	Non	Oui
4	Non	Non

5.3   0,76

5.5   a) Empirique   b) Classique
c) Classique   d) Subjective

5.7   a) 0,25   b) 0,019   c) Classique

5.9   a) L'enquête sur 40 cadres choisis au hasard concernant les questions environnementales. L'ensemble fondamental est l'ensemble de toutes les suites de 40 réponses oui ou non possibles.

b) Événement 1 : *26 ou plus répondent oui* ;
Événement 2 : *10 ou moins répondent oui.*

c) Événement 1 : *26 ou plus répondent oui* ;
Événement 2 : *30 ou moins répondent oui.*

d) 0,25   e) Classique

5.11   a) 0,60   b) 0,40   c) Classique

5.13   a) 0,5152   b) 0,1364

5.15 $P(A$ ou $B)$ = 0,50 ; P(aucun) = 0,50

5.17   a) 0,80   b) 0,80

5.19   Les événements A et C, de même que les événements B et C, sont mutuellement exclusifs. Les événements B et C sont complémentaires.

5.21 $P(A$ ou $B)$ = 0,833

5.23   0

5.25   a) 0,65   b) Non : $P(A$ et $C)$ = 0,10.   c) Non

5.27   a) 0,90   b) 0,10   c) 0,30   d) 0,10   e) 0,40

5.29 $P(A$ et $B)$ = 0,12

5.31   0,625

5.33   0,265

5.35   a) Un tableau de contingence
b) 0,270   c) 0,668

5.37   Probabilité que la 1ʳᵉ présentation gagne = 0,60
Probabilité que la 2ᵉ présentation gagne = 0,30
Probabilité que la 3ᵉ présentation gagne = 0,10

5.39   0,4286

5.41   0,5645

5.43   0,1053

5.45   a) 78 960 960   b) 840   c) 10

5.47   142 506

5.49   120

5.51   76 904 685

5.53 a) {MM, MB, BM, BB} où M : mal géré et B : bien géré.

b) i) {MM, MB, BM},
ii) {BB},
iii) {MB, BM, BB}.
Non mutuellement exclusifs, mais collectivement exhaustifs.

5.55 Subjective.

5.57 3/6 ou 1/2 ; classique.

5.59 a) La probabilité qu'un événement se réalise, en supposant qu'un autre événement s'est déjà réalisé.

b) Un ensemble contenant un ou plusieurs résultats d'une expérience aléatoire.

c) Une mesure de la probabilité que deux événements ou plus se réalisent lors d'un même essai de l'expérience aléatoire.

5.61 a) 0,8145

b) Règle spéciale de multiplication

c) $P(A$ et B et C et $D) = P(A) \times P(B) \times P(C) \times P(D)$

5.63 a) 0,4056   b) 0,394

5.65 a) 0,27   b) 0,12   c) 0,39   d) 0,61

5.67 a) 0,000001   b) 0,970

5.69 a) 0,941   b) 0,000008

5.71 a) 0,0220   b) 0,6268

5.73 a) 0,3818   b) 0,6182

5.75 a) 0,404   b) 0,173   c) 0,115

5.77 0,0294

5.79 a) 0,35   b) 0,65

5.81 24

5.83 0,4545

5.85 Oui

5.87 21

5.89 0,9744

5.91 a) 0,1925   b) 0,0075

5.93 a) 0,4375 ; 0,1875   b) 0,3333   c) 0,8125

5.95 5005

5.97 a) 0,3008   b) 0,964

5.99 a) 495   b) 0,0020

5.101 a) 0,00525   b) 0,0952   c) 0,0498

5.103 La réponse dépend des dernières valeurs figurant sur le site Web.

5.105 a) 0,5926   b) 0,4074   c) 0,8661   d) 0,3280
e) 0,0794

Chapitre 6

6.1 Moyenne = 1,3 ; variance = 0,81

6.3 a) La deuxième.

b) 1) 0,20   2) 0,40   3) 0,90

c) $\mu = 14,5$; variance = 27,25 ; $\sigma = 5,22$

6.5 L'ensemble de quatre petites pilules :
l'écart type pour quatre pilules est 1 mg.

6.7 a) 0,6612   b) $\mu = 3,0402$

c) $\sigma^2 = 1,25$; $\sigma = 1,12$

6.9 a) $P(2) = 0,2109$ b) $P(3) = 0,0469$

6.11 a)

x	$P(x)$
0	0,064
1	0,288
2	0,432
3	0,216

b) Moyenne = 1,8 ; variance = 0,72 ;
écart type = 0,8485

6.13 a) 0,2824   b) 0,3765

c) 0,2301   d) $\mu = 1,2$; $\sigma = 1,04$

6.15 $P(10) = \dfrac{25!}{10!(25-10)!} 0,2^{10}(1-0,2)^{(25-10)}$
$= 0,0118$

6.17 a) $P(X \le 5) = P(X = 0) + P(X = 1) + \ldots + P(X = 5)$
$= 0,122 + 0,270 + 0,285 + 0,190 + 0,090$
$+ 0,032 = 0,989$

b) $P(X \ge 2) = 1 - [P(X = 0) + P(X = 1)]$
$= 1 - [0,122 + 0,270] = 0,608$

6.19 a) 0,0008   b) 0,315

6.21 a) $\mu = 10,5$ b) 0,2061

c) 0,4247   d) 0,5154

6.23 a) 0,6703 b) 0,3297

6.25 a) $P(3) = 0,0521$ b) $P(0) = 0,0009$

6.27 $P(X \geq 4) = 0,3528$

6.29 Une variable aléatoire est un résultat quantitatif qui provient d'une expérience aléatoire. Une distribution de probabilité comprend la liste des résultats (ou valeurs) possibles ainsi que la probabilité associée à chacun.

6.31 Les caractéristiques d'une expérience binomiale sont : 1) l'expérience se compose de n essais de Bernoulli ; 2) les deux résultats possibles de chaque essai sont généralement appelés succès (S) et échec (É) ; 3) le résultat de n'importe quel essai est indépendant du résultat de n'importe quel autre essai et 4) la probabilité de succès (p) reste la même d'un essai à l'autre.

6.33 $\mu = 2$; $\sigma = 1$

6.35 $\mu = 1,3$; $\sigma^2 = 1,8090$; $\sigma = 1,345$

6.37 a) 0,0015 b) 0,0016

6.39 Bénéfice espéré = 27 600 $

6.41 a) 0,8486 b) 0,1703 c) $30(0,15) = 4,5$

6.43 a) 0,3679 b) 0,2316 c) 1,35

6.45 a) 0,1311 b) 2,4 c) 0,2100

6.47 a)

0	0,0025
1	0,0207
2	0,0763
3	0,1665
4	0,2384
5	0,2340
6	0,1596
7	0,0746
8	0,0229
9	0,0042
10	0,0003

b) $\mu = 4,5$ et $\sigma = 1,5732$ c) 0,2384 d) 0,5044

6.49 a) 1,4 b) 0,2466

6.51 a) $P(X = 0) = 0,0025$ b) $0,9875 = (1 - 0,0025)^5$

6.53 $\mu = 4$, les réponses suivantes sont basées sur la table de Poisson.
a) 0,0183 b) 0,1954 c) 0,6289 d) 0,5665

6.55 a) 0,1086 b) 0,0061 c) 0,9939

6.57 $\mu = 8$
a) $P(X = 3) = 0,0286$
b) $P(X < 3) = P(X = 0) + P(X = 1) + P(X = 2)$
$= 0,0003 + 0,0027 + 0,0107 = 0,0137$
c) $P(X > 4) = 1 - [P(X < 3) + P(X = 3) + P(X = 4)]$
$= 1 - [0,0137 + 0,0286 + 0,0573]$
$= 1 - 0,0996$
$= 0,9004$

6.59 a) $\mu = 0,7$
b) $P(X = 3) = 0,0284$
c) $P(X \geq 1) = 0,5034$

6.61 La réponse dépend des dernières données figurant sur le site Web.

Chapitre 7

7.1 Elle doit être non négative. L'aire totale sous la courbe doit être égale à 1.

7.3 Pour chaque combinaison de valeurs de la moyenne et de l'écart type, on obtient une distribution normale différente ayant une forme différente.

7.5 a) 0,6062 b) 0,0674 c) 0,4345
d) 0,0262 e) 0,7939

7.7 a) 1,96 b) 1,645 c) 1,281

7.9 a) 0,6826 b) 0,9544 c) 0,9974

7.11 a) −0,88 et 0,84 b) 0,2995 c) 0,1894

7.13 a) 0,4332 b) 0,1915 c) 0,3085

7.15 a) Environ 0,4017
b) Environ 0,3606
c) Environ 0,2007

7.17 a) Environ 0,5210
b) Environ 0,0041
c) Environ 0,1259

7.19 a) 0,2038 b) 0,0062 c) 0,7888

7.21 Environ $80 - (0,842)(14) = 68,212$

7.23 Environ $3100 - (1,88)(250) = 2630$ $

7.25 a) Environ $(1000)(0,3174) = 317,4$
b) $360 - (1,736)(3) = 354,792$ ml
c) $\sigma_{nouveau}$ ne doit pas être supérieur à 2,34.

7.27 a) $\mu = 22$; $\sigma = 3,15$
b) Environ 0,2136
c) Environ 0,0196
d) Environ 0,858

7.29　a) $(50)(0,2) = 10$　b) Environ 0,1886
　　　c) 0,2981　d) Environ 0,1095

7.31　a) Environ 0,96
　　　b) Environ 0,6968
　　　c) Environ 0,6568

7.33　a) $-0,4$ et 2,9167
　　　b) 65,54 % et 0,18 % des fabricants ont, respectivement, des ventes nettes plus élevées et plus d'employés par comparaison avec la société Alpax.

7.35　a) 0,4088
　　　b) Environ 0,0912
　　　c) Environ 0,0899
　　　d) Environ 0,6293
　　　e) Environ $4,2 + (1,75)(0,6) = 5,25$

7.37　a) 0,5328　b) 0,3085　c) 0,6247
　　　d) 0,2857　e) $100 - (1,645)(20) = 67,1$ minutes

7.39　a) Environ 0,2659
　　　b) Environ 0,8640
　　　c) Environ 0,1991
　　　d) Environ $50\,000 + (0,842)(8000) = 56\,736$ \$

7.41　$4000 + (1,645)(60) = 4098,7$

7.43　a) Son revenu est supérieur à celui de 97,72 % des superviseurs.
　　　b) Seulement 2,28 % des superviseurs ont une durée de service inférieure à celle de Julien.
　　　c) Environ $48\,000 - 1,405(1200) = 46\,314$ \$

7.45　a) Environ 0,1534
　　　b) Environ 0,1747
　　　c) Les probabilités sont très faibles (probabilité presque nulle).

7.47　a) $\mu = 5$; $\sigma = 2,18$
　　　b) Le nombre total de bouteilles est 100, un nombre fixe. Chaque bouteille est défectueuse ou non ; chaque bouteille a la même probabilité $(= 0,05)$ d'être défectueuse et chaque bouteille défectueuse n'a aucun effet sur la probabilité qu'une autre bouteille le soit aussi. Ainsi, les essais sont indépendants les uns des autres.
　　　c) 0,1251　d) 0,1192　e) 0,0714　f) 0,0197

7.49　a) $\mu = 8$; $\sigma = 2,6833$
　　　b) Environ 0,1123
　　　c) Environ 0,9039

7.51　Environ 0,1611

7.53　a) Environ 0,3707　b) Presque 0
　　　c) 228　d) $3,10 + (1,282)(0,3) = 3,4846$

7.55　a) 0,3085
　　　b) Si μ augmente, la probabilité requise est 0,2266 ; si σ diminue, la probabilité requise est 0,1587. Ainsi, σ doit diminuer.

7.57　$\mu = 462\,624$; $\sigma = 29\,155$

7.59　Environ 0,0546

7.61　Environ 0,0631

7.63　Environ 0,9745

7.65　Environ 940 kg

7.67　$\mu = 3,363$; $\sigma = 5,077$

　　　En utilisant une approximation normale, on obtient une probabilité de 0,394 ; à partir des données réelles, on obtient une proportion de 0,448.

7.69　$\mu = 9,661$; $\sigma = 59,755$

　　　En utilisant une approximation normale, on obtient (avec Excel) une probabilité de 0,55 que le taux de rendement annuel des actions ordinaires d'une entreprise choisie au hasard dans la liste soit supérieur à 2 %.

　　　D'après les données réelles, la proportion des entreprises dont les actions ordinaires ont un rendement annuel de plus de 2 % est égale à $72/100 = 0,72$. Ainsi, dans ce cas, la distribution normale n'a pas produit une bonne approximation.

Chapitre 8

8.1　Voir la page 316 du manuel

8.3　a) $\mu = 13,5$; $\sigma = 1,6583$　b) 64
　　　c)

Moyenne d'échantillon $\bar{x}$	Nombre d'occurrences	Probabilité
12	4	0,25
13	4	0,25
14	5	0,3125
15	2	0,125
16	1	0,0625

　　　d) $\mu_{\bar{X}} = 13,5$; $\sigma_{\bar{X}} = 1,1726$
　　　e) Les valeurs de μ et de $\mu_{\bar{X}}$ sont les mêmes.
　　　f) $\sigma_{\bar{X}} = \dfrac{\sigma}{\sqrt{2}}$

8.5 a) $\mu = 4$; $\sigma = 1{,}581$

b)

Moyenne d'échantillon $\bar{x}$	Nombre d'occurrences	Probabilité
2	1	1/16 = 0,0625
2,5	2	2/16 = 0,125
3	1	1/16 = 0,0625
3,5	2	2/16 = 0,125
4	4	4/16 = 0,25
4,5	2	2/16 = 0,125
5	1	1/16 = 0,0625
5,5	2	2/16 = 0,125
6	1	1/16 = 0,0625

c) $\mu_{\bar{X}} = 4$; $\sigma_{\bar{X}} = 1{,}118$

d) Les valeurs de μ et de $\mu_{\bar{X}}$ sont les mêmes;

$$\sigma_{\bar{X}} = \frac{\sigma}{\sqrt{2}}$$

8.7 a) Il est raisonnable de conclure que l'affirmation n'est pas fondée.

b) Les données de l'échantillon ne permettent pas de douter de l'affirmation.

8.9 a) Approximativement de 0,0139

b) Approximativement de 0,0045

8.11 On conclut que les données de l'échantillon ne permettent pas de douter de l'affirmation.

8.13 Il est raisonnable de conclure que l'affirmation du gérant n'est pas fondée.

8.15 a) Approximativement de 0,3311

b) L'échantillon ne contredit pas le rapport de Statistique Canada. On n'a pas assez de preuves pour le remettre en question.

8.17 Consulter un annuaire téléphonique et choisir un échantillon aléatoire simple avec remise de 10 pages; choisir un numéro de téléphone dans chaque page sélectionnée en utilisant des nombres aléatoires.

8.19 1. La nature destructive du test. Tester la durée de vie d'une pile, par exemple.

2. Il est physiquement impossible de vérifier toutes les unités. Peser tous les poissons d'un lac, par exemple.

3. Le coût et le temps requis pour vérifier toutes les unités. Sonder l'opinion politique de tous les électeurs du Canada, par exemple.

8.21 Un échantillonnage aléatoire simple serait approprié. Il serait cependant plus pratique de faire un échantillonnage aléatoire systématique : choisir au hasard un tuyau parmi les 20 premiers tuyaux produits, par exemple, et sélectionner ensuite chaque 20ᵉ tuyau produit pour en mesurer le diamètre intérieur.

8.23 a) 048, 133, 224, 218, 217, 248, 195, 069, 186, 240.

b) 17, 42, 67, 92, 117, 142, 167, 192, 217, 242.

c) Puisque les passagers prennent place selon leur numéro de siège, un échantillonnage systématique permettrait d'avoir un échantillon uniformément réparti entre les numéros de siège. On pourrait également échantillonner seulement les sièges du côté des hublots ou ceux du côté du couloir.

d) i) Échantillonnage par grappes – les passagers assis dans une même rangée forment une grappe.

ii) Échantillonnage aléatoire stratifié – les passagers sont regroupés selon leur sexe, leur groupe d'âge ou la classe de leur billet.

8.25 a) $5^2 = 25$

b)

Moyenne d'échantillon $\bar{x}$	Nombre d'occurrences	Probabilité
2	1	0,04
2,5	4	0,16
3	4	0,16
3,5	4	0,16
4	8	0,32
5	4	0,16

c) $\mu = 3{,}6$; $\mu_{\bar{X}} = 3{,}6$; $\sigma = 1{,}2$; $\sigma_{\bar{X}} = 0{,}8485$; μ et $\mu_{\bar{X}}$ ont la même valeur; $\sigma_{\bar{X}} = \dfrac{\sigma}{\sqrt{2}}$

8.27 a) $6^4 = 1296$

b)

Moyenne d'échantillon $\bar{x}$	Nombre d'occurrences	Probabilité
48	1	0,0278
49	4	0,1111
50	8	0,2222
51	10	0,2778
52	8	0,2222
53	4	0,1111
54	1	0,0278

c) $\mu = 51$; $\mu_{\bar{X}} = 51$; $\sigma = 1{,}9149$; $\sigma_{\bar{X}} = 1{,}354$; μ et $\mu_{\bar{X}}$ ont la même valeur; $\sigma_{\bar{X}} = \dfrac{\sigma}{\sqrt{2}}$

8.29 a) Presque normale, avec une moyenne de 135 secondes et un écart type de $\dfrac{8}{\sqrt{40}}$ secondes.

b) $\dfrac{8}{\sqrt{40}} = 1{,}2649$

c) Approximativement 0,89 %

d) Approximativement 94,3 %

e) Approximativement 93,4 %

8.31 Approximativement 0,0066

8.33 a) Il serait raisonnable de conclure que l'affirmation n'est pas fondée.

b) $a = 1{,}396$

8.35 Approximativement 0,0379

8.37 a) Il serait plus simple physiquement d'utiliser l'échantillonnage par grappes.

b) On peut raisonnablement conclure que la taille moyenne des exploitations a diminué.

8.39 a) Frontier Airlines, Inc.; British Airways; Ryanair Holdings, Inc.; Amtran Inc.; Air Canada, Inc.; Midway Airlines Corp.

b) Les données varieront selon la date à laquelle vous consulterez le site Internet.

c) Les réponses varieront selon les données.

d) Alaska Air Group, Inc.; China Eastern Airlines; Frontier Airlines, Inc.; Lan Chile S.; Northwest Airlines Corp.; Trans World Airlines, Inc.

8.41 a) $\mu = 1871,9$; $\sigma = 652,5544$

b) On admet généralement qu'il y a eu un changement climatique dans la région de Halifax depuis les 40 dernières années. D'autre part, les distributions de chutes de neige des différents jours d'hiver ne semblent ni indépendantes ni identiques. Le théorème limite central ne s'applique donc pas exactement. Il se peut que la distribution finale ne soit pas normale.

c)

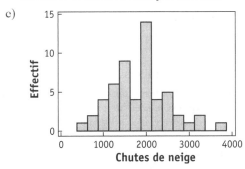

La forme de l'histogramme n'est pas exactement normale, mais elle ne s'en écarte pas trop non plus. Ce résultat ne contredit pas les prédictions faites en b).

d) $\mu_{\bar{X}} = 1871,9$; $\sigma_{\bar{X}} = 119,1396$; approximativement de 0,092

e) La réponse variera selon l'échantillon obtenu.

8.43 a) $\sigma = 5,076689$

b) La réponse variera selon l'échantillon choisi.

Chapitre 9

9.1 Voir la définition à la page 350 du manuel.

9.3 Voir la définition à la page 351 du manuel.

9.5 a) $\sigma/\sqrt{8}$; $\pm 1,645\sigma/\sqrt{8}$; $\bar{X} \pm 1,645\sigma/\sqrt{8}$

b) $\sigma/\sqrt{50}$; $\pm 2,24\sigma/\sqrt{50}$; $\bar{X} \pm 2,24\sigma/\sqrt{50}$

c) $\sigma/\sqrt{60}$; $\pm 2,575\sigma/\sqrt{60}$; $\bar{X} \pm 2,575\sigma/\sqrt{60}$

9.7 $26 \pm 1,645(6/\sqrt{16}) = (23,5325; 28,4675)$

9.9 a) 1,310   b) 3,707   c) −1,318
d) 1,356   e) −2,977

9.11 a) $\bar{x} \pm 2,201(s/\sqrt{12})$ b) $\bar{x} \pm 1,729(s/\sqrt{20})$
c) $\bar{x} \pm 3,499(s/\sqrt{8})$

9.13 $49,353 \pm (2,861)(9,013/\sqrt{20}) = (43,587; 55,119)$
L'analyse ne permet pas de douter que $\mu = 50$. On peut raisonnablement en déduire que la valeur de $\mu \neq 60$.

9.15 a) 21,9 œufs par mois
b) $21,9 \pm (2,539)(2,1/\sqrt{20}) = (20,708; 23,092)$
c) La population est distribuée normalement, mais son écart type est inconnu. Dans ce cas, $\frac{\bar{X}-\mu}{S/\sqrt{n}}$ a une distribution t de Student.
d) L'analyse ne permet pas de douter que $\mu = 22$. On peut raisonnablement en déduire que la valeur de $\mu \neq 24$.

9.17 a) $\hat{p} = 0,75$ b) 0,022
c) $0,75 \pm (2,575)(0,022) = (0,693; 0,807)$
d) La probabilité que la méthode utilisée en c) produise un intervalle qui contient la valeur réelle de p est de 99%. Il est donc raisonnable de penser que l'intervalle obtenu contiendra la valeur de p.

9.19 a) $\hat{p} = 0,05$
b) $0,05 \pm (1,96)(\sqrt{(0,05)(0,95)/300})$
$= (0,025; 0,075)$
c) La valeur 0,1 est bien au-dessus de la borne supérieure de l'intervalle $(0,025; 0,075)$. Il ne devrait donc pas retourner ce lot.

9.21 Une taille minimale de 60.

9.23 Une taille minimale approximative de 165.

9.25 Au moins 62 boîtes.

9.27 a) Une taille minimale approximative de 5683.
b) On peut diminuer la taille d'échantillon requise en obtenant une estimation préliminaire de la proportion à l'aide d'un échantillon témoin ou en se basant sur des études antérieures. On pourrait aussi augmenter la marge d'erreur tolérable ou abaisser le niveau de confiance.

9.29 $40 \pm 2,68\left(\dfrac{9}{\sqrt{49}}\right)\left(\sqrt{\dfrac{451}{499}}\right) = (36,724; 43,276)$

9.31 $0,6 \pm 1,96\left(\dfrac{\sqrt{(0,6)(0,4)}}{\sqrt{30}}\right)\left(\sqrt{\dfrac{270}{299}}\right)$
$= (0,433; 0,767).$

9.33 D'une taille minimale approximative de 2185.

9.35 a) 54   b) $54 \pm 2,01\left(\dfrac{10}{\sqrt{49}}\right) = (51,13 \, ; 56,87)$

9.37 La valeur approximative de n doit être d'au moins 97.

9.39 a) 1,01 kg

b) $1,01 \pm 2,031\left(\dfrac{0,02}{\sqrt{36}}\right) = (1,003 \, ; 1,017)$

9.41 a) $0,64 \pm 2,68\left(\dfrac{0,01}{\sqrt{50}}\right) = (0,636 \, ; 0,644)$

b) La valeur 0,63 n'est pas contenue dans l'intervalle déterminé en a). Il est donc raisonnable de conclure que la valeur de μ n'est pas 0,63.

9.43 a) $0,63 \pm 1,96\left(\sqrt{\dfrac{(0,63)(0,37)}{1000}}\right) = (0,6 \, , 0,66).$

b) L'intervalle en a) est tout juste au-dessus de 0,6 (si l'on calcule la borne inférieure de l'intervalle sans arrondir, on trouve 0,6000076). Il est donc raisonnable de conclure que cette affirmation n'est pas fondée.

9.45 $32\,000 \pm 1,69\left(\dfrac{8200}{\sqrt{36}}\right) = (29\,690,33 \, ; 34\,309,67)$

9.47 a) La valeur minimale de n doit être de 709.

b) Au moins 1068.

9.49 La valeur approximative de n doit être d'au moins 865.

9.51 a) $\bar{x} = 89,4667$. C'est une estimation ponctuelle de μ.

b) $89,4667 \pm 2,145\left(\dfrac{8,08}{\sqrt{15}}\right) = (84,99 \, ; 93,94)$

c) L'intervalle trouvé en b) ne contient que des valeurs supérieures à 80. Il est donc raisonnable de conclure que le niveau de stress moyen est alarmant.

9.53 $2,76 \pm 2,39\left(\dfrac{0,75}{\sqrt{60}}\right) = (2,53 \, ; 2,99)$

9.55 a) $\bar{x} = 2408,8$

b) $2408,8 \pm 2,262\left(\dfrac{304,4276}{\sqrt{10}}\right)$

$= (2191,04 \, ; 2626,56)$

9.57 a) $\bar{x} = 62,583$

b) $62,583 \pm 1,796\left(\dfrac{3,942}{\sqrt{12}}\right) = (60,539 \, ; 64,627)$

c) La somme de 60 \$ est contenue dans l'intervalle trouvé en b). Rien ne permet donc de mettre cette affirmation en doute.

9.59 $0,22 \pm 1,96\left(\sqrt{\dfrac{(0,22)(0,78)}{1001}}\right) = (0,194 \, ; 0,246)$

9.61 a) $0,54 \pm 1,96\left(\sqrt{\dfrac{(0,54)(0,46)}{1400}}\right) = (0,514 \, ; 0,566)$

b) Les valeurs contenues dans l'intervalle sont toutes supérieures à 0,5. On peut donc raisonnablement conclure qu'une majorité de Canadiens appuierait l'imposition d'un ticket modérateur.

9.63 Sélectionnez un échantillon de taille 10 ; calculez $\bar{x} \pm 2,262\left(\dfrac{s}{\sqrt{10}}\right)$. La réponse variera selon l'échantillon choisi.

9.65 a) $(227\,241,62 \, ; 241\,061,96)$

b) $(0,219 \, ; 0,424)$

c) $(3,33 \, ; 4,16)$

d) $(0,576 \, ; 0,817)$

9.67 a) $(9503,47 \, ; 10\,048,79)$

b) $(36,08 \, ; 40,32)$

c) $(16,43 \, ; 18,33)$

Chapitre 10

10.1 a) Bilatéral

b) On rejette H_0 si $z < -1,96$ ou si $z > 1,96$.

c) $-1,2$

d) On ne rejette pas H_0.

e) Seuil expérimental = 0,2302. On ne rejetterait H_0 que si le seuil de signification α du test était fixé à une valeur supérieure à 0,2302.

10.3 a) Unilatéral à droite

b) On rejette H_0 si $z > 1,645$.

c) 1,167

d) On ne rejette pas H_0.

e) Seuil expérimental = 0,1216. On ne rejetterait H_0 que si le seuil de signification α du test était fixé à une valeur supérieure à 0,1216.

10.5 a) $H_0 : \mu \geq 80\,000 \, ; H_1 : \mu < 80\,000$

b) On rejette H_0 si $z < -1,645$.

c) $z = -0,693$

d) On ne rejette pas H_0.

e) Seuil expérimental = 0,244. On ne rejetterait H_0 que si le seuil de signification α du test était fixé à une valeur supérieure à 0,244.

10.7 a) $H_0 : \mu = 6,0 \, ; H_1 : \mu \neq 6,0$

b) $\alpha = 0,05$

c) $Z = \dfrac{\bar{X} - 6}{0,5/\sqrt{n}}$

d) On rejette H_0 si $z < -1,96$ ou si $z > 1,96$.

e) i) La valeur de z est $-2,56$. Au seuil de signification spécifié, on rejette H_0.

ii) Seuil expérimental $= 2(0,5 - 0,4948) = 0,0104$. On rejetterait H_0 pour tout α supérieur à $0,0104$.

iii) $\beta = 0,6404$; $(1 - \beta) = 0,3596$

10.9 a) On rejette H_0 si $t > 1,833$.

b) $t = 2,108$

c) Au seuil de signification spécifié, on rejette H_0.

10.11 a) H_0: $\mu \geq 6,8$; H_1: $\mu < 6,8$

b) On rejette H_0 si $t < -1,69$.

c) $t = -7,2$

d) Au seuil de signification spécifié, on rejette H_0.

10.13 H_0: $\mu \leq 305$; H_1: $\mu > 305$; règle de décision pour un seuil de signification de $0,05$: rejeter H_0 si $t > 1,729$. $t = 2,236$; ainsi, au seuil de signification de $0,05$, on rejette H_0.

10.15 H_0: $\mu \geq 42,3$; H_1: $\mu < 42,3$; règle de décision: rejeter H_0 si $t < -1,319$. $t = -3,085$; au seuil de signification spécifié, on rejette H_0.

10.17 H_0: $\mu \leq 15$; H_1: $\mu > 15$; règle de décision: rejeter H_0 si $t > 1,725$. $t = 13,748$; au seuil de signification spécifié, on rejette H_0.

10.19 H_0: $\mu \leq 1,9$; H_1: $\mu > 1,9$; règle de décision: rejeter H_0 si $t > 2,821$. $\bar{x} = 1,934$; $s = 0,05$. $t = 2,15$; on ne rejette pas H_0. Le seuil expérimental est approximativement $0,03$.

10.21 H_0: $\mu \leq 4,0$; H_1: $\mu > 4,0$; règle de décision: rejeter H_0 si $t > 1,796$. $\bar{x} = 4,5$; $s = 2,68$. $t = 0,65$; on ne rejette pas H_0. Le seuil expérimental est approximativement $0,27$.

10.23 Règle de décision: rejeter H_0 si $z > 1,645$. $z = 1,09$; on ne rejette pas H_0.

10.25 H_0: $p \leq 0,52$; H_1: $p > 0,52$; règle de décision: rejeter H_0 si $z > 2,326$. $z = 1,62$; on ne rejette pas H_0.

10.27 H_0: $p \geq 0,90$; H_1: $p < 0,90$; règle de décision: rejeter H_0 si $z < -1,281$. $z = -2,67$; au seuil de signification spécifié, on rejette H_0.

10.29 H_0: $\mu \geq 5$; H_1: $\mu < 5$; règle de décision: rejeter H_0 si $t < -1,678$. $t = -2,176$; au seuil de signification spécifié, on rejette H_0. Le seuil expérimental est approximativement $0,017$.

10.31 H_0: $\mu \leq 90$; H_1: $\mu > 90$; règle de décision: rejeter H_0 si $t > 1,291$. $t = 1,818$; au seuil de signification spécifié, on rejette H_0.

10.33 H_0: $\mu \geq 3,1$; H_1: $\mu < 3,1$; règle de décision: rejeter H_0 si $t < -1,671$. $t = -0,968$; on ne rejette pas H_0. Le seuil expérimental est approximativement $0,17$.

10.35 a) H_0: $\mu \geq 25$; H_1: $\mu < 25$; règle de décision: rejeter H_0 si $z < -2,326$. $z = -1,1595$; on ne rejette pas H_0. On ne peut conclure que le poids moyen est inférieur à 25 kg.

b) La distribution de la population est approximativement normale, et σ est connu.

Ainsi, $\dfrac{(\bar{X} - 25)}{\sigma\sqrt{10}}$ est traité comme la statistique Z.

c) Seuil expérimental $= 0,123$

10.37 H_0: $\mu \geq 2,6$; H_1: $\mu < 2,6$; règle de décision: rejeter H_0 si $t < -1,895$. $\bar{x} = 2,488$; $s = 0,155$. $t = -2,044$; au seuil de signification spécifié, on rejette H_0.

10.39 H_0: $\mu = 4,8$; H_1: $\mu \neq 4,8$; règle de décision: rejeter H_0 si $t < -2,201$ ou si $t > 2,201$. $\bar{x} = 4,978$; $s = 0,374$. $t = 1,649$; on ne rejette pas H_0.

10.41 H_0: $\mu \geq 6,5$; H_1: $\mu < 6,5$; règle de décision: rejeter H_0 si $t < -2,718$. $\bar{x} = 5,1667$; $s = 3,1575$. $t = -1,463$; on ne rejette pas H_0.

10.43 H_0: $\mu = 0$; H_1: $\mu \neq 0$; règle de décision: rejeter H_0 si $t < -2,11$ ou si $t > 2,11$. $\bar{x} = -0,2322$; $s = 0,312$. $t = -3,158$; au seuil de signification spécifié, on rejette H_0. Le seuil expérimental est $0,0058$.

10.45 a) Les valeurs critiques sont $247,26$ et $252,74$.

b) $0,0875$ c) $0,438$

10.47 n doit être d'au moins 33.

10.49 H_0: $\mu \geq 8$; H_1: $\mu < 8$; règle de décision: rejeter H_0 si $t < -1,714$. $t = -0,77$; on ne rejette pas H_0.

10.51 H_0: $\mu \leq 367$; H_1: $\mu > 367$; règle de décision: rejeter H_0 si $t > 2,681$. $t = 3,421$; au seuil de signification spécifié, on rejette H_0. Le seuil expérimental est approximativement $0,0025$.

10.53 H_0: $p \leq 0,6$; H_1: $p > 0,6$; règle de décision: rejeter H_0 si $z > 2,326$. $z = 2,89$; au seuil de signification spécifié, on rejette H_0.

10.55 H_0: $p \leq 0,44$; H_1: $p > 0,44$; règle de décision: rejeter H_0 si $z > 1,645$. $z = 2,55$; au seuil de signification $0,05$, on rejette H_0.

10.57 H_0: $\mu \leq 1\,483\,949$; H_1: $\mu > 1\,483\,949$; règle de décision: rejeter H_0 si $t > 1,725$.

Sélectionnez un échantillon aléatoire de 20 joueurs, calculez $\bar{x}$, s et t. La conclusion du test et la valeur du seuil expérimental dépendent des salaires observés dans votre échantillon.

10.59 $H_0 : \mu = 18,6$; $H_1 : \mu \neq 18,6$

Selon la sortie de résultats de MegaStat, le seuil expérimental est 0,0021. Pour le seuil de signification spécifié (= 0,05), on rejette H_0.

Chapitre 11

11.1 $H_0 : \mu_1 = \mu_2$; $H_1 : \mu_1 \neq \mu_2$; $dl \approx 88$; règle de décision : on rejette H_0 si $t < -2,64$ ou si $t > 2,64$. $t = 2,59$; on *ne* peut rejeter H_0.

11.3 $H_0 : \mu_1 = \mu_2$; $H_1 : \mu_1 \neq \mu_2$; règle de décision : on rejette H_0 si $t > 2,12$ ou si $t < -2,12$. $t = -1,416$; on *ne* peut rejeter H_0.

11.5 $H_0 : \mu_1 \geq \mu_2$; $H_1 : \mu_1 < \mu_2$; $dl \approx 34$; règle de décision : on rejette H_0 si $t < -1,691$. $t = -0,581$; on *ne* peut rejeter H_0. Intervalle de confiance à 99 % = $(-1,14 ; 0,74)$.

11.7 $H_0 : \mu_1 = \mu_2$; $H_1 : \mu_1 \neq \mu_2$; $dl \approx 77$; règle de décision : on rejette H_0 si $t < -2,641$ ou si $t > 2,641$. $t = -2,66$; on peut rejeter H_0.

11.9 $H_0 : \mu_h \geq \mu_f$; $H_1 : \mu_h < \mu_f$; règle de décision : on rejette H_0 si $t < -2,624$. $t = -0,234$; on *ne* peut rejeter H_0.

11.11 $H_0 : \mu_D \leq 0$; $H_1 : \mu_D > 0$; règle de décision : on rejette H_0 si $t > 2,353$. $t = 7,35$; on peut rejeter H_0.

11.13 $H_0 : \mu_D \geq 0$; $H_1 : \mu_D < 0$; règle de décision : on rejette H_0 si $t < -2,764$. $t = -2,894$; on peut rejeter H_0. Intervalle de confiance à 95 % = $(0,795 ; 6,114)$.

11.15 $H_0 : \mu_D \geq 0$; $H_1 : \mu_D < 0$; règle de décision : on rejette H_0 si $t < -2,821$. $t = -0,885$; on *ne* peut rejeter H_0.

11.17 $H_0 : p_1 \leq p_2$; $H_1 : p_1 > p_2$; règle de décision : on rejette H_0 si $z > 1,645$. $z = 1,614$; on *ne* peut rejeter H_0. Intervalle de confiance à 98 % = $(-0,041 ; 0,241)$.

11.19 $H_0 : p_1 - p_2 \leq 0,02$; $H_1 : p_1 - p_2 > 0,02$; règle de décision : on rejette H_0 si $z > 1,645$. $z = 1,045$; on *ne* peut rejeter H_0.

11.21 $H_0 : p_c - p_m = 0$; $H_1 : p_c - p_m \neq 0$; règle de décision : on rejette H_0 si $z < -1,96$ ou si $z > 1,96$. $z = 1,745$; on *ne* peut rejeter H_0. Intervalle de confiance à 95 % = $(-0,0067 ; 0,1067)$.

11.23 $H_0 : \mu_1 = \mu_2$; $H_1 : \mu_1 \neq \mu_2$; $dl \approx 73$; règle de décision : on rejette H_0 si $t < -2,651$ ou si $t > 2,651$. $t = -2,839$; on peut rejeter H_0.

11.25 $H_0 : \mu_1 = \mu_2$; $H_1 : \mu_1 \neq \mu_2$; $dl \approx 21$; règle de décision : on rejette H_0 si $t < -2,08$ ou si $t > 2,08$. $t = 1,201$; on *ne* peut rejeter H_0.

11.27 $H_0 : \mu_1 = \mu_2$; $H_1 : \mu_1 \neq \mu_2$; $dl \approx 20$; règle de décision : on rejette H_0 si $t < -2,086$ ou si $t > 2,086$. $t = 0,8985$; on *ne* peut rejeter H_0.

11.29 $H_0 : \mu_1 = \mu_2$; $H_1 : \mu_1 \neq \mu_2$; règle de décision : on rejette H_0 si $t < -2,819$ ou si $t > 2,819$. $t = -2,376$; on *ne* peut rejeter H_0.

11.31 $H_0 : \mu_1 \leq \mu_2$; $H_1 : \mu_1 > \mu_2$; règle de décision : on rejette H_0 si $t > 2,65$. $t = 0,819$; on *ne* peut rejeter H_0.

11.33 $H_0 : \mu_D \leq 0$; $H_1 : \mu_D > 0$; règle de décision : on rejette H_0 si $t > 1,833$. $t = 0,321$; on *ne* peut rejeter H_0.

11.35 $H_0 : \mu_1 = \mu_2$; $H_1 : \mu_1 \neq \mu_2$; $dl \approx 126$; règle de décision : on rejette H_0 si $t < -1,979$ ou si $t > 1,979$. $t = -5,587$; on peut rejeter H_0.

11.37 $H_0 : \mu_D \leq 0$; $H_1 : \mu_D > 0$; règle de décision : on rejette H_0 si $t > 1,895$. $t = 3,02$; on peut rejeter H_0.

11.39 $H_0 : p_1 - p_2 \leq 0$; $H_1 : p_1 - p_2 > 0$; règle de décision : on rejette H_0 si $z > 1,645$. $z = 1,019$; on *ne* peut rejeter H_0.

11.41 $H_0 : p_1 - p_2 = 0$; $H_1 : p_1 - p_2 \neq 0$; règle de décision : on rejette H_0 si $z < -1,96$ ou si $z > 1,96$. $z = 1,636$; on *ne* peut rejeter H_0.

11.43 $H_0 : \mu_D = 0$, $H_1 : \mu_D \neq 0$; règle de décision : on rejette H_0 si $t < -2,262$ ou si $t > 2,262$; calculez $\bar{d}$, s_D , t et tirez la conclusion.

11.45 a) μ_1 = sans piscine ; μ_2 = avec piscine ; $H_0 : \mu_1 = \mu_2$; $H_1 : \mu_1 \neq \mu_2$.

Selon la sortie informatique, le seuil expérimental est égal à 0 (au niveau de précision considéré) ; on rejete H_0.

b) μ_1 = sans garage ; μ_2 = avec garage ; $H_0 : \mu_1 = \mu_2$; $H_1 : \mu_1 \neq \mu_2$.

Selon la sortie informatique, le seuil expérimental est égal à 0,055 ; on *ne* peut rejeter H_0.

11.47 μ_1 = moyenne pour 2000 ; μ_2 = moyenne pour 1999 ; $H_0 : \mu_1 \leq \mu_2$; $H_1 : \mu_1 > \mu_2$.

Selon la sortie informatique, le seuil expérimental est égal à 0,107 ; on *ne* peut rejeter H_0.

Chapitre 12

12.1 $H_0: \mu_1 = \mu_2 = \mu_3$; H_1: les moyennes de traitement ne sont pas toutes égales; règle de décision: rejeter H_0 si $F > 4,26$. $F = 21,94$; on rejette H_0.

12.3 $H_0: \mu_1 = \mu_2 = \mu_3$; H_1: les μ_j ne sont pas toutes égales; règle de décision: rejeter H_0 si $F > 4,26$. $F = 14,18$; on rejette H_0.

12.5 $H_0: \mu_1 = \mu_2 = \mu_3$; H_1: les moyennes de traitement ne sont pas toutes égales; règle de décision: rejeter H_0 si $F > 4,26$. $F = 50,96$; on rejette H_0.

Le test LSD de Fisher montre que l'intervalle de confiance à 95% pour $(\mu_1 - \mu_2)$ est $(5,275 ; 9,659)$. On peut conclure que les moyennes des traitements 1 et 2 sont différentes.

12.7 a) $H_0: \mu_1 = \mu_2 = \mu_3 = \mu_4$; H_1: les moyennes de traitement ne sont pas toutes égales; règle de décision: rejeter H_0 si $F > 3,71$. $F = 2,36$; on ne rejette pas H_0.

b) On ne doit pas effectuer le test de Tukey.

12.9 **Pour les traitements:** $H_0: \mu_1 = \mu_2$; $H_1: \mu_1 \neq \mu_2$; règle de décision: rejeter H_0 si $F > 18,5$. $F = 43,75$; on rejette H_0.

Pour les blocs: $H_0: b_1 = b_2 = b_3$; H_1: les moyennes des blocs ne sont pas toutes égales; règle de décision: rejeter H_0 si $F > 19,0$. $F = 8,14$; on ne rejette pas H_0.

12.11 **Pour les traitements:** $H_0: \mu_1 = \mu_2 = \mu_3$; H_1: les moyennes de traitement ne sont pas toutes égales; règle de décision: rejeter H_0 si $F > 4,46$. $F = 5,75$; on rejette H_0.

Pour les blocs: $H_0: b_1 = b_2 = b_3 = b_4 = b_5$; H_1: les moyennes des blocs ne sont pas toutes égales; règle de décision: rejeter H_0 si $F > 3,84$. $F = 1,55$; on ne rejette pas H_0.

12.13 $H_0: \mu_1 = \mu_2 = \mu_3 = \mu_4$; H_1: les moyennes de traitement ne sont pas toutes égales; règle de décision: rejeter H_0 si $F > 3,10$. $F = 1,667$; on ne rejette pas H_0.

12.15 $H_0: \mu_1 = \mu_2 = \mu_3$; H_1: les moyennes de traitement ne sont pas toutes égales; règle de décision: rejeter H_0 si $F > 3,89$. $F = 13,38$; on rejette H_0.

12.17 $H_0: \mu_1 = \mu_2 = \mu_3 = \mu_4$; H_1: les moyennes de traitements ne sont pas toutes égales; règle de décision: rejeter H_0 si $F > 3,10$. $F = 9,12$; on rejette H_0.

12.19 $H_0: \mu_1 = \mu_2$; $H_1: \mu_1 \neq \mu_2$

a) Règle de décision: rejeter H_0 si $F > 4,75$. $F = 23,097$; on rejette H_0.

b) Règle de décision: rejeter H_0 si $t < -2,179$ ou si $t > 2,179$. $t = -4,806$; on rejette H_0.

c) $(-4,806)^2 \approx 23,097$; $(-2,179)^2 \approx 4,75$. Les deux tests donnent le même résultat.

12.21 **Pour les couleurs:** $H_0: \mu_1 = \mu_2 = \mu_3 = \mu_4$; H_1: les moyennes ne sont pas toutes égales; règle de décision: rejeter H_0 si $F > 4,76$. $F = 5,88$; on rejette H_0.

Pour les tailles: $H_0: b_1 = b_2 = b_3$; H_1: les moyennes ne sont pas toutes égales; règle de décision: rejeter H_0 si $F > 5,14$. $F = 7,59$; on rejette H_0.

12.23 $H_0: \mu_1 = \mu_2 = \mu_3 = \mu_4$; H_1: les moyennes ne sont pas toutes égales; règle de décision: rejeter H_0 si $F > 3,49$. $F = 0,67$; on ne rejette pas H_0.

12.25 **Pour l'essence:** $H_0: \mu_1 = \mu_2 = \mu_3$; H_1: les moyennes de traitement ne sont pas toutes égales; rejeter H_0 si $F > 3,89$. $F = 17,10$; donc on rejette H_0.

Pour l'automobile: $H_0: b_1 = b_2 = ... = b_7$; H_1: le rendement moyen n'est pas le même pour toutes les automobiles; rejeter H_0 si $F > 3,00$. $F = 9,60$; on rejette H_0.

12.27 Les réponses varieront.

12.29 a) $H_0: \dfrac{\sigma_1^2}{\sigma_2^2} = 1$; $H_1: \dfrac{\sigma_1^2}{\sigma_2^2} \neq 1$; le seuil expérimental a^* est $0,984$; on *ne* peut rejeter H_0.

Pour b) et c), $H_0: \mu_1 = \mu_2 = \mu_3$; H_1: les μ_j ne sont pas toutes égales.

Pour b), $a^* = 0,039$; on peut rejeter H_0.

Pour c), $a^* = 0,231$; on *ne* peut rejeter H_0.

12.31 a) $H_0: \dfrac{\sigma_1^2}{\sigma_2^2} = 1$; $H_1: \dfrac{\sigma_1^2}{\sigma_2^2} \neq 1$ $a^* \approx 0,596$; on *ne* peut rejeter H_0.

b) $H_0: \dfrac{\sigma_1^2}{\sigma_2^2} = 1$; $H_1: \dfrac{\sigma_1^2}{\sigma_2^2} \neq 1$ $a^* \approx 0,967$; on *ne* peut rejeter H_0.

Chapitre 13

13.1 $s_{xy} = \dfrac{\sum (x - \bar{x})(y - \bar{y})}{n-1} = \dfrac{19,4}{4} = 4,85$

Les pourboires reçus par Marie et William ont une relation positive (linéaire).

13.3 a)

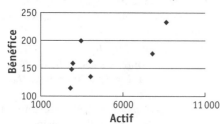

Relation entre le bénéfice et l'actif (en millions de dollars)

b) $r = 0,697737$

c) Oui, on s'attend à ce qu'il y ait une association positive entre l'actif et le bénéfice.

d) À cause : 1) d'un petit échantillon, 2) d'une relation non linéaire ou 3) des variables confusionnelles.

13.5 a)

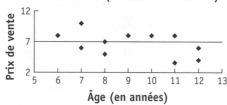

Relation entre l'âge et le prix de vente des voitures (en milliers de dollars)

$s_{xy} = -2,18182$

b) $r = -0,512$

c) Oui. Une voiture d'occasion plus vieille (âge plus élevé) risque d'entraîner un prix plus faible.

13.7 On rejette H_0 si $t > 1,812$; $dl = 10$.

$t = \dfrac{0,32\sqrt{12 - 2}}{\sqrt{1 - (0,32)^2}} = 1,07$

On ne rejette pas H_0. Il n'y a pas de relation significative.

13.9 $H_0 : \rho \le 0$; $H_1 : \rho > 0$
On rejette H_0 si $t > 2,552$; $dl = 18$.

$t = \dfrac{0,78\sqrt{20 - 2}}{\sqrt{1 - (0,78)^2}} = 5,288.$

On rejette H_0. Il y a une corrélation positive (supérieure à zéro) entre le nombre de litres vendus et le prix de l'essence à la pompe.

13.11 a) Bénéfice = 114,8 + 0,0112 actif

b) 170,8 millions de dollars

c) Le bénéfice et l'actif sont positivement (linéairement) liés. Une augmentation de 1 million de dollars de l'actif est lié, *en moyenne,* à un accroissement de 11,2 (en milliers de dollars) du bénéfice. La valeur de l'ordonnée à l'origine (bénéfice = 114,8 millions de dollars) de l'actif = 0 $ n'est pas interprétable.

13.13 a) Prix = 10,69 − 0,437 âge   b) 6320 $

c) Le prix de vente et l'âge ont une relation négative (linéaire). Une augmentation de une année d'âge est liée, *en moyenne,* à une diminution de 437 $ du prix de vente des voitures. La valeur de l'ordonnée à l'origine (= 10 690 $ pour l'âge = 0) n'est pas interprétable puisque les nouvelles voitures ne sont pas incluses dans l'étendue des observations.

13.15 a)

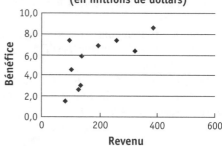

Relation entre le revenu X (en millions de dollars) et le bénéfice Y (en millions de dollars)

b) Bénéfice = 2,593872 + 0,015364 revenu. (En fonction de la relation linéaire entre le bénéfice et le revenu, une augmentation de un million de dollars du revenu entraîne, en moyenne, un accroissement du bénéfice de 15 364 $.)

c) Bénéfice estimé = 4,898472 millions de dollars.

13.17 a) $\hat{y} = 1,333 + 0,667x$

b) Kilowattheures estimés (en milliers) = 5,335

13.19 a) Tableau d'analyse de variance

Source	dl	SC	CM	F	Seuil expérimental F
Régression	1	4733,296	4733,296	5,692201	0,054334
Résiduel	6	4989,243	831,5405		
Total	7	9722,539			

b) Coefficient de détermination :

$$R^2 = \frac{\text{SCR}}{\text{SCT}} = \frac{4733,296}{9722,539} = 0,487$$

La variable indépendante, « actif » permet d'expliquer environ 48,7 % de la variable dépendante « bénéfice ».

c) Erreur type de l'estimation :

$$S_e = \sqrt{\frac{\text{SCE}}{n-2}} = \sqrt{\frac{4989,243}{6}} = 28,84$$

En moyenne, les valeurs réelles (observées) du bénéfice s'écartent du bénéfice estimé par la droite de régression d'environ 28,84 millions de dollars.

13.21 a) Tableau d'analyse de variance

Source	dl	SC	CM	F	Seuil expérimental F
Régression	1	10,48862	10,48862	3,544485	0,08913
Résiduel	10	29,59138	2,959138		
Total	11	40,08			

b) Coefficient de détermination :

$$R^2 = \frac{\text{SCR}}{\text{SCT}} = \frac{10,489}{40,08} = 0,262$$

La variable indépendante « âge » permet d'expliquer environ 26,2 % de la variable dépendante « prix ».

c) Erreur type de l'estimation :

$$S_e = \sqrt{\frac{\text{SCE}}{n-2}} = \sqrt{\frac{29,5914}{10}} = 1,72$$

En moyenne, les valeurs réelles (observées) du prix de vente des voitures s'écartent du prix estimé par la droite de régression d'environ 1720 $.

13.23 a) Tableau d'analyse de variance

Source	dl	SC	CM	F	Seuil expérimental F
Régression	1	23,05918	23,05918	6,519227	0,034001
Résiduel	8	28,29682	3,537103		
Total	9	51,356			

b) Coefficient de détermination :

$$R^2 = \frac{\text{SCR}}{\text{SCT}} = \frac{23,059}{51,356} = 0,449$$

La variable indépendante « revenu » permet d'expliquer environ 44,9 % de la variable dépendante « bénéfice ».

c) Erreur type de l'estimation :

$$S_e = \sqrt{\frac{\text{SCE}}{n-2}} = \sqrt{\frac{28,297}{8}} = 1,88$$

En moyenne, les valeurs réelles (observées) du bénéfice s'écartent du bénéfice estimé par la droite de régression d'environ 1,88 million de dollars.

13.25 a) $H_0 : \beta \leq 1$ et $H_1 : \beta > 1$

La valeur de $t = \dfrac{b-1}{S_b} = \dfrac{0,5115-1}{0,3525} = -1,39$

est supérieure à la valeur critique $t_{0,05(16)}$ ($-1,746$). On ne rejette donc pas H_0 à un seuil de signification de 5 %.

b) Il faut noter que dans ce chapitre, les résultats du test F sont équivalents aux résultats du test t du coefficient de la variable indépendante : $H_0 : \beta = 0$ par rapport à la contre-hypothèse $H_1 : \beta \neq 0$.

H_0 : L'explication fournie par le modèle n'est *pas* significative. H_1 : L'explication fournie par le modèle est significative. On rejette H_0 si la valeur de F est supérieure à la valeur critique de $F_{0,05(1,16)} = 4,49$.

Valeur de $F = \dfrac{\text{CMR}}{\text{CME}} = \dfrac{207,47}{98,50} = 2,11$.

H_0 n'est pas rejetée. Le modèle ne fournit pas d'explication significative pour la variation de la variable dépendante.

13.27 a) $H_0 : \beta = 0$ et $H_1 : \beta \neq 0$; On rejette H_0 si la valeur de la statistique t est supérieure (en valeur absolue) à $t_{0,05(8)} = 2,306$.

À partir de l'exercice 13.16, la valeur estimée de β est de 0,005160. Ainsi, la valeur de $t = \dfrac{b-0}{S_b} = \dfrac{0,00516-0}{0,003304} = 1,56$. On ne rejette donc pas H_0 à un seuil de signification de 5 %, et l'on conclut que le coefficient de la variable indépendante « actif » n'est *pas* différent de zéro.

b) Valeur critique de $F_{0,05(1,8)} = 5,32$. Valeur de $F = \dfrac{\text{CMR}}{\text{CME}} = \dfrac{16,663}{6,833} = 2,44$. On ne rejette pas H_0.

Le modèle ne fournit pas d'explication significative sur le plan statistique pour la variation de la variable dépendante.

c) Les conclusions tirées en a) et en b) sont les mêmes. $(1,56)^2 = 2,434$.

13.29 $H_0 : \rho \leq 0$; $H_1 : \rho > 0$; $n = 25$; $r = 0,94$; $t_{0,05(23)} = 1,714$.

On rejette H_0 si $t > 1,714$. $t = \dfrac{0,94\sqrt{25-2}}{\sqrt{1-(0,94)^2}} = 13,213$.

On rejette H_0. Il y a une corrélation positive entre le nombre de passagers et le poids total des bagages.

13.31 $H_0 : \rho \leq 0$; $H_1 : \rho > 0$; $n = 12$; $r = 0,47$; $t_{0,01(10)} = 2,764$. On rejette H_0 si $t > 2,764$.

$$t = \frac{0,47\sqrt{12-2}}{\sqrt{1-(0,47)^2}} = 1,684.$$

On ne rejette pas H_0. On *ne* peut affirmer l'existence d'une corrélation positive entre la puissance du moteur et la performance. Le seuil expérimental est plus grand que 0,05, mais inférieur à 0,10.

13.33 $H_0: \rho \geq 0; H_1: \rho < 0; n = 30; r = -0,45; t_{0,05(28)} = 1,701$.

On rejette H_0 si $t < -1,701$. $t = \dfrac{-0,45\sqrt{30-2}}{\sqrt{1-(-0,45)^2}} = -2,67$.

On rejette H_0. Il y a une corrélation négative entre le prix de vente et le nombre de kilomètres parcourus.

13.35 a) $r = 0,589$

b) $R^2 = 0,347$

c) $H_0: \rho \leq 0; H_1: \rho > 0; n = 10; t_{0,05(8)} = 1,86$. On rejette H_0 si $t > 1,86$.

$t = \dfrac{0,589\sqrt{10-2}}{\sqrt{1-(0,589)^2}} = 2,061$

H_0 est rejetée. Il y a une association positive entre la dimension de la famille et le montant consacré à la nourriture.

13.37 a) Il existe une relation inverse entre les variables. Alors que la durée de propriété augmente, le nombre d'heures d'exercice diminue.

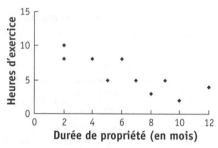

b) L'équation de régression est $\hat{y} = 9,94 - 0,637x$, où x est la durée de propriété (en mois) et y, le nombre d'heures d'exercice. En moyenne, le nombre d'heures d'exercice diminue de 0,637 heure pour chaque mois suivant l'achat de l'appareil.

	Coefficient	Erreur type	Statistique t	Seuil expérimental
Ordonnée à l'origine	9,939303	1,107151	8,97737	1,89E–05
Mois	–0,63682	0,153093	–4,15966	0,003167

c) Oui. La valeur de la statistique $t = -4,16$. La valeur critique de t pour un test unilatéral est $t_{0,01(dl=8)} = 2,896$. On rejette donc l'hypothèse H_0 d'association nulle, et l'on conclut en faveur d'une association négative.

13.39 a)

Source	dl	SC	CM	F
Régression	1	50	50	2,56
Erreur	23	450	19,57	
Total	24	500		

b) $n = 25$

c) $S_e = \sqrt{19,5652} = 4,4233$

d) $R^2 = 50/500 = 0,10$ ou 10%

13.41 Pour cet exercice, on fait les calculs à la main :

a) $\hat{y} = 11,2358 - 0,4667x$. En moyenne, une augmentation de un du nombre de soumissionnaires fait diminuer le montant de la soumission gagnante de 466 700 $.

b) $\hat{y} = 11,2358 - 0,4667(7,0) = 7,9689$

c) $R^2 = 0,499$. Le nombre de soumissionnaires permet d'expliquer presque 50 % de la variation dans le montant de la soumission gagnante.

13.43 a) Il semble y avoir une relation entre les deux variables. Alors que la distance de livraison augmente, le délai de livraison augmente aussi.

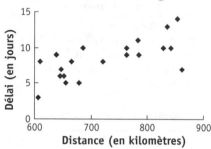

b) $r = 0,692$; $H_0: \rho \leq 0$; $H_1: \rho > 0$; $n = 20$; $t_{0,05(18)} = 1,734$. On rejette H_0 si $t > 1,734$.

$t = \dfrac{0,692\sqrt{20-2}}{\sqrt{1-(0,692)^2}} = 4,067$

H_0 est rejetée. Il y a une association positive entre la distance de livraison et le délai de livraison.

c) $R^2 = 0,479$. Presque la moitié de la variation dans le délai de livraison s'explique par la distance de livraison.

d) S_e

$= \sqrt{\dfrac{1550 - (-7,126)(168) - (0,0214)(125\,051)}{20-2}}$

$= 1,987$

13.45 a) L'équation de régression est la suivante : Prix par action = 26,8 + 2,41 dividende

Pour chaque augmentation de un dollar du dividende, le prix par action augmente en moyenne de 2,41 $.

b) $R^2 = 65,8\%$. En mots, la variable « dividende » permet d'expliquer 65,5 % de la variation dans le prix des actions.

c) Tableau d'analyse de variance

Source	dl	SC	CM	F	P
Régression	1	5049,5	5049,5	53,87	0,000
Erreur résiduelle	28	2624,4	93,7		
Total	29	7673,9			

13.47 Les réponses varieront selon les données recueillies.

13.49 a) La corrélation de Pearson des parties gagnées et des salaires = 0,498

$H_0: \rho \leq 0 \,; H_1: \rho > 0$

Au seuil de signification de 0,05, on rejette H_0 si $t > 1,701$.

$t = \dfrac{0,498\sqrt{30-2}}{\sqrt{1-(0,498)^2}} = 3,04.$ On rejette H_0.

La corrélation de la population est positive.

L'équation de régression est la suivante :
parties gagnées = 69,4 + 0,203 salaire.

La pente correspond au nombre de parties gagnées en plus (0,203), en moyenne, lorsque le salaire de l'équipe augmente de un million de dollars. Les victoires augmenteraient de 1,015 [qu'on trouve à l'aide de 0,203(5)] si l'on augmentait de cinq millions de dollars la masse salariale.

b) La corrélation entre les parties gagnées et la moyenne de points mérités est de –0,66, et la corrélation entre les parties gagnées et la moyenne au bâton est de 0,357. La moyenne de points mérités a une corrélation plus forte. Les valeurs critiques de t sont de –1,701 pour la moyenne de points mérités et de 1,701 pour la moyenne au bâton.

$t = \dfrac{-0,66\sqrt{30-2}}{\sqrt{1-(-0,66)^2}} = -4,65$

$t = \dfrac{0,357\sqrt{30-2}}{\sqrt{1-(-0,357)^2}} = 2,02$

Donc, les deux conclusions sont soutenues.

c) La corrélation entre les parties gagnées et l'assistance est de 0,591.

$H_0: \rho \leq 0\,; H_1: \rho > 0$

Au seuil de signification de 0,05, on rejette H_0 si $t > 1,701$.

$t = \dfrac{0,591\sqrt{30-2}}{\sqrt{1-(0,591)^2}} = 3,88.$

On rejette H_0. La corrélation de la population est positive.

13.51 a) L'équation de régression est la suivante :
bien-être = 82,24 + 0,198 revenu.

Une augmentation de l'indice du revenu de 1 unité fait augmenter l'indice du bien-être d'environ 0,2 unité. Alors qu'il existe une relation positive entre le revenu et le bien-être, le revenu explique uniquement 55 % (voir la valeur de R^2) de la variation du bien-être. Le reste de la variation peut dépendre de facteurs comme la richesse et les inégalités dans le revenu, la sécurité économique et sociale, la pauvreté, etc.

b) $H_0: \beta = 1$ par rapport à $H_1: \beta \neq 1\,; n = 27\,;$
$t_{0,05(25)} = 2,06.$ On rejette H_0 si $|t| > 2,06$.

$t = \dfrac{0,198-1}{0,0358} = -22,4.$ On rejette H_0.

c) Le niveau de bien-être pour l'indice du revenu égal à 130 se trouve ainsi :

$82,24 + 0,198\,(130) = 107,98.$

Une augmentation de l'indice du revenu de 100 (en 1971) à 130 serait accompagnée d'un accroissement de l'indice du bien-être à 107,98. Ainsi, une augmentation de 30 % du revenu peut faire augmenter le bien-être d'environ 8 % seulement. Cette valeur est différente de la vraie valeur (106,46 en 1981) à cause de facteurs autres que le revenu (qui pourraient être responsables du bien-être, mais qui ne sont pas inclus dans le modèle) et des erreurs dues au hasard.

Chapitre 14

14.1 a) Une équation de régression multiple

b) Une variable dépendante, quatre variables indépendantes

c) Un coefficient de régression partiel

d) 0,002

e) 105,014, qu'on trouve ainsi :
$\hat{y} = 11,6 + 0,4(6) + 0,286(280) + 0,112(97) + 0,002(35)$

14.3 a) 142 000, qu'on trouve ainsi :
$\hat{y} = 120\,000 - 21\,000(3) + 1,0(10\,000) + 1,5(50\,000)$

b) En supposant que les valeurs des autres variables demeurent constantes, l'ajout d'un compétiteur aurait pour effet, en moyenne, de réduire les ventes de 21 000 $. Interprétez les autres coefficients de la même manière.

c) Revenus de ventes estimés = 95 000 $.
Coût d'opération d'un restaurant
Pizza Délice = 95 000(0,65) = 61 750.
Bénéfice : 95 000 $ – 61 750 $ = 33 250 $, ce qui est de beaucoup supérieur au salaire de 10 000 $. Diane devrait suivre le conseil de son ami.

14.5 a)

Source	dl	SC	CM	F
Régression	3	7 500	2500	18
Erreur	18	2 500	138,89	
Total	21	10 000		

b) $H_0 : \beta_1 = \beta_2 = \beta_3 = 0$
$H_1 :$ Les β ne sont pas tous égaux à zéro.
$F_{0,05(3,18)} = 3,16$; on rejette H_0.

c)

Pour X_1	Pour X_2	Pour X_3
$H_0 : \beta_1 = 0$	$H_0 : \beta_2 = 0$	$H_0 : \beta_3 = 0$
$H_1 : \beta_1 \neq 0$	$H_1 : \beta_2 \neq 0$	$H_1 : \beta_3 \neq 0$
$t = -4,00$	$t = 1,50$	$t = -3,00$

On rejette H_0 si $t > 2,101$ ou $t < -2,101$.

En l'absence d'une justification théorique pour l'inclure, la variable X_2 peut être éliminée.

14.7 a) La valeur de R^2 ajusté (= 0,7716) indique que toutes les variables indépendantes considérées ensemble expliquent 77,16 % de la variation de la variable dépendante, après avoir fait un ajustement pour la perte de degrés de liberté due au nombre de coefficients estimés dans le modèle (quatre si l'on inclut l'ordonnée à l'origine).

b) $H_0 : \beta_1 = \beta_2 = \beta_3 = 0$
$H_1 :$ Au moins un des β_1, β_2 et $\beta_3 \neq 0$.

La valeur de la statistique de test pour l'échantillon est de $F = 14,648$. $F_{0,05(3,13)} = 3,41$; on rejette H_0.

c) La valeur critique pour un test d'hypothèse unilatéral au seuil de signification de 5 % ($dl = 13$) est de 1,771. On rejette H_0 si $t > 1,771$ ou $t < -1,771$, selon la direction de la contre-hypothèse.

$H_0 : \beta_1 = 0$	$H_0 : \beta_2 = 0$	$H_0 : \beta_3 = 0$
$H_1 : \beta_1 > 0$	$H_1 : \beta_2 < 0$	$H_1 : \beta_3 < 0$
$t = 6,25$	$t = -3,16$	$t = -2,04$

Toutes les variables sont statistiquement significatives au seuil de signification de 5 %.

d) $H_0 : \beta_2 = -1$; $H_1 : \beta_2 < -1$. La valeur de t de l'échantillon pour $H_0 : \beta_2 = -1$ est de : $[-0,9902 - (-1)]/0,313 = 0,031$. On ne rejette pas H_0 (au seuil de signification de 5 %).

14.9 a) $n = 40$ b) 4   c) $R^2 = 750/1250 = 0,60$

d) $S_e = \sqrt{500/35} = 3,7796$

e) $H_0 : \beta_1 = \beta_2 = \beta_3 = \beta_4 = 0$
$H_1 :$ Tous les β ne sont pas égaux à zéro.
$F_{0,05(4,35)} = 2,65$; on rejette H_0 si $F > 2,65$.
$$F = \frac{750/4}{500/35} = 13,125$$

On rejette H_0. Au moins un des β_i n'est pas égal à zéro.

14.11 a) $n = 26$ b) $R^2 = 100/140 = 0,7143$

c) 1,4142, qu'on trouve ainsi : $\sqrt{40/20}$

d) $H_0 : \beta_1 = \beta_2 = \beta_3 = \beta_4 = \beta_5 = 0$
$H_1 :$ Tous les β ne sont pas égaux à zéro.
$F_{0,05(5,20)} = 2,71$;
$$F = \frac{100/5}{40/20} = 10 \text{ ; on rejette } H_0.$$

e) $H_0 : \beta_i = 0$ et $H_1 : \beta_i \neq 0$. On rejette H_0 dans chaque cas si $t < -2,086$ ou $t > 2,086$. En l'absence d'une justification théorique pour les inclure, X_1 et X_5 peuvent être éliminées.

14.13 a) i) Le modèle nº 1 comporte les trois variables, mais les modèles nos 2 et 3 en ont seulement deux. Le modèle 2 affiche la plus grande valeur de R^2 ajusté, ce qui indique qu'une des variables (kilométrage) ne contribue pas du tout à l'explication dans le modèle 1. Toutefois, lorsqu'on fait la régression du prix sur le kilométrage (sans l'âge, modèle 3), le kilométrage permet d'expliquer la variation dans le prix, mais pas aussi bien que ne le fait la variable « âge » (modèle 2).

ii) Le signe positif du coefficient de la variable « kilométrage » ne concorde pas avec le signe prévu (négatif). On a un R^2 élevé, mais une statistique t très faible pour le coefficient du kilométrage. Même si le FIV n'est pas très élevé, on a une corrélation simple d'environ 0,8 entre les variables « kilométrage » et « âge ». Dans le modèle 3, puisque la variable « kilométrage » a le signe prévu, on peut conclure qu'un degré élevé de multicolinéarité entre les variables « âge » et « kilométrage » est responsable du signe erroné du coefficient de la variable « kilométrage » dans le modèle 1. En se basant sur l'explication donnée en i) et en ii), le chercheur peut supprimer la variable « kilométrage » dans le modèle 1.

iii) Le modèle 2 est un bon choix.

b) i) Modèle 2 : Les variables « âge » et « cabine allongée » permettent d'expliquer ensemble presque 88,5 % de la variation du prix. Le coefficient de l'âge indique que les camions se déprécient, en moyenne, de 1606 $ par année lorsque la variable « cabine allongée » demeure constante. De la même façon, si l'on garde constante la variable « âge », la variable « cabine allongée » entraîne, en moyenne, un supplément de prix de 3801,60 $.

ii) Les seuils expérimentaux du modèle, de même que chacun des coefficients (en se basant sur la statistique t) sont de zéro. On rejette donc l'hypothèse nulle pour le modèle et pour chaque coefficient, avec un seuil de signification de 1 %.

c) i) Toutes les observations sont comprises dans l'intervalle de prévision de 95 %, ce qui indique l'absence de toute valeur aberrante importante. Une droite de régression linéaire semble assurer une bonne qualité d'ajustement.

ii) Dans les diagrammes 4 et 5, les observations semblent plus étalées dans l'intervalle de prix moyen. Mais cela ne semble pas suffisant pour affirmer qu'il y a de l'hétéroscédasticité.

iii) Le diagramme 2 ne semble pas indiquer la présence d'autocorrélation. De plus, puisque la valeur de la statistique d pour l'échantillon (2,55) est plus petite que la valeur critique de $d = (4 - d_S) = 2,688$, on ne rejette pas l'hypothèse nulle d'autocorrélation *zéro*.

iv) Visuellement, d'après les diagrammes 1 et 3, il semble y avoir un léger écart par rapport à la normalité. Toutefois, cela ne semble pas être très important.

v) Si l'on considère tous les diagrammes, il ne semble pas y avoir de doutes concernant les conclusions.

14.15 a) i) Le modèle n° 1 comporte les trois variables, mais le modèle n° 2 n'inclut pas la variable indicatrice de récession. Toutefois, on a une plus grande valeur de R^2 ajusté dans le modèle 2 (59,2 % comparé à 56,5 %), ce qui indique que la variable « récession » ne contribue pas de manière significative à l'explication dans le modèle 1.

ii) Le coefficient du RPD (revenu personnel disponible) et celui du prix ont les signes prévus. Le signe positif du coefficient de la variable « récession » indique que les gens semblent consommer davantage de bière durant la récession, peut-être à cause des heures plus nombreuses passées à la maison (il y a moins de travail durant une récession) ! Les deux corrélations simples dans les variables indépendantes et le FIV ne donnent aucune indication de multicolinéarité dans les variables indépendantes.

iii) Oui. Il n'y a pas de raison théorique qui justifie l'inclusion de la variable indicatrice « récession » dans le modèle. Puisque la variable indicatrice n'est pas significative, le chercheur peut choisir le modèle 2.

b) i) Modèle 2 : Les variables « RPD » et « prix » permettent d'expliquer ensemble presque 59,2 % de la variation dans le volume. Le coefficient du RPD indique qu'une augmentation de 1000 $ dans le RPD entraîne une augmentation de la consommation de bière de 9,29 L (par adulte, par année), en moyenne, lorsque le prix de la bière demeure constant. De la même façon, si l'on garde constant le RPD, une augmentation de 1 $ du prix de la bière, en moyenne, entraîne une diminution de la consommation de 42,8 L (par adulte, par année).

ii) Les seuils expérimentaux du modèle (à partir de la statistique F) de même que chaque coefficient (à partir de la statistique t) sont égaux à zéro. On rejette donc l'hypothèse nulle pour le modèle, de même que pour chaque coefficient, avec un seuil de signification de 1 %.

14.17 Voici les résultats de l'analyse de régression sur l'ensemble de données :

1. L'équation de régression estimée est :

Prix = −1580 + 0,44 terrain + 10 148 chambres
(valeurs de t)   (2,13)   (1,31)

  − 613,7 âge + 66,2 surface habitable + 19 509 garage
     (1,03)   (3,4)   (2,15)

  + 20 266 A_1 + 21 620 A_2
     (1,81)   (1,79)

L'interprétation : Une augmentation de 1 pi^2 de la superficie du terrain entraîne en moyenne une augmentation de 44 ¢ dans le prix d'une maison, si l'on suppose que toutes les autres variables indépendantes (chambres, âge…) demeurent constantes. Une chambre à coucher additionnelle, en moyenne, augmente de 10 148 $ le prix d'une maison, si l'on suppose que toutes les autres variables indépendantes demeurent constantes. On interprète les autres coefficients de la même manière.

2. Tableau d'analyse de variance

Source	dl	SC	CM	F	Seuil expérimental
Régression	7	11 245 744 466	1 606 534 923	5,58	0,0048
Résidus	12	3 453 365 034	287 780 419		
Total	19	14 699 109 500			

3. La valeur de l'erreur type de l'estimation ($S_e = 16 964$) indique qu'*en moyenne,* le prix estimé des maisons s'écarte de près de 16 964 $ des prix réels. De façon empirique, on s'attend habituellement, pour une distribution symétrique, à ce que le prix réel d'environ 95 % des maisons soit compris dans l'intervalle $\hat{y} \pm 2(16\,964)$.

4. La valeur de R^2 est de 0,765, et celle de R^2 ajusté est de 0,628. La valeur de R^2 indique que 76,5 % de la variation de la variable dépendante de l'échantillon est expliquée par les variables indépendantes du modèle. La valeur de R^2 ajusté est différente de celle de R^2 parce qu'elle prend en compte la perte de degrés de liberté causée par le nombre de coefficients estimés avec la méthode des moindres carrés, et le chercheur est donc prévenu de ne pas attacher trop d'importance au R^2.

5. $H_0 : \beta_1 = \beta_2 = … = \beta_7 = 0$; H_1 : Au moins un des β n'est *pas* égal à zéro. Comme on le voit dans le tableau d'analyse de variance, le seuil expérimental de F est de 0,0048 (= 0,48 %), ce qui est inférieur au seuil de signification de 5 %. On rejette H_0 en faveur de H_1.

6. Si l'on se base sur les signes prévus de chacun des coefficients, les hypothèses nulles et contre-hypothèses sont les suivantes :

$$H_0: \beta_1 = 0, H_1: \beta_1 > 0 ; H_0: \beta_2 = 0, H_1: \beta_2 > 0 ;$$
$$H_0: \beta_3 = 0, H_1: \beta_3 < 0 ; H_0: \beta_4 = 0, H_1: \beta_4 > 0 ;$$
$$H_0: \beta_5 = 0, H_1: \beta_5 > 0 ; H_0: \beta_6 = 0, H_1: \beta_6 > 0 ;$$
$$H_0: \beta_7 = 0, H_1: \beta_7 > 0.$$

La valeur critique (absolue) de la statistique t pour un test d'hypothèse unilatéral, avec 12 degrés de liberté et un seuil de signification de 5 %, est de 1,782. Donc, si l'on utilise cette valeur critique de t, on doit rejeter l'hypothèse nulle si la valeur de t de l'échantillon est plus grande que 1,782 ou plus petite que −1,782, selon la direction de la contre-hypothèse. Tous les coefficients de régression sont statistiquement significatifs, sauf les coefficients de régression des variables « chambres » et « âge ».

7. Étant donné la valeur de R^2 et les renseignements donnés dans les autres parties de la question, on n'a pas de raison suffisante de douter de la bonne spécification du modèle.

8. D'après le diagramme des résidus, toutes les observations (sauf une) semblent se situer à l'intérieur d'un intervalle de deux fois l'erreur type.

9. Si l'on se base sur les corrélations simples, on ne voit pas de signe indiquant la présence de multicolinéarité. La plus grande valeur du coefficient de corrélation simple est de 0,487, entre les variables « chambres » et « terrain ».

10. Le diagramme des résidus ne semble montrer aucune autocorrélation. La statistique d de Durbin et Watson pour la régression (= 2,13) implique une valeur estimée d'autocorrélation de $1 - (1/2d) = 1 - 1,065 = -0,065$, ce qui est pratiquement négligeable.

11. Le diagramme du terme d'erreur au carré par rapport au prix prévu révèle que la variance augmente avec les maisons de prix élevé. En se basant sur le test quantitatif, on ne rejette pas l'hypothèse nulle d'homoscédasticité.

12. L'histogramme des résidus n'indique aucun écart important par rapport à la normalité.

13. En se basant sur ce qu'on a trouvé aux points 1 à 12, on croit que les valeurs estimées des paramètres et les conclusions sont raisonnablement fiables.

14. Rédigez un compte rendu descriptif en combinant toutes les caractéristiques mentionnées aux points 1 à 13.

14.19 Voici les résultats de l'analyse de régression sur l'ensemble des données :

1. L'équation de régression estimée est :

Profit = 965 + 2,87 employés
(valeurs de t)   (1,81)

+ 6,8 dividendes + 0,287 stock
(0,66)   (2,59)

L'interprétation : Une augmentation unitaire du nombre d'employés entraîne, en moyenne, une augmentation du bénéfice brut de 2,87 $, si l'on suppose que les dividendes et le stock demeurent constants. On interprète les autres coefficients de la même manière.

2. Le tableau d'analyse de variance montre la valeur de F de 14,90 avec un seuil expérimental de 0,000.

Tableau d'analyse de variance

Source	dl	SC	CM	F	Seuil expérimental
Régression	3	45 510 101	15 170 034	14,90	0,000
Erreur résiduelle	12	12 215 892	1 017 991		
Total	15	57 725 994			

3. La valeur de l'erreur type de l'estimation ($S_e = 1009$) indique qu'*en moyenne,* les profits bruts estimés des entreprises s'écartent de près de 1009 $ de leurs profits réels. De façon empirique, on s'attend habituellement, pour une distribution symétrique, à ce que les profits réels d'environ 95 % de toutes les entreprises se situent dans l'intervalle $\hat{y} \pm 2(1009)$.

4. La valeur de R^2 est de 78,8 % et celle de R^2 ajusté est de 73,5 %. (Voir la réponse de l'exercice 14.17, partie 4, pour de plus amples explications.)

5. $H_0: \beta_1 = \beta_2 = \beta_3 = 0 ; H_1$: Au moins un des β n'est *pas* égal à zéro. Comme on le voit dans le tableau d'analyse de variance, le seuil expérimental pour F est de 0,000, ce qui est inférieur au seuil de signification de 5 %. On rejette H_0 en faveur de H_1.

6. En se basant sur l'influence prévue de chaque variable indépendante, on écrit les hypothèses nulles et contre-hypothèses de cette façon :

$H_0: \beta_1 = 0, H_1: \beta_1 > 0 ; H_0: \beta_2 = 0, H_1: \beta_2 \neq 0 ;$

$H_0: \beta_3 = 0, H_1: \beta_3 \neq 0$. Pour une hypothèse unilatérale : $t_{0,05(12)} = 1,782$ et une hypothèse bilatérale : $t_{0,05(12)} = 2,179$. On rejette H_0 pour β_1 et β_3. On ne rejette pas H_0 pour β_2.

7. D'après l'information provenant des autres parties de cette question et selon la valeur de R^2 de 78,8 %, il n'y a pas de raison de douter de la bonne spécification du modèle.

8. D'après le diagramme des résidus par rapport au numéro des observations, toutes les observations semblent se situer à l'intérieur d'un intervalle de trois fois l'erreur type.

9. En se basant sur les corrélations simples, on ne détecte pas la présence de multicolinéarité. La plus grande valeur du coefficient de corrélation simple est de 0,699, entre les variables « employés » et « stock ».

10. Le diagramme des résidus par rapport au numéro des observations ne semble pas indiquer la présence d'autocorrélation. La statistique d de Durbin et Watson pour la régression (= 2,41) nous fait présumer une autocorrélation négative. Toutefois, le test n'est pas conclua...

11. Le diagramme ... rreur au carré par rapport au n... n plus grand étale-men... petits profits.

...'indique aucun ...nalité. Le dia-...i très proche ...l pas d'écart

...x points 1 ...u modèle ...nnerait
...u ...es des
pa
14. ...mbi-
nant ...ux
point...

14.21 1. L'éqi...
Rev...
(valeur...
+
− 0,...

L'interprétation
d'études est liée, e...
650 $, si l'on suppe...
indépendantes dem...
en moyenne, gagnen...
si l'on suppose que to...
pendantes demeurent...
d'une année, les gens ga...
moins, si l'on suppose qu...
indépendantes demeurer...
prête les autres coefficient...

2. Tableau d'analyse de var...

Source	dl	SC	CM		Seuil expérimental
Régression	5	19,89143	3,978287	11,38542	3,47E–05
Résidus	19	6,638967	0,349419		
Total	24	26,5304			

3. L'erreur type de l'estimation est égale à 0,591. Ce résultat indique qu'*en moyenne*, les valeurs observées de la variable dépendante « revenu » s'écartent de 591 $ du revenu estimé. En utilisant

la règle empirique pour une distribution symétrique, on s'attend à ce que les revenus familiaux (en milliers de dollars) d'environ 95 % des familles se situent dans l'intervalle $\hat{y} \pm 2(0{,}591)$.

4. La valeur de R^2 est de 0,75 et celle de R^2 ajusté est de 0,684. (Voir la réponse de l'exercice 14.17, partie 4, pour une interprétation plus poussée.)

5. $H_0: \beta_1 = \beta_2 = \beta_3 = \beta_4 = \beta_5 = 0$; H_1: Au moins un des β n'est *pas* égal à zéro. Comme on le voit dans le tableau d'analyse de variance, le seuil expérimental pour F avoisine 0,000, ce qui est très inférieur au seuil de signification de 5 % (0,05). On rejette H_0 en faveur de H_1.

6. En se basant sur l'influence prévue de chaque variable indépendante, on écrit ainsi les hypothèses nulles et les contre-hypothèses :

$H_0: \beta_1 = 0$, $H_1: \beta_1 > 0$; $H_0: \beta_2 = 0$, $H_1: \beta_2 > 0$; $H_0: \beta_3 = 0$, $H_1: \beta_3 \neq 0$; $H_0: \beta_4 = 0$, $H_1: \beta_4 \neq 0$; $H_0: \beta_5 = 0$, $H_1: \beta_5 > 0$. $t_{0,05(19)}$ (unilatéral) = 1,729 et $t_{0,05(19)}$ (bilatéral) = 2,093. On rejette H_0 pour β_1, β_2 et β_5. On ne rejette pas H_0 pour β_3 et β_4.

7. Comme les signes des coefficients « âge » et « hypothèque » vont à l'encontre de notre intuition et sont non significatifs, cela semble indiquer que ces variables sont non pertinentes et devraient être supprimées du modèle.

8. Il n'y a pas de valeurs aberrantes. Le diagramme des résidus (standardisés) par rapport aux valeurs ajustées indique que tous les résidus se situent à l'intérieur d'un intervalle de deux fois l'erreur type.

9. Il n'y a pas de signe de multicolinéarité.

10. Le diagramme des résidus par rapport au numéro des observations ne semble pas indiquer la présence d'autocorrélation. La valeur de la statistique d (= 2,18) indique une valeur d'autocorrélation d'à peine 0,09.

11. Le diagramme des résidus au carré par rapport aux valeurs ajustées n'indique pas la présence ...'hétéroscédasticité.

...'. L'histogramme des résidus ne révèle aucun ...rt sérieux par rapport à la normalité.

... Le modèle ne contredit aucune hypothèse, ...e s'il y a quelques variables non pertinentes.

...e nouvelle estimation de l'équation, après ...u supprimé la variable « hypothèque », donne une relation tout aussi satisfaisante. L'équation de régression est :

Revenu = 28,1 + 0,0281 valeur
(valeurs de t)   (6,17)
+ 0,659 scolarité
       (2,81)
− 0,0490 âge + 0,739 sexe
   (−1,6)   (3,1)
$S = 0{,}5777$ $R^2 = 74{,}8\%$
R^2 ajusté = 69,8 % $F = 14{,}87$ $d = 2{,}27$

14.23 1. L'équation de régression estimée est :

Salaire mensuel = 652 + 13,4 ancienneté
(valeurs de t)   (1,89)   (2,62)

– 6,71 âge + 206 sexe – 33,5 emploi
  (–1,06)   (2,28)   (–0,37)

L'interprétation : Une augmentation d'un mois d'ancienneté, en moyenne, est liée à une augmentation de 13,40 $ du salaire mensuel, si l'on suppose que toutes les autres variables indépendantes demeurent constantes. On interprète les autres coefficients de la même façon.

2. Tableau d'analyse de variance

Source	dl	SC	CM	F	Seuil expérimental
Régression	4	1 066 830	266 708	4,77	0,005
Erreur résiduelle	25	1 398 651	55 946		
Total	29	2 465 481			

3. L'erreur type de l'estimation est égale à 236,5. Ce résultat indique, *en moyenne,* que les valeurs observées de la variable dépendante « salaire mensuel » s'écartent de 236,50 $ du salaire estimé. En utilisant la règle empirique pour la distribution symétrique, on prévoit que le salaire mensuel réel d'environ 95 % des employés se situe dans l'intervalle $\hat{y} \pm 2(236,5)$.

4. La valeur de R^2 est de 0,433, et celle de R^2 ajusté est de 0,342. La valeur de R^2 indique que 43,3 % de la variation de la variable dépendante de l'échantillon est expliquée par les variables indépendantes du modèle. (Voir la réponse de l'exercice 14.17, partie 4, pour une interprétation plus poussée.)

5. $H_0 : \beta_1 = \beta_2 = \beta_3 = \beta_4 = 0$; H_1 : Au moins un des β n'est *pas* égal à zéro. Comme on le voit dans le tableau d'analyse de variance, le seuil expérimental pour F est de 0,005, ce qui est très inférieur au seuil de signification de 5 % (0,05). On rejette H_0 en faveur de H_1.

6. En se basant sur l'influence prévue de chaque variable indépendante sur la variable dépendante, on écrit ainsi les hypothèses nulles et les contre-hypothèses :

H_0: $\beta_1 = 0$, H_1: $\beta_1 > 0$; H_0: $\beta_2 = 0$, H_1: $\beta_2 > 0$; H_0: $\beta_3 = 0$, H_1: $\beta_3 > 0$; H_0: $\beta_4 = 0$, H_1: $\beta_4 \neq 0$. $t_{0,05(25)}$ (unilatéral) = 1,708 et $t_{0,05(25)}$ (bilatéral) = 2,06. On rejette H_0 pour β_1 et β_3. On ne rejette pas H_0 pour β_2 et β_4.

7. La valeur de R^2 est faible et ne donne pas une explication satisfaisante de la variation du salaire mensuel. On doit avoir un meilleur ensemble de variables. Le signe du coefficient « âge » contredit nos attentes. Cela est peut-être attribuable à la multicolinéarité entre les variables « âge » et « ancienneté » (voir le point 9 ci-dessous). La variable indicatrice « emploi » est nettement non significative. Les variables « âge » et « emploi » peuvent donc être rejetées.

8. Le diagramme des résidus et le résultat des observations inhabituelles montrent qu'il y a trois observations inhabituelles au-delà des limites $2S_e$, mais aucune au-delà des limites $3S_e$.

9. Le degré de multicolinéarité entre l'âge et l'ancienneté se situe au-delà des limites tolérables.

10. Le diagramme des résidus par rapport aux observations n'indique pas la présence d'autocorrélation. La valeur de la statistique d est très proche de 2 (= 2,03), ce qui indique également l'absence d'autocorrélation.

11. Le diagramme des résidus au carré par rapport aux valeurs ajustées ne donne pas d'éléments contre l'homoscédasticité.

12. Le diagramme normal et l'histogramme des résidus d'Excel ne montrent aucun écart sérieux par rapport à la normalité.

13. Le modèle ne contredit aucune hypothèse, bien qu'il y ait multicolinéarité entre les variables « âge » et « ancienneté », et que la contribution de la variable indicatrice « emploi » soit douteuse (et non significative). On devrait donc estimer de nouveau le modèle sans la variable « âge » et la variable « emploi ».

14. On estime de nouveau le modèle après avoir supprimé les variables « âge » et « emploi ».

L'équation de régression est :

Salaire mensuel = 784 + 9,02 ancienneté
(valeurs de t)   (2,48)   (2,90)

          + 2,24 sexe
            (2,57)

$R^2 = 40,5 \%$ R^2 ajusté = 36,1 %
Statistique d de Durbin et Watson = 2,09

Notre modèle est encore insatisfaisant, car il n'explique pas plus de 40,5 % de la variation de la variable dépendante « salaire mensuel ».

14.25 1. L'équation de régression estimée est :

Chômage chez les jeunes = –1,18 + 0,602 salaire
(valeurs de t)   minimum
                        (–0,96)   (3,92)

          + 1,38 chômage global + 0,280 T2
            (23,41)   (1,12)

          – 0,344 T3 – 0,124 T4
            (–1,32)   (–0,47)

L'interprétation : Une augmentation du salaire minimum de 1 $ augmente le taux de chômage chez les jeunes, en moyenne, de 0,6 %, si l'on suppose que toutes les autres variables indépendantes demeurent constantes. Le taux de chômage, en moyenne, est plus élevé (de 0,28 %) dans le second trimestre si on le compare au premier trimestre. On interprète les autres coefficients de la même manière.

2. Tableau d'analyse de variance

Source	dl	SC	CM	F	Seuil expérimental
Régression	5	523,00	104,60	138,90	0,000
Erreur résiduelle	94	70,79	0,75		
Total	99	593,79			

3. L'erreur type de l'estimation est égale à 0,8678. Cela indique qu'*en moyenne,* les valeurs observées de la variable dépendante « taux de chômage chez les jeunes » s'écartent de 0,8678 du taux estimé de chômage. En utilisant la règle empirique pour une distribution symétrique, on prévoit en moyenne que 95 % de toutes les valeurs réelles du taux de chômage chez les jeunes (en pourcentage) se situent dans l'intervalle $\hat{y} \pm 2(0,8678)$.

4. La valeur de R^2 est de 88,1 % et celle de R^2 ajusté est de 87,4 %. (Voir la réponse de l'exercice 14.17, partie 4, pour une interprétation plus poussée.)

5. H_0: $\beta_1 = \beta_2 = \beta_3 = \beta_4 = \beta_5 = 0$; H_1: Au moins un des β n'est *pas* égal à zéro. Comme on le voit dans le tableau d'analyse de variance, le seuil expérimental pour F est de 0,000, ce qui est très inférieur au seuil de signification de 5 %. On rejette H_0 en faveur de H_1.

6. En se basant sur les prévisions, on écrit ainsi les hypothèses nulles et les contre-hypothèses :

H_0: $\beta_1 = 0$, H_1: $\beta_1 > 0$; H_0: $\beta_2 = 0$, H_1: $\beta_2 > 0$; H_0: $\beta_3 = 0$, H_1: $\beta_3 > 0$; H_0: $\beta_4 = 0$, H_1: $\beta_4 \neq 0$; H_0: $\beta_5 = 0$, H_1: $\beta_5 \neq 0$.

La valeur critique de t pour un seuil de signification de 5 % et 94 *dl* pour un test unilatéral est approximativement de 1,66, et de 2,0 pour un test bilatéral. On rejette donc H_0 pour β_1 et β_2. On ne rejette pas H_0 pour les variables indicatrices trimestrielles.

7. Étant donné que $R^2 = 88,1\%$, le modèle général semble bien fonctionner, et les coefficients des variables principales « salaire minimum » et « taux de chômage global » ont les signes prévus et sont significatifs. Le diagramme ne montre aucun écart significatif par rapport à la linéarité.

8. Il y a quelques valeurs aberrantes, mais elles ne sont pas assez significatives pour exercer une influence indue sur la relation estimée.

9. Les corrélations entre les variables indépendantes sont suffisamment faibles (la plus forte étant de 0,35) pour qu'on n'ait pas à se préoccuper de la multicolinéarité.

10. Le diagramme des résidus par rapport aux numéros des observations semble montrer la présence d'autocorrélation. La statistique d de Durbin et Watson pour la régression (= 0,26) nous fait présumer une forte autocorrélation positive. Puisque la valeur critique de d_l pour 5 variables indépendantes et 100 observations est égale à 1,57 avec un seuil de signification de 5 %, on rejette l'hypothèse nulle d'absence d'autocorrélation positive.

11. Le diagramme du terme d'erreur au carré par rapport au taux prévu de chômage chez les jeunes montre une hétéroscédasticité, des variances plus grandes entre les taux de chômage de 10 % et de 15 %. En se basant sur un test quantitatif, on rejette l'hypothèse nulle d'homoscédasticité.

12. Le diagramme normal et l'histogramme des résidus ne montrent aucun écart significatif par rapport à la normalité. Par contre, en se basant sur le test JB (voir la section 15.5), on rejette l'hypothèse nulle de normalité.

13. Comme on l'a noté plus haut, plusieurs problèmes, y compris l'autocorrélation, l'hétéroscédasticité et la non-normalité semblent être présents dans le modèle.

14. Puisque l'autocorrélation semble représenter un problème sérieux dans cette régression, une régression en termes des premières différences de toutes les variables (où le préfixe D désigne les premières différences) donne des résultats satisfaisants.

D-Jeunes $= -0,145 + 2,08$ D-SM [salaire minimum]
(valeurs de t) $(-2,42)$ $(2,46)$

$+ 1,68$ D-CT [chômage global] $+ 0,743$ T2
$(28,25)$ $(5,5)$

$S = 0,4901$ $R^2 = 90,6\%$ R^2 ajusté $= 90,3\%$
Statistique d de Durbin et Watson $= 2,37$

Les résultats de la régression avec les premières différences semblent avoir permis de résoudre non seulement le problème d'autocorrélation, mais également ceux qui sont liés à l'hétéroscédasticité et à la non-normalité !

14.27 1. L'équation de régression estimée est :

Victoires $= 34,8 + 528$ moyenne au bâton
(valeurs de t) $(1,69)$ $(7,23)$

$- 0,0044$ buts volés $- 0,0178$ erreurs
$(-0,26)$ $(-0,40)$

$- 19,5$ ERA $- 4,47$ surface
$(-10,49)$ $(-2,47)$

L'interprétation : Pour chaque augmentation d'un « point » de la moyenne au bâton, le nombre de victoires augmente, en moyenne, de 0,528, qu'on trouve avec 528(0,001), si l'on garde toutes les autres variables indépendantes constantes. On interprète les autres coefficients de la même manière.

2. **Tableau d'analyse de variance**

Le tableau d'analyse de variance indique que $F = 33,68$ avec un seuil expérimental très proche de zéro. (Voir le tableau ci-dessous.)

Tableau d'analyse de variance

Source	dl	SC	CM	F	Seuil expérimental
Régression	5	2531,1683745	506,2336749	33,68	4,28E–10
Résidu	24	360,6982922	15,0290955		
Total	29	2891,8666667			

3. L'erreur type de l'estimation est égale à 3,877. Ce résultat indique qu'*en moyenne,* les valeurs observées de la variable dépendante « victoires » s'écartent de 3,877 du nombre de victoires réel. En utilisant la règle empirique pour une distribution symétrique, on prévoit qu'en moyenne 95 % des valeurs réelles de la variable « victoire » se situent dans l'intervalle $\hat{y} \pm 2(3,877)$.

4. La valeur de R^2 est de 87,5 % et celle de R^2 ajusté est de 84,9 %. La valeur de R^2 indique que 87,5 % de la variation de la variable dépendante « victoires » dans l'échantillon est expliquée par les variables indépendantes du modèle. (Voir la réponse de l'exercice 14.17, partie 4, pour une interprétation plus poussée.)

5. H_0: $\beta_1 = \beta_2 = \beta_3 = \beta_4 = \beta_5 = 0$; H_1: Au moins un des β n'est *pas* égal à zéro. Comme on le voit dans le tableau d'analyse de variance, le seuil expérimental pour F avoisine zéro. On rejette H_0 en faveur de H_1.

6. On écrit ainsi les hypothèses nulles et les contre-hypothèses :

H_0: $\beta_1 = 0$, H_1: $\beta_1 \neq 0$; H_0: $\beta_2 = 0$, H_1: $\beta_2 \neq 0$; H_0: $\beta_3 = 0$, H_1: $\beta_3 \neq 0$; H_0: $\beta_4 = 0$, H_1: $\beta_4 \neq 0$; H_0: $\beta_5 = 0$, H_1: $\beta_5 \neq 0$.

La valeur critique de t pour un seuil de signification de 5 % et 24 dl est de 2,064 pour un test bilatéral. On ne rejette donc pas H_0 pour β_2 et β_3.

7. Étant donné que $R^2 = 87{,}5\,\%$, le modèle général semble bien fonctionner, sauf en ce qui a trait aux variables « buts volés » et « erreurs ». Le diagramme ne montre aucun écart significatif par rapport à la linéarité.

8. Il n'y a pas de valeurs aberrantes (au-delà des limites $\pm 2S_e$) qui pourraient se révéler préoccupantes. (Voir le diagramme des résidus.)

9. Les corrélations entre les variables indépendantes sont suffisamment faibles (la plus forte étant de 0,361) pour éliminer toute préoccupation au sujet de la multicolinéarité.

10. Le diagramme des résidus par rapport aux numéros des observations ne semble pas montrer la présence suffisante d'autocorrélation. La statistique d de Durbin et Watson pour la régression ($= 1{,}91$) avoisine 2, et elle est plus grande que la valeur critique de $d_S = 1{,}83$ (avec un seuil de signification de 5 % et 30 observations) ; on ne rejette donc pas l'hypothèse nulle d'absence d'autocorrélation positive.

11. Le diagramme du terme d'erreur au carré par rapport aux valeurs prédites de victoires ne montre pas de signe d'hétéroscédasticité.

12. L'histogramme des résidus ne montre aucun écart significatif par rapport à la normalité.

13. Comme on l'a noté plus haut, les variables « buts volés » et « erreurs » ne sont pas significatives. En l'absence de justification théorique pour les inclure, on peut estimer de nouveau le modèle en supprimant ces variables, tel qu'on l'indique au point 14 ci-dessous.

14. Équation estimée de nouveau en excluant les variables « buts volés » et « erreurs » :

Victoires = 29,5 + 537 moyenne au bâton
(valeurs de t)   (1,76)   (7,93)
            − 19,48 ERA − 4,35 surface
            (−10,94)   (−2,51)

$R^2 = 0{,}874$ R^2 ajusté $= 0{,}86$

Statistique d de Durbin et Watson $= 1{,}88$

14.29   Les réponses varieront selon les données recueillies.

Chapitre 15

15.1   a) 3   b) 7,815

15.3   a) On rejette H_0 si $X^2 > 7{,}815$ ($dl = 3$, $\alpha = 5\,\%$).

b) $X^2 = \dfrac{(10-20)^2}{20} + \dfrac{(20-20)^2}{20} + \dfrac{(30-20)^2}{20}$
$+ \dfrac{(20-20)^2}{20} = 10{,}0$

c) On rejette H_0. Les effectifs espérés ne sont pas égaux dans toutes les catégories.

15.5 H_0: La probabilité est la même pour chaque face du dé.

H_1: La probabilité n'est pas la même pour chaque face du dé.

On rejette H_0 si $X^2 > 11{,}070$ ($dl = 5$, $\alpha = 5\,\%$).

$X^2 = \dfrac{(10-10)^2}{10} + \dfrac{(11-10)^2}{10}$
$+ \ldots + \dfrac{(13-10)^2}{10} = 2$

On ne rejette pas H_0. Le dé n'est pas truqué.

15.7 H_0: Il n'y a pas de différence entre les catégories.
H_1: Il y a une différence entre les catégories.
On rejette H_0 si $X^2 > 15{,}086$ ($dl = 5$, $\alpha = 1\,\%$).

$X^2 = \dfrac{(47-40)^2}{40} + \ldots + \dfrac{(34-40)^2}{40} = 3{,}400$

On ne rejette pas H_0. Il n'y a pas de différence entre les catégories.

15.9   a) On rejette H_0 si $X^2 > 9{,}210$ ($dl = 2$, $\alpha = 1\,\%$).

b) $X^2 = \dfrac{(30-24)^2}{24} + \dfrac{(20-24)^2}{24}$
$+ \dfrac{(10-12)^2}{12} = 2{,}50$

c) On ne rejette pas H_0.

15.11 H_0: Les proportions sont telles qu'elles sont indiquées.

H_1: Les proportions ne sont pas telles qu'elles sont indiquées.

On rejette H_0 si $X^2 > 11{,}345$ ($dl = 3$, $\alpha = 1\,\%$).

$X^2 = \dfrac{(50-25)^2}{25} + \dfrac{(100-75)^2}{75} + \dfrac{(190-125)^2}{125}$
$+ \dfrac{(160-275)^2}{275} = 115{,}22$

On rejette H_0. Les proportions ne sont pas telles qu'elles sont indiquées.

15.13 H_0: La distribution est normalement distribuée.

H_1: La distribution n'est pas normalement distribuée.

On rejette H_0 si $X^2 > 7{,}815$ ($dl = 3$, $\alpha = 5\,\%$).

Valeur calculée de $X^2 = 0{,}469$. On ne rejette pas H_0; la distribution est normale.

15.15 H_0: Il n'y a pas de relation entre le milieu de résidence et la section lue en premier.

H_1: Il y a une relation entre le milieu de résidence et la section lue en premier.

On rejette H_0 si $X^2 > 9{,}488$
$[dl = (3 - 1) \times (3 - 1) = 4$, $\alpha = 5\,\%]$.

$$X^2 = \frac{(170 - 157{,}50)^2}{157{,}50} + \ldots + \frac{(88 - 83{,}62)^2}{83{,}62}$$
$$= 7{,}340$$

On ne rejette pas H_0. Il n'y a pas de relation entre le milieu de résidence et la section lue en premier.

15.17 H_0: Il n'y a pas de relation entre le taux d'erreur et le type d'article.

H_1: Il y a une relation entre le taux d'erreur et le type d'article.

On rejette H_0 si $X^2 > 9{,}21$
$[dl = (3 - 1) \times (2 - 1) = 2$, $\alpha = 1\,\%]$.

$$X^2 = \frac{(20 - 14{,}1)^2}{14{,}1} + \frac{(10 - 15{,}9)^2}{15{,}9}$$
$$+ \ldots + \frac{(200 - 199{,}75)^2}{199{,}75} + \frac{(225 - 225{,}25)^2}{225{,}25}$$
$$= 8{,}033$$

On ne rejette pas H_0. Il n'y a pas de relation entre le taux d'erreur et le type d'article.

15.19 H_0: $\pi_{(\text{tout droit})} = 0{,}50$, $\pi_{(\text{à gauche})} = \pi_{(\text{à droite})} = 0{,}25$
H_1: La distribution n'est pas la même que pour H_0.
$dl = 2$; $\alpha = 10\,\%$; on rejette H_0 si $X^2 > 4{,}605$

Valeur calculée de $X^2 = 3{,}52$, ce qui est inférieur à la valeur critique de $4{,}605$. On ne rejette pas H_0. Les proportions sont telles qu'elles ont été données dans l'hypothèse nulle.

15.21 H_0: Les dés ne sont pas truqués.
H_1: Les dés sont truqués.
$dl = 10$; $\alpha = 5\,\%$; on rejette H_0 si $X^2 > 18{,}307$

Test d'ajustement: $P(x) = 0{,}3333$
(d'après la définition classique de la probabilité)

35,94	**khi-deux**
10	**_dl_**
0,0001	**seuil expérimental**

Test d'ajustement: $P(x) = 0{,}3377$
(d'après une définition de la probabilité de fréquence relative)

8,18	**khi-deux**
10	**_dl_**
0,6113	**seuil expérimental**

On rejette H_0 (seuil expérimental $= 0{,}0001$) avec la définition classique de la probabilité. On ne rejette pas H_0 (seuil expérimental $= 0{,}6113$) avec la définition de la probabilité de fréquence relative.

15.23 H_0: La distribution des commandes postales par province est la même que la distribution de la population.

H_1: L'hypothèse nulle n'est pas vraie.

On a regroupé les trois dernières provinces dans une même catégorie.

$dl = 10$; $\alpha = 1\,\%$; on rejette H_0 si $X^2 > 23{,}209$

La valeur calculée de $X^2 = 9{,}54$. On ne rejette pas H_0 (seuil expérimental $= 0{,}4820$).

15.25 H_0: $\pi_0 = 0{,}4$; $\pi_1 = 0{,}3$; $\pi_2 = 0{,}2$; $\pi_3 = 0{,}1$

H_1: Les proportions ne sont pas telles qu'elles ont été indiquées.

$dl = 3$; $\alpha = 5\,\%$; on rejette H_0 si $X^2 > 7{,}815$

La valeur calculée de $X^2 = 0{,}694$. On ne rejette pas H_0.

On n'a aucune preuve qu'il y a une variation dans la distribution des accidents.

15.27 a) H_0: La distribution est normale.

H_1: La distribution n'est pas normale.

On rejette H_0 si $X^2 > 4{,}605$
($dl = 5 - 1 - 2 = 2$; $\alpha = 10\,\%$).

$$\bar{X} = \frac{2430}{300} = 8{,}10 \qquad s = \sqrt{\frac{19\,994 - \dfrac{(2430)^2}{300}}{300 - 1}} = 1{,}02$$

Salaire	f_o	Aire	f_e	$(f_o - f_e)^2/f_e$
5,50 à 6,50	20	0,0582	17,46	0,370
6,50 à 7,50	54	0,2194	65,82	2,123
7,50 à 8,50	130	0,3741	112,23	2,814
8,50 à 9,50	68	0,2630	78,90	1,506
9,50 à 10,50	28	0,0853	25,59	0,227
	300			7,04

On rejette H_0. On ne peut conclure que la distribution est normale.

b) $$\text{JB} = n\left(\frac{S^2}{6} + \frac{K^2}{24}\right)$$
$$= 300\left(\frac{(-0{,}0492)^2}{6} + \frac{(-0{,}277)^2}{24}\right)$$
$$= 1{,}079$$

D'après le test de JB, on ne peut rejeter l'hypothèse nulle de normalité.

15.29 H_0: Le poste occupé et la préoccupation envers l'environnement ne sont pas liés.

H_1: Le poste occupé et la préoccupation envers l'environnement sont liés.

On rejette H_0 si $X^2 > 16,812$
$[dl = (4 - 1)(3 - 1) = 6 ; \alpha = 1\%]$.

$$X^2 = \frac{(15 - 14)^2}{14} + \dots + \frac{(31 - 28)^2}{28} = 1,550$$

On ne rejette pas H_0. Le poste occupé et la préoccupation envers l'environnement ne sont pas liés.

15.31 H_0: L'incidence des réclamations et l'âge ne sont pas liés.

H_1: L'incidence des réclamations et l'âge sont liés.

On rejette H_0 si $X^2 > 7,815$.

$$\chi^2 = \frac{(170 - 203,33)^2}{203,33} + \frac{(74 - 40,67)^2}{40,67}$$
$$+ \dots + \frac{(24 - 35,67)^2}{35,67} = 53,639$$

On rejette H_0. L'incidence des réclamations et l'âge sont liés.

15.33 Les réponses peuvent varier.

15.35 Test d'ajustement 1): 8 catégories: khi-deux = 49,01; $dl = 4$; seuil expérimental = 5,82E − 10

En combinant les deux premières et les deux dernières catégories en 1) ci-dessus:

Test d'ajustement 2): 5 catégories: khi-deux = 11,47; $dl = 2$; seuil expérimental = 0,0032

Les deux tests d'ajustement nous amènent à rejeter l'assertion de normalité.

Test de Jarque-Bera		
Asymétrie 1	Aplatissement 1	N1
0,762389	3,85110	100

JB = 71,49, ce qui est plus grand que 5,99; on rejette donc l'assertion de normalité au seuil de signification de 5%.

Le résultat obtenu avec MegaStat avec 8 catégories (5 dl) donne une valeur de khi-deux de 49,76 avec un seuil expérimental de 1,55E − 09 (proche de zéro).

Il faut noter que l'effectif espéré est le même (12,5) pour toutes les catégories, et que la valeur de khi-deux est de 49,76 avec un seuil expérimental qui avoisine zéro.

Dans cet exemple, tous les tests de normalité nous amènent donc à rejeter l'hypothèse nulle de normalité.

RÉPONSES

aux exercices impairs de révision

Révision des chapitres 1 à 4

1. a) Échantillon

   b) Échelle de rapports

   c) $\dfrac{9,5 + 9,00 + \ldots + 13}{5} = 58/5\,\$ = 11,60\,\$$

   d) 11,70 $. 50 % des employés gagnent moins de 11,70 $ de l'heure et 50 % des employés gagnent plus de 11,70 $ de l'heure.

   e) $s^2 = \dfrac{696,18 - \dfrac{(58)^2}{5}}{5-1} = 5,845$

   f) $\overline{SK}_1 = \dfrac{3(11,60 - 11,70)}{2,42} = -0,123$

   La distribution est légèrement asymétrique à gauche.

3. a)

Nombre de rouleaux	Effectif
3 à moins de 6	2
6 à moins de 9	6
9 à moins de 12	8
12 à moins de 15	3
15 à moins de 18	1

   b)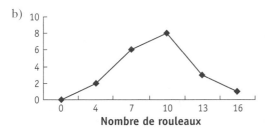

   c) $\bar{x} = \dfrac{186}{20} = 9,3$

   d) 9

   e) Il y a deux modes : 8 et 9.

   f) Étendue = 16 − 3 = 13

   g) $s^2 = \dfrac{1906 - \dfrac{(186)^2}{20}}{20-1} = 9,2736$

   h) $s = \sqrt{9,2736} = 3,05$

   i) De 3,2 à 15,4, que l'on obtient ainsi : 9,30 ± 2(3,05)

5. a) $\dfrac{\sum x_i}{n} = 44,1/5 = 8,82\,\%$

   b) $\sqrt[5]{5,2 * 8,7 * 3,9 * 6,8 * 19,5} = 7,48\,\%$

   c) La moyenne géométrique puisqu'il s'agit de taux de croissance en pourcentage.

7.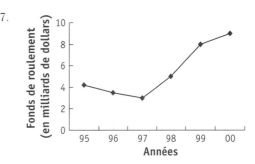

9. Ordinale

11. Polygone d'effectifs cumulées. Environ 45 ; environ 35 ; 10 ; 55 − 20 = 35.

13. $\dfrac{6}{64}(100) = 9,375\,\%$

15. Coefficient de variation.

17. 92 et 108, que l'on obtient ainsi : 100 ± 2(4)

19. a)

Montant déposé (en dollars)	Effectif	Fréquence
De 0 à moins de 40	3	0,06
De 40 à moins de 80	7	0,14
De 80 à moins de 120	7	0,14
De 120 à moins de 160	16	0,32
De 160 à moins de 200	6	0,12
De 200 à moins de 240	5	0,10
De 240 à moins de 280	3	0,06
De 280 à moins de 320	3	0,06
Total	50	1,00

   b) Voici la sortie de résultats et le diagramme en boîte obtenus à l'aide de Megastat :

Descriptive statistics	
count	50
mean	147,90
sample variance	4 793,68
sample standard deviation	69,24
minimum	14
maximum	299
range	285
1st quartile	107,75
median	148,50
3rd quartile	186,00
interquartile range	78,25
mode	52,00

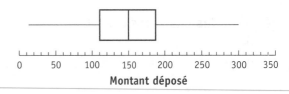

c) La valeur de la moyenne (147,90 $) est très près de celle de la médiane (148,50 $). La distribution est presque symétrique. Il n'y a pas de valeur extrême. L'étendue des dépôts est de 299 − 14 = 285,00 $. Selon la règle empirique, environ 95 % des dépôts se situent entre 147,90 ± 2(69,24) = 9,42 $ et 286,38 $.

21. a) **Diagramme arborescent : Notes**

$N = 54$

2	2	36
2	3	
4	4	47
10	5	478999
21	6	01123466669
(17)	7	01122233445556788
16	8	003556799
7	9	1111357

b) 17, entre 70 et 78 inclusivement.

c) À gauche.

23. a) **Diagramme arborescent : Âge**

$N = 30$

2	2	88
9	3	0023345
(8)	4	44455568
13	5	24566679
5	6	01334

b) 45,5, que l'on obtient ainsi : (45 + 46)/2

Révision des chapitres 5 à 7

1. Probabilité subjective.

3. Un résultat.

5. La règle du complémentaire : $P(X) = 1 − P(\sim X) = 0,999$

7. Discrète.

9. Discrète.

11. En forme de cloche, symétrique, asymptotique.

13. a) 20/200 = 0,10

   b) 145/200 = 0,725

   c) 1 − 15/200 = 0,925

15. a) D'après la table de Poisson avec $\mu = 4$ (voir Data Appendix 2, sur le disque) $P(X = 0) = 0,0183$

   b) $P(X \geq 1) = 1 − P(X = 0) = 1 − 0,0183 = 0,9817$

17. a) 379/1397 = 0,2713

   b) 188/1397 = 0,1346

   c) (230 + 307)/802 = 0,6696

19. (21 736)(0,06) + (34 000)(0,15) + (0)(0,79) = 6404,16

Révision des chapitres 8 et 9

1. b)

3. c)

5. a) et c)

7. a)

9. a), b), c)

11. Approximativement 0,277

13. (154,0475 ; 165,9525)

15. (890,49 ; 1080,51) (en milliers)

17. La valeur 250 est contenue dans l'intervalle de confiance à 95 % (221,3538 ; 258,6463). On ne peut donc pas conclure que la production a augmenté.

19. Au moins 151

21. Au moins 996

23. a) (0,62 ± 0,014) = (0,606 ; 0,634)

   b) On peut raisonnablement conclure que l'affirmation selon laquelle p est inférieur à 0,6 est incorrecte.

Révision des chapitres 10 à 12

1. e)

3. b)

5. b)

7. a)

9. c)

11. La valeur t expérimentale (= −0,759) est inférieure à la valeur critique (= −1,684). On peut conclure que le rebond moyen est inférieur à 90 cm.

13. La valeur t expérimentale (= 0,759) est comprise entre les valeurs critiques (= −2,947 et 2,947). On *ne* peut conclure que la force d'adhérence moyenne de la colle époxy est différente de celle de la colle Holdtite:

15. **Tableau d'analyse de variance**

Source de variation	Somme des carrés	Degrés de liberté	Carré moyen	F
Facteur	20,74	3	6,91	1,04
Erreur	100,00	15	6,67	
Total	120,74	18		

1,04 est inférieur à la valeur critique (= 3,29). On *ne* peut conclure que les ventes moyennes ne sont pas les mêmes. Le choix de l'emplacement ne semble pas influer sur les moyennes.

Révision des chapitres 13 et 14

1. Le coefficient de détermination.

3. $H_0: \rho \leq 0$; $H_1: \rho > 0$. La valeur critique de t est de 1,671 ; valeur calculée de $t = 3,324$. H_0 est rejetée. Il y a corrélation positive.

5. Le coefficient de régression simple permet d'obtenir la réponse totale de la variable dépendante attribuable à une variation unitaire de la variable indépendante. Le coefficient de régression partiel permet d'obtenir la réponse (partielle) de la variable dépendante attribuable à une variation unitaire d'une variable indépendante, si l'on suppose que toutes les autres variables indépendantes (dans le modèle de régression) demeurent constantes.

7. $\hat{y} = a + b_1 x_1 + b_2 x_2 + b_3 x_3 + b_4 x_4$.

9. Environ 86 % de la variation du bénéfice net est expliquée par les quatre variables.

11. a)

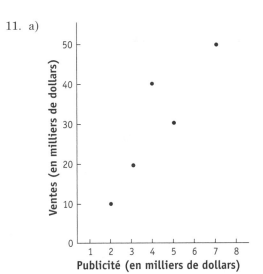

b) $r = \dfrac{5(740) - 21(150)}{\sqrt{[5(103) - (21)^2][5(5500) - (150)^2]}}$

c) $r^2 = (0,9042)^2 = 0,8176$

d) $b = \dfrac{5(740) - 21(150)}{5(103) - (21)^2} = \dfrac{550}{74} = 7,4324$

   $a = \dfrac{150}{5} - (7,4324)\left(\dfrac{21}{5}\right) = -1,2161$

   $\hat{y} = -1,2161 + 7,4324x$

e) $\hat{y} = -1,2161 + 7,4324(4,5) = 32,23\ \$$
   (en milliers de dollars)

f) Il y a une forte association positive entre le montant dépensé en publicité et les ventes mensuelles. Pour chaque 1000 $ dépensé en publicité, les ventes augmentent de 7432,40 $.